Stratégique

8e édition

Stratégique

8ᵉ édition

GERRY JOHNSON

KEVAN SCHOLES

RICHARD WHITTINGTON

FRÉDÉRIC FRÉRY

www.strategique.biz

PEARSON
Education

Le présent ouvrage est la traduction adaptée de EXPLORING CORPORATE STRA-
TEGY 08 Edition, publié par Financial Times/Prentice Hall, Copyright © Simon &
Schuster Europe Limited 1998, Pearson Education Limited 2002, 2008.
This translation of EXPLORING CORPORATE STRATEGY 08 Edition is published
by arrangement with Pearson Education Limited, United Kingdom.

Mise en page : FAB Orléans

Publié par Pearson Education France
47 bis, rue des Vinaigriers
75010 Paris
Tél. : 01 72 74 90 00

ISBN : 978-2-7440-7276-5
© 2008 Pearson Education France

Sommaire

Partie 3

Le déploiement stratégique

Table des matières

4 L'intention stratégique   **161**

Partie 2
Les choix stratégiques

Partie 3
Le déploiement stratégique

11 Les processus stratégiques 479

12 Stratégie et organisation 515

13 Les leviers stratégiques 563

Liste des illustrations

Liste des schémas

Crédits photographiques

Electolux, p. 27 ; Jurassic Toys, p. 107 ; eBay, p. 155 ; Nature & Découvertes, p. 206 ; Palm Treo 750, p. 303 ; Virgin, p. 352 ; Lenovo, p. 386 ; Carrefour, p. 463 ; Intel, p. 509 ; Micro Mobility System, p. 556 ; Superstock, p. 604 ; Associated Press, p. 690 ; Shutterstock, p. XXX, p. 60, p. 112, p. 160, p. 212, p. 246, p. 262, p. 312, p. 358, p. 390, p. 422, p. 428, p. 478, p. 514, p. 562, p. 610, p. 656.

Stratégique : mode d'emploi

Au début de chacune des trois parties, des **pages d'ouverture** présentent brièvement les questions traitées, avec le diagramme correspondant.

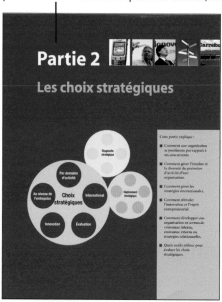

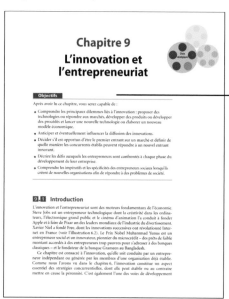

Au début de chacun des quinze chapitres, les **objectifs** présentent ce que vous devrez avoir assimilé à l'issue de la lecture.

Les **illustrations** sont des mini cas agrémentés de questions qui mettent les concepts en pratique.
À la fin de chaque chapitre, un **débat** expose une question controversée.

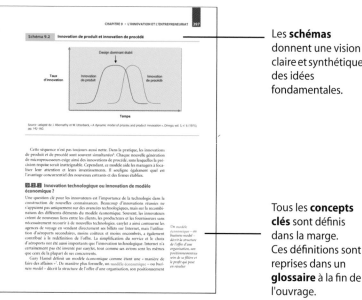

Les **schémas** donnent une vision claire et synthétique des idées fondamentales.

Tous les **concepts clés** sont définis dans la marge. Ces définitions sont reprises dans un **glossaire** à la fin de l'ouvrage.

À la fin de chaque chapitre, un **résumé** synthétise les idées essentielles.

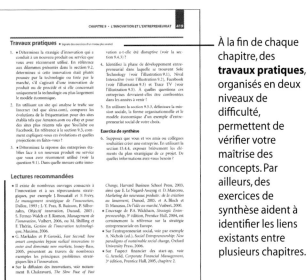

À la fin de chaque chapitre, des **travaux pratiques**, organisés en deux niveaux de difficulté, permettent de vérifier votre maîtrise des concepts. Par ailleurs, des exercices de synthèse aident à identifier les liens existants entre plusieurs chapitres.

À la fin de chaque chapitre, des **lectures recommandées** permettent d'approfondir votre connaissance des concepts clés. Une **bibliographie francophone** figure à la fin de l'ouvrage.

À la fin de chaque chapitre, un **cas** de quelques pages permet de consolider votre maîtrise des principaux thèmes.

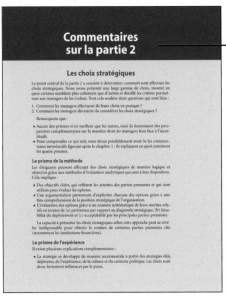

À la fin de chaque partie, des **commentaires** soulignent les liens entre les concepts étudiés et les interprètent selon plusieurs perspectives.

Pour aller plus loin, vous trouverez sur **www.strategique.biz** de nombreux compléments pédagogiques à *Stratégique*.

Préface

Cette nouvelle édition de *Stratégique* est l'adaptation française de la huitième édition de *Exploring Corporate Strategy*, l'ouvrage de management stratégique le plus vendu en Europe, avec plus de 800 000 exemplaires diffusés dans le monde depuis la première édition (1984). De son côté, *Stratégique* est désormais le manuel de stratégie le plus utilisé dans le monde francophone. Nous savons donc que nous comptons beaucoup de lecteurs fidèles. Pour autant, le champ de la stratégie est en perpétuelle évolution. Pour cette nouvelle édition, nous avons donc consulté nos lecteurs afin d'introduire un certain nombre de nouveautés, tout en veillant à maintenir ce qui a fait le succès de l'ouvrage. Dans cette préface, nous allons présenter les principales nouveautés de cette huitième édition, puis rappeler les caractéristiques essentielles de *Stratégique*.

La principale innovation de cette édition est l'ajout de quatre nouveaux chapitres. Ces nouveaux chapitres correspondent à des avancées dans la recherche académique, à des évolutions dans les pratiques et à des développements pédagogiques dans de nombreuses universités de par le monde. Ces chapitres sont :

- Le chapitre 5, Culture et stratégie, qui inclut une dimension historique et la prise en compte de concepts tels que la dépendance de sentier et l'institutionnalisation.
- Le chapitre 8, Les stratégies internationales, qui rassemble les évolutions liées à la globalisation de l'activité économique, mais également à l'internationalisation croissante du profil des managers.
- Le chapitre 9, L'innovation et l'entrepreneuriat, concerne le rôle croissant de l'innovation et la volonté de nombreux individus de créer leur propre entreprise.
- Le chapitre 15, La pratique de la stratégie, correspond à un domaine de recherche émergent et permet de comprendre qui sont effectivement les stratèges, ce qu'ils font et avec quelles méthodes.

Parallèlement à l'ajout de ces chapitres, nous avons souhaité rendre la lecture plus aisée, ce qui nous a conduits à adopter une approche plus synthétique. Le lecteur a donc désormais à sa disposition un plus grand nombre de chapitres plus courts.

Une deuxième évolution significative de cette édition est l'introduction d'un quatrième prisme stratégique. Nous somme convaincus qu'un manuel de stratégie ne doit pas encourager une vision étroite et univoque. Les prismes stratégiques permettent de multiplier les points de vue. À côté du prisme de la méthode, du prisme de l'expérience et du prisme de la complexité, nous avons donc ajouté le prisme du discours. Ce prisme illustre à la fois l'impact croissant de la recherche académique consacrée au rôle du langage et du récit en stratégie, et l'importance pratique de maîtriser le discours stratégique dans les organisations. Parallèlement à l'introduction de ce quatrième prisme, nous avons adopté un nouveau format pour les commentaires qui figurent à la fin de chacune des parties de l'ouvrage. Ce nouveau format est conçu pour être plus concis et plus pratique à utiliser.

À côté de ces innovations, cette huitième édition s'appuie sur les qualités reconnues de l'ouvrage :

- *Un véritable outil pédagogique.* Chaque chapitre comprend des objectifs, des illustrations agrémentées de questions, un résumé, une bibliographie détaillée, des lectures complémentaires, une série de travaux pratiques et un cas de quelques pages. Toutes les définitions importantes sont soulignées en marge et rappelées en annexe. Les schémas sont nombreux et commentés. De plus, le lecteur pourra trouver de nombreuses ressources complémentaires (glossaire, cas, illustrations, bibliographie étendue, etc.) sur le site compagnon de l'ouvrage : www.strategique.biz.

- *Un contenu adapté au public francophone.* Tous les exemples, cas et illustrations ont été modifiés afin de mieux correspondre à un public francophone. Certains ont été entièrement remplacés et ne figurent donc pas dans l'édition anglaise. Parmi les nouveautés, le lecteur pourra ainsi trouver des cas sur Yahoo!, Nature et Découvertes, le Club Med, TomTom, Lenovo, l'industrie du jeu vidéo ou Microsoft, de même que des illustrations sur Thomson, Total, Motorola, PPR, MySpace et Facebook, Trace TV, Volkswagen, les énergies renouvelables, Somfy, Viacom ou EADS. Par ailleurs, nous avons développé un certain nombre de notions à la lumière de travaux francophones (par exemple les réseaux, l'analyse concurrentielle, les alliances et partenariats ou la segmentation stratégique). En cela, *Stratégique* n'est en aucun cas une simple traduction de *Exploring Corporate Strategy*, mais bien un ouvrage différent, spécifiquement conçu pour le public de langue française, qui ne tombe pas dans le tropisme anglo-saxon trop souvent dénoncé en management.

- *Un contenu actualisé.* À côté des quatre nouveaux chapitres, nous avons profondément remanié le contenu du reste de l'ouvrage afin que le lecteur puisse disposer des concepts les plus récents. Nous avons ainsi incorporé de nouvelles perspectives théoriques, telles que la responsabilité sociale de l'entreprise, la théorie du récit et la pratique de la stratégie. La plupart des références bibliographiques sont postérieures à 2000. La très vaste majorité des illustrations et des cas de fin de chapitre sont nouveaux.

- *Un point de vue étendu sur les organisations.* Nous partons du principe que le management stratégique est aussi pertinent pour les organisations à but non lucratif et pour celles qui dépendent du secteur public que pour les entreprises industrielles et de services. Cette conviction est présente dans de nombreuses discussions et exemples tout au long de l'ouvrage.

- *Un point de vue critique.* Par-delà les quatre prismes de la stratégie, nous encourageons la démarche critique en terminant chacun des quinze chapitres par un débat qui fait le point sur une controverse académique liée au thème du chapitre. Ce débat permet de souligner la vitalité de la recherche en management stratégique et de montrer dans quelle mesure les concepts et outils présentés dans l'ouvrage résultent de discussions fécondes et de débats parfois houleux entre chercheurs.

- *Une maquette et une conception attrayantes.* Nous utilisons des couleurs et des photographies afin d'améliorer la clarté des propos et de faciliter la « navigation » dans l'ouvrage

Un guide rapide permettant de tirer le maximum de tous ces éléments précède cette préface.

Beaucoup de personnes nous ont aidés à développer cet ouvrage. Une autre innovation a été la création d'un Comité de conseil composé de vingt utilisateurs expérimentés. Par-delà ce comité, de nombreux lecteurs nous ont également adressé des commentaires et des suggestions. Ce type de retour est extrêmement précieux. Nous tenons également à remercier nos étudiants à Sheffield, Strathclyde, Lancaster, Oxford et Paris. Par leurs commentaires et leurs questions, ils constituent une source constante d'amélioration et de défi. Il serait impossible d'écrire un ouvrage de ce type sans pouvoir tester et valider son contenu auprès d'un public averti. Nous souhaitons également saluer nos contacts à travers le monde, notamment en Irlande, aux Pays-Bas, au Danemark, en Suède, aux États-Unis, au Canada, en Russie, en Australie, en Nouvelle Zélande et à Singapour.

Nous tenons également à remercier tous ceux qui ont directement contribué à la rédaction de cet ouvrage, en particulier les organisations qui ont eu le courage d'accepter de faire l'objet des études de cas. À la demande d'un certain nombre de ces organisations, nous prions les lecteurs de ne pas les contacter afin d'obtenir des informations complémentaires sur les cas, exemples et illustrations. La stratégie est un si vaste domaine qu'il est extrêmement difficile de toujours maintenir à jour le contenu d'un ouvrage tel que celui-ci. Merci donc à Julia Balogun, John Barbour, George Burt, Mark Gilmartin, Stéphane Girod, Royston Grennwood, Paula Jarzabkowski, Andrew Campbell, Phyl Johnson, Aidan McQuade, Michael Mayer, Thomas Powell, David, Jill Shepherd, Angela Sutherland et Basak Yakis. Pour la version française, nous tenons à remercier tout particulièrement Aurélien Acquier, Thierry Boudès, Hervé Laroche, Carla Mendoza et Jean-Michel Saussois de ESCP-EAP, mais aussi les membres de l'Association internationale de management stratégique (AIMS) pour leur apport conceptuel permanent et l'équipe de Pearson Education France pour sa réactivité. Un grand merci à tous ceux qui ont fourni et développé les illustrations. Leur nom figure au bas de celles-ci. Nous remercions aussi les bibliothécaires de Strathclyde pour leur travail sur les références, ainsi que Lorna Carlaw et Kate Goodman pour leur préparation du manuscrit.

Gerry JOHNSON
Kevan SCHOLES
Richard WHITTINGTON
Frédéric FRÉRY

Mars 2008

Gerry Johnson est professeur de management stratégique à la School of Management de l'Université de Lancaster (Royaume-Uni), où il est titulaire de la chaire Sir Roland Smith de Management Stratégique et Senior Fellow de l'Advanced Institute of Management (AIM). Il est l'auteur de nombreux ouvrages, a publié dans les meilleures revues de management et intervient régulièrement dans des conférences académiques internationales. Il est membre du comité éditorial de l'*Academy of Management Journal*, du *Strategic Management Journal* et du *Journal of Management Studies*. Ses recherches portent sur la pratique du management stratégique, sur les processus stratégiques et sur le changement stratégique dans les organisations. En tant que consultant, il intervient auprès d'équipes de direction sur des questions de développement stratégique, ce qui lui permet d'appliquer de nombreux concepts présentés dans *Stratégique*.

Kevan Scholes est associé principal du cabinet de conseil en stratégie Scholes Associates. Il est également professeur visitant de management stratégique et ancien directeur de la Sheffield Business School (Royaume-Uni). Il a une grande expérience d'enseignement de la stratégie dans plusieurs universités. Ses travaux sur le développement stratégique concernent des entreprises industrielles, des entreprises de services et de nombreuses organisations de service public. Il intervient régulièrement à l'international, en Irlande, en Australie et en Nouvelle-Zélande. Il a conseillé plusieurs organisations gouvernementales et il est membre du Chartered Management Institute.

Richard Whittington est professeur de management stratégique à la Saïd Business School et Millman Fellow au New College de l'Université d'Oxford. Il est l'auteur ou le co-auteur de huit ouvrages et a publié de nombreux articles. Il est rédacteur en chef de *Organization Studies* et membre du comité éditorial de plusieurs revues, dont *Organization Science*, le *Strategic Management Journal* et *Long Range Planning*. Il a été professeur ou professeur visitant à la Harvard Business School, à HEC Paris, à l'Imperial College de Londres, à l'Université de Toulouse et à l'Université de Warwick. Il intervient fréquemment en formation permanente et en tant que consultant, tant en Europe qu'aux États-Unis et en Asie. Ses recherches portent sur la pratique de la stratégie et sur le management international.

Frédéric Fréry est professeur de stratégie à ESCP-EAP où il est titulaire de la chaire KPMG «Stratégie des risques et performance» après y avoir dirigé le programme MBA Full Time. Il intervient également dans plusieurs écoles et universités en France et à l'international, dont l'École Centrale Paris. Il a notamment été *visiting scholar* à la Stanford University et professeur visitant à l'Université du Texas à Austin. Il est membre de l'Association Internationale de Management Stratégique (AIMS), dont il a été Vice-Président. Outre de fréquentes interventions dans la presse économique, il est l'auteur ou le co-auteur d'une vingtaine d'ouvrages et a publié de nombreux articles dans des revues françaises et internationales, dont la *MIT Sloan Management Review*. Conférencier, il intervient régulièrement auprès de dirigeants afin de les assister dans leur réflexion stratégique. Ses recherches portent sur l'innovation stratégique et sur les réseaux d'entreprises.

Chapitre 1
Introduction à la stratégie

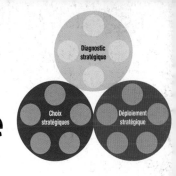

Objectifs

Après avoir lu ce chapitre, vous serez capable de :

- Décrire les caractéristiques des décisions stratégiques et définir ce que l'on entend par stratégie et management stratégique.
- Expliquer en quoi les priorités stratégiques diffèrent selon que l'on se place au niveau de la direction générale, au niveau de chaque domaine d'activité ou au niveau opérationnel.
- Comprendre le vocabulaire de la stratégie.
- Expliquer les trois composantes du modèle de management stratégique développé dans cet ouvrage.
- Présenter les différents types de personnes impliquées dans la stratégie – managers, experts internes, consultants – et décrire leur rôle.

1.1 Introduction

En novembre 2006, un manager de Yahoo!, Brad Garlinghouse, rédigea une note interne qui interpellait directement la direction générale de son entreprise. Suite à des fuites, ce texte fut repris par les médias sous le titre de « syndrome de la tartine beurrée ». Brad Garlinghouse accusait la direction générale de Yahoo! de manquer de véritable orientation stratégique. La croissance avait ralenti, Google avait dépassé Yahoo! sur le marché de la publicité en ligne et le cours de l'action avait chuté de presque un tiers depuis le début de l'année. Selon Brad Garlinghouse, Yahoo! était trop étendu, comme du beurre sur une tartine. Le temps était venu d'entreprendre un changement stratégique. Le diagnostic de Brad Garlinghouse était pertinent : en février 2008, juste après l'annonce de la suppression d'un millier d'emplois et le départ de son président, Yahoo! fit l'objet d'une offre de rachat par Microsoft, pour 44,6 milliards de dollars.

Toutes les organisations doivent gérer leur développement stratégique. Certaines le font lorsqu'elles sont en position de conquête, d'autres y sont contraintes lorsqu'elles traversent une crise, comme Yahoo!. Cet ouvrage traite des raisons pour lesquelles les organisations sont confrontées à des décisions stratégiques, comment ces décisions sont prises et quels outils et techniques permettent de les élaborer. Ce chapitre introductif précise notamment ce que l'on entend par *stratégie* et *management stratégique*, en quoi les décisions stratégiques sont importantes et comment elles diffèrent des autres tâches et décisions organisationnelles. Il présente également les tâches des différents types de managers impliqués dans la stratégie, que ce soient des membres de la direction générale, des experts internes ou des consultants. L'exemple de Yahoo!, développé dans l'illustration 1.1, sera utilisé tout au long de ce chapitre.

Cet ouvrage utilise l'expression *stratégie d'entreprise*[1], employée ici pour deux raisons principales. Tout d'abord parce que l'ouvrage traite de la stratégie et du management stratégique dans tous les types d'organisations, que ce soit dans les petites et les grandes entreprises ou encore dans les services publics. Par convention, le mot *entreprise* les désignera toutes. Deuxièmement, parce que l'expression *stratégie d'entreprise*, telle qu'elle est utilisée dans l'ouvrage (pour plus de détails, voir la section 1.2.2), désigne le niveau le plus général de la stratégie dans une organisation et dans ce sens inclut d'autres niveaux de décision. Le lecteur rencontrera vraisemblablement d'autres dénominations, telles que *management stratégique*, *stratégie organisationnelle* ou encore *politique générale*, qui toutes désignent le même concept.

1.2 Qu'est-ce que la stratégie ?

Pourquoi les problèmes auxquels Yahoo! devait faire face peuvent-ils être qualifiés de *stratégiques* ?[2] Quels types de décisions sont stratégiques et qu'est-ce qui les distingue des autres décisions au sein des entreprises ?

1.2.1 Les caractéristiques des décisions stratégiques

Les caractéristiques généralement associées au terme *stratégique* sont les suivantes :

- Les décisions stratégiques concernent les *orientations à long terme* d'une organisation. Brad Garlinghouse reconnaissait explicitement que Yahoo! devait faire face à des changements qui « relevaient plus du marathon que du sprint ». La réorientation stratégique de Yahoo! impliquait des décisions à long terme sur la nature même de son activité, et le déploiement de ces décisions nécessiterait beaucoup de temps.

- Les décisions stratégiques concernent le *périmètre d'activité* d'une organisation : une organisation doit-elle se concentrer sur une activité ou doit-elle en avoir plusieurs ? Brad Garlinghouse pensait que Yahoo! avait dilué son périmètre en se dispersant dans de trop nombreuses activités.

- Les décisions stratégiques ont en général pour but l'obtention d'un *avantage concurrentiel*. Yahoo! était distancé par des concurrents tels que Google. Dans d'autres contextes, la création d'un avantage peut revêtir une signification différente. Dans la sphère publique, un avantage stratégique peut être atteint en fournissant de meilleurs services que les autres acteurs, de manière à obtenir le soutien et le financement des autorités de tutelle. Dans tous les cas, la pérennité de l'avantage concurrentiel repose sur deux conditions fondamentales. Tout d'abord, il s'agit de créer un surcroît de *valeur* pour les clients, c'est-à-dire leur proposer une offre pour laquelle ils seront disposés à payer un prix supérieur aux coûts (voir dans le chapitre 3 la notion de chaîne de valeur). Pour les entreprises, cette création de valeur au-delà des coûts est la condition indispensable à la génération de profit. Deuxièmement, ce système de création de valeur – ou modèle économique – doit être *difficilement imitable* par les concurrents, sans quoi il ne saurait procurer un avantage durable, donc stratégique. Si une entreprise a la même stratégie que ses concurrents, elle n'a pas de stratégie.

- On peut considérer que la stratégie est déduite de l'*environnement concurrentiel* dans lequel l'organisation évolue[3]. Dans cette optique, il convient de définir correctement le *positionnement de l'organisation*, notamment en termes de réponse à des besoins identifiés. Pour une PME, ce positionnement peut signifier l'occupation d'une niche de marché spécifique. Dans le cas d'une multinationale, il peut s'agir du rachat d'entreprises dont le positionnement s'est déjà révélé fructueux. Selon Brad Garlinghouse, Yahoo! dispersait ses efforts en étant présent dans un trop grand nombre d'environnements concurrentiels distincts.

- Cependant, on peut également considérer que la stratégie est construite à partir *des ressources* et des *compétences* de l'organisation. Dans cette optique, la stratégie consiste non pas à s'adapter au marché tel qu'il est, mais au contraire à exploiter la capacité stratégique de l'organisation afin de construire de nouvelles conditions de succès, voire à développer de nouveaux marchés[4]. Par exemple, une grande multinationale peut se focaliser sur les activités où son portefeuille de marques lui procurera le maximum d'avantages. De même, une PME peut chercher à modifier les règles du jeu établies sur son marché afin de mieux mettre en valeur ses propres capacités, comme ont tenté de le faire de nombreuses start-up Internet en pénétrant sur des secteurs traditionnels. Yahoo! estimait ainsi que sa marque, « synonyme d'Internet », constituait une ressource déterminante.

- Que l'on cherche à s'adapter à l'environnement ou que l'on exploite les capacités distinctives de l'organisation, la stratégie implique nécessairement une *allocation de ressources* : ressources financières, humaines, physiques, technologiques, commerciales ou relationnelles. Afin de déployer une stratégie, il convient d'allouer la combinaison de ressources la plus pertinente aux activités les plus prometteuses. Par exemple, une expansion internationale implique généralement de développer une nouvelle base de clientèle et de nouveaux services de support. Dans le cas de Yahoo!, l'élargissement considérable du périmètre d'activité n'avait pas été accompagné de suffisamment d'arbitrages en termes d'allocation de ressources. Cependant, une entreprise qui modifierait la configuration de ses ressources au moindre revirement de conjoncture ne pratiquerait certainement pas de la stratégie mais se contenterait de tactiques. Le stratège doit donc *s'engager* sur ses décisions et une stratégie se manifeste avant tout par des décisions difficilement réversibles[5].

- La stratégie d'une organisation est également influencée par les *attentes* et les *valeurs* des acteurs susceptibles d'exercer un pouvoir sur elle. Dans une certaine mesure, la stratégie peut être considérée comme le reflet des attitudes et des croyances de ceux qui ont le plus d'influence sur l'organisation. L'entreprise est-elle expansionniste ou cherche-t-elle plutôt à consolider ses positions

Illustration 1.1

Yahoo! et le syndrome de la tartine beurrée

La stratégie peut impliquer des décisions difficiles sur le périmètre d'activité, le management et l'organisation.

En novembre 2006, Brad Garlinghouse, un diplômé de MBA, jeune manager chez Yahoo!, rédigea une note interne à l'attention des dirigeants de l'entreprise. Dans cette note, il affirmait que Yahoo! dispersait ses ressources de manière excessive, comme du beurre sur une tranche de pain. Voici quelques extraits de cette note :

Il y a trois ans et demi, j'ai rejoint Yahoo! avec enthousiasme. L'ampleur des opportunités n'avait d'égal que l'ampleur des ressources. J'étais fier de faire partie de l'équipe incroyable qui a reconstruit Yahoo!.

Pour autant, tout ne va pas si bien…

J'imagine que les défis auxquels nous sommes confrontés font l'objet de nombreuses discussions au sein de la direction générale. Au risque de paraître redondant, je souhaite cependant partager mes propres vues sur notre situation actuelle et proposer quelques recommandations afin d'aller de l'avant. Mon ambition est de faire partie de la solution, plutôt que de faire partie du problème.

RECONNAISSONS NOS PROBLÈMES

Nous manquons d'une vision cohérente et focalisée.

Nous voulons faire tout et être tout – pour tout le monde. Nous en sommes conscients depuis des années, nous en avons beaucoup parlé, mais nous n'avons rien fait pour y mettre fin. Nous avons peur d'être distancés. Nous réagissons plutôt que de nous engager sur une trajectoire résolue. Nous sommes séparés en silos qui la plupart du temps ne se parlent pas. Lorsque nous parlons, ce n'est pas pour collaborer sur une stratégie précisément définie, mais pour nous quereller sur qui est responsable de quoi et sur des points de pure tactique.

Notre stratégie a été décrite comme le fait de beurrer la vaste tartine constituée par les opportunités d'Internet, à la fois innombrables et en perpétuelle évolution. Le résultat : une fine couche d'investissements étalée sur tout ce que nous faisons, ce qui nous empêche de nous focaliser sur quoi que ce soit.

Je déteste les tartines beurrées. Nous devrions tous les détester.

Nos responsabilités ne sont pas clairement définies.

La manifestation la plus flagrante de tout cela est la prolifération des doublons au sein de notre organisation. Bien qu'elle ait été créée avec les meilleures intentions, notre structure est devenue fortement bureaucratique. Pour beaucoup trop d'entre nous, il existe une autre personne au sein de Yahoo! dont les responsabilités sont plus ou moins les mêmes. Cela ralentit et alourdit l'entreprise avec des coûts inutiles.

Ce n'est pas pour rien qu'un avant-centre et qu'un ailier ont des zones de responsabilité clairement définies. S'ils poursuivent le même ballon, ils le perdent et risquent de déclencher des collisions. En sachant que quelqu'un d'autre est en train de poursuivre le ballon et en voulant éviter les collisions, nous sommes devenus timides dans nos mouvements et nous perdons de plus en plus de ballons.

Nous manquons d'initiative.

La combinaison de la dispersion et de la déresponsabilisation se traduit par le fait que les décisions ne sont plus prises ou qu'elles sont prises trop tard. Sans une vision claire et sans des responsabilités précisément définies, il nous manque une perspective d'ensemble capable de nous guider dans nos décisions. Nous ne savons même pas qui doit décider. Nous sommes constamment paralysés par des décisions aussi ambitieuses que contradictoires. Nous sommes pris en otage par notre volonté de tout analyser.

Tout cela débouche sur des initiatives au mieux redondantes et au pire concurrentes et sur un manque flagrant d'utilisation des multiples synergies qui existent pourtant entre nos différents silos organisationnels.

RÉSOLVONS NOS PROBLÈMES

Nous détenons des atouts inestimables. N'importe quelle entreprise de média ou de communication serait jalouse de notre position. Nous avons l'audience la plus large, nos utilisateurs sont remarquablement fidèles et notre marque est synonyme d'Internet.

Si nous nous relevons et que nous entreprenons un vaste changement, nous gagnerons.

Je ne prétends pas qu'une seule voie de réussite s'offre à nous. Cependant, je souhaite au minimum faire partie de la solution et c'est pourquoi je propose le plan ci-après. Je pense que ce plan peut fonctionner. Je suis convaincu que nous devons agir très rapidement, car nous risquons de nous enfoncer encore plus profondément. Ce plan n'est pas parfait, mais il est de très loin préférable à l'absence d'action.

Voici les trois piliers de mon plan :

1. Focaliser
2. Responsabiliser
3. Réorganiser

1. Focaliser

a) Nous devons affirmer ce que nous sommes et ce que nous ne sommes pas.

b) Nous devons sortir des activités qui ne sont pas au cœur de notre métier (les vendre ?) et éliminer les projets redondants.

Je suis convaincu que plutôt qu'une approche en tartine beurrée, nous avons besoin d'une stratégie délibérément sculptée, c'est-à-dire précisément ciblée.

2. Responsabiliser

a) Les dirigeants de nos différentes activités doivent être tenus pour responsables de notre situation actuelle. Des têtes doivent tomber.

b) Nous devons créer des postes de responsables transversaux pour chacune de nos activités.

c) Nous devons redéfinir nos systèmes de mesure de performance et de récompense.

Je crois que trop de responsables d'activité se contentent de résultats inacceptables et qu'ils ne cherchent même plus à affirmer leur leadership. Trop souvent, ils (nous !) sont les causes principales des problèmes soulignés plus haut. Nous devons signaler à nos employés et à nos actionnaires que nous tiendrons ces dirigeants pour responsables et que nous en tirerons les conséquences.

3. Réorganiser

a) La structure actuelle en domaines d'activité doit disparaître.

b) Nous devons décentraliser et éliminer le plus possible notre organisation matricielle.

c) Nous devons nous séparer de 15 à 20 % du personnel.

Je suis intimement convaincu que nous devons simplement éliminer les doublons que nous avons créés et que pour cela le premier pas consiste à nous réorganiser. Nous pouvons être plus efficients avec moins de personnel. Nous pouvons faire plus et plus rapidement. Nous devons créer de nouvelles lignes d'activités et donner plus de pouvoir de décision à leurs responsables. Cependant, nous ne pourrons pas obtenir cela par une stratégie de petits pas. Si nous voulons réussir, nous devons fondamentalement repenser notre organisation.

J'aime Yahoo!. Je suis fier du sang jaune et violet qui coule dans mes veines. Je suis fier d'avoir rasé un Y à l'arrière de mon crâne.

Ce qui m'a motivé à écrire cette note interne est la conviction inébranlable que – tout comme avant – de formidables opportunités s'offrent à nous. Je ne prétends pas avoir les seules réponses possibles, mais nous devons continuer à discuter. Le changement est indispensable et il est urgent. Nous pouvons être une entreprise plus forte et plus rapide, une entreprise avec une vision plus claire, des responsabilités plus claires et une organisation plus claire.

Nous avons peut-être trébuché, mais il s'agit d'un marathon, pas d'un sprint. Je ne dis pas que cela sera facile. Il faudra du courage, de la conviction, de l'intuition et un formidable engagement. J'attends ce défi avec impatience.

Alors relevons-nous.

Attrapons les ballons.

Et arrêtons de beurrer des tartines.

Source : Wall Street Journal, 18 novembre 2006.

Questions

1. En quoi peut-on qualifier les questions auxquelles Yahoo! est confronté de stratégiques ? Faites référence au schéma 1.1.

2. Identifiez des exemples de questions qui correspondent à chacun des cercles du schéma 1.3.

existantes ? Quelles sont les frontières de son périmètre d'activité ? La réponse à ces questions en dit beaucoup sur les valeurs et les attentes de ceux qui influencent sa stratégie, c'est-à-dire tous les acteurs qui sont *parties prenantes* dans son évolution. Chez Yahoo!, les dirigeants avaient mené une stratégie de croissance dans de trop nombreuses directions, sans toujours réellement évaluer les conséquences de leurs décisions. Pour autant, tous les salariés, les fournisseurs ou les clients pouvaient également influer – en fonction de leur pouvoir – sur les orientations de l'entreprise. À ce titre, la démarche de Brad Garlinghouse constituait une audacieuse tentative, destinée selon lui à mettre fin à une dangereuse dérive stratégique.

Au total, si l'on peut fondamentalement caractériser la stratégie comme « l'orientation à long terme d'une organisation », les éléments que nous avons présentés permettent de proposer une définition plus complète :

Avec pour objectifs la réponse aux attentes des parties prenantes et l'obtention d'un avantage concurrentiel, la stratégie consiste en une allocation de ressources qui engage l'organisation dans le long terme en configurant son périmètre d'activité

- Avec pour objectifs la réponse aux attentes des parties prenantes et l'obtention d'un avantage concurrentiel, la **stratégie** consiste en une allocation de ressources qui engage l'organisation dans le long terme en configurant son périmètre d'activité.

Les décisions stratégiques présentent des caractéristiques distinctives :

- Les décisions stratégiques sont *intrinsèquement complexes*. Cette complexité est en particulier vérifiée dans les organisations géographiquement étendues – comme les multinationales – et dans celles qui se sont diversifiées dans de multiples activités. Yahoo! était ainsi confronté à la complexité d'un environnement concurrentiel mouvant et d'une structure inadaptée.
- L'*incertitude* est inhérente à la stratégie, car elle consiste à choisir des orientations en fonction d'une situation future par nature inconnue. L'environnement de Yahoo! est en perpétuelle évolution et personne n'est réellement capable de prévoir quelles innovations y seront les plus porteuses.
- Les décisions stratégiques peuvent *influencer les décisions opérationnelles*. Toute tentative de coordonner plus intimement les activités de Yahoo! aurait des répercussions sur l'apparence des pages web, sur les liens affichés, sur les carrières des employés ou sur les relations avec les annonceurs. Ce lien entre la stratégie et les aspects opérationnels est important à deux titres. D'une part, la plus intelligente des stratégies ne sert strictement à rien si elle ne se traduit pas dans les faits au travers de l'activité quotidienne de l'organisation. D'autre part, c'est bien au niveau opérationnel que l'avantage stratégique peut être effectivement obtenu. Ce sont en effet les compétences détenues dans certaines activités opérationnelles qui peuvent déterminer la pertinence des orientations stratégiques.
- Les décisions stratégiques nécessitent une *approche globale*. Du point de vue du stratège, des expressions telles que « stratégie financière », « stratégie marketing » ou « gestion stratégique des ressources humaines » sont sans fondement. Par essence, la stratégie concerne l'organisation dans sa globalité. Si chacune des fonctions de l'organisation définit sa propre stratégie, le résultat risque de s'apparenter au mieux à un consensus insipide et au pire à une arène politique. Pour résoudre des problèmes stratégiques, les managers doivent s'extraire de

leur spécialité fonctionnelle ou opérationnelle afin d'arbitrer avec d'autres responsables, dont les intérêts et les priorités sont inévitablement différents. Yahoo! devait ainsi définir une approche globale pour pouvoir traiter avec des annonceurs aussi puissants que Sony ou Orange.

- Les *réseaux de relations* avec les acteurs extérieurs à l'organisation – par exemple avec les fournisseurs, les distributeurs et les clients – sont essentiels en stratégie. Pour Yahoo!, les relations avec les annonceurs et les utilisateurs étaient vitales.
- Le *changement* est un élément crucial de la stratégie. Or, le changement est souvent freiné par la culture organisationnelle et par les ressources accumulées au cours du temps. Selon Brad Garlinghouse, les obstacles au changement chez Yahoo! incluaient notamment certains dirigeants réticents à l'idée de prendre des décisions difficiles et plus largement un manque de responsabilisation parmi les managers.

Afin de résumer les caractéristiques des décisions stratégiques (voir le schéma 1.1), on peut utiliser le *modèle VIP*, qui désigne les trois dimensions fondamentales de la stratégie[6] : la valeur, l'imitation et le périmètre. Selon ce modèle synthétique, la stratégie consiste à répondre à trois questions :

- Sur quel modèle de création de *valeur* la performance de l'organisation repose-t-elle (quel est le modèle économique utilisé) ?
- Comment éviter l'*imitation* de ce modèle de création de valeur par les concurrents, afin de dégager un avantage concurrentiel ?
- Sur quel *périmètre* déployer ce modèle de création de valeur ?

Schéma 1.1	**Les dimensions fondamentales de la stratégie : le modèle VIP**

Les décisions stratégiques concernent
• Le choix d'un modèle de création de **valeur** (ou modèle économique), de manière à répondre aux attentes des parties prenantes • La résistance à l'**imitation**, afin d'assurer la pérennité de l'avantage concurrentiel • La définition du **périmètre** de l'organisation : que faire, que ne pas faire, dans quel environnement, dans quelle filière
Elles présentent donc les caractéristiques suivantes
• Elles sont **complexes** par nature • Elles sont élaborées en situation d'**incertitude** • Elles affectent les décisions **opérationnelles** • Elles requièrent une approche **globale** (interne et externe à l'organisation) • Elles impliquent d'importants **changements**

Source : adapté de F. Fréry, « The Fundamental Dimensions of Strategy », *MIT Sloan Management Review*, vol. 48, n° 1 (2006), pp. 71-75.

1.2.2 Les trois niveaux de stratégie

La stratégie intervient à plusieurs niveaux dans une organisation. Si l'on considère l'exemple de Yahoo!, il est possible d'identifier au moins trois niveaux distincts de stratégie.

La stratégie d'entreprise concerne le dessein et le périmètre de l'organisation dans sa globalité et la manière dont elle ajoute de la valeur à ses différentes activités

Le premier niveau, celui de la stratégie d'entreprise – ou stratégie *corporate* –, concerne le dessein et le périmètre de l'organisation dans sa globalité et la manière dont elle ajoute de la valeur à ses différentes activités. Cela inclut les choix de couverture géographique, de diversité de l'offre de produits et services et la manière dont les ressources sont allouées entre les activités. Dans le cas de Yahoo!, la décision d'abandonner certaines des activités existantes relevait incontestablement de la stratégie d'entreprise. Généralement, la stratégie d'entreprise prend en compte les attentes des propriétaires, c'est-à-dire les actionnaires, l'État ou les marchés boursiers. Comprendre clairement ce niveau de stratégie est déterminant, car il constitue le socle des autres décisions stratégiques. Il peut parfois prendre la forme d'une *mission* explicitement ou implicitement formulée qui est le reflet des orientations générales. Il est très important de clarifier la stratégie d'entreprise : la détermination des activités devant être incluses dans le périmètre de l'organisation est la base de toutes les autres décisions stratégiques.

La stratégie par domaine d'activité consiste à identifier les facteurs clés de succès sur un marché particulier

Le deuxième niveau est celui de la stratégie par domaine d'activité, qui consiste à identifier comment les activités incluses dans la stratégie d'entreprise doivent se comporter sur leurs propres marchés. Cela revient généralement à définir comment un avantage peut être obtenu par rapport aux concurrents et quels nouveaux marchés peuvent être identifiés ou construits. C'est la raison pour laquelle la stratégie par domaine d'activité est également appelée *stratégie concurrentielle*. Dans la sphère publique, les stratégies par domaine d'activité concernent la manière dont les unités peuvent procurer de meilleurs services à la collectivité. Cela concerne généralement les questions de prix, d'innovation ou de différenciation. Alors que la stratégie d'entreprise implique des choix qui engagent l'organisation dans sa globalité, ces décisions sont pertinentes au niveau d'un domaine d'activité stratégique. Un domaine d'activité stratégique (DAS) – ou *strategic business unit* (SBU) – est une sous-partie de l'organisation à laquelle il est possible d'allouer ou retirer des ressources de manière indépendante et qui correspond à une combinaison spécifique de facteurs clés de succès. Le découpage d'une organisation en DAS – auquel nous consacrerons la section 6.2 – est appelé *segmentation stratégique*. La segmentation d'une organisation en DAS est un exercice difficile, nécessairement subjectif mais pourtant indispensable, car il constitue le préalable à tout diagnostic stratégique : si l'on n'a pas préalablement délimité quelles sont les différentes activités de l'organisation, il est impossible de leur affecter des objectifs ou de leur allouer des ressources. Yahoo! comprenait ainsi plusieurs DAS, tels que Yahoo! Music, Yahoo! Mail ou Flickr (gestion de photos en ligne).

Un domaine d'activité stratégique (DAS) – ou strategic business unit (SBU) – est une sous-partie de l'organisation à laquelle il est possible d'allouer ou retirer des ressources de manière indépendante et qui correspond à une combinaison spécifique de facteurs clés de succès

Bien entendu, dans les organisations ne comprenant qu'une seule activité, la stratégie d'entreprise et la stratégie par domaine d'activité sont largement confondues. Cependant, même dans ce cas, il est utile de distinguer un niveau global, car cela peut permettre d'évaluer l'opportunité d'ajouter de nouvelles activités. Lorsque l'entreprise inclut plusieurs activités, il doit nécessairement exister un lien entre les stratégies par domaines d'activité et la stratégie de l'entreprise dans son ensemble. Dans le cas de Yahoo!, les relations avec les annonceurs s'étendaient à l'ensemble des domaines d'activité et tous devaient impérativement veiller à la protection de la marque Yahoo!. La stratégie d'entreprise devait permettre aux DAS de se renforcer grâce à la marque, mais parallèlement ceux-ci devaient s'assurer que leurs décisions ne gênaient pas le reste du groupe.

Le troisième niveau de stratégie se situe à la base de l'organisation. C'est là que sont élaborées les **stratégies opérationnelles** qui déterminent comment les différentes composantes de l'organisation (ressources, processus, savoir-faire des individus) déploient effectivement les stratégies définies au niveau global et au niveau des DAS. Par exemple, Yahoo! employait des concepteurs de pages web dans chacun de ses DAS, car chaque activité avait ses propres contraintes d'apparence, d'ergonomie et de mise à jour. En fait, dans la plupart des entreprises, le succès des stratégies concurrentielles dépend très largement des comportements adoptés et des décisions prises au niveau opérationnel. La cohérence entre les décisions opérationnelles et la stratégie constitue donc un point déterminant.

Les stratégies opérationnelles déterminent comment les différentes composantes de l'organisation (ressources, processus, savoir-faire des individus) déploient effectivement les stratégies définies au niveau global et au niveau des DAS

1.2.3 Le vocabulaire de la stratégie

Nous avons présenté une définition de la stratégie dans la section 1.2.1, mais la plupart des auteurs proposent des définitions différentes[7]. Il existe également une grande variété de termes utilisés en rapport avec la stratégie et il est certainement utile de clarifier certains d'entre eux. Le schéma 1.2 et l'illustration 1.2 emploient certains des termes que le lecteur rencontrera dans cet ouvrage et dans d'autres livres de stratégie. Le schéma 1.2 explicite ces termes en les appliquant à une stratégie personnelle que chacun peut avoir suivie : une remise en forme.

Ces termes ne sont pas utilisés dans toutes les organisations ni dans tous les livres de stratégie. Qui plus est, les missions, les buts, les objectifs, les stratégies, etc., peuvent quelquefois être clairement explicités et d'autres fois rester implicites. Dans certaines organisations, cette rédaction est très formalisée, alors que dans d'autres elle n'existe même pas. Une mission ou une stratégie peut même parfois être plus finement comprise à partir de l'implicite, par l'observation du comportement de l'organisation. Pour autant, les termes suivants sont le plus souvent utilisés :

- La *mission* ou *dessein* est l'expression du but général de l'organisation, qui idéalement est en phase avec les valeurs et les attentes des principales parties prenantes. Elle définit généralement le périmètre d'activité et les frontières de l'organisation, en réponse à la question apparemment simple mais pourtant souvent ardue : « Quel est notre métier ? »
- La *vision* ou l'*intention stratégique* est l'état futur souhaité pour l'organisation, ce que l'on veut qu'elle devienne. C'est l'aspiration vers laquelle le stratège – le plus souvent le dirigeant – cherche à focaliser l'attention et l'énergie des membres de l'organisation.
- Si le terme *but* est utilisé, il se réfère à une intention cohérente avec la mission, généralement de manière qualitative.
- En revanche, un *objectif* est plus précis et de fait le plus souvent quantitatif. Cependant, dans cet ouvrage, le terme *objectif* pourra désigner à la fois des ambitions quantifiables ou purement qualitatives.

Le vocabulaire de la stratégie

Terme	Définition	Un exemple personnel
Mission ou dessein	Propos fondamental de l'organisation, découlant des valeurs et des attentes des parties prenantes	Être en forme
Vision ou intention stratégique	État futur souhaité : l'aspiration de l'organisation	Courir le marathon de Paris
But	Déclaration générale d'intention	Perdre du poids et renforcer les muscles
Objectif	Quantification (si possible) ou intention plus précise	Perdre 5 kilos d'ici au 1er septembre et courir le marathon dès l'an prochain
Capacité stratégique	Ressources, activités et processus qui permettent d'obtenir un avantage concurrentiel	La proximité d'un centre de remise en forme, le soutien de la famille et des amis, l'expérience réussie d'un régime
Stratégies	Orientation à long terme	S'entraîner régulièrement, participer à des marathons locaux, respecter un régime approprié
Modèle économique	Combinaisons de facteurs financiers, commerciaux, techniques et opérationnels qui sous-tendent la stratégie	Faire partie d'un club de course de fond
Contrôle	Évaluation de l'efficacité de la stratégie et des réalisations Modification de la stratégie et/ou des réalisations si nécessaire	Contrôler le poids, les distances parcourues et les temps réalisés. Si les progrès sont satisfaisants, continuer, sinon, envisager d'autres stratégies

- La *capacité stratégique* repose sur les *ressources uniques* et les *compétences fondamentales* qui distinguent l'organisation de ses concurrents en termes d'activités, d'aptitudes et de savoir-faire, lui permettant d'obtenir un avantage stratégique en offrant un surcroît de valeur à ses clients ou à ses usagers.
- Le concept de *stratégie* a déjà été défini. Il s'agit de l'orientation à long terme d'une organisation. On l'exprime quelquefois au travers de déclarations assez générales sur la direction que l'organisation doit prendre et le type d'action qu'elle doit réaliser afin d'atteindre ses objectifs, par exemple en termes de nouveaux marchés, de nouveaux produits ou services ou de nouveaux modes opératoires.
- Un *modèle économique* décrit la combinaison de facteurs financiers, commerciaux, techniques et opérationnels qui sous-tend le fonctionnement d'une organisation et la valeur créée par celle-ci pour ses clients. Il s'agit notamment de caractériser les flux de produits, de services et d'informations qui circulent entre les acteurs en présence. Dans les entreprises industrielles, le modèle

Illustration 1.2

Le vocabulaire de la stratégie dans différents contextes

Le vocabulaire de la stratégie est utilisé dans des contextes très différents, mais il conserve toujours des traits caractéristiques.

Nokia

Vision et mission : connecter, c'est aider les individus à être proches de ce qui est important. Partout et tout le temps, Nokia croît dans la communication, dans le partage et dans le potentiel formidable qui consiste à connecter les deux milliards d'individus qui le font déjà avec les quatre milliards d'individus qui ne le font pas encore.

Si nous nous focalisons sur les individus et que nous utilisons les technologies qui les aident à se rapprocher de ce qui est important pour eux, alors la croissance suivra. Dans un monde où tout le monde peut être connecté, Nokia garde une approche très humaine de la technologie.

Stratégie : pour Nokia, les clients sont la première priorité. La compréhension des clients doit toujours mener notre comportement quotidien. La priorité de Nokia est d'être le partenaire préféré des opérateurs, des distributeurs et des entreprises.

Nokia continuera de croître et nous nous étendrons vers de nouveaux marchés et de nouvelles activités. La productivité est essentielle à notre futur succès. Nokia doit devenir la marque la plus appréciée de nos clients.

En phase avec ces priorités, le portefeuille d'activités de Nokia se focalise sur cinq domaines qui ont chacun des objectifs à long terme : développer de nouveaux terminaux, élaborer des services Internet pour les particuliers, concevoir des solutions pour les entreprises, construire des réseaux à grande échelle, étendre les services professionnels.

Nokia investira dans trois gammes d'actifs stratégiques prioritaires : la marque et le design, l'épanouissement des clients, la technologie et l'architecture.

L'École polytechnique

Mission : l'École polytechnique a pour mission de former des hommes et des femmes capables de concevoir et de mener des activités complexes et innovantes au plus haut niveau mondial, en s'appuyant sur une culture à dominante scientifique d'une étendue, d'une profondeur et d'un niveau exceptionnels, ainsi que sur une forte capacité de travail et d'animation.

Vision : fidèle à son histoire et à sa tradition, l'École forme de futurs responsables de haut niveau, à forte culture scientifique, voués à jouer un rôle moteur dans le progrès de la société, par leurs fonctions dans les entreprises, les services de l'État et la recherche.

Objectifs : notre projet pédagogique est de former des hommes et des femmes de caractère, équilibrés, aptes au travail en équipe, associant à la rigueur l'écoute des autres et la liberté d'esprit, dotés d'une capacité exceptionnelle d'analyse et de synthèse et capables d'analyser, de concevoir, de construire et de mettre en œuvre des systèmes complexes.

Cette formation repose sur un programme éducatif unique réalisant un équilibre entre un enseignement scientifique, pluridisciplinaire, de très haut niveau, une ouverture vers des disciplines littéraires et artistiques et la pratique de langues étrangères et une formation éthique, humaine et sportive. […]

Elle est mise en œuvre en associant à un corps enseignant de très haut niveau un centre de recherche internationalement reconnu et un encadrement militaire à qui a été confié l'essentiel de la formation éthique, humaine et sportive. […]

Conformément aux valeurs et à la tradition qui sont les siennes depuis plus de 200 ans, l'École est accessible à tous sans distinction d'origine ou de condition sociale : le seul critère d'admission est la sélection par concours des étudiants les plus aptes à se réaliser dans ce projet.

Sources : www.nokia.com ; www.polytechnique.fr.

Questions

1. Le vocabulaire utilisé par Nokia et par l'École polytechnique est-il en phase avec les définitions données dans le schéma 1.2 ?

2. Dans quelle mesure la stratégie d'une entreprise telle que Nokia diffère-t-elle de celle d'une organisation telle que l'École polytechnique ?

3. Visitez les sites Internet d'autres organisations et comparez leur utilisation du vocabulaire stratégique. Quelles conclusions tirez-vous des similarités et des différences ?

économique traditionnel est un flux linéaire qui relie les fournisseurs de composants, les producteurs, les distributeurs, les détaillants et les consommateurs. Cependant, des flux d'information (publicité, études de marché) peuvent lier directement les fabricants aux clients finaux.

- Il est enfin important d'exercer un certain degré de *contrôle stratégique*, de manière à vérifier dans quelle mesure les réalisations satisfont les objectifs et les buts.

Il ne s'agit ici que des définitions préalables à l'étude de la stratégie. Au long de l'ouvrage, nous introduirons et définirons de nombreux autres termes.

L'illustration 1.2 compare le vocabulaire stratégique utilisé par deux organisations présentes dans des contextes très différents. Nokia est une entreprise privée, en concurrence avec de grandes multinationales telles que Motorola ou Samsung. Si le profit est essentiel pour Nokia, sa vision et sa mission s'expriment par la volonté de connecter toujours plus d'individus à travers le monde. Pour sa part, l'École polytechnique est une école publique française dédiée à la formation de dirigeants de haut niveau. Tout comme Nokia, l'École polytechnique est confrontée à la concurrence lorsqu'il s'agit d'attirer les meilleurs étudiants ou d'obtenir des budgets de recherche. La stratégie d'entreprise et la stratégie par domaine d'activité sont donc tout aussi importantes pour une organisation publique que pour une entreprise privée.

Le vocabulaire de la stratégie dépend donc largement du contexte. Une petite start-up a besoin d'afficher une stratégie pour persuader les investisseurs de sa viabilité. Une organisation du secteur public doit communiquer sa stratégie non seulement pour savoir quoi faire, mais aussi pour rassurer ses financeurs et les autorités de régulations sur le bien-fondé de ses actions. Les organisations caritatives doivent afficher leur stratégie afin d'attirer des volontaires et motiver les donateurs. S'ils entendent mener à bien leur carrière à l'intérieur d'une vaste organisation, les responsables d'activité doivent publier des stratégies claires et cohérentes avec les objectifs généraux. Même les entreprises familiales ont besoin d'afficher une stratégie afin de motiver leurs employés et de tisser des relations à long terme avec leurs principaux clients et fournisseurs. Si le vocabulaire de la stratégie est ainsi utilisé dans différents contextes et pour des usages distincts, il fait partie du langage quotidien du travail.

1.3 Le management stratégique

L'expression *management stratégique* souligne l'importance des managers dans la stratégie. Les stratégies n'apparaissent pas par elles-mêmes : elles impliquent des acteurs, notamment les managers qui les décident et les déploient. La dimension humaine de la stratégie ne doit jamais être sous-estimée.

Par nature, le management stratégique diffère des autres aspects de la gestion. Un manager est le plus souvent accaparé par des problèmes opérationnels, comme le maintien de l'efficience de la production, le management de la force de vente, le contrôle de la performance financière ou l'accroissement du niveau de service. Toutes ces tâches sont extrêmement importantes, mais elles consistent essentiellement à gérer au mieux des ressources préalablement déployées, le plus souvent dans une partie spécifique de l'organisation et dans les limites définies par une stratégie préétablie. Ce pilotage opérationnel – qui absorbe l'essentiel du temps des managers – est indispensable au déploiement effectif de la stratégie ; mais ce n'est pas du management stratégique.

Le champ du management stratégique est plus large que celui de n'importe laquelle des activités opérationnelles. Il a pour objet la gestion de la complexité provoquée par des situations ambiguës et non routinières. Il aborde ces problèmes au niveau de l'organisation et non dans leurs implications spécifiques à chacune des fonctions opérationnelles. Il constitue donc un défi majeur pour les managers, qui sont plus habitués à la gestion quotidienne des ressources placées sous leur contrôle et qui pour la plupart ont tendance, du fait de leur expérience et de leur formation, à aborder les problèmes en fonction de leurs propres compétences : les comptables se focalisent sur les questions financières, les informaticiens sur les systèmes d'information, les commerciaux sur la vente, etc. Bien entendu, chacun de ces aspects est important, mais aucun ne suffit à appréhender l'ensemble des situations auxquelles une organisation est confrontée. Le manager qui aspire à définir ou du moins à influencer la stratégie doit être capable de prendre du recul afin de sortir de son cadre de référence habituel.

Comme le management stratégique se caractérise par sa complexité, un effort de *conceptualisation* constitue le préalable indispensable à tout diagnostic et plus encore à toute prise de décision. La formation des managers inclut généralement tout à la fois des préoccupations opérationnelles et des méthodologies de *planification* et d'*analyse*. Le présent ouvrage détaille ces approches analytiques, mais il n'omet pas pour autant les actions et les pratiques qui caractérisent le management stratégique. Il donne par ailleurs une importance particulière aux concepts permettant de comprendre la complexité des problèmes stratégiques.

Le management stratégique inclut en fait trois principales composantes qui constituent l'architecture de cet ouvrage. Le management stratégique comprend le *diagnostic stratégique*, grâce auquel on détermine la position stratégique de l'organisation, les *choix stratégiques*, qui consistent à formuler les options possibles et à sélectionner l'une d'entre elles, et enfin le *déploiement stratégique*, qui concerne à la fois la mise en œuvre de la stratégie retenue et la gestion des changements que ce choix impose.

Le management stratégique inclut le diagnostic stratégique, les choix stratégiques et le déploiement stratégique

Les sections suivantes examinent chacune des composantes du management stratégique. Le schéma 1.3 résume l'ensemble et définit ainsi le propos général de cet ouvrage. Il est important d'expliquer l'aspect de ce schéma. Il aurait pu être présenté de manière linéaire, le diagnostic stratégique précédant les choix stratégiques, eux-mêmes suivis par le déploiement stratégique. En fait, bien des articles et ouvrages consacrés à la stratégie procèdent de cette manière. Pourtant, dans la pratique, les composantes du management stratégique ne suivent pas ce cheminement linéaire, mais sont au contraire interdépendantes : elles s'influencent mutuellement. Une manière de mieux définir une stratégie peut ainsi consister à la déployer ; les choix et le déploiement peuvent donc se chevaucher. De même, le diagnostic stratégique peut utiliser l'expérience des stratégies déjà déployées. Si dans cet ouvrage le processus stratégique a été divisé en sections distinctes, c'est uniquement pour des raisons de commodité structurelle et d'impact pédagogique. Cela ne signifie nullement que dans la réalité ce processus suit un itinéraire

| Schéma 1.3 | **Les composantes du management stratégique** |

clairement ordonné et défini à l'avance. D'ailleurs, la contingence et la complexité inhérentes au management stratégique constituent le propos du chapitre 15.

1.3.1 Le diagnostic stratégique

Le diagnostic stratégique consiste à comprendre l'impact stratégique de l'environnement externe, de la capacité stratégique de l'organisation (ses ressources et compétences) et des attentes et influences des parties prenantes

Le diagnostic stratégique consiste à comprendre l'impact stratégique de l'environnement externe, de la capacité stratégique de l'organisation (ses ressources et compétences) et des attentes et influences des parties prenantes. Les questions que soulève l'analyse de ces différents éléments sont essentielles à la définition de la stratégie future et font l'objet des quatre chapitres de la partie 1 de l'ouvrage.

- L'*environnement*. L'organisation évolue dans un contexte à la fois politique, économique, social technologique, environnemental et légal qui peut être plus ou moins dynamique et plus ou moins complexe. Comprendre en quoi ce contexte affecte l'organisation implique à la fois une analyse des événements passés et une estimation de l'évolution future. Certaines de ces variables sont à même de générer des *opportunités* pour l'organisation, alors que d'autres recèlent des *menaces*. D'autres encore peuvent constituer soit des opportunités, soit des menaces selon les ressources détenues par l'organisation et la manière dont elle saura les exploiter. Cependant, le nombre de ces variables est généralement si élevé qu'on ne peut pas les analyser toutes. C'est pourquoi il est utile d'extraire de cette complexité une synthèse des forces environnementales réellement essentielles pour l'organisation. Le chapitre 2 montre comment une telle démarche est possible.
- Les *ressources et compétences* de l'organisation lui permettent de construire sa *capacité stratégique*. Une manière de déterminer quelle est la capacité stratégique d'une organisation consiste à évaluer ses *forces* et ses *faiblesses*, c'est-à-dire ce qu'elle peut mieux ou moins bien faire que ses concurrents, ce qui lui procure un avantage ou un désavantage. Il s'agit de définir l'impact des influences

et des contraintes internes sur les décisions stratégiques. Les compétences qui apportent un avantage concurrentiel décisif – dans cet ouvrage, elles sont appelées *compétences fondamentales* – sont généralement constituées de la combinaison de différentes ressources et compétences de haut niveau. C'est cette osmose que les concurrents ont le plus grand mal à imiter. Le chapitre 3 examine en détail l'analyse de la capacité stratégique.

- Le chapitre 4 présente l'influence des *attentes des parties prenantes* sur *l'intention stratégique* de l'organisation. Cette intention stratégique s'exprime au travers de la vision, de la mission et des valeurs affichées par l'organisation. La question du *gouvernement d'entreprise* est ici particulièrement cruciale : parmi les différentes parties prenantes, lesquelles l'organisation *devrait-elle* servir en priorité et comment les managers en seront-ils tenus pour responsables ? Cela soulève des questions de responsabilité sociale de l'entreprise et d'éthique. Le chapitre 4 montre en quoi les différences internationales entre les systèmes de gouvernement d'entreprise et le pouvoir respectif des parties prenantes à l'intérieur de chaque organisation influent sur l'intention stratégique.

- Le chapitre 5 examine l'impact des *influences historiques et culturelles* sur la stratégie. Les influences culturelles peuvent être *organisationnelles*, *sectorielles* ou *nationales*. Les influences historiques peuvent créer des effets de *blocage* sur certaines trajectoires stratégiques. Ces influences débouchent parfois sur une *dérive stratégique*, c'est-à-dire l'incapacité à mener un changement pourtant nécessaire. Le chapitre 5 montre comment l'influence de la culture et de l'histoire sur la stratégie peut être analysée.

Ces questions de diagnostic ont été essentielles pour Yahoo! en 2006. L'environnement externe se caractérisait par la concurrence de plus en plus vive de Google. La marque Yahoo! et le nombre d'utilisateurs constituaient des ressources précieuses. L'entreprise restait indécise sur sa véritable intention stratégique, sur laquelle ses dirigeants n'arrivaient apparemment pas à se prononcer. Pour autant, Yahoo! avait hérité d'une culture suffisamment puissante pour que Brad Garlinghouse ait décidé de se raser un Y à l'arrière du crâne.

1.3.2 Les choix stratégiques

Les **choix stratégiques** incluent la sélection des stratégies futures, que ce soit au niveau des domaines d'activité stratégique ou à celui de l'entreprise dans son ensemble, ainsi que l'identification des orientations et des modalités de développement stratégique. Ces questions font l'objet de la partie 2 de l'ouvrage.

- Il convient de faire des choix *au niveau des domaines d'activité stratégique*, qui concernent avant tout le positionnement vis-à-vis des concurrents, notamment en termes de prix ou de différenciation, mais aussi de coopération. Les stratégies au niveau des domaines d'activité stratégique seront discutées dans le chapitre 6.

- La *stratégie au niveau de l'entreprise* concerne la définition du périmètre d'activité global. Cela inclut les décisions de *diversification* en termes de portefeuille d'activités et de marchés. Selon Brad Garlinghouse, un des problèmes stratégiques de Yahoo! était une diversification excessive. La stratégie au niveau de l'entreprise concerne également les relations entre les différentes activités et la

Les choix stratégiques incluent la sélection des stratégies futures, que ce soit au niveau de l'entreprise ou à celui des domaines d'activité stratégique, ainsi que l'identification des orientations et des modalités de développement

manière dont la direction générale est susceptible d'ajouter de la valeur à chacune. Chez Yahoo!, cet ajout de valeur de la part de la direction générale n'est pas clair. Ces questions sur le rôle du centre stratégique et sur la création de valeur par les directions générales ou les maisons mères seront examinées dans le chapitre 7.

- L'*internationalisation* est une forme de diversification vers de nouvelles zones géographiques. Elle est souvent aussi ardue que la diversification en termes d'activité. Le chapitre 8 présente les critères permettant de choisir les zones géographiques à prospecter en priorité et la manière d'y entrer, que ce soit par licence, investissement direct ou acquisition.

- À l'origine, toute organisation résulte d'un acte d'*entrepreneuriat*. Par ailleurs, beaucoup d'organisations doivent constamment *innover* pour survivre. Le chapitre 9 est consacré aux choix en termes d'innovation et d'entrepreneuriat : faut-il être le premier entrant sur un marché ou un suiveur ? Faut-il écouter les clients lorsqu'on développe de nouveaux produits ou services ? Comment financer un projet ? Comment construire un réseau de relations ? Quelles sont les stratégies de sortie ?

- Les organisations doivent faire des choix sur leurs *modalités* de développement. Beaucoup privilégient la croissance interne, alors que d'autres préfèrent croître par fusions et acquisitions ou par alliances et partenariats. Ces différentes modalités de développement font l'objet du chapitre 10, qui traite également des *critères de succès* permettant d'évaluer les choix stratégiques.

1.3.3 Le déploiement stratégique

Le déploiement stratégique consiste à mettre la stratégie en pratique

Le déploiement stratégique consiste à mettre la stratégie en pratique. En effet, une stratégie n'existe qu'à partir du moment où elle est effectivement mise en œuvre et traduite en actions opérationnelles. Ces questions sont traitées par les cinq chapitres qui composent la partie 3 de l'ouvrage :

- Tout d'abord, il convient de prendre en compte les *processus* à travers lesquels les stratégies s'élaborent effectivement dans les organisations. Les stratégies résultent généralement d'une combinaison de processus *délibérés* et de processus *émergents*. Les stratégies délibérées sont le produit de systèmes formels de planification et de décision rationnelles, mais dans la pratique, les stratégies effectivement déployées sont toujours en partie émergentes : elles incorporent une part d'intuition, d'initiatives personnelles de certains membres de l'organisation, de réponse à des opportunités ou des menaces imprévues, voire tout simplement de chance. Le chapitre 11 présente le rôle respectif de l'intention et de l'émergence dans le développement stratégique.

- La nature de l'*organisation* doit permettre d'atteindre les objectifs attendus. Cela implique des choix de structure, de processus et de coordination (ainsi que des interactions entre ces trois éléments). Selon Brad Garlinghouse, Yahoo! souffrait d'une structure en silo, d'une organisation matricielle et d'un excès de bureaucratie. Ces questions sont examinées dans le chapitre 12.

- Plusieurs *leviers stratégiques* permettent de faciliter le succès des stratégies, voire constituent le socle de ressources à partir duquel les stratégies sont élaborées. Le chapitre 13 examine cette double relation entre la stratégie et quatre principaux domaines de ressources (les individus, l'information, la finance et la technologie).

- La stratégie implique le plus souvent la mise en œuvre de processus de changement. C'est pourquoi le chapitre 14 est consacré à la *gestion du changement*. Le contexte organisationnel peut influencer l'attitude vis-à-vis du changement, ce qui peut pousser les réformateurs à endosser différents rôles, à adopter différents styles et à actionner différents leviers.

- Le dernier chapitre de l'ouvrage est consacré à la *pratique de la stratégie*. Le chapitre 15 examine le détail des processus stratégiques afin d'identifier les *individus* concernés, les *activités* qu'ils doivent conduire et les *méthodes* qu'ils emploient. Ces questions pratiques constituent à la fois une conclusion à cet ouvrage et une introduction pour ceux et celles qui entendent faire de la stratégie.

1.4 La stratégie comme objet d'étude

Afin de mieux comprendre la démarche utilisée dans cet ouvrage, il est utile de présenter un bref historique de la stratégie comme objet d'étude. L'étude et l'enseignement de la stratégie résultent en effet de plusieurs influences majeures.

À l'origine, la stratégie est un concept militaire. Étymologiquement, le stratège est « celui qui commande l'armée » dans la Grèce antique. Si l'on peut trouver de très nombreux écrits sur la stratégie militaire, dans la quasi-totalité des civilisations humaines et à toutes les périodes de l'histoire, deux auteurs sont le plus souvent cités. Le premier est le Chinois Sun Tzu, avec son ouvrage *L'art de la guerre*, écrit en 480 avant Jésus-Christ[8]. Sun Tzu développe une vision de la stratégie centrée sur la surprise, l'espionnage et la ruse, avec des maximes telles que : « Refusez de combattre tant que vous n'êtes pas assuré de l'emporter. » Le second auteur de référence est le général prussien Carl von Clausewitz (1780-1831), adversaire mais admirateur de Napoléon[9]. Dans son ouvrage *De la guerre*, il a défini la stratégie comme la conjugaison de trois éléments : (1) la concentration des forces, (2) l'économie de moyens et (3) la liberté d'action. Partisan de la guerre totale, il est également l'auteur du célèbre aphorisme : « La guerre est la continuation de la politique par d'autres moyens. » De nos jours, à l'image du jeu de go, l'essentiel de la doctrine de la stratégie militaire repose sur la maximisation de la liberté d'action, avec l'utilisation de moyens mobiles tels que les groupes aéronavals ou les forces de projection rapide[10].

L'introduction de la notion de stratégie dans les entreprises remonte aux années 1960, avec la création du cours de *politique générale*[11] à l'université de Harvard. Essentiellement concentrée jusque-là sur des questions d'organisation de la production, la pratique de la direction des entreprises est devenue plus complexe avec l'émergence de la société de consommation, qui impliquait un élargissement du spectre de la concurrence. Les cours de politique générale de l'époque étaient centrés autour d'une sempiternelle question : « Que feriez-vous si vous étiez nommé dirigeant de cette entreprise ? » Le directeur général était considéré comme seul responsable de la stratégie, qui découlait du bon sens et de l'expérience des managers plutôt que de modèles ou de théories. L'enseignement consistait essentiellement à simuler des situations d'entreprises réelles au travers de l'utilisation systématique d'études de cas.

Parallèlement, l'influence des livres sur la *planification stratégique*[12] s'est développée au cours des années 1960 et 1970. L'objectif de ces ouvrages consistait à identifier les diverses influences s'exerçant sur l'organisation, en termes d'opportunités et de menaces. La forme adoptée était celle d'approches planificatrices hautement systématisées. Cette démarche analytique a très fortement influencé le champ de la stratégie. Elle suppose que les managers peuvent – et doivent – appréhender aussi précisément que possible la situation de leur organisation, ce qui leur permettra d'élaborer des décisions optimales. Au cours des années 1970, dans de très nombreuses organisations privées et publiques, cette approche a entraîné la création de départements spécialisés de planification stratégique.

À partir des années 1980, ces deux approches ont fait l'objet d'intenses critiques[13]. Tout d'abord, même si la méthode des cas permettait – et permet toujours – d'apporter un peu de « vécu » dans une salle de classe, l'approche classique des cours de politique générale restait fondamentalement empirique. Elle ne reposait pas sur un socle de connaissances étayées par une démarche de recherche. Peu de preuves venaient conforter le bon sens, et il existait bien peu de modèles théoriques permettant de généraliser les cas individuels. Par ailleurs, l'approche analytique développée par les spécialistes de la planification stratégique était incapable de modéliser l'environnement apparemment plus dynamique et plus compétitif qui avait émergé depuis la fin des années 1970. Les plans à trois ou cinq ans étaient rapidement dépassés par les événements. La réponse à ces insuffisances a été double.

D'une part, des chercheurs ont développé un champ de réflexion visant à comprendre les implications de la stratégie sur la performance des firmes. Ce champ de recherche, connu sous le nom d'*approche par les contenus*, s'est focalisé sur la nature et les conséquences de différentes options stratégiques, comme l'innovation, la diversification ou l'internationalisation. Pour un chercheur adepte de l'approche par les contenus, la question classique consistait à déterminer dans quelles conditions une stratégie donnée permettrait d'atteindre un meilleur niveau de performance. Il s'agissait d'aider les managers à prendre de meilleures décisions stratégiques, mais aussi de permettre aux méthodes d'analyse et de planification d'obtenir des résultats plus probants, grâce à la rigueur d'une démarche scientifique. Cette approche s'est particulièrement inspirée de travaux en économie et ses principaux exemples ont été les écrits de Michael Porter sur les structures industrielles dans les années 1980 et les théories fondées sur les ressources dans les années 1990[14].

Parallèlement, un champ de recherche profondément différent se développa à partir des années 1970. Mené par des auteurs tels que Henry Mintzberg ou Andrew Pettigrew, il s'appuyait sur la sociologie et la psychologie pour postuler que les individus étaient trop imparfaits et le monde trop complexe pour être réductibles à une démarche d'analyse – quelle que soit sa rigueur[15]. Se développa ainsi une *approche par les processus*, dont les spécialistes soulignèrent à de nombreuses reprises l'aspect inévitablement confus des décisions stratégiques réelles[16]. Selon cette approche, il était impossible d'appréhender l'intégralité des situations et encore moins de prévoir le futur. La recherche de solutions optimales apparaissait comme vaine. Plutôt que de tenter de réduire le désordre organisationnel, mieux valait l'accepter et admettre que les décisions des managers résultaient tout autant de jeux politiques, de l'histoire et de la culture que d'une démarche stratégique formalisée. Même lorsqu'une stratégie était rigoureusement formulée, elle se perdait le plus souvent dans les méandres de sa mise en œuvre. Reconnaître les imperfections et la complexité était plus efficace que de les combattre ou les ignorer, comme le faisaient certaines approches purement économiques.

Le XXIe siècle a vu l'émergence de nouveaux champs de recherche qui permettent encore mieux de rendre compte de la réalité organisationnelle. Cet ouvrage en utilise principalement trois :

- La *théorie de la complexité*, issue des sciences physiques, peut être utilisée pour mieux gérer un contexte organisationnel parfois chaotique. Selon des chercheurs tels que Ralph Stacey ou Katherine Eisenhardt, les principes de la théorie de la complexité peuvent contribuer à l'ordre et au progrès social, tout comme des comportements stables et des espèces mieux adaptées semblent émerger dans la nature[17]. Les méthodes non interventionnistes de la théorie de la complexité peuvent être mieux adaptées aux réalités organisationnelles que les approches autoritaires du management traditionnel. Le prisme de la complexité (voir la section 1.6) s'inspire largement de cette approche.
- Les spécialistes du *discours*, comme David Knights, se sont appuyés sur les théories sociologiques du langage afin de montrer comment la manière dont nous parlons des organisations détermine effectivement ce qui s'y passe[18]. L'approche par le discours souligne en particulier que le fait de maîtriser le langage et le jargon de la stratégie peut constituer une ressource pour les managers, grâce à laquelle ils sont identifiés comme des stratèges, ce qui leur permet d'obtenir de l'influence, du pouvoir et de la légitimité. Dans cette optique, savoir « parler stratégie » constitue une compétence clé de la vie dans les organisations. Le prisme du discours (voir la section 1.6) repose sur cette approche.
- À partir d'approches issues de la sociologie et de la psychologie, les spécialistes de la *stratégie comme pratique* ont examiné en détail les pratiques effectives des managers, afin de mieux comprendre les activités et les techniques liées à la stratégie[19]. Dans une certaine mesure, ces auteurs s'inscrivent dans la tradition réaliste des cas de politique générale de l'université de Harvard, mais en cherchant à l'étayer par une démarche systématique de recherche. En tenant compte de la complexité et de l'imprévisibilité de la vie dans les organisations, la démarche de la stratégie comme pratique entend d'une part améliorer la capacité à concevoir des processus stratégiques plus réalistes et d'autre part permettre de former des praticiens plus qualifiés et plus réfléchis. Le chapitre 15 s'appuie tout particulièrement sur cette perspective.

Un demi-siècle de recherche en stratégie a ainsi produit de nombreuses approches. Chacune peut apporter des éclairages utiles et cet ouvrage les utilise toutes. Les chapitres 2 et 3 s'appuient sur les approches économiques pour analyser l'environnement et les ressources. Les chapitres 4 et 5 adoptent une démarche essentiellement sociologique et psychologique afin de décrire la complexité organisationnelle et les phénomènes culturels. Les chapitres suivants combinent les perspectives économiques, sociologiques et psychologiques. Cet ouvrage repose sur le principe que les managers travaillent mieux lorsqu'ils restent ouverts à ces différents points de vue, car cela élargit le champ des solutions qui s'offrent à eux. À travers la notion de prismes stratégiques, la section 1.6 revient sur l'importance de ces multiples perspectives.

1.5 La stratégie comme métier

La plupart des lecteurs de cet ouvrage seront concernés par la stratégie d'une manière ou d'une autre. La stratégie n'est pas la chasse gardée des dirigeants. Les managers opérationnels doivent eux aussi agir dans le cadre de la stratégie de leur organisation, atteindre les objectifs qui leur sont fixés et gérer un ensemble de contraintes. Les managers doivent communiquer leur stratégie à leurs équipes et leur performance dépendra de leur capacité à l'exprimer avec conviction. En fait, les managers opérationnels jouent un rôle de plus en plus important dans la fabrication de la stratégie. La tentative de Brad Garlinghouse pour influencer la stratégie de Yahoo! constitue un cas extrême, mais de plus en plus d'organisations impliquent leurs responsables intermédiaires dans des processus de réflexion stratégique (voir le chapitre 15). L'obtention d'une promotion dépend souvent de la capacité à participer aux débats stratégiques et à en discuter avec les dirigeants[20].

La stratégie fait donc partie du travail ordinaire de nombreux managers. Il existe par ailleurs des spécialistes de la stratégie, que ce soit dans le secteur privé ou dans le secteur public. On trouve ainsi des offres d'emploi appelant à rejoindre des départements stratégie dans les entreprises ou les administrations. Ces services spécialisés, qui exigent généralement des candidats ayant reçu une formation en management, peuvent constituer un début de carrière intéressant en stratégie, en particulier après une expérience opérationnelle. Une autre porte d'entrée est le conseil en stratégie, industrie qui a connu une forte croissance dans les dernières décennies. Les pionniers du domaine, McKinsey, le Boston Consulting Group ou Bain, ont été rejoints par des concurrents plus récents tels qu'Oliver Wyman ou des cabinets plus généralistes comme Accenture, IBM Consulting ou PriceWaterhouseCoopers, qui ont tous développé une branche dédiée à la stratégie[21]. Tous ces cabinets recrutent eux aussi des diplômés en management ou des ingénieurs[22].

L'illustration 1.3 précise en quoi peut consister le travail stratégique au quotidien, à la fois pour des managers opérationnels et pour des spécialistes. Galina, manager dans une multinationale, Masoud, conseiller dans un service gouvernemental, et Chantal, consultante en stratégie, ont tous une expérience différente de la stratégie, mais on retrouve des thèmes communs dans leurs propos. Ils trouvent tous les trois que la stratégie est un travail stimulant et gratifiant. Les deux spécialistes, Masoud et Chantal, parlent plus que Galina des outils analytiques. Galina a personnellement expérimenté les limites d'un plan stratégique, ce qui la conduit à souligner l'importance de la flexibilité et la nécessité d'impliquer ses subordonnés dans l'élaboration de la stratégie. Masoud et Chantal ne se limitent pas à des rôles d'analystes. Chantal insiste sur la construction d'un consensus avec les clients, de manière à s'assurer du déploiement de la stratégie. Masoud lui non plus ne considère pas que la mise en œuvre est automatique, c'est pourquoi il continue de travailler avec les départements après leur avoir transmis ses recommandations.

Il estime que la stratégie et l'opérationnel sont intimement liés : les agents opérationnels doivent comprendre la stratégie pour être efficaces et les stratèges doivent comprendre les contraintes opérationnelles pour être pertinents. Pour lui, la stratégie est une étape précieuse dans sa carrière, qui lui permettra d'évoluer vers un poste plus opérationnel.

La stratégie ne concerne pas des organisations abstraites : c'est un métier pour de nombreuses personnes. Cet ouvrage a ainsi pour objectif d'équiper le lecteur afin de lui permettre de mieux exercer ce métier ou de mieux travailler avec ceux qui l'exercent. Les chapitres 11 et 15 discutent les différents rôles des managers, des dirigeants et des consultants en ce qui concerne les tâches stratégiques.

1.6 Les prismes stratégiques

Dans ce chapitre, nous avons déjà souligné les différentes perspectives issues de la recherche en stratégie. Dans la suite de l'ouvrage, nous qualifierons ces interprétations de **prismes stratégiques.** Ces quatre prismes sont introduits plus en détail immédiatement après ce chapitre et feront l'objet de commentaires à l'issue de chacune des trois parties de l'ouvrage. L'idée clé est qu'il ne faut pas interpréter les questions stratégiques au travers d'un seul de ces prismes. Considérer les problèmes selon différents points de vue permet de faire émerger de nouvelles questions et de nouvelles solutions. C'est la raison pour laquelle les quatre prismes, même s'ils sont issus de la recherche en stratégie, peuvent avoir un réel intérêt pratique pour les managers.

Les prismes stratégiques sont quatre points de vue au travers desquels les processus stratégiques peuvent être interprétés

- Le *prisme de la méthode* est le point de vue selon lequel la stratégie découle d'un processus rationnel dans lequel les forces et les contraintes s'exerçant sur l'organisation sont précisément évaluées au travers d'approches analytiques, afin d'établir une orientation stratégique claire dont le déploiement peut être rigoureusement planifié. Il s'agit très certainement de la conception la plus largement partagée du management stratégique, généralement associée avec la conviction que la stratégie relève spécifiquement de la responsabilité des dirigeants, qui en sont les seuls concepteurs et orchestrateurs.
- Le *prisme de l'expérience* : ici, les stratégies futures sont censées découler d'une adaptation des stratégies passées, au travers de l'expérience des individus, des schémas de pensée implicites et des routines encastrées dans les processus culturels de l'organisation. Si différentes représentations et attentes coexistent au sein de l'organisation, les méthodes analytiques et rationnelles ne suffiront pas à les combiner. Leur cohabitation impliquera nécessairement des processus de marchandage et de négociation. Le prisme de l'expérience considère que la stratégie est avant tout la conséquence et la continuation de ce qui a été fait par le passé.
- Le *prisme de la complexité* : aucun des deux prismes ci-dessus ne permet d'expliquer les phénomènes d'innovation. Comment les idées nouvelles se développent-elles ? Le prisme de la complexité met l'accent sur la variété et la diversité en tant que générateurs potentiels d'innovations. Ici, les stratégies ne résultent pas de la volonté délibérée des seuls dirigeants. Ce sont tous les membres de l'organisation – voire de son entourage – quotidiennement

Illustration 1.3

Des stratèges

La stratégie constitue une large part du travail de Galina, Masoud et Chantal.

Galina

Après une première expérience en marketing, Galina est devenue à 33 ans directrice de la filiale suisse d'une entreprise de technologies de l'information russe. Elle doit non seulement développer la stratégie de sa filiale, mais également interagir régulièrement avec la maison mère à Moscou :

> Moscou ne s'intéresse pas aux détails, mais à l'avenir de l'activité.

Le plan stratégique d'origine de la filiale a dû être fortement adapté :

> Quand nous sommes arrivés ici, nous avions quelques idées sur la stratégie, mais nous avons vite compris que la réalité était très différente des plans. Notre stratégie n'était pas complètement fausse, mais à la deuxième phase nous avons quand même été obligés de la modifier en profondeur afin de nous adapter au marché. À présent, nous en sommes à la troisième phase : les fondamentaux sont en place et nous devons nous focaliser sur les tendances afin de prendre les devants et d'être au bon endroit au bon moment.

Galina travaille étroitement avec ses équipes sur la stratégie. Pour cela, elle organise un séminaire de réflexion annuel (voir le chapitre 15) :

> Réunir les gens leur permet de comprendre la situation d'ensemble, plutôt que de se focaliser sur leur propre champ de responsabilité. C'est une bonne chose de rassembler les réalités de chacun.

Galina est enthousiaste sur son travail en stratégie :

> J'aime beaucoup la stratégie. Le plus stimulant est de réfléchir à d'où nous venons et où nous pourrions aller. Nous avons commencé dans un café il y a cinq ans et aujourd'hui nous avons plus ou moins réalisé ce que nous espérions. La stratégie vous permet de mesurer votre succès, elle vous dit si vous avez bien travaillé.

Voici son conseil :

> Ayez toujours une stratégie. Ayez un but ultime en tête. Mais acceptez les réactions du marché et celles de vos collègues. Soyez prêt à ajuster votre stratégie : l'ajustement, c'est le plus important.

Masoud

À 27 ans, Masoud est conseiller dans une unité de réflexion stratégique du gouvernement britannique. Il rédige des analyses et des recommandations pour des ministres, le plus souvent de manière interdépartementale. Il passe plusieurs mois sur chaque projet et continue à travailler avec les responsables des services concernés après leur avoir transmis ses recommandations. Les projets impliquent de rencontrer des experts internes et externes au gouvernement, de réaliser des analyses statistiques, des analyses de scénarios (voir le chapitre 2), des analyses de sensibilité (voir le chapitre 10) et des tests d'hypothèses (voir le chapitre 15), de rédiger des rapports et de faire des présentations. Au cours de son évolution au sein de l'unité, Masoud a été de plus en plus impliqué dans la réflexion stratégique, ses fonctions étant de moins en moins cantonnées à un travail d'analyste.

Il explique ce qu'il aime le plus dans son travail de stratège :

> J'aime le défi. Je travaille sur des questions réellement importantes et souvent c'est ce que vous lisez dans les journaux. Ce sont des problèmes difficiles, qui concernent la société dans son ensemble.

confrontés à la complexité et à l'évolution de leur environnement qui font *émerger* des stratégies. Lorsque de nouvelles idées apparaissent, elles doivent combattre les pressions conservatrices et l'inertie décrites par le prisme de l'expérience.

- Le *prisme du discours* : ce prisme considère la stratégie en termes de langage. Les managers passent l'essentiel de leur temps à communiquer. La maîtrise du langage stratégique constitue ainsi une ressource qui permet aux managers d'infléchir à leur avantage les analyses « objectives » afin d'accroître leur influence, leur pouvoir et leur légitimité. Si l'on considère la stratégie du point de vue du

Il pense que les gens devraient être impliqués dans la stratégie :

J'encourage les gens à faire de la stratégie, car cela vous conduit au cœur des problèmes. Dans toutes les organisations, il est très fructueux d'avoir eu une expérience en stratégie, même si ce n'est pas ce que vous voulez faire pendant toute votre carrière.

Masoud envisage d'évoluer vers un poste plus opérationnel, car il considère que la stratégie et l'opérationnel sont intimement liés :

Une grande part de la stratégie consiste à comprendre ce qui peut réellement être fait et une grande part de l'opérationnel consiste à comprendre ce qui doit réellement être fait.

Chantal

Diplômée d'une école de commerce, Chantal a rejoint un grand cabinet de conseil en stratégie à Paris. Elle y travaille maintenant depuis six ans. Elle a été attirée par le conseil car elle aimait l'idée d'aider les organisations à s'améliorer. Elle a choisi ce cabinet car :

J'ai aimé l'ambiance des entretiens et les personnes que j'ai rencontrées étaient stimulantes. Je me voyais bien travailler avec ces personnes sur ce type de sujets.

Elle apprécie beaucoup le conseil en stratégie :

Ce que j'aime, c'est résoudre des problèmes. C'est un peu comme résoudre un mystère : vous avez un problème et vous devez trouver une solution qui convient pour aider l'entreprise à croître et à prospérer.

Son travail est exigeant intellectuellement :

Les délais sont courts. Vous devez résoudre le problème en deux ou trois mois. Il y a beaucoup de pression. Cela vous pousse et vous aide à vous connaître

vous-même. Nous ne sommes que trois ou quatre dans une équipe, donc même en tant que junior, vous devez apporter une contribution significative au projet. Vous avez beaucoup d'autonomie et vous êtes utile dès le départ, à un niveau plutôt élevé.

Son travail peut impliquer des modélisations financières et marketing (voir les chapitres 2 et 10), différents types d'entretiens et un travail étroit avec les équipes du client :

En tant que consultant, vous passez beaucoup de temps à construire des arguments solidement étayés par des faits, qui aideront votre client à prendre des décisions. Mais au-delà des faits, vous devez être capable d'impliquer vos interlocuteurs. Pour que vos recommandations soient effectivement suivies, vous devez obtenir un consensus. Les gens doivent être d'accord.

Chantal résume ainsi l'attrait du conseil en stratégie :

J'aime apprendre à grande vitesse. J'ai l'opportunité d'accroître mes compétences. Une année dans le conseil c'est comme deux années dans une entreprise normale.

Sources : entretiens (les noms des interlocuteurs ont été changés).

Questions

1. Par lequel de ces rôles de stratège êtes-vous le plus attiré(e) : manager d'une filiale dans une multinationale, expert interne ou consultant ? Pourquoi ?

2. Que devriez-vous faire pour obtenir un tel poste ?

discours, on devient particulièrement attentif au langage utilisé par les managers pour identifier les problèmes, formuler des propositions, débattre des solutions et finalement communiquer les décisions. Le langage de la stratégie et les concepts qui le sous-tendent peuvent influencer la stratégie en définissant ce qui sera effectivement discuté.

Résumé

● Avec pour objectifs la réponse aux attentes des *parties prenantes* et l'obtention d'un *avantage concurrentiel*, la stratégie consiste en une *allocation de ressources* qui *engage* l'organisation dans le *long terme*. Elle peut être résumée par le *modèle VIP* : quel modèle de création de *valeur*, quelle résistance à l'*imitation*, sur quel *périmètre* ?

● Des décisions stratégiques sont élaborées à plusieurs niveaux dans l'organisation. La *stratégie d'entreprise* concerne le choix des objectifs généraux et la définition du périmètre d'activité. La *stratégie par domaine d'activité* ou *stratégie concurrentielle* détermine comment chacune des unités qui composent l'organisation peut améliorer sa position sur un marché. Les *stratégies opérationnelles* consistent à concevoir comment les ressources, les processus et les individus peuvent effectivement permettre de déployer les stratégies retenues au niveau global et à celui de chaque domaine d'activité. Le management stratégique se distingue du management opérationnel quotidien par le fait que chaque décision, soumise à des influences complexes, entraîne des répercussions durables sur l'ensemble de l'organisation.

● Le management stratégique peut être subdivisé en *diagnostic stratégique*, *choix stratégiques* et *déploiement stratégique*. Le diagnostic stratégique consiste à déterminer la position stratégique de l'organisation par rapport à son environnement externe, à sa capacité stratégique interne et aux attentes et aux influences de ses parties prenantes. Les choix stratégiques impliquent la détermination des options envisageables au niveau de l'entreprise et à celui de chaque domaine d'activité, mais aussi les orientations et modalités de développement. Il convient également de déterminer quels choix sont susceptibles de mener au succès ou à l'échec. Le déploiement stratégique concerne la traduction de la stratégie en actes, au travers de la reconfiguration de la structure de l'organisation, de l'utilisation de leviers stratégiques et de la gestion du changement.

● À partir des premiers cours de politique générale et de la démarche traditionnelle de la planification stratégique, l'étude de la stratégie a évolué vers deux directions distinctes : l'*approche par les contenus*, qui se focalise sur la pertinence des différentes options stratégiques, et l'*approche par les processus*, qui s'intéresse avant tout à la prise de décision et à la gestion du changement. D'autres approches se développent, comme la théorie de la complexité, l'analyse du discours stratégique et la stratégie comme pratique.

● La stratégie est aussi un métier. Certains l'exercent à plein-temps, comme les *départements stratégie* internes aux entreprises ou les *consultants en stratégie*. La stratégie constitue également une part importante des responsabilités de beaucoup de managers, pas seulement les dirigeants, mais également les responsables d'activités opérationnelles et tous ceux qui ont besoin d'influencer les orientations stratégiques de leur organisation.

● Les questions stratégiques sont mieux comprises lorsqu'on les considère selon plusieurs points de vue, comme le rappellent les quatre *prismes stratégiques*. Le *prisme de la méthode* considère la stratégie de manière logique et analytique. Selon le *prisme de l'expérience*, la stratégie est le produit de l'expérience individuelle et de la culture organisationnelle. D'après le *prisme de la complexité*, la stratégie émerge de la diversité des idées, qu'elles soient internes ou externes à l'organisation. Enfin, le *prisme du discours* souligne le rôle du langage stratégique au sein des organisations et la nécessité de le maîtriser efficacement.

Travaux pratiques ● Signale des exercices d'un niveau plus avancé

1. En vous inspirant du schéma 1.2 et de l'illustration 1.2, relevez et expliquez des exemples de vocabulaire stratégique utilisé dans le rapport annuel d'une entreprise de votre choix.

2. En vous inspirant du schéma 1.3, identifiez les principaux éléments de diagnostic stratégique, de choix stratégiques et de déploiement stratégique pour une organisation de votre choix.

3. ● En utilisant des rapports annuels, des articles de presse et des sites Internet, rédigez une étude de cas (semblable à celles portant sur Yahoo! ou Electrolux) qui décrit le développement stratégique d'une organisation.

4. ● En vous inspirant du schéma 1.3, montrez en quoi les composantes du management stratégique diffèrent dans :

   (a) Une PME.
   (b) Une grande multinationale.
   (c) Une organisation de service public.

Lectures recommandées

Il est toujours utile d'approfondir un sujet. Par-delà les références utilisées au long de ce chapitre, nous recommandons les lectures suivantes :

● Pour un état de l'art complet, l'ouvrage coordonné par H. Laroche et J.-P. Nioche, *Repenser la stratégie, fondements et perspectives*, Vuibert, 1998, expose les différents fondements théoriques du champ stratégique. On peut également se référer à l'ouvrage collectif coordonné par T. Loilier et A. Tellier, *Les grands auteurs en stratégie*, EMS, 2007, à R. Whittington, *What is Strategy – and does it matter?*, 2ᵉ édition, International Thomson, 2001 et H. Mintzberg, B. Ahlstrand, et J. Lampel, *Safari en pays stratégie*, Village Mondial, 1999.

● La meilleure source sur la recherche francophone en management stratégique est indiscutablement le site de l'Association internationale de management stratégique : www.strategie-aims.com.

● Sur la question de ce qu'est la stratégie – et ce qu'elle n'est pas –, le lecteur peut se reporter à M.E. Porter, « Plaidoyer pour un retour de la stratégie », *L'Expansion Management Review*, n° 84 (1997), D.C. Hambrick et J. Fredrickson, « Are you sure you have a strategy? », *Academy of Management Executive*, vol. 19, n° 4 (2005), pp. 51-52, et F. Fréry, « The Fundamental Dimensions of Strategy », *MIT Sloan Management Review*, vol. 48, n° 1 (2006), pp. 71-75.

● Le lecteur est invité à actualiser régulièrement sa connaissance des développements stratégiques par la lecture de journaux et magazines économiques. Les sites Internet des principaux cabinets de conseil en stratégie constituent également une bonne source d'information : www.mckinsey.com, www.bcg.com ou www.bain.com.

Références

1. En référence à la terminologie anglo-saxonne *corporate strategy*.

2. La question fondamentale « Qu'est-ce que la stratégie ? » a notamment été abordée par R. Whittington, *What is Strategy – and Does it Matter?*, International Thomson, 1993/2000 et M. Porter, « Plaidoyer pour un retour de la stratégie », L'Expansion Management Review, n° 84 (1997).

3. Dans les années 1980, les écrits et des pratiques de management stratégique ont été fortement influencés par l'ouvrage de Michael Porter, *Choix stratégiques et concurrence : techniques d'analyse*

des secteurs et de la concurrence dans l'industrie, Economica, 1982, qui postule la nécessité d'adapter les stratégies en fonction des forces qui structurent l'industrie. Cette approche est connue sous le nom de stratégie déduite ou « strategic fit ».

4. La notion de stratégie construite (« strategic stretch ») est clairement expliquée dans l'ouvrage de G. Hamel et C.K. Prahalad, *La conquête du futur*, InterÉditions, 1995.

5. Sur l'importance de la notion d'engagement en stratégie, voir l'ouvrage de Pankaj Ghemawat, *Commitment*, Free Press, 1991.

6. Voir F. Fréry, « The Fundamental Dimensions of Strategy », *MIT Sloan Management Review*, vol. 48, n° 1 (2006), pp. 71-75.

7. Pour un recensement des définitions de la stratégie, voir par exemple F. Fréry, « Propositions pour une axiomatique de la stratégie », *Actes de la XIIIᵉ conférence de l'Association internationale de management stratégique (AIMS), Normandie Vallée de Seine*, juin 2004. Disponible sur le site Internet de l'AIMS à l'adresse www.strategie-aims.com.

8. S. Tzu, *L'art de la guerre*, Economica, 1999.

9. C. von Clausewitz, *De la guerre*, Perrin, 1999.

10. Sur l'historique de la stratégie militaire, voir par exemple G. Chaliand, *Anthologie mondiale de la stratégie*, Bouquins, Robert Laffont, 4ᵉ édition, 2001. Sur la correspondance entre stratégie militaire et stratégie d'entreprise, voir G. Fievet, *De la stratégie militaire à la stratégie d'entreprise*, InterÉditions, 1992 ; F. Le Roy, *Stratégie militaire et management stratégique des entreprises : une autre approche de la concurrence*, Economica, 1999.

11. Voir par exemple C. Christensen, K. Andrews et J. Bower, Business Policy : *Text and cases*, 4ᵉ édition, Irwin, 1978. Cette tradition de la Harvard Business School est discutée par L. Greiner, A. Bhambri et T. Cummings, « Searching for a strategy to teach strategy », *Academy of Management Learning and Education*, vol. 2, n° 4 (2003), pp. 401-420.

12. Voir par exemple I. Ansoff, *Stratégie du développement de l'entreprise. Analyse d'une politique de croissance et d'expansion*, Éditions Hommes et Techniques, 1970. Pour un résumé des travaux d'Igor Ansoff, voir « Obituary: Igor Ansoff, the father of strategic management », *Strategic Change*, vol. 11 (2002), pp. 437-438.

13. Pour un état de la stratégie en tant que discipline, voir H. Volberda, « Crisis in strategy : fragmentation, integration or synthesis », *European Management Review*, vol. 1, n° 1 (2004), pp. 35-42 et J. Mahoney et A. McGahan, « The field of strategic management within the evolving science of strategic organization », *Strategic Organization*, vol. 5, n° 1 (2007), pp. 79-99.

14. L'ouvrage le plus classique sur les structures industrielles est celui de M. Porter, *Choix stratégiques et concurrence : techniques d'analyse des secteurs et de la concurrence dans l'industrie*, Economica, 1982. L'article fondateur de l'approche par les ressources est celui de J. Barney, « Firm resources and sustained competitive advantage », *Journal of Management*, vol. 17, n° 1 (1991), pp. 91-120.

15. Les articles les plus classiques de Henry Mintzberg sont rassemblés dans H. Mintzberg, *Le management, voyage au centre des organisations*, Éditions d'Organisation, 1990. Voir également A. Pettigrew et R. Whipp, *Managing Change for Competitive Success*, Blackwell, 1991.

16. Sur l'approche par les processus, voir notamment G. Szulanski, J. Porac et Y. Doz (eds), *Strategy Process: Advances in Strategic Management*, JAI Press, 2005 et S.W. Floyd, J. Roos, C. Jacobs et F. Kellermans (eds), *Innovating Strategy Process*, Blackwell, 2005.

17. Voir R.A. Thiétart et B. Forgues, « Chaos Theory and Organization », Organization Science, vol. 6, n° 1 (1995), pp. 19-31 ; R. Stacey, *Managing Chaos: Dynamic business strategies in an unpredictable world*, Kogan Page, 1992 ; S. Brown et K. Eisenhardt, *Competing on the Edge: Strategy as structured chaos*, HBR Press, 1998.

18. Voir D. Knights, « Changing spaces: the disruptive impact of a new epistemological location for the study of management », *Academy of Management Review*, vol. 17, n° 4 (1992), pp. 514-536 et R. Suddaby et R. Greenwood, « Rhetorical strategies of legitimacy », *Administrative Science Quarterly*, vol. 50 (2005), pp. 35-67.

19. Parmi les exemples récents de l'approche de la stratégie comme pratique, voir G. Johnson, A. Langley, L. Melin et R. Whittington, *Strategy as Practice: Research Directions and Resources*, Cambridge University Press, 2007, ainsi que P. Jarzabkowski, J. Balogun et D. Seidl, « Strategizing: the challenge of a practice perspective », *Human Relations*, vol. 60, n° 1 (2007), pp. 5-27.

20. Voir F. Westley, « Middle managers and strategy: microdynamics of inclusion », *Strategic Management Journal*, vol. 11, n° 5 (1990), pp. 337-351.

21. Les principaux cabinets de conseil en stratégie proposent beaucoup d'informations sur les carrières en stratégie et sur la stratégie en général. Voir par exemple www.mckinsey.com, www.bcg.com ou www.bain.com.

22. Sur les opportunités de carrières en stratégie, voir par exemple www.vault.com.

Quelle stratégie pour Electrolux ?

Jusqu'à 2005, le groupe suédois Electrolux était le premier producteur mondial d'appareils à usage domestique et professionnel pour la cuisine, le lavage et les utilisations de plein air. Sa gamme de produits incluait des cuisinières, des aspirateurs, des machines à laver, des réfrigérateurs, des tondeuses à gazon, des tronçonneuses, ainsi que des outils pour l'industrie du bâtiment. Electrolux employait environ 70 000 personnes et vendait annuellement une quarantaine de millions de produits dans 150 pays. En 2005, son chiffre d'affaires avait atteint 129 milliards de couronnes suédoises (environ 14 milliards d'euros) et ses profits, 3,9 milliards (soit 420 millions d'euros). Cependant, l'année 2005 avait vu deux changements qui allaient reléguer Electrolux au second rang mondial, derrière son concurrent américain Whirlpool. Tout d'abord, Whirlpool avait racheté son compatriote Maytag (propriétaire de la marque Hoover), ce qui lui permettait de détenir une part de marché d'environ 70 % aux États-Unis, avec un chiffre d'affaires mondial de quelque 19 milliards de dollars. Deuxièmement, afin de se recentrer sur son cœur de métier – les produits électroménagers domestiques et professionnels –, Electrolux avait annoncé la cession de Husqvarna, sa division produits de plein air (tondeuses, tronçonneuses, etc.), dont la marge opérationnelle (10 %) était pourtant largement supérieure à celle de l'électroménager (3,9 %). Après cette opération de cession, le nouvel Electrolux aurait 57 000 employés et un chiffre d'affaires global d'environ 100 milliards de couronnes suédoises (soit un peu moins de 11 milliards d'euros).

Historique

Il ne s'agissait que d'un épisode de plus dans la stratégie d'Electrolux, dont l'expansion avait commencé dans les années 1920, sous la direc-

tion d'Alex Wenner-Gren. La croissance reposait alors sur une expertise reconnue en design industriel dans le domaine de la réfrigération et des aspirateurs. Dès le milieu des années 1930, l'entreprise avait implanté des sites de production hors de Suède, en Allemagne, en France, au Royaume-Uni, en Australie et aux États-Unis.

Après la Seconde Guerre mondiale, la demande de produits électroménagers connut une forte croissance et Electrolux étendit sa gamme aux machines à laver et aux lave-vaisselle. En 1967, le nouveau président, Hans Werthén, entreprit une vaste série d'acquisitions qui provoqua une restructuration de toute l'industrie de l'électroménager en Europe. Aux 59 acquisitions réalisées dans les années 1970 succédèrent dans les années 1980 des opérations majeures comme la prise de contrôle de Zanussi (Italie), de White Consolidated Products (États-Unis), de Thorm EMI (Royaume-Uni) et de la société de produits de plein air Poulan/Weed Eater (États-Unis).

Cependant, la plus importante acquisition des années 1980 fut le rachat du groupe suédois Ganges, car il s'agissait d'une diversification vers un conglomérat métallurgique.

En 1990, 75 % des ventes d'Electrolux étaient réalisées hors de Suède. Cette internationalisation se poursuivit – notamment en direction de l'Europe de l'Est (Pologne), de l'Asie (Inde et Thaïlande) et de l'Amérique du Sud (Mexique et Brésil) – sous la présidence de Leif Johansson. Celui-ci orchestra également la cession de la plupart des activités industrielles qui ne présentaient pas suffisamment de synergies avec l'électroménager (en particulier le groupe Ganges). À la fin des années 1990, une nouvelle restructuration majeure définit le profil qu'avait le groupe au tournant des années 2000, avec 85 % de l'activité dans les produits grand public et 15 % dans des produits professionnels proches (comme la réfrigération et les équipements de blanchisserie).

Le marché

Le rapport annuel 2005 soulignait trois aspects de l'évolution des marchés que la stratégie du groupe devait absolument prendre en compte :

La globalisation

« Electrolux est présent dans une industrie où la concurrence globale est intense… La productivité au sein de cette industrie a augmenté au cours des années et les consommateurs se voient proposer des produits toujours meilleurs à des prix toujours plus abordables. De plus en plus de fabricants implantent des usines dans des pays où les coûts de production sont significativement inférieurs… et achètent leurs principaux composants dans ces mêmes pays. À terme, les coûts de production des principaux fabricants seront essentiellement les mêmes. Cela provoquera un déplacement de la concurrence vers le développement de produits, le marketing et la construction de marques puissantes. »

La polarisation du marché

« La conjugaison des évolutions des préférences des consommateurs, de l'émergence de réseaux de distribution mondiaux et de la concurrence globale conduit à une polarisation du marché. Un nombre croissant de consommateurs réclament des produits basiques. Les fabricants capables d'améliorer leur efficience de production et de distribution connaîtront une croissance rentable sur ce segment. Dans le même temps, la demande pour des produits haut de gamme augmente elle aussi. »

La consolidation de la distribution

« Le paysage de la distribution des appareils électroménagers domestiques se consolide, en particulier aux États-Unis. Les distributeurs traditionnels perdent des parts de marché au profit des chaînes de grande distribution. Ces grandes chaînes bénéficient de volumes d'achat élevés et d'une large couverture géographique, qui leur permettent de pratiquer des prix bas. De plus, il est souvent moins cher pour les fabricants de fournir ces grandes chaînes, qui achètent des quantités plus importantes et qui sont équipées de systèmes logistiques plus efficients.

Ces trois aspects (globalisation, polarisation du marché et consolidation de la distribution) sont interdépendants. La pénétration rapide des fabricants asiatiques sur le marché américain (par exemple LG et Samsung) s'est ainsi effectuée au moyen d'accords globaux avec de grandes chaînes de distribution (The Home Depot et Loewe's). »

Les stratégies d'Electrolux

Dans le rapport annuel 2005, le P-DG, Hans Stråberg, faisait le bilan de ses quatre premières années à la tête du groupe et soulignait les défis futurs :

Il y a quatre ans, j'ai pris les fonctions de Président et de Directeur Général d'Electrolux. Mon objectif était d'accélérer le développement d'Electrolux face à ses marchés en renforçant notre compréhension des besoins de nos clients… Nous [disions alors] que nous atteindrions [nos objectifs] grâce à :

- La réduction continue des coûts et la simplification de toutes nos opérations.
- L'accroissement du taux de renouvellement de nos produits grâce à une meilleure connaissance de nos clients.
- L'accroissement de nos investissements en marketing afin de faire de la marque Electrolux le leader global dans notre industrie.

Hans Stråberg continuait en décrivant les principales évolutions stratégiques qui avaient eu lieu au cours de ces quatre années, tout en anticipant les nouvelles perspectives après l'opération de cession de 2006 :

La gestion des opérations insuffisamment rentables

Nous avons cédé ou restructuré le modèle économique de nos activités qui pouvaient être considérées comme trop éloignées de notre cœur de métier ou dont la rentabilité était insuffisante. Par exemple, plutôt que de continuer à produire des climatiseurs aux États-Unis, nous avons externalisé cette activité déficitaire auprès d'un fournisseur chinois. De même, nos activités moteurs et compresseurs ont été cédées.

La relocalisation de la production vers des pays à bas coûts de main-d'œuvre

Le maintien de la compétitivité de nos coûts de production est une condition essentielle de survie dans notre industrie. Nous améliorerons notre rentabilité soit en cédant certaines unités, soit en modifiant notre modèle économique. Il est également important de continuer à relocaliser notre production dans des pays à bas coûts de main-d'œuvre… Nous avons fermé les usines dont les coûts étaient beaucoup trop élevés et nous en avons construit de nouvelles où les niveaux de coûts sont plus compétitifs. Par exemple, nous avons déplacé la production de nos réfrigérateurs de Greenville aux États-Unis

à Juarez au Mexique. Cela nous a permis de réduire nos coûts tout en ouvrant une unité de production ultramoderne capable d'approvisionner tout le marché nord-américain.

Une production et une logistique plus efficientes

Nous avons consacré du temps et des efforts à rendre notre production et notre logistique plus efficientes. Cela a impliqué la réduction du nombre de plates-formes de produits, l'accroissement de la productivité, la réduction des niveaux de stocks et l'amélioration de nos systèmes de livraison.

Des achats plus efficients

Nous avons également amélioré notre position de coûts en modifiant nos politiques d'approvisionnement, principalement au moyen d'une meilleure coordination globale. Nous avons lancé un projet destiné à réduire très significativement le nombre de nos fournisseurs. Nous avons également intensifié notre coopération avec nos fournisseurs afin de réduire les coûts des composants. [Cependant] il nous reste encore beaucoup à faire. Nous accroissons notamment la part de nos achats en provenance de pays à bas coûts de main-d'œuvre.

L'intensification du renouvellement des produits

Notre futur dépend de notre capacité à combiner une focalisation continue sur les coûts, une intensification du renouvellement de nos produits et un développement systématique de nos marques et de notre personnel… En fondant notre processus de développement de produits sur notre connaissance des clients, nous avons réduit le risque de décisions d'investissement erronées. Pour améliorer notre capacité de développement de produits, nous avons renforcé la coordination au niveau de l'ensemble du groupe, ce qui nous a permis de lancer de nouveaux produits globaux. Cette démarche s'est traduite par une augmentation significative du nombre de lancements de nouveaux produits électroménagers, qui est passé de 200 en 2002 à environ 370 en 2005... Au cours des trois dernières années, notre investissement dans le développement de produits a augmenté de 500 millions de couronnes (environ 77 millions d'euros). Notre objectif est d'investir au moins 2 % de notre chiffre d'affaires dans le développement de produits. Nous continuerons de lancer de nouveaux produits à un rythme élevé.

L'accès aux compétences

Au cours des dernières années, nous avons mis en place des processus et des outils [de gestion des talents] qui nous assurent l'accès aux compétences dans le futur. Le développement réussi de nos ressources humaines repose sur la recherche active des talents, des opportunités de carrières internationales et une culture orientée sur les résultats. Pour être à l'avant-garde du développement dans notre industrie, nous devons agir vite et oser faire les choses différemment. [Nous devons également] nous engager à protéger l'environnement et à maintenir de bonnes relations avec nos fournisseurs.

La construction d'une marque globale

Lorsque j'ai pris les fonctions de P-DG en 2002, j'ai souligné que nous devions renforcer la marque Electrolux, afin de lui donner une présence globale, à la fois géographiquement et au travers de toutes nos gammes de produits. Une marque forte permet de pratiquer des prix significativement plus élevés, ce qui autorise une augmentation durable des marges. Les clients payent plus cher pour des marques connues. Notre travail sur la marque a été intense [la marque Electrolux a été soit substituée, soit ajoutée aux marques locales (AEG, Arthur Martin, etc.)]. La part de nos produits vendus sous la marque Electrolux est passée de 16 % du chiffre d'affaires en 2002 à presque 50 % en 2005. Nous allons continuer

cet effort. Notre objectif est de consacrer annuellement au moins 2 % de notre chiffre d'affaires au renforcement de la marque Electrolux.

Pour les années futures

Hans Stråberg concluait son bilan en considérant les développements stratégiques à mener au cours des prochaines années :

La rentabilité du groupe devrait encore augmenter en 2006... Nous allons lancer un nombre important de nouveaux produits en Amérique du Nord et en Europe. Notre activité produits professionnels devrait améliorer sa position sur le marché nord-américain en 2006 grâce au développement de nouveaux réseaux de distribution pour l'équipement de restauration. Le succès de notre activité entretien des sols sur les segments haut de gamme va continuer, notamment grâce aux volumes de vente des aspirateurs sans sac.

Nous continuerons la relocalisation de la production vers des pays à bas coûts de main-d'œuvre [l'objectif était de parvenir à 60 % de la production dans ces pays à l'horizon 2010]. Au cours du second semestre 2006, nous constaterons pleinement les effets de la relocalisation de notre site de Greenville aux États-Unis à Juarez au Mexique. Nous nous attendons à un impact négatif sur nos ventes du fait d'une grève dans notre usine de Nuremberg en Allemagne [cette usine employant 1 750 personnes, soit 40 % des effectifs en Allemagne, a été fermée fin 2007 et la production relocalisée en Pologne et en Italie. Les usines de Fuenmayor (Espagne), Florence (Italie), Masetad (Suède), Fredericia (Danemark), Spennymoor (Royaume-Uni) et Reims (France) ont également été fermées, alors que des sites étaient ouverts en Hongrie, Russie, Thaïlande et Chine]. La poursuite de la réduction de nos coûts d'achat est un facteur de rentabilité important pour 2006.

La stratégie que chacun dans notre organisation a efficacement déployée au cours de ces dernières années porte ses fruits. En 2006, nous continuerons à renforcer la marque Electrolux, à lancer de nouveaux produits et à réduire nos coûts.

Si le chiffre d'affaires progressa effectivement pour atteindre 103,8 milliards de couronnes en 2006, puis 104,7 milliards en 2007, le résultat net chuta dans le même temps de 3,85 milliards à 2,93 milliards. Le développement de nouveaux produits coûtait cher et les charges de restructuration liées à la fermeture de nombreuses usines en Europe grevaient les comptes. Or, sur 35 sites identifiés comme ayant des coûts de production excessifs par rapport à ceux des concurrents chinois ou turcs, Electrolux n'en avait pour l'instant fermé que 13. La restructuration de l'entreprise était donc encore loin d'être achevée.

Source : electrolux.com ; *Les Echos,* 7 février 2008.

Questions

1. En utilisant la section 1.2.1 et le schéma 1.1, expliquez en quoi les problèmes d'Electrolux relèvent de la stratégie. Trouvez des exemples de chacun des éléments du modèle VIP (valeur, imitation, périmètre).

2. En utilisant la section 1.2.2, quels niveaux de stratégie pouvez-vous identifier chez Electrolux ?

3. En utilisant la section 1.3.1, dressez la liste des éléments du diagnostic stratégique d'Electrolux qui relèvent respectivement de l'environnement, de la capacité stratégique, des attentes des parties prenantes et des influences culturelles et historiques. À votre avis, quels sont les aspects les plus importants ?

4. En utilisant la section 1.3.2, identifiez des choix stratégiques effectués par Electrolux.

5. En utilisant la section 1.3.3, identifiez les éléments de déploiement stratégique qui peuvent déterminer le succès ou l'échec d'Electrolux.

Commentaires sur l'introduction

Les prismes stratégiques

Dans le chapitre 1, nous avons montré que la manière dont la stratégie a été enseignée et interprétée par les chercheurs a évolué au cours du temps. Différentes perspectives se sont développées, ce qui est utile pour au moins trois raisons :

- Elles apportent des *points de vue différents* sur la stratégie et son développement. Or, pour donner du sens aux situations complexes, il est toujours fructueux de multiplier les points de vue. Dans les conversations quotidiennes, il n'est pas rare d'entendre des arguments du type : « Peut-être, mais d'un autre point de vue… » Se limiter à une seule interprétation d'un phénomène peut mener à des conclusions partielles, voire biaisées. Lorsqu'on cherche à obtenir une représentation plus complète, il est nécessaire d'observer les situations selon plusieurs points de vue.
- Des perspectives différentes permettent de concevoir de plus nombreuses *options ou solutions* face aux questions stratégiques.
- Par leur confrontation, on peut également comprendre les *limitations et les dangers potentiels* de chacune.

Il est donc intéressant – conceptuellement et en pratique – d'utiliser plusieurs approches de la stratégie.

Ces commentaires s'appuient sur les différentes perspectives qui sont apparues historiquement afin de définir quatre prismes au travers desquels la stratégie peut être interprétée. Ces quatre prismes sont :

- Le prisme de la *méthode*, selon lequel l'élaboration de la stratégie suit un processus logique dans lequel les forces et les contraintes de l'organisation sont précisément évaluées au travers de techniques d'analyse, afin d'obtenir des orientations claires qui débouchent sur un déploiement rigoureusement planifié. C'est la représentation la plus fréquemment adoptée.
- Le prisme de l'*expérience*, qui s'appuie sur l'idée que la stratégie est fortement influencée par l'expérience des individus (et pas seulement des managers), par leurs croyances implicites et par les routines établies au sein des organisations. Cette perspective permet de comprendre pourquoi les stratégies ont tendance à se développer de manière incrémentale à partir des situations passées et pourquoi il peut être difficile de les changer. Elle met également l'accent sur l'importance des éléments implicites dans les organisations et sur l'éventuelle nécessité de les contester.
- Le prisme de la *complexité*, qui souligne que la variété et la diversité dans les organisations et dans leur environnement permettent de faire émerger des

idées nouvelles. Selon cette perspective, le développement stratégique n'est pas planifié par les dirigeants. La tâche stratège consiste plutôt à instaurer un contexte dans lequel l'émergence peut survenir, puis à être capable de repérer des orientations stratégiques pertinentes au sein de ce foisonnement.

- Le prisme du *discours*, qui met en exergue l'importance du langage de la stratégie en tant que ressource pour les managers. Ce langage ne permet pas seulement de communiquer et d'expliquer la stratégie, il peut également être utilisé par les managers pour obtenir de l'influence, du pouvoir et de la légitimité en tant que stratèges.

La suite de ces commentaires explique chacun de ces quatre prismes plus en détail en mobilisant notamment certaines dimensions clés de la stratégie :

- La *rationalité*. Dans quelle mesure le développement stratégique est-il un acte rationnel ? Bien entendu, le prisme de la méthode postule que c'est le cas, alors que les autres prismes soulèvent diverses questions à cet égard.
- L'*innovation* et le changement. Le développement stratégique débouche-t-il sur des organisations innovantes et ouvertes aux réformes, ou au contraire consolide-t-il les orientations passées et les routines établies ?
- La *légitimité*. Dans quelle mesure la stratégie et l'implication dans les tâches stratégiques procurent-elles aux individus – généralement les managers – du pouvoir, de l'autorité et de l'influence sur leur organisation ?

Dans la suite de l'ouvrage, à la fin de chacune des parties, les quatre prismes seront utilisés pour interpréter le contenu des principaux chapitres, de manière à encourager le lecteur à approfondir les questions soulevées.

Le prisme de la méthode

Le prisme de la méthode présente l'élaboration de la stratégie comme un processus logique dans lequel les forces et les contraintes de l'organisation sont analysées et évaluées de manière analytique, afin d'obtenir des orientations claires qui débouchent sur un déploiement rigoureusement planifié

Le prisme de la méthode s'appuie sur deux principes essentiels. Le premier est que les managers sont – ou devraient être – des décideurs rationnels. Le second est qu'ils sont censés prendre des décisions en vue d'optimiser la performance économique de leur organisation. La plupart des managers sont certainement convaincus que c'est exactement ce qu'ils font. Ils ont d'ailleurs tendance à défendre leur point de vue – ou à contester les décisions d'autrui – en mettant en avant l'aspect rationnel de leurs choix ou la défense des intérêts économiques de l'organisation. Dans une large mesure, les postulats de l'économie et les recommandations issues des sciences de la décision renforcent l'idée que le management stratégique est avant tout un exercice méthodique d'optimisation.

Les choix rationnels sont fondés sur la prise en compte des conséquences, c'est-à-dire sur « l'anticipation des effets futurs des actions présentes »[1]. Cela implique que les managers peuvent – et doivent – évaluer les avantages et les inconvénients de chacune des options stratégiques qu'ils envisagent. Cette représentation est très fréquente dans la littérature classique sur la stratégie. Les professeurs de stratégie commencent d'ailleurs généralement leur cours en demandant aux participants ce qu'ils entendent par « stratégie » et les réponses les plus fréquentes sont : « définition d'objectifs », « planification », « analyse » ou encore « évaluation d'options ». Tout cela procède d'une vision méthodique de la stratégie. De façon plus développée, les hypothèses qui sous-tendent le prisme de la méthode – tout d'abord sur la *manière dont les décisions stratégiques sont prises* – sont les suivantes :

- Bien que la performance d'une organisation résulte de nombreux facteurs, ceux-ci peuvent être abordés au moyen d'une *analyse rigoureuse,* afin d'identifier ceux dont l'influence sera la plus significative. On peut ainsi établir des prévisions et construire des scénarios, de telle manière que les managers soient capables d'anticiper les conditions dans lesquelles leur organisation évoluera dans le futur.

- Ce processus d'analyse permet d'élaborer un *diagnostic stratégique,* c'est-à-dire de mettre en adéquation les ressources et compétences de l'organisation avec les évolutions de son environnement, de manière à en saisir les opportunités et à en esquiver les menaces. Les écrits de Michael Porter dans les années 1980[2] ont incontestablement été les plus influents à cet égard (voir le chapitre 2).

- Ce *raisonnement analytique précède et oriente l'action.* La détermination de la stratégie est considérée comme un *processus linéaire.* Une fois défini, le contenu de la stratégie est ensuite décliné jusqu'aux niveaux opérationnels de l'organisation. L'élaboration et le déploiement de la stratégie sont donc séparés, à la fois dans le temps et dans l'espace.

- Les *objectifs* sont clairs et généralement explicites. L'*analyse* des facteurs internes et externes susceptibles d'influer sur l'environnement – et donc de guider les managers dans l'élaboration du positionnement de l'organisation – est exhaustive et méthodique. Les différentes *options* de développement stratégique sont systématiquement évaluées au regard des objectifs et des forces concurrentielles. Enfin, étant donné ces différents paramètres, les décisions stratégiques sont considérées comme optimales.

Le prisme de la méthode repose également sur des hypothèses sur la *forme et la nature des organisations* :

- Les organisations sont des *hiérarchies,* avec des dirigeants qui prennent les décisions importantes, des cadres intermédiaires qui les déclinent en objectifs quotidiens et finalement des exécutants qui les appliquent.

- Les organisations sont des *systèmes rationnels.* La complexité étant supposée analysable, les conclusions des dirigeants sont logiquement acceptées par tous les membres de l'organisation. Différents *systèmes de contrôle* tels que les budgets, les calculs d'écarts ou le management par objectifs permettent aux dirigeants de vérifier que les membres de l'organisation se comportent conformément à la stratégie et obtiennent les objectifs qui leur ont été assignés. Si nécessaire, les dirigeants peuvent ainsi prendre des mesures correctives.

- Les organisations sont des *mécanismes* destinés à mettre en œuvre les stratégies. La manière dont l'organisation est structurée et contrôlée (voir le chapitre 12) doit donc être en phase avec la stratégie, tout comme une machine doit être conçue en fonction de son utilité. Il doit exister des mécanismes internes permettant de s'assurer que la stratégie est bien envisagée de manière rationnelle et dépassionnée. Les progrès du gouvernement d'entreprise (réforme des conseils d'administration, création de comités de surveillance, modification de la réglementation, etc.) permettent de contrôler les dérives opportunistes de certains dirigeants. L'hypothèse sous-jacente est que les structures peuvent et doivent influencer les comportements.

Implications pour le management

La plupart des managers expliquent que dans leur organisation la stratégie résulte – ou *devrait* résulter – des mécanismes qui caractérisent le prisme de la méthode. Cette démarche rationnelle est généralement considérée comme bénéfique par les managers eux-mêmes, pour plusieurs raisons :

- Le prisme de la méthode laisse supposer qu'il est possible – grâce à des *concepts*, des *outils* et des *modèles* – de *gérer la complexité et l'incertitude* de manière logique et structurée.
- Certaines *parties prenantes* influentes peuvent anticiper et valoriser ce type d'approche, notamment les banques, les analystes financiers, les investisseurs, voire les employés. Faire preuve d'une démarche méthodique constitue une manière de gagner leur soutien et leur confiance.
- Les managers – en particulier les dirigeants – ont besoin d'éprouver le *sentiment qu'ils contrôlent* les situations complexes et les défis auxquels ils sont confrontés. Les hypothèses, outils et techniques du prisme de la méthode leur procurent ce sentiment.
- La rationalité est solidement ancrée dans nos modes de pensée et dans nos systèmes éducatifs. En ce sens, le prisme de la méthode est profondément encastré dans le psychisme occidental. Lorsque les managers constatent que la stratégie de leur organisation n'est pas élaborée selon un processus rationnel, ils considèrent cela comme une imperfection.
- Nous vivons dans un monde qui paraît éminemment rationnel : l'informatique, la médecine, les technologies de communication ou les systèmes de transport semblent démontrer que la démarche scientifique et rationnelle nous entoure et qu'elle peut apporter des solutions pertinentes à nos problèmes.
- Le prisme de la méthode – en particulier son insistance sur l'analyse et le contrôle – illustre l'approche *orthodoxe de la stratégie*, telle qu'elle est généralement présentée dans les livres de management, enseignée dans les écoles de commerce et utilisée par les managers lorsqu'on leur demande de présenter la stratégie de leur propre organisation. Il s'agit donc d'un langage qu'il est utile de connaître (voir ci-après la section consacrée au prisme du discours).

Comme le montre le schéma I.i, les managers qui conçoivent leur rôle au travers du prisme de la méthode sont très analytiques. Ils sont généralement considérés comme des stratégistes crédibles, influents et légitimes. Une approche rationnelle et mécaniste est également censée déboucher sur le changement et l'innovation, mais comme l'indique le schéma, cet aspect est moins clair que les précédents.

Le prisme de la méthode permet d'analyser précisément la stratégie et de planifier son déploiement. En l'utilisant, les managers peuvent apparaître comme des stratèges crédibles. Reste à définir si cela constitue une vision pertinente et exhaustive du management stratégique. Notre point de vue est que cette approche est utile mais insuffisante. Le recours à d'autres interprétations encourage une compréhension plus complète de la complexité inhérente au management stratégique.

Schéma I.i   **Le prisme de la méthode**

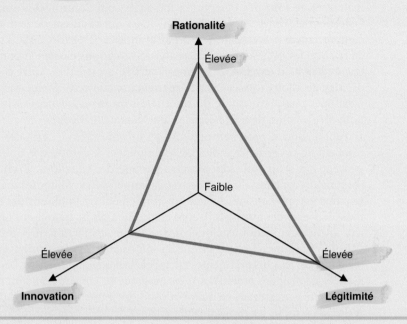

Le prisme de l'expérience

La plupart des recherches effectuées sur la manière dont les stratégies sont effective-ment élaborées dans les organisations dressent un constat fort différent de celui obtenu au travers du prisme de la méthode. Dès les années 1950, Herbert Simon et Charles Lindblom[3] ont montré que les modèles rationnels de prise de décision sont irréalistes. Il n'est jamais possible d'obtenir toute l'information nécessaire à une analyse exhaustive des situations. Il n'est pas possible de prévoir un futur incertain. Les recherches de solutions sont contraintes en termes de temps et de coût. Les orga-nisations et leur environnement changent perpétuellement, ce qui rend caduques les analyses menées à un instant donné. Il existe également des limites psychologi-ques qui empêchent les managers de peser toutes les conséquences de chaque option ou de rester parfaitement objectifs vis-à-vis de leurs choix. Une interprétation plus réaliste des processus de décision a été donnée par Herbert Simon au travers de la notion de « rationalité limitée », qui se caractérise par le fait que les individus trou-vent des solutions satisfaisantes et non optimales : ils font de leur mieux étant donné les limites de leur situation, de leurs connaissances et de leur expérience. À partir de ce constat, le prisme de l'expérience postule que la stratégie découle de l'expérience individuelle et collective, au travers de schémas de pensée implicites.

L'expérience individuelle et les biais cognitifs

L'intelligence humaine ne vient pas uniquement de la capacité à résoudre des pro-blèmes. Il est tout aussi important de savoir mobiliser l'expérience et l'apprentis-sage pour comprendre des situations nouvelles à la lumière de situations passées.

Le prisme de l'expérience postule que la stratégie découle de l'expérience individuelle et collective, au travers de schémas de pensée implicites

On peut définir l'expérience individuelle comme l'ensemble des modèles cognitifs constitués au cours du temps, qui permettent de donner du sens au réel. Les managers ne font pas exception : lorsqu'ils sont confrontés à un problème, ils l'abordent au moyen des modèles mentaux qui résultent de leur expérience. Ce comportement présente de nombreux avantages. Il permet notamment de mettre en relation les situations nouvelles avec les situations passées et donc d'établir des comparaisons, d'interpréter un problème à la lumière d'un autre et donc de prendre des décisions fondées sur l'expérience accumulée. Si ces modèles cognitifs n'existaient pas, la prise de décision serait un processus très fastidieux : chaque nouvelle situation devrait nécessiter une démarche inédite.

Pour autant, ce processus présente des inconvénients. Les modèles mentaux qui résultent de l'expérience individuelle simplifient la complexité. Si les managers ne peuvent pas avoir une connaissance parfaite des situations, il est important de comprendre les effets de ces *processus de simplification*. Même les managers qui ont une fine compréhension de leur environnement ne l'utilisent pas pour résoudre tous les problèmes auxquels ils sont confrontés : ils ne mobilisent qu'une partie de leur savoir[4]. Ce phénomène qui consiste à faire abstraction de la complexité d'une situation pour ne sélectionner que les informations et les connaissances qui semblent *a priori* les plus pertinentes est appelé la *perception sélective*. Les managers utilisent également des *prototypes*. C'est ainsi que les concurrents sont souvent perçus de manière caricaturale, ce qui peut conduire à une véritable myopie stratégique. À titre d'exemple, les dirigeants des chaînes de télévision ont toujours estimé que leurs concurrents naturels étaient les autres chaînes de télévision, ce qui les a empêchés de considérer les sites Internet tels que YouTube ou Dailymotion comme des substituts crédibles. Du fait de ces interprétations couramment acceptées, certaines informations sont considérées comme déterminantes, alors que d'autres ne sont même pas prises en compte. Les événements sont filtrés de manière à conforter les représentations établies : les données qui confirment la concurrence des autres chaînes de télévision sont longuement commentées, alors que celles qui décrivent la montée en puissance de la diffusion de vidéos sur Internet sont considérées comme anecdotiques. Ces distorsions peuvent parfois déboucher sur des erreurs importantes, les décideurs ayant négligé des points cruciaux, car leur attention était focalisée sur ce qui était familier ou aisément interprétable[5].

Les managers ont plus tendance à voir les menaces que les opportunités dans leur environnement[6] et ils surestiment la probabilité de succès des projets risqués[7]. Ils sont également trop confiants à l'égard de leurs propres capacités (ou de celles de leur organisation), alors qu'ils sous-estiment celles de leurs concurrents et n'accordent pas assez de poids au facteur chance. Comme nous tous, ils donnent du sens aux situations nouvelles à la lueur du passé, ce qui les pousse à résoudre les problèmes en utilisant des approches qui ont déjà fait leurs preuves, alors que le contexte n'est jamais identique. De plus, ils privilégient les informations qui confirment leurs propres préjugés.

Trois points résument tout cela :

- Les *biais cognitifs*, au travers desquels les individus interprètent les événements et les problèmes à la lumière de leur expérience passée, sont inévitables. L'idée selon laquelle les managers seraient capables d'aborder les situations stratégiques de manière neutre et objective est une pure fiction.

- Puisque les biais cognitifs résultent de l'expérience, notamment en termes de ce qui a réussi dans le passé et au contraire de ce qui a échoué, *le futur sera généralement interprété à la lumière du passé*. C'est une des raisons pour lesquelles les stratégies tendent à se développer de manière incrémentale à partir de l'existant (voir à ce propos la section 5.2.1).
- Cependant, l'expérience peut conférer de la légitimité et du pouvoir. Les managers les plus expérimentés peuvent être considérés comme des experts, ce qui peut leur donner une influence significative dans leur organisation.

De nombreuses recherches visent à comprendre la stratégie en termes cognitifs. On peut notamment se reporter aux travaux de Hervé Laroche ou Gerard Hodgkinson et Paul Sparrow[8].

Cependant, les managers ne sont généralement pas des individus isolés. Ils travaillent et interagissent avec d'autres membres de l'organisation. On peut donc supposer qu'il existe des tendances comparables au niveau collectif.

L'expérience collective et la culture organisationnelle

Lorsqu'ils donnent du sens à une situation, les individus sont influencés par la collectivité dont ils font partie. Le rôle des influences culturelles est donc important. De manière générale, la culture a été définie par l'anthropologue Clifford Geertz comme « un ensemble de structures d'interprétation socialement établies »[9]. Mats Alvesson a donné une définition très proche de la culture organisationnelle[10]. Face à une même situation, la réaction des individus – et donc des managers – dépend de leur culture. Leur comportement est fortement influencé par des éléments implicites : ce qu'il convient de penser, de faire ou de dire. Dans la vie quotidienne, il existe ainsi des hypothèses implicites sur ce que doit être le rôle de la famille, mais ces hypothèses varient selon le pays, la région ou le milieu social. De même, il existe dans les organisations des schémas de pensée implicites sur le rôle des dirigeants, qui diffèrent notablement entre l'Occident et le Japon. Les éléments implicites de la culture existent à différents niveaux, que ce soit une fonction au sein d'une entreprise (comme le marketing ou la finance), une profession (comme les comptables), une organisation dans son ensemble ou plus largement une industrie, voire une nation entière. Les liens entre la culture et la stratégie sont donc importants. Ils sont exposés plus en détail dans le chapitre 5 et dans les commentaires qui suivent chacune des parties de l'ouvrage.

Implications pour le management

Du point de vue du prisme de l'expérience, les stratégies résultent du fait que les managers tentent de relier leur expérience avec les situations auxquelles ils sont confrontés. Cela débouche sur quatre implications :

- Étant donné que les interprétations divergent selon l'expérience des individus et que le prestige et la réputation des managers dépendent notamment de leur expérience, des *négociations* et *marchandages* sur la manière de présenter les problèmes et sur les solutions à apporter ne manqueront pas d'apparaître. Cet aspect politique du développement stratégique est présenté plus en détail dans les chapitres 4 et 14.
- Il existe un risque de *dérive stratégique* si les managers deviennent prisonniers de leur propre expérience individuelle ou collective. La stratégie de l'organisation

tend alors à s'éloigner progressivement des réalités de l'environnement pour s'enferrer dans une vision du monde forgée par les convictions internes. Cela peut réduire significativement les performances de l'organisation, voire la conduire à sa perte (voir la section 5.2 dans le chapitre 5).

- *L'innovation et le changement risquent d'être problématiques.* Il serait vain de penser que la rédaction d'un document expliquant logiquement que de nouvelles orientations stratégiques sont nécessaires peut modifier des schémas de pensée établis. Les argumentations raisonnées ne changent pas les convictions profondément encastrées dans l'expérience collective. Ce phénomène est comparable à la difficulté que l'on peut rencontrer lorsqu'on tente de persuader rationnellement autrui d'amender ses convictions religieuses, voire seulement son soutien à un club sportif.

- La capacité à *expliciter* et à *contester* l'expérience acquise et les schémas de pensée implicites est donc stratégiquement déterminante. On peut pour cela s'appuyer sur les outils et techniques de l'analyse stratégique, mais cela s'inscrit également dans le cadre des processus politiques inhérents à toute organisation.

En résumé (voir le schéma I.ii), le prisme de l'expérience suppose qu'il est beaucoup plus difficile d'introduire des changements stratégiques que ne le laisserait supposer le prisme de la méthode. Par ailleurs, la rationalité – en tant qu'évaluation minutieuse de différentes options dans le but d'identifier une solution optimale – a finalement moins d'impact que l'expérience individuelle et collective. Enfin, puisque l'expérience acquise constitue un élément stratégique majeur, les managers expérimentés sont généralement considérés comme légitimes aux yeux de leurs collègues.

| Schéma I.ii | **Le prisme de l'expérience** |

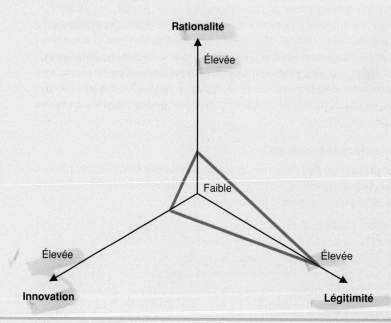

Le prisme de la complexité

Les deux prismes décrits jusqu'ici ne permettent pas d'expliquer les phénomènes d'innovation et l'apparition d'idées nouvelles. Même si le prisme de l'expérience propose une interprétation du changement, il s'agit d'évolutions fondées sur la stratégie passée, les convictions existantes et les pratiques établies. De même, si une approche méthodique peut théoriquement déboucher sur des innovations, elle a en général tendance à accentuer les systèmes de contrôle, ce qui se traduit par un conformisme prudent. Tout cela soulève un problème : comment rendre compte des stratégies innovantes ? Comment des organisations confrontées à des environnements turbulents ou à des horizons de décision opaques, comme celles qui évoluent dans les industries de haute technologie ou dans la mode, peuvent-elles s'adapter à la vitesse d'évolution et à la capacité d'innovation requises ?

Comme l'ont montré Shona Brown et Katherine Eisenhardt[11], le **prisme de la complexité** s'appuie sur la théorie de la complexité[12] et sur la théorie de l'évolution[13] pour expliquer les conditions qui permettent de générer des innovations. Les principes fondamentaux de la théorie de l'évolution – variation, sélection et rétention – peuvent être utilisés pour comprendre comment le contexte organisationnel peut influer sur la génération d'idées nouvelles et comment les managers peuvent éventuellement infléchir ce contexte. Pour sa part, la théorie de la complexité permet d'expliquer comment les systèmes – notamment les systèmes organisationnels – sont capables de gérer la complexité de manière non linéaire. Au regard du prisme de la complexité, le rôle des dirigeants ne consiste pas à concevoir les orientations stratégiques : celles-ci émergent de la variété et de la diversité qui irriguent et entourent l'organisation.

Selon le prisme de la complexité, la stratégie émerge de la variété et de la diversité qui irriguent et entourent l'organisation

L'importance de la variété

Les innovations résultent de conditions où la variété et la diversité prédominent, alors que l'uniformité se traduit par l'inertie et le conformisme. Qu'il s'agisse des espèces dans le milieu naturel, des individus dans la société ou des idées dans une organisation, l'uniformité n'est pas la norme[14] : il existe de la variété. L'environnement n'est jamais statique, les activités au sein de l'organisation sont toujours multiples, différents groupes cohabitent au sein de chaque activité, et enfin les individus se distinguent par leurs expériences diverses et leurs mentalités parfois opposées. Des déviances par rapport aux routines établies apparaissent constamment[15]. Tout organisme vivant – y compris les organisations – évolue grâce à la sélection naturelle qui s'exerce sur cette variété.

La variété est plus élevée lorsque l'environnement évolue rapidement. En biologie, les progrès de la médecine et de la pharmacie ont ainsi accéléré l'apparition de nouvelles souches de virus. Des phénomènes comparables peuvent être observés en stratégie : du fait de la diversité des idées qui résulte de conditions dynamiques, les organisations qui évoluent dans des industries fragmentées et en développement ont tendance à être plus innovantes que celles qui interviennent dans des industries concentrées et matures[16]. Une industrie aussi mouvante que la microélectronique abrite ainsi un grand nombre d'entreprises différentes, des fabricants de processeurs et de mémoires aux éditeurs de logiciels en passant par tout un écosystème de fournisseurs, prestataires et consultants. À l'intérieur de toutes ces organisations se développent de nouvelles idées, au fur et à mesure que leurs membres interprètent différemment les menaces et opportunités et imaginent de nouvelles applications.

Une large part de cette variété est naturelle et n'est pas directement contrôlée par les managers. Les idées nouvelles ont d'ailleurs plus de chances d'émerger de la base de l'organisation, qui est souvent plus directement confrontée à l'environnement que ne l'est son sommet[17]. Ces idées risquent cependant de ne pas être correctement formulées, d'être plus ou moins bien argumentées et surtout d'être extrêmement diverses. C'est ce que Bill McKelvey appelle « l'intelligence distribuée » d'une organisation[18]. Par ailleurs, dans les grandes organisations, les innovations proviennent généralement de l'extérieur, par exemple des petites structures qui sont leurs partenaires, leurs concurrents ou leurs clients[19].

Les membres d'une organisation peuvent délibérément chercher à générer de la diversité. Cependant, la variation ne résulte pas nécessairement d'une planification intentionnelle. Dans le milieu naturel, la nouveauté résulte d'*imperfections* dans les processus biologiques – la mutation d'un gène par exemple – qui débouchent sur l'apparition d'organismes mieux adaptés aux évolutions de l'environnement. Le processus est comparable dans les organisations : des idées imparfaitement répliquées entre individus, entre groupes d'individus, voire d'une organisation à l'autre, peuvent parfois donner naissance à des innovations mieux adaptées au contexte. L'idée d'un chercheur en chimie du laboratoire de R&D peut être récupérée par un responsable marketing, qui l'interprétera à sa façon. Une organisation peut chercher à copier la stratégie d'une autre, mais n'agira pas exactement de la même manière. Certaines de ces réplications imparfaites n'auront aucun succès, alors que d'autres seront mieux adaptées que l'original. L'exemple le plus fameux est le Post-it, qui était à l'origine une colle « imparfaite » avant que l'on comprenne tout le potentiel commercial que recelait un semi-adhésif. La variété peut aussi découler de circonstances imprévues dans l'environnement, de points de vue inattendus introduits par de nouvelles recrues ou des conséquences surprenantes de certaines initiatives.

Les théoriciens de la complexité soulignent que tout cela diffère significativement de la vision linéaire qui caractérise l'essentiel du prisme de la méthode. Ils parlent ainsi de processus « non linéaires » et montrent comment des événements apparemment insignifiants peuvent déboucher sur des conséquences majeures.

Bien entendu, même si les organisations recèlent un potentiel de variété considérable, les idées nouvelles doivent affronter les forces du conformisme, qu'elles soient intentionnelles ou non. Les schémas mentaux des individus et la culture de l'organisation agissent comme un filtre d'idées : les processus formels de contrôle, de planification et d'évaluation sélectionnent les idées qui pourront être appliquées. De même, par intérêt personnel, les managers les plus influents peuvent bloquer les idées contraires à leurs propres ambitions. La pression du conformisme peut également évincer la nouveauté. Dans tous les cas, il est essentiel de trouver le bon équilibre entre le besoin de contrôle et le maintien d'un contexte susceptible de stimuler l'innovation.

Sélection et rétention

Le prisme de la méthode suppose que les décisions stratégiques procèdent d'un choix rationnel en vue d'optimiser un résultat, par exemple l'obtention d'un avantage concurrentiel permettant un surcroît de profit. Même si le prisme de la complexité – notamment au travers de la théorie de l'évolution – ne nie pas l'existence d'actes délibérés de la part des managers, il suggère que la sélection est « aveugle »[20] : les résultats ne peuvent pas être connus à l'avance. Les managers peuvent faire des choix, mais les stratégies résultent également d'autres processus de sélection et de rétention :

- *L'intérêt fonctionnel.* Une idée peut répondre à la dynamique des forces à l'œuvre dans l'environnement. Cependant, la plupart de ces forces (des changements climatiques aux réactions des concurrents) ne peuvent qu'être partiellement connues. Une idée peut également avoir pour fonction de servir les *intérêts de certains individus* à l'intérieur de l'organisation, par exemple en contribuant à leurs aspirations politiques ou à leurs ambitions de carrière.
- *L'adéquation.* Une idée peut avoir plus de succès si elle est en phase avec d'autres idées déjà considérées comme gagnantes, par exemple le comportement d'autres organisations, la culture établie ou l'expérience acquise.
- *L'attractivité.* Certaines idées stratégiques sont par nature plus ou moins attirantes que d'autres[21]. Les idées altruistes ont ainsi tendance à être plus facilement adoptées[22]. La théorie de la complexité met l'accent sur le fait que les innovations doivent être encouragées par des boucles de rétroaction positives, ce qui n'est pas toujours le cas. Par exemple, une nouvelle idée de produit apparue dans une entreprise industrielle peut recevoir un large soutien du fait de son caractère écologique, susceptible d'intéresser des collègues d'autres divisions, voire des amis et des membres de la famille des managers responsables. Une nouvelle idée de produit séduisante peut ainsi réussir à survivre en dépit de son manque évident de viabilité commerciale.
- La *rétention.* Parallèlement aux processus de sélection s'exercent des processus de rétention. « La rétention consiste à préserver, dupliquer et reproduire des variations sélectionnées[23]. » Pour que leur rétention soit réussie, il est essentiel que les idées deviennent des routines. Cette routinisation peut s'exercer au travers de procédures formelles (par exemple des descriptions de poste), de systèmes comptables, de systèmes d'information, de structures, de la standardisation des tâches et de leur éventuel encastrement dans la culture de l'organisation.

Le point essentiel est que les managers ne peuvent pas anticiper le futur et qu'il leur est donc impossible de prévoir ou de contrôler les résultats. Cependant, le contexte interne et externe de l'organisation a un impact déterminant sur le type d'innovations qui seront générées, sélectionnées et retenues.

Implications pour le management[24]

Le prisme de la complexité implique que les managers doivent relativiser leur capacité à contrôler la génération et l'adoption d'idées nouvelles. Il leur est cependant possible de *créer un contexte* et des conditions susceptibles de favoriser l'émergence d'innovations, tout d'abord en réfléchissant à la nature des *frontières* de l'organisation :

- Plus les *frontières entre l'organisation et son environnement* sont perméables, plus l'innovation a de chances d'apparaître. Il est par exemple difficile de déterminer avec précision quelles sont les frontières de certaines entreprises de haute technologie. Ce sont des réseaux intimement liés à leur environnement : au fur et à mesure que celui-ci évolue, de nouvelles idées émergent. À titre d'exemple on peut s'intéresser au milieu des courses de Formule 1, dans lequel les équipes sont étroitement liées à l'industrie automobile, à diverses industries de haute technologie (matériaux, énergie, etc.), mais également les unes aux autres au travers d'un réseau extrêmement dense de compétences, d'individus et de rites : toutes les idées nouvelles y sont copiées (et modifiées) extrêmement rapidement. À l'inverse, une organisation dans laquelle les individus sont isolés de l'environnement par un ensemble de procédures bureaucratiques provoquera moins de variété, ce qui débouchera sur moins d'innovations.

- De la même manière, il est essentiel de développer au sein des organisations des *interactions et des coopérations,* afin d'encourager la variété et la diffusion des idées[25]. Même si une surabondance de connexions peut entraîner une complexité excessive du système[26], une organisation trop rigide peut limiter l'innovation : les relations interpersonnelles y deviennent trop prévisibles et trop ordonnées. Les idées nouvelles ont plutôt tendance à résulter des « liens faibles »[27] qui caractérisent les relations moins routinières et moins établies.

Les managers peuvent également influer sur la *culture et les comportements* :

- *L'anticonformisme.* Beaucoup d'organisations mettent en place des processus permettant d'infléchir le consensus. Les grandes entreprises déplacent ainsi fréquemment leurs managers d'une division à l'autre afin d'encourager les idées nouvelles et de combattre le statu quo.

- *L'expérimentation* est importante. Beaucoup d'organisations encouragent l'expérimentation au moyen de programmes ou de processus formels. D'autres en ont fait une des composantes de leur culture. Google permet ainsi à ses employés d'utiliser 20 % de leur temps de travail pour développer leurs propres projets. L'expérimentation au niveau organisationnel[28], par exemple la conclusion d'alliances et la création de coentreprises, peut également permettre de tester des orientations stratégiques ou des innovations tout en limitant le niveau d'engagement.

- La *tension adaptative.* Étant donné qu'un niveau de contrôle élevé et qu'une hiérarchie stricte risquent d'encourager le conformisme et de réduire la variété, il est crucial de définir le bon degré de liberté à l'intérieur de l'organisation. Certains théoriciens de la complexité affirment que l'innovation et la créativité émergent lorsqu'il y a suffisamment d'ordre pour permettre le déploiement des idées, mais que le contrôle n'est pas assez rigide pour étouffer la nouveauté. C'est l'idée de la « tension adaptative » ou de la « lisière du chaos »[29]. Les innovations sont facilitées lorsque l'organisation ne se fige pas dans un état d'équilibre stable et que la volatilité et la diversité sont suffisamment développées (voir le schéma I.iii). En revanche, cette fluidité ne doit pas parvenir à un stade chaotique, à partir duquel tout fonctionnement devient impossible.

- Les *règles de comportement.* Dans une organisation, l'ordre ne résulte pas nécessairement d'un contrôle strict et méticuleux : il peut également être obtenu grâce à un nombre limité de règles de comportement. Richard Pascale donne un exemple organisationnel dans l'industrie du ciment. Le cimentier mexicain Cemex ne distribue pas son ciment en s'appuyant sur une planification rigoureuse et

| Schéma I.iii | **Les conditions de la tension adaptative** |

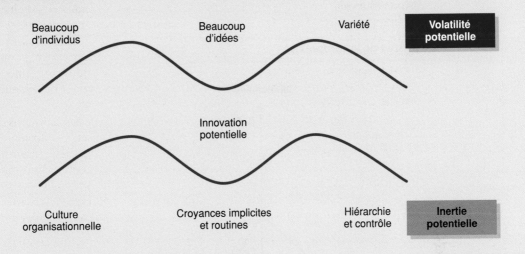

précise, car il a constaté que les projets de construction (et donc ses clients) ne respectent généralement pas les délais annoncés :

> Cemex charge chaque matin sa flotte de camions sans leur donner de destination précise. Toute l'astuce réside dans la manière dont les camions effectuent leur tournée. Comme des fourmis parcourant un territoire, ils sont guidés vers les clients par des règles simples. Les fourmis utilisent des messages chimiques (les phéromones) afin de transmettre leurs instructions. Cemex utilise un algorithme fondé sur l'*avidité* (livrer le plus de ciment possible, aussi vite que possible, au plus grand nombre de clients possible) et sur la *répulsion* (éviter la duplication des efforts en restant le plus loin possible des autres camions)[30].

- *Reconnaître des configurations.* Les stimuli et les idées nouvelles ne proviennent généralement pas d'analyses formelles et planifiées, mais plutôt d'une capacité à reconnaître des configurations, fondée sur l'expérience et l'intuition. Faire de la stratégie consiste à être capable de discerner des idées prometteuses, à vérifier leur fonctionnalité et leur adéquation (voir ci-dessus), à se montrer particulièrement attentif à leurs résultats et à leur impact, et à façonner les plus prometteuses pour en faire des orientations cohérentes. Plutôt que de s'appuyer sur les outils et les techniques formelles du prisme de la méthode, les managers doivent développer ce type de compétences. De plus, les imperfections et les anomalies jouent un rôle déterminant dans le développement des idées nouvelles, qui résultent bien souvent de « réplications imparfaites ». S'ils souhaitent encourager l'innovation, les managers doivent donc apprendre à tolérer les imperfections et à accepter les erreurs.

Le prisme de la complexité aide à comprendre l'origine des stratégies innovantes et la manière dont les organisations se comportent face à un environnement turbulent. Il minimise le rôle directif des managers, leur rationalité et leur pouvoir et – contrairement au prisme de la méthode – conteste la capacité des dirigeants à contrôler effectivement les orientations stratégiques. Le schéma I.iv résume tout cela.

| Schéma I.iv | Le prisme de la complexité |

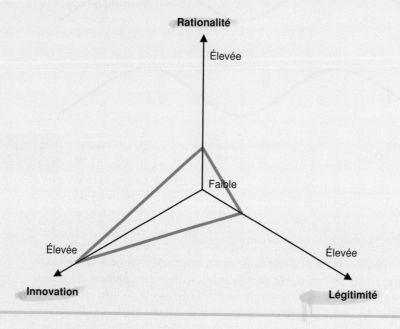

Le prisme du discours[31]

À bien des égards, le management relève du discours. Les managers consacrent 75 % de leur temps à communiquer[32], à collecter de l'information ou à persuader leurs interlocuteurs du bien-fondé d'une décision. Le management stratégique inclut lui aussi une forte dimension discursive. Les managers et les consultants parlent de stratégie, l'écrivent dans des plans et des présentations, l'expliquent dans des rapports annuels qui sont repris par les journaux économiques. Les efforts déployés pour faire adhérer les employés ou d'autres parties prenantes à la stratégie relèvent également du discours. Le discours est la ressource grâce à laquelle la stratégie est communiquée, validée et diffusée. La capacité à utiliser efficacement les ressources discursives peut constituer un avantage distinctif et une compétence pour un individu (voir le chapitre 15 sur la pratique de la stratégie et les « conversations stratégiques »). Considérer la stratégie au travers du prisme du discours permet également d'en éclairer certains aspects. Plusieurs concepts liés peuvent être utiles à cet égard.

Discours et rationalité

Comme l'a montré la discussion sur le prisme de la méthode, la rationalité est un élément central du langage stratégique orthodoxe. Discours et rationalité sont donc

Le prisme du discours considère la stratégie en termes de langage, une ressource utilisée par les managers non seulement pour communiquer, expliquer et déployer la stratégie, mais également pour accroître leur influence, leur pouvoir et leur légitimité en tant que stratèges

inextricablement liés : « Être rationnel, c'est faire sens.[33] » Le management stratégique ne relève pas de l'intuition, mais plutôt de la science. Il utilise des modèles semblables à des modèles scientifiques. Les managers familiers de cette logique peuvent l'utiliser pour démontrer la pertinence de leurs arguments. David Knights[34] souligne que même lorsque les managers sont incapables d'atteindre leurs objectifs – par exemple lorsqu'ils n'arrivent pas à établir un avantage concurrentiel –, ils ne mettent pas en cause la logique de leur stratégie, mais plutôt l'incapacité de l'organisation à la mettre en œuvre. Ils emploient ce langage parce qu'ils sont eux-mêmes persuadés que la stratégie est logique, car ils estiment que leurs arguments auront ainsi plus de poids, puisque c'est comme cela que la stratégie est habituellement communiquée, ou bien que cela leur permet de se positionner comme des autorités en la matière.

Discours et influence

Comme le montrent David Barry et Michael Elmes ou Thierry Boudès[35], le pouvoir de conviction du langage stratégique est non négligeable. La stratégie est détaillée dans des documents importants – les plans stratégiques ou les rapports annuels – et elle concerne des phénomènes aussi décisifs que les marchés, les concurrents ou les clients. Elle est souvent associée à des dirigeants héroïques ou à des firmes gagnantes. Les discussions stratégiques se déroulent dans des lieux de pouvoir tels que les conseils d'administration ou les séminaires de réflexion. On peut également montrer que l'utilisation du langage stratégique constitue un outil efficace. Les managers l'emploient délibérément pour conduire à bien des changements[36], pour justifier et légitimer leurs actes[37] ou pour s'assurer de la conformité des comportements[38]. En d'autres termes, les managers s'appuient sur les concepts stratégiques et sur leur logique apparente pour convaincre leurs collaborateurs, leurs collègues ou leurs supérieurs.

Discours, identité et légitimité

Que ce soit délibéré ou non, la manière dont les managers parlent de la stratégie les positionne par rapport à leurs interlocuteurs. Le discours est donc lié à leur identité et à leur légitimité. Nous avons déjà souligné l'usage fréquent du langage rationnel, mais dans d'autres circonstances, les managers peuvent employer d'autres formes de discours. Pour s'assurer de la mise en œuvre d'une stratégie, ils peuvent par exemple relater l'expérience de terrain des individus concernés ou rappeler les circonstances d'une précédente restructuration. Dans d'autres contextes, ils peuvent avoir intérêt à utiliser la rhétorique du « leader visionnaire » ou de l'entrepreneur innovant.

Comme l'ont suggéré David Knights et Glenn Morgan[39], les managers – et en particulier les dirigeants – utilisent consciemment ou inconsciemment le discours stratégique dans leur intérêt. Cela leur permet de légitimer leur posture de stratèges avertis, capables d'utiliser les bons concepts, de mobiliser la bonne logique, de mener les bonnes actions et de se positionner à l'avant-garde de la pensée managériale. Cela leur donne également le sentiment de « faire la différence » en étant personnellement confrontés aux problèmes les plus décisifs pour la survie de leur organisation. Étant donné qu'au cours du temps différents types de discours stratégiques ont été plus ou moins à la mode, leur efficacité a également évolué : si dans les années 1960 et 1970 il convenait de parler de planification stratégique, la culture organisationnelle a pris de l'importance dans les années 1980, alors que dans les années 1990 le langage lié aux compétences a incarné la légitimité.

Discours et pouvoir

Le discours stratégique est également lié au pouvoir et au contrôle. Puisqu'ils comprennent les concepts stratégiques – ou sont supposés les comprendre –, les dirigeants et les experts sont censés détenir le savoir permettant de faire face aux problèmes les plus difficiles auxquels l'organisation est confrontée. La détention de ce savoir leur donne du pouvoir sur ceux qui ne l'ont pas. Il leur permet de s'imaginer être des « contrôleurs et décideurs de la vie économique »[40].

Cependant, le discours stratégique peut également exercer un contrôle social. Face aux problèmes stratégiques, certains groupes d'individus peuvent adopter une manière particulière de penser, de se comporter et de parler. La plupart des cabinets de conseil ont ainsi développé leur propre discours stratégique, et comme de nombreux consultants l'ont appris à leurs dépens, le non-respect de ces normes et de ce vocabulaire peut se traduire par de sévères sanctions. Ces organisations peuvent également développer des schémas de pensée implicites sur la manière de résoudre les problèmes stratégiques, schémas qui transparaissent consciemment ou non dans leurs discours. Dans certains cabinets de conseil, la réduction des coûts est ainsi devenue une recommandation systématique, au point qu'il en devient difficile de proposer des stratégies d'expansion ou d'expérimentation. Le discours fait alors partie intégrante de la culture : implicite, difficile à expliciter, autoalimenté, difficile à contester ou à réformer, il influe très fortement sur les comportements.

Discours et perspective critique

Une vision plus extrême du prisme du discours consiste à considérer que les modèles stratégiques n'ont pas réellement de substance : ils relèvent avant tout de l'image, de l'identité et du pouvoir. Dans cette perspective, les concepts stratégiques sont utilisés, développés et renforcés de manière à conforter l'autorité, le pouvoir et le contrôle des dirigeants, avec la complicité des consultants et des enseignants qui produisent régulièrement de nouveaux modèles et de nouvelles idées. La stratégie apparaît alors comme un mythe managérial au service du pouvoir établi.

Implications pour les managers

La leçon essentielle du prisme du discours est que les managers doivent être attentifs au langage stratégique qu'ils utilisent :

- *Discours et contexte.* Le discours utilisé est plus ou moins efficace selon le contexte. Pour expliquer une stratégie à des investisseurs potentiels, il convient d'insister sur la logique économique et sur les arguments financiers. Une approche tout aussi rationnelle peut être mobilisée pour convaincre d'autres managers, mais en ajoutant peut-être des arguments liés à leur intérêt personnel, à leur futur statut ou à leur éventuelle influence. Lorsqu'on explique la stratégie d'une organisation aux membres de son personnel, mieux vaut aborder la question de la sécurité de l'emploi et utiliser une forme de discours qui renforce la crédibilité des dirigeants. Enfin, un communiqué de presse doit comporter quelques phrases clés qui pourront être réutilisées par les journalistes. Dans tous les cas, il faut infléchir le discours stratégique en fonction de son destinataire.

- *Discours et management du changement.* Le discours stratégique joue un rôle particulièrement important dans la diffusion des innovations et dans la gestion du changement[41]. Selon le langage utilisé, de nouvelles pratiques de management peuvent être plus ou moins facilement acceptées[42]. Une rhétorique s'appuyant sur l'émotion et l'intérêt personnel peut tout aussi bien provoquer une adoption rapide qu'un rejet brutal. En utilisant une approche plus rationnelle, on rend généralement le rejet plus difficile, mais le délai d'adoption est plus important. Enfin, un langage qui fait appel aux pratiques établies et déjà acceptées peut faciliter la rétention des innovations.

- Un *langage commun*. Pour parler de stratégie au sein d'une organisation, il peut être utile de développer un langage commun. C'est une des motivations des programmes de formation, qui sont censés permettre aux managers de communiquer plus efficacement, une fois qu'ils s'entendent sur la signification d'un ensemble de concepts, d'outils et de termes stratégiques. Les professeurs de stratégie ont ainsi pour rôle d'aider leur auditoire à partager un langage commun.

- Une *perspective critique*. Le prisme du discours encourage les managers à s'interroger sur la validité des concepts et des modèles stratégiques : sont-ils réellement fondés sur des preuves tangibles et des théories solides ? Permettent-ils vraiment de faire la différence ? Ou ne sont-ils que des outils que les managers peuvent mobiliser pour accroître leur pouvoir et leur influence ? Le prisme du discours permet de mettre en doute un certain nombre d'hypothèses implicites, ce qui constitue toujours une démarche salutaire.

En résumé, comme le montre le schéma I.v, le prisme du discours présente la stratégie comme un outil de pouvoir, d'identité, de reconnaissance et de légitimité pour les managers. L'argumentation rationnelle y joue un grand rôle. L'impact sur l'innovation dépend du type de langage utilisé et des motivations des managers.

Schéma I.v   **Le prisme du discours**

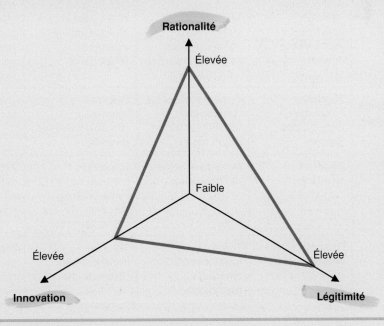

Conclusion

Le schéma I.vi rassemble les points saillants des quatre prismes stratégiques. Ces quatre prismes ne constituent pas une liste exhaustive, mais plutôt une tentative de synthèse de différentes approches et points de vue sur la stratégie. De plus, chacun des prismes inclut plusieurs perspectives : le prisme de l'expérience s'appuie ainsi sur les sciences cognitives, la sociologie et l'ethnologie, alors que le prisme de la complexité puise à la fois dans la théorie de la complexité et dans la théorie de l'évolution. Par-delà chacun des prismes, il est donc possible de développer des approches plus fines. De nombreux auteurs – comme Richard Whittington[43], Henry Mintzberg[44] ou Frédéric Fréry[45] – ont d'ailleurs tenté de dresser un panorama des différentes perspectives stratégiques.

Deux messages fondamentaux se dégagent de tout cela. Le premier est celui par lequel ces commentaires ont commencé : pour aborder un sujet aussi complexe que la stratégie, mieux vaut adopter plusieurs perspectives. Le second est qu'il est sain de contester la vision conventionnelle de la stratégie postulée par le prisme de

Schéma I.vi   Résumé des trois prismes stratégiques

	La stratégie vue au travers du			
	Prisme de la méthode	Prisme de l'expérience	Prisme de la complexité	Prisme du discours
Principe/résumé	Positionnement délibéré au travers de processus rationnels, analytiques, structurés et directifs	Développement incrémental résultant de l'expérience individuelle et collective et des croyances implicites	Émergence de l'ordre et de l'innovation à partir de la variété et de la diversité internes et externes à l'organisation	Le langage et les concepts de la stratégie sont utilisés pour obtenir de l'influence, du pouvoir et de la légitimité
Les organisations sont censées être des...	Structures mécaniques, hiérarchiques, logiques	Cultures fondées sur l'histoire, la légitimité et les succès passés	Systèmes organiques complexes, variés et diversifiés	Arènes de pouvoir et d'influence
Rôle des dirigeants	Décideurs stratégiques	Metteurs en scène de l'expérience	Entraîneurs, créateurs de contextes et détecteurs de configurations	Acteurs politiques qui cherchent à accroître leur influence
Théories sous-jacentes	Économie, sciences de la décision	Théorie institutionnelle, ethnologie, psychologie	Théories évolutionnistes, théorie du chaos	Théorie du discours, théorie critique sur le management

la méthode. La vision selon laquelle ce sont les dirigeants qui planifient et dirigent la stratégie au travers d'organisations comparables à des machines est bien trop restrictive pour rendre fidèlement compte de la réalité du management stratégique.

Les quatre prismes seront employés dans les commentaires situés à la fin de chacune des trois parties de l'ouvrage afin de mettre en perspective les principaux concepts et d'en déduire des implications managériales.

Références

1. J.G. March, *A Primer on Decision Making : How Decisions Happen*, Simon & Schuster, 1994, chapitre 1, pp. 1-35. Sur la rationalité, voir également la partie Organisation dans l'ouvrage dirigé par A. Dayan, *Manuel de gestion*, vol. 1, 2ᵉ édition, Ellipses/AUF, 2004.

2. Voir M.E. Porter, *Choix stratégiques et concurrence : techniques d'analyse des secteurs et de la concurrence dans l'industrie*, Economica, 1982, et *L'avantage concurrentiel : comment devancer ses concurrents et maintenir son avance*, InterÉditions, 1986.

3. Voir H.A. Simon et J. Lesourne, *Le nouveau management, la décision par les ordinateurs*, Economica, 1980.

4. Voir J. Dutton, E. Walton et E. Abrahamson, « Important dimensions of strategic issues: separating the wheat from the chaff », *Journal of Management Studies*, vol. 26, n° 4 (1989), pp. 380-395.

5. Voir A. Tversky et D. Kahnemann, « Judgements under uncertainty: heuristics and biases », *Science*, vol. 185 (1995), pp. 1124-1131.

6. Voir J.E. Dutton et S.E. Jackson, « Categorizing strategic issues: links to organizational action », *Academy of Management Review*, vol. 12 (1987), pp. 76-90, et M.H. Anderson et M.L. Nicols, « Information gathering and changes in threat and opportunity perceptions », *Journal of Management Studies*, vol. 44, n° 3 (2007), pp. 367-387.

7. Voir D. Lovallo et D. Kahneman, « Delusions of success », *Harvard Business Review*, vol. 81, n° 7 (2003), pp. 56-64.

8. Pour une explication détaillée du rôle des processus psychologiques dans la stratégie, voir H. Laroche, « Les approches cognitives de la stratégie », dans l'ouvrage coordonné par A.C. Martinet et R.A. Thiétart, *Stratégies : actualité et futurs de la recherche*, Vuibert, 2001. Voir également G.P. Hodgkinson et P.R. Sparrow, *The Competent Organization*, Open University Press, 2002.

9. Voir C. Geertz, *The Interpretation of Culture*, Basic Books, 1973, p. 12.

10. Voir M. Alvesson, *Understanding Organizational Culture*, Sage, 2002, p. 3.

11. Voir S.L. Brown et K.M. Eisenhardt, *Competing on the Edge*, Harvard Business School Press, 1998.

12. Pour une discussion de la théorie de la complexité dans le cadre de la stratégie, voir R.A. Thiétart et B. Forgues, « Chaos Theory and Organization », *Organization Science*, vol. 6, n° 1 (1995), pp. 19-31, et R.D. Stacey, *Strategic Management and Organisational Dynamics. The Challenge of Complexity*, 3ᵉ édition, Pearson Education, 2000.

13. Pour ceux qui souhaitent en savoir plus sur la théorie de l'évolution, voir les livres de S.J. Gould, par exemple *Darwin et les grandes énigmes de la vie*, Pygmalion, 1979, ou *Le pouce du panda*, Grasset, 1982. Pour une discussion des implications de la théorie de l'évolution sur le management, voir H.E. Aldrich, *Organizations Evolving*, Sage, 1999.

14. Une excellente discussion sur le développement des idées et sur le lien avec le rôle et la nature des organisations figure dans J. Weeks et C. Galunic, « A theory of the cultural evolution of the firm: the intra-organizational ecology of memes », *Organization Studies*, vol. 24, n° 8 (2003), pp. 1309-1352.

15. M. Feldman et B. Pentland, « Reconceptualizing organizational routines as a source of flexibility and change », *Administrative Science Quarterly*, vol. 48, n° 1 (2003), pp. 94-118, montrent comment le changement organisationnel peut résulter de variations des routines standardisées.

16. Voir Z.J. Acs et D.B. Audretsch, « Innovation in large and small firms – an empirical analysis », *American Economic Review*, vol. 78 (1988), pp. 676-690.

17. Voir « Everyday innovation/everyday strategy » de G. Johnson et A.S. Huff dans *Strategic Flexibility – Managing in a Turbulent Environment*, G. Hamel, C.K. Prahalad et D. O'Neal (eds), Wiley, 1998, pp. 13-27. Patrick Regner montre également comment de nouvelles orientations stratégiques peuvent émerger de la périphérie des organisations par opposition au centre. Voir P. Regner « Strategy creation in the periphery : inductive versus deductive strategy making », *Journal of Management Studies*, vol. 40, n° 1 (2003), pp. 57-82.

18. Bill McKelvey affirme que la variété au sein de cette intelligence distribuée augmente lorsque les managers cherchent à être mieux informés sur leur environnement. Voir B. McKelvey, « Simple rules for improving corporate IQ: basic lessons from complexity science » dans P. Andriani et G. Passiante (eds), *Complexity Theory and the Management of Networks*, Imperial College Press, 2004.

19. Voir E. von Hippel, *The Sources of Innovation*, Oxford University Press, 1988.

20. Le concept de sélection aveugle est expliqué plus en détail dans le chapitre rédigé par D. Barron dans l'ouvrage de D. Faulkner et A. Campbell, *Oxford Handbook of Strategy*, Oxford University Press, 2003.

21. Voir Weeks et Galunic, référence 14.

22. Le rôle de l'altruisme et des autres formes d'attractivité est présenté dans S. Blackmore, *The Meme Machine*, Oxford University Press, 1999.

23. Voir Aldrich, référence 13.

24. Voir notamment Brown et Eisenhardt, référence 11, McKelvey, référence 18, et Stacey, référence 12.

25. Voir M.S. Granovetter, « The strength of weak ties », *American Journal of Sociology*, vol. 78, n° 6 (1973), pp. 1360-1380.

26. Voir McKelvey, référence 18.

27. Voir M.S. Granovetter, référence 25.

28. Brown et Eisenhardt, référence 11, parlent de « sondes exploratoires peu coûteuses » pour qualifier ce type d'expérimentation organisationnelle.

29. Cette expression est empruntée à Brown et Eisenhardt, référence 11.

30. R.T. Pascale, M. Millermann et L. Gioja, *Surfing the Edge of Chaos: The Laws of Nature and the New Laws of Business*, Texere, 2000, pp. 8-9.

31. Nous remercions Nic Beech pour son aide à la réalisation de cette section.

32. H. Mintzberg, *Le manager au quotidien, Éditions d'Organisation, 2006*.

33. Cette citation est extraite de S.E. Green Jr, « A rhetorical theory of diffusion », *Academy of Management Review*, vol. 29, n° 4 (2004), pp. 653-669.

34. Voir D. Knights, « Changing spaces: the disruptive impact of a new epistemological location for the study of management », *Academy of Management Review*, vol. 17, n° 4 (1992), pp. 514-536.

35. Voir D. Barry et M. Elmes, « Strategy retold: toward a narrative view of strategic discourse », *Academy of Management Review*, vol. 22, n° 2 (1997), pp. 429-452, et T. Boudès, « La formulation de la stratégie d'entreprise comme mise en récit », *Management international*, vol. 8, n° 2, (2004), pp. 25-31.

36. Voir par exemple C. Hardy, I. Palmer et N. Philips, « Discourse as a strategic resource », *Human Relations*, vol. 53, n° 9 (2000), pp. 1227-1248, et L. Heracleous et M. Barrett, « Organizational change as discourse: communicative actions and deep structures in the context of information technology implementation », *Academy of Management Journal*, vol. 44, n° 4 (2001), pp. 775-778.

37. Voir R. Suddaby et R. Greenwood, « Rhetorical strategies of legitimacy », *Administrative Science Quarterly*, vol. 50 (2005), pp. 35-67, et J. Sillence et F. Mueller, « Switching

strategic perspective: the reframing of accounts of responsibility », *Organization Studies*, vol. 28, n° 2 (2007), pp. 175-176.

38. Voir L. Oakes, B. Townley et D.J. Cooper, « Business planning as pedagogy: language and institutions in a changing institutional field », *Administrative Science Quarterly*, vol. 43, n° 2 (1998), pp. 257-292.

39. Voir D. Knights et G. Morgan, « Corporate strategy, organizations and subjectivity », *Organization Studies*, vol. 12, n° 2 (1991), pp. 251-273.

40. A. Spicer, « Book Review of Recreating Strategy », *Organization Studies*, vol. 25, n° 7 (2004), p. 1256.

41. Voir la référence 36.

42. Voir les références 37 et 38.

43. R. Whittington, *What is Strategy – and does it matter?*, International Thomson, 1993/2000.

44. H. Mintzberg, B. Ahlstrand, J. Lampel, *Safari en pays stratégie*, Village Mondial, 1999.

45. F. Fréry, « Propositions pour une axiomatique de la stratégie », dans P. Joffre, J. Lauriol et A. Mbengue (eds), *Perspectives en management stratégique*, EMS, 2005, pp. 17-36. Disponible en téléchargement sur le site de l'AIMS, www.strategie-aims.com.

Partie 1

Le diagnostic stratégique

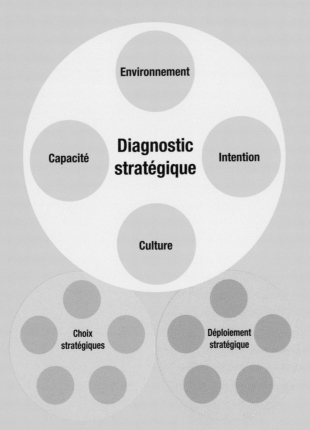

Cette partie explique :

■ Comment évaluer la position d'une organisation par rapport à son environnement.

■ Comment analyser les déterminants de la capacité stratégique : les ressources, les compétences et les liens entre les unes et les autres.

■ Comment comprendre les objectifs d'une organisation, en prenant en compte le gouvernement d'entreprise, les attentes des parties prenantes et l'éthique.

■ Comment prendre en compte l'influence de l'histoire et de la culture sur la situation d'une organisation.

Introduction à la partie 1

Cette première partie de l'ouvrage est consacrée à la compréhension de la position stratégique d'une organisation. Il s'agit pour cela d'analyser les facteurs qui influent sur le développement de la stratégie. Deux visions fondamentales s'opposent à ce sujet, selon que l'on donne plus d'importance aux influences externes ou aux influences internes*. Du point de vue externe, de nombreux auteurs soutiennent que les facteurs environnementaux sont les plus importants : pour eux, la stratégie est essentiellement *déduite* des opportunités identifiées dans l'environnement. À l'inverse, les partisans de l'approche interne affirment que c'est à partir des ressources, compétences et valeurs d'une organisation que sa stratégie doit être *construite*. Il convient donc d'identifier – voire de créer – les marchés qui permettront d'obtenir un avantage concurrentiel grâce à ces facteurs internes.

Que l'on adopte l'une ou l'autre de ces postures, il est important de rappeler que l'environnement n'est pas statique et que les caractéristiques internes d'une organisation doivent se développer de manière à en tirer parti**. De plus, les organisations sont rarement homogènes : y coexistent toujours différentes parties prenantes, porteuses de différentes cultures et manifestant différentes intentions. Ces facteurs internes doivent être pris en compte dans tout diagnostic stratégique.

Cette partie comprend donc quatre chapitres, qui couvrent successivement l'analyse de l'environnement et le diagnostic de la dynamique interne des organisations :

- Le thème du chapitre 2 touche à la manière dont les managers peuvent donner du sens à l'environnement complexe et incertain qui les entoure. Il s'agit de prendre en compte différentes strates, depuis les influences macroenvironnementales jusqu'aux forces qui pèsent spécifiquement sur la position concurrentielle. Cependant, la simple identification de chacune de ces influences est insuffisante. Le défi du stratège consiste à comprendre les interactions entre toutes ces forces et leur impact sur l'organisation.
- Le chapitre 3 concerne la compréhension de la capacité stratégique d'une organisation et la manière dont elle influe sur son avantage concurrentiel et sa capacité à générer de la valeur. Ce chapitre détaille quatre points principaux : comment définir la notion de capacité stratégique ; comment la capacité stratégique peut-elle devenir une source d'avantage concurrentiel ; comment analyser la capacité stratégique et comment gérer et développer cette capacité.

---

*   Sur l'opposition entre stratégie déduite et stratégie construite, voir par exemple F. Fréry et H. Laroche, « Stratégie : s'adapter ou construire », dans *L'art du management* (collectif), Village Mondial, 1997.

**   Sur ce thème, voir notamment G. Hamel, C.K. Prahalad, *La conquête du futur*, InterÉditions, 1995, et D.J. Teece, G. Pisano, A. Shuen, « Dynamic capabilities and strategic management », *Strategic Management Journal*, vol. 18, n° 3 (1997), pp. 509-534.

- Le chapitre 4 détaille la manière dont les attentes des parties prenantes conditionnent les objectifs de l'organisation et ses stratégies. Ce chapitre aborde quatre principaux thèmes : (1) le gouvernement d'entreprise, c'est-à-dire quels intérêts l'organisation est censée servir ; (2) l'analyse des parties prenantes et de leur pouvoir respectif ; (3) la responsabilité sociale de l'organisation et son impact sur l'éthique individuelle ; (4) comment ces différents éléments peuvent être rassemblés dans une intention stratégique.

- Le chapitre 5 adopte une perspective historique et culturelle. L'environnement concurrentiel, la capacité de l'organisation et les attentes des parties prenantes peuvent avoir des racines historiques. Comprendre l'histoire et la culture d'une organisation peut donc aider à concevoir sa stratégie. Ce chapitre commence par expliquer le phénomène de dérive stratégique et par souligner les défis du changement stratégique. Puis, il présente l'influence de l'histoire sur la stratégie actuelle et future d'une organisation et comment il est possible de l'analyser. Ensuite, il montre comment les particularismes culturels, qu'ils soient nationaux, institutionnels ou organisationnels, influent sur les objectifs et la stratégie. Il explique enfin comment le tissu culturel permet d'analyser une culture organisationnelle et son impact sur la stratégie.

Ces diverses influences sont très fortement interdépendantes. Dans la pratique, les visions internes et externes doivent être conjuguées. La réponse aux pressions environnementales est toujours contrainte par les capacités disponibles, alors que la culture interne peut conduire à des résistances au changement. De même, la capacité stratégique ne saurait apporter un avantage que si des opportunités peuvent être identifiées – ou construites – dans l'environnement. De même, le fait que l'ouvrage place le diagnostic stratégique dans une partie distincte des choix stratégiques (partie 2) et du déploiement stratégique (partie 3) n'implique pas qu'il s'agit de questions fondamentalement distinctes. Comme le symbolise l'enchevêtrement des cercles du schéma 1.3 dans le chapitre 1, la stratégie n'est pas un processus séquentiel : les choix stratégiques et le déploiement stratégique ont un impact sur le diagnostic stratégique.

Pour autant, les outils et concepts présentés dans la partie 1 constituent un préalable à tout choix stratégique. Les forces environnementales et la capacité organisationnelle déterminent le périmètre d'activité et le type de produits et services offerts. Elles influent également sur les modalités de développement stratégique, qu'il s'agisse de croissance interne, de fusions, d'acquisitions ou d'alliances et partenariats. Ces différents points seront approfondis dans la partie 2.

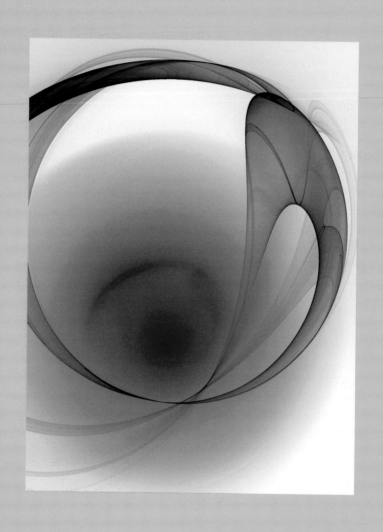

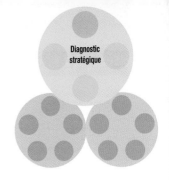

Diagnostic
stratégique

Chapitre 2
L'environnement

Objectifs

Après avoir lu ce chapitre, vous serez capable de :

- Décrire les forces du macroenvironnement en utilisant le modèle PESTEL.
- Identifier les variables pivot qui déterminent l'évolution du macroenvironnement, de manière à construire des scénarios alternatifs.
- Utiliser le modèle des 5(+1) forces de la concurrence afin d'identifier la dynamique concurrentielle à laquelle est confronté un domaine d'activité stratégique.
- Définir les groupes stratégiques et les segments de marché et expliquer en quoi ils aident à comprendre la concurrence.
- Identifier les facteurs clés de succès de l'environnement.

2.1 Introduction

L'environnement est ce qui donne aux organisations les moyens de leur survie. Dans le secteur privé, les entreprises doivent avoir des clients satisfaits pour rester en activité, de même que les organisations du secteur public doivent répondre aux attentes de leurs autorités de tutelle ou de leurs usagers. Pour autant, l'environnement est également une source de menaces : irruption de nouveaux concurrents, nouvelles exigences réglementaires, apparition d'innovations technologiques, etc. Les évolutions environnementales peuvent même être fatales pour certaines organisations : les encyclopédies – dont certaines avaient pourtant plus de deux siècles d'existence – ont été balayées par l'apparition de substituts électroniques tels que Encarta ou Wikipédia. Il est donc vital pour les managers d'analyser leur environnement, afin d'anticiper et – si possible – d'influencer ses évolutions.

Dans ce chapitre, nous présentons des outils permettant de comprendre l'environnement d'une organisation, que nous subdiviserons en « strates » successives, comme le montre le schéma 2.1.

- Le *macroenvironnement* constitue la strate environnementale la plus générale. Il s'agit des facteurs globaux qui – dans une plus ou moins large mesure – ont un impact sur pratiquement toutes les organisations. Le modèle PESTEL peut aider à déterminer quelles tendances *politiques*, *économiques*, *sociologiques*, *technologiques*, *écologiques* et *légales* peuvent affecter les organisations. Cette analyse a pour objectif d'identifier les *variables pivot*, de manière à construire

Schéma 2.1	Les strates de l'environnement

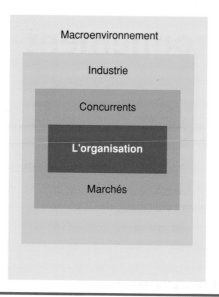

des *scénarios*, c'est-à-dire la manière dont la stratégie devrait évoluer en fonction des évolutions *possibles* de l'environnement.

- L'*industrie* est la strate suivante. Elle est définie par un ensemble d'organisations proposant la même offre de biens ou de services : par exemple l'automobile, la banque, les télécoms, le conseil, etc. L'*analyse des 5(+1) forces de la concurrence* permet de comprendre la dynamique concurrentielle au sein d'une industrie, au travers de l'identification et de la hiérarchisation des *facteurs clés de succès*. Le débat qui clôt ce chapitre (voir l'illustration 2.7) examine le poids de l'industrie dans le succès ou l'échec des entreprises.
- Les *concurrents et les marchés* constituent la strate environnementale la plus proche de l'organisation. Dans la plupart des industries, on rencontre des organisations présentant des caractéristiques distinctes qui leur permettent de se concurrencer sur des bases différentes. Le concept de *groupes stratégiques* consiste à établir la cartographie des organisations présentes dans une industrie, réparties selon les similarités et les divergences de leur stratégie. De la même manière, les attentes des clients ne sont pas les mêmes. Pour les identifier, on peut effectuer une *segmentation de marché*.

2.2 Le macroenvironnement

Les trois concepts présentés dans cette question – l'analyse PESTEL, les influences structurelles et les scénarios – s'utilisent conjointement pour analyser le macroenvironnement d'une organisation. Le modèle PESTEL donne une vue d'ensemble qui permet d'identifier les variables pivot grâce auxquelles il est possible de construire différents scénarios d'évolution du macroenvironnement.

2.2.1 L'analyse PESTEL

Le modèle PESTEL (voir l'illustration 2.1) répartit les influences environnementales en six grandes catégories : politiques, économiques, sociologiques, technologiques, écologiques et légales[1]. Les influences politiques soulignent le rôle des pouvoirs publics. Les influences économiques correspondent à des facteurs macroéconomiques tels que les taux de change, les différentiels de taux de croissance ou encore les cycles d'activité. Les influences sociologiques incluent les évolutions culturelles et démographiques, par exemple le vieillissement de la population dans les pays occidentaux. Les influences technologiques correspondent – selon l'environnement étudié – à l'impact d'innovations telles qu'Internet, les nanotechnologies, les nouveaux matériaux ou encore le génie génétique. Les influences environnementales recensent les préoccupations écologiques : pollution, recyclage, réchauffement climatique, etc. Enfin, les influences légales synthétisent les contraintes juridiques, les évolutions réglementaires, les normes de sécurité ou encore les opérations de fusion et acquisition.

Le modèle PESTEL répartit les influences environnementales en six grandes catégories : politiques, économiques, sociologiques, technologiques, écologiques et légales

---

Illustration 2.1

Une analyse PESTEL de l'industrie du transport aérien

Grâce au modèle PESTEL, les influences environnementales qui pèsent sur les organisations peuvent être rassemblées en six catégories. Pour l'industrie du transport aérien, ces influences sont les suivantes :

Politiques	Économiques
• Soutien des gouvernements aux compagnies nationales • Contrôles de sécurité • Restrictions sur les flux migratoires	• Taux de croissance de l'économie • Prix du carburant
Sociologiques	**Technologiques**
• Accroissement des voyages des seniors • Échanges internationaux d'étudiants	• Moteurs plus efficients • Utilisation de nouveaux matériaux • Technologies de contrôles de sécurité • Usage croissant de la téléconférence
Environnementales	**Légales**
• Normes sur les nuisances sonores • Contrôles sur la consommation énergétique • Restrictions des extensions aéroportuaires	• Restrictions sur les fusions et acquisitions • Droits d'accès privilégiés aux grands aéroports pour certaines compagnies

Questions

1. Quelles autres influences environnementales ajouteriez-vous à cette liste initiale pour caractériser le macroenvironnement de l'industrie du transport aérien ?

2. Une fois votre liste définitive établie, identifiez les influences susceptibles de devenir selon vous des variables pivot pour les prochaines années.

Pour les managers, il est important d'analyser comment ces différents facteurs évoluent et quel sera leur impact sur l'organisation. Cependant, la plupart de ces facteurs sont interdépendants. Les évolutions technologiques influencent ainsi les données économiques (par exemple la création ou la suppression d'emplois), les données sociologiques (par exemple l'impact sur les loisirs), et les données environnementales (par exemple la pollution). De plus, le modèle PESTEL doit être considéré comme une liste de contrôle, mais peu importe que telle influence soit nécessairement classée dans telle ou telle catégorie. Il n'est pas fondamental de se demander – par exemple – si le protectionnisme est un facteur avant tout politique ou économique, ou si les énergies renouvelables doivent être prises en compte sur un plan écologique ou sociologique. L'essentiel est de n'oublier aucune influence majeure, pas de classer méticuleusement chacune. Au total, comme on peut l'imaginer, l'analyse de tous ces facteurs et de leurs interdépendances peut déboucher sur des listes particulièrement fastidieuses.

Les variables pivot sont les facteurs susceptibles d'affecter significativement la structure d'une industrie ou d'un marché

Afin d'éviter une surabondance de détails, il est donc nécessaire d'adopter une vision synthétique et d'identifier les **variables pivot**, c'est-à-dire des facteurs susceptibles d'affecter significativement la structure d'une industrie ou d'un marché. Les variables pivot varient d'une industrie à l'autre. Le commerce de détail est ainsi avant tout concerné par l'évolution des goûts et des comportements des consommateurs locaux. À l'inverse, un constructeur informatique sera particulièrement sensible aux développements technologiques qui peuvent accélérer l'obsolescence de certains produits. De même, les managers du secteur public doivent rester attentifs à d'autres types de variables pivot : orientations idéologiques, politiques budgétaires et évolutions démographiques. Grâce à l'identification des variables pivot, les managers peuvent se focaliser sur les éléments décisifs de l'analyse PESTEL, ceux qu'ils doivent traiter en priorité. C'est la raison pour laquelle une analyse PESTEL doit impérativement se conclure par l'identification des variables pivot.

2.2.2 La construction de scénarios

Lorsque l'évolution de l'environnement est particulièrement incertaine du fait de la combinaison d'une grande complexité et d'une turbulence élevée, il peut devenir impossible – voire dangereux – de construire une vision unique de l'influence des variables pivot. La construction de scénarios permet d'envisager plusieurs possibilités, tout en aidant les managers à ne pas se fermer à d'éventuelles alternatives. Un **scénario** est une représentation plausible de différents futurs envisageables[2]. Même si les scénarios sont généralement obtenus en extrapolant les variables pivot issues d'une analyse PESTEL, ils ne se résument pas à une simple prévision de l'évolution de l'environnement.

Un scénario est une représentation plausible de différents futurs envisageables, obtenue à partir de la combinaison de variables pivot incertaines

La construction de scénarios s'appuie le plus souvent sur les variables pivot les plus incertaines : selon leur évolution, le futur peut être radicalement différent. Par exemple, dans l'industrie pétrolière, les variables pivot sont les innovations technologiques, le niveau des réserves d'hydrocarbures, la croissance économique et la stabilité politique internationale. Si l'innovation technologique et le niveau des réserves sont des variables relativement prévisibles, ce n'est certainement pas le cas de la croissance économique et de la stabilité politique internationale. On peut donc construire des scénarios à partir de l'évolution plausible de ces deux variables pivot, qui sont bien évidemment interdépendantes : l'instabilité politique et la récession économique vont généralement de pair. La construction de visions plausibles de l'avenir repose donc sur la capacité à conjuguer des variables au sein de scénarios cohérents. Ici, seuls deux scénarios peuvent ainsi être proposés : le premier correspond à une croissance faible et à une forte instabilité, le second, à une croissance forte et à une instabilité faible.

La planification par scénarios n'a pas pour objet de prévoir l'imprévisible, mais d'envisager de multiples futurs plausibles. L'explicitation et la discussion de ces scénarios améliorent l'apprentissage organisationnel en attirant l'attention des managers sur la hiérarchisation des forces environnementales. Les managers peuvent alors élaborer et évaluer des stratégies pertinentes pour chacun des scénarios, puis suivre avec attention l'évolution effective de l'environnement afin de déterminer laquelle de ces stratégies peut être adoptée et dans quelle mesure elle doit éventuellement être ajustée.

Étant donné le niveau de complexité inhérent à ce processus et l'intérêt majeur des débats et de l'apprentissage qu'il implique, certains experts déconseillent de se limiter à seulement trois scénarios. L'expérience montre que si l'on retient un scénario « optimiste », un scénario « pessimiste » et un scénario « médian », les managers se focalisent naturellement sur le troisième et négligent les deux premiers, ce qui réduit très fortement l'intérêt de la démarche. Il est donc préférable de retenir deux ou quatre scénarios, de manière à éviter la facilité d'une voie moyenne. Peu importe si *in fine* les scénarios ne se réalisent pas : l'intérêt de la démarche réside en fait dans le processus d'exploration et d'analyse, pas dans les plans obtenus.

L'illustration 2.2 présente un exemple de construction de scénarios pour les sciences du vivant à l'horizon 2020. Plutôt que d'incorporer une multitude de facteurs, l'illustration se focalise sur deux variables pivot qui (1) ont l'impact potentiel le plus élevé et (2) dont l'évolution est incertaine : les progrès technologiques et le degré d'acceptation du public. En fonction de l'évolution de ces deux variables, quatre scénarios cohérents peuvent être élaborés, auxquels on donne un titre aisément mémorisable, afin de faciliter la communication et les débats. Il ne s'agit pas de prédire quel scénario va effectivement se réaliser, ni d'attribuer une probabilité chiffrée à chacun, car non seulement cela limiterait la discussion et l'apprentissage, mais aussi cela donnerait à la méthode une pseudo-rigueur scientifique qui peut se révéler trompeuse.

Les scénarios sont particulièrement utiles lorsqu'il existe un nombre limité de variables pivot dont l'influence, très incertaine, peut déboucher sur des situations radicalement différentes, alors que les organisations en présence doivent s'engager sur des décisions très difficilement réversibles (choix d'une technologie, construction de nouveaux sites industriels, abandon d'une activité, etc.). L'industrie pétrolière, dans laquelle il n'est pas rare d'investir dans des programmes d'exploration et d'exploitation qui peuvent durer plus de vingt ans, a largement utilisé la construction de scénarios : elle cumule en effet ces trois caractéristiques[3].

Illustration 2.2

Quatre scénarios pour les sciences du vivant à l'horizon 2020

Personne ne peut prévoir le futur, mais il est possible de se préparer à plusieurs options.

En 2006, des chercheurs de l'université de Pennsylvanie ont collaboré avec de grandes entreprises telles que HP, Johnson & Johnson et Procter & Gamble afin d'élaborer quatre scénarios pour les sciences du vivant à l'horizon 2020. Les sciences du vivant incluent des activités aussi prometteuses et variées que le génie génétique, l'utilisation thérapeutique des cellules souches, le clonage ou la médecine régénérative. L'objectif de cette démarche consistait à établir un cadre de réflexion pour les gouvernements, les entreprises, les chercheurs et les médecins, charge à eux par la suite de se l'approprier en fonction de leur propre domaine d'expertise. Un constat s'imposait d'emblée : d'autres avancées technologiques n'avaient pas tenu leurs promesses initiales. L'intelligence artificielle, par exemple, avait perdu une grande part de son attrait à partir de la fin des années 1980. L'avenir des sciences du vivant était tout aussi incertain.

L'équipe de recherche identifia deux variables pivot essentielles : les avancées technologiques et l'acceptation par le public. Sur le plan technologique, rien n'était véritablement acquis. Après tout, contrairement à ce que les experts avaient annoncé à l'origine, le nucléaire n'était pas devenu une source d'énergie bon marché. L'acceptation par le public était également incertaine : beaucoup d'associations réclamaient la fin des recherches sur les cellules souches ou sur le clonage. La conjugaison du succès ou de l'échec technologique d'une part et de l'acceptation ou du rejet par le public d'autre part formait ainsi une matrice comprenant quatre scénarios.

Les grandes espérances était un scénario dans lequel les grandes entreprises et les laboratoires publics ne réussissaient pas à mettre au point les remèdes tant espérés contre la maladie d'Alzheimer ou le sida, alors que l'opinion publique restait en attente de résultats. Les entreprises étaient alors sous le feu de la critique et risquaient une intervention politique.

Beaucoup de bruit pour rien était un scénario dans lequel le public devenait sceptique à la suite d'une série de déceptions technologiques. En conséquence, les financements publics s'asséchaient.

Le progrès enchaîné était un scénario très différent, dans lequel l'opinion, effrayée par de réelles avancées scientifiques, imposait de sévères restrictions éthiques et réglementaires sur la recherche, l'expérimentation et la commercialisation des innovations.

L'âge d'or était un scénario dans lequel les laboratoires publics et privés prospéraient après avoir mis au point des innovations majeures très largement acceptées par le public.

L'idée n'était pas d'affirmer que l'un de ces scénarios était plus probable que les autres. En fait, tous les quatre étaient parfaitement vraisemblables. Cependant, alors que les entreprises de biotechnologies avaient naturellement tendance à se focaliser sur le scénario le plus optimiste (*l'âge d'or*), il était utile de leur rappeler les trois autres possibilités. Il leur fallait rester prudentes quant à leurs attentes technologiques et se montrer capables de gérer habilement l'opinion publique. Dans le cas contraire, les sciences du vivant risquaient d'être l'intelligence artificielle du XXIe siècle.

Source : http://mackcenter.wharton.upenn.edu/biosciences.

	La technologie échoue	La technologie réussit
Le public accepte	**Les grandes espérances**	**L'âge d'or**
Le public rejette	**Beaucoup de bruit pour rien**	**Le progrès enchaîné**

Question

Sur laquelle des deux variables pivot – les avancées technologiques et l'acceptation par le public – les entreprises ont-elles le plus d'influence ? Comment pourraient-elles exercer cette influence ?

2.3 L'industrie

Dans la section précédente, nous nous sommes concentrés sur la compréhension des aspects globaux de l'environnement. Cependant, l'impact de ces influences générales transparaît dans l'environnement immédiat de l'organisation au travers des évolutions des forces concurrentielles qui façonnent l'*industrie*. Une industrie – également appelée quelquefois *secteur d'activité* – peut être définie comme « un groupe d'organisations proposant la même offre de biens ou de services[4] » ou plus largement comme « un groupe d'entreprises proposant des offres étroitement substituables[5] ». Le concept d'industrie peut être étendu aux services publics : les services sociaux, les services de santé ou l'éducation rassemblent également de nombreux prestataires au moins partiellement concurrents. D'un point de vue stratégique, quelle que soit l'industrie, les managers doivent comprendre quelles sont les forces concurrentielles à l'œuvre. Celles-ci déterminent en effet l'attractivité du secteur considéré et conditionnent le succès ou l'échec des organisations en présence.

Une industrie *est un groupe d'organisations proposant la même offre de biens ou de services*

Il est essentiel de souligner que les frontières d'une industrie peuvent évoluer au cours du temps, par exemple au travers de la convergence, qui correspond à la situation dans laquelle des industries préalablement distinctes commencent à se chevaucher en termes d'activités, de technologies, de produits et de clients[6]. L'évolution technologique a ainsi provoqué une convergence entre la téléphonie et la photographie, puisque les terminaux téléphoniques incluent quasi systématiquement un appareil photo. De fait, les frontières entre ces deux industries ont tendance à se brouiller et Kodak se retrouve peu à peu en concurrence avec Nokia ou Samsung.

On parle de convergence *lorsque des industries préalablement distinctes commencent à se chevaucher en termes d'activités, de technologies, de produits et de clients*

Cette section présente successivement le modèle des 5(+1) forces de la concurrence de Michael Porter, puis différentes approches permettant d'analyser la dynamique d'une industrie.

2.3.1 Le modèle des 5(+1) forces de la concurrence

La notion de concurrence est inhérente à celle de stratégie. Une organisation qui n'a aucun concurrent n'a pas besoin de stratégie. De même, la pertinence d'une stratégie ne se juge jamais dans l'absolu, mais en termes relatifs. Or, les managers sont en général obnubilés par les concurrents immédiats, alors que bien d'autres forces peuvent influencer la compétitivité d'une organisation : ils se focalisent sur leur *part* de marché, alors qu'ils devraient chercher à accroître la *taille* du marché. Le modèle des 5 forces de la concurrence, défini par Michael Porter[7], permet d'évaluer l'attractivité d'une industrie en termes d'intensité concurrentielle : il s'agit d'identifier la « structure » d'une industrie (voir le schéma 2.2). Bien que cet outil ait été conçu au départ pour les entreprises privées, il peut être utile à la quasi-totalité des organisations, qu'elles soient industrielles ou de services, privées ou publiques.

Le modèle des 5 forces de la concurrence permet d'évaluer l'attractivité d'une industrie en termes d'intensité concurrentielle

Le postulat de départ de Porter est que l'objectif fondamental d'une organisation est l'obtention d'un *avantage concurrentiel*, qui se mesure en dernier ressort par sa capacité à générer du profit (pour une entreprise) ou à capter les ressources nécessaires à son existence (pour une organisation publique). Dans cette optique, le propos ultime de Renault Nissan n'est pas de faire des voitures, mais des bénéfices, que

| Schéma 2.2 | Le modèle des 5(+1) forces de la concurrence |

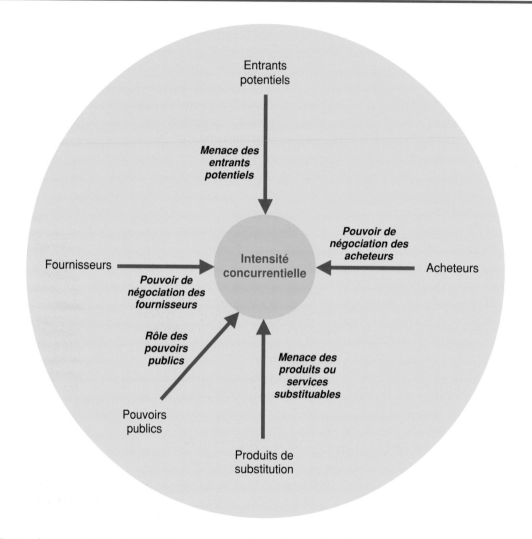

Source : adapté de M.E. Porter, *Choix stratégiques et concurrence*, Economica, 1982 (le rôle des pouvoirs publics a été ajouté).

ceux-ci soient ensuite réinvestis, distribués aux actionnaires, prélevés sous forme d'impôts ou utilisés pour accroître la masse salariale. Il découle de ce postulat que la notion de concurrence doit être élargie : sera considéré comme concurrent tout ce qui peut réduire la capacité d'une entreprise à générer du profit et plus largement tout ce qui peut empêcher une organisation de constituer un avantage concurrentiel en limitant son degré de liberté stratégique. Porter a identifié cinq types de forces qui ont cette capacité : la *menace d'entrants potentiels*, la *menace de substituts*, le *pouvoir de négociation des acheteurs*, le *pouvoir de négociation des fournisseurs* et l'*intensité de la concurrence* entre les acteurs déjà en place. La détermination de la structure concurrentielle d'une industrie passe donc par la mesure et la hiérarchisation de ces cinq forces de la concurrence, chacune pouvant capter une partie du profit généré globalement et déstabiliser ainsi l'équilibre du secteur à son avantage. Plus l'intensité de ces forces est élevée, moins l'industrie est attractive : la concurrence y sera trop forte pour pouvoir espérer dégager des profits acceptables.

Même si Porter ne l'a pas incluse dans son modèle original, une sixième force a été ajoutée ultérieurement à ce schéma : le *rôle de l'État*. Par leur pouvoir de réglementation, de subvention ou de taxation, les pouvoirs publics sont en effet capables de réduire ou d'accroître l'avantage concurrentiel des organisations, en particulier la capacité des entreprises à générer du profit. Or, si cet ajout est particulièrement important dans des pays où le poids de la sphère publique est déterminant – comme la France –, il a été proposé alors que le modèle de Porter avait déjà été largement popularisé au niveau international sous le nom d'analyse des CINQ forces de la concurrence. De fait, même si le modèle peut inclure six forces, il est toujours appelé *modèle des cinq forces*. Afin de se souvenir que les cinq forces sont au nombre de six – tout comme les héros des *Trois mousquetaires* sont quatre –, on peut utiliser à l'écrit la notation *5(+1) forces*.

Il est important de souligner que le modèle des 5(+1) forces doit être utilisé au niveau d'un *domaine d'activité stratégique* ou DAS (voir la section 6.2 du chapitre 6) et non à celui de l'organisation dans son ensemble. En effet, une organisation inclut généralement plusieurs activités : une compagnie aérienne peut ainsi être présente sur plusieurs marchés, comme les long-courriers et les vols domestiques, en ciblant des clients distincts, tels que les touristes, les voyages d'affaires ou le fret. Chacune de ces activités constitue un DAS, dans lequel l'impact des forces de la concurrence peut être différent. Lorsqu'une organisation est présente sur plusieurs DAS, l'analyse des 5(+1) forces doit être menée pour chacun d'entre eux.

La menace des entrants potentiels

La plus ou moins grande facilité d'accès à l'industrie détermine nécessairement l'intensité de la concurrence. La menace de nouveaux entrants est fonction du niveau des barrières à l'entrée, c'est-à-dire des facteurs que les entrants potentiels doivent surmonter pour pouvoir concurrencer les organisations déjà en place. Les barrières à l'entrée correspondent à tout ce qui peut faire que les entrants potentiels resteront potentiels. Il en existe trois grandes catégories : les barrières financières, les barrières commerciales et les barrières de ressources et compétences. L'illustration 2.3 en donne quelques exemples.

Les barrières à l'entrée sont les facteurs que les entrants potentiels doivent surmonter pour pouvoir concurrencer les organisations déjà en place dans une industrie

1. Les barrières financières :

- Les *économies d'échelle*. Les économies d'échelle correspondent à une réduction du coût unitaire des biens ou services, liée à l'augmentation du nombre d'unités produites. Elles résultent d'une meilleure répartition des frais fixes lorsque le nombre d'unités produites croît (à condition que les actifs nécessaires soient identiques quel que soit le volume d'activité). Dans certaines industries, les économies d'échelle peuvent être extrêmement importantes. C'est par exemple

Illustration 2.3

Les barrières à l'entrée

Les barrières à l'entrée varient selon l'industrie et le domaine d'activité stratégique considéré.

L'industrie pharmaceutique

Historiquement, la principale barrière à l'entrée dans l'industrie pharmaceutique est constituée par l'intensité capitalistique, en particulier du fait des investissements en R&D (plus d'un milliard de dollars sont nécessaires pour lancer une nouvelle molécule) et du temps extrêmement long de retour sur investissement (généralement plus de dix ans). De plus, les standards cliniques et les réglementations varient d'un pays à l'autre, ce qui accroît les coûts de développement en multipliant les procédures d'autorisation de mise sur le marché.

Plus récemment, les gouvernements ont entrepris de réduire les dépenses de santé. Désormais, les entreprises pharmaceutiques doivent démontrer que leurs produits présentent des avantages cliniquement et financièrement quantifiables, faute de quoi ils ne sont pas référencés sur les listes de médicaments autorisés ou remboursés.

Les voitures de luxe

À quelques rares exceptions près (comme Lexus, la division haut de gamme de Toyota), il est très difficile pour les constructeurs automobiles de pénétrer le marché des voitures de luxe. Le prestige de l'image de marque est une barrière à l'entrée déterminante, mais ce n'est pas la seule. Les modèles luxueux doivent être très clairement différenciés des voitures standardisées et posséder chacun une personnalité propre. Cela explique en particulier l'échec répété des versions haut de gamme des véhicules Renault ou Peugeot, trop proches dans leur image (ne serait-ce que dans leur nom) des modèles courants.

Cet impératif de différenciation oblige à constituer un réseau de distribution spécifique et à établir des relations avec les fournisseurs spécialisés dans les modèles de luxe, ce qui est à la fois long et incertain, car ces équipementiers peuvent parfois refuser de collaborer avec une marque trop éloignée de leur niveau de gamme. La meilleure stratégie de pénétration de ce marché consiste donc à racheter des marques déjà établies, comme Jaguar (acquis par Ford), Bentley (possédé par Volkswagen) ou Rolls-Royce (propriété de BMW).

La grande distribution en France

La principale barrière à l'entrée dans cette industrie a été constituée par une réglementation restrictive (notamment les lois Royer et Raffarin), qui a réduit le nombre de sites disponibles et donc exacerbé la concurrence pour les nouvelles implantations. De plus, l'investissement initial est très élevé, notamment en ce qui concerne les systèmes logistiques.

Un nouvel entrant n'aurait pas immédiatement accès aux économies d'échelle, considérables au niveau des achats. De même, l'utilisation de marques de distributeur (produits Carrefour, Auchan, etc.), très lucrative, est réservée aux concurrents établis, qui peuvent négocier des volumes considérables avec les fournisseurs. Un nouvel entrant n'aurait pas le même pouvoir de négociation.

La concurrence entre les distributeurs est intense, les six plus gros représentant l'essentiel du marché. De fait, le coût marketing d'implantation d'un nouvel entrant semble disproportionné. Cela explique en partie pourquoi l'Américain Wal-Mart a décidé de s'implanter d'abord au Royaume-Uni et en Allemagne plutôt qu'en France. Cependant, Wal-Mart a fini par revendre ses 85 magasins allemands à Metro en 2006, faute d'avoir su adapter au contexte local son modèle très intégré. On peut donc se demander si Wal-Mart osera racheter une des chaînes de grande distribution française, même si c'est pour lui le seul moyen de contourner les barrières établies.

Les clubs de football

Dans quasiment tous les pays européens, il est de plus en plus difficile aux clubs de football professionnels de second rang d'avoir accès à la Ligue 1. Cela s'explique en partie par le fait que le football est devenu une industrie nécessitant des capitaux considérables, à la fois pour recruter les ressources rares que sont les meilleurs joueurs internationaux et pour construire les équipements sportifs nécessaires à une présence au niveau européen.

Questions

1. Identifiez les barrières à l'entrée dans une industrie de biens ou de services de votre choix.
2. Comment les évolutions de l'environnement peuvent-elles modifier les barrières à l'entrée dans les quatre exemples ci-dessus et dans celui que vous avez proposé en 1 ?

le cas dans la production de composants électroniques, dans la distribution de boissons ou dans le marketing des biens de grande consommation. Les concurrents déjà établis, qui bénéficient d'un volume d'activité plus important que les nouveaux entrants, obtiennent des coûts unitaires moins élevés. Des innovations technologiques et de nouveaux modèles économiques peuvent néanmoins altérer les effets d'échelle. On a ainsi estimé qu'une banque sur Internet peut être rentable à partir de 10 000 clients, à condition de choisir une niche particulièrement rentable (gestion de patrimoine, optimisation fiscale, banque privée).

- *L'intensité capitalistique.* L'intensité capitalistique – ou *ticket d'entrée* – correspond au capital qu'il est nécessaire d'investir pour pénétrer dans une industrie. Elle se mesure généralement en années de chiffre d'affaires. Elle varie fortement en fonction des technologies utilisées et de l'échelle requise. Le capital nécessaire pour lancer une boutique de prêt-à-porter est minimal par rapport à ce qu'il faut investir pour entrer dans la pétrochimie, l'énergie ou la sidérurgie. De plus, il est en général impossible de fractionner l'investissement : une demi-aciérie n'est d'aucune utilité.

- Les *coûts de transfert.* Si les clients doivent supporter des coûts élevés lorsqu'ils changent de fournisseur, les concurrents en place sont naturellement protégés de l'intrusion d'un nouvel entrant. Dans cette logique, chaque concurrent a intérêt à établir un standard propriétaire qui enferme ses clients et les dissuade de se tourner vers une source alternative d'approvisionnement. Les fabricants de matériel et de logiciels informatiques ont longtemps utilisé ce principe. Cependant, en enfermant ses clients dans un standard spécifique, on risque de décourager d'éventuels clients potentiels. Ce phénomène a été particulièrement préjudiciable à Apple : le Macintosh a conservé une grande partie de ses clients historiques mais a eu beaucoup de mal à attirer de nouveaux utilisateurs, soucieux de ne pas s'enfermer dans un standard propriétaire.

2. Les barrières commerciales :

- *L'accès aux réseaux de distribution.* Pendant des dizaines d'années, au Royaume-Uni, en Allemagne et en France, les brasseurs de bière ont investi dans le financement de bars et de pubs, ce qui leur a permis d'assurer la distribution de leurs produits et d'empêcher leurs concurrents de pénétrer sur leurs marchés. On peut également citer le cas des premières montres à quartz japonaises, que les horlogers européens ont refusé de distribuer car leur technologie était trop éloignée des mouvements mécaniques. De fait, les Japonais ont temporairement été obligés de construire un réseau parallèle (grands magasins, bureaux de tabac, etc.). Dans certaines industries, cette barrière a été contournée par des nouveaux entrants qui ont utilisé Internet pour s'adresser directement aux clients finaux sans passer par les réseaux de distribution établis (voir par exemple Dell ou Amazon).

- La *réputation.* Sur certains marchés – ceux où les clients ne peuvent juger de la qualité de l'offre que longtemps après l'achat –, la notoriété est essentielle. C'est notamment le cas dans l'automobile, la banque, l'électroménager, la formation ou l'assurance. Une entreprise qui souhaite intervenir sur ce type de marché devra en règle générale effectuer des dépenses de communication extrêmement importantes. On peut citer le cas de l'Américain Whirlpool, qui a réussi à imposer sa marque en Europe après avoir racheté la division électroménager du Néerlandais Philips. En France, il lui a fallu pour cela sponsoriser le film du dimanche soir de la chaîne de télévision TF1 – c'est-à-dire le tarif le plus élevé de la publicité française – pendant quatre années consécutives.

3. Les barrières de ressources et compétences :

- La *technologie*. Pour intervenir sur certains marchés, il est essentiel de maîtriser certaines technologies, qui peuvent être protégées soit par des brevets, soit par des procédés tenus secrets. Dès lors, tout nouvel entrant devra mettre au point une technologie susceptible de se substituer à celle des concurrents établis, ce qui n'est pas toujours possible. C'est notamment en conservant secret le procédé de fabrication de ses rasoirs jetables que Bic a garanti sa position de leader sur ce marché. Il en est de même pour 3M et les Post-it, pour Bel et l'Apéricube ou encore pour Michelin et les pneus.

- Les *ressources rares*. L'accès à certains marchés peut nécessiter la possession de ressources rares qu'un nouvel entrant aura beaucoup de difficultés à acquérir. Ces ressources peuvent être une matière première spécifique ou un composant contrôlé par un fournisseur unique, comme certains matériaux de synthèse. Une main-d'œuvre extrêmement spécialisée peut également constituer un goulet d'étranglement, comme les *nez* dans le parfum (c'est-à-dire les compositeurs de fragrances) ou certains experts sur les marchés financiers. De même, certaines activités exigent la maîtrise d'emplacements spécifiques, que ce soit les fast-foods – toujours implantés dans des lieux extrêmement passants – ou encore les radios FM dans les grandes agglomérations, souvent plus nombreuses que les fréquences disponibles. Enfin, la rareté de certaines ressources vient du fait que leur accès est réglementé, comme les licences de taxi ou de débits de boisson, les autorisations de mise sur le marché pour les produits pharmaceutiques ou encore les licences de téléphonie mobile.

- L'*expérience*. Il peut se révéler très difficile d'entrer sur un marché si les concurrents établis en connaissent tous les ressorts, entretiennent depuis longtemps d'excellentes relations avec les distributeurs et les fournisseurs, ont construit une solide réputation auprès des clients et maîtrisent parfaitement tous les savoir-faire nécessaires. Ce phénomène, lié à la *courbe d'expérience*, est détaillé dans le chapitre 3 (voir la section 3.3). Cependant, certaines innovations de procédé peuvent rendre obsolète l'expérience acquise.

On peut également se protéger des entrants potentiels en utilisant diverses *tactiques de dissuasion* :

- La *réputation d'agressivité*. Si un entrant potentiel considère que les concurrents établis riposteront violemment à son intrusion – par exemple en déclenchant une guerre des prix –, cela peut suffire à le dissuader. Le chimiste néerlandais Akzo n'a pas hésité ainsi à mener une riposte extrêmement violente lorsqu'un petit concurrent britannique, ECS, s'est lancé dans la fabrication de peroxyde de benzoyle, un produit utilisé dans la composition de matières plastiques. ECS y a perdu la moitié de son chiffre d'affaires et Akzo y a gagné une réputation d'agressivité[8]. Sur les marchés globalisés, ces techniques de dissuasion peuvent se concentrer sur certaines zones géographiques (voir le chapitre 8). Nous reviendrons sur cette interaction dynamique entre concurrents et entrants potentiels dans la section 2.3.2.

- La *différenciation*. La notion de stratégie de différenciation sera détaillée dans le chapitre 6. Elle consiste essentiellement à proposer aux clients une offre significativement différente de celle des concurrents, soit plus élaborée et plus chère, soit plus simple et meilleur marché. Une différenciation réussie peut protéger de l'intrusion de nouveaux entrants car elle renforce la loyauté des clients. Cependant, cette barrière s'effondre si les entrants potentiels réussissent à imiter l'offre proposée par les concurrents. La résistance à l'imitation constitue donc un point essentiel. De plus, les attentes des clients sont susceptibles d'évoluer, obligeant les concurrents à trouver de nouvelles bases de différenciation.

- La *prolifération*. Multiplier très fortement le nombre de références dans une gamme de produits oblige tout nouvel entrant à proposer d'emblée une gamme étendue, car chaque produit représente un chiffre d'affaires trop faible pour amortir les frais de lancement. Les fabricants de céréales pour le petit-déjeuner utilisent largement cette tactique, tout comme les producteurs de lessives. On peut aussi recourir à la *prolifération dans le temps* en renouvelant très fréquemment les produits, ce qui contraint les nouveaux entrants à adopter le même rythme d'obsolescence. Les fabricants de micro-ordinateurs ou d'électronique grand public utilisent souvent cette approche, chaque génération de produit ayant une durée de vie de seulement quelques mois.

- Le *prix plancher*. Une entreprise peut décourager les entrants potentiels en leur faisant croire que son activité est très peu lucrative. Cette tactique n'est applicable que dans le cas où l'évaluation des coûts est très difficile pour le nouvel entrant, notamment lorsque les charges indirectes sont très élevées et les gammes de produits très larges (pétrochimie, sidérurgie, etc.).

La menace des substituts

Les **substituts** sont des produits ou services qui offrent un bénéfice équivalent aux clients, mais selon une approche différente. L'aluminium est ainsi un substitut pour l'acier dans l'industrie automobile, le train est un substitut pour la voiture, le cinéma et le théâtre peuvent se substituer l'un à l'autre. Les managers se focalisent trop souvent sur leurs concurrents directs et négligent la menace des substituts, alors que ceux-ci peuvent réduire la demande pour toute une catégorie de biens ou de services, jusqu'à la rendre obsolète. De plus, la menace peut exister alors même que la substitution n'est que potentielle : le simple risque de substitution peut fixer une limite aux prix pratiqués dans une industrie. Même si l'Eurostar n'a pas de concurrent direct sur la ligne Paris Londres, son tarif est limité par le prix des billets d'avion.

Les substituts peuvent réduire la demande pour une catégorie de produits ou services en captant les attentes des clients

L'abandon pur et simple peut également être considéré comme une substitution. L'industrie du tabac est confrontée à ce type de phénomène, qui ne concerne pas les produits ou services absolument indispensables (l'énergie par exemple). De même, les substituts peuvent venir d'industries très éloignées, comme le train à grande vitesse pour le transport aérien, le tunnel sous la Manche pour les compagnies de ferries, les opérations chirurgicales de l'œil pour les lunettes et lentilles de contact, ou encore Internet pour les encyclopédies. À l'inverse, il existe également des substitutions internes à une même industrie, comme les 4 × 4 et les monospaces pour les berlines dans l'automobile.

Dans tous les cas, plus la menace de substitution est élevée, moins l'industrie est attractive. Les questions essentielles à se poser sur les substituts sont les suivantes :

- Le substitut menace-t-il les produits ou services existants d'obsolescence, notamment en améliorant très significativement le *rapport qualité/prix* ? C'est ainsi que le disque compact a pu facilement remplacer le disque vinyle, alors que le vidéo disque, trop cher et incapable d'enregistrer, n'a pas réussi à menacer le magnétoscope jusqu'à l'apparition du DVD. De même, dans l'automobile, l'aluminium est plus cher que l'acier, mais sa résistance à la corrosion et sa légèreté lui donnent un avantage pour certains types de pièces.

- Quel est le *coût de transfert* pour les acheteurs qui choisissent le substitut ? Les clients cherchent en général à préserver leurs habitudes et à sécuriser leurs investissements. De fait, ils se méfient des innovations radicales qui risquent de mettre en cause leurs acquis. Cette question revient généralement à considérer la *base installée* du produit en place et la perturbation introduite par le substitut. Plus le produit existant a bénéficié d'une large diffusion et plus son usage a généré des habitudes et des investissements spécifiques, plus la substitution est difficile. Celle-ci n'est cependant pas impossible, comme l'a montré là encore le disque compact : devant la qualité proposée, les consommateurs n'ont pas hésité à reconstituer leur discothèque. Cette tendance a été encouragée par le fait que les constructeurs ont eu l'intelligence de ne pas perturber les clients dans leurs habitudes : mêmes magasins, mêmes artistes, même vocabulaire (platine, disque, album, etc.), compatibilité avec les équipements existants (amplificateurs, haut-parleurs, etc.). Une approche analogue a permis de faciliter d'autres substitutions : le DVD par rapport au VHS (jaquettes identiques, boîtes de même taille, branchements semblables), la photo numérique par rapport à la photo argentique (aspect des appareils identique, bruit du déclencheur, services de développement rapide) ou encore les supermarchés Internet par rapport aux supermarchés réels (caddie virtuel, sites organisés en rayons, « caisses » à la sortie, etc.). Dans tous les cas, on a fait passer des ruptures pour des continuités[9].

- Le substitut est-il introduit par une entreprise qui a les moyens financiers d'assurer largement sa diffusion ? Provient-il d'un secteur d'activité où les profits sont élevés ? Les fabricants français de sucre de betterave ont ainsi été extrêmement inquiets lors de l'apparition de l'aspartame, car ils supposaient que l'industrie pharmaceutique n'hésiterait pas à investir lourdement pour son lancement. De fait, ils ont eux-mêmes financé des campagnes de publicité sur le sucre et élaboré des politiques marketing (modification des emballages, création de gammes diversifiées, etc.) qui ont permis de maintenir la consommation.

- Quelle est la capacité de riposte des entreprises en place ? Peuvent-elles empêcher la substitution, soit en améliorant le rapport qualité prix de leur offre – généralement par des services associés –, soit en augmentant les coûts de transfert pour les clients, soit en dénigrant le substitut par une campagne médiatique ou une rumeur ? Beaucoup de nouvelles technologies (le four à micro-ondes, l'aspartame, le téléphone mobile, etc.) ont ainsi été accusées de causer diverses maladies et traumatismes. Même si ces accusations ne sont pas fondées, elles peuvent suffire à semer le doute dans l'esprit d'une partie de la clientèle. Au-delà d'évidentes questions éthiques, cette technique n'est pas sans risque : la rumeur peut devenir incontrôlable.

- Lorsque la substitution est inévitable, il convient de déterminer si les entreprises établies peuvent faire le saut technologique leur permettant de proposer elles aussi le nouveau produit ou service. Cependant, l'expérience prouve que cette rupture est en général extrêmement difficile à accepter pour les concurrents en place, qui ont fondé leur succès et leur réputation sur l'offre précédente. Le cas du remplacement de la règle à calcul par la calculette est un bon exemple de cette situation extrême : aucun fabricant de règle à calcul n'était capable de maîtriser ou d'acquérir les compétences en électronique devenues indispensables.

Le pouvoir de négociation des acheteurs

Les clients sont bien entendu indispensables à la survie de toute entreprise. Cependant, les acheteurs peuvent détenir un tel pouvoir de négociation qu'ils seront capables de capter une part significative du profit, au détriment de leurs fournisseurs. Certains industriels – notamment dans l'automobile – ont ainsi exercé leur pouvoir pour exiger de leurs fournisseurs des réductions de prix considérables, ce qui s'est traduit par la disparition de bon nombre d'entre eux. Ceux qui ont survécu y ont gagné des volumes de commande plus importants, mais ils ont dû se soumettre à des critères de coût et de qualité extrêmement stricts. Paradoxalement, ce processus de sélection quasi darwinien a entraîné une augmentation du pouvoir de négociation des fournisseurs survivants, car chacun représente désormais une part significative des achats des industriels.

Les acheteurs sont les clients directs d'une organisation, mais pas nécessairement les clients finaux de son industrie

Le *pouvoir de négociation des acheteurs* est particulièrement élevé lorsque :

- Ils sont *concentrés*. Moins une organisation a de clients, plus le pouvoir de négociation de chacun d'entre eux est fort. Cela sera d'autant plus vrai que leurs volumes d'achat sont importants. Une bonne illustration de ce phénomène est donnée par la grande distribution en France, où les grandes centrales d'achat d'Auchan, Carrefour, Casino, Cora, Intermarché et Leclerc monopolisent 90 % du commerce alimentaire. Cela leur donne un pouvoir de négociation considérable, qui leur permet notamment d'obtenir des réductions de prix extrêmement importantes – sans compter de multiples rabais officieux ou « marges arrière » –, d'obliger leurs fournisseurs à tenir les stocks et à effectuer les livraisons à la demande, voire parfois à relier directement leur système logistique aux caisses enregistreuses des magasins. Les fournisseurs qui refusent de se soumettre à ces conditions courent le risque de ne plus être référencés auprès des centrales d'achat, ce qui implique leur disparition immédiate des linéaires des magasins affiliés. Étant donné le poids de ces centrales dans le chiffre d'affaires des fournisseurs, aucun d'entre eux ne peut risquer cette sanction.

- Les fournisseurs sont nombreux et dispersés, ce qui réduit leur pouvoir de négociation individuel. C'est donc la concentration relative entre acheteurs et fournisseurs qu'il convient de prendre en compte.

- Le coût supporté par le client lorsqu'il change de fournisseur – ce qu'on appelle le *coût de transfert* – est faible et prévisible. Lorsque les clients peuvent aisément changer de fournisseur, ce qui est le cas pour les biens et services indifférenciés, ils peuvent imposer leurs conditions.
- Il existe des sources d'approvisionnement de substitution, ce qui permet de mettre les fournisseurs en concurrence. La déréglementation dans les services publics a provoqué ce type de phénomène.
- L'approvisionnement représente une part importante du coût complet des clients. En effet, dans ce cas, toute volonté de réduction de leurs dépenses va les pousser à exercer le plus de pression possible sur leurs fournisseurs.
- Il existe une menace d'*intégration vers l'amont* de la part des clients, comme dans le cas des marques lancées par les chaînes de grande distribution (produits Carrefour, Auchan, Leclerc, etc.), qui viennent concurrencer celles de leurs fournisseurs. De même, le rachat du club de football Paris-Saint-Germain par Canal+ a permis à la chaîne de renforcer son pouvoir dans la négociation des droits de retransmission télévisée des matches.

Le pouvoir de négociation des fournisseurs

Les fournisseurs approvisionnent une organisation avec ce dont elle a besoin pour produire ses propres biens ou services

Les fournisseurs approvisionnent l'organisation avec ce dont elle a besoin pour produire ses propres biens ou services. Cela peut aller de l'énergie aux matières premières, en passant par les ressources financières ou la main-d'œuvre. Le *pouvoir des fournisseurs* est important lorsque :

- Ils sont *concentrés*, voire en monopsone. C'est le cas dans certaines industries, comme le diamant avec De Beers, qui historiquement a imposé ses prix et ses procédures de vente. Cette situation est également celle de la plupart des services publics, qui n'ont pas d'autre source de financement que le budget de l'État.
- Les *coûts de transfert* sont élevés, par exemple lorsque les procédés de fabrication sont dépendants d'une technologie ou d'un composant spécifique (comme dans l'industrie aéronautique) ou lorsque les produits sont très différenciés. Le coût de transfert peut être constitué par le coût effectif de changement de fournisseur, par exemple parce que des machines ou des systèmes devront être remplacés, mais également par le fait que le risque engendré par ce changement est inacceptable, comme dans le cas d'un composant peu coûteux mais absolument critique, pour lequel toute rupture d'approvisionnement serait catastrophique. Dans l'industrie informatique, Microsoft est un fournisseur particulièrement puissant car il est très coûteux de changer de système d'exploitation. Les clients sont préparés à payer un surprix pour éviter ce désagrément, et bien entendu Microsoft en tire avantage.
- Le fournisseur a réussi à se construire une *image de marque* particulièrement forte. Une marque puissante génère des coûts de transfert, car elle est rapidement exigée par les clients. C'est une des approches utilisées par les fournisseurs de la grande distribution, qui cherchent à populariser leur marque auprès du public afin d'obliger les centrales d'achat à les référencer. Cette volonté de prendre son client direct en tenailles en s'imposant auprès du client final est à l'origine des campagnes de publicité grand public d'Intel, DuPont ou TetraPak.

Aucune de ces entreprises ne vend ses produits aux clients finaux, mais en s'imposant auprès d'eux comme des marques incontournables, elles obligent leurs propres clients industriels à les adopter.

- Il existe des menaces d'*intégration vers l'aval*. Les compagnies aériennes ont renforcé leur pouvoir de négociation face aux agences de voyage depuis qu'elles ont ouvert des sites de réservation en ligne, car cela leur a donné un accès direct aux clients finaux. De même, Samsung a fait irruption sur le marché des ordinateurs ou des téléphones portables tout en continuant à approvisionner les autres constructeurs en composants électroniques. En jouant sur le prix de ces composants, il est donc capable de positionner ses propres produits de manière très attractive.
- Les clients sont nombreux et dispersés, ce qui réduit leur propre pouvoir de négociation.
- Certaines organisations utilisent des approvisionnements qui ne sont pas des produits. Par exemple, pour les cabinets de conseil, les organismes de formation, les orchestres ou les clubs de sport, la disponibilité de ressources humaines qualifiées est cruciale. Dans ce cas, les fournisseurs – à savoir les individus recherchés – bénéficient également d'un pouvoir de négociation important, surtout s'ils sont capables de se rassembler – par exemple grâce à un syndicat. Ce pouvoir se traduit souvent par des salaires élevés.

Le rôle des pouvoirs publics

Même si Porter n'a pas inclus cette force dans son modèle (essentiellement pour des raisons idéologiques liées à sa vision libérale de l'économie), elle y a indiscutablement sa place. En effet, l'État – et plus généralement toutes les autorités de régulation, qu'elles soient locales ou supranationales – a le pouvoir de modifier profondément la capacité des organisations à générer du profit et plus globalement d'intervenir dans le jeu concurrentiel. Le rôle concurrentiel des pouvoirs publics comprend de multiples aspects :

- Le *pouvoir de régulation*, avec la fixation des impôts et des taxes, du droit du travail, des lois sur la protection de l'environnement, le contrôle des changes, le contrôle des prix ou l'établissement de normes, quotas et tarifs douaniers. Il est à remarquer que ce n'est pas tant le pouvoir de définir une réglementation qui importe que celui de l'imposer. De très nombreux règlements ne sont pas appliqués, faute d'une volonté ou de moyens suffisants de la part des autorités.
- Le *protectionnisme*. Les gouvernements peuvent dresser des barrières à l'entrée légales afin de protéger certaines industries de la concurrence étrangère. Cela passe par l'instauration de quotas, comme pour les automobiles japonaises en France ou en Italie jusqu'aux années 1990, par des droits de douane, comme pour les bananes américaines en Europe, par l'obligation d'obtenir un agrément administratif, comme pour les magnétoscopes japonais en France dans les années 1980, ou encore par des réglementations très spécifiques qui nécessitent de coûteuses modifications, comme pour de nombreux produits occidentaux au Japon.
- Dans certaines industries, l'État est un *client* dominant – voire unique – soit directement, soit au travers de services publics nationalisés. En France, c'est par exemple le cas pour l'armement, la construction de matériel ferroviaire ou celle

de centrales électriques. Réciproquement, l'État peut être un *fournisseur* en situation de quasi-monopole. Toujours en France, c'est le cas en ce qui concerne le courrier ou le transport ferroviaire.

- L'État peut également être un *concurrent* particulièrement menaçant pour les entreprises privées. Le transport aérien, les télécommunications ou l'enseignement sont des cas classiques.
- Les pouvoirs publics peuvent jouer un rôle de *prescripteur* et de *rassembleur*, en décidant la réalisation de grands projets et en sélectionnant les fournisseurs correspondants. La création d'Airbus et l'échec de l'informatique européenne sont de bons exemples de cette volonté.
- Par le biais des subventions, crédits d'impôts et exemptions de taxes, les pouvoirs publics jouent un rôle de *financeur* qui peut favoriser certaines entreprises, en fonction de leur activité, de leur implantation ou de leur âge. Ces aides publiques sont fréquemment mises en cause par les instances de libéralisation des échanges, telles que l'Organisation mondiale du commerce. Cependant, elles constituent une des spécificités des économies de l'Union européenne, où près de 100 milliards d'euros sont annuellement distribués par les États membres ou par la Commission européenne elle-même.
- Enfin, le rôle purement *politique* de l'État peut considérablement influer sur la capacité concurrentielle des organisations, notamment par l'établissement ou la rupture de relations diplomatiques, voire par l'instauration de blocus commerciaux à l'encontre de certains pays. À l'inverse, la création de zones de libre-échange, telles que le marché unique européen, l'ALENA, l'ASEAN ou le Mercosur, résulte également de volontés politiques.

Il est à noter que les instances de régulation n'interviennent généralement pas de leur propre initiative pour structurer, protéger ou réglementer une industrie. Le plus souvent, ce sont les concurrents eux-mêmes qui réclament cette ingérence, afin de construire des barrières à l'entrée vis-à-vis de concurrents potentiels. Les arguments utilisés pour inciter les pouvoirs publics à réguler une industrie sont de plusieurs types :

- *L'intérêt général*. La protection du secteur bénéficie à l'économie tout entière, car cela protège l'emploi, le commerce extérieur, la recherche, la défense, etc.
- *L'indépendance nationale*. La protection du secteur est motivée par des considérations de stratégie géopolitique : armement, pétrole, semi-conducteurs, aéronautique, etc.
- *L'exception culturelle ou agricole*. Le secteur n'est pas à proprement parler une industrie et il ne peut pas être appréhendé selon une vision purement économique : cinéma, disque, télévision, livre, etc. Les agriculteurs – à côté de leur poids dans les élections locales et de leurs manifestations parfois violentes – utilisent des arguments extrêmement proches pour justifier les subventions et le contrôle des prix, affirmant que l'exploitation de la terre ne peut pas être traitée comme une quelconque industrie ou – pour reprendre le titre de l'ouvrage du syndicaliste paysan José Bové – que « le monde n'est pas une marchandise ».
- La *taille critique*. Le secteur doit être protégé car les entreprises ne sont pas encore assez grosses pour résister à la pression des concurrents étrangers : pharmacie, automobile, télécommunications, etc. L'objectif est d'atteindre une

certaine taille critique, généralement indéfinie, qui permettra de faire partie des « cinq ou six concurrents globaux capables de survivre à terme ».

L'intensité concurrentielle

Toutes ces forces influent sur l'intensité concurrentielle entre l'organisation et ses rivaux immédiats : c'est le sens des flèches convergentes du schéma 2.2. L'intensité concurrentielle est particulièrement vive lorsque le secteur est soumis à une forte pression, c'est-à-dire lorsque les barrières à l'entrée sont faibles, la menace des substituts réelle, le pouvoir des acheteurs et des fournisseurs élevé, et la réglementation fluctuante. Dans tous les cas, plus l'intensité concurrentielle est forte, moins l'industrie est attractive.

Les **concurrents directs** sont les organisations qui proposent des produits ou services semblables à de mêmes clients. Dans l'industrie du transport aérien en Europe, Air France et British Airways sont ainsi des concurrents directs, alors que les trains à grande vitesse sont leurs substituts. L'intensité concurrentielle dépend d'une série de facteurs :

Les concurrents directs sont les organisations qui proposent des produits ou services semblables à de mêmes clients

- *L'équilibre des forces* en présence est déterminant. Lorsque tous les concurrents sont approximativement de la même taille, la concurrence est généralement âpre, car il est très probable que l'un d'entre eux cherche à dominer les autres. À l'inverse, l'intensité concurrentielle est moindre lorsque le secteur compte quelques organisations dominantes, dont la position n'est pas mise en cause par les autres.

- Le *taux de croissance* du marché peut affecter la rivalité. En phase de croissance, une organisation peut espérer assurer sa propre progression en s'appuyant sur celle de son marché, alors que lorsque le marché stagne ou se rétracte, la croissance ne peut être obtenue que par l'acquisition des parts de marché des concurrents. Les marchés en faible croissance sont donc généralement synonymes de concurrence sur les prix et de faible rentabilité. Le cycle de vie[10] de l'industrie influence le taux de croissance et donc l'intensité concurrentielle (voir la section 2.3.2).

- Des *coûts fixes élevés*, par exemple du fait d'une forte intensité capitalistique ou de la nécessité de stocks importants, peuvent pousser les concurrents à réduire leurs prix afin d'atteindre le niveau de chiffre d'affaires correspondant au seuil de rentabilité. Cela peut déboucher sur une guerre des prix et donc sur des marges extrêmement faibles. Si l'addition de capacité supplémentaire ne peut se faire que par paliers d'investissements importants, il est probable que le concurrent qui réalise cette expansion crée une surcapacité temporaire, ce qui accroîtra la rivalité interne. La construction d'une nouvelle raffinerie de pétrole entraîne généralement ce type de conséquence.

- L'existence de *barrières à la sortie* provoque généralement une surcapacité, ce qui renforce l'intensité concurrentielle. Les barrières à la sortie, c'est-à-dire les éléments qui limitent la possibilité pour un concurrent de se retirer de l'industrie, peuvent résulter de multiples facteurs : forte intensité capitalistique, investissements non transférables, coût ou interdiction des licenciements, existence de synergies entre plusieurs domaines d'activité, obligation de proposer un produit – même s'il n'est pas rentable – afin d'être crédible sur un marché donné, etc. Il est possible de croiser les barrières à la sortie avec les barrières à l'entrée, afin de définir le niveau d'intensité concurrentielle sur un secteur. Il est clair que la pression sera particulièrement élevée lorsque les barrières à l'entrée

Illustration 2.4

Consolidation dans l'industrie sidérurgique

Le modèle des 5(+1) forces de la concurrence permet d'analyser la nature concurrentielle d'une industrie.

Pendant des décennies, l'industrie sidérurgique a été considérée comme statique et peu rentable. Les producteurs étaient locaux, souvent nationalisés et déficitaires. Entre la fin des années 1990 et 2003, plus de 50 sidérurgistes indépendants firent faillite aux États-Unis. Le XXIe siècle débuta pourtant par un profond remaniement de cette industrie. En 2006, Mittal Steel devint leader mondial en rachetant pour 28 milliards d'euros le géant européen Arcelor (lui-même résultat de la fusion des producteurs français, espagnols et luxembourgeois). L'année suivante, le conglomérat indien Tata racheta l'Anglo-néerlandais Corus pour 13 milliards de dollars. Ces prix très élevés signalaient la confiance des investisseurs dans la rentabilité future de l'industrie sidérurgique.

Menace des nouveaux entrants

En moins de dix ans, de nouveaux acteurs avaient fait irruption sur le marché mondial de l'acier. Tout d'abord, après une période de privatisation et de restructuration, les producteurs russes tels que Severstal et Evraz étaient devenus capables d'exporter plus de 30 millions de tonnes d'acier en 2005. Au même moment, les producteurs chinois avaient investi dans de nouvelles usines : leur capacité de production s'était accrue de 30 % par an

entre 2003 et 2005. Depuis les années 1990, la part des Chinois dans la capacité mondiale avait plus que doublé pour atteindre 25 % en 2006. La Chine était devenue le troisième exportateur mondial, juste derrière le Japon et la Russie. Avec les opérations de rachat de 2006 et 2007, les investisseurs indiens entraient à leur tour dans le jeu concurrentiel mondial.

Menace des substituts

L'acier était une technologie du XIXe siècle, de plus en plus souvent remplacé par d'autres matériaux : l'aluminium dans l'automobile, le plastique dans l'emballage et les céramiques ou les composites dans beaucoup d'applications civiles ou militaires. Même les innovations développées par les sidérurgistes conduisaient parfois à une réduction des besoins : les canettes en acier étaient ainsi devenues un tiers plus fines en quelques décennies.

Pouvoir de négociation des acheteurs

Les principaux acheteurs d'acier étaient les constructeurs automobiles tels que Toyota, GM, Ford ou Renault Nissan et les fabricants d'emballages tels que Crown Holdings, qui produisait un tiers des emballages alimentaires en Amérique du Nord et en Europe. Ces entreprises achetaient en volume, en coordonnant leurs commandes au niveau mondial. Les fabricants automobiles étaient des utilisateurs particulièrement exigeants. Pour répondre à leurs attentes, les sidérurgistes étaient fréquemment poussés à améliorer leurs produits.

---

sont fortes (il est nécessaire d'investir massivement pour devenir un concurrent) et les barrières à la sortie tout autant (les investissements ne sont pas transférables à d'autres domaines d'activité). Dans ce cas, typique de la sidérurgie ou de la chimie lourde, l'intensité concurrentielle est maximale.

- La *différenciation* entre les offres de concurrents est également déterminante. Sur un marché de produits de base, où les biens et services ne sont pas différenciés, les coûts de transfert sont très faibles pour les acheteurs, et les concurrents sont donc placés en position de forte rivalité.

Questions clés sur le modèle des 5(+1) forces

Comme le montre l'illustration 2.4 à propos de l'industrie sidérurgique, le modèle des 5(+1) forces permet de mieux comprendre quelles sont les forces à l'œuvre dans l'environnement concurrentiel d'un domaine d'activité stratégique. Les questions suivantes permettent de mieux utiliser ce modèle :

- L'objectif du modèle n'est certainement pas la simple énumération des 5(+1) forces, mais bien leur *hiérarchisation*, afin d'identifier quels sont les

Pouvoir de négociation des fournisseurs

La matière première clé pour les sidérurgistes était le minerai de fer, dont le marché était contrôlé à 70 % par trois producteurs : CVRD, Rio Tinto et BHP Billiton. En 2005, ces fournisseurs profitèrent de la demande mondiale pour augmenter leurs prix de 72 %. En 2006, ils les augmentèrent encore de 19 %.

Rôle des pouvoirs publics

La sidérurgie était une industrie traditionnellement très protégée par les pouvoirs publics, qui y voyaient un élément essentiel de leur indépendance industrielle et militaire. Cependant, depuis les restructurations des années 1980, alors que la plupart des groupes sidérurgiques avaient été nationalisés, les pouvoirs publics occidentaux avaient relâché leur emprise sur cette industrie, considérée comme moins stratégique. L'Union européenne avait d'ailleurs débuté par la mise en place d'un marché commun de l'acier. De même, les gouvernements européens ne s'étaient pas opposés au rachat d'Arcelor par Mittal. La situation était quelque peu différente en Inde, en Russie et surtout en Chine, où l'État restait très attentif à la puissance de ses producteurs nationaux.

Intensité concurrentielle

La sidérurgie était une industrie traditionnellement très fragmentée. En 2000, les cinq premiers fabricants mondiaux ne représentaient que 14 % de la production. L'essentiel de l'acier était vendu à la tonne, de manière indifférenciée. Les prix étaient hautement cycliques : en cas de forte demande, les producteurs n'hésitaient pas à investir, ce qui se traduisait par des surcapacités. Si au cours des années 1990 la croissance du marché n'avait été que de 2 % par an, le boum de l'économie chinoise provoqua une brusque augmentation de la demande dans les années 2000. Entre 2003 et 2005, le prix des plaques d'acier utilisées dans l'automobile et l'électroménager tripla, pour atteindre 480 € la tonne. Des entreprises telles que Nucor aux États-Unis, Thyssen-Krupp en Allemagne, Mittal ou Tata, réagirent en déclenchant de vastes opérations de fusions acquisitions. Arcelor Mittal, qui représentait ainsi environ 10 % de la production mondiale, décida cependant de réduire la capacité de certains de ses sites de production occidentaux en 2007.

Questions

1. En vous inspirant du schéma 2.3, tracez l'hexagone sectoriel de l'industrie sidérurgique au milieu des années 1990 et au milieu des années 2000. Quelles conclusions en tirez-vous sur l'évolution de l'attractivité de cette industrie ?

2. Expliquez la logique des stratégies d'acquisitions menées par Mittal ou Tata.

3. Dans l'avenir, qu'est-ce qui pourrait rendre l'industrie sidérurgique plus ou moins attractive ? Comment pourrait évoluer le profil de l'hexagone sectoriel ?

facteurs clés de succès, c'est-à-dire les éléments stratégiques qu'il convient de maîtriser pour obtenir un avantage concurrentiel (voir la section 2.5.2). L'identification des facteurs clés de succès est la conclusion logique d'une analyse des 5(+1) forces. Cet accent sur la hiérarchisation des forces en présence – et pas uniquement sur leur identification – est illustré par la représentation proposée dans le schéma 2.3, *l'hexagone sectoriel*. Sur ce diagramme, le poids de chacune des 5(+1) forces est représenté sur un axe gradué de 1 à 10. Plus le poids de la force est important, plus sa coordonnée sur l'axe correspondant est élevée. Cette représentation graphique – qui complète les travaux de Porter[11] – permet de visualiser aisément les caractéristiques concurrentielles d'une industrie et donc de déduire quels sont les facteurs clés de succès dont la maîtrise est essentielle à l'obtention d'un avantage concurrentiel. Les coordonnées sur chacun des axes sont relatives (par hiérarchisation des forces en présence dans l'industrie concernée). Le schéma 2.3 représente ainsi la dynamique concurrentielle du marché des consoles de jeux vidéo juste avant le lancement de la Nintendo Wii en 2006 (voir également le cas à la fin du chapitre 13). L'hexagone sectoriel est un outil simple à utiliser, qui permet de visualiser rapidement la structure d'une industrie de biens ou de services.

● Il est probable que les forces *évoluent* au cours du temps. La plupart des laboratoires pharmaceutiques ont ainsi établi leur position concurrentielle grâce à leur expertise dans le marketing de leurs produits auprès de prescripteurs très fragmentés – les médecins –, notamment par le recours aux visiteurs médicaux. Cependant, dans de nombreux pays, les gouvernements poussent à l'utilisation de médicaments génériques, à l'introduction de nouveaux protocoles, à la réforme des procédures d'achat et à la réduction des prix, ce qui oblige les laboratoires à revoir en profondeur leurs stratégies et à reconsidérer les sources de leur avantage : le rôle des pouvoirs publics devient déterminant, la menace des substituts et des entrants potentiels augmente, le pouvoir de négociation des clients évolue. Tout cela peut être visualisé par une modification de l'hexagone sectoriel. Le schéma 2.3 n'aurait certainement pas le même aspect selon que l'on considère la situation avant ou après l'arrivée de Microsoft sur ce marché en 2002.

| Schéma 2.3 | L'hexagone sectoriel : les consoles de jeux vidéo en 2006 |

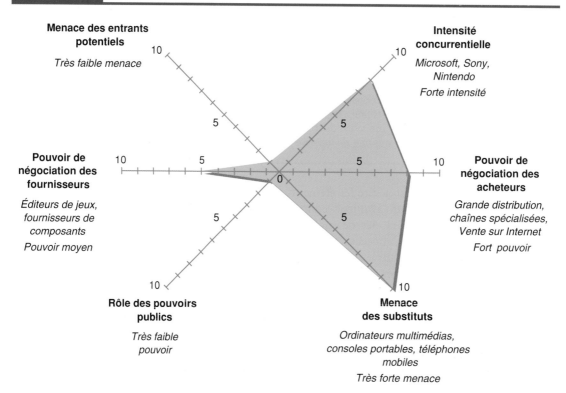

Source : adapté de V. Lerville-Anger, F. Fréry, A. Gazengel et A. Ollivier, *Conduire le diagnostic global d'une unité industrielle*, Éditions d'Organisation, 2001.

- Que peuvent faire les managers pour *influencer* les forces de la concurrence ? Peut-on ériger des barrières, accroître le pouvoir vis-à-vis des fournisseurs ou des clients, amenuiser l'intensité concurrentielle ? Ces questions de *stratégie concurrentielle* feront l'objet du chapitre 6.

- Certaines industries sont-elles plus *attractives* que d'autres ? Certaines industries peuvent être intrinsèquement plus profitables du fait de barrières plus élevées, de clients moins concentrés ou d'une intensité concurrentielle moindre. Il peut être intéressant de comparer l'attractivité de plusieurs industries en observant leur hexagone sectoriel respectif : moins la surface de l'hexagone est importante, moins les forces sont intenses et plus l'industrie est attractive. Réciproquement, un hexagone très étendu laisse augurer d'une situation concurrentielle difficile. De fait, l'hexagone sectoriel peut être utilisé pour comparer le profil concurrentiel de plusieurs industries, ce qui permet éventuellement de choisir entre plusieurs options de diversification (voir le chapitre 7).

- Dans certaines industries, il existe des biens ou des services *complémentaires* pour lesquels les clients sont disposés à payer plus cher s'ils sont proposés ensemble. C'est le cas des offres de Dell et de Microsoft : Microsoft a besoin que Dell fabrique des ordinateurs plus puissants, capables de tirer parti de ses logiciels les plus récents. Réciproquement, les ordinateurs de Dell ont plus de valeur grâce aux logiciels Microsoft. Il en est de même pour les chaînes de télévision et les sociétés de production de programmes ou pour les fabricants de machines à laver, de lessives et de textiles. La notion d'offres complémentaires soulève deux questions. Tout d'abord, les entreprises qui les proposent ont plus intérêt à coopérer qu'à se faire concurrence. Il est ainsi plus logique pour Dell et Microsoft de se tenir au courant de leurs développements technologiques respectifs. Cette démarche collaborative constitue une entorse idéologique majeure au modèle des 5(+1) forces, exclusivement fondé sur l'affrontement : le champ lexical mobilisé par Michael Porter (menaces, pouvoir, barrières, concurrence, etc.) laisse bien peu de place à la coopération. Dans l'optique de la complémentarité, les entreprises peuvent avoir intérêt à accroître la taille du marché plutôt que de se concurrencer sur son partage[12]. Cependant, même en cas de relations complémentaires, certains acteurs peuvent détenir assez de pouvoir pour accaparer l'essentiel du surcroît de valeur. Microsoft est ainsi bien plus rentable que les fabricants d'ordinateurs et ses marges élevées sont très vraisemblablement obtenues au détriment des ventes et des profits de constructeurs tels que Dell : la complémentarité n'implique donc pas un partage équitable. Quoi qu'il en soit, le potentiel de coopération ou d'antagonisme inhérent à la notion de complémentarité doit être pris en compte dans l'analyse des 5(+1) forces[13].

- Il est dangereux de supposer que la dynamique identifiée par l'analyse des 5(+1) forces détermine strictement le succès des entreprises. Par exemple, pourquoi les Coréens ont-ils décidé d'intervenir sur des marchés apparemment aussi peu attractifs que la chimie lourde, les chantiers navals ou l'automobile ? Pourquoi Canon s'est-il lancé dans les photocopieurs, alors que la position de Xerox y semblait inexpugnable ? Comment Dell est-il devenu le numéro un mondial de la micro-informatique alors que les forces en présence semblaient plutôt favoriser IBM ? La réponse réside certainement dans le fait que ces entreprises ont supposé que leur succès dépendrait bien plus de leur capacité stratégique que des caractéristiques de l'industrie. Si le modèle des 5(+1) forces permet de dresser l'état des lieux de la dynamique concurrentielle, rien n'empêche d'imaginer qu'une stratégie originale, fondée sur des ressources et compétences spécifiques, puisse rompre l'équilibre établi. Après tout, les forces en présence résultent le plus souvent de la stratégie des leaders, et tenter de les maîtriser ne permet au mieux que de devenir un suiveur. À l'inverse, refuser les règles concurrentielles établies peut permettre de construire un avantage unique, en s'appuyant sur ses propres spécificités stratégiques. Le chapitre 3 revient en détail sur ce thème.

2.3.2 La dynamique de la concurrence

L'analyse de la structure de l'industrie peut rapidement devenir statique : l'identification des forces de la concurrence implique d'ailleurs une forme de stabilité[14]. Or, dans les sections précédentes, nous avons montré que la concurrence est susceptible d'évoluer au cours du temps : une variable pivot peut modifier les structures d'une industrie et un avantage concurrentiel peut s'éroder du fait de la modification des forces en présence. Un avantage concurrentiel est donc toujours temporaire et aucune stratégie ne saurait assurer un succès définitif. Afin de mieux comprendre la dynamique des structures industrielles, nous allons présenter deux approches : l'analyse du cycle de vie et l'hypercompétition.

Le modèle du cycle de vie

Le modèle du cycle de vie suggère que les industries émergent à petite échelle, puis connaissent une phase de croissance (une sorte d'équivalent de l'adolescence pour un être humain), qui se termine par une phase de sélection. Suivent alors une phase de maturité, caractérisée par une croissance faible ou nulle, puis une phase de déclin. Les 5(+1) forces de la concurrence n'ont pas le même impact dans chacune de ces phases[15].

La *phase d'émergence* est une phase d'expérimentation, dans laquelle la concurrence est peu intense car les acteurs, souvent peu nombreux, proposent des offres très différenciées. Les 5(+1) forces sont généralement peu développées, même si les profits sont limités du fait de l'importance des investissements consentis. La phase suivante est la *croissance*, durant laquelle l'intensité concurrentielle reste faible car l'augmentation de la demande suffit à satisfaire tous les acteurs. Les acheteurs cherchent avant tout à obtenir le bien ou le service et le prix n'est pas encore pour eux un critère déterminant. L'inconvénient majeur de la phase de croissance est que les barrières à l'entrée sont souvent limitées, les acteurs en place n'ayant pas encore eu le temps de consolider leur expérience, de profiter d'effets d'échelle ou de s'assurer de la loyauté de leurs clients. De même, les fournisseurs risquent de détenir un pouvoir de négociation important, car ils contrôlent les matières premières ou les composants dont les concurrents ont besoin pour assurer leur expansion. La *phase de sélection* débute lorsque le taux de croissance commence à s'essouffler, ce qui déclenche généralement une guerre des prix : l'intensité concurrentielle croît brusquement, au détriment des acteurs les moins solides.

Lors de la *phase de maturité*, les barrières à l'entrée augmentent, car le contrôle des réseaux de distribution, les économies d'échelle et l'expérience acquise commencent à porter leurs fruits. L'offre tend alors à se standardiser, ce qui accroît mécaniquement le pouvoir de négociation des acheteurs. Les principaux concurrents cherchent avant tout à sécuriser leur part de marché, afin de résister aux pressions de leurs clients et d'obtenir un avantage de coût. Enfin, la *phase de déclin* se caractérise par une intensité concurrentielle extrême, en particulier lorsque des barrières à la sortie élevées poussent les acteurs vers une lutte sans merci pour attirer les derniers clients. Le schéma 2.4 résume les conditions concurrentielles qui caractérisent chacune des phases du cycle de vie.

Le modèle du cycle de vie n'est cependant pas systématique et en aucun cas prédictif : il est impossible de prédire combien de temps durera chacune des phases, et certaines industries connaissent un développement très différent de ce qui vient d'être décrit[16] : phases d'émergence ou de croissance extrêmement longues, dématuration rapide liée à une innovation radicale, déclin brutal, etc. L'industrie de la téléphonie, après un siècle de développement fondé sur le téléphone fixe, a ainsi été brusquement perturbée par l'arrivée des téléphones mobiles et de la téléphonie par Internet. Anita McGahan décrit un « syndrome de la maturité » qui pousse les managers dans les industries matures à négliger les nouveaux concurrents[17]. Or, la maturité ne consiste pas seulement à attendre le déclin. Quoi qu'il en soit, le modèle du cycle de vie rappelle que les conditions concurrentielles évoluent au cours du temps. Il est donc nécessaire de vérifier régulièrement si l'équilibre des 5(+1) forces de la concurrence n'a pas changé.

| Schéma 2.4 | Le modèle du cycle de vie |

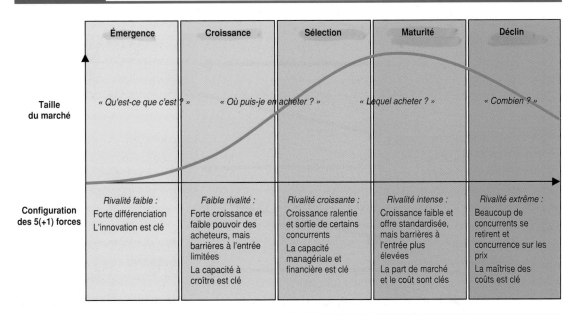

	Émergence	Croissance	Sélection	Maturité	Déclin
Taille du marché	« Qu'est-ce que c'est ? »	« Où puis-je en acheter ? »		« Lequel acheter ? »	« Combien ? »
Configuration des 5(+1) forces	Rivalité faible : Forte différenciation L'innovation est clé	Faible rivalité : Forte croissance et faible pouvoir des acheteurs, mais barrières à l'entrée limitées La capacité à croître est clé	Rivalité croissante : Croissance ralentie et sortie de certains concurrents La capacité managériale et financière est clé	Rivalité intense : Croissance faible et offre standardisée, mais barrières à l'entrée plus élevées La part de marché et le coût sont clés	Rivalité extrême : Beaucoup de concurrents se retirent et concurrence sur les prix La maîtrise des coûts est clé

L'hypercompétition et les cycles de concurrence[18]

Les concurrents interagissent constamment : les baisses de prix entraînent des baisses de prix, les OPA déclenchent des contre-OPA et les innovations réussies sont toujours imitées. Ces séquences de manœuvres et contre-manœuvres sont appelées des *cycles de concurrence*. Dans certaines industries, ces interactions deviennent si fréquentes et si intenses que l'équilibre concurrentiel est constamment remis en cause. L'environnement est alors qualifié d'*hypercompétitif* : les concurrents développent une posture particulièrement agressive et s'enferment dans des cycles de ripostes et contre-ripostes qui finissent par déstabiliser l'environnement et rendre impossible l'obtention d'un avantage concurrentiel durable. Les notions de cycles de concurrence et d'hypercompétition mettent l'accent sur un élément majeur : les structures d'une industrie ne sont pas naturelles, elles résultent en fait des stratégies déployées par les concurrents. L'environnement n'est pas une donnée, c'est un construit. Le schéma 2.5 présente un cycle de concurrence théorique et l'illustration 2.5 en donne un exemple pratique.

Schéma 2.5	Les cycles de concurrence

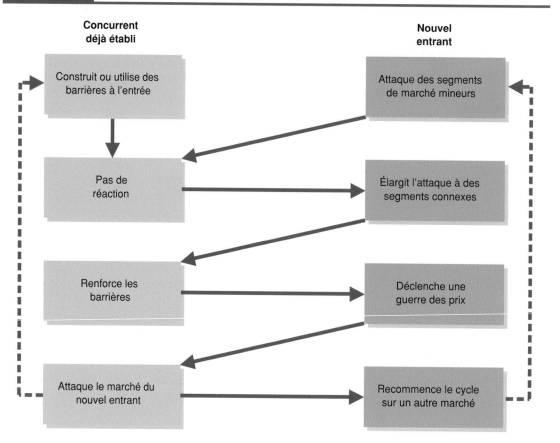

Source : adapté de R.A. D'Aveni et R. Gunther, *Hypercompétition*, Vuibert, 1995.

Illustration 2.5

Les cycles de concurrence

Les évolutions de l'environnement concurrentiel et les manœuvres des concurrents érodent l'avantage de certaines organisations qui réagissent par des contre-offensives. La concurrence évolue par cycles et tout avantage concurrentiel est temporaire.

Dominant un marché français de biens de grande consommation protégé par de solides barrières à l'entrée, une entreprise profitait d'une forte rentabilité. Ce succès attira l'attention d'un concurrent allemand qui souhaitait s'étendre à l'échelle de l'Europe.

La première manœuvre concurrentielle des Allemands consista à cibler un segment de clientèle pour lequel le volume de consommation et l'attachement à la marque étaient faibles. Jusque-là, les Français avaient limité leurs efforts marketing sur les clients âgés de plus de 25 ans. Les Allemands focalisèrent donc leurs efforts promotionnels sur les 18-25 ans, avec un certain succès. Les Français choisirent de ne pas réagir, étant donné que cette intrusion n'avait pas d'impact sur leur propre base de clients. C'est dans un deuxième temps, à partir de cette tête de pont, que les Allemands entreprirent d'attaquer le cœur de cible des Français. Ceux-ci réagirent en lançant une vaste campagne publicitaire visant à renforcer la notoriété de leur marque auprès de leurs clients traditionnels.

Les Allemands ripostèrent en lançant également une campagne de publicité, qu'ils accompagnèrent d'une réduction de prix. Cela provoqua une guerre des prix qui fit chuter la rentabilité des Français. Par mesure de rétorsion, ceux-ci décidèrent alors d'attaquer le marché allemand. Tout cela entraîna un effondrement des positions respectives et une convergence rapide des marchés français et allemand.

Ce cycle de concurrence aurait pu se répéter sur un marché adjacent (par exemple le marché belge). Cependant, les Allemands préférèrent sortir de cet engrenage particulièrement préjudiciable à leur rentabilité et décidèrent d'adapter le produit à la clientèle professionnelle des entreprises. Leurs compétences techniques leur permirent de proposer une version répondant aux besoins des clients professionnels avant les Français. Ils profitèrent de cette avance pour ériger des barrières à l'entrée : ils engagèrent des commerciaux grands comptes et proposèrent des offres promotionnelles en cas de signature de contrats d'approvisionnement sur trois ans.

Ce fief fut à son tour attaqué par les Français qui déclenchèrent un nouveau cycle de concurrence comparable à celui qu'avait connu le marché grand public. Cependant, les Allemands avaient eu le temps de constituer des ressources financières suffisantes pour provoquer délibérément une guerre des prix. Ils étaient disposés à perdre plus d'argent pendant plus longtemps que les Français. Après une ruineuse tentative, ces derniers finirent par abandonner le marché professionnel.

Questions

1. L'entreprise française aurait-elle pu ralentir le cycle de concurrence ?
2. Comment l'entreprise française aurait-elle pu empêcher son concurrent allemand de s'emparer du marché professionnel ?

Le schéma 2.5 présente un cycle de concurrence impliquant diverses manœuvres et contre-manœuvres au cours du temps. Le point de départ est l'irruption d'un nouvel entrant sur un marché apparemment protégé par des barrières historiques. Ce nouveau concurrent attaque tout d'abord un segment de marché relativement peu protégé. Si cela ne déclenche pas de forte réaction de la part du concurrent établi, le nouvel entrant peut élargir son attaque à des segments adjacents, ce qui risque d'accroître significativement l'intensité concurrentielle, au détriment des marges. Le concurrent établi va réagir en rehaussant les barrières à l'entrée, par exemple en renforçant la loyauté de ses clients grâce à une différenciation accrue. Le nouvel entrant peut riposter en déclenchant une guerre des prix. Le concurrent établi sera alors tenté d'attaquer le marché d'origine du nouvel entrant, de manière à déplacer la zone de conflit et à contraindre son adversaire de cesser les hostilités. La conséquence de cette manœuvre est que la rivalité s'étend également au marché d'origine du nouvel entrant, pendant que le concurrent établi cherche à ériger de nouvelles barrières sur son propre marché.

L'illustration 2.5 présente un cycle de concurrence de ce type, mais dans un contexte international. Ici, les manœuvres et contre-manœuvres s'opèrent simultanément sur plusieurs zones géographiques : l'irruption de l'entreprise allemande sur le marché français ne déclenche pas une réaction en France, mais en Allemagne.

La dynamique concurrentielle entre des organisations qui interviennent sur plusieurs produits et/ou sur plusieurs zones géographiques (comme dans l'illustration 2.5) est appelée *concurrence multipoint*. Contrairement à ce que l'on pourrait supposer, cette situation n'accroît pas nécessairement l'intensité concurrentielle, car le coût et le risque de chacune des manœuvres et contre-manœuvres peuvent rapidement devenir prohibitifs[19]. Il suffit en effet au concurrent établi de mettre en place une tête de pont sur le marché d'origine du nouvel entrant pour que celui-ci soit dissuadé de provoquer une escalade des hostilités dans laquelle il aurait autant à perdre qu'à gagner.

Lorsque la fréquence, l'amplitude et l'agressivité des interactions concurrentielles génèrent une situation de déséquilibre permanent, on parle de situation d'**hypercompétition**[20]. Alors que dans un environnement stable la concurrence consiste essentiellement à construire et à préserver un avantage concurrentiel durable, un environnement hypercompétitif force les organisations à anticiper le fait que leur avantage sera toujours temporaire. La concurrence consiste alors à rompre le *statu quo* de manière qu'aucun concurrent ne soit capable d'établir une position durable et l'avantage à long terme résulte d'une succession d'avantages provisoires. La durabilité de l'avantage concurrentiel sera discutée dans le chapitre 3 et nous reviendrons sur les interactions en environnement hypercompétitif dans le chapitre 6. Certains observateurs affirment que, du fait de la globalisation et des changements technologiques, toutes les industries tendent à devenir hypercompétitives. Cependant, les recherches restent partagées sur ce sujet et il serait inapproprié de se laisser entraîner dans des comportements systématiquement hypercompétitifs[21]. Étant donné que les cycles de concurrence sont par nature autoalimentés, il est particulièrement difficile de les arrêter une fois qu'on les a déclenchés.

L'hyper-compétition caractérise un environnement dans lequel la fréquence, l'amplitude et l'agressivité des interactions concurrentielles génèrent une situation de déséquilibre permanent

2.4 Les concurrents et les marchés

Un des problèmes de l'analyse de la concurrence est la pertinence parfois limitée de la notion d'industrie. En effet, les frontières d'une industrie sont parfois floues, ce qui empêche de délimiter la concurrence avec précision. Par exemple, Seiko et Patek Philippe sont apparemment dans la même industrie – l'horlogerie –, mais peut-on les considérer comme des concurrents ? Le premier est une puissante multinationale diversifiée, qui commercialise plus de 3 000 modèles de montres, alors que le second, artisan suisse indépendant, se concentre sur des montres de luxe à plus de 10 000 euros. Dans une même industrie de biens ou de services, il peut y avoir de nombreuses entreprises qui présentent des intérêts différents et des approches stratégiques distinctes. Il est donc nécessaire de définir un niveau d'analyse concurrentielle intermédiaire entre l'entreprise et l'industrie. C'est le rôle du concept de *groupes stratégiques*. Par ailleurs, tout comme le positionnement des concurrents, les attentes des clients peuvent varier au sein d'une même industrie. Il est donc utile d'identifier les *segments de marché*, de repérer les *clients stratégiques* et plus largement d'être capable de déterminer ce que les clients *valorisent*. Nous allons présenter successivement ces notions.

2.4.1 Les groupes stratégiques[22]

Au sein d'une industrie, la détermination des groupes stratégiques consiste à réunir les organisations dont les caractéristiques stratégiques sont semblables, qui suivent des stratégies comparables ou qui s'appuient sur les mêmes facteurs de concurrence. L'objectif consiste à déterminer quelles caractéristiques permettent de constituer des groupes d'organisations à la fois les plus homogènes (à l'intérieur d'un même groupe) et les plus distincts (d'un groupe à l'autre). Dans la distribution, les hypermarchés, les supermarchés et les épiceries de quartier appartiennent ainsi à des groupes stratégiques distincts. Les variables qui permettent de répartir les organisations d'une même industrie en groupes stratégiques sont multiples, mais il est possible de les rassembler en deux grandes catégories (voir le schéma 2.6)[23], qui sont d'une part des critères relevant du *périmètre d'activité* (largeur et niveau de gamme de produits ou services, couverture géographique, canaux de distribution utilisés, etc.) et d'autre part des critères d'*allocation de ressources* (notoriété de la marque, compétences technologiques, niveau d'intégration

Au sein d'une industrie, les groupes stratégiques réunissent les organisations dont les caractéristiques stratégiques sont semblables, qui suivent des stratégies comparables ou qui s'appuient sur les mêmes facteurs de concurrence

---

Schéma 2.6   Indicateurs permettant de construire des groupes stratégiques

Il est utile de déterminer dans quelle mesure les organisations diffèrent en termes de :

Périmètre d'activité

- Étendue de la gamme de produits ou services
- Niveau de prix ou niveau de gamme
- Extension géographique
- Nombre de segments de marché couverts
- Intégration verticale
- Taille
- Réseaux de distribution utilisés

Allocation de ressources

- Nombre de marques détenues
- Effort marketing (investissement publicitaire, taille de la force de vente)
- Niveau d'intégration verticale
- Qualité des produits ou services
- Leadership technologique (précurseur ou suiveur)
- Taille de l'organisation

Sources : adapté de M.E. Porter, *Choix stratégiques et concurrence*, Economica, 1982, et de J. McGee et H. Thomas, « Strategic groups: theory, research and taxonomy », *Strategic Management Journal*, vol. 7, n° 2 (1986), pp. 141-60.

verticale, etc.). Le choix des indicateurs pertinents pour la détermination des groupes stratégiques doit prendre en compte l'historique de développement de l'industrie et l'identification des forces à l'œuvre dans l'environnement.

Les groupes stratégiques sont généralement représentés sur un schéma à deux dimensions, l'axe vertical mesurant un critère lié au périmètre d'activité et l'axe horizontal mesurant un critère lié à l'allocation de ressources. Pour obtenir les deux critères les plus pertinents, une méthode consiste à identifier les différences entre d'une part les concurrents les plus performants dans l'industrie (par exemple en termes de rentabilité ou de croissance) et d'autre part les concurrents les moins performants. Les caractéristiques partagées par les meilleurs mais pas par les moins bons peuvent généralement être retenues comme indicateurs de construction des groupes stratégiques. Si les meilleurs proposent par exemple une gamme étroite mais investissent massivement en publicité, alors que les moins bons présentent une gamme beaucoup plus large mais des dépenses publicitaires plus faibles, les deux critères à retenir sont vraisemblablement l'étendue de la gamme et l'investissement marketing.

Une autre méthode permettant d'identifier les indicateurs pertinents consiste à réaliser une analyse en composantes principales ou une analyse factorielle des correspondances, à condition de disposer de suffisamment de chiffres fiables sur les organisations concernées. Si cette méthode de calcul donne quelquefois des résultats intéressants, elle n'est pas toujours probante. En effet, non seulement la dispersion des données nécessite souvent plus de deux ou trois axes pour être interprétée de manière satisfaisante – ce qui réduit très fortement l'intérêt de l'analyse –, mais de plus, sous les dehors rassurants d'une approche scientifique, elle ne fait que déplacer la subjectivité et l'empirisme, qui interviennent à la fois plus en amont (dans la récolte et surtout la sélection des données retenues) et plus en aval (dans l'interprétation des résultats). De fait, cette approche ne remplace nullement une connaissance effective et une réelle expérience de l'industrie.

L'illustration 2.6 (voir la figure 1) présente une carte des groupes stratégiques des programmes MBA aux Pays-Bas en 2007.

La détermination des groupes stratégiques est intéressante à plus d'un titre :

- Elle aide à identifier qui sont les *concurrents directs*. Les managers peuvent ainsi se focaliser sur leurs concurrents directs plutôt que de se mesurer à l'industrie entière. En déterminant les dimensions qui distinguent le plus les différents groupes, on peut également formuler des recommandations utiles à certains types de concurrents.
- La détermination des groupes stratégiques permet également d'*identifier des opportunités*. La cartographie des groupes stratégiques peut aider à repérer des espaces stratégiques encore vierges, relativement délaissés par les différents concurrents. Dans l'illustration 2.6, il s'agit par exemple de formations professionnalisées pour le marché international ou de formations académiques pour les entreprises régionales. Ces espaces vierges peuvent recéler des opportunités inexploitées, mais il peut également s'agir de dangereux « trous noirs » impossibles à rentabiliser. La cartographie des groupes stratégiques n'est qu'une phase préparatoire à l'élaboration de choix stratégiques. Elle doit être utilisée avec précaution.

Illustration 2.6

Les groupes stratégiques des programmes MBA aux Pays-Bas

La cartographie des groupes stratégiques permet de mieux comprendre la structure concurrentielle d'une industrie ou d'un secteur, ainsi que ses opportunités et contraintes.

Figure 1 **Les groupes stratégiques dans les programmes MBA aux Pays-Bas**

Au milieu des années 2000, il existait trois types d'institutions proposant des programmes de Master in Business Administration (MBA) aux Pays-Bas : les universités, les écoles de commerce privées et les instituts polytechniques.

- Les universités offraient des diplômes dans un grand nombre de disciplines, faisaient de la recherche et attiraient des étudiants locaux et étrangers. Leurs programmes étaient plus académiques que professionnalisés. Un diplôme universitaire était généralement plus valorisé que celui d'un institut polytechnique.
- Les écoles de commerce privées étaient relativement récentes. Implantées dans les plus grandes villes, elles ne proposaient que des MBA. Leur pédagogie était généralement orientée vers l'utilisation de l'expérience des participants, ce qui les rendait attractives pour les managers en formation permanente. La plupart de leurs étudiants avaient déjà un diplôme d'une université ou d'un institut polytechnique. Plusieurs de ces écoles étaient accréditées par le ministère de l'Éducation nationale.

- Les instituts polytechniques (HogeScholen) avaient généralement une implantation purement régionale. Leur pédagogie consistait plus à mettre les théories en pratique qu'à encourager la conceptualisation. Certains de ces instituts proposaient des MBA, parfois en coopération avec des universités anglaises.

La figure 1 montre comment ces trois types d'institutions étaient positionnées en termes de couverture géographique et d'orientations pédagogiques.

La figure 2 présente les barrières qui empêchaient les organisations de passer d'un groupe à un autre. Une école de commerce privée souhaitant pénétrer dans le groupe des universités devait ainsi construire une réputation en recherche et en innovation. Or, la recherche était une activité coûteuse et peu rentable sur le plan financier. À l'inverse, il était difficile pour une université de pénétrer dans le groupe des écoles de commerce privées car ses professeurs n'étaient généralement pas habitués à un public de managers en formation permanente.

Illustration 2.6   *(suite)*

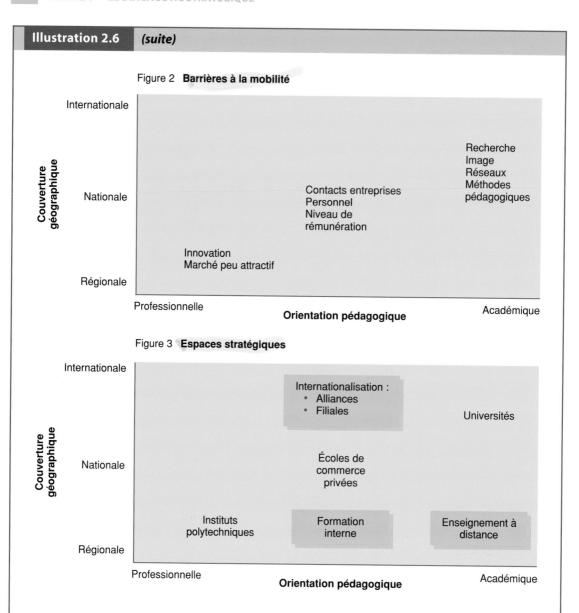

Figure 2 **Barrières à la mobilité**

Figure 3 **Espaces stratégiques**

La figure 3 montre quels espaces stratégiques étaient susceptibles d'apparaître. Ces espaces résultaient d'évolutions dans le macroenvironnement, notamment les technologies de l'information et la globalisation, permettant aux institutions néerlandaises de s'internationaliser. Cependant, l'irruption de concurrents étrangers constituait également une nouvelle menace. Grâce aux technologies de l'information, les étudiants pouvaient envisager de mener leurs études depuis leur domicile ou leur lieu de travail, en bénéficiant d'un réseau international. Une université américaine ou une grande école française pou-

vaient ainsi proposer des contenus pédagogiques au travers d'Internet et assurer le suivi des étudiants grâce à un partenariat avec une institution locale.

Source : J. Eppink et S. de Waal, « Global influences on the public sector », dans G. Johnson et K. Scholes (eds), *Exploring Public Sector Strategy*, Prentice Hall, 2001, chapitre 3.

Question

En quoi cette analyse peut-elle influencer les prochaines manœuvres stratégiques de chacun des trois types d'institutions ?

- L'analyse des *barrières à la mobilité*. Migrer vers une zone plus attractive sur le schéma a un coût : cela implique généralement des décisions difficiles en termes d'allocation de ressources. Les groupes stratégiques sont ainsi caractérisés par des barrières à la mobilité, c'est-à-dire des obstacles qui empêchent les déplacements entre groupes stratégiques. Ces barrières à la mobilité sont généralement de même nature que les barrières à l'entrée dans le modèle des 5(+1) forces. Dans l'illustration 2.6, la figure 2 présente les différentes sortes de barrières à la mobilité entre les groupes. Ces barrières peuvent parfois être élevées : pour rejoindre le groupe des institutions académiques internationales, un concurrent régional à vocation professionnelle devra établir une réputation appropriée, mobiliser des réseaux, modifier ses méthodes pédagogiques et augmenter significativement ses niveaux de rémunération. Comme pour les barrières à l'entrée, il est intéressant de faire partie d'un groupe stratégique profitable et protégé par de solides barrières à la mobilité, car cela limite la capacité d'imitation des autres concurrents.

2.4.2 Les segments de marché

Le concept de groupe stratégique étudié ci-dessus aide à comprendre les similarités et les différences entre les concurrents actuels ou potentiels. Un **segment de marché**[24] est un groupe de clients ou d'utilisateurs dont les besoins spécifiques diffèrent de ceux des autres clients ou utilisateurs présents sur le marché. Nous verrons dans le chapitre 3 que la compréhension des attentes des clients (ainsi que des autres parties prenantes) et de la manière dont les concurrents sont à même d'y répondre constitue un élément fondamental de la capacité stratégique. Comme nous le soulignerons dans la section 6.2, la segmentation des marchés ne doit surtout pas être confondue avec la segmentation stratégique, qui consiste à découper l'organisation en domaines d'activité stratégique (DAS).

Un segment de marché est un groupe de clients ou d'utilisateurs dont les besoins spécifiques diffèrent de ceux des autres clients ou utilisateurs présents sur le marché

Lorsqu'on souhaite segmenter un marché, il convient de garder à l'esprit les éléments suivants :

- Les *besoins des clients* peuvent varier selon de multiples dimensions, résumées dans le schéma 2.7. Théoriquement, chacun de ces critères pourrait être utilisé pour effectuer la segmentation. En pratique, il est nécessaire d'identifier quels sont les facteurs déterminants pour le marché considéré. Dans les marchés industriels, la segmentation s'appuie ainsi le plus souvent sur l'appartenance sectorielle des clients – par exemple : « Nous vendons à l'industrie pétrolière. » Cependant, cette classification n'est pas toujours la plus appropriée sur le plan stratégique. La segmentation selon les comportements d'achat (par exemple achats en direct plutôt que recours à un intermédiaire) ou la nature des transactions (achats ponctuels de grandes quantités plutôt qu'approvisionnement permanent) peut être plus pertinente sur certains marchés. En fait, il est souvent utile de prendre en compte plusieurs critères de segmentation pour un même marché, afin d'identifier sa dynamique et de proposer des opportunités de développement.
- La *part de marché relative* (par rapport à celle des concurrents) à l'intérieur de chaque segment de marché est un élément déterminant. L'organisation qui accumule le plus d'expérience au sein d'un segment de marché spécifique non

| Schéma 2.7 | Quelques critères de segmentation des marchés | |

Type de critère	Marchés de grande consommation	Marchés industriels Business to Business
Caractéristiques des clients	Âge, sexe, origine ethnique Revenu Nombre de personnes dans le foyer Lieu d'habitation Sensibilité à la nouveauté Style de vie	Secteur industriel Localisation Taille Technologies utilisées Rentabilité Dirigeants
Achat, utilisation	Volume d'achat Fidélité à la marque Type d'utilisation Comportement d'achat Critères de choix	Type d'utilisation Volume d'achat Fréquence d'achat Procédures d'achat Critères de choix Canal de distribution
Besoins des utilisateurs, caractéristiques recherchées	Préférences de prix Préférences de marques Similarité des produits Caractéristiques souhaitées Qualité	Exigences de performance Besoins de service Préférences de marques Caractéristiques souhaitées Qualité

seulement réduit ses coûts, mais construit également des liens qu'un concurrent aura bien du mal à rompre. Étant donné que ce qui est valorisé par les clients varie d'un segment à l'autre, les concurrents ont naturellement tendance à se spécialiser. Or, plus cette spécialisation est élevée, plus il est difficile d'intervenir sur l'ensemble du marché. Certains concurrents en viennent ainsi à être confinés dans des segments de marché très étroits, ce qui peut se révéler parfois lucratif, mais également très dangereux en cas d'évolution des goûts de la clientèle.

• La manière d'identifier et de répondre aux attentes des segments de marché est influencée par toute une série de tendances que nous avons déjà présentées dans ce chapitre. La capacité à traiter de considérables quantités de données sur les clients, associée à une plus grande flexibilité opérationnelle dans la plupart des entreprises, permet ainsi d'effectuer des microsegmentations, qui peuvent aller jusqu'à l'individualisation de l'offre[25]. C'est généralement cette approche qui est utilisée dans la vente en ligne sur Internet, les pages étant réorganisées dynamiquement en fonction de l'historique d'achat des clients. Par ailleurs, l'émergence d'une clientèle plus aisée et plus mobile implique que la segmentation géographique devient moins pertinente que la segmentation fondée sur les styles de vie.

2.4.3 L'identification des clients stratégiques

L'offre de biens ou services implique généralement toute une série d'acteurs qui jouent chacun un rôle différent. Nous reviendrons sur ce point dans le chapitre 3, au travers de la notion de filière. La plupart des consommateurs achètent ainsi des produits manufacturés par l'intermédiaire de distributeurs. Les industriels doivent donc considérer qu'ils ont deux types de clients : le consommateur final, mais aussi les distributeurs. Même si ces deux clients peuvent influencer la demande, l'un sera souvent plus influent que l'autre. On le qualifie alors de *client stratégique*. Le **client stratégique** est celui qui constitue la cible primordiale de la stratégie, car il a la plus forte influence sur la manière dont l'offre est achetée. Si l'on n'identifie pas le client stratégique, on risque de se méprendre sur le marché réel – voire de ne pas pouvoir y accéder –, ce qui rend inutile tout effort de segmentation. La capacité à comprendre ce que valorise le client stratégique constitue donc un point de départ à toute réflexion stratégique. Cela ne signifie pas que les attentes des autres clients sont négligeables : elles doivent également être prises en compte. Cependant, l'identification des attentes du client stratégique est fondamentale. Pour beaucoup de biens de consommation courante, le client stratégique des industriels est en fait le réseau de distribution, car la manière dont les distributeurs vont disposer, promouvoir et soutenir les produits aura un impact déterminant sur les préférences du consommateur final. On peut remarquer que la vente en ligne sur Internet modifie cette hiérarchie, le consommateur final devenant lui-même client stratégique.

Dans beaucoup de cas, le client stratégique n'est pas l'utilisateur du produit ou du service. C'est particulièrement vrai dans les entreprises, où les managers achètent des équipements industriels, des logiciels ou des usines entières pour le compte de ceux qui les utiliseront. Ces managers sont des clients stratégiques, mais pas des utilisateurs. De même, dans le secteur public, le client stratégique est très souvent l'autorité de tutelle qui contrôle l'utilisation des fonds, plutôt que l'usager. Les clients stratégiques des laboratoires pharmaceutiques sont les médecins, pas les patients.

2.4.4 L'analyse de la valeur perçue par les clients

Même si la segmentation de marché est un concept utile, les managers risquent de ne pas construire une représentation réaliste des segments et donc de ne pas anticiper les conséquences stratégiques adéquates. Nous verrons dans le prochain chapitre que pour construire la capacité stratégique d'une organisation il est crucial de comprendre quels sont les besoins des clients et en quoi ils diffèrent d'un segment à l'autre.

La valeur perçue par les clients est un concept multidimensionnel, que l'on peut visualiser au moyen d'un canevas stratégique, comme le montre le schéma 2.8[26]. Le canevas stratégique est une représentation graphique de la capacité des concurrents en place à répondre aux attentes des clients. Le schéma 2.8 concerne le segment spécifique des acheteurs industriels de matériel électrotechnique :

- Sur ce segment de marché, cinq critères étaient considérés comme déterminants par les acheteurs (par ordre d'importance, la réputation du fabricant, son service après-vente, la fiabilité des livraisons, la possibilité de tests et la qualité technique). Ces critères déterminaient quel fournisseur serait retenu, à prix

Le client stratégique est celui qui constitue la cible primordiale de la stratégie, car il a la plus forte influence sur la manière dont l'offre est achetée

Schéma 2.8	Un canevas stratégique : la valeur perçue par les clients

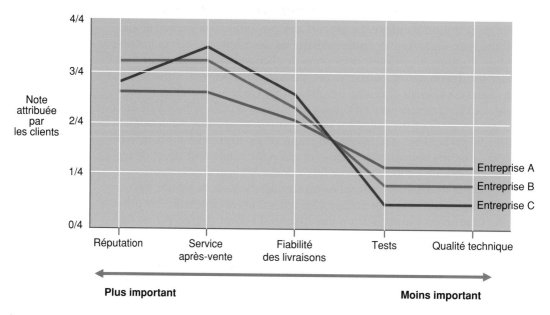

Source : adapté de C. Kim et R. Mauborgne, « Charting your company's future », *Harvard Business Review*, vol. 80, n° 6 (2002), pp. 76-82.

égal. Du point de vue des fournisseurs, ces critères constituaient des *facteurs clés de succès* (voir la section 2.5.2 ci-après).

● Il était alors possible d'établir le *profil* des différents concurrents au regard de ces cinq critères. Il était clair par exemple que les points forts des produits proposés par l'entreprise A ne correspondaient pas à ce que les clients valorisaient le plus. À l'inverse, le positionnement de l'entreprise B semblait beaucoup plus pertinent. Cependant, aucun concurrent n'était particulièrement performant en termes de tests et de qualité technique.

● Le *choix du segment pertinent* était l'étape suivante. L'entreprise A pouvait envisager de s'améliorer, mais les entreprises B et C étaient déjà bien placées sur les critères les plus importants. Une autre option pour l'entreprise A consistait donc à se focaliser sur un segment de marché où les tests et la qualité étaient particulièrement valorisés. Même si sa taille était réduite, ce segment serait moins concurrentiel et potentiellement plus profitable pour A qu'une confrontation directe avec B et C.

La principale leçon qu'il convient de tirer de cet exemple est qu'il est essentiel de considérer la valeur du point de vue des clients et d'être conscient des forces en présence. Même si cela paraît trivial, plusieurs facteurs empêchent d'adopter cette perspective :

● Les organisations peuvent se révéler incapables de *donner du sens* à la complexité et à la diversité des comportements auxquels elles sont confrontées. Elles collectent bien souvent de considérables quantités de données sur les attitudes, les préférences et les attentes de leurs clients, mais elles ont ensuite bien du mal à structurer ces données afin d'en tirer des enseignements, des tendances ou des segmentations. Le regard extérieur de consultants ou d'analystes peut les y aider.

- Beaucoup d'entreprises sont séparées de l'utilisateur final par plusieurs niveaux d'intermédiaires, assembleurs ou distributeurs. Bien qu'il soit important de prendre en compte le rôle des intermédiaires (en tant que clients stratégiques), ils constituent un obstacle à la compréhension de ce que le client final valorise. En d'autres termes, beaucoup d'entreprises n'ont pas de prise directe avec la réalité de leur marché.

- Les managers ont souvent tendance à supposer que les forces de leur organisation sont valorisées par les clients et que d'une manière ou d'une autre leurs concurrents leur sont inférieurs. Dans les services publics, bien des experts sont ainsi convaincus que leur perception des besoins des usagers est nécessairement la bonne et que des entreprises privées seraient incapables d'y répondre.

- Pour le client, la valeur *évolue au cours du temps*. Cela peut être lié à l'expérience acquise en tant que consommateur ou à l'apparition d'offres nouvelles plus intéressantes, qui modifient la perception de la valeur. Or, les managers sont bien souvent enfermés dans leur expérience et leur perception historique du marché (voir le chapitre 5).

2.5 Les menaces et opportunités

Les concepts et méthodes examinés ci-dessus permettent de mieux comprendre quels éléments du macroenvironnement, de l'industrie et du marché sont susceptibles d'avoir un impact sur l'organisation (l'illustration 2.7 revient sur un débat clé en stratégie : dans quelle mesure les facteurs environnementaux déterminent-ils la performance des entreprises ?). Cependant, le point crucial consiste à comprendre de quelle manière chacun de ces facteurs – ou leurs différentes combinaisons – peut entraîner le succès ou l'échec d'une stratégie, c'est-à-dire en quoi ils constituent des opportunités ou des menaces. L'identification des menaces et opportunités constitue un préalable essentiel aux choix stratégiques (voir les chapitres 6 à 7).

2.5.1 Les espaces stratégiques

Comme nous l'avons souligné dans les commentaires qui précèdent ce chapitre, les managers ont souvent tendance à se focaliser sur les menaces et à ne pas repérer les opportunités. Ce phénomène est essentiellement lié au fait que les forces externes pouvant avoir un impact sur l'organisation – mais qu'elle ne maîtrise pas – sont spontanément considérées comme des menaces. Même un outil d'analyse aussi répandu que le modèle des 5(+1) forces de la concurrence part du postulat implicite que l'environnement est hostile (on y parle de *menaces* et de *pouvoirs* antagonistes) et non qu'il constitue une source d'opportunités.

Un espace stratégique est une opportunité de marché insuffisamment exploitée par les concurrents

La capacité à exploiter les espaces stratégiques permet de tirer parti des opportunités de l'environnement. W. Chan Kim et Renée Mauborgne affirment que si les organisations se concentrent sur une rivalité frontale avec leurs concurrents immédiats, le risque est grand de voir toutes les offres converger, les prix baisser et les marges s'effondrer[27]. Ils qualifient cette situation d'*océan rouge* (image qui décrit à la fois l'affrontement sanglant et la couleur des comptes qui en résultent). Afin d'éviter cela, ils recommandent aux managers de concevoir des stratégies d'*océan bleu* en identifiant – ou éventuellement en créant – des espaces vierges de toute concurrence. Les océans bleus sont des espaces stratégiques, des opportunités qui ne sont pas exploitées par les concurrents. C'est ainsi que les producteurs viticoles australiens ont créé des vins plaisants, faciles à boire et à comprendre, plutôt que d'affronter les producteurs français sur le terrain de l'exclusivité, du raffinement et de l'authenticité.

Les espaces stratégiques peuvent être identifiés grâce aux techniques présentées dans ce chapitre. Au regard du modèle des 5(+1) forces de la concurrence, ce sont des domaines d'activité stratégique dont l'hexagone sectoriel présente une surface réduite. En termes de groupes stratégiques, ils correspondent à des zones vierges. Sur un canevas stratégique, ils se traduisent par un profil très différent de celui des concurrents par rapport aux critères les plus valorisés par les clients : on peut chercher à réduire délibérément sa performance sur les critères les moins valorisés par les clients tout en l'augmentant très significativement sur les autres.

On peut ainsi identifier les six types d'opportunités suivants.

Investir les industries de substitution

Comme nous l'avons expliqué dans la section 2.3.1, les organisations sont souvent confrontées à des substituts venus d'autres industries. Réciproquement, les industries qui proposent ces substituts offrent donc des opportunités. Pour cela, il convient de comparer les mérites respectifs de l'offre d'origine et du substitut, *du point de vue de l'utilisateur*. Dans la substitution des encyclopédies classiques par des sites Internet du type Wikipédia, les utilisateurs valorisent-ils plus l'actualisation, la pertinence des informations, la portabilité ou la facilité des recherches ? Selon la réponse, différentes opportunités s'offrent à chacune des offres.

Repérer les nouveaux groupes stratégiques

Il est également possible d'identifier de nouveaux espaces stratégiques en s'inspirant des groupes stratégiques, en particulier lorsque les évolutions du macro-environnement font que certains positionnements jusque-là délaissés deviennent économiquement viables. La déréglementation des marchés (par exemple en ce qui concerne la génération et la distribution de l'électricité) ou les progrès des technologies de l'information (notamment au regard de l'enseignement à distance) peuvent ouvrir de nouveaux marchés. Dans le premier exemple, la production locale d'électricité à petite échelle est devenue viable (notamment par couplage avec des usines d'incinération ou par l'utilisation d'éoliennes). Dans le second exemple, la distance n'est plus un obstacle aux programmes d'enseignement, qui peuvent traverser les continents grâce à Internet et aux téléconférences (à condition toutefois de conserver un suivi local des participants). De nouveaux groupes stratégiques ont ainsi émergé dans ces deux industries.

Disséquer les filières d'achat

Dans les sections 2.4.3 et 2.4.4, nous avons souligné qu'il est capital de bien définir le client stratégique. Nous avons également rappelé que cette identification n'est pas aisée, car plusieurs personnes peuvent être impliquées dans le processus d'achat. On peut ainsi générer des opportunités en ciblant des clients stratégiques encore négligés, notamment certains types de prescripteurs. On peut alors avoir intérêt à s'adresser aux responsables sécurité dans les entreprises industrielles : par rapport aux négociateurs du département achats, généralement focalisés sur les coûts, ils seront disposés à payer un surprix pour une offre plus sûre.

Enrichir les offres complémentaires

L'organisation doit également prendre en compte la valeur des produits et services complémentaires. Les libraires savent ainsi que leur métier ne se limite pas à la mise à disposition des livres. Il est tout aussi important de susciter une ambiance propice à la flânerie (aménagement d'aires de lecture, café, etc.), d'étendre les horaires d'ouverture afin de toujours retenir le client de passage et de veiller à l'expertise du personnel.

Renverser les valeurs établies

On peut également ouvrir de nouveaux espaces stratégiques en prenant à contre-pied l'attrait traditionnel du produit ou du service établi. Dans le cas d'une industrie fondée sur le luxe, l'émotion et l'image, un positionnement innovant peut ainsi consister à proposer une offre fonctionnelle et bon marché capable d'attirer une nouvelle clientèle. On peut tout aussi bien imaginer l'inverse : transcender un produit simple en le nimbant d'une expérience émotionnelle inédite. La chaîne de cafés Starbucks a ainsi connu un succès retentissant aux États-Unis en transformant ce qui jusque-là constituait une activité purement fonctionnelle d'un point de vue nord-américain – boire un café – en une pratique sociale et sensitive inédite. Réciproquement, The Body Shop a investi le marché hautement ritualisé des cosmétiques en proposant des produits purement fonctionnels dans des emballages quelconques et sans publicité attrayante, attirant ainsi les clientes qui recherchaient des produits simples et peu coûteux.

Anticiper les évolutions

Lorsqu'on cherche à prévoir l'impact des évolutions du macroenvironnement ou de l'industrie, il est essentiel de bien comprendre en quoi elles vont affecter les clients. Cela peut permettre d'être le pionnier sur un nouveau créneau stratégique. Cisco a ainsi réalisé avant tous ses concurrents quel serait le besoin pour des échanges de données à grande vitesse, ce qui l'a convaincu de développer les technologies permettant spécifiquement d'y répondre. Aucun autre équipementier n'a autant cru dans l'émergence d'Internet, ce qui a permis à Cisco de se constituer un avantage concurrentiel conséquent.

2.5.2 Les facteurs clés de succès (FCS)

Les facteurs clés de succès sont les éléments stratégiques qu'une organisation doit maîtriser afin de surpasser la concurrence

Grâce à la compréhension des menaces et opportunités existant sur un marché, on peut identifier les facteurs dont la maîtrise permet d'obtenir un avantage concurrentiel, ce qu'il est convenu d'appeler les facteurs clés de succès (FCS) de l'environnement. Ce sont les éléments stratégiques qu'une organisation doit maîtriser afin de surpasser la concurrence, et ils constituent la conclusion logique de toute analyse de l'environnement.

Les FCS correspondent en fait aux facteurs permettant de contrecarrer les 5(+1) forces de la concurrence. Comme nous l'avons vu dans la section 2.3.1, la menace des entrants potentiels dépend de la capacité de construction ou d'utilisation de barrières à l'entrée financières, commerciales ou de ressources et compétences. La menace des substituts peut être contrecarrée en accroissant le rapport qualité/prix de l'offre existante, en provoquant une rupture technologique, en lançant une rumeur ou en s'assurant de la fidélisation des clients. Le pouvoir de négociation des acheteurs peut être limité en créant une marque valorisée par le client final, en établissant un coût de transfert, en multipliant les réseaux de distribution ou en entamant une intégration vers l'aval. De même, pour limiter le pouvoir de négociation des fournisseurs, on peut chercher à multiplier les sources d'approvisionnement, refuser les standards propriétaires et les actifs spécifiques ou entamer une intégration vers l'amont. Le pouvoir de l'État peut constituer une menace ou une opportunité selon la capacité de lobbying de l'organisation. Enfin, l'intensité concurrentielle est fonction de la croissance du marché, de l'existence de barrières à la sortie et de la capacité à conclure des alliances, mais on peut y résister par la capacité d'innovation, le contrôle de ressources rares et de compétences distinctives ou la réduction des coûts fixes. Le schéma 2.9 résume les éléments permettant de contrecarrer chacune des 5(+1) forces. Selon la dynamique des forces concurrentielles qui caractérisent l'environnement, chacun de ces éléments peut constituer un FCS. Les FCS résultent donc explicitement de la hiérarchie des 5(+1) forces de l'environnement concurrentiel. L'élaboration d'un hexagone sectoriel (voir le schéma 2.3) apparaît ainsi comme un préalable à l'identification des FCS.

Par ailleurs, étant donné qu'ils résument les conditions de création d'un avantage concurrentiel, les FCS sont nécessairement liés à la création de valeur du point de vue des clients. Or, la perception de la valeur varie d'un domaine d'activité stratégique à l'autre : certains clients sont avant tout intéressés par les prix, d'autres par la fiabilité, d'autres par l'image, d'autres encore par les délais de livraison, etc. Chaque DAS se caractérise donc par une combinaison spécifique de FCS (voir la section 6.2).

Dans les services publics, le concept de FCS est tout aussi valide : il s'agit là encore des éléments permettant de surpasser des organisations qui peuvent attirer les mêmes usagers et les mêmes financements ou obtenir la préférence politique des autorités de tutelle. Comme pour les entreprises, la hiérarchie des 5(+1) forces de la concurrence – visualisée par l'hexagone sectoriel – permet d'identifier ces éléments.

Schéma 2.9	La hiérarchie des 5(+1) forces détermine les FCS

Chaque force de la concurrence peut être contrecarrée par une série d'éléments, qui constituent autant de FCS lorsque cette force est prépondérante	
Force de la concurrence	**Éléments permettant de la contrecarrer**
Menace des substituts	Amélioration du rapport qualité/prix Fidélisation de la clientèle (réputation, services, qualité, etc.) Établissement de coûts de transfert (technologie spécifique) Création d'une rupture technologique Lancement d'une campagne de déstabilisation du substitut Possibilité de proposer soi-même le substitut
Menace des entrants potentiels	Fixation d'un niveau de prix non rentable pour les entrants Fidélisation de la clientèle (réputation, services, qualité, etc.) Établissement de coûts de transfert Protection des technologies (brevets, secrets) Contrôle de ressources rares ou de compétences distinctives
Pouvoir de négociation des acheteurs	Création d'une marque valorisée par le client final Établissement de coûts de transfert Multiplication des réseaux de distribution Intégration vers l'aval
Pouvoir de négociation des fournisseurs	Multiplication des sources d'approvisionnement Utilisation de technologies et composants génériques Intégration vers l'amont
Rôle des pouvoirs publics	Capacité de lobbying
Intensité concurrentielle	Capacité d'innovation Fidélisation de la clientèle (réputation, services, qualité, etc.) Établissement de coûts de transfert Protection des technologies (brevets, secrets) Contrôle de ressources rares ou de compétences distinctives Réduction des coûts fixes

Illustration 2.7   Débat

Quel est l'impact de l'industrie ?

Un bon préalable stratégique consiste à choisir une industrie profitable. Cependant, le choix de l'industrie importe-t-il plus que la possession des bonnes ressources et compétences ?

Dans ce chapitre, nous avons souligné le rôle de l'environnement dans la construction de la stratégie, en nous focalisant en particulier sur la structure de l'industrie, que ce soit pour les activités de biens ou de services. Cependant, ces dernières années, l'impact de l'industrie sur la performance a été contesté par plusieurs recherches. Cela a conduit à un débat sur la posture à adopter : vaut-il mieux élaborer la stratégie en partant de l'externe (stratégie *déduite* de l'environnement) ou en partant de l'interne (stratégie *construite* à partir des ressources et compétences)[1] ?

Les managers qui favorisent la première approche focalisent leur attention sur des éléments externes : ils cherchent par exemple à accroître leur part de marché au travers d'opérations de fusions et acquisitions ou par des campagnes marketing volontaristes. Ceux qui à l'inverse privilégient l'approche interne cherchent à développer le savoir-faire de leurs employés ou à mettre au point de nouvelles technologies. Étant donné que le temps des managers est limité, il est très difficile d'équilibrer les deux postures, et une forme d'arbitrage doit être trouvée.

Le principal partisan de l'approche externe est Michael Porter, professeur à la Harvard Business School. La stratégie construite à partir des ressources est quant à elle défendue notamment par Richard Rumelt, professeur à l'université de Californie à Los Angeles. Porter, Rumelt et quelques autres ont mené des séries d'études empiriques afin de déterminer dans quelle mesure l'impact de l'industrie peut expliquer la performance des entreprises.

En général, à partir d'un large échantillon d'entreprises, ces études cherchent à déterminer si la performance varie plutôt en fonction de l'industrie ou en fonction de chaque firme (en prenant en compte d'autres effets tels que la taille). Si les firmes appartenant à la même industrie tendent à présenter des niveaux de performance comparables, c'est bien que l'industrie explique l'essentiel de la performance et dans ce cas la stratégie déduite est la bonne posture. Si à l'inverse des firmes appartenant à la même industrie présentent des niveaux de performance très variés, ce sont les ressources et compétences spécifiques de chacune qui importent le plus et c'est la stratégie construite qui est la plus appropriée.

Les deux plus importantes études de ce type démontrent en fait que les écarts de performance sont plutôt dus aux entreprises qu'à l'industrie : les entreprises expliquent 47 % de cet écart dans l'étude de Rumelt sur les industries de produits, alors que l'industrie n'en explique que 7 %[1]. Cependant, en incluant dans leur échantillon des industries de services (en plus d'industries de produits), McGahan et Porter ont trouvé un impact nettement plus élevé de l'industrie (19 %)[2].

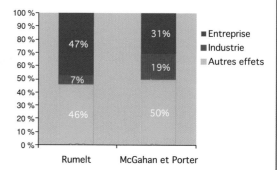

Il ressort de ces travaux que les facteurs spécifiques à la firme influencent plus la rentabilité que les facteurs liés à l'industrie. Les entreprises doivent donc accorder une grande attention à leurs propres ressources et compétences. Cependant, l'impact plus fort de l'industrie démontré par McGahan et Porter suggère que l'influence de l'industrie varie fortement d'une industrie à l'autre : les facteurs externes peuvent être bien plus importants dans certaines industries.

Sources :

1. E.H. Bowman et C.E. Helfat, « Does corporate strategy matter? », *Strategic Management Journal*, vol. 22, n° 1 (2001), pp. 1-14.

2. R.P. Rumelt, « How much does industry matter? », *Strategic Management Journal*, vol. 12, n° 2 (1991), pp. 167-185.

3. M.E. Porter et A.M. McGahan, « How much does industry matter really ? », *Strategic Management Journal*, vol. 18, numéro spécial d'été (1997), pp. 15-30 ; M.E. Porter et A.M. McGahan, « The emergence and sustainability of abnormal profits », *Strategic Organization*, vol. 1, n° 1 (2003), pp. 79-108.

Question

L'étude menée par McGahan et Porter suggère que certaines industries influencent plus la rentabilité des entreprises que d'autres. En d'autres termes, dans ces industries, les performances des entreprises sont comparables. Pourquoi certaines industries auraient-elles un impact plus fort sur la rentabilité des entreprises qui y interviennent ?

Résumé

- Les influences environnementales se répartissent en strates autour de l'organisation. La strate la plus générale est celle du *macroenvironnement*, la strate médiane est celle de l'*industrie* et la strate la plus immédiate est celle des *groupes stratégiques* et des *segments de marché*.

- Le macroenvironnement peut être analysé grâce au modèle *PESTEL*, qui permet d'identifier des *variables pivot*. Suivant l'évolution de ces variables pivot, différents *scénarios* peuvent être élaborés.

- La dynamique concurrentielle de l'industrie peut être analysée grâce au *modèle des 5(+1) forces de la concurrence*. En hiérarchisant la menace des entrants potentiels, la menace des substituts, le pouvoir de négociation des fournisseurs et des acheteurs, le rôle des pouvoirs publics et l'interaction concurrentielle, ce modèle permet de caractériser l'attractivité de l'industrie.

- Au sein d'une industrie, la concurrence est dynamique. Les industries suivent généralement un *cycle de vie*, mais les règles du jeu peuvent également évoluer selon des *cycles de concurrence*. Certaines industries sont caractérisées par une vitesse d'évolution particulièrement élevée. On parle alors d'*hypercompétition*. L'avantage à long terme résulte alors d'une succession d'avantages temporaires.

- Au niveau de la strate la plus proche de l'environnement, l'identification des *groupes stratégiques*, l'analyse des *segments de marché* et la construction de *canevas stratégiques* permettent d'identifier des espaces stratégiques encore vierges qui constituent des opportunités de développement.

- Aux stratégies d'*océan rouge*, caractérisées par un niveau de concurrence intense, on oppose les stratégies d'*océan bleu*, qui correspondent à un positionnement sur les espaces stratégiques vierges.

- Les *facteurs clés de succès* constituent la conclusion logique de toute analyse de l'environnement. Ce sont les éléments de l'environnement dont la maîtrise permet de surpasser la concurrence. On peut les identifier par la hiérarchisation des 5(+1) forces de la concurrence, résumée dans l'*hexagone sectoriel*.

Travaux pratiques   ● Signale des exercices d'un niveau plus avancé

1. En vous inspirant de l'illustration 2.1, effectuez l'analyse PESTEL d'une industrie de biens ou de services de votre choix. Identifiez les variables pivot.

2. ● En vous inspirant de l'illustration 2.2, établissez les quatre scénarios d'évolution de l'industrie de biens ou de services que vous avez retenue dans la question précédente. Quelles sont les implications pour les organisations présentes dans cette industrie ?

3. En utilisant la section 2.3, effectuez l'analyse des 5(+1) forces de la concurrence d'une industrie de biens ou de services de votre choix. Qu'en déduisez-vous sur l'attractivité de cette industrie ?

4. ● En utilisant la section 2.3 et notamment l'hexagone sectoriel présenté dans le schéma 2.3, comparez l'attractivité de deux industries de biens ou de services de votre choix (a) aujourd'hui et (b) dans trois à cinq ans. Justifiez votre estimation de chacune des 5(+1) forces. Dans laquelle de ces deux industries investiriez-vous ?

5. En vous inspirant de la section 2.4.1 et de l'illustration 2.5, établissez la cartographie des groupes stratégiques dans une industrie de biens ou de services de votre choix, par exemple l'industrie automobile ou le prêt-à-porter (une ou plusieurs cartes peuvent être nécessaires). Les cartographies obtenues permettent-elles d'identifier des opportunités inexploitées ?

6. ● En vous inspirant de la section 2.4.4 et du schéma 2.8, identifiez les critères particulièrement valorisés par les acheteurs dans une industrie de biens ou de services de votre choix, par exemple la téléphonie mobile ou le parfum. En utilisant vos propres estimations, construisez un canevas stratégique comparant les principaux concurrents (voir le schéma 2.8). Quelles recommandations formulez-vous pour ces concurrents ?

7. Dans quelle mesure les modèles présentés dans ce chapitre sont-ils appropriés à l'analyse de l'environnement d'une organisation publique ou d'une organisation à but non lucratif ? Donnez des exemples.

Exercice de synthèse

8. Analysez une industrie de biens ou services de votre choix en utilisant successivement l'analyse PESTEL, la construction de scénarios, le modèle des 5(+1) forces (en dressant l'hexagone sectoriel), le modèle du cycle de vie et l'identification des groupes stratégiques. Montrez en quoi cette industrie est affectée par la globalisation (voir le chapitre 8, notamment le schéma 8.2) et l'innovation (voir le chapitre 9, notamment le schéma 9.2).

Lectures recommandées

● Le grand classique de M.E. Porter, *Choix stratégiques et concurrence : techniques d'analyse des secteurs et de la concurrence dans l'industrie*, Economica, 1982, est une référence essentielle pour ceux qui souhaitent analyser l'environnement concurrentiel d'une organisation. L'ouvrage de W.C. Kim et R. Mauborgne, *Stratégie Océan Bleu*, Village Mondial, 2005, s'inscrit dans la continuité des travaux de Porter sur les espaces stratégiques et la différenciation.

● Pour des exemples pratiques d'utilisation de la plupart des outils présentés dans ce chapitre, voir A. Desreumaux, X. Lecocq et V. Warnier, *Stratégie*, Pearson Education, 2006, ainsi que O. Joffre, L. Plé et E. Simon (eds), *Cas en management stratégique*, EMS, 2007.

● Sur la dynamique de l'environnement, voir K. Van der Heijden K., *Scenarios: The art of strategic conversation*, Wiley, 2005, et A. McGahan, *How Industries Evolve*, Harvard Business School Press, 2004.

- Sur l'évolution de la réflexion concernant la construction de scénarios ou le modèle PESTEL, voir le numéro spécial de la revue *International Studies of Management and Organization*, vol. 36, n° 3 (2006) édité par Peter McKiernan.
- Sur la dynamique de la concurrence et l'hyper-compétition, voir R. D'Aveni et R. Gunther, *Hypercompétition*, Vuibert, 1995.
- Pour une analyse de l'impact de l'environnement sur les organisations, voir H. Dumez et

A. Jeunemaître, *La concurrence en Europe. De nouvelles règles du jeu pour les entreprises*, Seuil, 1991, et le livre 1 de l'ouvrage coordonné par A. Dayan, *Manuel de gestion*, Ellipse / AUF, 2e édition, 2004.

- La plupart des manuels de marketing comprennent au moins un chapitre sur la segmentation de marché. Voir par exemple P. Kotler, B. Dubois et D. Manceau, *Marketing management*, 12e édition, Pearson Education, 2006.

Références

1. Cette analyse existe également sous la version simplifiée de modèle PEST. L'ajout des facteurs écologiques et légaux correspond mieux aux tendances structurelles actuelles. J.-P. Lemaire et P.-B. Ruffini, *Vers l'Europe bancaire*, Dunod, 1993, proposent une autre version, le modèle PREST (politico-réglementaire, économique et social, technologique). Pour une application du modèle PEST à l'environnement des écoles de commerce, voir H. Thomas, « An analysis of the environment and competitive dynamics of management education », *Journal of Management Development*, vol. 26, n° 1 (2007), pp. 9-21.

2. Pour une discussion sur la construction de scénarios en pratique, voir K. Van der Hiejden, *Scenarios : the art of strategic conversation*, Wiley, 2005. Sur la manière dont la construction de scénarios s'articule avec d'autres outils tels que l'analyse PESTEL, voir P. Walsh, « Dealing with the uncertainties of environmental change by adding scenario planning to the strategy reformulation equation », *Management Decision*, vol. 1, n° 43 (2005), pp. 113-122, et G. Burt, G. Wright, R. Bradfield et K. Van der Hiejden, « The role of scenario planning in exploring the environment in view of the limitations of PEST and its derivatives », *International Studies of Management and Organization*, vol. 36, n° 3 (2006), pp. 50-76. Pour une extension de la construction de scénarios aux questions de stratégie militaire, voir B. MacRay et P. McKiernan, « Back to the future: history and the diagnosis of environmental context », *International Studies of Management and Organization*, vol. 36, n° 3 (2006), pp. 93-110. Il existe également une riche tradition française de réflexion prospective, qui s'exprime notamment au travers de la revue *Futuribles* ou des écrits de Michel Godet. Voir par exemple M. Godet, *Manuel de prospective stratégique*, 2 tomes, Dunod, 2007.

3. Le groupe pétrolier Shell a certainement été l'un des utilisateurs les plus influents de la méthode des scénarios. Voir P. Cornelius, A. Van de Putte et M. Romani, « Three decades of scenario planning in Shell », *California Management Review*, vol. 49, n° 1 (2005), pp. 92-109.

4. D. Rutherford, *Routledge Dictionary of Economics*, 2e édition, Routledge, 1995.

5. Voir M.E. Porter, *Choix stratégiques et concurrence : techniques d'analyse des secteurs et de la concurrence dans l'industrie*, Economica, 1982.

6. Voir L. Van den Berghe et K. Verweire, « Convergence in the financial service industry », *Geneva Papers on Risk and Insurance*, vol. 25, n° 2 (2000), pp. 22-272, ainsi que A. Malhotra et A. Gupta, « An investigation of firms' responses to industry convergence », *Academy of Management Proceedings* (2001), pp. G1-6.

7. Voir M. Porter, référence 5 ci-dessus, chapitre 1. Pour une critique et une actualisation du modèle des 5(+1) forces de la concurrence, voir C. Christensen, « The past and future of competitive advantage », *Sloan Management Review*, vol. 42, n° 2 (2001), pp. 105-109, ainsi que le chapitre de F. Fréry « Michael Porter : Structures industrielles, positionnement stratégique et avantage concurrentiel » dans l'ouvrage coordonné par T. Loilier et A. Tellier, *Les grands auteurs en stratégie*, EMS, 2007.

8. Cet exemple est tiré de H. Dumez et A. Jeunemaître, *La concurrence en Europe. De nouvelles règles du jeu pour les entreprises*, Seuil, 1991.

9. Voir F. Fréry, « Le management des ruptures technologiques », *Les Échos*, n° 18372 (28 mars 2001), pp. 4-5.

10. Sur la pertinence du modèle du cycle de vie, voir le chapitre de F. Fréry, « Les produits éternellement émergents : l'exemple de la voiture électrique », dans l'ouvrage coordonné par A. Bloch et D. Manceau,

De l'idée au marché, Vuibert, 2000. Voir également A. McGahan, « How industries evolve », *Business Strategy Review*, vol. 11, n° 3 (2000), pp. 1-16.

11. Sur l'hexagone sectoriel, voir V. Lerville-Anger, F. Fréry, A. Gazengel et A. Ollivier, *Conduire le diagnostic global d'une unité industrielle*, Éditions d'Organisation, Paris, 2001.

12. Sur la nécessité d'une approche simultanément collaborative et porterienne, voir J. Burton, « Composite strategy : the combination of collaboration and competition », *Journal of General Management*, vol. 21 (1995), pp. 3-28, et R. ul-Haq, *Alliances and Co-evolution : Insight from the banking sector*, Palgrave Macmillan, 2005. On peut consulter également P.-Y. Barreyre, *L'impartition, politique pour une entreprise compétitive*, Hachette, 1968.

13. Voir A. Brandenburger et B. Nalebuff, « The right game: use game theory to shape strategy », *Harvard Business Review*, vol. 73, n° 4 (1995), pp. 57-71. Sur les risques liés aux relations complémentaires, voir D. Yoffie et M. Kwak, « With friends like these », *Harvard Business Review*, vol. 84, n° 9 (2006), pp. 88-98.

14. Sur la nature statique du modèle de Porter, voir M. Grundy, « Rethinking and reinventing Michael Porter's five forces model », *Strategic Change*, vol. 15 (2006), pp. 213-229.

15. Sur la pertinence du modèle du cycle de vie, voir S. Klepper, « Industry life cycles », *Industrial and Corporate Change*, vol. 6, n° 1 (1996), pp. 119-143. Voir également A. McGahan, « How industries evolve », *Business Strategy Review*, vol. 11, n° 3 (2000), pp. 1-16.

16. Sur les industries qui ne suivent pas l'évolution prévue par le modèle du cycle de vie (industries ressuscitées, industries dématurées, industries éternellement émergentes), voir le chapitre de F. Fréry, « Les produits éternellement émergents : l'exemple de la voiture électrique », dans l'ouvrage coordonné par A. Bloch et D. Manceau, *De l'idée au marché*, Vuibert, 2000.

17. Voir A. McGahan, référence 15.

18. Sur la notion d'hypercompétition, voir R. D'Aveni et R. Gunther, *Hypercompétition*, Vuibert, 1995. Pour une actualisation de ces concepts, voir J. Slesky, J. Goes et O. Babüroglu, « Constructing Pespectives of strategy making: applications in hyper environments », *Organization Studies*, vol. 28, n° 1 (2007), pp. 71-94.

19. J. Gimeno et C. Woo, « Hypercompetition in a multi-market environment: the role of strategic similarity and multi-market contact on competition de-escalation », *Organisation Science*, vol. 7, n° 3 (1996), pp. 323-341.

20. Cette définition est tirée de R. D'Aveni et R. Gunther, référence 18. Dans un ouvrage plus récent, R. D'Aveni montre quelles stratégies permettent de maintenir un avantage concurrentiel dans une situation d'hypercompétition. Voir R. D'Aveni, J. Cole et R. Gunther, *Strategic Supremacy*, Free Press, 2001.

21. G. McNamara, P. Vaaler et C. Devers, « Same as ever it was: the search for evidence of increasing hypercompétition », *Strategic Management Journal*, vol. 24 (2003), pp. 261-278.

22. Pour un historique des recherches sur les groupes stratégiques, voir J. McGee, H. Thomas et M. Pruett, « Strategic groups and the analysis of market structure and industry dynamics », *British Journal of Management*, vol. 6, n° 4 (1995), pp. 257-270. Pour un exemple d'utilisation des groupes stratégiques, voir F. Flavian, A. Haberberg et Y. Polo, « Subtle strategic insights from strategic group analysis », *Journal of Strategic Marketing*, vol. 7, n° 2 (1999), pp. 89-106, ainsi que G. Leask et D. Parker, « Strategic groups, competitive groups and performance within the U.K. pharmaceutical industry : improving our understanding of the competitive process », *Strategic Management Journal*, vol. 28, n° 7 (2007), pp. 723-745.

23. Les caractéristiques présentées dans le schéma 2.6 sont celles proposées par Porter (voir référence 5).

24. La notion de segmentation en relation avec le management stratégique est examinée par M.E. Porter dans *L'avantage concurrentiel : comment devancer ses concurrents et maintenir son avance*, InterÉditions, 1986, chapitre 7. Voir également la discussion sur la segmentation et marchés dans P. Kotler, B. Dubois et D. Manceau, *Marketing management*, 15e édition, Pearson Education, 2006. Pour une présentation détaillée des méthodes de segmentation, voir M. Wedel et W. Kamakura, *Market Segmentation : Conceptual and methodological foundations*, 2e édition, Kluwer Academic, 1999.

25. M. Wedel, « Is segmentation history? », *Marketing Research*, vol. 13, n° 4 (2001), pp. 26-29.

26. La notion de canevas stratégique a été introduite par C. Kim et R. Mauborgne, « Charting your company's future », *Harvard Business Review*, vol. 80, no.° (2002), pp. 76-82. Voir également le chapitre de G. Johnson, C. Bowman et P. Rudd, « Competitor analysis », dans l'ouvrage coordonné par V. Ambrosini, G. Johnson et K. Scholes, *Exploring Techniques of Analysis and Evaluation in Strategic Management*, Prentice Hall, 1998.

27. Voir W. Kim et R. Mauborgne, *Stratégie Océan Bleu*, Village Mondial, 2005.

Étude de cas

Jurassic Toys

En 2007, le marché mondial du jouet était estimé à plus de 50 milliards d'euros. Produits en très grande majorité en Asie, les jouets étaient conçus pour la plupart aux États-Unis et destinés principalement aux 130 millions d'enfants occidentaux. Rien qu'en France, le budget moyen annuel en jouets dépassait les 250 euros par enfant. Le marché était globalement stagnant, les hausses de volume étant compensées par une érosion des prix.

Les jouets étaient des produits très internationaux : les goûts des enfants étaient nivelés par de vastes campagnes publicitaires utilisant des licences de films à gros budget (*Star Wars*, *Harry Potter*, *Le seigneur des anneaux*, *Pirates des Caraïbes*, *Spiderman*, etc.) et de séries télévisées américaines et japonaises (*Pokémon*, *Dora l'exploratrice*, etc.). L'Amérique du Nord, l'Europe de l'Ouest et l'Asie du Sud-Est absorbaient chacune un peu moins d'un tiers du marché mondial.

Les dix premiers fabricants mondiaux contrôlaient 40 % du marché total, avec à leur tête les Américains Mattel (5,6 milliards de dollars de chiffre d'affaires en 2006) et Hasbro (3,2 milliards), et le Japonais Bandai Namco (3,8 milliards, dont 2,3 milliards dans les jouets). Le seul Européen présent dans le palmarès mondial était le groupe familial danois Lego (1,5 milliard d'euros de chiffre d'affaires).

La main-d'œuvre représentait en moyenne 60 % du coût d'un jouet, voire 70 % pour les peluches ou les poupées. C'était la raison pour laquelle ni Mattel ni Hasbro, qui réalisaient la majorité de leurs ventes à l'international, ne possédaient la moindre usine aux États-Unis. Par exemple, les poupées Barbie (25 % du chiffre d'affaires et plus du tiers du profit de Mattel) étaient conçues à Los Angeles, vendues à raison de une toutes les deux secondes dans le monde entier (dont plus de 3 millions d'exemplaires en

France chaque année), mais étaient toutes fabriquées en Asie (où d'ailleurs une copie en était réalisée toutes les trois secondes).

Le poids croissant de la Chine

Trois jouets sur quatre dans le monde étaient fabriqués en Chine, par des ouvrières officiellement âgées de plus de 17 ans, mais payées environ 60 euros net par mois, pour des journées de 10 à 14 heures. On estimait ainsi à plus d'un million le nombre de personnes employées par l'industrie du jouet en Chine. Au cours des années 1990, les usines avaient quitté Hongkong et les environs de Shenzhen pour s'installer plus loin dans la province de Guangdong, où des villes industrielles telles que Dongguan attiraient des millions d'immigrants des campagnes, qui acceptaient des conditions de travail

Étude de cas

pénibles, insalubres et même illégales au regard du droit chinois, pour des salaires de 0,25 euro de l'heure. Des associations telles que China Labor Watch, qui avait publié un rapport alarmiste en août 2007, dénonçaient régulièrement cette situation.

Par ailleurs, la Chine était une pépinière de nouveaux concurrents : d'anciens sous-traitants hongkongais des multinationales américaines, comme V Tech (jouets électroniques), Playmates (jouets sous licences du type Star Wars) ou Manley (jouets en bois, jouets de plein air, voitures télécommandées), avaient pris leur indépendance et produisaient désormais également pour leur propre compte, avec un niveau de qualité comparable à celui des Occidentaux (ils figuraient tous les trois dans les dix premières marques mondiales). D'autres producteurs chinois allaient vraisemblablement les imiter dans leur émancipation. L'entrée de la Chine dans l'Organisation mondiale du commerce en décembre 2001 n'avait fait qu'accroître cette tendance.

Si l'industrie du jouet était strictement encadrée par de nombreuses normes de sécurité, les pouvoirs publics n'avaient pas les moyens de contrôler toutes les importations. Fin 2007, alors que la tension commerciale s'accentuait entre les États-Unis et la Chine, l'industrie avait été secouée par une série de scandales impliquant des sous-traitants chinois (utilisation de peinture toxique au plomb, présence de petites pièces pouvant être ingérées). Mattel avait été forcé de rappeler plus de 18 millions de jouets.

La distribution

En France, la grande distribution contrôlait près de 50 % du marché des jouets (même si cela ne représentait que 1 à 2 % de son chiffre d'affaires). Soucieux d'optimiser la rentabilité de leurs linéaires, les hypermarchés cherchaient à limiter le nombre de références en rayon : ils réalisaient 50 à 70 % de leurs ventes avec seulement 150 à 200 produits. Pour être référencé dans les centrales d'achat, il fallait donc être connu, ce qui passait nécessairement par la publicité à la télévision, dont l'impact sur les ventes était énorme : la télévision devait représenter au moins 10 % du chiffre d'affaires d'une marque. Le Français Smoby avait ainsi triplé son budget publicitaire entre 2001 et 2004. Cependant, ce n'était qu'une goutte d'eau par rapport au budget publicitaire de Hasbro, qui atteignait plus de 15 % de ses ventes, soit 7 euros par enfant et par an ou encore l'équivalent du chiffre d'affaires cumulé des trois premières entreprises françaises du secteur. Indissociable de ces dépenses publicitaires, l'obtention de licences était devenue incontournable. En France comme aux États-Unis, plus de 25 % des jouets étaient sous licence et cette proportion augmentait chaque année. L'obtention de ces licences auprès des grands studios de cinéma – essentiellement américains – était aussi coûteuse qu'indispensable. Pour un montant estimé entre 7 et 13 % du prix de chaque jouet, l'impact pouvait être déterminant : Hasbro avait ainsi vendu pour 494 millions de dollars de jouets Star Wars en 2005 (il en détenait la licence jusqu'en 2018) et Mattel avait réalisé une grande partie de sa croissance de 2006 grâce aux jouets sous licence du film *Cars*. Les licences – tous produits confondus – avaient rapporté plus de 20 milliards de dollars à Disney Pixar en 2006, alors que plus de 120 entreprises utilisaient l'image de Harry Potter en Europe.

Une telle boulimie publicitaire imposait une assise financière de plus en plus vaste, ce qui entraînait une concentration croissante. Pour exister sur le marché mondial, on estimait qu'un fabricant de jouet généraliste devait dépasser les 350 millions d'euros de chiffre d'affaires. Mattel, après avoir vainement tenté d'acheter Hasbro en 1996 pour plus de 4,8 milliards d'euros, avait ainsi acquis le numéro trois américain, Tyco (voitures miniatures Matchbox), ainsi que Fisher Price. De son côté, Hasbro avait racheté Playskool et Kenner Parker.

Cette concentration était encouragée par la concurrence des fabricants de consoles de jeux vidéo (Microsoft, Sony, Nintendo), qui tentaient de détourner les enfants des jouets classiques en utilisant des moyens publicitaires tout aussi colossaux. Face à cette menace, certains fabricants de jouets classiques développaient d'ailleurs eux-mêmes des jeux vidéo (jeux d'aventure Barbie chez Mattel, jeux de simulation chez Lego, etc.). De même, Hasbro avait racheté les éditeurs de jeux Atari et Microprose, et Bandai avait fusionné avec le spécialiste Namco.

En dehors de la grande distribution généraliste, de quelques magasins de quartier en perte de vitesse et de la vente par correspondance (classique ou sur Internet), les jouets étaient diffusés par des chaînes spécialisées. La principale était Toys 'R' Us, qui avait réalisé un chiffre d'affaires de 13 milliards de dollars en 2006 avec plus de 1 500 magasins dans le monde, dont une trentaine en France. Toys 'R' Us, qui détenait en 2006 un peu moins de 15 % de la distribution des jouets en France et aux États-Unis, poussait ses fournisseurs à développer la publicité télévisée, non pour réduire ses références (la profusion faisait partie de sa stratégie), mais pour limiter le nombre de vendeurs et le service à sa jeune clientèle, déjà largement conditionnée par les campagnes publicitaires. Toys 'R' Us avait cependant connu une période difficile entre 2000 et 2005, notamment du fait de la concurrence du distributeur généraliste Wal-Mart sur le marché américain. Contraint de céder une partie de ses magasins, il avait laissé la place à des concurrents tels que les chaînes La Grande Récré et King Jouet ou le groupe coopératif JouéClub en France (plus de 20 % du marché à eux trois).

Une industrie européenne sinistrée

À la demande des fabricants espagnols et portugais, l'Union européenne avait établi dès 1994 des quotas d'importation sur certains jouets en provenance de Chine (peluches notamment). Cependant, les industriels européens ne présentaient pas un front uni, puisque les Britanniques et les Néerlandais – qui avaient déjà fait le choix de sous-traiter en Asie – étaient opposés aux quotas. Au total, la moitié des entreprises françaises du secteur avait disparu entre 1985 et 2005. En 2007, plus de 85 % des jouets étaient importés (c'était 66 % en 1990), dont 75 % en provenance d'Asie.

Le leader européen, Lego, avait connu de graves difficultés. En dépit de multiples diversifications (jeux vidéo, parc d'attractions, voire textile sous la marque Lego Wear) et de l'achat de licences Star Wars et Harry Potter, ses ventes s'étaient effondrées de 30 % entre 2002 et 2004 et ses pertes avaient atteint près d'un quart de son chiffre d'affaires, notamment du fait de la concurrence du Québécois Mega Blocks. Kjeld Kirk Kristiansen, président et propriétaire du groupe, avait été contraint de démissionner fin 2004. Grâce à un plan de restructuration drastique, Lego était redevenu rentable dès 2005, mais l'essentiel de sa production avait été délocalisé dans les usines mexicaines et polonaises du prestataire Flextronics. En dépit de l'utilisation de procédés d'injection plastique très perfectionnés (la tolérance d'erreur en production n'était que de 0,002 mm) et d'une marque universellement reconnue (on comptait en moyenne 62 briques Lego pour chaque être humain sur Terre), Lego n'avait pas pu maintenir sa production dans son fief historique de Billund au Danemark, où 1 200 postes sur 1 400 avaient été supprimés.

Au début des années 2000, les deux principales entreprises qui produisaient en France (Smoby et Berchet) étaient implantées dans le Jura, autour de la petite ville de Moirans-en-Montagne (2 300 habitants). Le Jura assurait ainsi 55 % de la production française de jouets. Le coût de la main-d'œuvre y était 40 fois plus élevé qu'en Chine et les deux entreprises réalisaient 70 à 80 % de leur chiffre d'affaires sur le dernier trimestre de l'année, avec des fluctuations mensuelles qui pouvaient atteindre 600 % : « Nous expédions une quarantaine de camions en décembre et seulement cinq en janvier », rappelait le directeur industriel de Berchet.

Étude de cas

Les stratégies de survie des Jurassiens

Pour résister aux Asiatiques, les Jurassiens misaient sur la réactivité : « Nous sommes capables de livrer en 15 jours un produit complexe que nous n'avons pas en stock. Les Asiatiques, eux, ne peuvent répondre que sur des commandes prévues de longue date, car ils sont obligés d'utiliser le fret maritime, plutôt qu'aérien, pour ne pas annuler les bénéfices de leurs coûts de production », soulignait le directeur industriel de Berchet (par bateau, le transport revenait à environ 20 % du coût total, et durait quatre semaines). La survie passait également par le renouvellement continu des gammes : « Pour séduire le consommateur, nous devons changer chaque année 25 % à 35 % de notre gamme. Cela implique parfois le lancement de 350 nouveautés », expliquait le président de Smoby. Cependant, dès qu'un nouveau modèle apparaissait sur le marché, il était copié en quelques mois par les fabricants asiatiques.

Les Français se retranchaient dans des gammes de produits étroites, peu intéressantes pour les Chinois : « Les articles de petit format ou à fort taux de main-d'œuvre nous sont interdits », résumait le P-DG de Clairbois, une des filiales de Berchet. Ainsi, les Jurassiens se spécialisaient dans les véhicules porteurs en plastique, les gros jouets d'éveil et de plein air ou encore les parcs pour bébés, qui tous étaient des articles dont le rapport encombrement/prix les empêchait d'être importés de Chine par conteneurs à des tarifs intéressants. De même, grâce à l'utilisation d'outils industriels automatisés, les frais de personnel ne représentaient en moyenne que 25 % du chiffre d'affaires des fabricants jurassiens, alors que leurs investissements industriels étaient de plus en plus élevés. Leurs compétences technologiques et leur niveau de qualité étaient de fait identiques à ce qui était requis dans d'autres industries beaucoup moins soumises à la concurrence à bas prix et à la saisonnalité des ventes, comme l'emballage (fabrication de bidons et réservoirs en plastique). Smoby avait d'ailleurs logiquement fait le choix de se diversifier dans la fabrication de ce type de produits sous la marque Mob.

Grandeur et décadence de Smoby

Jean-Christophe Breuil, qui à seulement 31 ans succéda à sa mère à la présidence du directoire de Smoby en 2001, décida de ne plus subir la concurrence américaine et asiatique. Même si ses moyens financiers ne lui permettaient pas d'obtenir les licences de films ou de séries TV les plus coûteuses, il investit dans certaines opérations à sa portée. Il lança ainsi avec succès une gamme de jouets sous licence de l'émission de variétés « Star Academy » et acheta le droit d'utilisation des personnages de princesses des dessins animés Disney.

En 2003, Smoby racheta également le fabricant de petites voitures Majorette, ce qui lui permit d'atteindre une part de marché de 7 % en France et de figurer, avec ses onze filiales, son chiffre d'affaires de 300 millions d'euros et sa présence dans 100 pays, parmi les dix premiers groupes mondiaux de l'industrie du jouet. De plus, le précédent propriétaire de Majorette avait délocalisé la totalité de sa production vers la Thaïlande, où une usine de 600 personnes constituait un nouvel atout pour le futur développement de Smoby.

Malheureusement, cette stratégie de croissance bascula en 2005, lorsque Smoby – peut-être autant par ambition que par vengeance – décida de racheter son rival de toujours, Berchet. Si Berchet lui apportait un supplément de chiffre d'affaires de 135 millions d'euros, sa santé financière était critique, avec cinq années consécutives de pertes, plusieurs millions d'euros de stocks invendables et des dettes importantes. Parallèlement, la direction de Smoby n'avait pas anticipé la hausse du prix du pétrole, dont l'impact était pourtant déterminant sur les produits en plastique : le coût du pétrole était passé en deux ans de 750 à plus 1 100 euros par tonne de plastique, sans que cela n'ait été anticipé dans les tarifs négociés avec les distributeurs.

Au total, en juillet 2006, Jean-Christophe Breuil annonça une perte de 25,7 millions d'euros (la première depuis la création de l'entreprise en 1924) pour un chiffre d'affaires de 349 millions, mais surtout une dette de 310 millions pour 58 millions de capitaux propres. L'entreprise, qui employait alors 2 300 personnes et qui venait de prendre la première place du marché français devant Mattel, fut contrainte de trouver un repreneur. En mai 2007, le groupe familial californien MGA Entertainment, fondé en 1997 par l'entrepreneur d'origine iranienne Isaac Larian, mondialement connu pour ses poupées Bratz, fit une offre de reprise. Cette offre fut refusée par le tribunal de Lons-le-Saunier, qui plaça Smoby en redressement judiciaire en octobre 2007. Parallèlement, une information judi-

ciaire fut ouverte contre Jean-Christophe Breuil, soupçonné d'avoir mis en place un système de détournement de fonds *via* des sociétés écrans.

En mars 2008, Smoby fut démantelé : l'essentiel de l'activité fut repris par le numéro 1 allemand du jouet, Simba-Dickie, alors qu'un fonds d'investissement français reprenait Majorette. Ce démantèlement se traduisit par 597 licenciements, alors que Jean-Christophe Breuil était mis en examen et incarcéré pour abus de biens sociaux, blanchiment et présentation de bilan inexact. Il risquait une peine de dix ans de prison et 750 000 euros d'amende.

Sources : sites Internet des entreprises ; *Capital*, février 2006 et septembre 2006 ; *Les Echos*, 17 avril 2007 et 19 octobre 2007 ; *Le Figaro*, 28 mars 2008.

Questions

1. En utilisant le modèle PESTEL, identifiez les variables pivot dans l'industrie mondiale du jouet.

2. Effectuez une analyse des 5(+1) forces de la concurrence de l'industrie du jouet. Quels facteurs clés de succès en déduisez-vous ?

3. Identifiez les groupes stratégiques en présence dans l'industrie mondiale du jouet.

4. En vous appuyant sur les analyses menées lors des trois questions précédentes, expliquez l'échec de la stratégie de Smoby. Quelle autre stratégie auriez-vous pu conseiller ?

Chapitre 3
La capacité stratégique

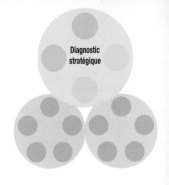

Objectifs

Après avoir lu ce chapitre, vous serez capable de :

- Décrire les différents éléments de la capacité stratégique d'une organisation : ressources, compétences, compétences fondamentales et capacités dynamiques.
- Expliquer pourquoi la réduction des coûts n'est pas une stratégie.
- Montrer comment obtenir un avantage concurrentiel durable à partir de ressources et compétences rares, robustes, inimitables et non substituables.
- Utiliser les outils permettant de diagnostiquer la capacité stratégique, notamment l'analyse des filières et de la chaîne de valeur, la cartographie des activités et l'étalonnage (*benchmarking*).
- Résumer les points clés du diagnostic stratégique grâce à une analyse SWOT.
- Comprendre comment les managers peuvent développer la capacité stratégique de leur organisation.

3.1 Introduction

Dans le chapitre 2, nous avons montré que l'environnement peut influencer la stratégie de l'organisation en suscitant à la fois des menaces et des opportunités. Cependant, même si Carrefour, Auchan et Casino interviennent sur le même environnement (la grande distribution en France), ils ne présentent pas les mêmes niveaux de performance. Ce n'est donc pas l'environnement qui conditionne leur succès, mais leur *capacité stratégique* respective. Ce chapitre est consacré à la notion de capacité stratégique, au travers de trois concepts clés. Le premier est qu'au sein d'un même environnement les organisations ne sont pas toutes identiques : elles présentent des capacités hétérogènes. Le deuxième est qu'il peut être difficile pour une organisation d'obtenir ou d'imiter la capacité d'un concurrent. Casino peut ainsi difficilement égaler la puissance d'achat de Carrefour ou la structure capitalistique d'Auchan. Le troisième est une conséquence des deux premiers : pour acquérir un avantage concurrentiel, une organisation doit s'appuyer sur des capacités que ses concurrents pourront difficilement obtenir. Cela explique pourquoi certaines organisations sont capables d'atteindre des niveaux de performance significativement supérieurs à ceux de leurs concurrents : elles détiennent des capacités qui leur permettent soit de produire à moindre coût des offres comparables, soit de proposer des offres plus attractives pour le même coût[1]. Cette explication de l'avantage

Selon l'approche ressources et compétences (ou resource-based view), l'avantage concurrentiel et la performance d'une organisation s'expliquent par la spécificité de ses capacités stratégiques

concurrentiel en termes de différentiel de capacité stratégique est généralement appelée **approche ressources et compétences**[2].

Ce chapitre comporte six sections :

- La section 3.2 présente les *fondements de la capacité stratégique* en distinguant notamment les notions de *ressources* et *compétences*.
- La section 3.3 est consacrée à l'une des capacités stratégiques la plus largement utilisée dans les organisations – et le plus souvent à tort –, la *réduction des coûts*.
- La section 3.4 concerne les types de capacités qui peuvent permettre à une organisation d'obtenir un avantage concurrentiel *durable* (ce qui correspond, dans le secteur public, à maintenir durablement le niveau de performance attendu).
- La section 3.5 examine la manière dont le concept de *connaissances organisationnelles* interagit avec la capacité stratégique afin de générer un avantage concurrentiel.
- La section 3.6 présente les outils d'analyse de la capacité stratégique. Pour cela, nous introduirons les concepts de *chaîne de valeur* et de *filière*, qui permettent de comprendre quelles activités ajoutent de la valeur. Puis nous présenterons la notion de *cartographie des activités* et la manière dont la capacité stratégique peut être évaluée et comparée au moyen de l'*étalonnage* (ou *benchmarking*). Enfin, nous montrerons comment le modèle *SWOT* peut résumer l'ensemble du diagnostic stratégique, tant externe qu'interne.
- Ce chapitre se termine par la section 3.7, dans laquelle nous verrons comment les managers peuvent *développer la capacité stratégique* de leur organisation au travers notamment de la gestion des ressources humaines et de la construction de capacités dynamiques.

3.2 Les fondements de la capacité stratégique

La capacité stratégique d'une organisation résulte des ressources et compétences qui lui sont nécessaires pour survivre et prospérer

De nombreux auteurs, consultants et managers n'emploient pas les mêmes termes et les mêmes notions pour expliquer en quoi consiste la capacité stratégique. Il est donc essentiel de clarifier notre terminologie. De manière générale, on peut définir la capacité stratégique d'une organisation comme l'ensemble des ressources et compétences dont elle a besoin pour survivre et prospérer. Le schéma 3.1 présente les termes qui seront utilisés tout au long du chapitre afin d'expliciter le concept de capacité stratégique.

Schéma 3.1   La capacité stratégique et l'avantage concurrentiel

	Ressources	Compétences
Capacité seuil	Ressources requises ● Tangibles ● Intangibles	Compétences nécessaires
Capacité nécessaire pour obtenir un avantage concurrentiel	Ressources uniques ● Tangibles ● Intangibles	Compétences fondamentales

3.2.1 Les ressources et compétences

Le concept le plus élémentaire est celui de *ressources*. Les ressources tangibles sont les actifs physiques d'une organisation, comme ses ressources humaines, ses ressources financières ou ses équipements. Les ressources intangibles[3] sont les actifs immatériels comme l'information, la réputation et les connaissances. Le plus souvent, les ressources sont classées en quatre catégories :

- Les *ressources physiques*, telles que les équipements, les bâtiments ou la capacité de production. La nature de ces ressources, leur âge, leur condition, leur localisation ou leur potentiel déterminent largement leur utilité en termes d'avantage concurrentiel.
- Les *ressources financières*, qui incluent les augmentations de capital, la gestion de trésorerie, la gestion des dettes et des créances et la qualité des relations avec les apporteurs de fonds (actionnaires, banquiers, subventions, etc.).
- Les *ressources humaines*, notamment le nombre et le profil démographique des personnes employées dans et autour de l'organisation, leurs savoirs et leur savoir-faire.
- Le *capital intellectuel* constitue l'essentiel des ressources intangibles d'une organisation. Il inclut les brevets, les marques, les systèmes de gestion, les bases de données clients ou encore les relations avec les partenaires. Ces ressources ont une valeur qui se manifeste lors de la cession d'une entreprise par le paiement d'une survaleur ou *goodwill*, c'est-à-dire un supplément de prix. Dans des industries fondées sur les connaissances, comme dans les cabinets de conseil, les produits de luxe, la recherche ou encore la haute cuisine[4], le capital intellectuel constitue l'actif clé.

Le portefeuille de ressources détenu par une organisation est très certainement important, mais la manière dont elle les utilise et les déploie importe au moins tout autant. On peut très bien posséder des équipements dernier cri, du personnel qualifié ou une marque réputée et ne pas savoir les utiliser à bon escient. L'efficacité et l'efficience des ressources physiques ou financières ne dépendent pas seulement de leur existence mais aussi de la manière dont on les gère, de la coopération entre les individus, de leur adaptabilité, de leur capacité d'innovation, des relations avec les clients et les fournisseurs, et de l'expérience et de l'apprentissage sur ce qu'il convient de faire et ce qu'il est préférable d'éviter. Les compétences sont les activités et les processus au travers desquels une organisation déploie ses ressources.

Dans le cadre de ces différentes définitions, d'autres termes communément utilisés doivent être également précisés. Pour cela, il peut être utile de se référer aux deux exemples présentés dans le schéma 3.2 : l'un relève du domaine des entreprises et l'autre est emprunté au sport.

Les ressources tangibles sont les actifs physiques dont dispose une organisation, comme ses ressources humaines, ses ressources financières ou ses équipements

Les ressources intangibles sont les actifs immatériels dont dispose une organisation, comme l'information, la réputation et les connaissances

Les compétences sont les activités et les processus au travers desquels une organisation déploie ses ressources

| Schéma 3.2 | Le vocabulaire de la capacité stratégique |

Terme	Définition	Exemple (athlétisme)
Capacité stratégique	Capacité à faire ce qui est nécessaire pour survivre et prospérer, grâce aux ressources et compétences de l'organisation	Équipement et capacité physique correspondant à l'épreuve d'athlétisme choisie
Ressources requises	Ressources nécessaires pour répondre aux exigences minimales des clients et donc pour pouvoir poursuivre son activité	Un physique athlétique Suivi médical Infrastructures d'entraînement Nourriture et compléments alimentaires
Compétences nécessaires	Activités et processus qui permettent de répondre aux exigences minimales des clients et donc de poursuivre son activité	Entraînement individuel Régime alimentaire Physiothérapie
Ressources uniques	Ressources qui permettent d'obtenir un avantage concurrentiel et qui sont difficiles à obtenir ou à imiter	Un cœur et des poumons exceptionnels Une certaine taille ou un certain poids Un entraîneur de premier plan mondial
Compétences fondamentales	Activités qui permettent d'obtenir un avantage concurrentiel et qui sont difficiles à obtenir ou à imiter	Une combinaison de ténacité, d'entraînement et d'ambition

3.2.2 Les capacités seuil

Il est important de distinguer entre les capacités (et donc les ressources et compétences) qui ne constituent qu'un niveau minimal nécessaire pour intervenir sur un marché et celles qui au contraire permettent à l'organisation d'obtenir un avantage concurrentiel. Les capacités seuil sont celles qui sont indispensables pour pouvoir intervenir sur un marché donné. En leur absence, une organisation serait incapable de survivre sur ce marché. Il peut s'agir de *ressources requises* pour répondre aux exigences minimales des clients. Les chaînes de grande distribution exigent ainsi de leurs fournisseurs des équipements informatiques et logistiques de plus en plus perfectionnés, en l'absence desquels il n'est plus possible d'être référencé par leur centrale d'achat. Il peut s'agir aussi de *compétences nécessaires* au déploiement de ces ressources requises. Pour reprendre le même exemple, un distributeur n'exige pas seulement que ses fournisseurs s'équipent d'une infrastructure informatique, il leur impose également de savoir la maîtriser, de manière à garantir un certain niveau de service.

Les capacités seuil sont indispensables pour pouvoir intervenir sur un marché donné

L'identification et la gestion des capacités seuil soulèvent deux questions essentielles :

- Le niveau seuil de capacité tend à augmenter au cours du temps, en fonction de l'évolution des *facteurs clés de succès* (voir la section 2.5.2 dans le chapitre 2), notamment du fait de la pression de la concurrence, de l'influence des nouveaux entrants et des progrès technologiques. Toujours dans le cas de la grande distribution, les exigences imposées aux fournisseurs étaient moindres il y a une décennie qu'elles ne le sont aujourd'hui : la volonté des distributeurs de réduire leurs coûts, d'améliorer leur efficience et d'assurer la disponibilité de leurs produits s'est traduite par une pression accrue sur leurs approvisionnements. Ne serait-ce que pour pouvoir se maintenir sur le marché, les fournisseurs doivent donc impérativement améliorer continuellement leurs ressources et compétences.

- Étant donné que le niveau seuil de capacité peut être différent selon le type de clients visés, les organisations doivent souvent faire des *compromis*. Beaucoup d'entreprises ont ainsi constaté qu'il est difficile d'intervenir simultanément sur des segments qui nécessitent de larges volumes de produits standardisés et sur des segments qui exigent des produits hautement spécialisés. Les premiers impliquent des capacités de production élevées, des processus rapides et indifférenciés et de la main-d'œuvre peu coûteuse, alors que les seconds reposent sur une main-d'œuvre qualifiée, des équipements flexibles et une plus grande capacité d'innovation. L'organisation doit donc choisir entre ces deux positionnements, faute de quoi elle risque d'être incapable d'atteindre les capacités seuil de chacun.

3.2.3 Les ressources uniques et les compétences fondamentales

Même si les capacités seuil sont extrêmement importantes, elles ne génèrent pas par elles-mêmes un avantage concurrentiel ni de meilleures performances. L'avantage concurrentiel provient du fait que l'organisation détient et maintient des capacités distinctives ou uniques que les concurrents ne peuvent pas imiter. Il peut s'agir de **ressources uniques** qui sous-tendent l'avantage concurrentiel et que les concurrents ne peuvent ni imiter ni obtenir, par exemple une marque réputée. Cependant, il est rare que des ressources soient véritablement uniques. C'est pourquoi l'avantage concurrentiel repose plus généralement sur des compétences distinctives, également appelées *compétences fondamentales*. Le concept de compétences fondamentales a été développé dans les années 1990, notamment par Gary Hamel et C.K. Prahalad. Même si plusieurs définitions existent, dans cet ouvrage, nous qualifierons de **compétences fondamentales**[5] les activités et les processus au travers desquels les ressources sont déployées de manière à obtenir un avantage concurrentiel difficilement imitable. L'avantage concurrentiel d'un fournisseur de la grande distribution peut ainsi reposer sur une ressource unique telle qu'une marque particulièrement appréciée des consommateurs, mais aussi sur une compétence fondamentale telle que la construction de relations étroites avec les distributeurs, d'une manière que ses concurrents auront du mal à imiter. La section 3.4 de ce chapitre est consacrée au rôle joué par les ressources uniques

Les ressources uniques sont celles qui sous-tendent l'avantage concurrentiel et que les concurrents ne peuvent ni imiter ni obtenir

Les compétences fondamentales sont les activités et les processus au travers desquels les ressources sont déployées de manière à obtenir un avantage concurrentiel difficilement imitable

et les compétences fondamentales dans la construction d'un avantage concurrentiel à long terme.

Au final, il apparaît que pour survivre et prospérer, une organisation doit affronter les défis soulevés par son environnement, tels que nous les avons présentés dans le chapitre 2. Elle doit en particulier se montrer capable de maîtriser les facteurs clés de succès qui caractérisent son industrie (voir la section 2.5.2 dans le chapitre 2). La capacité stratégique à maîtriser ces facteurs clés de succès de l'environnement dépend des ressources et compétences détenues par l'organisation. Celles-ci doivent atteindre un certain niveau seuil pour permettre à l'organisation de survivre. Cependant, pour construire un avantage concurrentiel, il est nécessaire de détenir des capacités stratégiques que les concurrents ne pourront pas égaler. Cela peut reposer sur des ressources uniques ou plus généralement sur des compétences fondamentales. L'illustration 3.1 en donne quelques exemples.

3.3 La réduction des coûts

L'efficience est le rapport entre les résultats atteints et les moyens utilisés

L'efficacité est le rapport entre les résultats atteints et les objectifs assignés

Toute organisation doit rester attentive à son niveau d'efficience, c'est-à-dire au rapport entre ses résultats et les moyens qu'elle met en œuvre pour les atteindre. C'est particulièrement vrai pour les entreprises, dans lesquelles la génération de profit repose nécessairement sur l'obtention de résultats supérieurs aux coûts, donc sur la recherche de l'efficience. Par essence, les entreprises peuvent être définies comme des organisations efficientes. Si les organisations de service public se caractérisent plutôt par la recherche de l'efficacité[6], c'est-à-dire le rapport entre leurs résultats et les objectifs qui leur ont été assignés (généralement par leur autorité de tutelle), cela ne doit évidemment pas déboucher sur des gaspillages. Elles sont donc elles aussi – et de plus en plus – concernées par le contrôle de leur niveau de coûts, ne serait-ce que pour limiter la croissance des dépenses publiques. Comme nous le verrons dans les sections 6.3.1 et 6.4.1, dans certaines organisations, le niveau de coûts peut procurer un avantage concurrentiel. La maîtrise des coûts est ainsi devenue une capacité seuil dans de nombreuses industries, pour deux raisons :

- Tout d'abord parce que *les clients ne sont pas prêts à valoriser une offre à n'importe quel prix*. Si le prix devient trop élevé, ils peuvent être tentés de sacrifier une partie de la valeur pour préférer une offre moins élaborée mais moins coûteuse. La pérennité de toute organisation – et en particulier des entreprises – repose bien sur la capacité à créer de la valeur au-delà des coûts, mais à un prix qui reste acceptable pour les clients visés. Si le prix de vente est trop élevé, le risque de perdre les clients est considérable. De même, si les coûts sont supérieurs à la valeur qu'ils ont permis de créer, l'efficience devient impossible et la survie de l'organisation est menacée.
- Deuxièmement, la *concurrence* pousse naturellement à la réduction des coûts, car dans toute industrie on trouve toujours au moins un concurrent qui cherche à accroître sa part de marché en réduisant ses prix, ce qui déclenche des spirales déflationnistes.

Cependant, la réduction des coûts n'est pas une compétence fondamentale, car elle ne procure aucun avantage concurrentiel durable. Il s'agit plutôt d'une

Illustration 3.1

La capacité stratégique : quelques exemples

Des dirigeants soulignent la capacité stratégique de leur organisation.

Anne Lauvergeon, présidente du directoire du groupe nucléaire français **AREVA**, à propos du rachat de la société minière canadienne UraMin pour 1,8 milliard d'euros en juillet 2007 :

> « L'intégration d'UraMin dans le pôle minier d'AREVA est une étape importante dans son plan ambitieux d'augmentation de sa production d'uranium. Elle garantit aux clients du groupe une grande sécurité d'approvisionnement à long terme, dans le cadre d'offres commerciales innovantes portant sur l'ensemble du cycle nucléaire. » Le communiqué de presse précisait que les gisements identifiés par Ura-Min en Afrique du Sud, en Namibie et en République centrafricaine devraient conduire à une production de plus de 7 000 tonnes d'uranium par an après 2012, soit 14 % de la production mondiale, ce qui ferait d'AREVA le second producteur d'uranium de la planète derrière le Canadien Cameco. Entre 2002 et 2007, le prix de la livre de minerai d'uranium sur le marché libre était passé de 10 à 120 dollars.

Source : www.areva.com.

Dave Swift, président de **Whirlpool** pour l'Amérique du Nord, explique :

> Le déploiement de notre stratégie implique un portefeuille unique de compétences que nous continuons à bâtir globalement. Le point de départ de cette construction de compétences nouvelles est ce que nous appelons l'excellence commerciale, c'est-à-dire notre capacité à comprendre et à anticiper les besoins de nos clients. L'excellence commerciale rassemble une série d'outils qui permettent à nos équipes d'évaluer et de hiérarchiser les besoins et les attentes des consommateurs tout au long de leur démarche d'achat : la recherche d'un appareil ménager sur un site Internet, l'expérience lors de la visite d'un magasin, les fonctionnalités et l'esthétique du produit, l'installation à domicile, le contact avec le service après-vente, et enfin le besoin d'acheter un nouvel appareil. Une fois que nous comprenons ces différents éléments, nous pouvons proposer des solutions clients grâce à nos processus d'innovation. Notre capacité d'innovation a ainsi débouché sur la mise sur le marché régulière de nouveaux produits, pour une valeur estimée à plus de 3 milliards de dollars américains. Notre connaissance des clients, couplée à nos solutions innovantes, sous-tend l'attractivité de notre marque et accroît la rentabilité pour nos actionnaires.

Source : rapport annuel 2005.

Daniel Bouton, président-directeur général de la banque française **Société générale**, en réponse à la question : « Comment maintenez-vous votre avantage concurrentiel sur les dérivés actions ? »

> La barrière à l'entrée est élevée du fait de deux coûts significatifs. Le premier est l'informatique. Les systèmes dont vous avez besoin pour fonctionner correctement coûtent au moins 200 millions d'euros par an, et vous ne pouvez pas les acheter chez Dell ou SAP. Le second est le nombre de gens dont vous avez besoin pour gérer votre risque. Avant de lancer un produit, il vous faut des équipes de front office qui proposent, calculent et écrivent le premier modèle. Ensuite, vous avez besoin des équipes informatiques qui créent le système permettant de calculer le risque toutes les 10 secondes. Puis, il vous faut une bonne équipe de validation capable de vérifier toutes les hypothèses. Enfin, vous avez besoin d'équipes de haut niveau en middle et back office.

Source : *Euromoney*, vol. 27, n° 447 (juillet 2006), pp. 84-89.

Tony Hall, directeur général du **Royal Opera House** de Londres :

> Vouloir faire partie des meilleurs mondiaux est une ambition ni vaine ni arrogante. Dans le contexte du Royal Opera House, cela repose sur la qualité de nos équipes, le niveau de nos productions et la diversité de nos initiatives. Unique ? Nous le sommes ouvertement. Il ne s'agit pas d'avoir une étiquette élitiste, toujours connotée négativement, mais je veux que mes équipes comprennent que nous faisons partie de l'élite parce que nous avons les meilleurs chanteurs, danseurs, metteurs en scène, décorateurs, musiciens, techniciens et administratifs. Nous sommes également parmi les meilleurs pour notre capacité à toucher un public aussi large et divers que possible.

Source : rapport annuel 2005/6, p. 11.

Questions

1. En vous référant à la section 3.2 et au schéma 3.2, identifiez les types de capacités décrites par chacun de ces dirigeants.
2. En vous référant à la section 3.4, lesquelles parmi ces capacités vous semblent particulièrement importantes pour obtenir un avantage concurrentiel et pourquoi ?
3. Répondez aux deux questions ci-dessus pour une organisation de votre choix.

capacité seuil, un effort nécessaire dont la maîtrise est indispensable à la survie. Si elle peut également permettre de dégager ponctuellement les ressources nécessaires au déploiement d'une stratégie, la réduction des coûts n'est pas une stratégie par elle même. En effet, les techniques de réduction de coûts (voir le schéma 3.3) sont toujours plus ou moins aisément imitables par les concurrents, ce qui limite fortement leur intérêt stratégique :

- Les *économies d'échelle* permettent souvent de bénéficier d'importants avantages de coût dans les organisations industrielles (automobile, sidérurgie, composants électroniques, etc.), en imputant les frais fixes des investissements productifs sur un volume de production élevé. Le coût unitaire de chaque produit est ainsi inférieur à celui obtenu par les concurrents qui produisent des volumes moindres. Ce gain sur la capacité de production est également vérifié dans des activités de service comme l'assurance, la grande distribution ou le transport aérien. Dans d'autres industries comme l'agro-alimentaire, des économies comparables (réduction du coût fixe unitaire par augmentation du volume) sont réalisées sur les coûts de distribution ou de commercialisation. Néanmoins, à force d'augmenter la taille d'une organisation, on finit par provoquer des *deséconomies d'échelle* (coûts de contrôle et de gestion excessifs, inertie croissante, moindre capacité d'innovation, etc.) qui viennent contrebalancer les gains obtenus. Enfin, dans certains secteurs comme le textile, le conseil ou les produits de luxe, les effets d'échelle sont extrêmement limités[7].

Schéma 3.3	Les sources de l'efficience

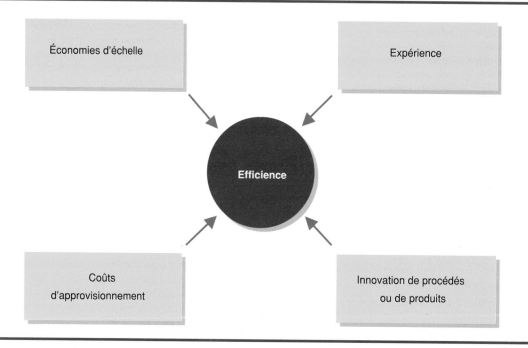

- Les *coûts d'approvisionnement* influencent fortement la rentabilité globale de nombreuses organisations. La localisation des sites de production auprès des sources d'approvisionnement en matière première ou en énergie a longtemps permis de substantielles économies, notamment dans l'acier, l'aluminium ou le verre. La capacité à renforcer les liens avec les fournisseurs s'est révélée cruciale, jusqu'à conduire dans certains cas à leur rachat pur et simple. De même, l'avantage concurrentiel des distributeurs provient en général de leur capacité à gérer leurs coûts d'approvisionnement : ce sont des intermédiaires entre les fournisseurs et les clients finaux. Cependant, à force de réduire les coûts d'approvisionnement, on sélectionne mécaniquement les fournisseurs les plus efficients, qui finissent – une fois que tous les autres ont disparu – par reprendre le pouvoir. L'industrie automobile illustre ce type de revirement.

- Les *innovations* de produit et de procédé peuvent également avoir un impact sur l'efficience. De nombreuses organisations ont dégagé d'importantes économies en améliorant la productivité de leur main-d'œuvre, le rendement de leurs actifs, l'utilisation de leur capacité de production ou la répartition de leur fonds de roulement. L'optimisation de la capacité est ainsi devenue un problème concurrentiel déterminant dans beaucoup d'activités de service (transports, hôtellerie, parcs d'attraction, etc.) sous le nom de *yield management*, expression qui rassemble un ensemble de techniques (analyse des taux de remplissage, modulation des tarifs selon le moment de réservation, etc.) permettant de maximiser le profit. Détenir les systèmes informatiques nécessaires et être capable de proposer les offres correspondantes (sans pour autant dégrader la valeur générale) sont devenus des capacités essentielles. À l'inverse, bien moins d'attention a été portée à la manière dont le design d'un produit peut influer sur la rentabilité d'une entreprise. Lorsque ce point est abordé, c'est généralement du point de vue de l'optimisation des processus de production. Pourtant, le design des produits peut également avoir un impact sur la distribution ou sur le service après-vente. Le lancement des lessives micro, qui en utilisant moins de place dans les linéaires des hypermarchés permettent de réduire les coûts de référencement auprès des centrales d'achat de la grande distribution, illustre ce type d'approche. De même, la mise au point des brouettes empilables par le fabricant français Hæmmerlin lui a permis de réduire considérablement ses coûts de transport et de distribution. Le gain est comparable pour les chips Pringle de Procter & Gamble, qui du fait de leur forme rigoureusement standardisée et de leur présentation en tube ont la particularité d'occuper un volume beaucoup moins important que les chips classiques. Ces cas restent cependant relativement rares, car ils impliquent un niveau très élevé de coordination interne entre la recherche, le marketing et la logistique.

- L'*expérience*[8] est une source essentielle d'efficience. De nombreuses analyses ont mis en lumière le lien entre l'expérience cumulée par une organisation et la décroissance de ses coûts unitaires, représenté par une **courbe d'expérience** (voir le schéma 3.4). La courbe d'expérience montre qu'une organisation apprend à gérer son activité de manière plus efficiente au cours du temps. Étant donné que les entreprises qui bénéficient d'une plus forte part de marché ont un volume d'activité supérieur, elles accumulent de l'expérience plus rapidement que les autres. Dans cette optique, il est donc essentiel de conquérir et de conserver des parts de marché, tout en gardant à l'esprit que c'est la *part de*

La courbe d'expérience montre la diminution des coûts unitaires d'une organisation avec l'augmentation de son volume de production cumulé

Schéma 3.4   La courbe d'expérience

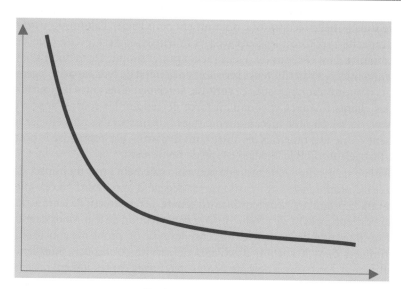

Coût unitaire

Total d'unités produites

marché relative sur une activité donnée qui importe (c'est-à-dire le rapport entre les ventes de l'entreprise et celles de ses concurrents). Il existe plusieurs implications déterminantes de la courbe d'expérience, que toute organisation doit prendre en compte afin d'élaborer sa position stratégique :

– Dans beaucoup d'activités, la croissance est *obligatoire*. Si une organisation choisit de croître moins vite que ses concurrents, elle risque de voir sa rentabilité se détériorer progressivement par rapport à la leur, du fait d'une moindre accumulation d'expérience.

– Les organisations doivent anticiper une *diminution de leurs coûts unitaires* au fur et à mesure de l'augmentation de leur production cumulée. Dans les industries de biens ou de services à forte croissance, ce phénomène peut être très rapide, avec des baisses de coûts parfois supérieures à 30 % par an. Bien qu'elle soit beaucoup moins prononcée, la réduction est également perceptible dans les industries matures. Les organisations qui n'arrivent pas à tirer avantage de cette décroissance de coûts de manière innovante voient souvent leur position concurrentielle se détériorer.

– Il est en général intéressant d'être le premier entrant sur une nouvelle industrie. En effet, en obtenant ce qu'il est convenu d'appeler un *avantage au premier entrant*, on peut ainsi descendre plus vite sur la courbe d'expérience et donc bénéficier d'un avantage de coûts. Cependant, la notion d'avantage au premier entrant est contestée par certains auteurs[9], qui soutiennent notamment que les coûts de création du marché, supportés par le premier entrant, font plus que contrebalancer ses gains d'expérience.

– Il est possible de réduire les coûts en *externalisant* certaines activités auprès de prestataires plus expérimentés (voir la section 3.6.1).
– Il ne faut pas confondre l'expérience et la taille : les économies d'échelle contribuent à l'effet d'expérience, mais elles n'en sont qu'une des composantes. Dans les industries très fragmentées, comme la restauration ou la médecine de ville, il est tout à fait possible d'obtenir un bon niveau de rentabilité en accumulant plus d'expérience que les concurrents sans pour autant dominer le marché. L'expérience permet en effet de limiter les erreurs, d'accélérer les processus, de bénéficier d'une réputation auprès des clients et de négocier au mieux avec les fournisseurs.

Cependant, il est très peu probable d'obtenir un avantage concurrentiel durable au travers de l'effet d'expérience. En effet, non seulement le gain de parts de marché peut être trop coûteux par rapport aux économies attendues ou simplement impossible (notamment dans les industries très matures), mais de plus l'expérience accumulée est extrêmement sensible aux ruptures technologiques, qui peuvent brusquement réduire à néant des années d'accumulation d'expertise sur un modèle économique donné, détruisant de fait l'avantage concurrentiel des leaders établis.

Au total, il apparaît que la réduction des coûts est une approche qu'il est difficile de qualifier de stratégique, dans la mesure où – sauf exceptions rarissimes – elle se révèle incapable de procurer un avantage concurrentiel durable, ni même un réel accroissement des profits. On peut d'ailleurs aisément le vérifier en constatant que dans les nombreuses industries où depuis des décennies des efforts considérables ont été consentis en termes de réduction des coûts (automobile, sidérurgie, informatique, etc.), souvent au prix de très nombreux licenciements et parfois aux dépens de la qualité, les profits des entreprises n'ont pas augmenté : ce sont les prix qui ont baissé. Or, dans bien des industries dont les marchés sont en grande partie saturés, la baisse des prix ne suffit plus à assurer une augmentation des volumes, surtout lorsque les consommateurs, par ailleurs salariés, voient leurs rémunérations stagner du fait d'une pression sur les coûts dans leur propre entreprise. La réduction des coûts est donc un leurre collectif, qui provoque un appauvrissement généralisé là où la création de valeur pourrait permettre de dégager de nouvelles richesses[10]. Nous reviendrons sur ce point capital dans le chapitre 6.

3.4 Les capacités stratégiques et l'avantage concurrentiel

Tous les facteurs présentés dans la section 3.2 sont importants. Si la capacité stratégique d'une organisation ne lui permet pas de répondre aux attentes minimales de ses clients ou de ses principales parties prenantes, il lui est impossible de survivre. Si elle se révèle incapable de contenir la dérive de ses coûts par rapport à la valeur qu'elle génère, elle sera en position d'infériorité par rapport à ses concurrents qui y parviennent. Cependant, si l'on cherche à obtenir un avantage concurrentiel, tout cela reste insuffisant. Il convient en effet de déterminer quelles ressources et compétences sont susceptibles de générer un surplus de performance durable.

Dans cette optique, la capacité stratégique doit répondre à d'autres critères que nous allons détailler à présent[11].

3.4.1 La valeur des capacités stratégiques

Toute organisation qui cherche à construire un avantage concurrentiel doit impérativement répondre aux attentes de ses clients. La création de valeur pour les clients peut sembler un point évident, mais dans la pratique on le néglige trop souvent pour se préoccuper avant tout d'efficience opérationnelle, de réduction des coûts ou de rentabilité pour les actionnaires. Par ailleurs, les managers sont parfois tentés d'affirmer que certaines capacités distinctives de leur organisation présentent une valeur du simple fait qu'elles sont sans équivalent dans la concurrence. C'est une erreur : détenir des ressources et compétences différentes de celles des concurrents ne procure en soi aucun avantage concurrentiel. Il est inutile de posséder des capacités qui sont sans valeur aux yeux des clients. Pour être réellement qualifiée de stratégique, une capacité doit permettre d'obtenir ce que les clients valorisent en termes de produits ou services (voir la section 2.4.4). Pour identifier quelles sont les activités les plus génératrices de valeur, on peut utiliser le modèle de la chaîne de valeur (voir la section 3.6.1) et la cartographie des activités (voir la section 3.6.2).

3.4.2 La rareté des capacités stratégiques

Pour pouvoir procurer un avantage concurrentiel, une capacité stratégique doit être rare, voire sans équivalent dans la concurrence. Cette rareté peut prendre la forme de *ressources uniques*. Certaines bibliothèques disposent ainsi d'ouvrages uniques qui ne sont disponibles nulle part ailleurs. De même, les distributeurs qui bénéficient d'une localisation privilégiée, comme les stations-service situées sur les aires d'autoroutes, peuvent pratiquer des prix supérieurs à la moyenne. Cependant, construire un avantage concurrentiel durable sur des ressources uniques peut se révéler aussi coûteux que difficile. Certaines organisations disposent ainsi de produits ou de procédés brevetés, ce qui peut leur procurer un réel avantage mais les oblige à attaquer les contrefacteurs. Pour les entreprises minières, la possession de gisements de minerais constitue une ressource qui malheureusement s'épuise au fur et à mesure qu'elle est utilisée. Enfin, dans les organisations de service, les ressources uniques peuvent prendre la forme d'individus particulièrement talentueux (chirurgiens, professeurs, avocats, etc.) que les concurrents tenteront nécessairement d'attirer et qu'il faudra donc retenir au prix fort.

L'avantage concurrentiel peut également reposer sur des *compétences rares*, comme des années d'expérience dans la construction de relations avec certains clients clés. Dans tous les cas, trois points essentiels doivent être gardés à l'esprit à propos de la manière dont la rareté d'une ressource peut contribuer à l'avantage concurrentiel :

- La capacité est-elle *transférable* ? La rareté peut dépendre de qui possède effectivement les compétences et de la facilité avec laquelle on peut les transférer. Dans des organisations telles que les cabinets d'avocats, les banques d'affaires, les centres de recherche, les universités ou les cliniques, ce sont certains individus – et non l'organisation elle-même – qui détiennent les compétences clés.

Il est clair qu'en cas de départ de ces individus, l'organisation peut se trouver dans une position extrêmement vulnérable, à l'image de Gucci après le départ de son créateur vedette Tom Ford en 2003. Des compétences fondamentales peuvent cependant exister dans des activités telles que le recrutement, la formation et la motivation de ces individus précieux, de manière à s'assurer qu'ils ne rejoignent pas les concurrents. Une culture spécifique capable d'attirer les talents les plus rares peut également constituer une compétence fondamentale.

- La capacité est-elle *durable* ? Il serait dangereux de supposer qu'une compétence rare le restera éternellement. La rareté peut n'être que temporaire. En effet, si une organisation appuie sa performance sur un ensemble de compétences uniques, ses concurrents chercheront nécessairement à l'imiter. Le succès de l'interface tactile de l'iPhone mise au point par Apple en 2007 a ainsi provoqué le lancement de toute une série de produits concurrents.

- La capacité peut-elle devenir un *blocage* ? Au cours du temps, notamment lorsqu'elles ont effectivement contribué au succès de l'organisation, les capacités rares peuvent devenir ce que Dorothy Leonard-Barton appelle des rigidités ou des *points de blocage*[12]. Les managers peuvent être tellement convaincus de l'importance stratégique de ces capacités rares, tellement rassurés par le fait qu'elles sous-tendent la performance et le succès, qu'ils sont parfois tentés de les considérer comme des qualités indéfectibles, au point de surestimer leur intérêt réel pour les clients et de refuser d'admettre leur obsolescence.

3.4.3 La robustesse des capacités stratégiques

La recherche de capacités stratégiques permettant d'obtenir un avantage concurrentiel est loin d'être triviale. Elle implique l'identification de capacités durables, que les concurrents auront des difficultés à obtenir ou à imiter. En fait, on appelle *robustesse* des capacités leur caractère « non imitable »[13].

Il est très peu probable que l'avantage concurrentiel repose sur une différence de dotation en ressources tangibles, car celles-ci peuvent le plus souvent être aisément reproduites ou acquises. Le succès est avant tout déterminé par la manière dont les ressources sont déployées afin de créer des compétences au sein de chacune des fonctions de l'organisation. Par exemple, un système d'information n'améliore pas par lui-même la performance de l'organisation qui s'en équipe : c'est la manière dont elle l'utilise qui importe, notamment lorsqu'elle s'en sert pour imbriquer les besoins de ses clients avec ses propres processus internes et externes. Les compétences fondamentales correspondent ainsi le plus souvent aux *liens* entre les activités et les processus au travers desquels les ressources sont déployées de manière à obtenir un avantage concurrentiel. Afin de sous-tendre un tel avantage, les compétences fondamentales doivent donc répondre aux critères suivants :

- Elles doivent être liées à une activité ou un processus qui détermine la valeur de l'offre du point de vue du client ou des autres parties prenantes. C'est le critère de valeur discuté dans la section 3.4.1.

- Les compétences doivent conduire à des niveaux de performance significativement supérieurs à ceux des concurrents (ou – dans le secteur public – à la performance d'organisations comparables).

- Les compétences doivent être robustes, c'est-à-dire difficiles à imiter.

Ces conditions peuvent être remplies de plusieurs manières, comme nous allons le voir à présent et comme le présente le schéma 3.5. L'illustration 3.2 en propose un exemple.

Schéma 3.5	Les quatre sources de la robustesse de la capacité stratégique

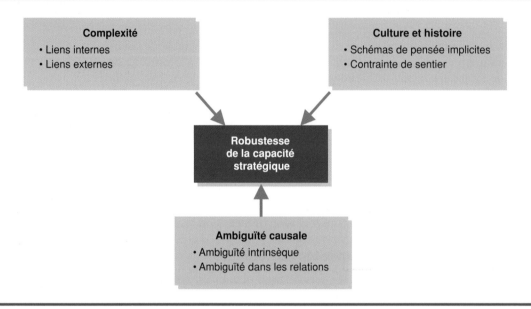

La complexité[14]

Les compétences fondamentales d'une organisation peuvent être difficiles à imiter du fait de leur complexité, qui peut résulter de deux causes :

- Les *liens internes*. La capacité à relier des activités internes peut parfois sous-tendre la création de valeur pour les clients. Les managers de Plasco (voir l'illustration 3.2) évoquaient ainsi leur « flexibilité » et leur « capacité d'innovation ». Cependant, cette flexibilité et cette innovation résultaient elles-mêmes de toute une combinaison de facteurs, comme le montre l'illustration 3.2. La section 3.6.2 et le schéma 3.8 montrent comment il est possible de cartographier ces combinaisons d'activités, de manière à mieux les comprendre. Pour autant, même si un concurrent obtenait une telle cartographie, il lui serait très difficile de reproduire le niveau de complexité qu'elle décrit.

- Les *interconnexions externes*. Les entreprises peuvent protéger les sources de leur avantage concurrentiel en les développant conjointement avec leurs clients. De cette manière, elles peuvent établir des relations intimement imbriquées avec les processus internes de leurs clients. Ce type d'interconnexion est parfois appelée de la *cospécialisation*. Le principe général est que l'implication dans les processus des clients constitue une source d'avantage concurrentiel particulièrement robuste. C'est ainsi que le fabricant de gaz industriels

Illustration 3.2

La capacité stratégique de Plasco

La capacité stratégique qui sous-tend l'avantage concurrentiel peut résulter de relations complexes issues de l'histoire et de la culture d'une organisation.

Plasco était un fabricant de produits en plastique qui avait emporté plusieurs marchés auprès de la grande distribution aux dépens de ses concurrents. Les managers de Plasco souhaitaient analyser les bases de ces succès de manière à mieux identifier leurs capacités stratégiques. Pour cela, ils commencèrent par une analyse de la valeur créée pour les clients (voir la section 2.4.4). Cette première étape leur permit d'identifier que les distributeurs auprès desquels Plasco était référencé valorisaient avant tout des marques reconnues, la largeur de la gamme de produits, un bon niveau de service et la fiabilité des livraisons. Or, Plasco surpassait notoirement ses concurrents en termes de livraisons, de service et de gamme de produits.

Les managers effectuèrent ensuite une cartographie des activités (voir la section 3.6.2 et le schéma 3.8), ce qui leur permit de réaliser qu'ils n'avaient jusque-là pas cons-cience de certaines des véritables causes de leur succès.

L'analyse des fondements de la fiabilité des livraisons n'expliquait pas pourquoi Plasco surpassait ses concur-rents. Son système logistique n'était pas significativement distinctif. En fait, les distributeurs auraient refusé de s'approvisionner auprès de fournisseurs qui n'auraient pas été dotés de ce type d'outil. Il s'agissait d'une capacité seuil, fondée sur des ressources nécessaires et des compé-tences requises, mais elle n'avait rien d'unique.

Cependant, lorsqu'ils se penchèrent sur les activités qui sous-tendaient leur niveau de service, les managers trouvè-rent d'autres explications. Ils comprenaient que leur succès provenait en grande partie de leur niveau de flexibilité, notoirement supérieur à celui de leurs concurrents, dont le principal était une grande multinationale américaine. Cependant, les causes de cette flexibilité n'étaient pas claires. Elle se manifestait notamment par une réponse rapide aux attentes des clients, mais également par la capa-cité à anticiper et à résoudre les problèmes des acheteurs (erreurs de commande, quantités inadaptées, etc.). Il était beaucoup moins évident d'identifier les activités qui sous-tendaient cette flexibilité. La cartographie permit notam-ment de mettre en lumière les points suivants :

- Les managers opérationnels n'hésitaient pas à contourner les règles, par exemple en reprenant des

marchandises livrées par erreur à certains clients, alors que le système de livraison et les procédures de gestion ne l'autorisaient normalement pas.

- Il existait dans l'entreprise des ressources excédentaires, telles que des capacités de production inutilisées (que les dirigeants tentaient en fait d'éliminer par souci d'optimisation), ce qui permettait de répondre à d'éventuelles commandes imprévues. Les managers opérationnels n'hésitaient pas à contourner les procédures officielles pour maintenir ces capacités excédentaires, car ils avaient conscience que leur disparition aurait significativement réduit leur flexibilité et les aurait donc empêchés de maintenir le niveau de service exigé par les clients.

Une bonne partie de tout cela reposait donc sur les connaissances tacites des managers opérationnels, des commerciaux et du personnel des usines, qui « jouaient avec les règles » et travaillaient ensemble à répondre aux demandes des acheteurs. Il ne s'agissait pas de procé-dures et de systèmes formalisés, mais bien de compor-tements acquis au cours du temps. Il en résultait une excellente qualité de la relation entre les commerciaux et leurs clients, qui les encourageaient à « demander l'impossible » à l'entreprise en cas de problème.

Une logistique efficace et la qualité des produits étaient bien entendu indispensables, mais la compé-tence fondamentale qui sous-tendait réellement le suc-cès de Plasco était l'imbrication de multiples activités et comportements, si profondément encastrés dans l'acti-vité opérationnelle quotidienne de l'organisation que les concurrents – mais aussi les managers eux-mêmes – éprouvaient le plus grand mal à les identifier.

Questions

1. Pourquoi serait-il difficile à une grande entreprise dotée de systèmes de gestion optimisés et de proces-sus automatisés d'établir avec ses distributeurs des relations comparables à celles construites par Plasco ?

2. Comment les dirigeants de Plasco devraient-ils réagir aux résultats de cette analyse de la capacité stratégi-que ?

3. Qu'est-ce qui pourrait éroder l'avantage concurren-tiel de Plasco ?

Air Liquide est passé de la simple vente de ses produits en volume à la gestion complète des applications de ses gaz, directement sur les sites de production de ses clients, grâce à la connaissance intime de leurs processus industriels. De la même manière, les éditeurs de logiciel peuvent obtenir un avantage concurrentiel en développant des programmes spécifiquement dédiés aux besoins de leurs clients. Si les clients sont satisfaits de ces produits sur mesure, ils en deviendront rapidement dépendants et il est peu probable qu'ils s'adressent à un autre fournisseur.

La culture et l'histoire

Dans la plupart des organisations, les compétences sont encastrées dans la culture. De fait, les managers eux-mêmes ne sont pas toujours capables de les expliciter. La coordination entre les différentes fonctions de l'organisation se déroule de manière apparemment « naturelle » car les individus connaissent leur rôle au sein de l'ensemble et il existe des schémas de pensée implicites sur ce qu'il convient de faire ou d'éviter. Dans l'exemple décrit dans l'illustration 3.2, la capacité à modifier rapidement les plannings de production et les liens étroits entre les commerciaux, l'usine et la logistique n'étaient ni planifiés ni formalisés : tout cela résultait de comportements acquis depuis des années.

L'encastrement culturel est généralement lié au fait que les compétences se sont développées d'une certaine manière au cours du temps. La notion selon laquelle le développement est conditionné par le sillon des évolutions passées est connue sous le nom de *dépendance de sentier*[15]. Il serait simpliste de supposer que si les compétences d'une organisation ont mis des décennies à se développer, un concurrent pourra les imiter rapidement et aisément (voir la section 5.3.1). Pour autant, comme nous l'avons déjà souligné, il existe un risque que des compétences encastrées dans la culture deviennent tellement indissociables de l'organisation qu'il sera quasiment impossible de les modifier. Elles peuvent alors devenir des points de blocages.

L'ambiguïté causale[16]

La robustesse des compétences peut également résulter de la difficulté à différencier les raisons et les effets qui sous-tendent l'avantage concurrentiel de l'organisation. L'incapacité à distinguer ce qui est cause du succès de ce qui en est la conséquence est appelée l'*ambiguïté causale*. Face à une telle complexité, les concurrents peuvent se révéler incapables d'imiter une stratégie gagnante car ils ne seront pas en mesure de comprendre quel est l'enchaînement logique entre ses différentes composantes. Cette incertitude peut résider dans n'importe lequel des aspects de la capacité stratégique que nous avons présentés au long de ce chapitre. L'ambiguïté peut ainsi revêtir deux formes différentes[17] :

- L'ambiguïté sur les *caractéristiques*, lorsque les causes du succès sont elles-mêmes difficiles à discerner et à saisir, par exemple du fait qu'elles reposent sur des connaissances tacites ou encastrées dans la culture de l'organisation. C'est par exemple le cas du « jeu avec les règles » qui fondait le succès de Plasco dans l'illustration 3.2, qui serait vraisemblablement considéré comme inacceptable – et donc récusé – par le concurrent américain.

- L'ambiguïté sur les *liens*, lorsque les managers eux-mêmes – et plus encore les concurrents – sont incapables d'expliquer quels liens et quelles combinaisons entre activités et processus sont à l'origine des compétences qui fondent l'avantage concurrentiel. Même s'ils y parvenaient, il leur serait très difficile de reproduire les mêmes combinaisons au sein de leur propre organisation et de leur propre culture.

3.4.4 La non-substituabilité[18]

Apporter de la valeur aux clients et posséder des compétences complexes, culturellement encastrées et causalement ambiguës, peuvent rendre l'imitation particulièrement difficile. Cependant, l'organisation peut toujours être exposée à une substitution, qui peut prendre plusieurs formes :

- Il peut s'agir du type de substitution dont nous avons déjà discuté dans le chapitre 2 lorsque nous avons présenté le modèle des 5 (+1) forces de la concurrence. Dans ce cas, c'est l'*offre* elle-même qui peut être l'objet d'une substitution. Le courrier électronique et les systèmes de messagerie instantanée se substituent ainsi au courrier classique. Dans ce cas, quels que soient la complexité et l'encastrement culturel des compétences de l'administration postale, elle ne peut pas échapper à la substitution.
- Cependant, la substitution peut également survenir non pas au niveau de l'offre elle-même, mais à celui des *compétences*. De nombreuses industries qui fondaient leurs compétences sur l'expertise rare et reconnue de certains individus ont ainsi souffert de la substitution qu'ont permis l'automatisation et les systèmes experts[19].

En résumé, du point de vue de l'approche par les ressources, l'avantage concurrentiel durable repose sur des capacités stratégiques qui sont à la fois (a) valorisées par les clients, (b) rares, (c) robustes et (d) non substituables. Si de telles capacités n'existent pas dans l'organisation, il est nécessaire de les développer (voir la section 3.7).

3.4.5 Les capacités dynamiques

Une bonne partie de l'abondante littérature académique consacrée à l'approche par les ressources considère implicitement que le développement de capacités stratégiques permet d'obtenir un avantage concurrentiel à long terme. Cela implique que les capacités stratégiques, les compétences distinctives et les ressources uniques sont censées être durables. Pour autant, les managers se plaignent souvent de la généralisation des conditions hypercompétitives décrites dans la section 2.3.2. Selon ce point de vue largement partagé – mais également quelquefois contesté –, l'environnement évolue de plus en plus vite, les technologies débouchent sur des innovations de plus en plus fréquentes, accélèrent l'obsolescence des offres et facilitent les substitutions. Les clients ont un choix de plus en plus large d'offres de qualité, et les chances d'établir un avantage concurrentiel durable à partir d'une combinaison de compétences pérennes sont de plus en plus ténues. Pour autant, même dans ce type de contexte, certaines entreprises continuent à bénéficier d'un avantage concurrentiel. Pour cela, face à un environnement en évolution rapide, elles mettent avant tout l'accent sur leur aptitude au changement, à l'innovation, à la flexibilité et à l'apprentissage.

David Teece[20] appelle les capacités stratégiques permettant d'obtenir un avantage concurrentiel dans un environnement turbulent des **capacités dynamiques**. Elles caractérisent l'aptitude d'une organisation à renouveler et à recréer sa capacité stratégique afin de répondre aux exigences d'un environnement en évolution rapide[21]. Les capacités dynamiques peuvent être relativement formalisées, comme des systèmes organisationnels permettant le développement de nouveaux produits ou des procédures standardisées d'allocation de ressources. Elles peuvent aussi se manifester par des manœuvres stratégiques majeures, comme des acquisitions ou des alliances, grâce auxquelles l'organisation peut obtenir de nouveaux savoir-faire. Elles peuvent également revêtir un caractère très informel, comme la manière spécifique de prendre certaines décisions, notamment en situation d'urgence. Enfin, les capacités dynamiques peuvent prendre la forme de connaissances organisationnelles (voir la section 3.5 ci-dessous), qui permettent de réagir à certaines circonstances ou d'innover. En fait, il est probable que les capacités dynamiques présentent des caractéristiques simultanément formelles et informelles, visibles et invisibles, implicites et explicites. Katherine Eisenhardt[22] a ainsi montré que, du point de vue de l'apprentissage organisationnel, la réussite des opérations d'acquisition dépend fortement de la qualité des processus formels d'intégration des connaissances qui précèdent et qui suivent l'acquisition proprement dite, de manière à développer des synergies et à capturer des savoir-faire. Cependant, à côté de ces processus formalisés, on trouve également des pratiques beaucoup plus informelles, fondées sur les relations interpersonnelles entre les membres des deux organisations.

Au total, il apparaît que si dans des conditions relativement stables il est possible de construire un avantage concurrentiel à partir de compétences fondamentales durables, face à un contexte plus turbulent, il est indispensable de mettre l'accent sur la capacité à changer, à évoluer et à apprendre, c'est-à-dire sur l'obtention de capacités dynamiques. L'illustration 3.3 en donne un exemple.

3.5 Les connaissances organisationnelles[23]

Devant l'intérêt croissant pour les capacités stratégiques, la notion de connaissances organisationnelles a fait l'objet de nombreux travaux. Les **connaissances organisationnelles** résultent de l'expérience collective accumulée au travers des systèmes, des routines et des activités de l'organisation. En tant que telles, elles sont intimement liées aux compétences organisationnelles.

Plusieurs auteurs – au premier rang desquels Peter Drucker[24] – ont souligné l'émergence de ce qu'il est convenu d'appeler « l'économie de la connaissance ». Plusieurs raisons justifient ce rôle croissant des connaissances organisationnelles. Tout d'abord, au fur et à mesure que la taille et la complexité des organisations augmentent, le besoin de mettre en commun ce que savent les individus devient de plus en plus difficile. Il est cependant possible de l'envisager grâce à l'utilisation de systèmes d'information toujours plus perfectionnés. De plus, il est désormais établi que les différents points que nous avons déjà vus dans ce chapitre sont avérés : dans la très

Les capacités dynamiques caractérisent l'aptitude d'une organisation à renouveler et à recréer ses compétences afin de répondre aux exigences d'un environnement en évolution rapide

Les connaissances organisationnelles résultent de l'expérience collective partagée, accumulée au travers des systèmes, des routines et des activités de l'organisation

Illustration 3.3

La construction de capacités dynamiques chez HMD

Les réseaux, les alliances et les partenariats peuvent être une source d'apprentissage et de capacités dynamiques pour les entreprises et leurs managers.

L'entreprise HMD avait pour vocation l'optimisation de l'efficience des essais cliniques à grande échelle. En effet, les groupes pharmaceutiques tels que Sanofi-Aventis, Pfizer ou Novartis avaient de plus en plus tendance à externaliser la gestion de ces essais, indispensables à l'obtention de l'autorisation de mise sur le marché de leurs produits, mais souvent très longs et très coûteux à réaliser. À l'origine, HMD proposait de simples services téléphoniques personnalisés (par exemple des systèmes de reconnaissance vocale) pour le suivi des essais cliniques. Cependant, notamment du fait d'erreurs humaines, cette approche restait largement perfectible. HMD chercha alors à développer un nouveau produit à partir d'une autre technologie, l'identification par radiofréquences (RFID), qui offrait également des opportunités de diversification, en particulier à l'international : grâce à cette technologie, tous les produits impliqués dans la démarche d'essais cliniques pouvaient être suivis à la trace sans intervention humaine. Cette évolution de l'activité imposa une refonte du portefeuille de ressources et compétences de l'entreprise. En d'autres termes, elle a dû se doter de capacités dynamiques.

HMD décida d'établir un partenariat avec Sun Microsystems, une multinationale américaine qui détenait un large portefeuille de ressources et compétences. Sun était intéressé par le concept technologique proposé par HMD et en moins de six mois, cette collaboration commença à porter ses fruits. Le cofondateur de HMD était convaincu de l'intérêt de ce partenariat : « Nous avons eu ce que nous voulions car nous avons réussi à fabriquer un prototype en utilisant la technologie de Sun. » Cependant, l'expérience de HMD illustrait également la construction de capacités dynamiques à plusieurs niveaux.

Du point de vue de HMD, le partenariat permettait une exposition à de nouvelles idées technologiques et l'accès à des ressources et compétences localisées dans le monde entier. De plus, la réputation de Sun servit de caution à HMD pour toucher de nouveaux clients. Lorsque le prototype fut fabriqué, HMD et Sun contactèrent ensemble un grand client potentiel et la première démonstration eut lieu dans les locaux de Sun. Tout cela facilita l'apprentissage organisationnel de HMD au travers de toute une série de processus :

- Le *développement de produits*. En développant un prototype avec Sun, HMD apprit à intégrer des ressources et compétences de manière à obtenir des synergies. Par exemple, sa connaissance des clients dans le domaine des essais cliniques fut combinée avec l'architecture informatique de Sun.

- La *collaboration*. HMD développa des connaissances précieuses sur les aspects formels de la collaboration entre firmes, tels que le partage de la propriété intellectuelle. L'entreprise apprit également l'intérêt des réseaux informels dans le succès d'une activité développée en commun.

- La *prise de décision stratégique*. HMD développa de nouvelles compétences, notamment en termes d'identification de sources de connaissances externes, ce qui lui serait particulièrement utile à l'avenir, en cas d'élargissement de la relation à un deuxième partenaire.

Au niveau individuel, les managers de HMD acquièrent également de nouvelles compétences, que ce soit au travers de routines informelles telles que les sessions de créativité ou d'activités quotidiennes telles que la négociation avec les partenaires. Les managers soulignaient que cet apprentissage aiderait HMD dans ses futures collaborations : certaines « recettes » pourraient être réutilisées, alors que d'autres devraient être modifiées. Comme l'affirmait le cofondateur : « Dans le futur, nous approcherons ce type de partenariat d'une manière à peu près identique [mais] je pense que dès le départ nous définirons plus précisément les objectifs et les frontières. »

Questions

1. Quel est l'intérêt des capacités dynamiques pour une organisation ?

2. En quoi des collaborations, des réseaux de relations et des partenariats contribuent-ils au développement de capacités dynamiques ?

3. Quelles peuvent être les autres sources de capacités dynamiques à l'intérieur et autour d'une organisation ? Expliquez le phénomène.

4. Dans quelle mesure et de quelle manière le développement des capacités dynamiques peut-il être délibérément planifié ?

vaste majorité des cas, l'avantage organisationnel d'une organisation dépend moins de ses ressources physiques que de ses compétences et de son expérience accumulée. Par conséquent, les connaissances qui résultent de cette expérience et qui encapsulent ces compétences revêtent une importance cruciale.

Deux points doivent être soulignés ici :

- Les connaissances peuvent prendre différentes formes. Ikujiro Nonaka et Hirotaka Takeuchi[25] distinguent ainsi deux types de connaissances. Les *connaissances explicites* sont objectives, codifiées, transmises par des moyens formels (par exemple des systèmes d'information ou des notes de service). À l'inverse, les *connaissances tacites* sont personnelles, contingentes, difficiles à formaliser et à communiquer. Comme pour les individus, les compétences organisationnelles nécessitent généralement ces deux types de connaissances. Par exemple, tout nouveau conducteur reçoit des connaissances explicites en prenant des leçons, mais doit ensuite développer ses propres connaissances implicites – grâce à l'expérience pratique – pour être réellement capable de conduire une voiture. Plus les systèmes de management des connaissances sont formalisés, plus les connaissances risquent de devenir visibles par les concurrents et donc plus aisément imitables. Si les connaissances peuvent être codifiées, elles peuvent plus facilement être copiées, ce qui leur retire tout intérêt en termes d'avantage concurrentiel. Le véritable avantage concurrentiel repose donc plus sur les connaissances tacites que sur les connaissances explicites, ce qui signifie qu'il faut utiliser avec prudence certaines technologies de l'information – notamment l'intelligence artificielle et les systèmes experts – car elles peuvent aider à codifier les connaissances implicites, ce qui rend accessibles à tous les concurrents des compétences autrefois distinctives.
- Le partage des connaissances et de l'expérience est un processus essentiellement social qui repose sur des *communautés de pratique*[26], c'est-à-dire des groupes d'individus qui voient un intérêt mutuel dans le développement et l'échange d'informations. Cela peut prendre la forme de systèmes formels conçus par exemple à partir d'Internet, mais aussi de contacts informels et de relations de confiance. L'échange de connaissances est largement facilité par une *culture de confiance*, libre de frontières hiérarchiques ou fonctionnelles trop pesantes. Certaines organisations ont tenté d'améliorer le partage des connaissances par la mise en place de systèmes d'information. Cependant, il est rapidement apparu que si certaines connaissances peuvent être codifiées et stockées dans les bases de données réunies au sein d'un intranet, il est beaucoup plus difficile de rendre compte des connaissances reposant sur les interactions sociales et les relations de confiance entre les individus, comme le montre l'illustration 3.4.

Le concept de connaissances organisationnelles est donc intimement lié aux différentes notions développées dans ce chapitre. Cependant, si les connaissances peuvent être précieuses, elles doivent évoluer au fur et à mesure que l'environnement se transforme. Si l'on souhaite développer des capacités dynamiques, l'apprentissage organisationnel doit l'emporter sur la préservation des connaissances accumulées. Les interactions entre les connaissances, l'expérience et l'apprentissage dépendent également du contexte culturel, comme nous le verrons dans le chapitre 5.

Illustration 3.4

La réfection des routes et le management des connaissances organisationnelles

Les systèmes formalisés de management des connaissances peuvent être utiles lorsqu'ils favorisent l'échange d'expérience et de savoir-faire, mais ils peuvent aussi se révéler néfastes.

Le service de voirie d'une collectivité locale utilisait depuis des années un système manuel d'attribution des tâches. En théorie, tous les matins, les cantonniers recevaient une feuille sur laquelle un chantier était attribué à chaque équipe. Dans la pratique, les cantonniers avaient adopté une méthode quelque peu différente : tous les matins, après avoir récupéré leur feuille, ils prenaient tous ensemble leur petit déjeuner dans un café où ils réallouaient les tâches en fonction de leur expérience personnelle. Ils ajoutaient également d'autres tâches ponctuelles, en fonction de ce qu'ils avaient repéré sur le terrain les jours précédents ou simplement en venant de chez eux le matin même. Au total, lorsqu'ils quittaient le café, la répartition et même le descriptif des tâches à accomplir dans la journée ne correspondaient plus à ce qui avait été formellement planifié.

Les responsables du service de voirie étaient au courant de ces pratiques, mais ils avaient fini par les accepter. Cependant, une pression croissante sur la réduction des coûts d'entretien des routes poussa à reconsidérer la situation. Persuadés que la réallocation informelle des tâches était une source d'inefficience, les responsables chargèrent un cabinet de conseil de réorganiser le système. Les consultants recommandèrent l'utilisation d'un système informatisé d'allocation des tâches. Ce système permettait notamment de répertorier les besoins, d'informer les services du planning et de la logistique sur les travaux à effectuer et de contrôler l'avancée de chaque chantier. Les consultants soulignèrent également que le temps passé chaque matin dans le café était un coûteux gaspillage. Après des négociations houleuses avec le syndicat, cette pratique fut donc abandonnée et le nouveau système, mis en place.

Au bout de quelques mois, les responsables furent cependant forcés de constater que la productivité du service avait en fait décliné avec l'introduction du système informatisé. Ils n'avaient pas réalisé à quel point la réallocation informelle des tâches dans le café permettait en fait d'échanger les connaissances très spécifiques des cantonniers d'une manière à la fois efficace et efficiente. Pour autant, ces connaissances avaient été perdues en grande partie, mais pas en totalité. En effet, le partage informel persistait toujours. Même si les petits déjeuners dans le café avaient cessé, les cantonniers eux-mêmes avaient instauré un système informatique parallèle : ils téléphonaient au café tout au long de la journée pour signaler des tâches non planifiées, qui étaient enregistrées sur un vieil ordinateur portable. Ce système était cependant imparfait, car les équipes ne pouvaient pas prendre connaissance des tâches supplémentaires avant de se rendre sur leurs chantiers officiels, ce qui empêchait de les traiter toutes. De fait, les cantonniers regrettaient leur ancienne méthode, selon eux beaucoup plus pratique.

Questions

1. De quelle autre manière les responsables auraient-ils pu essayer d'améliorer l'efficience ?
2. Pensez à une situation dans laquelle vous partagez des connaissances avec d'autres individus. Identifiez quels éléments de ces connaissances pourraient être systématiquement codifiés et réciproquement lesquels seraient perdus en cas de recours à un système formalisé.

3.6 Le diagnostic de la capacité stratégique

Jusqu'ici dans ce chapitre, nous avons expliqué ce que sont la capacité stratégique et les concepts qui lui sont associés. Cette section montre à l'aide de quels outils la capacité stratégique peut être diagnostiquée.

3.6.1 La chaîne de valeur et la filière

Si les organisations cherchent à obtenir un avantage concurrentiel en proposant une valeur à leurs clients, elles doivent comprendre comment cette valeur est créée ou perdue. Dans cette optique, les concepts de chaîne de valeur et de filière sont fondamentaux.

La chaîne de valeur

La chaîne de valeur décrit les différentes étapes qui déterminent la capacité d'une organisation à obtenir un avantage concurrentiel en proposant une offre valorisée par ses clients

La **chaîne de valeur** décrit les différentes étapes permettant à une organisation de générer de la valeur pour ses clients. L'objectif de toute entreprise consiste à définir une chaîne d'activités lui permettant de créer de la valeur au-delà de ses coûts. Le concept de chaîne de valeur a été développé par Michael Porter[27] dans le cadre des stratégies concurrentielles.

Le schéma 3.6 présente la chaîne de valeur d'une organisation. Les **fonctions primaires**, qui assurent l'offre de produits ou de services, sont directement impliquées dans la création de valeur. Elles incluent notamment :

Les fonctions primaires assurent l'offre de produits ou de services et sont donc directement impliquées dans la création de valeur

- Les *approvisionnements*[28] concernent les processus d'acquisition des ressources qui permettent de produire l'offre de biens ou de services. À ce niveau, la création de valeur repose avant tout sur la sélection de matériaux, composants ou sous-ensembles qui seront valorisés par le client final.
- La *production* utilise ces matières premières et ces composants afin d'obtenir le produit ou service : transformation, assemblage, emballage, vérification, etc. Elle ajoute de la valeur au travers de la qualité perçue par le client.
- La *logistique*[29] regroupe la manutention, la gestion des stocks, le transport, la livraison, etc. Dans le cas de services, la logistique consiste à assurer la rencontre entre le client et l'offre. La logistique contribue à l'ajout de valeur, notamment en réduisant les délais de réponse aux commandes.
- La *commercialisation* assure les moyens par lesquels les produits ou services sont proposés aux clients ou aux usagers, ce qui inclut la vente et le marketing. Le marketing ajoute de la valeur, notamment au travers de la construction de

---

Schéma 3.6 **La chaîne de valeur**

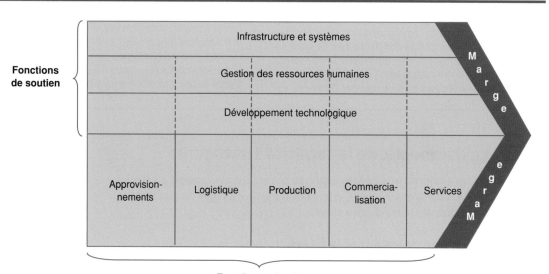

Source : adapté de M.E. Porter, *L'avantage concurrentiel*, InterÉditions, 1986.

l'image ou de la réputation, alors que la vente doit être capable de convaincre les clients des avantages de l'offre.

- Les *services* intègrent les activités qui accroissent ou maintiennent la valeur d'un bien ou d'un service, comme l'installation, la réparation, la formation et la fourniture de pièces détachées.

Les fonctions primaires bénéficient du support des fonctions de soutien. Les **fonctions de soutien** améliorent l'efficacité ou l'efficience des fonctions primaires. Elles incluent notamment :

Les fonctions de soutien améliorent l'efficacité ou l'efficience des fonctions primaires

- Le *développement technologique*. Toutes les organisations utilisent une technologie, même s'il s'agit d'un savoir-faire immatériel (négociation, communication, etc.). Les technologies déterminantes sont celles qui sont directement liées à la conception et au développement des produits, des procédés ou d'une ressource particulière (par exemple l'amélioration d'une matière première).
- La *gestion des ressources humaines*. Il s'agit d'une activité particulièrement importante, qui influe sur toutes les fonctions primaires. Elle comprend le recrutement, la formation, le développement et la motivation des individus.
- L'*infrastructure*. Les systèmes d'information, de financement, de planification, de contrôle qualité, etc. ont un impact déterminant sur les fonctions primaires. L'infrastructure inclut également les routines et les processus qui sous-tendent la culture organisationnelle (voir la section 5.4).

Dans le cadre d'un diagnostic stratégique, la chaîne de valeur peut être utilisée de deux manières :

- On peut la considérer comme une *cartographie* des différentes activités susceptibles de créer de la valeur pour les clients. Une organisation peut ainsi être particulièrement performante dans la gestion des liens entre sa logistique, sa commercialisation et son développement technologique, mais moins compétente en termes d'approvisionnements et de production. La catégorisation des fonctions pousse les managers à réfléchir au rôle joué par chacune. On peut par exemple considérer que l'activité « production » d'un petit café-restaurant de quartier relève en fait de la « commercialisation », car son attractivité repose avant tout sur les relations tissées entre les clients et le personnel.
- La chaîne de valeur peut également être utilisée parallèlement à une *chaîne de coûts*, même si confondre les deux notions relève du contresens absolu. Cependant, il est difficile de quantifier précisément la contribution de chacune des fonctions à la valeur totale perçue par le client, surtout que celle-ci s'avère largement subjective : tel client valorisera plus l'image du produit, alors que tel autre s'attachera avant tout à la qualité de service. Quoi qu'il en soit, en comparant la contribution de chaque fonction au total des coûts de l'organisation, on peut estimer lesquelles sont légitimes et à l'inverse lesquelles ne génèrent manifestement pas de valeur au-delà de leurs coûts.

La filière

Dans la plupart des industries, il est rare qu'une seule organisation prenne en charge l'intégralité des fonctions de création de valeur, de la conception de l'offre jusqu'au service après-vente pour le client final. On constate plutôt une spécialisation de

Une filière est l'ensemble des liens interorganisation nels et des activités qui sont nécessaires à la création d'un produit ou d'un service

plusieurs organisations au sein de la *filière*[30] qui rassemble les chaînes de valeur de chacune. Une **filière** est l'ensemble des liens interorganisationnels et des activités qui sont nécessaires à la création d'un produit ou d'un service, depuis la conception et les matières premières jusqu'au service après-vente (voir le schéma 3.7). L'organisation doit déterminer ce qu'elle doit effectuer en interne et ce qu'elle peut sous-traiter. Cependant, étant donné qu'une part significative de la valeur et des coûts provient des chaînes d'approvisionnement et de distribution, les managers doivent comprendre ce processus d'ensemble et l'orienter de telle manière qu'il puisse constituer un avantage concurrentiel. Par exemple, la qualité d'une automobile, au moment où elle est proposée au client final, n'est pas seulement influencée par l'action du constructeur lui-même. Elle est également déterminée par la qualité des composants fabriqués par les équipementiers et par la compétence commerciale du distributeur, qu'il soit concessionnaire ou agent.

Il est donc essentiel qu'une organisation comprenne les fondements de ses capacités stratégiques en relation avec sa filière. Les questions qu'il convient de se poser sont ainsi les suivantes :

- Quelles sont les activités *réellement déterminantes* au regard de la capacité stratégique ? Une entreprise confrontée à un environnement particulièrement concurrentiel peut chercher à abaisser – ou variabiliser – brutalement ses coûts en externalisant une grande partie de son activité auprès de sous-traitants à bas prix. L'équipementier télécoms Alcatel a utilisé cette approche en devenant une « entreprise sans usines » : entre 2000 et 2003, son chiffre d'affaires est ainsi passé de 31,4 milliards d'euros (avec un bénéfice de 1,3 milliard) à seulement

Schéma 3.7　La filière

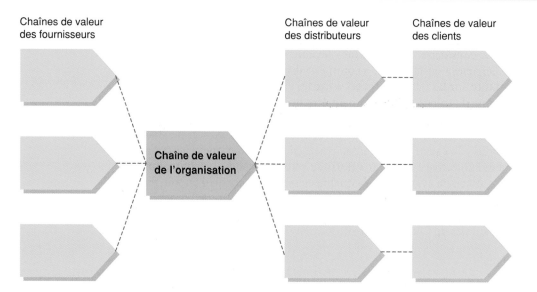

Chaînes de valeur des fournisseurs

Chaînes de valeur des distributeurs

Chaînes de valeur des clients

Chaîne de valeur de l'organisation

Source : M.E. Porter, *L'avantage concurrentiel*, InterÉditions, 1986.

12,5 milliards (avec une perte de 1,9 milliard), alors que plus de la moitié de ses effectifs était supprimée (de 130 000 personnes à 54 000).

- Au long de la filière, peut-on identifier des *gisements de valeur*[31] ? Un **gisement de valeur** est une zone de la filière dans laquelle les profits sont particulièrement élevés. Faut-il déplacer la chaîne de valeur de l'organisation le long de sa filière, pour se rapprocher de ces zones de création de valeur ou pour éviter des zones de coût ? On a ainsi pu constater que dans certaines industries comme l'informatique ou l'automobile la valeur qui était auparavant localisée au cœur de la filière (fabrication d'ordinateurs ou de voitures) a migré vers ses extrémités amont (composants, sous-ensembles) ou aval (services). Ce phénomène de *migration de la valeur*[32] oblige les organisations à reconsidérer leur position afin de ne pas voir leur avantage concurrentiel s'éroder au cours du temps. Si certaines zones de la filière sont intrinsèquement plus profitables que d'autres (du fait de différences significatives dans le niveau d'intensité concurrentielle) et que ces zones se déplacent effectivement au cours du temps (là encore du fait d'une évolution de la pression concurrentielle), cela ne signifie pas nécessairement que les entreprises sont capables de suivre ce mouvement. En effet, elles ne peuvent pas toujours construire la capacité stratégique nécessaire. L'illustration 3.5 montre comment Thomson a migré le long de la filière de l'audiovisuel.
- Vaut-il mieux *faire ou faire faire* une activité spécifique de la filière ? Cette décision concerne les politiques d'externalisation, qui reviennent à décider quelle « épaisseur » de filière l'organisation doit intégrer au sein de sa propre chaîne de valeur (voir la section 12.4.2). Plus une organisation externalise sa chaîne de valeur, plus sa capacité à influencer la performance de celles qui la suivent ou la précèdent dans la filière peut constituer une compétence déterminante, qui joue un rôle crucial dans la construction de l'avantage concurrentiel.
- Qui sont les *meilleurs partenaires* à chaque étape de la filière et quelle sorte de relations faut-il développer avec chaque partenaire, par exemple une relation client/fournisseur simple, un partenariat, une fusion (voir la section 10.2.3) ? Bien des organisations ont ainsi réalisé qu'il était préférable d'établir des relations pérennes, généralement beaucoup plus génératrices de confiance, plutôt que de recourir à des fournisseurs ponctuels en fonction de leurs besoins immédiats.

Un gisement de valeur est une zone de la filière dans laquelle les profits sont particulièrement élevés

3.6.2 La cartographie des activités

Comme nous l'avons souligné ci-dessus, les managers éprouvent généralement des difficultés à identifier clairement la capacité stratégique de leur organisation. Trop souvent, ils mettent en avant des capacités qui ne sont pas réellement valorisées par les clients, mais qui sont considérées en interne comme importantes, notamment parce qu'elles ont été à l'origine de succès dans le passé. Les managers ont également tendance à confondre la capacité stratégique avec les facteurs clés de succès (par exemple « un service de qualité » ou « un système de livraison fiable »). Or, les capacités stratégiques désignent les ressources, les compétences et les activités qui permettent de maîtriser les FCS, non les FCS eux-mêmes. Il est aussi fréquent que l'on en reste à un niveau d'observation trop général, ce qui est dû au fait que la capacité stratégique est le plus souvent encastrée dans une combinaison complexe et causalement ambiguë de diverses activités (voir la section 3.4.3). Cependant, le fait que les managers eux-mêmes ne soient pas capables

Illustration 3.5

Thomson migre le long de sa filière

Une organisation peut avoir intérêt à migrer le long de la filière de son industrie, afin de se déplacer vers de nouveaux gisements de valeur.

Au milieu des années 1990, Thomson était un vaste conglomérat présent à la fois dans l'électronique militaire et spatiale (radars) et dans l'électronique grand public (téléviseurs, magnétoscopes, etc.). Nationalisé par le gouvernement français depuis 1982, le groupe était largement déficitaire, au point que le Premier ministre Alain Juppé déclara en 1996 à la télévision : « Thomson, ça ne vaut rien, ça vaut 14 milliards de dettes ! » Le gouvernement envisagea d'ailleurs de céder l'entreprise pour 1 franc symbolique au Sud-Coréen Daewoo, mais l'opération échoua. En 1997, il fut décidé de fusionner la branche militaire et spatiale, alors leader en Europe et deuxième dans le monde, avec des activités complémentaires d'Alcatel, Dassault et Aerospatiale afin de donner naissance à Thales.

Avec cette scission, Thomson se trouvait recentré sur l'électronique grand public, à un moment où celle-ci était bouleversée par une vague d'innovations numériques nécessitant des investissements massifs : apparition du MP3, lancement du DVD et surtout développement à grande échelle de la télévision à écran plat. Afin de partager des investissements estimés à plusieurs milliards d'euros, les principaux concurrents de Thomson décidèrent de conclure des alliances : Philips et LG d'une part et Sony et Samsung d'autre part construisirent des usines communes. Si le marché mondial du téléviseur diminuait légèrement en volume (à environ 150 millions d'unités annuelles), il vivait une rapide substitution, les écrans plats (plasma et surtout LCD) étant passés de 3 millions d'unités en 2000 à plus de 70 millions en 2007. Voulant absolument absorber le coût de leurs investissements, les fabricants se livraient à une guerre des prix féroce : le prix d'un écran LCD de 107 centimètres avait ainsi chuté de moitié entre 2005 et 2007.

Or, au tout début des années 2000, Thomson était en position de faiblesse face à ces bouleversements. Plus des trois quarts de son chiffre d'affaires provenaient des téléviseurs et des magnétoscopes. De plus, le groupe était le premier fabricant mondial de tubes cathodiques, la technologie désormais dépassée que venaient remplacer les écrans plats. Constatant qu'il lui serait impossible de maintenir sa position sur les téléviseurs et qu'un investissement dans les écrans plats était particulièrement risqué, Thomson décida alors d'entreprendre une audacieuse migration vers l'amont de sa filière, en faisant le pari que la numérisation de l'ensemble des technologies audiovisuelles était riche d'opportunités pour ceux qui les proposeraient aux différents opérateurs et fabricants. Or, avec le rachat de l'Américain RCA en 1988, Thomson était à la tête d'un portefeuille de plusieurs dizaines de milliers de brevets, sans équivalent dans son industrie.

L'opération commença par la privatisation du groupe, qui s'étala de 1999 à 2003. Devenu libre de ses mouvements en termes capitalistiques, Thomson céda en 2004 son activité téléviseurs au Chinois TCL (dont il prit une part du capital) et en 2005 son activité tubes cathodiques au groupe indien Videocon. Parallèlement, Thomson racheta une série d'entreprises spécialisées dans la diffusion audiovisuelle (dont Philips Professional Broadcast, Technicolor et Grass Valley).

En cinq ans, Thomson était ainsi passé d'industriel de l'électronique grand public à fournisseur de technologies (équipements vidéo, décodeurs, modems, effets spéciaux, etc.) pour les professionnels de l'image (studios de cinéma, éditeurs de jeux vidéo, chaînes de télévision, opérateurs téléphoniques). Il fournissait notamment les technologies permettant de tourner des films de cinéma en numérique, de diffuser la télévision sur téléphones mobiles et sur Internet, et de protéger les contenus numériques. Il proposait aux opérateurs de télévision des solutions complètes pour la production et la diffusion en haute définition. Son activité comprenait également des jeux interactifs pour la console Xbox de Microsoft, le terminal Internet Livebox d'Orange ou la reproduction de bobines de films et de DVD.

Le périmètre de Thomson avait été profondément remanié : même si plus de la moitié de ses effectifs et un tiers de son chiffre d'affaires avaient disparu au cours de cette migration vers l'amont de la filière, sa rentabilité avait quasiment doublé. En 2003, le groupe comptait 59 000 salariés et réalisait une marge de 97 millions d'euros pour un chiffre d'affaires de 8,4 milliards. En 2006, le chiffre d'affaires était tombé à 5,8 milliards, mais la marge avait bondi à 193 millions, alors que les effectifs n'étaient plus que de 24 000 salariés.

Source : thomson.net.

Questions

1. Expliquez les raisons du succès de cette migration en utilisant les notions de ressources et compétences. Pourquoi les concurrents de Thomson (Philips, Sony, Samsung, LG, etc.) n'ont-ils pas suivi la même stratégie ?

2. Donnez d'autres exemples de migration d'une entreprise le long de sa filière (vers l'amont ou vers l'aval).

d'expliciter clairement les capacités stratégiques de leur organisation peut parfois devenir une qualité, puisque des ressources et compétences aussi peu identifiables seront d'autant plus difficiles à imiter par les concurrents.

La *cartographie des activités* est une méthode permettant d'identifier la capacité stratégique en montrant comment les différentes activités d'une organisation sont combinées. Dans l'illustration 3.2, nous avons présenté le résultat de cette méthode dans le cas d'un fabricant de produits en plastique, Plasco. Si des logiciels informatiques permettent de réaliser cet exercice[33], il est également possible de tracer à la main le diagramme correspondant, comme le montre le schéma 3.8[34]. Cette cartographie a été construite par un groupe de managers de Plasco qui, avec l'aide d'un facilitateur, ont représenté les activités de leur entreprise en disposant des étiquettes autocollantes sur un tableau blanc[35].

Ils ont commencé par mener une analyse concurrentielle comparable à celle que nous avons décrite dans la section 2.4.4, afin d'identifier quels étaient les facteurs clés de succès dans leur industrie et parmi ceux-ci, lesquels Plasco maîtrisait mieux que ses concurrents. Les FCS sur ce domaine d'activité stratégique étaient la marque, la qualité de service, la fiabilité des livraisons, la largeur de gamme et l'innovation. Par rapport à ses concurrents, Plasco était considérée comme particulièrement performante sur son niveau de service et la fiabilité de ses livraisons. Cette performance était principalement liée à la flexibilité et à la réponse rapide aux attentes des clients. Cependant, les fondements de l'avantage concurrentiel de Plasco ne pouvaient être mis en lumière qu'à partir du moment où les ressources et compétences qui sous-tendaient ces différents éléments étaient elles-mêmes identifiées. Pour cela, le facilitateur a encouragé les managers à s'interroger sur toutes les activités qui contribuaient à la création de valeur pour les clients. Le schéma 3.8 ne présente qu'une partie de ces activités, car la totalité représentait des centaines d'étiquettes qui recouvraient tout un mur. Les compétences décrites dans l'illustration 3.2 et résumées dans le schéma 3.8 ont émergé de ce processus.

Les enseignements généraux qu'il est possible de retirer d'une cartographie de ce type sont les suivants :

- La *cohérence*. La plupart des différentes activités qui génèrent de la valeur sont cohérentes les unes avec les autres. Elles sont convergentes et non antagonistes.
- Le *renforcement*. Les différentes activités se renforcent mutuellement (c'était le cas chez Plasco entre le style de management peu formel et la capacité à contourner les règles).
- La *difficulté d'imitation*. Il est plus difficile pour un concurrent d'imiter une combinaison d'activités que d'en imiter une seule. De fait, ces combinaisons sont robustes car elles sont complexes, encastrées dans la culture et causalement ambiguës (voir la section 3.4.3). Il serait particulièrement difficile pour la grande multinationale concurrente de Plasco de l'imiter sur les mêmes bases, car elle ne bénéficie pas d'une expérience comparable.
- Les *compromis*. Même si l'imitation était possible, elle resterait problématique pour les concurrents. En voulant imiter Plasco, la multinationale américaine risquerait de mettre en péril sa position auprès de ses clients actuels, qui valorisaient vraisemblablement sa capacité de production standardisée.

Schéma 3.8   **Une cartographie des activités**

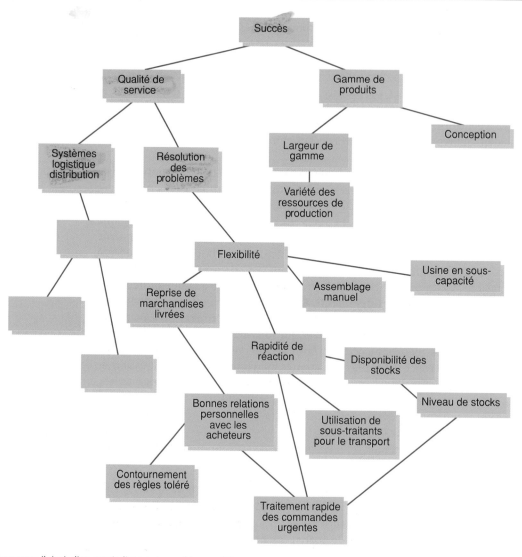

Remarque : il s'agit d'un extrait d'une cartographie complète.

3.6.3 L'étalonnage[36]

La capacité stratégique d'une organisation est toujours une question relative : en matière de stratégie, il n'existe pas de réussite absolue ni définitive puisque le succès se mesure toujours par rapport aux performances des autres. L'étalonnage – ou *benchmarking* (de l'anglais *benchmark*, point de référence) – consiste à comparer la capacité stratégique d'une organisation avec différentes pratiques de référence, internes ou externes à son industrie.

Il existe quatre niveaux d'étalonnage :

- *L'étalonnage historique.* Il est utile de définir dans quelle mesure une organisation améliore ses performances au cours du temps, à condition de bien choisir les critères à partir desquels l'évolution historique sera analysée. Cependant, se limiter à une comparaison historique reste insuffisant : ce qui importe réellement, c'est le degré d'amélioration par rapport aux concurrents.

- *L'étalonnage interne.* On peut comparer la performance de plusieurs unités à l'intérieur d'une même organisation, afin d'étendre les bonnes pratiques locales à l'ensemble de la structure. Tout le problème consiste cependant à s'assurer que l'on compare bien des entités comparables et que l'on ne crée pas des frustrations injustifiées dans les unités qui seront considérées comme les moins performantes. Par ailleurs, on peut être confronté au refus – le plus souvent implicite, voire inconscient – que manifestent certaines unités lorsqu'on les oblige à appliquer des pratiques qui leur paraissent trop éloignées de leurs spécificités. Enfin, l'étalonnage interne présente les mêmes limites que l'étalonnage historique : ce n'est qu'en se comparant à d'autres que l'on prend réellement la mesure de sa propre valeur.

- *L'étalonnage avec les concurrents.* Il est généralement très utile de compléter l'analyse historique par une comparaison avec des entreprises concurrentes ou des services publics analogues. Dans certains services publics comme les hôpitaux, les autorités de tutelle ont mis en place des procédures systématiques de comparaison permettant de définir des normes de progrès. Cependant, un des risques des normes sectorielles – que ce soit dans le secteur privé ou dans le secteur public – réside dans le fait que l'industrie dans son ensemble peut souffrir d'un niveau de performance très insuffisant, au point d'être sévèrement concurrencée par des produits ou services de substitution qui répondent mieux aux attentes des clients. En ce cas, la comparaison avec les concurrents directs n'offre que peu d'intérêt. Un autre danger d'un étalonnage purement sectoriel est que les frontières des industries peuvent s'estomper du fait de la concurrence ou de la convergence. Les chaînes de grande distribution concurrencent ainsi peu à peu les banques en proposant des prêts, des cartes de paiement et des livrets d'épargne. Distributeurs et banquiers doivent donc incorporer cette nouvelle concurrence dans leurs normes sectorielles.

- *L'étalonnage avec les meilleures pratiques.* Les insuffisances de l'analyse des normes sectorielles ont poussé les organisations à rechercher des comparaisons plus larges, de manière à repérer les *meilleures pratiques,* par-delà les frontières de leur industrie. Par exemple, HP a comparé son service de crédit par téléphone à celui d'une grande banque, l'hôpital Karolinska en Suède a amélioré la vitesse de prise en charge et de traitement des patients en analysant les processus d'une

L'étalonnage – ou *benchmarking* – consiste à comparer la performance d'une organisation avec différentes pratiques de référence, internes ou externes à son industrie

usine automobile, et British Airways a réduit le temps d'escale de ses avions en s'inspirant des arrêts aux stands lors des grands prix de Formule 1[37]. Réciproquement, la division aciers pour emballage d'Arcelor Mittal a transposé les procédures de réponse aux clients utilisées par British Airways.

L'intérêt de l'étalonnage ne réside pas dans le détail mécanique des comparaisons mais dans l'impact qu'elles peuvent avoir sur les comportements. Il peut être un puissant outil de changement stratégique, permettant de vaincre les inerties et les certitudes, mais il recèle également des dangers :

- Une des plus sévères critiques adressées à l'étalonnage est qu'il conduit à une situation dans laquelle « on obtient ce que l'on mesure[38] ». L'aspect mécanique du processus peut prendre le dessus, voire déboucher sur des comportements contraires à l'objectif recherché. Les écoles de commerce et les facultés de gestion sont ainsi fréquemment comparées par la presse économique, parfois sur le plan international, à partir de critères tels que la qualité de l'enseignement, les publications de recherche, la notoriété auprès des employeurs ou le salaire des diplômés. Cela contraint les chercheurs à publier leurs articles dans certaines revues (celles qui sont prises en compte dans le classement) et les responsables de programme à sélectionner des étudiants dont on peut prévoir (étant donné notamment leur niveau social d'origine) qu'ils auront moins de mal à atteindre les standards de salaire. Tout cela a bien peu de rapport avec la qualité de l'enseignement dispensé. Du fait du poids des classements dans certains marchés, les responsables sont tentés – voire contraints – de gérer en priorité les indicateurs et seulement accessoirement leur organisation.
- Étant donné que l'étalonnage compare les ressources et les résultats – et non les compétences –, il ne permet pas d'identifier les véritables raisons du succès ou de l'échec des organisations. Un étalonnage peut ainsi démontrer qu'une organisation est moins performante en matière de service clientèle qu'une autre, mais il n'expliquera pas pourquoi. Cependant, s'il est bien orienté, l'étalonnage peut encourager les managers à rechercher eux-mêmes ces raisons et donc à comprendre comment leurs compétences pourraient être améliorées.

3.6.4 Le SWOT[39]

L'analyse SWOT résume les conclusions essentielles de l'analyse de l'environnement et de la capacité stratégique d'une organisation

L'analyse SWOT résume les conclusions essentielles de l'analyse de l'environnement (présentée dans le chapitre 2) et de l'analyse de la capacité stratégique de l'organisation (introduite dans ce chapitre). La dénomination SWOT est l'acronyme de *strengths, weaknesses, opportunities, threats,* soit *forces, faiblesses* (de l'organisation), *opportunités* et *menaces* (de l'environnement). Le schéma 3.9 résume cette approche et l'illustration 3.6 en donne un exemple.

L'analyse SWOT consiste à déterminer si la combinaison des forces et des faiblesses de l'organisation est à même de faire face aux évolutions de l'environnement (ce que dans l'introduction de cette partie nous avons appelé la stratégie *déduite*) ou s'il est possible d'identifier ou de créer d'éventuelles opportunités qui permettraient de mieux tirer profit des ressources uniques ou des compétences distinctives de l'organisation (ce qui correspond à la stratégie *construite*). Dans les deux cas, on cherche à établir une adéquation entre d'une part la capacité stratégique de l'organisation et d'autre part les facteurs clés de succès de l'environnement, soit en modifiant l'une

Schéma 3.9 | **L'analyse SWOT**

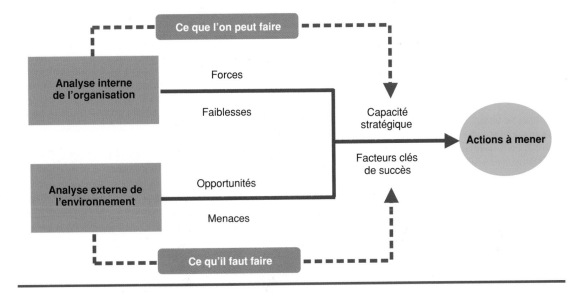

(par acquisition de nouvelles ressources et compétences), soit en modifiant les autres (en s'adressant à un nouveau marché ou en cherchant à transformer les pratiques établies sur le marché existant).

Plutôt que de se contenter d'établir une liste – qui ne ferait que transcrire les perceptions des managers –, il convient de mener une analyse plus structurée afin de déboucher sur des résultats utiles à la formulation de la stratégie. Pour cela, on peut suivre le cheminement suivant :

- Identifier les facteurs clés de succès de l'environnement de l'organisation grâce au modèle des 5(+1) forces (voir le schéma 2.9). Il est important que la liste des FCS retenus ne dépasse pas cinq ou six éléments, afin de se concentrer sur les points réellement déterminants.
- Le même processus doit être suivi en ce qui concerne le profil de ressources et compétences de l'organisation, à partir des outils introduits dans la section 3.6, afin de déboucher sur une liste des forces et faiblesses. Là encore, la liste ne doit pas dépasser cinq ou six entrées et ne comporter que des points réellement spécifiques.

L'analyse SWOT doit permettre de déterminer si l'organisation possède d'ores et déjà la capacité stratégique lui permettant de répondre aux évolutions de son environnement, si elle doit chercher à acquérir ou développer de nouvelles ressources et compétences ou bien si elle doit plutôt se réorienter vers d'autres marchés.

L'illustration 3.6 présente ainsi une analyse SWOT du constructeur automobile Renault en 2007. Les menaces et des opportunités ont été obtenues grâce aux outils de diagnostic de l'environnement présentés dans le chapitre 2 (notamment l'analyse des 5(+1) forces). Les forces et des faiblesses ont été obtenues grâce aux

Illustration 3.6

L'analyse SWOT de Renault

L'analyse SWOT permet de résumer les relations entre les principales influences environnementales et la capacité stratégique de l'organisation.

En février 2006, Carlos Ghosn, président du groupe Renault, annonça le plan « Renault Contrat 2009 », centré sur trois axes : la qualité, la profitabilité et la croissance. Ce plan ambitieux prévoyait le lancement de pas moins de 26 nouveaux modèles et un accroissement des ventes de 800 000 unités en trois ans, notamment hors d'Europe (où Renault réalisait encore plus de 60 % de son activité).

Sept ans après la prise de contrôle réussie de 38,5 % du capital du constructeur japonais Nissan en 1999, ce qui formait le quatrième groupe automobile mondial en volume, la situation de Renault restait en effet incertaine. Sa gamme de produits était incomplète, notamment du fait de quelques échecs cuisants (le petit monospace Modus et la berline de prestige Vel Satis), de soucis de qualité (notamment sur les équipements électroniques), de l'absence de certains segments (notamment les 4 × 4), d'une concentration excessive des ventes sur l'Europe occidentale et de la trop forte dépendance à l'égard de succès historiques désormais imités ou démodés (monospaces Scénic et Espace, utilitaire Kangoo).

Le plan « Renault Contrat 2009 » comprenait logiquement le lancement d'un modèle de 4x4 développé avec la filiale coréenne du groupe (Samsung Motors), le lancement de plusieurs véhicules de prestige (dérivés de modèles Infinity, une filiale de Nissan), le renouvellement des modèles phares de la gamme (Laguna, Twingo, Mégane et Scénic) et surtout un très fort développement vers les véhicules à bas coût.

L'essentiel des projets d'investissement à l'international (Colombie, Russie, Inde, Iran) concernait en effet la Logan, une berline de taille moyenne fabriquée par la filiale roumaine de Renault, Dacia. Grâce à une conception astucieuse, à l'utilisation de pièces déjà amorties sur d'autres modèles et au faible coût de la main-d'œuvre roumaine, la Logan était vendue au prix de seulement 5 000 euros, soit 3 900 euros de moins que la moins chère des Renault (pourtant nettement plus petite). Renault prévoyait une gamme complète issue de la Logan (break, pick-up, 4x4), dont certains dérivés étaient vendus sous la marque Renault (comme la Sandero en Amérique latine). Au total, les ventes hors d'Europe devaient progresser de 80 % en trois ans.

En 2006, première année du plan, Renault réalisa un bénéfice de 2,9 milliards d'euros pour un chiffre d'affaires de 41,5 milliards, en baisse de 0,8 % par rapport à 2005. Carlos Ghosn commenta ces résultats en soulignant que « la première année constitue sans doute la phase la plus ingrate du plan car [nous avons mené] beaucoup d'efforts en interne […] alors que les résultats ne sont pas encore visibles ». Les analystes restaient visiblement convaincus, puisqu'en un an l'action Renault s'était valorisée de plus de 12 %.

Le tableau ci-dessous présente l'analyse SWOT de Renault en 2007.

Questions

1. Que nous apprend l'analyse SWOT sur la position concurrentielle de Renault ?
2. Renault doit-il faire face à des concurrents dont les forces et les faiblesses sont significativement différentes ?
3. Parmi les évolutions clés de l'environnement, peut-on clairement identifier quelles sont les opportunités et quelles sont les menaces ?

Forces et Faiblesses	Évolutions clés de l'environnement					
	Saturation des marchés développés	Pression écologique et fiscale croissante en Europe	Potentiel des marchés émergents (Asie, Amérique latine)	Substitution des berlines par d'autres types de véhicules	+	−
Principales forces						
Gamme de produits	+ 1		+ 2	+ 1	+ 4	
Capacité d'innovation	+ 2	+ 1	+ 1	+ 2	+ 6	
Image en Formule 1	+ 1		+ 1		+ 2	
Principales faiblesses						
Présence hors Europe	− 3	− 3	− 3			− 9
Problèmes de qualité	− 2		− 1			− 3
Pas de haut de gamme	− 2			− 2		− 4
+	+ 4	+ 1	+ 4	+ 3		
−	− 7	− 3	− 4	− 2		

outils de diagnostic de la capacité stratégique présentés dans ce chapitre (notamment l'analyse de la chaîne de valeur, la cartographie des activités et l'étalonnage). Un système de notation (de −3 à +3) a été utilisé pour évaluer l'adéquation entre la capacité de l'entreprise et son environnement. Une note positive signale que l'entreprise possède une force qui lui permet de tirer avantage d'une opportunité ou qui réduit l'impact d'une menace. Réciproquement, une note négative correspond à une faiblesse qui risque d'empêcher l'entreprise de profiter d'une opportunité ou qui peut l'exposer à une menace. Il ressort de cette analyse qu'en 2007 Renault possédait une bonne capacité d'innovation et que son image bénéficiait de son implication en Formule 1. Cependant, l'entreprise présentait des faiblesses vis-à-vis des facteurs clés de succès de son environnement. Elle n'était pas assez présente dans le haut de gamme (pourtant générateur d'image et d'expérience) et trop centrée sur le marché européen, sur lequel la surcapacité, l'intensité concurrentielle, les impératifs écologiques et la pression fiscale constituaient autant de menaces. Ces contraintes étaient moins présentes sur les marchés émergents d'Europe de l'Est, d'Asie ou d'Amérique latine, ce qui en faisait des opportunités de développement tout à fait prometteuses, à côté de l'apparition de nouveaux types de véhicules susceptibles de se substituer aux berlines classiques (monospaces, 4 × 4, etc.). Avec les prises de contrôle successives de Nissan, Samsung et Dacia, la capacité stratégique de Renault avait fortement évolué, lui donnant de bien meilleurs atouts dans la maîtrise des évolutions de son environnement : présence potentiellement mondiale, taille beaucoup plus importante, portefeuille de marques permettant de couvrir tout un éventail de segments de marché, très bonne implantation sur le marché des 4x4, etc. Si sur le plan financier ces opérations de fusions acquisitions avaient été risquées, sur le plan stratégique elles constituaient des orientations tout à fait pertinentes, typiques d'une approche de stratégie déduite à partir des conditions environnementales. Il restait cependant à en tirer pleinement les fruits, ce qui constituait justement l'ambition du plan « Renault Contrat 2009 » annoncé par Carlos Ghosn.

Au total, l'analyse SWOT peut être utilisée pour déterminer les choix stratégiques et leur pertinence par rapport à l'adéquation entre la capacité stratégique et les facteurs clés de succès. Cependant, il convient d'éviter les deux écueils suivants :

- Une analyse SWOT peut déboucher sur une longue liste de forces, faiblesses, opportunités et menaces, alors que l'objectif consiste justement à identifier les points essentiels.
- Les forces, faiblesses, opportunités et menaces ne doivent pas être trop générales (voir les sections 3.6.1 et 3.6.2). L'analyse SWOT est un modèle synthétique qui résume les approches présentées dans les chapitres 2 et 3, mais qui ne s'y substitue pas.

3.7 Le management de la capacité stratégique

Dans la précédente section, nous avons montré comment il est possible de diagnostiquer la capacité stratégique. Cette section expose ce que les managers devraient faire pour gérer et si possible améliorer cette capacité.

3.7.1 Les limites du management de la capacité stratégique

Une des leçons qui émergent de la compréhension des capacités stratégiques est que la plupart du temps les sources les plus précieuses d'avantage concurrentiel résident dans des aspects de l'organisation qu'il est très difficile de discerner et d'expliciter. Cela soulève des questions particulièrement ardues pour les managers. Comment est-il possible de gérer quelque chose d'imprécis ? Dans l'illustration 3.2, une grande partie des capacités de Plasco provenait d'activités que les dirigeants ne géraient pas directement. En fonction de ce qu'ils comprennent et de ce qu'ils valorisent, les managers doivent être capables de déterminer leur degré d'intervention[40]. Trois situations peuvent ainsi se présenter :

- *Les compétences sont valorisées mais incomprises.* Les managers peuvent savoir que certains processus et certaines activités de leur organisation ont un impact positif, sans pour autant comprendre la nature exacte de cet impact. La création de valeur peut ainsi dépendre de savoir-faire locaux très spécialisés ou d'une combinaison complexe de comportements routiniers. Dans ce cas, les managers doivent veiller à ne pas perturber les fondements de la capacité stratégique en voulant trop bien les analyser. Pour autant, ils doivent s'assurer que le système génère toujours de la valeur pour les clients. C'est donc sur les résultats et non les moyens qu'il convient de se focaliser.

- *Les compétences ne sont pas valorisées.* Dans cette situation, les managers connaissent les activités et les processus de leur organisation, mais ils ne réalisent pas leur impact positif en termes de création de valeur. Il existe alors un risque qu'ils prennent des décisions néfastes, comme supprimer des fonctions, des postes ou des services qui étaient pourtant à l'origine de l'avantage concurrentiel, actuel ou potentiel. Cela arrive fréquemment dans des organisations dont les dirigeants souffrent de myopie court-termiste. Obnubilés par la réduction des coûts, ils en viennent à négliger la création de valeur. Or, il n'est justifiable de réduire un coût que dans la mesure où cela n'influe pas sur la valeur.

- *Les compétences sont reconnues et valorisées.* Cela correspond à la situation décrite dans l'illustration 3.2 à propos de Plasco, une fois la cartographie des activités réalisée. Dans ce cas, les managers peuvent développer les compétences fondamentales, par exemple en s'assurant que l'orientation générale de l'organisation les soutient et les renforce. Le danger est alors que les dirigeants cherchent à préserver ces capacités à tout prix, ce qui peut déboucher sur un excès de formalisation et de codification. Devenues incontestables, gravées dans la pierre, elles risquent de provoquer des points de blocages.

3.7.2 Le développement des capacités stratégiques[41]

Les managers peuvent développer les capacités stratégiques de plusieurs manières :

- *L'ajout et l'évolution des capacités.* Serait-il possible d'ajouter des activités ou de faire évoluer celles qui existent afin de renforcer leur impact sur la maîtrise des facteurs clés de succès ? Pour reprendre l'illustration 3.2, pourrait-on déterminer chez Plasco des manières de répondre encore plus vite aux besoins des clients ?

- *L'extension des meilleures pratiques.* Il est possible que les managers identifient des capacités stratégiques locales, qui bénéficient à une division ou à un domaine d'activité stratégique donné, mais pas à l'ensemble de l'organisation. Ils peuvent alors tenter d'étendre ces meilleures pratiques à toute la structure. Alors que cela peut sembler simple, des recherches[42] ont montré que ce n'est pas le cas. Les capacités développées par une partie de l'organisation peuvent en effet se révéler particulièrement difficiles à transférer à d'autres, essentiellement du fait de problèmes liés à la gestion du changement (voir le chapitre 14).

● *L'extension des ressources et compétences.* Une compétence fondamentale peut être utilisée pour créer de nouveaux marchés en changeant les règles du jeu établies. On peut évoquer l'exemple de Canon, qui dans les années 1970 s'est appuyé sur ses compétences en miniaturisation et en commercialisation auprès du grand public afin de redéfinir le marché du photocopieur, jusque-là dominé par les machines complexes – mais coûteuses et encombrantes – proposées par Xerox. L'avantage de cette approche est qu'en cas de réussite l'innovateur va reconfigurer le marché en fonction de sa capacité stratégique, ce qui souligne une idée essentielle : l'environnement n'est pas une donnée incontestable mais le résultat des stratégies déjà déployées par les leaders établis. Si l'on se contente de s'adapter au marché tel qu'il est, on risque de jouer le jeu des concurrents les plus puissants, *a priori* avec moins d'expérience et donc moins de talent. En revanche, en changeant les règles du jeu, une organisation peut reformater l'environnement et réorienter la perception de la valeur à partir de sa propre capacité stratégique, construisant ainsi un avantage concurrentiel que les leaders en place, handicapés par la certitude de leur succès passé, auront bien du mal à égaler. La construction de nouvelles activités à partir des compétences est également un des fondements de la diversification liée (voir la section 7.3.1)[43].

● *Le bricolage entrepreneurial.* Des recherches[44] ont montré que des capacités stratégiques peuvent être obtenues à partir de ressources et compétences négligées ou dédaignées par les concurrents en place. C'est d'ailleurs bien souvent ce que font les entrepreneurs lorsqu'ils créent un nouveau modèle économique. La position dominante des fabricants danois sur le marché des éoliennes s'est ainsi développée en « improvisant à partir de ressources modestes » grâce au savoir-faire d'une « constellation d'acteurs »[45]. L'intérêt majeur de cette approche est que les concurrents en place sont convaincus que l'innovateur est dans l'erreur : ils ne réagiront pas immédiatement, ce qui laissera au nouvel entrant le temps de développer un avantage concurrentiel.

● *La suppression d'activités.* Parmi les activités qui composent la chaîne de valeur actuelle, celles qui ne sont pas réellement valorisées par les clients ne pourraient-elles pas être restructurées, externalisées[46], voire supprimées ? C'est l'approche suivie par les concurrents à bas prix du type Ryanair ou easyJet dans le transport aérien : ils suppriment tout ce qui n'apporte pas – selon eux – de valeur aux clients.

● *Le développement externe de capacités.* Il peut également être possible de développer des capacités en externe. Les managers peuvent par exemple chercher à développer des capacités en construisant des alliances ou des coentreprises avec d'autres organisations (voir la section 10.2.3).

3.7.3 Gérer les ressources humaines pour le développement des capacités

Une des leçons à retenir de ce chapitre est que la capacité stratégique repose souvent sur les activités quotidiennes des individus au sein de l'organisation. Par conséquent, il est important de développer l'aptitude des individus à reconnaître le rôle de leurs tâches en termes de construction des capacités stratégiques :

- Il peut être envisageable de centrer la politique de *formation* du personnel sur le développement des capacités stratégiques. Souvent les entreprises conçoivent des programmes de formation trop généraux, alors qu'il peut être plus pertinent de focaliser la formation du personnel sur le développement des compétences qui sous-tendent l'avantage concurrentiel. Une société d'ingénierie, tout en reconnaissant l'incontestable expertise technique de son personnel, avait ainsi constaté que ses concurrents disposaient de compétences tout à fait comparables et qu'en revanche il était indispensable de développer la capacité d'innovation du personnel en termes de services à valeur ajoutée pour les clients. Ils décidèrent donc de modifier leurs programmes de formation en conséquence.

- Les politiques de *recrutement* et de *promotion* peuvent être utilisées afin de développer certaines compétences. Une compagnie pétrolière qui cherchait à établir son avantage concurrentiel à partir de relations étroites avec ses principaux clients industriels s'assura ainsi que c'étaient bien les managers qui correspondaient à ce profil qui étaient promus et nommés dans les différentes filiales qui en avaient le plus besoin.

- L'apprentissage organisationnel peut devenir essentiel, notamment face à un environnement turbulent. Lorsque les conditions concurrentielles évoluent rapidement, les entreprises doivent être capables de construire des capacités dynamiques (voir la section 3.4.5), afin de réajuster continuellement leurs compétences. Plus précisément, leur capacité stratégique repose alors sur leur aptitude à apprendre. Dans un tel contexte, développer les qualités de ce qu'il est convenu d'appeler une « organisation apprenante » peut devenir crucial (voir la section 11.5.2) : les managers doivent chercher à protéger et à favoriser l'expérimentation, l'acceptation et l'encouragement d'idées différentes, voire contradictoires. Or, il est probable qu'au sein de l'organisation les individus qui présentent les meilleures aptitudes en termes d'apprentissage soient ceux qui détiennent le moins de pouvoir, du fait de leur jeune âge dans la hiérarchie. Les dirigeants doivent donc les soutenir et les encourager.

- Plus généralement, il peut être important de *faire prendre conscience* aux individus de l'impact stratégique de leurs tâches et de leurs décisions. Dans beaucoup d'organisations, de nombreux individus se plaignent du fait que personne ne reconnaît la valeur de leurs actes. Pourtant, même si ce que font les membres d'une organisation au jour le jour n'est généralement pas qualifié de « stratégique », c'est bien à ce niveau que se construisent et se renforcent les capacités qui fondent l'avantage concurrentiel. Aider les individus à comprendre en quoi leur travail est lié à la stratégie peut à la fois renforcer leur implication et permettre de s'assurer qu'ils continueront à contribuer positivement à la construction du succès collectif.

L'illustration 3.7 résume l'essentiel du débat sur l'utilité des capacités stratégiques.

Illustration 3.7 | **Débat**

L'approche par les ressources est-elle inutile ?

Certaines recherches ont mis en doute l'intérêt du rôle de la capacité stratégique dans l'obtention d'un avantage concurrentiel.

Depuis le début des années 1990, l'approche par les ressources connaît un grand succès, à la fois dans les milieux académiques (où de très nombreuses recherches lui sont consacrées) et dans les entreprises (où de plus en plus de managers affirment que leur avantage concurrentiel repose sur la construction de compétences fondamentales). Cependant, deux chercheurs américains, Richard Priem et John Butler, ont mis en doute l'intérêt de cette approche[1] :

La critique

- *Le risque de tautologie.* Le fondement de l'approche par les ressources est que ce sont les capacités valorisables et rares qui conduisent à l'avantage concurrentiel. Cependant, l'avantage concurrentiel est lui aussi défini en termes de valeur et de rareté. Il apparaît donc que l'avantage concurrentiel est défini par lui-même. De plus, dire qu'une organisation surpasse les autres du fait qu'elle dispose de meilleures ressources ou de meilleures compétences peut sembler quelque peu trivial. Cela n'a d'intérêt que si l'on est capable de déterminer quelles capacités sont importantes et pourquoi.

- *Le manque de précision.* Par ailleurs, l'approche par les ressources reste généralement vague sur ce que sont réellement les capacités stratégiques. C'est notamment le cas lorsque les managers parlent de leurs ressources et compétences : qu'ils évoquent l'expertise en management, l'innovation ou encore la culture organisationnelle pour expliquer le succès de leur organisation, les véritables activités et processus qui fondent ce succès ne sont pas explicites. Cette remarque vaut particulièrement pour le concept de connaissance tacite, qui est certainement correct sur le plan descriptif, mais particulièrement difficile à utiliser par les praticiens : comment peut-on gérer ce qui par essence est insaisissable ? Nous avons soulevé ce point au début de la section 3.6.2.

La réponse

Jay Barney, l'un des principaux partisans de l'approche par les ressources, reconnaît que cette critique est utile[2]. Il accepte par exemple l'argument selon lequel il est nécessaire de mieux comprendre comment les ressources sont utilisées ou de quelle manière les individus contribuent à l'avantage concurrentiel. Cependant, il est convaincu de la pertinence de l'approche par les ressources, car elle pousse les managers à identifier et à développer des capacités stratégiques.

Dans des travaux précédents[3], Barney avait montré que la culture peut être une source d'avantage concurrentiel, à condition qu'elle soit génératrice de valeur, rare et difficile à imiter. Il conseillait aux managers d'encourager ce type de culture, tout en soulignant que :

> Si une entreprise est capable de modifier sa culture, alors d'autres peuvent le faire. Dans ce cas, les avantages liés à la culture sont imitables et ne constituent qu'une source de performance économique normale. Ce n'est que lorsqu'il est impossible de gérer une culture organisationnelle de manière planifiée qu'elle a le potentiel de générer un avantage concurrentiel durable.

En d'autres termes, il soulignait que les sources d'avantage concurrentiel sont les actifs intangibles et les ressources et compétences encastrées dans la culture de telle manière que non seulement les concurrents ne peuvent pas les imiter, mais que les managers eux-mêmes n'arrivent pas à les gérer.

Priem et Butler pourraient répondre que cette observation renforce leur critique : l'approche par les ressources n'a pas d'utilité pratique pour les managers.

Cependant, même s'il est difficile d'identifier précisément les capacités stratégiques – ce qui peut d'ailleurs être une erreur, car on facilite alors leur imitation par les concurrents –, certaines entreprises (comme Nike, JCDecaux, Canon, Sony ou Free) ont effectivement établi leur supériorité non pas du fait d'une meilleure maîtrise des conditions environnementales, mais bien grâce à une meilleure exploitation de leurs spécificités internes. La notion de stratégie construite est incontestable[4].

Sources :

1. R. Priem et J.E. Butler, « Is the resource-based view a useful perspective for strategic management research? », *Academy of Management Review*, vol. 26, n° 1 (2001), pp. 22-40.
2. J. Barney, « Is the resources-based "view" a useful perspective for strategic management? », *Academy of Management Review*, vol. 26, n° 1 (2001), pp. 41-56.
3. J. Barney, « Organizational Culture: cant it be a source of sustained competitive advantage? », *Academy of Management Review*, vol. 11, n° 3 (1986), pp. 656-665.
4. F. Fréry et H. Laroche, « Stratégie : s'adapter ou construire », dans *L'art du management* (collectif), Village Mondial, 1997.

Questions

1. Pour pouvoir gérer des capacités stratégiques de manière à obtenir un avantage concurrentiel, dans quelle mesure est-il nécessaire de les expliciter ?

2. S'il est possible d'identifier la capacité stratégique d'une entreprise, cela facilite-t-il son imitation par les concurrents ?

3. L'approche par les ressources est-elle utile ?

Résumé

- La *capacité stratégique* est le niveau de ressources et de compétences qui permet à une organisation de survivre et de prospérer. Les capacités stratégiques rassemblent des *ressources* (tangibles et intangibles) et des *compétences* (qui correspondent à la manière dont les ressources sont utilisées et déployées).

- L'*avantage concurrentiel* est obtenu par les organisations qui sont capables de développer des capacités stratégiques valorisées par les clients et difficiles à imiter par les concurrents. Les compétences qui satisfont à ces deux critères sont appelées des *compétences fondamentales*.

- La *réduction des coûts* ne saurait constituer une stratégie à elle seule, car elle entraîne plutôt des réductions de prix que des augmentations de profit. Si les gaspillages de ressources doivent être évités, la réduction des coûts ne doit jamais se faire au détriment de la création de valeur.

- La pérennité de l'avantage concurrentiel repose avant tout sur les capacités stratégiques *valorisées*, *rares*, *robustes* (c'est-à-dire difficiles à imiter) et *non substituables*.

- Dans des conditions changeantes, il est peu probable que les capacités stratégiques restent stables. Il est alors nécessaire de s'appuyer sur des *capacités dynamiques*, c'est-à-dire sur l'aptitude à faire continuellement évoluer les capacités stratégiques.

- L'analyse de la *chaîne de valeur* et de la *filière* aide à comprendre comment la valeur est générée et comment elle peut être développée.

- Les activités qui fondent les capacités stratégiques d'une organisation peuvent être comprises grâce à une *cartographie des activités*.

- L'*étalonnage* peut être utile pour comprendre la performance relative des organisations et pour contester les certitudes des managers à propos de leurs niveaux de résultats.

- Une *analyse SWOT* permet de synthétiser l'adéquation entre les forces et faiblesses de l'organisation et les menaces et opportunités de son environnement.

- Les managers doivent comprendre en quoi consiste le management des capacités stratégiques de leur organisation, en termes d'exploitation des capacités, de gestion des ressources humaines et de construction de capacités dynamiques.

Travaux pratiques ● Signale des exercices d'un niveau plus avancé

1. Utilisez les schémas 3.1 et 3.2 pour identifier les ressources et compétences d'une organisation qui vous est familière.

2. ● Effectuez une analyse de la capacité stratégique d'une organisation qui vous est familière. Identifiez les capacités qui satisfont éventuellement aux critères de (a) valorisation, (b) rareté, (c) robustesse et (d) non-substituabilité (voir la section 3.4).

3. ● Montrez comment les compétences fondamentales au sein d'une industrie ou d'un service public de votre choix ont évolué au cours du temps. Quelles ont été les causes de ces évolutions ? Comment la position relative des différents concurrents a-t-elle été modifiée dans le même temps ? Pourquoi ?

4. Représentez la chaîne de valeur d'une organisation qui vous est familière.

5. ● À partir d'un exemple d'étalonnage auquel vous pouvez avoir accès (par exemple un classement d'écoles ou d'universités), réalisez une analyse critique des avantages et des dangers de l'approche qui a été retenue.

Exercice de synthèse

6. En vous inspirant de l'illustration 3.7, effectuez une analyse SWOT pour une organisation de votre choix. Justifiez la liste des indicateurs que vous avez retenus, notamment par rapport aux autres analyses que vous avez pu réaliser dans les chapitres 2 et 3. À quelles conclusions parvenez-vous ?

Lectures recommandées

● Pour une compréhension de l'approche par les ressources, voir J. Barney, « Firm resources and sustained competitive advantage », *Journal of Management*, vol. 17 (1991), pp. 99-120. Voir également D. Hoopes, T. Madsen et G. Walker, « Why is there a resource based view », *Strategic Management Journal*, vol. 24, n° 10 (2003), pp. 889-902, qui proposent un bon résumé de cette approche.

● Pour une vision moins académique du concept de compétences, voir G. Hamel et C.K. Prahalad, *La conquête du futur*, InterÉditions, 1995.

● Le concept de capacités dynamiques est expliqué par E. Josserand, « Le pilotage des réseaux. Fondements des capacités dynamiques de l'entreprise », *Revue française de gestion*, vol. 33/175 (2006), pp. 95-102, ainsi que par C.L. Wang et P.K. Ahmed, « Dynamic capabilities: a review and research agenda », *International Journal of Management Review*, vol. 9, n° 1 (2007), pp. 31-52.

● Une présentation détaillée du concept de chaîne de valeur et de ses applications figure dans M. Porter, *L'avantage concurrentiel*, Inter-

Éditions, 1986. Porter a également présenté le concept de « systèmes d'activités » – proche de la cartographie des activités – dans son article « Plaidoyer pour un retour de la stratégie », *L'Expansion Management Review*, n° 84 (1997).

● J. Kay, *Foundations of Corporate Success*, Oxford University Press, 1993, présente de nombreux aspects des liens entre la capacité stratégique et la performance concurrentielle.

● Pour une discussion critique sur l'utilisation et l'analyse SWOT, voir T. Hill et R. Westbrook, « SWOT Analysis : its time for a product recall », *Long Range Planning*, vol. 30, n° 1 (1997), pp. 46-52.

● Sur la nécessité du management de la capacité stratégique, voir C. Bowman et N. Collier, « A contingency approach to resource-creation processes », *International Journal of Management Reviews*, vol. 8, n° 4 (2006), pp. 191-211. Voir également T. Baker et R.E. Nelson, « Creating something from nothing: resource construction from entrepreneurial bricolage », *Administrative Science Quarterly*, vol. 50, n° 3 (2005), pp. 329-366.

Références

1. Les profits exceptionnels tels qu'ils sont définis ici sont généralement désignés par les économistes sous le terme de *rente*. Voir D. Ricardo, *Des principes de l'économie politique et de l'impôt*, 3ᵉ édition anglaise de 1821, Guillaumin, 1847, réédition Flammarion 1977 ; A. Marshall, *Principes d'économie politique*, Giard et Brière, 1906. Pour une explication liée à la stratégie, voir R. Perman et J. Scoular, *Business Economics*, Oxford University Press, 1999, pp. 67-73.

2. Le concept de stratégie fondée sur les ressources a été introduit par B. Wernerfelt, « A resource-based view of the firm », *Strategic Management Journal*, vol. 5, nᵒ 2 (1984), pp. 171-180. Un autre article largement cité est celui de J. Barney, « Firm resources and sustained competitive advantage », *Journal of Management*, vol. 17, nᵒ 1 (1991), pp. 91-120. L'idée de construire le développement stratégique d'une organisation à partir des ressources est présentée dans G. Hamel et C.K. Prahalad, « La stratégie à effet de levier », *Harvard L'Expansion*, été 1993, pp. 43-54. Voir également D.J. Teece, G. Pisano et A. Shuen, « Dynamic capabilities and strategic management », *Strategic Management Journal*, vol. 18, nᵒ 7 (1997), pp. 509-534, ainsi que l'article introductif de D. Hoopes, T. Madsen et G. Walker dans le numéro spécial du *Strategic Management Journal*, « Why is there a resource based view? », vol. 24, nᵒ 10 (2003), pp. 889-902.

3. L'importance stratégique des ressources intangibles est de plus en plus reconnue. Voir T. Clarke et S. Clegg, *Changing Paradigms: The transformation of management knowledge for the 21st century*, Harper Collins, 2000, p. 342 (il s'agit d'une reprise de la classification des ressources intangibles établie par le cabinet Arthur Andersen) ; R. Hall, « The strategic analysis of intangible resources », *Strategic Management Journal*, vol. 13, nᵒ 2 (1992), pp. 135-44, et « A framework linking intangible resources and capabilities to sustainable competitive advantage », *Strategic Management Journal*, vol. 14, nᵒ 8 (1993), pp. 607-18.

4. Voir K. Balazs, « Some Like it Haute: Leadership Lessons from France's Great Chefs », *Organizational Dynamics*, vol. 30, nᵒ 2, (2001).

5. Beaucoup d'articles et d'ouvrages sont consacrés à l'analyse et à la compréhension des compétences fondamentales. Voir notamment G. Hamel et C.K. Prahalad, « The core competence of the corporation », *Harvard Business Review*, vol. 68, nᵒ 3 (1990), pp. 79-91 ; G. Hamel et A. Heene (eds), *Competence-based Competition*, Wiley, 1994 ; le chapitre de M. Tampoe, « Getting to know your organization's core competences » dans V. Ambrosini, G. Johnson et K. Scholes (eds), *Exploring Techniques of Analysis and Evaluation in Strategic Management*, Prentice Hall, 1998.

6. Sur la différence entre efficience et efficacité, voir P.L. Bescos, M.-H. Delmond, F. Giraud, G. Naulleau, O. Saulpic, *Contrôle de gestion et pilotage de la performance*, Gualino, 2002.

7. Perman et Scoular présentent les économies d'échelle et leur impact sur différentes industries dans les pages 91 à 100 de leur ouvrage (référence 1).

8. P. Conley, *Experience Curves as a Planning Tool*, brochure disponible auprès du Boston Consulting Group. Voir également A.C. Hax et N.S. Majluf dans R.G. Dyson (ed.), *Strategic Planning : Models and analytical techniques*, Wiley, 1990.

9. Voir notamment l'ouvrage coordonné par A. Bloch et D. Manceau, *De l'idée au marché*, Vuibert, 2000. Sur la critique de l'avantage pionnier, on peut également se référer à P. Golder et G. Tellis, « Pioneer advantage: Marketing logic or marketing legend ? », *Journal of Marketing Research*, vol. 30, nᵒ 2 (1993), pp. 158-170.

10. Sur la critique de la réduction des coûts, voir par exemple F. Fréry, « Le low cost tue la prospérité », *Courrier Cadres*, nᵒ 1611 (5 janvier 2006), pp. 36-37.

11. Les critères présentés ici sont comparables – mais pas identiques – à ceux qui sont utilisés dans la plupart des publications académiques pour qualifier les compétences fondamentales. Ces critères sont généralement désignés sous l'acronyme VRIN, pour *valeur, rare*, difficile à *imiter* (ce que nous qualifions de *robustesse*) et *non substituable*. On trouve également VRINE (on ajoute alors *exploitable* par l'organisation). Le VRIN a été proposé pour la première fois par J. Barney, « Firm Resources and Sustained Competitive Advantage », *Journal of Management*, vol. 17 (1991), pp. 99-120. Jay Barney a par la suite modifié ce modèle en proposant l'acronyme VRIO, *non substituable* étant remplacé par *organisation* (l'organisation doit être articulée autour des compétences fondamentales, dont l'effet de levier est ainsi accru). Voir J. Barney, *Gaining and Sustaining Competitive Advantage*, 3ᵉ édition, Prentice Hall, 2006.

12. D. Leonard-Barton, « Core capabilities and core rigidities: a paradox in managing new product development », *Strategic Management Journal*, vol. 13 (été 1992), pp. 111-125.

13. Voir la référence 11 ci-dessus.

14. Nous utilisons le terme « complexité » alors que d'autres auteurs préfèrent parler d'interconnexion. Voir par exemple K. Cool, L.A. Costa et I. Dierickx « Constructing competitive advantage », dans l'ouvrage dirigé par A. Pettigrew, H. Thomas et R. Whittington, *Handbook of Strategy and Management*, Sage, 2002, pp. 55-71.

15. Pour une discussion détaillée du concept de contrainte de sentier, voir Teece, Pisano et Shuen (référence 2), ainsi que D. Holbrook, W. Cohen, D. Hounshell et S. Klepper, « The nature, sources and consequences of firm differences in the early history of the semiconductor industry », *Strategic Management Journal*, vol. 21, n° 10-11 (2000), pp. 1017-1042.

16. Voir S. Lippman et R. Rumelt, « Uncertain imitability: an analysis of interfirm differences in efficiency under competition », *Bell Journal of Economics*, vol. 13 (1982), pp. 418-438.

17. La distinction entre l'ambiguïté des caractéristiques et l'ambiguïté des liens est expliquée en détail par A.W. King et C.P. Zeithami, « Competencies and firm performance: examining the causal ambiguity paradox », *Strategic Management Journal*, vol. 22 (2001), pp. 75-99.

18. L'importance de la non-substituabilité et l'identification des bases de substitution ont été examinées par M.A. Peteraf et M.E. Bergen, « Scanning dynamic competitive landscapes: a market and resource-based framework », *Strategic Management Journal*, vol. 24, n° 10 (2003), pp. 1027-1042.

19. Sur les systèmes experts, voir A. Hatchuel et B. Weil, *L'expert et le système*, Economica, 1992.

20. David Teece a écrit sur les capacités dynamiques dans l'article cité dans la référence 2. Plusieurs autres auteurs ont présenté des vues différentes sur la notion de capacités dynamiques, mais ils ont généralement tendance à mettre l'accent sur les processus organisationnels relativement formels, comme le développement de produits, les alliances et les systèmes de prise de décision. Voir par exemple K. Eisenhardt et J. Martin, « Dynamic capabilities : what are they ? », *Strategic Management Journal*, vol. 21 (2000), pp. 1105-1121 ; M. Zollo et S. Winter, « Deliberate learning and the evolution of dynamic capabilities », *Organization Science*, vol. 13, n° 3 (2002), pp. 339-351. Selon une autre interprétation, les capacités dynamiques sont liées à l'apprentissage organisationnel (voir les commentaires à l'introduction), à la manière dont elle est gérée au quotidien et au fait que sa culture tolère – voire encourage – l'apprentissage et l'adaptation.

21. Pour un résumé sur les capacités dynamiques, voir E. Josserand, « Le pilotage des réseaux. Fondements des capacités dynamiques de l'entreprise », *Revue française de gestion*, vol. 33/175 (2006), pp. 95-102, et C.L. Wang et P.K. Ahmed, « Dynamic capabilities: a review and research agenda », *International Journal of Management Reviews*, vol. 9, n° 1 (2007), pp. 31-52.

22. Voir K. Eisenhardt et J. Martin (référence 20).

23. L'importance de l'analyse et de la compréhension des connaissances organisationnelles est examinée dans I. Nonaka, H. Takeuchi et M. Ingham, *La connaissance créatrice : la dynamique de l'entreprise apprenante*, De Boeck, 1997 ; V. von Kroch, K. Ichijo et I. Nonaka, *Enabling Knowledge Creation: How to unlock the mystery of tacit knowledge and release the power of innovation*, Oxford University Press, 2000. Il existe également des recueils d'articles sur les connaissances organisationnelles, notamment un numéro spécial du *Strategic Management Journal* dirigé par R. Grant et J.-C. Spender, vol. 17 (1996) ou la *Harvard Review on Knowledge Management*, HBR Press, 1998.

24. Voir P. Drucker, *L'avenir du management selon Drucker*, Village Mondial, 1999.

25. Voir I. Nonaka, H. Takeuchi et M. Ingham (référence 23 ci-dessus).

26. Voir E. Vaast, « Les communautés de pratique sont-elles pertinentes ? », *Actes de la XIe conférence de l'AIMS*, juin 2002, disponible sur www.strategie-aims.com. Voir également E.C. Wenger, *Communities of Practice: Learning, Meaning and Identity*, Cambridge University Press, 1999, et E.C. Wenger et M.W. Snyder, « Communities of practice: the organizational frontier », *Harvard Business Review*, vol. 73, n° 3 (2000), pp. 201-207.

27. Une présentation détaillée du concept de chaîne de valeur et de ses applications figure dans M. Porter, *L'avantage concurrentiel*, InterÉditions, 1986.

28. Porter présente les approvisionnements comme une *fonction de support* et non comme une *fonction primaire*. Or, les achats peuvent réellement contribuer, au même titre que la logistique, à la création de valeur, notamment en incorporant des composants et matériaux valorisés par les clients. Considérer les achats comme une fonction de support, c'est les ramener le plus souvent à une simple fonction de réduction des coûts d'approvisionnement, ce qui ne saurait procéder d'un raisonnement pérenne, donc stratégique.

29. Porter distingue la logistique *amont* (liée aux approvisionnements) et la logistique *aval* (liée aux produits finis) que l'on peut inclure dans la commercialisation, mais cela n'ajoute rien de fondamental au modèle.

30. P. Timmers, *Electronic Commerce*, John Wiley, 2000, pp. 182-193, montre comment les filières sont influencées par les technologies de l'information.

31. La notion de gisement de valeur est examinée par O. Gadiesh et J.L. Gilbert, « Profit pools: a fresh look at strategy », *Harvard Business Review* (mai-juin 1998), pp. 139-147.

32. Sur la notion de migration de la valeur, voir A. Slywotzky, *La migration de la valeur*, Village Mondial, 1998.

33. Un bon exemple de ce type de logiciels permettant d'analyser les capacités organisationnelles est présenté par C. Eden et F. Ackerman, « Mapping distinctive competencies: a systemic approach », *Journal of the Operational Society*, vol. 51 (2000), pp. 12-20.

34. Pour une présentation détaillée de l'utilisation de cette méthode, voir V. Ambrosini, *Tacit and Ambiguous Resources as Sources of Competitive Advantage*, Palgrave Macmillan, 2003. Voir également F. Ackermann, C. Eden et I. Brown, *The Practice of Making Strategy*, Sage, 2005, chapitre 6.

35. Les problèmes de cette méthode sont présentés par P. Johnson et G. Johnson, « Facilitating cognitive mapping of core competencies », dans l'ouvrage dirigé par A. Huff et M. Jenkins, *Mapping Strategic Knowledge*, Sage, 2002.

36. L'étalonnage est couramment utilisé dans les entreprises et dans les services publics. *Benchmarking Basics*, de S. Codling, Gower, 1998, est un bon guide des pratiques d'étalonnage. Voir également J. Halloway, *Identifying Best Practices in Benchmarking*, Chartered Institute of Management Accountants, Londres, 1999. Pour une présentation de l'utilisation de l'étalonnage dans le secteur public, voir M. Wisniewski, « Measuring up to the best: a manager's guide to benchmarking » dans G. Johnson et K. Scholes (eds), *Exploring Public Sector Strategy*, Prentice Hall, 2001, chapitre 5.

37. A. Murdoch, « Lateral benchmarking, or what Formula One Taught an airline », *Management Today* (novembre 1997), pp. 64-67.

38. On appelle ce phénomène la *loi de Goodhart*, du nom de l'ancien économiste en chef de la Banque d'Angleterre de 1997 à 2000, qui avait déclaré (dans le cadre des indicateurs économiques d'un pays) : « Quand une mesure devient une cible, elle cesse d'être une bonne mesure. »

39. L'idée d'utiliser le SWOT comme liste récapitulative est ancienne. Voir par exemple S. Tilles, « Making strategy explicit », dans I. Ansoff (ed.), *Business Strategy*, Penguin, 1968. Voir également le chapitre de T. Jacobs, J. Shepherd et G. Johnson sur l'analyse SWOT dans V. Ambrosini, G. Johnson et K. Scholes (voir référence 26). Sur l'utilisation parfois inadéquate du SWOT, voir également T. Hill et R. Westbrook, « SWOT Analysis: its time for a product recall », *Long Range Planning*, vol. 30, n° 1 (1997), pp. 46-52.

40. Cette section s'appuie notamment sur les travaux de Véronique Ambrosini (référence 34).

41. Sur le management des capacités stratégiques, voir C. Bowman et N. Collier, « A contingency approach to resource-creation processes », *International Journal of Management Reviews*, vol. 8, n° 4 (2006), pp. 191-211.

42. Voir C.A Maritan et T.H. Brush, « Heterogeneity and transferring practices: implementing flow practices in multiple plants », *Strategic Management Journal*, vol. 24, n° 10 (2003), pp. 945-960.

43. Dans leur article de 1990, Hamel et Prahalad (référence 5) ont examiné la possibilité d'exploiter les compétences dans le cadre de diversifications liées.

44. Voir T. Baker et R.E. Nelson, « Creating something from nothing: resource construction from entrepreneurial bricolage », *Administrative Science Quarterly*, vol. 50, n° 3 (2005), pp. 329-366.

45. Ces citations sont tirées de R. Garud et P. Karnoe, « Bricolage versus breakthrough: distributed and embedded agency in technological entrepreneurship », *Research Policy*, vol. 32, n° 2 (2003), pp. 277-300.

46. Sur l'intérêt de l'externalisation, voir J. Barthélémy, *Stratégies d'externalisation*, 3e édition, Dunod, 2006.

Étude de cas

eBay à l'écoute

En 2007, on comptait dans le monde plus de 240 millions d'utilisateurs référencés d'eBay. Pour plus de 1,3 million d'entre eux, c'était d'ailleurs leur première ou leur deuxième source de revenus : eBay hébergeait plus de 630 000 magasins virtuels indépendants. Fondé en 1995, eBay était l'un des survivants de l'explosion de la bulle Internet, peut-être grâce à l'originalité de son modèle économique. Du record du produit le plus cher vendu en ligne (un jet privé à 4,9 millions de dollars) au plus improbable (un squelette de mammouth) en passant par le montant des transactions (plus de 1 800 dollars par seconde), toutes les statistiques sur eBay étaient stupéfiantes. « eBay est une nouvelle manière de faire du commerce », affirmait Meg Whitman, président-directeur général d'eBay depuis 1998. « Nous sommes en train de créer quelque chose qui n'existait pas auparavant. »

Le modèle économique d'eBay

Le principe d'eBay consistait à fournir une place de marché virtuelle à l'échelle mondiale et à prélever une taxe sur chacune des transactions. Le modèle économique s'appuyait avant tout sur les clients, qui se chargeaient à la fois du développement de produits, de la force de vente, du marketing, de la publicité et même de la sécurité. C'était très vraisemblablement la première des entreprises Web 2.0 (évolution d'Internet fondée sur l'interaction entre les utilisateurs).

Selon les managers d'eBay, le point crucial consistait à écouter les clients : rester attentif à ce qu'ils voulaient vendre ou acheter et de quelle manière. Si le client s'exprimait, eBay écoutait. La technologie permettait ainsi de suivre à la trace le comportement de chaque utilisateur potentiel sur le site, ce qui fournissait de précieuses informations. Si les entreprises classiques dépensaient des sommes considérables pour obtenir des informa-

tions sur leurs clients et les convaincre de répondre à leurs diverses enquêtes de satisfaction, pour eBay, tout cela était le plus souvent gratuit et spontané. Pour autant, certaines des techniques utilisées par eBay pour récolter des informations sur ses clients ne s'appuyaient pas sur Internet et n'étaient pas gratuites. Il s'agissait notamment des opérations « Voix du Client », qui consistaient à inviter plusieurs fois par an une dizaine d'acheteurs et de vendeurs au siège de San Jose en Californie, afin de discuter en détail de l'entreprise. De même, des téléconférences étaient organisées pour débattre des nouvelles fonctionnalités du site et des évolutions du règlement, même si elles n'impliquaient que des changements mineurs. Des sessions d'ateliers et de cours permettaient d'apprendre aux clients à mieux utiliser le site. Après avoir suivi une de ces sessions gratuites des « Universités eBay », qui enseignaient à la fois comment acheter et comment vendre, les utilisateurs avaient tendance à doubler leur activité sur

Étude de cas

le site. Certains d'entre eux ouvraient leur propre site pour donner des conseils de vente. Selon certaines rumeurs, des acheteurs avaient conçu des programmes qui plaçaient des enchères au dernier moment. De nombreux anciens vendeurs partageaient leur expérience sur leur blog.

L'entreprise était dirigée à la fois de l'intérieur et de l'extérieur. Les acheteurs et les vendeurs se notaient les uns les autres à chaque transaction, ce qui générait des règles et des normes et assurait mécaniquement un autocontrôle du système. Chaque utilisateur construisait ainsi sa réputation, ce qui encourageait les comportements positifs et condamnait les dérives. La vente de produits illégaux entraînait invariablement l'exclusion du vendeur et le retrait de ses produits.

Le management chez eBay

Le style et l'expérience de Meg Whitman influençaient fortement le management d'eBay. Lorsqu'elle l'avait rejointe en 1998, l'entreprise n'était qu'un groupe d'informaticiens barbus, tous personnellement choisis par le fondateur de l'entreprise, le Français Pierre Omidyar. Ce dernier avait tout à fait conscience de l'aspect sympathique mais pas nécessairement professionnel de son équipe. C'est une des raisons qui l'avait poussé à recruter Meg Whitman, ancienne consultante, à la fois en tant que président-directeur général, responsable des opérations aux États-Unis, responsable des opérations internationales et vice-présidente du marketing. Le résultat n'avait pas tardé à se faire sentir : eBay était devenu une entreprise focalisée sur les mesures et les données. « On ne peut pas contrôler ce qu'on ne peut pas mesurer », affirmait Meg Whitman. Si dans les premiers temps il était possible de ressentir intuitivement comment fonctionnait l'entreprise, sa taille imposait désormais une approche plus méthodique. Riche de son expérience chez Procter & Gamble, Meg Whitman avait mis en place des *category managers*, qui étaient censés passer leurs jour-

nées à mesurer l'activité et à prendre des décisions en fonction de ces mesures.

À la différence de leurs homologues de chez Procter & Gamble, les *category managers* d'eBay ne contrôlaient leurs produits que de manière très indirecte. Ils ne pouvaient pas puiser dans des stocks pour se réapprovisionner en dentifrice ou en lessive lorsque leurs rayons étaient vides. En revanche, ils pouvaient améliorer les outils mis à disposition des utilisateurs afin qu'ils puissent mieux acheter et mieux vendre. Comme le soulignait Meg Whitman :

> Ce qu'ils peuvent faire, c'est continuellement essayer d'obtenir de petits progrès dans leur catégorie, disons une légère augmentation du tonnage de ferraille industrielle proposée à la vente ou l'inscription de quelques nouveaux acheteurs d'albums de bandes dessinées. Pour y arriver, ils utilisent des techniques de marketing qui consistent par exemple à aider les utilisateurs à mieux présenter leurs produits ou à leur donner des outils leur permettant de mieux acheter ou de mieux vendre.

Selon le témoignage d'anciens employés, l'ambiance de travail chez eBay pouvait être dure et ultracompétitive. Les changements survenaient le plus souvent après avoir été validés par de nombreux échanges de présentations PowerPoint entre responsables opérationnels, qui étaient ensuite soumis aux niveaux hiérarchiques supérieurs et approuvés par une procédure qui impliquait tous les départements.

Au cours du temps, eBay s'était assuré une relative indépendance face aux aléas technologiques. Jusqu'à la fin des années 1990, le site avait régulièrement subi diverses avaries informatiques, dont la plus grave, en 1999, avait provoqué une fermeture pendant 22 heures, du fait d'une panne de système et de l'absence de solutions de sauvegarde. L'ancien directeur informatique du constructeur de micro-ordinateurs Gateway, Maynard Webb, avait alors été recruté par eBay en tant que président du département technologies, afin de remédier à ce type de situations. En 2005, Chris Corrado avait été recruté comme vice-président en charge des systèmes d'information. Maynard Webb avait déclaré à cette occasion :

> Chris est l'un des meilleurs experts au monde en plates-formes technologiques d'entreprise et nous sommes particulièrement fiers qu'il nous rejoigne. Le fait que nous ayons pu atti-rer Chris est une preuve de la formidable réputation de l'organisation technologique d'eBay.

Meg Whitman n'était pas seulement le prési-dent d'eBay, elle en était également un fervent utilisateur. Elle avait ainsi vendu pour 35 000 dol-lars la décoration intérieure de son chalet du Colorado, afin de comprendre réellement com-ment fonctionnait le site, ce qui faisait d'elle un des premiers vendeurs parmi les membres du personnel. Cette expérience lui avait également permis de gagner en crédibilité auprès des mana-gers opérationnels et des autres dirigeants : elle savait vraiment de quoi elle parlait lorsqu'elle évoquait le comportement des utilisateurs. Elle était également connue pour écouter attentive-ment tous les employés d'eBay et elle attendait de ses managers qu'ils fassent de même. Toute fausse manœuvre opérationnelle ou maladresse stra-tégique pouvait causer de véritables révoltes à l'intérieur de la communauté qu'était devenu eBay, ce qui rendait l'entreprise indissociable de ses clients.

Par-dessus tout, eBay faisait son possible pour rester attentif et flexible. Presque toutes les nou-velles catégories de produits qui connaissaient la plus forte croissance sur le site avaient émergé d'offres publiées par les utilisateurs, qu'il avait fallu ensuite promouvoir au bon moment. C'est ainsi qu'après avoir remarqué quelques ventes de voitures, eBay avait créé en 1999 un site distinct nommé eBay Motors, qui incluait des fonctions spécifiques telles que la révision des véhicules et la livraison. Quatre ans plus tard, eBay héber-geait pour un milliard de dollars de vente de

voitures et de pièces détachées, la plupart propo-sées par des distributeurs professionnels.

Le fonctionnement démocratique d'eBay, même s'il était largement plébiscité par les uti-lisateurs, pouvait imposer un certain délai d'apprentissage. Les nouveaux managers avaient parfois besoin de six mois pour bien s'imprégner de la culture. « Certains des termes que vous apprenez dans les écoles de commerce – lea-dership, implication, pouvoir – ne s'appliquent pas », remarquait l'ancien responsable de Pep-siCo William Cobb, désormais vice-président en charge des opérations internationales d'eBay. « Ici, nous écoutons, nous nous adaptons, nous facilitons. »

Compétition et coopération

Alors que la concurrence s'exacerbait sur Inter-net, eBay n'était pas resté immobile. En 2005, l'entreprise avait acheté Skype, le spécialiste de la téléphonie sur Internet, pour 2,6 milliards de dollars, un montant à l'époque jugé très élevé par les observateurs. Pour justifier leur décision, les dirigeants d'eBay avaient affirmé que l'acquisi-tion de Skype, complémentaire à celle du sys-tème de paiement en ligne PayPal en 2002, leur permettait de détenir un générateur de crois-sance sans égal sur Internet. Réunis, eBay, Skype et PayPal bénéficiaient de la fameuse loi de Met-calf sur les effets de réseau : la valeur de l'entre-prise croissait au carré du nombre de ses utilisateurs. Or, eBay entendait être un leader mondial dans la gestion des effets de réseau.

En 2006, eBay avait également annoncé un accord avec Google : eBay était l'un des plus gros annonceurs sur Google et réciproquement Google comptait sur les 220 millions d'abonnés à Skype pour promouvoir son système permet-tant de téléphoner en cliquant sur une publicité. Cet accord avait été signé alors que eBay avait déjà conclu un autre partenariat publicitaire avec Yahoo!, avec justement pour objectif – selon cer-tains commentateurs – de contester la domina-tion de Google. Or, dans le monde interconnecté

Étude de cas

qu'était Internet, définir la compétition et la coopération n'était pas toujours évident : en Chine, eBay avait conclu un partenariat entre EachNet, sa filiale locale, et le moteur de recherche le plus utilisé par les internautes chinois, Baidu. En vertu de cet accord, Baidu devenait le moteur de recherche par défaut sur EachNet, alors que la version locale de PayPal, Beibao, devenait la méthode de paiement privilégiée sur Baidu. De plus, un lien vers EachNet était intégré à la barre de navigation de Baidu. eBay était ainsi allié à la fois à Yahoo!, à Google et à leur principal concurrent chinois.

En dépit de son succès en Occident, eBay connaissait d'ailleurs des difficultés en Asie. L'entreprise avait dû se retirer du Japon. À Taïwan et en Chine, elle n'était pas en position de leader. En Corée du Sud, GMarket (dont Yahoo! était actionnaire) était un concurrent particulièrement menaçant. La particularité de GMarket était de ne pas mettre l'accent sur les enchères, mais sur la vente à prix fixes. Au travers de son offre eBay Express, eBay suivait cette tendance : alors qu'à sa création il s'agissait uniquement d'un site d'enchères, en 2007, près de 40 % de ses ventes dans le monde avaient été à prix fixes. GMarket se distinguait également d'eBay par un marketing innovant, qui rendait l'expérience d'achat plus attractive et aidait les vendeurs à améliorer leurs performances. Cependant, GMarket attirait déjà des imitateurs.

De son côté, eBay entendait renforcer les interactions entre et avec ses utilisateurs. Lors d'une session interactive eBay Live! en 2006, l'entreprise avait annoncé le lancement d'un wiki hébergé par Jotspot, sur lequel les utilisateurs pouvaient partager leurs connaissances sur eBay (www.ebaywiki.com), d'un service de blogs (blogs.ebay.com) et d'un service de forums (forums.ebay.com). Depuis sa création, eBay se vivait au moins autant comme une communauté que comme une entreprise.

En janvier 2008, eBay publia des résultats 2007 supérieurs aux attentes (avec notamment un bénéfice en hausse de 53 % au quatrième trimestre), mais des prévisions 2008 en deçà de ce qu'escomptaient les analystes. Alors que le cours de l'action perdait 7,5 %, Meg Whitman annonça qu'elle quittait son poste de directeur général, pour être remplacée par John Donahoe, jusque-là responsable de la division enchères et ventes (qui générait 70 % des revenus). Meg Whitman, qui restait membre du conseil d'administration, avait dirigé eBay pendant 10 ans. Lorsqu'elle était arrivée dans le groupe, en mars 1998, le chiffre d'affaires était de 86 millions de dollars, réalisé uniquement aux États-Unis avec 500 000 utilisateurs et 30 salariés. Début 2008, eBay comptait 500 fois plus d'utilisateurs, plus de 15 000 salariés et réalisait un chiffre d'affaires supérieur à 7 milliards de dollars. À l'annonce du départ de Meg Whitman, l'action bondit de 6,3 %.

Préparé par Jill Shepherd, Segal Graduate School of Business, université Simon Fraser, Canada.

Questions

1. En utilisant les outils présentés dans ce chapitre, analysez la capacité stratégique d'eBay.

2. Quelles ressources et compétences ont permis à eBay d'obtenir un avantage concurrentiel et pourquoi ?

3. En utilisant la notion de capacités dynamiques, que proposeriez-vous pour faire évoluer la capacité stratégique d'eBay (étendre, créer ou acheter de nouvelles ressources et compétences, en vendre d'autres, etc.) étant donné :

   (a) L'arrivée de nouveaux entrants ?
   (b) L'évolution du concept d'eBay ?

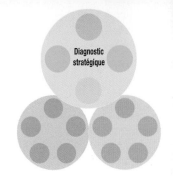
Diagnostic stratégique

Chapitre 4
L'intention stratégique

Après avoir lu ce chapitre, vous serez capable de :

- Décrire la chaîne de gouvernement d'une organisation.
- Discuter les avantages et inconvénients des différentes structures de gouvernement d'entreprise utilisées de par le monde.
- Analyser les différentes postures qu'une organisation peut adopter en termes de responsabilité sociale et comment les questions éthiques interagissent avec l'intention stratégique.
- Mener une cartographie des parties prenantes afin de déterminer leur pouvoir et leur intérêt.
- Comparer les différents moyens de communiquer l'intention stratégique d'une organisation en termes de valeurs, vision, mission et objectifs.

4.1 Introduction

Dans les deux précédents chapitres, nous avons vu comment l'environnement (l'externe) et les capacités (l'interne) influencent la position stratégique d'une organisation. Cependant, il convient également de comprendre quelle est l'*intention stratégique* poursuivie : quels sont les objectifs fondamentaux de l'organisation ? C'est le sujet de ce chapitre, qui détaille notamment le rôle des différentes parties prenantes. Les **parties prenantes** – ou *ayants droit* – sont les individus ou les groupes qui dépendent de l'organisation pour atteindre leurs propres buts et dont l'organisation dépend également. Une question sous-jacente dans ce chapitre consiste à déterminer si l'intention stratégique doit répondre aux attentes d'une catégorie particulière de parties prenantes – notamment les actionnaires dans une entreprise privée – ou plus largement satisfaire tous les ayants droit, voire œuvrer pour le bien collectif au sens large. Ce thème sera abordé au travers d'une série de points clés :

Les parties prenantes – ou ayants droit – sont les individus ou les groupes qui dépendent de l'organisation pour atteindre leurs propres buts et dont l'organisation dépend également

- La section 4.2 traite du *gouvernement d'entreprise* et du *cadre réglementaire* dans lequel l'organisation évolue. De quelle manière les structures formelles destinées à superviser les décisions et les actions des dirigeants, telles que les conseils d'administration ou les assemblées d'actionnaires, influent-elles sur l'intention stratégique ? Cela soulève notamment la question de la responsabilité des dirigeants : au service de qui les stratèges agissent-ils ? Les structures de gouvernement diffèrent significativement d'un pays à l'autre : certaines privilégient les intérêts des actionnaires, d'autres veillent à les équilibrer avec ceux des autres parties prenantes.

- La section 4.3 concerne la *responsabilité sociale de l'entreprise* et les questions *éthiques* : quels objectifs une organisation *doit-elle* rechercher ? Comment les managers doivent-ils se conformer aux attentes et aux valeurs de la société, que ce soit au niveau organisationnel ou en termes de comportements individuels ?
- Il est donc important de comprendre quelles sont les *attentes des différentes parties prenantes* et leur influence respective sur l'intention stratégique. Comprendre l'influence des parties prenantes nécessite une analyse du *pouvoir* et des *intérêts* de chacune. La section 4.4 est consacrée à l'*analyse des parties prenantes*.
- Enfin, le chapitre se termine par la présentation des différents moyens qu'une organisation peut mobiliser pour *exprimer* son intention stratégique : *valeurs, vision, mission* et *objectifs*.

Le schéma 4.1 résume ces différentes influences qui s'exercent sur l'intention stratégique.

| Schéma 4.1 | **Les influences qui s'exercent sur l'intention stratégique** |

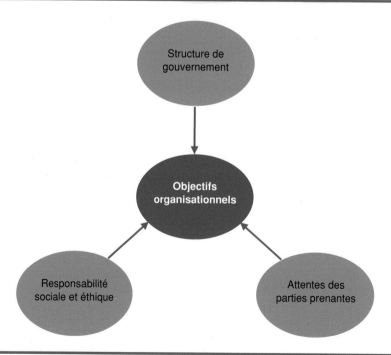

4.2 Le gouvernement d'entreprise[1]

Le gouvernement d'entreprise désigne les structures et les systèmes de contrôle qui définissent les responsabilités des managers à l'égard des parties prenantes d'une organisation[2]. Remarquons que l'expression *gouvernement d'entreprise*[3] ne concerne pas uniquement le pilotage et la prise de décision au sein d'une entreprise, comme pourrait le laisser supposer le terme *gouvernement* qui, par référence aux sciences politiques, renvoie implicitement à un pouvoir uniquement exécutif. Le gouvernement d'entreprise englobe également le législatif (définition des règles) et le judiciaire (contrôle).

Le gouvernement d'entreprise a pris une importance croissante au cours des années 1990 et 2000 pour trois raisons principales :

- La *séparation entre la possession et le management* des organisations (qui constitue désormais la norme, sauf dans les petites entreprises familiales) implique la mise en place d'une hiérarchie ou *chaîne de gouvernement* qui identifie tous les groupes d'intérêt ayant une influence sur les buts de l'organisation.
- Les *scandales* qui ont marqué le début des années 2000 (Enron, WorldCom ou Tyco aux États-Unis, Parmalat et Ahold en Europe, Livedoor au Japon) ont suscité de nombreuses réactions sur la manière dont les différents acteurs de la chaîne de gouvernance devaient interagir et s'influencer mutuellement. La relation entre les actionnaires et les dirigeants – ou entre les organisations publiques et leurs autorités de tutelle – a fait l'objet de nombreux commentaires.
- La *responsabilité des entreprises à l'égard d'un plus grand nombre d'ayants droit* fait également débat. Il s'agit notamment d'améliorer la visibilité des résultats des entreprises, non seulement pour leurs propriétaires et leurs managers, mais également pour les autres parties prenantes, y compris la société au sens large.

> *Le gouvernement d'entreprise désigne les structures et les systèmes de contrôle qui définissent les responsabilités des managers à l'égard des parties prenantes d'une organisation*

4.2.1 La chaîne de gouvernement

La chaîne de gouvernement permet de comprendre quels acteurs sont à même d'influer sur les objectifs de l'organisation et sa stratégie. La *théorie de l'agence* – et plus particulièrement le *modèle principal/agent*[4] – peut être utilisée pour expliquer comment fonctionnent les relations au sein de cette chaîne. Ce modèle s'applique dans toutes les situations dans lesquelles un ou plusieurs acteurs (le principal) mandatent d'autres acteurs (l'agent) pour agir en leur nom et dans leur intérêt. Dans les chaînes de gouvernement les plus simples, par exemple dans une petite entreprise familiale, certains membres de la famille sont élus administrateurs et sont chargés de diriger l'entreprise. Les autres actionnaires, qui ne sont pas impliqués dans la gestion, supervisent les décisions des administrateurs afin de s'assurer qu'elles vont bien dans le sens de leurs intérêts. Dans des organisations de plus grande taille, la situation est plus compliquée car il est nécessaire de recourir à des managers salariés dont la plupart ne sont pas actionnaires. Dans ce cas, les managers sont les agents des actionnaires, tout comme un agent immobilier est chargé par le vendeur d'une maison de lui trouver des acheteurs. Le schéma 4.2 décrit la chaîne de gouvernement dans les grandes entreprises cotées en Bourse : il existe plusieurs niveaux de managers, chacun étant le principal de ses subordonnés et l'agent de ses supérieurs, ainsi que d'autres strates au niveau des actionnaires.

Schéma 4.2	La chaîne de gouvernement

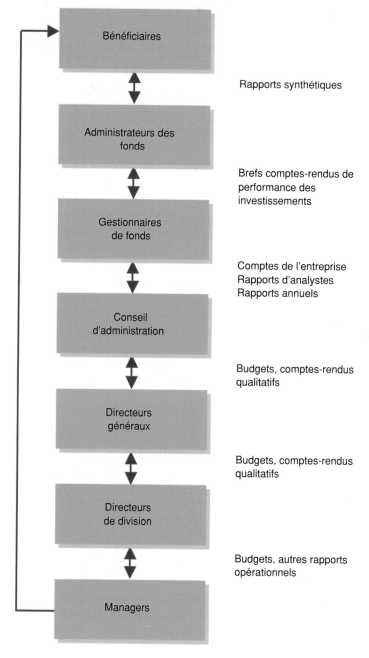

Source : David Pitt-Watson, Hermes.

On compte désormais des millions d'actionnaires individuels, dont la plupart n'ont pas investi directement dans le capital d'une entreprise, mais dans des fonds d'investissement ou des fonds de pension. Le poids de ces fonds a considérablement augmenté depuis quelques années : en 2006, ils détenaient 50 % du capital des sociétés américaines (pour seulement 17 % en 1970) ; de même, en mars 2007, ils détenaient 37 % du capital des sociétés du CAC 40 en France[5]. Ces fonds sont contrôlés par leur propre conseil d'administration et gérés par des investisseurs professionnels, qui sont à la fois les agents des investisseurs et les principaux des administrateurs des entreprises dans lesquelles ils placent leurs fonds. Par conséquent, beaucoup d'investisseurs ignorent ou négligent le détail des entreprises dans lesquelles leur argent est investi et ont très peu de pouvoir direct sur leur stratégie.

Dans cette chaîne complexe, les salariés sont bien souvent – au travers de l'intéressement, de leurs plans d'épargne ou de retraite et de leurs propres investissements – les bénéficiaires de la performance. La chaîne de gouvernement est en fait un cercle qui commence et finit avec les millions d'individus qui sont à la fois employés, clients, actionnaires et assurés sociaux. Cette relation systémique est également vérifiée pour les fonctionnaires, dont les traitements proviennent des taxes prélevées sur l'activité des entreprises et notamment sur les profits qu'elles dégagent. Dans une société moderne, nous sommes donc tous principaux et agents les uns des autres, ce qui implique que la dialectique classique, dans laquelle on distingue d'une part une seule classe de principaux (les « capitalistes ») et d'autre part une seule classe d'agents (les « prolétaires »), est caricaturale. Il serait outrancier de se représenter les actionnaires comme de richissimes rentiers : la plupart d'entre eux sont des retraités dont la pension – parfois maigre – est prélevée sur les bénéfices des entreprises cotées. De plus, bien des salariés qui fustigent l'avidité des investisseurs sont toujours prêts à protester si l'on réduit la rémunération de leur livret d'épargne. La lutte des classes ne prend plus guère la forme de conflits sociaux : elle est au mieux une schizophrénie qui oppose en chacun de nous les intérêts multiples et contradictoires de nos statuts simultanés de salariés, clients, citoyens et futurs retraités.

La théorie de l'agence postule qu'en l'absence d'un système d'incitation approprié les agents n'agiront pas prioritairement dans l'intérêt de leur principal. Or, comme on peut le constater dans le schéma 4.2, les managers qui déploient effectivement la stratégie d'une organisation peuvent être très éloignés des bénéficiaires ultimes de sa performance. Deux problèmes risquent alors de surgir :

- Le *décalage entre les incitations et le contrôle*. Au fur et à mesure que les objectifs sont transmis d'un niveau de la chaîne à un autre, les attentes des parties prenantes peuvent être déformées. Les actionnaires individuels peuvent ainsi privilégier la performance à long terme de leur investissement, alors que les gestionnaires de fonds, les analystes ou les dirigeants peuvent être tentés de favoriser la rentabilité immédiate.
- *L'intérêt personnel*. À chaque niveau de la chaîne, les individus peuvent être tentés de privilégier leur intérêt personnel : les managers cherchent à obtenir des promotions, les dirigeants provoquent des rapprochements d'entreprises afin d'accroître leur pouvoir, les gestionnaires de fonds veulent augmenter leurs primes, etc.

- Tout cela peut déboucher sur des décisions qui ne vont pas dans le sens des intérêts du bénéficiaire final, comme dans le cas de la plupart des scandales qui ont éclaté ces dernières années. Le plus retentissant de ces scandales a très vraisemblablement été l'affaire Enron (voir l'illustration 4.1).

Dans ce contexte, la chaîne de gouvernement permet de souligner quelques points essentiels :

- La question de la *responsabilité des dirigeants* est fondamentale. Dans les grandes entreprises cotées en Bourse, les dirigeants et les managers doivent-ils se considérer uniquement comme responsables devant les actionnaires ou détiennent-ils une responsabilité plus large vis-à-vis de l'ensemble des parties prenantes[6] ? La réponse à cette question diffère d'un pays à l'autre, selon les structures de gouvernement adoptées (voir la section 4.2.3 et le débat de l'illustration 4.6).
- *Qui sont les actionnaires ?* Si les managers se considèrent avant tout comme responsables devant les actionnaires, quelles en sont les implications en termes de chaîne de gouvernement ? Comme nous l'avons déjà souligné, les bénéficiaires finaux sont souvent très éloignés des managers. Dans la pratique, les dirigeants d'une entreprise sont le plus souvent en contact avec des représentants institutionnels des actionnaires, par exemple des gestionnaires de fonds ou des analystes. Le modèle principal/agent joue également à ce niveau : les gestionnaires de fonds et les analystes risquent de privilégier leurs propres intérêts, au détriment de ceux des bénéficiaires finaux. Les dirigeants de l'entreprise sont alors confrontés à un choix particulièrement ardu : doivent-ils agir dans l'intérêt d'actionnaires individuels dispersés, avec lesquels ils n'entretiennent aucune relation directe, ou n'ont-ils pas plutôt intérêt à répondre aux attentes des gestionnaires de fonds qui les évaluent au quotidien ? Les responsables des organisations de service public sont confrontés au même type de dilemme : leurs stratégies doivent-elles œuvrer pour le bien public ou répondre aux attentes politiques des élus qui dirigent leur autorité de tutelle ?
- *Le rôle des investisseurs institutionnels.* L'influence des investisseurs institutionnels sur la stratégie diffère selon les structures de gouvernance adoptées (voir la section 4.2.3 pour une comparaison internationale). Historiquement, les investisseurs institutionnels ont simplement exercé leur influence en achetant ou en revendant des actions des entreprises, plutôt qu'en intervenant directement dans leur gestion. Le marché boursier était ainsi le seul juge des actions des dirigeants. Or, dans un nombre croissant de pays, les investisseurs sont de plus en plus activement impliqués dans les choix stratégiques des entreprises qu'ils détiennent[7]. Cette implication est variable[8], mais elle augmente. De plus, il apparaît que lorsque les investisseurs institutionnels travaillent avec les dirigeants de manière proactive, les bénéficiaires finaux en tirent un plus grand avantage[9].
- *La surveillance et le contrôle.* À la suite des différents scandales qui ont émaillé l'actualité au cours des dernières années, une attention particulière a été portée aux moyens permettant de surveiller et de contrôler les activités des agents tout au long de la chaîne de gouvernement, de manière à privilégier les intérêts des bénéficiaires finaux. Le schéma 4.2 présente les informations dont dispose généralement chaque acteur pour juger de la performance de ses agents.

Illustration 4.1

L'affaire Enron

Les dirigeants n'agissent pas toujours dans l'intérêt des actionnaires. Cet écart peut parfois se révéler désastreux.

Enron était un courtier en électricité, gaz naturel, papier et communications, basé à Houston au Texas. En 2000, c'était la septième plus grosse entreprise américaine de tous les temps : il employait environ 21 000 personnes et affichait un chiffre d'affaires de 101 milliards de dollars. De nombreux ouvrages et articles de management vantaient l'intelligence de son modèle économique. Cependant, à la fin de l'année 2001, il apparut que ses résultats financiers reposaient sur des fraudes et des manipulations comptables. Lorsque Enron fut placé en redressement judiciaire, ce fut la plus vaste faillite de l'histoire des États-Unis, entraînant la perte de plus de 4 000 emplois et la dissolution du cabinet d'audit comptable Arthur Andersen.

Un grand nombre d'actifs et de profits comptabilisés par Enron étaient exagérés, frauduleux ou inexistants. Enron avait transféré des dettes et des pertes à des sociétés *offshore* qui n'étaient pas consolidées dans son bilan. L'entreprise pratiquait également des transactions financières sophistiquées avec des « entités à but spécifique » (EBS), des filiales créées spécifiquement pour faire disparaître des transactions déficitaires des comptes de la maison mère. Des enquêtes révélèrent que certains des dirigeants d'Enron étaient au courant de ces comptes offshore utilisés pour dissimuler les pertes. Andrew Fastow, le directeur financier qui dirigeait l'équipe qui avait créé les EBS, manipulait les contrats afin de s'octroyer – ainsi qu'à sa famille et à ses amis – des centaines de millions de dollars de revenus, aux dépens des actionnaires. En 2001, plusieurs dirigeants d'Enron reçurent chacun une rémunération supérieure à 100 millions de dollars. Ils réalisèrent également d'énormes plus-values grâce à leurs plans de stock-options alors que, lorsque le scandale éclata, le cours de l'action Enron chuta de plus de 90 dollars à quelques cents.

Les auditions devant le Congrès américain révélèrent que plusieurs employés d'Enron avaient exprimé leur inquiétude dès 1998, ce qui conduisit la direction à organiser en 2001 une réunion rassemblant tout le personnel. À la suite de cette réunion, Sherron Watkins, qui occupait un poste de vice-présidente, remit une note interne au fondateur et président-directeur général d'Enron, Kenneth Lay. Dans cette note, elle soulignait tout particulièrement la complicité du cabinet d'avocats Vinson & Elkins et du cabinet d'audit comptable Arthur Andersen dans les différentes manœuvres frauduleuses. La direction d'Enron demanda à Vinson & Elkins de se prononcer sur ces accusations. Ils répondirent qu'à part quelques « mesures cosmétiques discutables » et des « pratiques comptables agressives et créatives », on ne pouvait rien reprocher aux EBS. Arthur Andersen confirma également que la comptabilité d'Enron ne lui posait aucun problème.

En octobre 2002, la SEC (l'autorité des marchés boursiers américains) ouvrit une enquête formelle sur Enron, ce qui déclencha une suite d'événements dévastateurs pour le cabinet Arthur Andersen. Certains des employés de son bureau de Houston décidèrent en effet de détruire un grand nombre de documents d'audit liés à Enron. Lorsqu'en juin 2002 ces agissements furent révélés, Arthur Andersen fut inculpé. Le procès d'Arthur Andersen permit également de mettre en lumière des fraudes dans la comptabilité d'un autre de ses clients, l'opérateur de télécommunications WorldCom. Tout cela entraîna une vague de scandales financiers.

J.P. Morgan Chase, Citigroup, Merrill Lynch, Credit Suisse First Boston, Canadian Imperial Bank of Commerce (CIBC), Bank of America, Barclays Bank, Deutsche Bank et Lehman Brothers furent également impliqués dans une série de transactions frauduleuses qui coûtèrent un total de plus de 25 milliards de dollars aux actionnaires.

En octobre 2006, reconnu coupable de dix-neuf chefs d'accusation parmi lesquels fraude, complot ou encore délit d'initié, le directeur général d'Enron, Jeff Skilling, fut condamné à 24 ans et 4 mois de prison. Quinze autres dirigeants du groupe furent également condamnés, dont David Delainey (directeur de la branche courtage d'énergie), Richard Causey (directeur comptable), Andrew Fastow (directeur financier) et Mark Koenig (responsable des relations avec les investisseurs). Kenneth Lay, lui aussi reconnu coupable, encourait une peine de 20 à 30 ans de prison, mais il mourut d'une crise cardiaque avant de connaître ce verdict.

Préparé par Rajshree Prakash, université de Lancaster.

Questions

1. Au sein de la chaîne de gouvernement, quels mécanismes auraient dû (ou auraient pu) empêcher ces comportements ?

2. Quelles réformes du gouvernement d'entreprise proposeriez-vous afin d'éviter qu'une telle situation se reproduise ?

Un nombre croissant d'obligations statutaires et de codes de bonne conduite régulent les activités des conseils d'administration, notamment dans le but de les obliger à rendre publique l'information qu'ils détiennent. Pour autant, dans une très large mesure, les managers peuvent encore choisir quelles informations ils révéleront à quels interlocuteurs et lesquelles ils exigeront de leurs subordonnés. De nombreuses questions restent ainsi en suspens : quelles informations transmettre aux analystes financiers dont l'avis a une influence sur le cours de l'action ? Quel degré de précision le dirigeant doit-il adopter lorsqu'il explique sa future stratégie aux actionnaires dans des documents publics tels qu'un rapport annuel ? Des questions de contrôle interne doivent également être résolues : quels outils de mesure et d'incitation adopter lorsqu'on souhaite orienter le comportement des managers ? Les critères retenus doivent-ils avant tout privilégier la rentabilité pour les actionnaires ? Doit-on à l'inverse mettre en place un tableau de bord prospectif (voir la section 12.3.5) afin de prendre en compte les attentes d'un plus grand nombre d'ayants droit ? Les indicateurs comptables classiques (par exemple le calcul de la rentabilité économique) sont-ils toujours pertinents ? Ne vaudrait-il pas mieux concevoir des indicateurs spécifiques à chaque type de stratégies ou adaptés aux attentes de chaque type de parties prenantes ? Il n'existe pas de réponse catégorique à ces différentes questions. La manière dont les managers y répondront dépendra de la représentation qu'ils se font de l'intention stratégique de l'organisation et des acteurs envers lesquels ils se sentent responsables.

La chaîne de gouvernement fonctionne donc en général de manière imparfaite pour au moins cinq raisons : (i) un manque de clarté sur qui sont les bénéficiaires ; (ii) une répartition inégale du pouvoir entre les différents acteurs au long de la chaîne ; (iii) un degré d'information réparti de manière tout aussi inégale ; (iv) des acteurs qui cherchent potentiellement à satisfaire leurs propres intérêts ; (v) des indicateurs de mesure de performance qui ne privilégient pas nécessairement les intérêts des bénéficiaires finaux. Dans ces circonstances, il n'est pas surprenant que les structures de gouvernance fassent l'objet de nombreuses réformes de par le monde.

4.2.2 La réforme des systèmes de gouvernement d'entreprise

De nombreux pays ont tenté de réformer leurs systèmes de gouvernement d'entreprise. Le cas le plus emblématique a été la loi Sarbanes-Oxley (SOX) aux États-Unis[10] qui, à la suite de l'affaire Enron, a fortement rehaussé les standards comptables et renforcé l'indépendance entre les auditeurs et les managers. En France, trois lois se sont succédé : la loi sur les nouvelles régulations économiques (NRE) en 2001, la loi Mer de sécurité financière (LSF) en 2003, et la loi Breton pour la confiance et la modernisation de l'économie en 2005. Dans tous les cas, il s'agissait d'accroître la responsabilité des dirigeants, de renforcer le contrôle interne et de réduire les sources de conflit d'intérêt. Parallèlement, des comités d'experts ont été chargés de proposer des pistes de réforme. Initialement, la réflexion s'est concentrée sur les mécanismes de contrôle financier internes et sur la diffusion de l'information. Par la suite, ces comités ont recommandé l'extension des systèmes de contrôle au-delà des considérations purement financières et se sont penchés sur le rôle des administrateurs indépendants[11]. Dans la sphère publique, l'élargissement de l'Union a entraîné une réflexion sur les mécanismes de contrôle des dépenses publiques, sur le rôle de l'État en tant qu'actionnaire et sur l'ouverture de certains marchés (énergie, transports, courrier, etc.)[12]. Toutes ces évolutions ont profondément modifié le gouvernement d'entreprise. Toutes ces réformes ont eu un impact important. Les cabinets d'audit ont notamment été obligés de séparer leur activité de conseil de leur activité de commissariat aux comptes, ce qui a provoqué un profond remaniement de cette industrie.

Des études ont également montré que les directeurs financiers ont abandonné leur rôle stratégique pour se recentrer sur l'aspect technique de leur fonction[13]. De même, une attention croissante a été portée aux administrateurs indépendants, qui n'entretiennent aucune relation avec l'entreprise et qui peuvent ainsi conserver une totale liberté de jugement.

Pour autant, certaines de ces réformes ont fait l'objet de critiques. Le directeur général de la banque de Queensland en Australie a ainsi déclaré : « La réglementation excessive tue l'esprit entrepreneurial, elle étouffe l'innovation car les ressources sont majoritairement mobilisées pour se plier aux normes plutôt que pour construire un avantage concurrentiel. »[14] De plus, même si des modifications de la structure des conseils d'administration étaient certainement les bienvenues, le véritable problème reste celui du comportement des administrateurs. Les réformateurs devraient donc trouver des moyens de s'assurer qu'au long de la chaîne de gouvernement chaque agent se comporte effectivement dans l'intérêt de son principal. Il n'est pas facile de mettre en place de telles réformes, car bien des managers et des dirigeants restent obnubilés par la construction de vastes organisations, par leur progression hiérarchique et par l'augmentation de leur rétribution personnelle, sans nécessairement veiller aux conséquences pour les autres parties prenantes.

4.2.3 Les différentes structures de gouvernement d'entreprise

La principale structure de gouvernement dans une entreprise est généralement le conseil d'administration, dont la responsabilité statutaire est de garantir que l'organisation répond effectivement aux demandes et aux objectifs des principaux ayants droit. Cependant, la définition de ces ayants droit peut varier. Dans certains pays, plusieurs types de parties prenantes sont prises en compte, alors que dans d'autres il s'agit exclusivement des actionnaires. Dans le secteur public, l'instance de gouvernement doit être responsable devant la tutelle politique, par exemple par l'intermédiaire d'une agence. Il existe d'importantes différences entre les pays en ce qui concerne le rôle, la composition et le fonctionnement des conseils d'administration[15]. Ces différences ont elles-mêmes une considérable influence sur l'élaboration des objectifs et des stratégies des organisations.

Au niveau le plus général, on distingue deux grands types de structures de gouvernement : le modèle centré sur l'actionnaire (*shareholder model*) et le modèle étendu à de multiples parties prenantes (*stakeholder model*)[16]. Ces deux modèles sont plus ou moins présents d'un pays à l'autre.

Le modèle de gouvernement centré sur l'actionnaire

Dans ce modèle, les actionnaires sont légitimement les premiers bénéficiaires de la richesse générée par l'entreprise, même si ses défenseurs affirment que maximiser la création de valeur pour les actionnaires bénéficie également aux autres parties prenantes. L'actionnariat est dispersé, même si une large proportion du capital est détenue par des investisseurs institutionnels. La vente et l'achat des actions sur le marché boursier constituent en principe un mécanisme de contrôle permettant de maximiser la valeur pour les actionnaires. En effet, si les actionnaires ne sont pas satisfaits, ils peuvent vendre leurs actions, ce qui réduit leur prix et augmente la menace d'OPA hostile. Le fait que les managers soient menacés par une offre publique d'achat qui pourrait leur faire perdre leur poste est considéré comme un moyen naturel d'assurer la bonne performance des organisations.

Le modèle centré sur l'actionnaire est caractéristique des pays anglo-saxons (États-Unis, Royaume-Uni, Australie, etc.). Les entreprises américaines ont généralement un conseil d'administration unique, avec une majorité d'administrateurs non exécutifs. La présence de ces administrateurs externes est censée garantir l'indépendance du conseil vis-à-vis de son rôle fondamental : représenter les actionnaires. Cependant, ce système soulève un certain nombre de problèmes. Souvent, le directeur général intervient dans la nomination des administrateurs externes, ce qui réduit leur indépendance. De plus, ces administrateurs externes n'ont pas toujours le temps ni les compétences requises pour comprendre les problèmes de l'entreprise[17].

Au Royaume-Uni, la structure comprend également un conseil d'administration unique et de plus en plus une séparation entre les fonctions de président et de directeur général (le président étant le plus souvent non exécutif). La proportion des administrateurs indépendants au sein du conseil varie en général entre la moitié et les deux tiers. Le conseil a pour mission le pilotage de l'entreprise et la surveillance au nom des actionnaires.

Les observateurs soulignent à la fois les avantages et les inconvénients de ce modèle de gouvernement centré sur l'actionnaire. Les avantages supposés sont les suivants :

- Les *avantages pour les investisseurs*. Grâce au modèle centré sur l'actionnaire, les investisseurs bénéficient d'une rentabilité plus élevée. Ils peuvent également réduire leur risque en diversifiant leur portefeuille sur un marché où les actions sont facilement négociables.
- Les *avantages pour l'économie*. Les investisseurs étant encouragés à prendre plus de risques, cela peut bénéficier à la croissance de l'économie et à la création d'entreprises. Les structures de possession et la posture favorable aux actionnaires permettent également d'attirer les investisseurs étrangers.
- Les *avantages pour les managers*. La séparation entre la possession et la gestion assure que les décisions stratégiques sont plus en phase avec les exigences et les contraintes potentiellement divergentes des investisseurs, des salariés et des clients. Un actionnariat dilué signifie également que si la performance de l'entreprise reste bonne, aucun investisseur ne cherchera à contrôler les décisions des dirigeants.

Cependant, le modèle centré sur les actionnaires fait également l'objet de critiques :

- Les *inconvénients pour les investisseurs*. Un actionnariat dilué ne permet pas de contrôler les managers, qui peuvent être tentés de privilégier leurs propres objectifs aux dépens des intérêts des actionnaires. Les dirigeants risquent par exemple d'entreprendre des opérations de fusions acquisitions qui n'ajoutent pas de valeur actionnariale, mais qui satisfont leur propre soif de pouvoir.

- Les *inconvénients pour l'économie : le risque de court termisme.* Le faible contrôle des dirigeants peut les conduire à prendre des décisions favorables à leurs propres carrières, ce qui, combiné avec la menace d'OPA, peut les encourager à se focaliser sur des gains à court terme aux dépens des projets d'investissements à long terme[18].
- *La réputation de l'entreprise et l'avidité des dirigeants.* L'absence de contrôle permet aux dirigeants de s'attribuer d'énormes rétributions, que ce soit sous forme de salaire, de primes, de stock-options ou d'actions gratuites. Aux États-Unis, les dirigeants reçoivent une rémunération 531 fois supérieure à celle de leurs employés de base. Au Japon, l'écart n'est que de 1 à 10[19].

Le modèle de gouvernement étendu à de multiples parties prenantes

L'autre modèle de gouvernement repose sur le principe que la richesse doit être distribuée à de multiples parties prenantes. Cela peut inclure les actionnaires, mais aussi d'autres investisseurs tels que les banques, les employés ou leurs représentants syndicaux. Les managers doivent être responsables envers tous ces ayants droit, qui eux-mêmes doivent être représentés dans les instances de direction.

Dans ce modèle, l'actionnariat est souvent concentré, jusqu'à constituer des *minorités de blocage*[20]. Un ou deux groupes d'investisseurs contrôlent alors le capital de l'entreprise. À titre d'exemple, les trois quarts des entreprises allemandes cotées ont un actionnaire majoritaire. De plus, dans des pays tels que l'Allemagne, le Japon ou la Suède, les banques jouent un rôle dominant, non seulement en tant que prêteurs, mais également en tant qu'actionnaires de référence. Le système se caractérise aussi par un réseau complexe de participations croisées entre les entreprises d'un même groupe. L'Allemagne et le Japon sont généralement cités comme des exemples de ce modèle.

Dans beaucoup de pays nord-européens, notamment en Allemagne, en Suisse et aux Pays-Bas, le conseil d'administration comprend deux instances distinctes : le *conseil de surveillance* et le *directoire*. Le directoire est en charge du pilotage de l'organisation, mais son activité est supervisée et contrôlée par le conseil de surveillance. Le conseil de surveillance est un forum dans lequel les intérêts de différents groupes sont représentés : les actionnaires, les salariés, des banquiers ou encore des analystes boursiers. La planification stratégique et le contrôle opérationnel reviennent au directoire, mais les décisions majeures telles que les fusions et acquisitions nécessitent une autorisation du conseil de surveillance.

En France, la structure dominante reste le conseil d'administration unique, sous la direction d'un président-directeur général qui cumule les fonctions de président du conseil d'administration et de directeur général de l'entreprise, responsable devant les administrateurs : il est donc juge et partie. Cette situation est cependant en train d'évoluer sous la pression réglementaire et déontologique. La structure en directoire et conseil de surveillance, également autorisée par la loi, a ainsi été choisie par un certain nombre de grandes entreprises telles que Areva, AXA, Carrefour ou Safran, alors que d'autres, telles que Accor, Air Liquide, L'Oréal ou Saint-Gobain, ont séparé les fonctions de président et de directeur général.

Au Japon, la maximisation du profit et la création de valeur actionnariale sont considérées comme moins essentielles que la croissance à long terme et la pérennité de l'entreprise. L'actionnariat est très concentré, quelques actionnaires détenant une large majorité du capital. Par ailleurs, il existe de multiples participations croisées au travers desquelles les grandes entreprises contrôlent chacune un groupe centré en général autour d'une banque. Les entreprises japonaises ont un conseil d'administration unique, dont les membres sont recrutés parmi les dirigeants. Le conseil d'administration est ainsi quasi exclusivement interne[21]. Dans la culture d'entreprise japonaise, un bon administrateur doit avant tout se montrer capable de promouvoir les intérêts des employés.

Le modèle de gouvernement étendu à de multiples parties prenantes est défendu par un certain nombre d'observateurs :

- Les *avantages pour les parties prenantes*. Non seulement les intérêts des parties prenantes sont pris en compte, mais de plus l'influence des employés est un rempart contre des décisions et des investissements trop risqués.
- Les *avantages pour les investisseurs*. La présence de minorités de blocage permet de mieux contrôler les décisions des dirigeants et éventuellement d'intervenir en cas de défaillance. Les investisseurs disposent également d'une meilleure information stratégique.
- Un *horizon à long terme*. Les actionnaires de référence – notamment les banques et les autres entreprises qui appartiennent au même groupe – considèrent que leur investissement est pérenne, ce qui réduit la pression sur les résultats à court terme[22].

Cependant, ce modèle fait également l'objet d'un certain nombre de critiques :

- Les *inconvénients pour les managers*. Le contrôle exercé par les actionnaires de référence peut créer des interférences, ralentir la prise de décision et faire perdre leur objectivité aux dirigeants en cas de crise.
- Les *inconvénients pour les investisseurs*. Du fait de l'absence de pression à court terme, la rentabilité peut être inférieure à celle du marché.
- Les *inconvénients pour l'économie*. Il est plus difficile d'obtenir des financements, ce qui peut limiter la croissance et brider les créations d'entreprise.

Ces différents avantages et inconvénients sont résumés dans le schéma 4.3.

Il convient également de souligner les implications en termes de financement des entreprises. Dans le modèle centré sur l'actionnaire, le financement à long terme repose sur le capital, alors que les banques ont un rôle de prêteur. Les relations avec les banques sont donc essentiellement contractuelles. Cela signifie que les dirigeants doivent limiter leur ratio d'endettement et que les développements stratégiques majeurs imposent un apport en capital. De plus, l'entreprise jouit d'un plus haut degré d'indépendance car les banques ne cherchent pas à s'impliquer dans sa stratégie. Cependant, si la stratégie est un échec, les banques reprennent une place prépondérante parmi les parties prenantes, comme c'est souvent le cas dans les petites entreprises familiales où les augmentations de fonds propres sont nécessairement limitées. À l'extrême, les banques peuvent même décider de se retirer, ce qui peut provoquer la liquidation de l'entreprise. Au contraire, dans le modèle étendu à d'autres parties prenantes (et notamment au Japon et en Allemagne), les banques

| Schéma 4.3 | Forces et faiblesses des systèmes de gouvernement d'entreprise |

	Modèle centré sur l'actionnaire	Modèle étendu à de multiples parties prenantes
Forces	**Pour les investisseurs** • Rentabilité plus élevée • Risque réduit **Pour l'économie** • Encourage l'entrepreneuriat • Encourage les investissements étrangers **Pour les managers** • Indépendance	**Pour les parties prenantes** • Peu de menace de décisions très risquées **Pour les investisseurs** • Meilleur contrôle des managers • Décisions à plus long terme
Faiblesses	**Pour les investisseurs** • Faible contrôle des managers • Risque d'avidité des dirigeants **Pour l'économie** • Court termisme	**Pour les managers** • Risque d'interférence • Processus de décision lents • Faible indépendance **Pour l'économie** • Moins d'opportunités de financement de la croissance

possèdent généralement une part significative du capital de l'entreprise ou font partie du même groupe qu'elle. Par conséquent, elles sont plus impliquées dans la définition de la stratégie et n'ont pas intérêt à provoquer la liquidation de l'entreprise.

Vers une convergence des modèles de gouvernement d'entreprise

Les systèmes de gouvernement traditionnels font l'objet de pressions réformatrices. Certaines ont déjà été soulignées dans la section 4.2.2. Une des conséquences de ces pressions est une forme de convergence internationale vers le modèle centré sur l'actionnaire, notamment du fait du poids croissant des investisseurs institutionnels anglo-saxons (fonds de pension et fonds d'investissement), qui imposent peu à peu leurs exigences. Les mouvements de fusions et acquisitions internationaux et la globalisation de l'économie jouent également en faveur de cette uniformisation[23].

C'est ainsi qu'au Japon les investisseurs institutionnels, notamment étrangers, gagnent de l'influence. La déréglementation et la libéralisation impliquent une évolution des structures de gouvernement. En Allemagne, des réformes sont également en cours. En 2006, un responsable patronal allemand a ainsi fait remarquer que si l'on souhaitait maintenir la compétitivité internationale des entreprises, la présence des salariés dans les instances de direction devait être reconsidérée : cette présence serait en effet coûteuse et elle ralentirait la prise de décision.

Les systèmes de gouvernement sont aussi en transition dans d'autres parties du monde. En Suède, les entreprises sont traditionnellement non cotées, mais possédées par des fondations familiales, des holdings ou des sociétés d'investissement. Cependant, notamment du fait de l'entrée de la Suède dans l'Union européenne, cette situation a évolué depuis quelques années. De plus en plus d'entreprises sont la propriété d'investisseurs étrangers, notamment des institutionnels. En 2005, plus de 85 % de la capitalisation de la Bourse de Stockholm était entre les mains d'investisseurs institutionnels[24]. Pour autant, le modèle reste encore loin des structures anglo-saxonnes : la plupart des entreprises suédoises ont toujours un actionnaire majoritaire.

En Inde, le protectionnisme étatique a été très élevé jusque dans les années 1980. Les grandes entreprises étaient nationalisées et les investissements étrangers étaient strictement limités. Cependant, depuis 1991, les changements sont spectaculaires. Les droits d'importation ont été restreints. Les restrictions sur les investissements étrangers ont été assouplies dans certaines industries, certaines entreprises publiques ont été privatisées et les entreprises ont désormais le droit d'être cotées sur les marchés boursiers internationaux[25]. L'Inde est toujours caractérisée par des entreprises familiales, mais avec une séparation croissante entre la possession et le management. Les codes de gouvernement d'entreprise proposés indiquent un déplacement vers le modèle centré sur l'actionnaire avec un conseil d'administration unique et 30 à 50 % d'administrateurs non exécutifs.

En Chine, la partie prenante dominante est l'État ou des institutions paraétatiques. La Chine utilise un système à directoire et conseil de surveillance. Au minimum un tiers des membres du conseil de surveillance sont des salariés, mais son influence reste limitée : la gestion de l'entreprise est de la responsabilité du directoire. Les instances de direction doivent avoir des membres non exécutifs indépendants. Historiquement, le recrutement des dirigeants était étroitement contrôlé par le gouvernement, mais cette disposition a été assouplie depuis quelques années. Cependant, la plupart des dirigeants ont débuté leur carrière au sein du gouvernement[26].

En ce qui concerne les services publics, même si des différences existent selon les pays, on peut souligner quelques points communs. Les structures de gouvernement d'entreprise tiennent souvent le rôle d'instances représentatives pour quelques parties prenantes clés, notamment le personnel et les organisations syndicales. Dans beaucoup de pays, il existe cependant une tendance à accroître la proportion de membres indépendants – ou réputés tels – au sein des instances de gouvernement. Ces membres indépendants sont l'équivalent des administrateurs non exécutifs dans le secteur privé.

4.2.4 L'influence des instances de gouvernement sur la stratégie

Un point central continue à faire débat : le rôle du conseil d'administration (ou du directoire et du conseil de surveillance) et sa composition. Comme nous l'avons expliqué ci-dessus, le conseil d'administration est responsable en dernier ressort du succès ou de l'échec de la stratégie, mais également de la défense des intérêts des actionnaires et des autres parties prenantes. Le conseil d'administration doit donc être impliqué dans la définition de la stratégie. Pour cela, deux postures sont envisageables :

● Le management stratégique peut être *intégralement délégué aux managers* et le conseil d'administration se contente alors d'approuver les plans et les décisions. Dans cette situation, la tâche principale des administrateurs consiste à s'assurer que les objectifs et les stratégies ne sont pas détournés par les managers aux dépens des autres parties prenantes, en particulier des propriétaires. L'affaire Enron est un exemple de ce type de risque.

- Le conseil d'administration peut également *participer à l'élaboration de la stratégie,* mais cela soulève de nombreux problèmes pratiques liés à la vitesse de décision et au niveau d'information ou de qualification des administrateurs, notamment les administrateurs non exécutifs. Ce problème peut être particulièrement ardu dans des organisations telles que des associations caritatives ou des organisations publiques, dans lesquelles on trouve souvent des administrateurs prêts à s'impliquer mais qui ne disposent pas des compétences requises.

Même s'il existe des différences entre les pays, les nouvelles réglementations tentent de veiller à ce que les administrateurs agissent bien dans l'intérêt des actionnaires ou des bénéficiaires[27] :

- Les administrateurs doivent être *indépendants* des managers de l'organisation. Le rôle des administrateurs extérieurs (dirigeants d'autres sociétés, personnalités, experts, etc.) est donc souligné.
- Les administrateurs doivent être suffisamment *compétents* pour pouvoir superviser les activités des managers. L'expérience collective du conseil d'administration, sa formation et l'information dont il dispose sont donc essentielles.
- Les administrateurs doivent avoir le *temps* d'accomplir leur tâche. Cela implique de limiter le nombre de conseils d'administration auxquels un individu peut être autorisé à siéger.
- Ce sont cependant les *aspects les moins formels* qui distinguent les conseils d'administration les plus efficaces[28] et qui déterminent dans une large mesure le succès ou l'échec des stratégies. Cela concerne notamment le respect, la confiance et les « frictions fécondes » entre les administrateurs, la fluidité des rôles, la responsabilité individuelle et collective ou l'évaluation intègre et rigoureuse des performances de chacun.

4.2.5 Les structures de possession

La structure de possession de l'organisation peut avoir un impact déterminant sur ses objectifs et sa stratégie. Dans certains cas, on peut également se demander si la structure de possession adoptée est cohérente avec les stratégies poursuivies.

- *L'introduction en Bourse.* Dans le cycle de vie de beaucoup d'entreprises, une décision stratégique déterminante consiste à définir si une introduction en Bourse est pertinente. Cette décision est en général liée à la nécessité de mobiliser les capitaux nécessaires à la croissance de l'activité. Cependant, les propriétaires doivent accepter une évolution profonde de leur rôle et de leur pouvoir. Après l'introduction en Bourse, ils devront rendre des comptes à un nombre beaucoup plus vaste d'actionnaires, éventuellement représentés par des intermédiaires tels que les gestionnaires de fonds.
- La *vente de tout ou partie de l'entreprise.* Le conseil d'administration d'une entreprise peut estimer qu'une offre publique d'achat lancée par un concurrent présente une meilleure rentabilité que celle qui découlerait de l'activité elle-même. De même, les dirigeants peuvent considérer que la fusion avec une autre entreprise engendrera des synergies et donc des niveaux de performance supérieurs.

- *L'acquisition d'une entreprise.* Réciproquement, il peut être pertinent d'envisager l'acquisition d'une autre entreprise, mais cela peut parfois altérer significativement l'intention stratégique (voir la section 7.4). Plus généralement, on peut se demander si les acquisitions servent les intérêts des actionnaires. La plupart n'apportent pas les bénéfices escomptés : elles conduisent même pour beaucoup à une perte pour les actionnaires, au moins à court ou moyen terme. On retrouve ici le problème de la relation principal/agent et la notion de conflit d'intérêt : grâce à une acquisition, les dirigeants espèrent accroître leur pouvoir, augmenter leur rémunération et répondre aux exigences de croissance des analystes financiers. Les fusions et acquisitions sont détaillées dans la section 10.2.2.

- La *mutualisation.* Certains secteurs ont une tradition mutualiste, notamment dans l'assurance ou la distribution. Les sociétaires ou les adhérents des mutuelles tiennent le rôle d'actionnaires et désignent des administrateurs et des dirigeants. En théorie, cette structure de gouvernement garantit que leurs intérêts seront respectés. Cependant, étant donné que la possession est en général très fragmentée, on retrouve des problèmes de divergence entre principal et agent : les administrateurs ou les dirigeants risquent d'agir dans leur propre intérêt. De fait, dans certains secteurs, des organisations mutualistes ont décidé d'adopter des structures plus classiques ou de se doter parallèlement d'une structure cotée en Bourse, comme Crédit Agricole SA pour le groupe Crédit Agricole ou Natixis pour le groupe Banques Populaires et le groupe Caisses d'Épargne.

- La *privatisation.* Historiquement, les organisations du secteur public ont été strictement contrôlées par leurs propriétaires, que ce soient les gouvernements ou les collectivités locales. Cette situation a fortement évolué au fur et à mesure qu'une grande partie de ces organisations a été privatisée. Les gouvernements ont en général appuyé leurs décisions de privatisation sur des considérations idéologiques (exposer les organisations publiques à la concurrence et améliorer le service aux clients, désengager l'État de certains pans de la vie économique) ou plus simplement techniques (permettre aux entreprises nationalisées de lever des capitaux supplémentaires, améliorer les finances publiques grâce aux introductions en Bourse). La plupart du temps, les managers des entreprises privatisées ont gagné en indépendance stratégique : capacité de diversification, capacité à lever des fonds, etc. Pour autant, la pression des actionnaires privés peut se révéler aussi pesante que celle des tutelles publiques.

4.3 L'éthique et la responsabilité sociale de l'entreprise[29]

Une question sous-tend le débat sur les structures de gouvernement : le but de l'organisation et de sa stratégie est-il de satisfaire une seule catégorie de parties prenantes (notamment les actionnaires) ou l'objectif est-il plus large ? Quelles sont les attentes sociétales à l'égard des organisations et en quoi cela influe-t-il sur leur intention stratégique ? Les pouvoirs publics sont de plus en plus attentifs à cet aspect, tout en admettant que les solutions ne peuvent pas être exclusivement réglementaires[30]. Cette question relève de l'*éthique des affaires*, qui comprend deux niveaux d'analyse :

- Au niveau *macro*, on peut s'interroger sur le rôle des entreprises et des autres organisations dans la société. La *position éthique* qui en découle peut couvrir un large spectre, du laisser-faire à l'activisme sociétal.
- Au niveau *individuel*, l'éthique concerne le comportement et les actions des membres de l'organisation. Il s'agit bien entendu d'un des problèmes fondamentaux du management, mais nous ne l'aborderons ici qu'en relation avec la stratégie, en particulier par rapport au rôle des managers dans les processus stratégiques.

4.3.1 La responsabilité sociale de l'entreprise

Le contexte réglementaire et la structure de gouvernement d'une organisation déterminent les obligations minimales qu'elle doit remplir vis-à-vis de ses différentes parties prenantes. La **responsabilité sociale de l'entreprise** définit de quelle manière une organisation excède ses obligations minimales envers ses différentes parties prenantes. Cela inclut notamment la résolution d'éventuels conflits entre des attentes contradictoires. Étant donné que la réglementation ne fixe pas de la même manière les droits respectifs de toutes les parties prenantes, il est utile de distinguer entre celles qui ont une relation contractuelle avec l'organisation (les clients, les fournisseurs ou les employés) et les autres (la collectivité au sens large, les groupes de pression ou les associations de consommateurs) qui ne bénéficient pas des mêmes protections légales[31]. La responsabilité sociale de l'entreprise concerne essentiellement cette deuxième catégorie d'interlocuteurs.

La responsabilité sociale de l'entreprise définit de quelle manière une organisation excède ses obligations minimales envers ses différentes parties prenantes

Les organisations peuvent adopter des positions très différentes vis-à-vis de la responsabilité sociale, ce qui aura nécessairement des conséquences sur leurs modes de gestion. Le schéma 4.4 présente quatre stéréotypes qui permettent de souligner la diversité de ces positionnements, en fonction du nombre de parties prenantes bénéficiaires et de la diversité des indicateurs qui servent à évaluer la performance[32] :

- À un extrême, on trouve le *laisser-faire*, qui postule que la seule responsabilité des entreprises est de garantir l'intérêt à court terme des actionnaires, de « faire du profit, payer des impôts et fournir du travail »[33]. Selon ce point de vue, c'est aux pouvoirs publics de définir, par la réglementation, quelles contraintes doivent s'exercer sur les entreprises dans leur recherche d'efficience. L'organisation doit respecter ces obligations minimales, mais sans aller au-delà. Si les entreprises cherchent à jouer un rôle social qui n'est pas naturellement le leur, elles risquent en effet d'ébranler l'autorité de l'État. Les relations avec les parties prenantes sont ainsi minimales, unilatérales et peu interactives. Cependant, la société n'attend généralement pas que les organisations – tout du moins les organisations de grande taille – se comportent de cette manière. Les dirigeants eux-mêmes – y compris dans les pays anglo-saxons – admettent que les organisations doivent jouer un rôle sociétal plus actif[34].
- Les organisations qui adoptent la position éthique d'*individualisme éclairé* défendent plutôt *l'intérêt à long terme des actionnaires* et considèrent que celui-ci peut profiter d'une gestion intelligente des relations avec les autres parties prenantes. Il s'agit notamment de préserver la *réputation*[35] de l'organisation, car il a été prouvé qu'elle a une influence sur son succès financier à long terme. On peut

| Schéma 4.4 | Les positions face à la responsabilité sociale de l'entreprise |

	Laisser-faire	Individualisme éclairé	Prise en compte des parties prenantes	Activisme sociétal
Logique	Respecter les lois, faire du profit, payer les impôts et donner des emplois	Avoir le sens des affaires et des responsabilités	Obtenir des résultats équilibrés à long terme	Être un acteur du changement économique et social
Type de direction	Périphérique	Assistance	Champion	Visionnaire
Type de management	Responsabilité des managers opérationnels	Systèmes afin de s'assurer des bonnes pratiques	Décisions et contrôle par les dirigeants	Responsabilité individuelle dans toute l'organisation
Posture	Défensive vis-à-vis des pressions externes	Réactive vis-à-vis des pressions externes	Proactive	Volontariste
Relations avec les parties prenantes	Unilatérales	Interactives	Partenariales	Alliances avec d'autres organisations

estimer par exemple que le fait de soutenir une réglementation favorable à la protection sociale ou de soutenir des actions philanthropiques[36], des manifestations sportives ou des événements artistiques constitue un investissement bénéfique pour l'image de l'organisation. De même, en s'interdisant des pratiques commerciales discutables, on peut éviter une intervention du législateur. Si l'on souhaite maintenir sa latitude de décision à long terme, il est nécessaire de se comporter de manière réfléchie dans les opérations quotidiennes. Dans cette optique, les entreprises ne sont pas seulement responsables envers leurs actionnaires, elles ont également en charge la gestion de leurs relations avec les autres parties prenantes. La communication avec les ayants droit est donc en général beaucoup plus interactive que dans le cas du laisser-faire, et l'organisation a tendance à mettre en place des systèmes et des politiques qui lui permettent de veiller au respect des bonnes pratiques (certification ISO 14000, protection des droits de l'homme à l'international, etc.), ce qui constitue un embryon de responsabilité sociale. Bien entendu, les dirigeants doivent être impliqués dans cette démarche.

• La troisième position consiste à explicitement intégrer les intérêts et les attentes de *multiples parties prenantes* (et pas seulement des actionnaires) dans les buts et les stratégies de l'organisation[37]. Selon cette perspective, la performance de l'organisation ne doit pas être mesurée uniquement par sa rentabilité financière : les entreprises qui adoptent cette position peuvent conserver des activités déficitaires pour préserver l'emploi, éviter de fabriquer et de vendre des produits socialement sensibles et accepter une diminution de leur profit pour le bien de la collectivité. C'est le principe fondateur du *commerce équitable*. Certaines banques proposent ainsi à leurs clients d'investir dans des *fonds éthiques*, qui ne financent que des organisations répondant à certains standards de responsabilité sociale. Cependant, cet équilibre entre les intérêts de multiples parties prenantes est souvent difficile à établir. Beaucoup d'organisations publiques ou d'entreprises familiales adoptent naturellement cette position, mais elles doivent concilier des attentes souvent divergentes : efficience, défense de l'emploi local, bien-être des usagers, réduction de la pression fiscale, etc. Les indicateurs classiques de performance sont le plus souvent inadaptés lorsqu'il s'agit de refléter cette diversité. De plus, les décisions stratégiques résultent alors de vastes consultations et d'arbitrages politiques, ce qui peut se révéler long et coûteux.

- La dernière catégorie est celle de la position activiste adoptée par les organisations qui ont pour ambition de *transformer la société*. Dans ce cas, les considérations financières ne sont qu'un moyen ou une contrainte et en tout cas un problème secondaire. La viabilité de cette position dépend largement des structures de gouvernement d'entreprise et de la responsabilité vis-à-vis des parties prenantes. Il est généralement plus facile pour une organisation privée à capital familial d'agir de cette manière, car elle n'a pas d'obligations à remplir à l'égard d'actionnaires extérieurs ou d'une autorité de tutelle. Le fonctionnement de certains services publics a longtemps reposé sur des positions de ce type, dans lesquelles une mission d'intérêt général était imposée et soutenue par le pouvoir politique. Dans beaucoup de pays, cette situation a fortement évolué depuis le milieu des années 1980 avec la mise en cause des missions d'intérêt général au profit de l'affirmation du droit des citoyens (en tant que contribuables) à mesurer la qualité des prestations des services publics. Cette revendication a fortement limité la possibilité des organisations publiques – en particulier au niveau local – à se positionner comme des architectes de l'évolution de la société. Les organisations caritatives ou humanitaires sont confrontées à des dilemmes comparables. Leur mission fondamentale consiste en général à défendre et à renforcer les intérêts de certaines catégories sociales, mais elles doivent également veiller à rester financièrement viables, ce qui peut poser des problèmes d'image lorsque les médias se font l'écho des budgets utilisés pour leur gestion interne ou leurs campagnes de communication.

L'illustration 4.2 montre comment le groupe pétrolier Total gère sa communication institutionnelle alors que de nombreux reproches lui sont adressés.

De plus en plus de managers admettent que le laisser-faire est une position inacceptable[38] et que leur entreprise doit tenir un rôle socialement responsable, non seulement pour des raisons éthiques, mais également par intérêt : être socialement responsable réduit le risque de réactions négatives de la part des parties prenantes et permet d'attirer et de conserver un personnel loyal et motivé. On parle ainsi de triple résultat : financier, environnemental et social. Des stratégies socialement responsables peuvent contribuer à l'avantage concurrentiel : il s'agit de trouver des situations mutuellement bénéfiques[39]. « Le test essentiel [...] n'est pas de se demander si une cause est noble, mais si elle présente une opportunité de création de richesse partagée à la fois par la société et par l'entreprise.[40] » Combattre l'épidémie de sida en Afrique n'est pas seulement une « bonne action » pour un laboratoire pharmaceutique européen ou pour une entreprise minière africaine : cela va dans le sens de ses propres intérêts. De la même manière, réduire

Illustration 4.2

Quelle morale pour Total ?

Les entreprises sont de plus en plus explicites sur leur position en termes de responsabilité sociale. Cependant, cela peut les mettre dans une situation inconfortable en cas de problème majeur.

En 2007, avec une présence dans 130 pays et plus de 95 000 salariés, Total était le quatrième groupe pétrolier au monde. Le groupe avait réalisé en 2006 un bénéfice de 12,6 milliards d'euros pour un chiffre d'affaires de 154 milliards. Jamais une entreprise française n'avait dégagé un tel profit. Ce succès fit cependant l'objet de nombreuses polémiques.

L'association de consommateurs UFC Que Choisir appela ainsi les parlementaires français à voter une taxe de 5 milliards d'euros sur ce qui était qualifié de « super profits ». Selon l'UFC Que Choisir, les résultats de Total n'étaient pas liés à une performance économique, mais s'expliquaient mécaniquement par l'augmentation des prix du pétrole brut. De plus, Total était accusé d'utiliser une large part de ses profits non pas pour investir mais pour distribuer des dividendes et racheter ses propres actions (en quatre ans, Total avait en effet racheté pour 15 milliards d'euros de ses propres actions). Le gouvernement français ne donna pas suite à la demande de l'UFC Que Choisir.

Pour autant, Total devait faire face à d'autres critiques. Total était en effet l'affréteur de l'*Erika*, un pétrolier dont le naufrage avait provoqué une terrible marée noire sur les côtes de Bretagne en décembre 1999. La justice reprochait à Total les délits de pollution, d'abstention volontaire de prendre des mesures pour combattre un sinistre et de complicité de mise en danger d'autrui. Total estimait que ces infractions étaient non fondées.

Total était également le propriétaire de l'usine AZF, dont l'explosion à Toulouse en 2001 avait tué 30 personnes et en avait blessé un millier d'autres. Sept ans plus tard, si les causes de cette catastrophe étaient encore incertaines, Total avait été mis en examen pour homicides et blessures involontaires par les juges d'instruction chargés de l'enquête.

Enfin, Total était régulièrement montré du doigt pour ses relations avec la junte militaire au pouvoir au Myanmar ou pour ses ingérences politico-financières dans plusieurs pays d'Afrique de l'Ouest.

Face à tout cela, Total avait mis en place un dispositif de communication extrêmement complet. Sur son site institutionnel (www.total.com), des centaines de pages étaient consacrées à la présentation de sa responsabilité sociale. Toutes les accusations étaient méticuleusement exposées, commentées et réfutées. Au travers de cas détaillés, de rapports d'audit indépendants et de dossiers très complets, Total défendait ses positions en termes d'éthique, de respect de l'environnement, d'aide au développement, de santé ou de sécurité. Ce site incluait notamment un entretien avec le directeur général du groupe, Christophe de Margerie, qui répondait à quelques questions directes :

L'actualité judiciaire amène à reparler de l'Erika et d'AZF. Quels enseignements Total a-t-il tirés de ces événements catastrophiques ?

Ils ont douloureusement et pour longtemps marqué notre mémoire, mais ils ont été aussi pour nous une occasion de

les émissions de dioxyde de carbone peut constituer une opportunité pour un constructeur automobile[41]. En Suède, le lobby qui a lancé un nouveau type d'emballage écologique en a profité pour s'emparer du marché avec un produit 25 % moins coûteux que ses concurrents[42].

Les gains économiques ne sont cependant pas toujours visibles. L'avantage concurrentiel devrait se traduire par une performance économique supérieure, ce qui n'est pas toujours le cas. Certains observateurs affirment que la position d'individualisme éclairé est financièrement préférable[43]. On a pu ainsi observer que les fonds éthiques ont une performance équivalente – mais pas supérieure – à celle des autres fonds d'investissement. La responsabilité sociale ne se traduit donc pas par une meilleure rentabilité[44]. Cependant, d'autres études démontrent que si l'on prend en compte le talent des gestionnaires de fonds, les fonds éthiques sont plus rentables[45]. Quoi qu'il en soit, le débat reste ouvert.

réfléchir sur nos pratiques et d'affiner encore nos politiques. Le naufrage de l'*Erika* a amené notre Groupe à faire moins confiance aux autres acteurs des transports maritimes et à durcir ses critères d'affrètement, notamment en ce qui concerne l'âge des navires. Par ailleurs, nous avons milité au sein de la profession en faveur d'un relèvement très substantiel des montants disponibles pour indemniser les victimes en cas de marée noire.

S'agissant d'AZF, nous regrettons beaucoup que l'élément déclencheur de ce sinistre ne soit toujours pas connu. Mais nous avons poursuivi sans relâche nos efforts pour prévenir les risques technologiques sur nos différents sites et pour nous placer en matière de sécurité au meilleur niveau de la profession.

Pour maintenir son rang, Total ne devra-t-il pas faire des concessions sur le choix de ses implantations et sur l'éthique des affaires ?

L'image de Total associe l'excellence technique et environnementale, la compétence pour mener à bien des projets complexes, le respect de notre Code de conduite et l'esprit de partenariat. Nous avons la conviction que ces atouts sont les meilleurs garants de notre compétitivité. Nous ne devons pas les gaspiller par des compromissions. Nos choix d'implantation sont guidés par la géologie ; celle-ci nous conduit parfois, si aucune règle de droit ne s'y oppose, à travailler dans des pays secoués par des conflits internes ou dotés d'une gouvernance publique critiquable. Dans de telles situations nous devons être particulièrement attentifs à notre contribution au progrès économique et social local et aussi à la question des droits de l'homme. La présence de Total au Myanmar, la conduite de certaines de nos opérations dans des régions actuellement en proie à des troubles, l'éventualité de notre retour au Soudan… nous donnent une bonne connaissance de la complexité de ces situations et de ce que nous pouvons y apporter.

Quelle place faites-vous à la responsabilité sociétale et environnementale dans la stratégie de Total ?

Cet engagement doit toujours guider nos analyses techniques ou financières. Nous savons que nos activités ont un impact sur leur environnement naturel et humain. Invoquer notre responsabilité, c'est reconnaître que nous sommes un acteur social important, affirmer notre volonté de nous comporter en citoyens du monde et être prêts à répondre aux interrogations et aux critiques qui nous sont adressées.

Questions

1. En vous référant au schéma 4.4, comment caractériseriez-vous la position éthique de Total ?

2. Est-ce que d'autres parties prenantes ont un avis différent sur Total ?

3. Que pensez-vous des arguments de Christophe de Margerie ?

Le schéma 4.5 présente quelques questions permettant d'évaluer l'action d'une organisation au regard de la responsabilité sociale. L'*audit social*[46] est une pratique qui permet de s'assurer que ces questions sont systématiquement prises en compte. Ce type d'audit implique généralement des organismes externes et indépendants, le strict respect des normes environnementales et une démarche volontaire de la part de l'organisation elle-même.

4.3.2 Le rôle des individus et des managers

Les questions éthiques exposent les individus et les managers à un certain nombre de dilemmes. L'illustration 4.3 en présente quelques exemples. Ces dilemmes soulèvent notamment des questions à propos de la responsabilité d'un individu qui estime que la stratégie de l'organisation à laquelle il appartient n'est pas éthique – par exemple en termes de pratiques commerciales – ou

Schéma 4.5	Quelques questions sur la responsabilité sociale des entreprises

Les organisations devraient-elles être tenues responsables de...	
Aspects internes	**Aspects externes**
Protection sociale des salariés ... l'instauration d'une mutuelle santé, l'attribution de prêts bonifiés, l'extension des congés maladie et parentaux, l'aide aux conjoints et dépendants, etc. ? **Conditions de travail** ... l'amélioration de l'environnement de travail, la création d'associations, le renforcement des normes de sécurité, etc. ? **Conception des tâches** ... la conception des tâches de manière à accroître la satisfaction des salariés plutôt que l'efficience économique ? **Propriété intellectuelle** ... respecter le savoir privé des individus et ne pas tenter de le breveter au nom de l'organisation ?	**Aspects écologiques** ... la réduction de la pollution en deçà des normes légales, même si les concurrents ne le font pas ? ... la préservation de l'énergie ? **Produits** ... la prévention des dangers pouvant résulter de l'utilisation négligente des produits par les clients ? **Aspects commerciaux** ... la décision de ne pas intervenir sur certains marchés ? ... la définition d'un code de bonne conduite concernant la publicité ? **Fournisseurs** ... l'instauration de procédures d'achat équitables ? ... la décision de ne pas travailler avec certains fournisseurs ? **Emploi** ... favoriser les minorités à l'embauche ? ... la préservation de l'emploi ? **Vie de la collectivité** ... le parrainage d'événements locaux et l'implication dans les bonnes œuvres ? **Droits de l'homme** ... le respect des droits de l'homme, notamment en termes de travail des enfants, de liberté syndicale, de lutte contre les dictatures, à la fois directement et par le choix des marchés, des fournisseurs et des partenaires ?

ne représente pas équitablement les intérêts légitimes de certaines parties prenantes. Cet individu doit-il quitter l'organisation pour incompatibilité de valeurs ? Est-il préférable de dénoncer ces pratiques auprès d'organismes de contrôle, voire dans la presse ? Cette réaction d'alerte est en général appelée *whistleblowing* (c'est-à-dire *coup de sifflet*) dans la littérature anglo-saxonne. Dans plusieurs pays, notamment les États-Unis et le Royaume-Uni, les employés qui dénoncent les pratiques répréhensibles de leur organisation sont protégés par la loi. En France, les réticences culturelles sont nombreuses à l'égard de ce qui est souvent considéré comme une délation[47].

Étant donné que l'élaboration de la stratégie peut devenir un processus politique dans lequel se joue la carrière de ceux qui y participent, les managers éprouvent souvent de réelles difficultés à établir et à conserver une position intègre. Il existe un conflit potentiel entre les décisions favorables aux intérêts des managers et celles qui privilégient le développement à long terme de l'organisation. Certaines entreprises, comme Texas Instruments, ont édité des règles de conduite explicites

Quelques dilemmes éthiques

Les managers doivent résoudre toute une série de dilemmes éthiques.

Les conflits d'objectifs

Vous êtes un manager en charge de l'exploitation d'une mine en Namibie pour le compte d'une grande entreprise multinationale. Vous employez du personnel local à bas prix. Votre mine est le principal acteur de la vie économique locale. Plus de 1 000 familles en vivent. Il n'existe pas d'autres activités dans la région en dehors de l'agriculture de subsistance. Vous avez découvert de nombreux problèmes de sécurité dans la mine, mais l'ingénieur en chef a calculé que le coût de mise à niveau rendrait l'activité déficitaire. Fermer la mine provoquerait de vives réactions politiques et entacherait la réputation de l'entreprise, mais la laisser ouverte fait courir le risque d'un accident majeur.

La transparence de l'information

Vous avez été récemment nommé directeur d'une école dont la performance se rétablit progressivement après une période de très mauvais résultats du temps de votre prédécesseur. On vous a clairement signifié qu'un des indicateurs de performance clés est le taux d'absentéisme des élèves, qui doit être ramené au niveau de la moyenne nationale, soit 5 % au maximum. Vous avez collecté des statistiques afin de préparer votre rapport trimestriel et vous remarquez avec déception qu'après les remarquables résultats qui ont suivi votre nomination, le niveau d'absentéisme est remonté très légèrement au-dessus de 5 % au cours du dernier trimestre. Alors que vous en discutez avec votre adjointe, elle vous demande si vous souhaitez qu'elle « réexamine et corrige » les chiffres avant de les envoyer à votre hiérarchie.

La corruption

Vous êtes le nouveau responsable de la filiale chargée de distribuer les produits de votre entreprise sur le marché américain. Après quelques semaines, vous réalisez qu'il est impossible de vendre vos produits sans l'approbation d'une obscure commission officielle, contrôlée par une branche new-yorkaise du syndicat des électriciens. Une rapide enquête révèle que cette organisation a des connexions avec la Mafia.

Peu de temps après, des membres du syndicat viennent vous rendre visite. Ils vous proposent un arrangement. Si votre entreprise paie des « frais de conseil » annuels de 12 000 dollars (avec une clause d'indexation sur la progression de vos ventes), vos produits seront approuvés dans les six mois. L'autre solution consiste à tenter d'obtenir cette approbation par vous-même, ce qui d'après des sources bien informées a très peu de chances de réussir.

Votre entreprise est par principe opposée à la corruption. Cependant, son succès – de même que votre carrière – dépend de la réussite de ce projet sur le marché américain. Le montant de 12 000 dollars est négligeable par rapport aux gains potentiels. Vous pourriez sans problème obtenir cette somme auprès de votre maison mère, à condition de la demander de manière « appropriée ».

Le rationnement

Vous êtes un médecin détaché dans un hôpital de campagne en Afrique subsaharienne. L'équipement médical à votre disposition est très limité, en particulier en ce qui concerne les médicaments et votre stock de sang. Un grave accident de la route vient de se produire : un bus local et une voiture de touristes sont entrés en collision, ce qui a causé plusieurs décès. Il y a également quatre blessés graves. Deux sont des enfants locaux, le troisième est un homme âgé, chef d'une tribu des environs, et le quatrième est un touriste allemand. Ils ont tous le même groupe sanguin et ont besoin d'une transfusion. Votre stock de sang ne vous permet de transfuser que deux d'entre eux.

Questions

Vous êtes confronté(e) à chacun de ces dilemmes :

1. Quels sont les choix à votre disposition ?
2. Établissez la liste des avantages et des inconvénients de chacun de ces choix pour votre organisation, pour les autres parties et pour vous-même.
3. Expliquez ce que vous feriez et justifiez votre décision d'un point de vue éthique.

que leurs managers se doivent de suivre (voir le schéma 4.6). Un des principaux défis auxquels les managers sont confrontés consiste à rester attentifs à leur propre comportement vis-à-vis des questions soulevées ci-dessus[48]. Cela peut se révéler relativement difficile car il s'agit parfois de s'écarter de croyances implicites et de comportements routiniers, ancrés dans la culture de l'organisation. Nous reviendrons sur ce point dans le prochain chapitre.

Schéma 4.6   **Quelques règles de conduite**

Questions	Réponses appropriées
Cette action est-elle légale ?	Si non, arrêtez immédiatement
Est-elle en phase avec nos valeurs ?	Si non, arrêtez
Si vous le faites, vous sentirez-vous mal à l'aise ?	Interrogez votre conscience
De quoi cela aurait-il l'air dans la presse ?	Si cela devient public demain, le feriez-vous aujourd'hui ?
Si vous savez que ce n'est pas bien…	Ne le faites pas
Si vous n'êtes pas sûr(e)…	Demandez
	Et continuez à demander tant que vous n'avez pas eu de réponse

4.4   Les attentes des parties prenantes[49]

Les décisions que doivent prendre les managers concernant l'intention stratégique de leur organisation sont influencées par les attentes des parties prenantes. Or, le nombre d'ayants droit à satisfaire peut rapidement devenir élevé (voir le schéma 4.7) et leurs attentes peuvent être divergentes, voire opposées. Cela implique que les managers doivent déterminer (i) quelles parties prenantes ont la plus grande influence, (ii) à quelles attentes ils doivent donc prêter le plus d'attention et (iii) dans quelle mesure les attentes et l'influence des différentes parties prenantes sont susceptibles d'évoluer.

Les parties prenantes externes se répartissent en trois catégories, selon la nature de leurs relations avec l'organisation, qui détermine la façon dont elles influent sur le succès ou l'échec des stratégies[50] :

- Les *parties prenantes économiques* rassemblent les fournisseurs, les concurrents, les distributeurs (dont l'influence peut être analysée grâce au modèle des 5(+1) forces présenté dans le schéma 2.2) et les actionnaires (dont l'influence peut être analysée grâce à la chaîne de gouvernement présentée dans le schéma 4.2).
- Les *parties prenantes sociopolitiques*, c'est-à-dire les pouvoirs publics, les régulateurs ou les agences gouvernementales, qui influencent la légitimité sociale de la stratégie (ils constituent la sixième force dans le modèle du schéma 2.2).

Schéma 4.7   **Les parties prenantes d'une grande organisation**

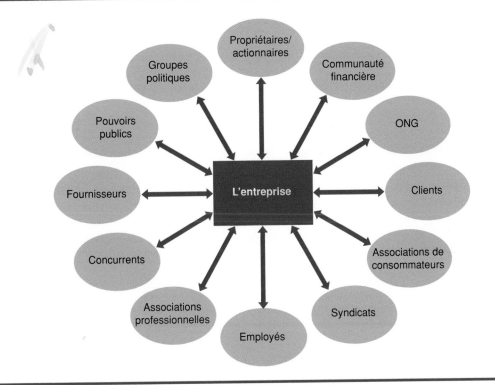

- Les *parties prenantes technologiques*, comme les clients innovateurs, les comités de standardisation ou les détenteurs de brevets, qui vont influencer la diffusion de nouvelles technologies et l'adoption de nouveaux standards.

L'influence de ces trois groupes de parties prenantes externes varie selon la situation. Par exemple, le groupe « technologique » est crucial pour les stratégies d'introduction de nouveaux produits, alors que le groupe « politique et social » est généralement très influent dans la sphère publique.

Il existe aussi des parties prenantes internes à l'organisation, par exemple les différentes fonctions, les implantations géographiques ou les différents niveaux hiérarchiques. Un individu peut appartenir à plusieurs de ces groupes, qui peuvent se positionner différemment selon la stratégie envisagée. Les parties prenantes externes cherchent en général à influencer la stratégie en jouant sur leurs liens avec les parties prenantes internes. Les clients exercent ainsi des pressions sur les commerciaux pour qu'ils fassent valoir leurs intérêts au sein de l'entreprise.

Étant donné que les attentes des parties prenantes diffèrent, il est normal que des conflits émergent à propos de l'importance ou de l'opportunité de beaucoup d'aspects de la stratégie. Dans la plupart des situations, il est nécessaire d'arriver à des compromis entre des objectifs contradictoires. Le schéma 4.8

Schéma 4.8   Quelques exemples d'objectifs contradictoires

- Pour privilégier la croissance, on peut choisir de sacrifier la rentabilité à court terme, la marge brute d'autofinancement et les salaires.
- Le *court termisme* peut aider les ambitions de carrière des managers, mais il s'oppose aux investissements dans des projets à long terme.
- Quand une affaire de famille croît, les propriétaires peuvent perdre le contrôle s'ils doivent recourir à des managers professionnels.
- De nouveaux développements peuvent nécessiter des fonds supplémentaires, au travers d'émission d'actions ou d'emprunts. Dans les deux cas, l'indépendance financière est sacrifiée.
- L'introduction en Bourse de l'entreprise oblige les managers à plus d'ouverture et de responsabilité.
- La recherche de l'efficience par l'automatisation peut menacer l'emploi.
- Le lancement d'une production en grande série peut entraîner une réduction du niveau de qualité.
- Dans les services publics, il peut y avoir un conflit entre la production de masse et les services spécialisés (par exemple le choix entre la dentisterie préventive et les transplantations cardiaques).
- Toujours dans les services publics, les économies dégagées sur certains postes (par exemple la réduction des aides aux plus démunis) peuvent entraîner l'inflation d'autres budgets (par exemple la dégradation de la santé publique).
- Dans les grandes multinationales, les conflits peuvent résulter du fait que les divisions dépendent de deux niveaux de responsabilité : les filiales locales et la direction centrale.

présente quelques-unes des attentes typiques des différentes parties prenantes et en quoi elles peuvent s'opposer. Dans les grandes organisations multinationales, la probabilité de conflit est encore plus élevée. Les filiales peuvent ainsi développer des attentes et des objectifs distincts de ceux de la maison mère. De plus, elles évoluent dans un contexte local qui peut être politiquement et idéologiquement très éloigné de celui du siège, jusqu'à créer des incompatibilités de comportement[51].

Pour toutes ces raisons, le concept de parties prenantes est particulièrement utile lorsqu'on cherche à comprendre dans quel contexte politique les stratégies sont élaborées et déployées. Comme nous le verrons dans le chapitre 10, les décisions stratégiques doivent nécessairement prendre en compte les attentes et l'influence de tous ces ayants droit.

La cartographie des parties prenantes identifie les attentes et le pouvoir de chaque groupe d'ayants droit, ce qui permet d'établir des priorités politiques

4.4.1 La cartographie des parties prenantes[52]

Pour comprendre l'influence des différentes parties prenantes, il est utile d'en établir la cartographie[53]. La cartographie des parties prenantes identifie les attentes et le pouvoir de chaque groupe d'ayants droit, ce qui permet d'établir des priorités politiques. Elle consiste à répondre à deux interrogations :

- Quel *intérêt* a chacune des parties prenantes à influencer l'intention et les choix stratégiques de l'organisation ?
- Quelles sont les parties prenantes qui détiennent effectivement le *pouvoir* de le faire (voir la section 4.4.2) ?

La matrice pouvoir/intérêt

La matrice pouvoir/intérêt présentée dans le schéma 4.9 décrit le contexte politique dans lequel une stratégie est élaborée, choisie et déployée. Elle consiste à répartir les parties prenantes en fonction du pouvoir qu'elles sont susceptibles d'exercer et de l'intérêt – positif ou négatif – qu'elles portent à une stratégie donnée. Même si cette matrice permet d'anticiper les réactions des parties prenantes face aux évolutions stratégiques, il convient de rappeler que la manière dont les managers gèrent les relations avec les différents ayants droit dépend des structures de gouvernement (voir la section 4.2) et de la posture de l'organisation en termes de responsabilité sociale (voir la section 4.3.1). Dans certains pays, les syndicats sont ainsi très peu influents, alors que dans d'autres ils siègent dans les instances de direction. De même, dans la tradition anglo-saxonne, les banques tiennent un strict rôle de prêteur, alors qu'en Allemagne ou au Japon elles sont le plus souvent actionnaires. Une organisation qui adopte une posture de laisser-faire se focalise généralement sur les parties prenantes qui détiennent le plus de pouvoir économique (notamment les investisseurs), alors qu'une organisation qui pratique l'activisme sociétal cherche à obtenir l'implication d'un très grand nombre d'acteurs, dont certains ne se considèrent pas eux-mêmes comme influents.

Quel que soit le contexte, la réaction des *acteurs clés* (case D) doit être une préoccupation essentielle lors de la formulation et l'évaluation de nouvelles stratégies.

Schéma 4.9	La cartographie des parties prenantes : la matrice pouvoir/intérêt

Source : adapté de A. Mendelow, *Actes de la Second International Conference on Information Systems*, Cambridge, MA, 1991.

On compte en général parmi les acteurs clés les principaux actionnaires, mais également certains individus ou institutions particulièrement influents (par exemple le fondateur dans une entreprise familiale, l'autorité de tutelle pour un organisme public, etc.). C'est souvent avec les parties prenantes de la case C que les relations sont le plus difficiles à planifier. Bien que ces acteurs restent la plupart du temps passifs, ils peuvent parfois basculer dans la case D, auquel cas la sous-évaluation de leur niveau d'intérêt peut déboucher sur des situations désastreuses, en particulier sur l'abandon précipité de certaines stratégies. Les investisseurs institutionnels entrent généralement dans cette catégorie : ils montrent peu d'intérêt, sauf si le cours de l'action s'effondre, auquel cas ils exigeront des explications.

De la même manière, les besoins des parties prenantes figurant dans la case B (par exemple les collectivités locales ou l'opinion publique en général) doivent être correctement estimés. Les managers doivent absolument veiller à informer ces parties prenantes, car elles peuvent constituer des alliés précieux lorsqu'il est nécessaire d'influencer l'attitude d'acteurs importants, par exemple au moyen du *lobbying*.

Au total, la cartographie des parties prenantes permet de répondre aux questions suivantes :

- Lorsqu'on fixe les objectifs stratégiques, de quelles parties prenantes faut-il prendre en compte les attentes ?
- Le niveau réel d'intérêt et de pouvoir des parties prenantes reflète-t-il correctement la structure de gouvernement de l'organisation ?
- Quelles sont les parties prenantes qui *s'opposent* ou *facilitent* la stratégie et comment faire évoluer leur position, par exemple en termes d'information ou de persuasion ?
- Peut-on envisager de *repositionner* certaines parties prenantes dans la matrice ? Cela peut permettre de réduire l'influence d'un acteur clé ou de s'assurer que la stratégie sera défendue par un nombre suffisant de partisans. Ce point est souvent déterminant dans le secteur public.
- Dans quelle mesure faut-il aider ou encourager les parties prenantes afin qu'elles maintiennent leur niveau d'intérêt ou de pouvoir, ce qui peut permettre d'assurer le déploiement des stratégies ? Le soutien public de la part de fournisseurs ou de clients influents peut ainsi se révéler déterminant pour le succès d'une stratégie. De la même manière, il peut être nécessaire de décourager certaines parties prenantes de se repositionner sur la matrice. C'est ce que signifient « à garder satisfaits » dans la case C et dans une moindre mesure « à garder informés » dans la case B. Pour garantir l'acceptation de nouvelles stratégies, il est souvent essentiel de veiller à ce que chacun des ayants droit reçoive une *rétribution*, que ce soit sous forme financière, statutaire, matérielle ou symbolique. On peut ainsi envisager de conclure une forme de marché avec un autre département : nous soutiendrons leur stratégie s'ils ne s'opposent pas à la nôtre.

Ces points soulèvent cependant des questions éthiques particulièrement épineuses quant au rôle que doivent jouer les managers dans les débats politiques. Les managers sont-ils impartiaux dans l'arbitrage entre les conflits d'intérêts des parties prenantes ou sont-ils au contraire au service d'une seule d'entre elles – généralement les actionnaires –, avec pour mission de faire accepter les stratégies par les autres ? On peut également considérer – comme le font de nombreux auteurs – que les managers constituent le seul véritable pouvoir au sein de l'organisation, qu'ils conçoivent des stratégies qui servent leurs propres intérêts et qu'ils orientent les attentes des parties prenantes de manière à faire entériner leurs propres choix.

L'illustration 4.4(a) montre comment la cartographie des parties prenantes peut aider à identifier les priorités politiques liées à la poursuite d'une nouvelle stratégie. Il s'agit du cas d'une banque allemande qui propose des services de financement pour les entreprises, à la fois depuis son siège de Francfort (Allemagne) et depuis son bureau régional de Toulouse (France). La direction de la banque envisage de fermer le bureau de Toulouse et de rapatrier l'intégralité de l'activité à Francfort. Cet exemple permet de souligner deux points :

- Les parties prenantes ne sont généralement pas homogènes : il peut être nécessaire de les subdiviser en sous-groupes qui présentent des différences importantes en termes d'attentes ou de pouvoir. Dans l'exemple, les clients ont été répartis en trois catégories : (1) le client X, qui est fortement en faveur de la stratégie de rapatriement ; (2) le client Y, qui y est activement hostile ; (3) le client Z, qui y est indifférent. Comme on le voit, il est indispensable de trouver un équilibre entre les généralisations hâtives, qui risquent de masquer des éléments cruciaux, et un nombre excessif de subdivisions, qui peut rendre la cartographie confuse et difficile à interpréter.

- Il est indispensable de définir dans quelle mesure les *rôles* sont dépendants de la personne qui les occupe et en particulier de déterminer si un nouvel individu nommé au même poste peut adopter une position différente. Une des erreurs classiques de cette analyse consiste d'ailleurs à confondre l'individu et sa fonction. Dans l'exemple, la ministre allemande a été positionnée dans la case C, du fait de son indifférence à la nouvelle stratégie qui n'interfère pas avec ses propres priorités. Cependant, un changement de ministre peut renverser cette situation du jour au lendemain. Bien qu'il soit impossible de lever totalement ce type d'incertitude, leurs implications politiques doivent être anticipées. Il est par exemple important de veiller à la satisfaction des hauts fonctionnaires qui entourent la ministre, car leur position ne sera généralement pas remise en cause en cas de remaniement. Ils assurent une certaine continuité qui peut réduire l'incertitude. Il est également possible que l'implication de la ministre allemande soit accrue du fait de l'intervention de son homologue français, ce qui suppose que la banque soit particulièrement attentive à la manière dont elle gère la situation en France.

4.4.2 Le pouvoir[54]

Dans la section précédente, nous avons souligné le besoin d'évaluer le pouvoir de chacune des parties prenantes. Nous avons également montré que dans la plupart des organisations le pouvoir est inégalement partagé entre les ayants droit. Dans le cadre du management stratégique, le **pouvoir** définit dans quelle mesure des individus ou des groupes sont capables de persuader, d'inciter ou de forcer les autres à modifier leur comportement. C'est le mécanisme par lequel certaines attentes vont dominer le développement de la stratégie ou établir des compromis avec les autres.

Le pouvoir est la capacité des individus ou des groupes à persuader, inciter ou forcer les autres à modifier leur comportement

Illustration 4.4 (a)

La cartographie des parties prenantes de Tallman GmbH

La cartographie des parties prenantes peut aider à déterminer les priorités politiques lors d'évolutions stratégiques spécifiques.

Tallman GmbH était une banque allemande qui partageait ses activités entre un réseau grand public classique et des services financiers aux entreprises. Elle était présente en Allemagne, au Benelux et en France. Devant la réduction de sa part de marché dans les services aux entreprises, qui étaient proposés par deux centres – Francfort (pour l'Allemagne et le Benelux) et Toulouse (pour la France) –, Tallman envisageait de fermer le bureau de Toulouse, de rapatrier l'ensemble de cette activité à Francfort et d'investir dans un nouveau système informatique. Cela entraînait de nombreuses suppressions de postes à Toulouse, mais un certain nombre d'employés pouvaient être transférés à Francfort.

Des matrices pouvoir/intérêt ont été construites par les managers afin d'anticiper les réactions des parties prenantes à la fermeture du bureau de Toulouse. La matrice A présente la situation prévisible et la matrice B, la situation souhaitée, c'est-à-dire celle dans laquelle le soutien des parties prenantes serait suffisant pour déployer la stratégie.

À partir de la matrice A, on peut constater qu'à l'exception du client X et du fournisseur informatique A, les parties prenantes de la case B étaient opposées à la fermeture du bureau de Toulouse. Si Tallman voulait avoir la moindre chance de convaincre ces parties prenantes de revoir leur position en faveur de la fermeture, il était nécessaire de répondre à leurs questions et – lorsque c'était possible – de réduire leurs craintes. Ces individus deviendraient alors des alliés importants susceptibles d'influencer les parties

prenantes les plus puissantes des cases C et D. L'attitude favorable du client X, une multinationale présente dans toute l'Europe, pouvait être utilement exploitée dans ce but. Ce client était mécontent du traitement inégal qu'il avait reçu jusqu'ici, selon que Francfort ou Toulouse traitait ses dossiers.

Les relations qu'entretenait Tallman avec les parties prenantes de la case C étaient les plus difficiles à gérer, car bien qu'elles se soient montrées largement passives, du fait de leur indifférence à l'égard de la stratégie proposée, il pouvait se révéler désastreux de sous-estimer leur niveau d'intérêt. Par exemple, si la ministre allemande était remplacée, son successeur pouvait très bien se repositionner dans la case D en s'opposant activement à la fermeture du bureau de Toulouse.

L'acceptation de la stratégie par les acteurs figurant dans la case D constituait un élément clé. Cela concernait notamment le client Y, un gros industriel français présent uniquement dans l'Hexagone et représentant 20 % de l'activité de services financiers du bureau de Toulouse. Ce client était très fermement opposé à la fermeture de ce bureau et détenait assez de pouvoir pour l'empêcher, notamment en menaçant de priver Tallman de sa clientèle. Cette situation devait être gérée avec la plus grande attention.

En comparant les matrices A et B, Tallman élabora une série de tactiques permettant soit d'obtenir l'appui de certaines parties prenantes, soit de renforcer le pouvoir de celles qui étaient déjà favorables. On pouvait ainsi encourager le client X à soutenir encore plus ouvertement la stratégie de fermeture du bureau de Toulouse en lui proposant de participer à une campagne de presse commune. On pouvait également chercher à convaincre le client Y des bénéfices qu'il pourrait retirer de la nouvelle situation.

Les sources de pouvoir sont nombreuses et variées. Il convient en particulier de bien distinguer d'une part le pouvoir que les individus ou les groupes retirent de leur position officielle dans l'organisation – au travers de la structure formelle de gouvernement – et d'autre part le pouvoir qu'ils détiennent par d'autres moyens, généralement moins apparents, comme le montre le schéma 4.10. Ce schéma peut être utilisé dans le cadre d'une cartographie des parties prenantes pour déterminer quelle est la capacité d'influence de chacune à l'égard d'une stratégie donnée.

L'importance relative de ces sources de pouvoir évolue au cours du temps. Certaines évolutions de l'environnement – comme la déréglementation ou la

Matrice A : situation prévisible

Matrice B : situation souhaitée

Tallman pouvait aussi tenter de dissuader certaines parties prenantes particulièrement puissantes de s'opposer au projet. Par exemple, à moins d'agir directement à son niveau, la ministre allemande pouvait être sensible au lobbying exercé par son collègue français. Pour éviter cela, il était nécessaire d'expliquer en détail les avantages de la stratégie proposée au ministre français et au client Y, afin d'essayer de les convaincre de ne plus s'y opposer, voire de la soutenir.

Questions

Afin de vérifier que vous avez compris comment mener une cartographie des parties prenantes, réalisez votre propre analyse dans le cas où Tallman GmbH envisagerait une stratégie radicalement différente : transférer toute l'activité de services financiers aux entreprises à Toulouse. Vous devrez réaliser les étapes suivantes :

1. Construisez la carte des positions prévisibles (matrice A) en réévaluant l'intérêt et le pouvoir de chacune des parties prenantes vis-à-vis de cette nouvelle stratégie.

2. Construisez la carte des positions souhaitées (matrice B).

3. Identifiez les différences et établissez les priorités politiques. N'oubliez pas que cela inclut éventuellement le maintien de la position de certaines parties prenantes.

4. Établissez la liste des actions qu'il vous paraît opportun de mener et donnez votre avis sur le degré de risque politique de cette nouvelle stratégie.

généralisation des technologies de l'information – peuvent profondément modifier l'équilibre de pouvoir entre des organisations et entre leurs parties prenantes. Le pouvoir des clients s'est ainsi considérablement accru grâce à la facilité avec laquelle – à l'aide d'Internet – ils peuvent comparer les offres de différents fournisseurs et passer aisément de l'un à l'autre. De même, la déréglementation et le poids croissant des associations de consommateurs ont forcé les organisations de service public à adopter une attitude plus respectueuse des attentes de leurs usagers.

Étant donné la variété de ces sources, il est souvent utile de repérer des *signes de pouvoir*, qui sont des indicateurs visibles prouvant que les parties prenantes ont

| Schéma 4.10 | Les sources et les signes de pouvoir |

Sources de pouvoir	
(a) À l'intérieur de l'organisation	**(b) Pour les parties prenantes externes**
• Hiérarchie (pouvoir formel)	• Contrôle de ressources stratégiques
• Exemple : pouvoir de décision	• Exemple : matières premières, main-d'œuvre, fonds, information
• Influence (pouvoir informel)	• Implication dans le déploiement de la stratégie
• Exemple : charisme	• Exemple : distributeurs, agents
• Contrôle de ressources stratégiques	• Possession de savoir et de compétences
• Exemple : responsable d'un produit phare	• Exemple : sous-traitants, consultants
• Possession de savoir et de compétences	• Jeu avec les zones d'incertitude des procédures
• Exemple : informaticiens, techniciens de maintenance	• Exemple : capacité d'interprétation des règlements
• Contrôle de l'environnement	• Par l'intermédiaire de liens internes
• Exemple : capacité de négociation	• Exemple : influence officieuse
• Jeu avec les zones d'incertitude des procédures	
• Exemple : capacité d'interprétation des règlements	
• Implication dans le déploiement de la stratégie	
• Exemple : responsable opérationnel	

Signes de pouvoir	
(a) À l'intérieur de l'organisation	**(b) Pour les parties prenantes externes**
• Statut	• Statut
• Ressources	• Maîtrise de ressources clés
• Représentation	• Pouvoir de négociation
• Symboles	• Symboles

été capables d'exploiter une ou plusieurs d'entre elles. Il existe quatre types de signes de pouvoir :

- Le *statut* d'un individu ou d'un groupe. Le statut peut être mesuré par le niveau hiérarchique, mais d'autres critères sont tout aussi pertinents, comme le salaire, la nature des fonctions occupées ou encore la réputation dont jouit l'individu ou le groupe auprès des autres parties prenantes.

- Le *niveau de ressources* détenues par le groupe, qui peut se mesurer par la taille du budget d'un département ou par ses effectifs. On peut étudier l'évolution de la part des ressources globales de l'organisation obtenue par chaque groupe, afin de définir dans quelle mesure son pouvoir augmente ou décroît, mais également comparer avec les ressources détenues par des groupes semblables dans des organisations similaires.

- La *représentation* à des postes de pouvoir au sein de la structure de gouvernement de l'organisation. Un bon indicateur est donné par la composition et le fonctionnement du conseil d'administration ou des instances de direction. Dans de nombreuses entreprises industrielles, le faible pouvoir de la fonction marketing se traduit par sa présence limitée aux plus hauts niveaux de décision. Dans d'autres organisations, la représentation au sein de divers comités peut constituer une mesure de pouvoir. Cependant, un simple décompte ne suffit pas pour évaluer le pouvoir de chaque individu, qui dépend fortement de son statut au sein du groupe.

- Les *symboles de pouvoir*. Le partage interne du pouvoir peut être indiqué par de multiples éléments. Des symboles physiques tels que la mise à disposition d'une assistante personnelle, la taille et la localisation des bureaux, voire l'épaisseur de la moquette, le nombre de fenêtres – et la vue qu'elles offrent – ou encore la qualité du mobilier constituent de bons indices. Généralement, plus le pouvoir d'un individu est élevé, plus l'étage où se trouve son bureau l'est aussi. On peut également repérer des différences de pouvoir selon qu'un individu est désigné par son nom ou son prénom, voire par la manière dont il ou elle s'habille. Dans les organisations bureaucratiques, l'existence de *listes de destinataires* pour les notes et les rapports internes désigne naturellement les individus les plus influents. En effet, ces listes ne reflètent pas toujours exactement la structure hiérarchique formelle, mais répertorient plutôt les personnes clés.

Cette évaluation du pouvoir doit impérativement être menée en relation avec la stratégie considérée. Une direction financière sera ainsi vraisemblablement plus influente à propos de développements nécessitant une augmentation de capital ou un endettement supplémentaire que lorsqu'il s'agit d'une stratégie autofinancée.

Parallèlement à cette évaluation de la structure interne de pouvoir, il est nécessaire de mener une analyse semblable en ce qui concerne les parties prenantes externes. Cependant, les signes de pouvoir sont en ce cas légèrement différents :

- Le *statut* d'une partie prenante externe – par exemple un fournisseur – est généralement indiqué par la façon dont elle est désignée dans l'organisation et par la vitesse avec laquelle on répond à ses demandes.
- Le niveau de *maîtrise de ressources clés* peut souvent être évalué par des indicateurs tels que le montant du capital détenu par chaque actionnaire, le niveau des emprunts consentis par chaque créancier, la part de chiffre d'affaires représentée par chaque client ou la proportion des achats assurée par chaque fournisseur. Un indicateur clé du pouvoir de ces différentes parties prenantes est également la vitesse et la facilité avec laquelle il serait possible de la remplacer par un équivalent, et réciproquement sa propre capacité à s'adresser éventuellement à une organisation concurrente (voir la notion de *coût de transfert* dans la section 2.3.1).
- Les *symboles* sont aussi de bons indices : on peut par exemple mesurer le pouvoir d'un fournisseur ou d'un client à la valeur des cadeaux de fin d'année qui lui sont offerts ou à la qualité des restaurants où il est invité. Le niveau hiérarchique de la personne chargée de traiter avec la partie prenante externe est également un indicateur précieux. Enfin, le soin et l'attention portés aux relations courantes – par exemple les échanges de courriers – varient fortement selon l'influence de chacun.

Comme pour les parties prenantes internes, il n'est pas possible de mesurer le pouvoir à partir d'un seul de ces indicateurs, mais plutôt en recoupant les conclusions obtenues grâce à chacun d'eux. En reprenant le cas de Tallman GmbH, l'illustration 4.4(b) montre comment conduire une analyse du pouvoir des parties prenantes externes, en tant qu'étape préliminaire à la construction de la matrice pouvoir/intérêt.

Illustration 4.4 (b)

Évaluation du pouvoir chez Tallman GmbH

L'évaluation du pouvoir des parties prenantes est une étape clé de leur cartographie.

Quel que soit le critère retenu, il ressortait que la direction financière de Tallman GmbH était particulièrement puissante et qu'à l'inverse la direction marketing était très faible. De même, le bureau de Francfort était beaucoup plus influent que celui de Toulouse. Cette analyse complète utilement la cartographie des parties prenantes, car les individus ou les groupes qui détiennent un pouvoir stratégique sont généralement enclins à l'utiliser lorsque leurs intérêts sont en jeu. L'évaluation du pouvoir permet donc de déterminer les positions sur la matrice pouvoir/intérêt.

En combinant les résultats de cette analyse avec la cartographie des parties prenantes, on peut conclure que le seul véritable espoir du bureau de Toulouse était de convaincre le fournisseur A (systèmes d'information) de reconsidérer sa position, en montrant qu'une structure double aurait des besoins informatiques supérieurs à ceux d'un centre unique. L'actionnaire M pouvait éventuellement être utilisé dans cette démarche de lobbying.

Parties prenantes internes

Indicateurs de pouvoir	Direction financière	Direction marketing	Francfort	Toulouse
Statut				
Position dans la hiérarchie	E	F	E	M
Salaire du directeur	E	F	E	F
Niveau hiérarchique moyen du personnel	E	M	E	F
Ressources				
Effectifs	M	E	M	M
Par rapport à une entreprise comparable	E	F	E	F
Budget en % du total	E	M	E	F
Représentation				
Membres au conseil d'administration	E	Aucun	M	Aucun
Influence de ceux-ci	E	Nulle	M	Nulle
Symboles				
Qualité des locaux	E	F	M	M
Nombre d'assistant(e)s	E	F	E	F

Parties prenantes externes

Indicateurs de pouvoir	Fournisseur A	Client Y	Actionnaire M
Statut	M	E	F
Maîtrise de ressources clés	M	E	E
Pouvoir de négociation	M	E	F
Symboles	E	E	F

F = Faible   M = Moyen(ne)   E = Élevé(e)

Il apparaît que la seule chance de survie du bureau de Toulouse consiste à convaincre le fournisseur A de reconsidérer sa position en lui prouvant que la présence d'un deuxième site implique des investissements informatiques plus importants. Il peut être judicieux de s'appuyer pour cela sur la capacité de lobbying de l'actionnaire M.

4.5 La communication de l'intention stratégique

Dans les précédentes sections, nous avons vu quels facteurs influencent l'intention stratégique d'une organisation. Il est possible d'exprimer et de traduire cette intention selon différents niveaux de détail : *valeurs*, *vision*, *mission* et *objectifs*. Dans certains cas, ces éléments de communication répondent à des exigences formelles du gouvernement d'entreprise ou sont attendus par certaines parties prenantes. Dans d'autres cas, ce sont les managers eux-mêmes qui décident de les exprimer.

4.5.1 Les valeurs

De plus en plus d'organisations construisent et communiquent un ensemble de valeurs qui sont censées définir leur mode opératoire[55]. L'illustration 4.5 en donne quelques exemples. Ces déclarations comprennent notamment l'affirmation de **valeurs fondamentales**, qui sont les principes qui sous-tendent la stratégie de l'organisation. Les services de médecine d'urgence ou les pompiers ont ainsi un engagement absolu à sauver les vies, qui les conduit à interrompre leurs éventuels mouvements de grève en cas de nécessité. La devise des sapeurs-pompiers de Paris est particulièrement explicite à cet égard : « Sauver ou périr. » Jim Collins et Jerry Porras affirment que le succès durable de nombreuses entreprises américaines – par exemple GE, Disney ou 3M – peut être attribué (du moins en partie) à la force de leurs valeurs fondamentales[56]. Pour autant, ces déclarations publiques présentent un considérable inconvénient potentiel : que se passe-t-il dans le cas où l'organisation ne respecte pas ses engagements dans la pratique (voir l'illustration 4.2) ? Alors que les valeurs fondamentales devraient être l'expression de ce qu'est l'organisation, bien souvent elles manifestent plutôt ce à quoi elle aspire, une sorte d'image idéalisée d'elle-même. Sauf dans le cas – rarissime – où cette distinction est clairement explicitée, l'affirmation des valeurs fondamentales peut donc conduire tout aussi bien à de considérables malentendus qu'à un cynisme dévastateur. Afin d'éviter cette dérive, beaucoup d'organisations préfèrent afficher des valeurs minimales, auxquelles toutes les parties prenantes n'auront aucun mal à souscrire, notamment en termes de responsabilité sociale (voir la section 4.3).

Les valeurs fondamentales sont les principes qui sous-tendent la stratégie de l'organisation

4.5.2 La mission et la vision

La **mission** d'une organisation est l'affirmation de son intention fondamentale, de sa raison d'être. Certaines organisations préfèrent parler de **vision**. Si en pratique la distinction entre la mission et la vision est généralement floue, ces deux termes sont censés recouvrir des notions distinctes :

- La *mission* sert à clarifier l'intention fondamentale et la raison d'être de l'organisation. Elle permet de s'assurer que les salariés et les parties prenantes comprennent la stratégie et ont confiance dans son déploiement.

La mission d'une organisation est l'affirmation de son intention fondamentale et de sa raison d'être

La vision d'une organisation décrit ce qu'elle aspire à devenir

Illustration 4.5

Quelques valeurs

La proclamation de valeurs aide-t-elle à impliquer les parties prenantes d'une organisation ?

Le groupe Danone

Ouverture

« La diversité est source de richesse et le changement, une permanente opportunité. »

– Curiosité : avoir le sens de l'écoute, refuser les modèles et les idées préconçues, imaginer…
– Agilité : être rapide, souple et adaptable.
– Simplicité : préférer le pragmatisme à la théorie, la simplicité au formalisme.

Enthousiasme

« Les limites n'existent pas, il n'y a que des obstacles à franchir. »

– Audace : refuser le confort bureaucratique, oser prendre des risques et explorer des voies nouvelles, savoir dépasser l'échec…
– Passion : convaincre et entraîner, savoir se dépasser pour atteindre l'excellence.
– Appétit : avoir envie de grandir, d'être le premier.

Humanisme

« L'attention portée à l'individu, qu'il soit consommateur, collaborateur ou citoyen, est au cœur de nos décisions. »

– Partage : dialoguer, agir en transparence, travailler en équipe.
– Responsabilité : avoir le souci de la sécurité des hommes et des produits, agir pour l'environnement social, préserver l'environnement.
– Respect de l'autre : être attentif aux différences locales, respecter les partenaires sociaux et commerciaux, veiller au développement de ses collaborateurs.

Proximité

« Savoir rester proche de chacun dans le monde : Collaborateurs, Consommateurs et Clients, Fournisseurs, Actionnaires et Société Civile, faire partie de leur vie quotidienne. »

La police fédérale belge

Respecter et s'attacher à faire respecter les droits et libertés individuels ainsi que la dignité de chaque personne, spécialement en s'astreignant à un recours à la contrainte légale toujours réfléchi et limité au strict nécessaire.

Être loyal envers les institutions démocratiques.

Être intègre, impartial, respectueux des normes à faire appliquer et avoir le sens des responsabilités.

Être animé et faire montre d'un esprit de service caractérisé par :

– La disponibilité.
– La qualité de notre travail.
– La recherche de solutions dans le cadre de nos compétences.
– La mise en œuvre optimale des moyens adéquats.
– Le souci du fonctionnement intégré des services de police.

Promouvoir les relations internes fondées sur le respect mutuel et contribuer au bien-être sur les lieux de travail.

Bouygues

La culture de Bouygues est fondée sur les onze valeurs suivantes :

1. Les hommes constituent la première valeur de nos entreprises.
2. Le client est la raison d'être de l'entreprise. Le satisfaire est notre seul objectif.
3. La qualité est la clé de la compétitivité.
4. La créativité permet de proposer aux clients des offres originales en apportant des solutions utiles au meilleur coût.
5. L'innovation technique, qui améliore les coûts et les performances des produits, est la condition de nos succès.
6. Le respect de soi, des autres et de l'environnement inspire le comportement quotidien de tous.
7. La promotion des hommes est fondée sur la reconnaissance individualisée des mérites.
8. La formation donne aux hommes les moyens d'accroître leurs connaissances et d'enrichir leur vie professionnelle.
9. Les jeunes, par leur potentiel, forgent l'entreprise de demain.
10. Les défis engendrent les progrès. Pour rester leaders, nous agissons en challengers.
11. L'état d'esprit des hommes est un levier plus puissant que la seule force technique et économique de l'entreprise.

Questions

1. Quelles seront selon vous les parties prenantes les plus impliquées par chacune de ces déclarations ? Pourquoi ?
2. Certaines de ces déclarations pourraient-elles être améliorées ? Comment ?
3. Identifiez d'autres déclarations de mission, vision ou valeur. En quoi vous semblent-elles pertinentes ?

- La *vision* concerne ce que l'organisation aspire à devenir. Son but est de dessiner une image du futur capable d'impliquer et de motiver les parties prenantes.

Bien que de plus en plus d'entreprises affichent leur mission, certains observateurs n'y voient que des déclarations vagues et vides de sens[57]. En effet, si jamais il existe un désaccord entre les parties prenantes sur la mission (ou la vision) de l'organisation, cela peut conduire à de sérieuses difficultés. Étant donné la nature politique du management stratégique, il est donc souvent nécessaire d'afficher des objectifs généraux auxquels la plupart des parties prenantes – sinon toutes – sont susceptibles d'adhérer. Mieux vaut choisir une mission consensuelle que de stigmatiser les oppositions latentes.

4.5.3 Les objectifs

Les **objectifs** sont l'affirmation des résultats spécifiques qui doivent être atteints. Que ce soit au niveau de l'entreprise ou à celui des domaines d'activité stratégique, les objectifs sont souvent exprimés en termes financiers : niveau de profit souhaité, taux de croissance, dividendes attendus ou valorisation du cours de l'action[58]. Les organisations utilisent également des objectifs commerciaux qui constituent autant de cibles : part de marché, qualité client, taux de fidélisation, etc.

Les objectifs sont l'affirmation des résultats spécifiques qui doivent être atteints par une organisation

Trois points doivent être pris en compte lorsqu'on fixe des objectifs :

- La *mesure des objectifs*. Les objectifs sont en général quantifiés. Certains auteurs[59] affirment que les objectifs ne sont utiles que s'ils sont *mesurables*. Se pose alors la question de la pertinence de ce qui est mesuré et le risque de déplacement de l'attention des managers, qui ne gèrent plus leur activité mais se contentent d'optimiser des indicateurs (voir la section 3.6.3). Pour autant, des objectifs précis sont parfois nécessaires, par exemple lorsque l'attention de tous doit être focalisée sur quelques points essentiels. Lorsque la survie de l'organisation est en jeu, il n'y a pas de place pour des objectifs vagues et un contrôle lâche (voir la section 14.5.1). Dans d'autres circonstances, notamment lorsqu'on cherche à impliquer le personnel et susciter son adhésion, mieux vaut recourir à des objectifs plus qualitatifs.
- Les *objectifs et le contrôle*. Un problème récurrent avec les objectifs est que de nombreuses personnes au sein de l'organisation – en particulier à la base de la hiérarchie – ne comprennent pas toujours très bien en quoi leur activité quotidienne contribue à atteindre les objectifs ambitieux affichés par la direction. Beaucoup d'organisations tentent de résoudre ce problème par la mise en place d'une « cascade » d'objectifs, dans laquelle les indicateurs pertinents à chaque niveau s'emboîtent dans ceux du niveau suivant. Il convient cependant d'arbitrer entre la précision des objectifs et la nécessité de laisser une marge de manœuvre aux individus. On a pu en effet démontrer que l'utilisation d'objectifs trop spécifiques et d'outils de mesure trop précis peut étouffer l'innovation[60].
- Les *règles simples*. Dans les organisations qui requièrent un niveau de flexibilité et d'innovation élevé, les managers doivent être parfaitement au fait de quelques « règles simples » censées structurer leurs choix tout en leur laissant une certaine liberté d'action. Des travaux de recherche – notamment ceux de

Katherine Eisenhardt – commencent à établir la nature de ces règles[61]. Le schéma 4.11 résume quelques-unes des règles qui ont été identifiées dans des organisations confrontées à des environnements mouvants et donne des exemples de décisions qui en découlent. Ces recherches – qui s'inscrivent dans la perspective de la théorie de la complexité (voir les commentaires sur les prismes stratégiques) – suggèrent que le nombre de règles ne doit pas être trop élevé si l'on veut obtenir des structures de comportement cohérentes.

| Schéma 4.11 | Les règles simples |

Pour saisir les opportunités dans les marchés turbulents, la flexibilité stratégique est indispensable. Il est possible de discipliner cette flexibilité en s'aidant de quelques règles simples.

Type	Rôle	Exemple
Règles de décision	Définit la spécificité d'un processus : « Qu'est-ce qui fait que notre processus est unique ? »	Dell s'organise autour de segments de marché clairement délimités. Une règle simple consiste à établir qu'une activité doit être scindée en deux lorsque son chiffre d'affaires atteint un milliard de dollars.
Règles de sélection	Permet de choisir quelles opportunités doivent être saisies	Miramax a établi une règle simple pour choisir quels films produire : (1) chaque film doit être centré sur un sentiment ; (2) un des personnages principaux du film doit être attachant mais présenter un ou plusieurs défauts ; (3) les films doivent avoir une structure très claire, avec un début, un milieu et une fin.
Règles de hiérarchisation	Permet aux managers de hiérarchiser les opportunités retenues	Intel utilise une règle simple pour allouer sa capacité de production : l'allocation est fonction de la marge brute du produit (voir le cas qui conclut le chapitre 11).
Règles de tempo	Synchronise les managers avec le rythme d'apparition de nouvelles opportunités et avec le reste de l'organisation	Chez Nortel, le temps de développement des produits doit être inférieur à 18 mois, ce qui force Nortel à saisir rapidement toutes les opportunités.
Règles d'abandon	Aide les managers à définir à quel moment il convient d'abandonner des activités existantes	Chez Oticon, le fabricant danois de prothèses auditives, si un membre clé d'une équipe – que ce soit ou non un manager – choisit de quitter un projet pour travailler sur un autre au sein de l'entreprise, le projet est abandonné.

Source : adapté de K.M. Eisenhardt et D.N. Sull, « Strategy as simple rules », *Harvard Business Review*, janvier 2001, pp. 107-116.

Tout au long de ce chapitre, nous avons insisté sur l'importance de l'intention stratégique. Le débat sur la nature profonde de cette intention – notamment dans les grandes entreprises cotées – reste cependant ouvert, comme le montre l'illustration 4.6.

À quoi sert une entreprise ?

Étant donné qu'il n'existe pas de définition absolue de l'utilité des entreprises, les parties prenantes – et en particulier les managers – doivent prendre position.

Milton Friedman et la maximisation du profit

Le célèbre économiste Milton Friedman a déclaré[1] :

> Dans une entreprise privée, le dirigeant est un employé des actionnaires. Il est directement responsable devant ses employeurs. Sa responsabilité est de diriger l'entreprise selon leurs souhaits, qui consistent généralement à gagner le plus d'argent possible tout en respectant les lois de la société… Que signifie la notion de responsabilité sociale de l'entreprise ? S'il s'agit de pure rhétorique, cela doit vouloir dire que le dirigeant doit agir d'une manière qui ne sert pas uniquement les intérêts de ses employeurs… Si jamais ses actions « socialement responsables » réduisent la rentabilité pour les actionnaires, il dépense leur argent. Si jamais ses actions se traduisent par une hausse des prix pour les clients, il dépense l'argent des clients. Si jamais ses actions conduisent à réduire le salaire des employés, il dépense l'argent des employés.

La devise de Milton Friedman était : « Le business du business, c'est le business. » Il ajoutait que « la seule responsabilité sociale d'une entreprise est d'accroître son profit ». Les mécanismes de marché se justifient eux-mêmes : si les clients ne sont pas satisfaits, ils achètent ailleurs. Si les employés ne sont pas satisfaits, ils travaillent ailleurs. Les pouvoirs publics doivent s'assurer de l'existence d'un marché libre qui permet à ces conditions d'être réalisées.

Charles Handy et les parties prenantes

Charles Handy[2] a proposé une vue différente. En référence aux différentes affaires qui ont marqué le monde économique ces dernières années, il a affirmé que l'obsession de la création de valeur actionnariale et l'attribution massive de stock-options aux dirigeants ont débouché sur un système qui « crée de la valeur là où il n'y en avait pas » :

> Il est important de répondre aux attentes de ceux que l'on présente comme les propriétaires de l'entreprise : ses actionnaires. Cependant, il serait plus juste de les appeler des investisseurs, voire des parieurs. Ils n'assument ni la fierté ni la responsabilité de leur propriété et – convenons-en – ils ne sont là que pour l'argent. De fait, transformer la satisfaction des besoins des actionnaires en un objectif est illogique : cela revient à confondre une condition nécessaire avec une condition suffisante. Nous devons manger pour vivre : la nourriture est une condition nécessaire à la vie. Cependant, si nous vivions principalement pour manger, si nous faisions de la nourriture le seul objectif de notre existence – ou sa condition suffisante –, nous deviendrions obèses. En d'autres termes, l'objectif d'une entreprise n'est pas seulement

de faire du profit, mais de faire du profit de manière à faire quelque chose mieux ou plus. C'est ce « quelque chose » qui est la véritable justification d'une entreprise.

L'argument des nouveaux capitalistes : la société et les actionnaires ne font plus qu'un

Dans leur ouvrage *The New Capitalists*, Stephen Davies, Jon Lukomnik et Daniel Pitt-Watson[3] admettent qu'une « entreprise est la propriété de ses actionnaires et qu'elle devrait servir leurs intérêts ». Cependant, ils soulignent que ce sont « des millions de retraités et d'épargnants [qui] possèdent les grandes entreprises ». Ces « nouveaux capitalistes ont généralement un portefeuille d'investissements très diversifié ». Les fonds d'investissement et les fonds de pension sont leurs représentants et ils « détiennent une petite part dans des centaines ou des milliers d'entreprises à travers le monde ». Dans ces conditions :

> Imaginez que toutes vos économies soient investies dans une seule entreprise. Le succès de cette entreprise serait votre seul intérêt. Vous voudriez qu'elle survive, prospère et croisse, même aux dépens du système économique dans son ensemble. Cependant, votre perspective est différente si vous détenez des investissements dans un grand nombre d'entreprises. Dans ce cas, vous n'avez pas intérêt à ce qu'une entreprise se comporte de manière irresponsable à l'égard de ses fournisseurs, de ses clients, de ses employés ou de la société au sens large : cela réduirait la performance de votre investissement dans les autres entreprises. Le nouveau capitaliste a intérêt à ce que toutes les entreprises dans lesquelles il a investi se comportent de manière socialement responsable. Il s'agit de créer des règles qui conduisent au succès du système économique dans son ensemble, même si dans certaines circonstances ces règles entravent les décisions de certaines entreprises. Un dirigeant doit se concentrer sur le succès de son entreprise, mais il ne sert pas les intérêts de ses actionnaires s'il prend des décisions qui semblent bonnes au niveau de son entreprise, alors qu'elles sont néfastes pour le système économique dans son ensemble.

Sources :

1. M. Friedman, « The social responsability of business is to increase its profits », *New York Times Magazine*, 13 septembre 1970.
2. C. Handy, « What's a business for? », *Harvard Business Review*, vol. 80, n° 12 (2002), pp. 49-55.
3. S. Davies, J. Lukomnik et D. Pitt-Watson, *The New Capitalists*, Harvard Business School Press, 2006.

Questions

1. Laquelle de ces trois opinions partagez-vous :
   (a) En tant que manager ?
   (b) En tant qu'actionnaire ?
2. Quelles sont les implications de ces différentes interprétations sur l'élaboration de la stratégie ?

Résumé

- L'intention stratégique d'une organisation est influencée par les *attentes de ses parties prenantes*.

- L'influence de certaines parties prenantes clés est formellement représentée par la *structure de gouvernement* de l'organisation. Cela peut prendre la forme d'une *chaîne de gouvernement*, qui montre les liens entre les bénéficiaires ultimes de l'activité de l'organisation et ses managers.

- Il existe deux grands types de systèmes de gouvernement d'entreprise : le modèle *centré sur l'actionnaire* et le modèle *étendu à de multiples parties prenantes*. Même s'il existe certaines différences d'un pays à l'autre, on observe une *convergence* vers le modèle centré sur l'actionnaire.

- L'intention stratégique d'une organisation présente également une dimension *éthique*. Au niveau organisationnel, plusieurs positions peuvent être adoptées en termes de *responsabilité sociale de l'entreprise*. Les managers peuvent également être individuellement confrontés à des dilemmes éthiques si leurs valeurs personnelles entrent en conflit avec les actions de leur organisation.

- L'influence des parties prenantes dépend de leur pouvoir et de leur intérêt. La *cartographie des parties prenantes* est une méthode permettant d'analyser ces différences.

- Les buts de l'organisation peuvent être plus ou moins *formellement exprimés*, de l'affirmation de valeurs fondamentales jusqu'au détail des objectifs opérationnels de chacune des unités.

Travaux pratiques ● Signale des exercices d'un niveau plus avancé

1. ● Pour une organisation de votre choix, dressez la chaîne de gouvernement qui identifie clairement tous les acteurs clés, jusqu'aux bénéficiaires ultimes. Selon vous, dans quelle mesure les managers :
   a) Sont-ils avertis des attentes des bénéficiaires ?
   b) Cherchent-ils à satisfaire les intérêts de ces bénéficiaires ?
   c) Maintiennent-ils ces bénéficiaires informés ?
   Quelles modifications recommanderiez-vous ?

2. ● Il semble que beaucoup de pays s'orientent vers le modèle de gouvernement d'entreprise centré sur l'actionnaire, y compris ceux qui jusqu'ici privilégiaient un modèle étendu à de multiples parties prenantes. Estimez-vous que cette évolution est bénéfique ?

3. En vous référant au schéma 4.4, déterminez la position d'une organisation de votre choix en termes de responsabilité sociale.

4. ● Identifiez les problèmes essentiels de responsabilité sociale d'entreprise dans une industrie ou un service public de votre choix (voir le schéma 4.5). Comparez l'approche d'au moins deux organisations de cette industrie et expliquez en quoi elle est liée à leur position concurrentielle.

5. En utilisant l'illustration 4.4 comme exemple, identifiez et positionnez sur une matrice pouvoir/intérêt les parties prenantes d'une organisation de votre choix, en fonction :
   a) Des stratégies en cours.
   b) De différentes stratégies futures de votre choix.
   Quelles sont les implications de votre analyse pour les managers ?

6. Rédigez la déclaration d'intention d'une organisation de votre choix. Étant donné cette intention, quels objectifs stratégiques les dirigeants devraient-ils fixer ? Pourquoi ?

Exercice de synthèse

7. À partir d'exemples, expliquez en quoi les évolutions du gouvernement d'entreprise et de la responsabilité sociale poussent les organisations à développer de nouvelles compétences (voir le chapitre 3) et génèrent des conflits avec la recherche de maximisation de la valeur actionnariale (voir le chapitre 13).

Lectures recommandées

● Sur le gouvernement d'entreprise, on peut consulter F. Bancel, *La gouvernance des entreprises*, Economica, 1998 ; G. Charreaux, *Le gouvernement des entreprises. Corporate governance : théories et faits*, Economica, 1997 ; R. Monks et N Minow (eds), *Corporate Governance*, 3ᵉ édition, Blackwell, 2003 ; J. Solomon, *Corporate Governance and Accountability*, 2ᵉ édition, Wiley, 2007. Pour une vision plus provocatrice et réformiste, voir S. Davies, J. Lukomnik et D. Pitt-Watson, *The New Capitalists*, Harvard Business School Press, 2006.

● Sur les différentes positions face à la responsabilité sociale des entreprises, voir M. Capron et F. Quairel, *La responsabilité sociale d'entreprise*, La Découverte, 2007, ainsi que P. Mirvis et B. Googins, « Stages of corporate citizenship », *California Management Review*, vol. 48, n° 2 (2006), pp. 104-126, et D.A. Whetten, G. Rands et P. Godfrey, « What are the responsibilities of business to society? » dans l'ouvrage dirigé par A. Pettigrew, H. Thomas et R. Whittington, *Handbook of Strategy and Management*, Sage, 2002.

● Le concept de parties prenantes est plus largement développé dans le chapitre de K. Scholes dans V. Ambrosini, G. Johnson et K. Scholes (eds), *Exploring Techniques of Analysis and Evaluation in Strategic Management*, Prentice Hall, 1998. Pour un exemple d'analyse des parties prenantes, voir J. Bryson, G. Cunningham et K. Lokkesmoe « What to do when stakeholders matter: the case of problem formulation for the African American men project of Hennepin County, Minnesota », *Public Administration Review*, vol. 62, n° 5 (2002), pp. 568-584.

● Le lecteur peut se familiariser avec le contexte politique de la décision stratégique grâce à M. Crozier et E. Friedberg, *L'acteur et le système. Les contraintes de l'action collective*, Seuil, 1977.

● L'importance de la clarté de la vision stratégique est soulignée par J. Collins et J. Porras, *Bâties pour durer : les entreprises visionnaires ont-elles un secret ?*, First, 1996.

Références

1. Pour une bonne synthèse de la question, et notamment une présentation des spécificités françaises, voir F. Bancel, *La gouvernance des entreprises*, Economica, 1998. On peut également consulter R. Monks et N. Minow (eds), *Corporate Governance*, 3e édition, Blackwell, 2003, et J. Solomon, *Corporate Governance and Accountability*, 2e édition, Wiley, 2007. Un numéro spécial de la *Revue française de gestion*, n° 87 (janvier février 1992), a également été consacré à ce sujet.

2. Cette définition est adaptée de celle proposée par S. Jacoby, « Corporate governance and society », *Challenge*, vol. 48, n° 4 (2005), pp. 69-87.

3. En référence à la terminologie anglo-saxonne *corporate governance*.

4. Le modèle principal/agent et la théorie de l'agence ont été développés dans le cadre de l'économie des organisations, mais ils sont à présent largement utilisés en management. Voir notamment K. Eisenhardt, « Agency theory: An assessment and review », *Academy of Management Review*, vol. 41, n° 1 (1989), pp. 57-74, et J.J. Laffont et D. Martimort, *The Theory of Incentives: The Principal-Agent Model*, Princeton University Press, 2002.

5. Voir le baromètre trimestriel TLB, Factset et Fair Disclosure Management, disponible sur www.lesechos.fr.

6. Cette question est discutée dans J. Kay, « The stakeholder corporation », dans G. Kelly, D. Kelly et A. Gamble, *Stakeholder Capitalism*, Macmillan, 1997.

7. C'est notamment ce qu'observent S. Davies, J. Lukomnik et D. Pitt-Watson, *The New Capitalists*, Harvard Business School Press, 2006.

8. Pour une typologie et des exemples d'implication des investisseurs, voir N. Amos et W. Oulton, « Approaching and engaging with CR », *Corporate Responsibility Management*, vol. 2, n° 3 (2006), pp. 34-37.

9. Voir M. Becht, J. Franks, C. Mayer et S. Rossi, *Returns to Shareholder Activism: Evidence from a clinical study of the Hermes UK Focus Fund*, Institut européen de gouvernement d'entreprise, www.ecgi.org/activism.

10. Sur la loi Sarbanes-Oxley, voir par exemple H. Stolowy, E. Pujol et M. Molinari, « Audit financier et contrôle interne. L'apport de la loi Sarbanes-Oxley », *Revue française de gestion*, vol. 29/147 (2003), pp. 133-143.

11. En France, on peut consulter par exemple les rapports Viénot (1995), Viénot II (1999) ou Bouton (2002), issus de groupes de réflexion du Medef (voir www.medef.fr).

12. *Gouvernance européenne : un livre blanc*, Commission européenne, juillet 2001.

13. Voir J. Weber, M. Arndt, E. Thornton, A. Barrett et D. Frost, « CFOs in the hot seat », *Business Week* (17 mars 2003), pp. 65-68.

14. S. Wiesenthal, « CFOs caught up in red tape », *Australian Financial Review*, 2003, p. 16.

15. Les différences entre pays sont abordées dans la plupart des ouvrages cités en référence 1, mais également dans M. Albert, *Capitalisme contre capitalisme*, Seuil, 1993, et dans T. Clarke et S. Clegg, *Changing Paradigms: The transformation of management knowledge for the 21st century*, Harper Collins, 2000, chapitre 5.

16. Il existe des distinctions plus précises. Le modèle orienté marché (A. Murphy et K. Topyan, « Corporate Governance: a critical survey of key concepts, issues, and recent reforms in the US », *Employee Responsibility and Rights Journal*, vol. 17, n° 2 (2005), pp. 75-89) est comparable au modèle centré sur l'actionnaire : il recommande un actionnariat dispersé et l'utilisation d'OPA comme mécanismes de contrôle. Le modèle rhénan (voir M. Albert, référence 15) est comparable au modèle étendu à d'autres parties prenantes. Il prévoit notamment la représentation des salariés dans les instances de direction et un partage du pouvoir entre les managers et les syndicats.

17. Voir K. Keasey, S. Thompson et M. Wright, *Corporate Governance : Accountability, Enterprise and International Comparisons*, Wiley, 2005.

18. Voir Keasey et al. (référence 17), ainsi que J.A. McCahery, P. Moerland, T. Raijamkers et L. Renneboog, *Corporate Governance Regimes: Convergence and diversity*, Oxford University Press, 2002.

19. Voir Jacoby (référence 2).

20. Voir J. Zwiebel, « Block investment and partial corporate control », *Review of Economic Studies*, vol. 62, n° 211 (2006), pp. 161.

21. Voir C.A. Mallin, *Corporate Governance*, Oxford University Press, 2004, et S.F. Copp, « The institutional architecture of UK corporate governance reform: an evaluation », *Journal of Banking Regulation*, vol. 7, n° 1/2 (2006), pp. 41-63.

22. Le court termisme est un problème classique du capitalisme anglo-saxon, par opposition au modèle rhénan. Voir l'ouvrage de M. Albert (référence 15) ainsi que son chapitre « The Rhine model of capitalism: an investigation » dans l'ouvrage de W. Nicoll, D. Noburn et R. Schoenberg (eds), *Perspectives on European Business*, Whurr Publishers, 1995.

23. Sur la convergence des systèmes de gouvernement, voir H. Hansmann et R. Kraakman, « Toward a single model of corporate law? » dans l'ouvrage de J.A. McCahery et *al.* (référence 18).

24. Voir R. Skog, « A remarkable decade: the awakening of Swedish institutional investors », *European Business Law Review*, vol. 16, n° 5 (2005), pp. 1017-1031.

25. Voir V. Gupta et K. Gollakota, « History, ownership forms and corporate governance in India », *Journal of Management History*, vol. 12, n° 2 (2006), pp. 185-197.

26. Sur l'évolution de la situation en Chine, voir G.S. Liu et P. Sun, « The class of shareholdings and its impacts on corporate performance: a case of state shareholdings in Chinese public corporations », *Corporate Governance*, vol. 13, n° 1 (2005), pp. 46-59, et G. Chen, M. Firth, D. Gao et O.M. Rui, « Ownership structure, corporate governance, and fraud: evidence from China », *Journal of Corporate Finance*, vol. 12, n° 3 (2006), pp. 424-448.

27. C'est ce que recommande la loi Sarbanes-Oxley aux États-Unis ou la loi sur les nouvelles régulations économiques en France.

28. Voir D. Norburn, B. Boyd, M. Fox et M. Muth, « International corporate governance reform », *European Business Journal*, vol. 12, n° 3 (2000), pp. 116-133, et J. Sonnenfeld, « What makes great boards great », *Harvard Business Review*, vol. 80, n° 9 (2002), pp. 106-113.

29. Il existe une importante littérature sur l'éthique des affaires. Le lecteur peut notamment consulter J. Mousse, *Éthique et entreprises*, Vuibert, 1993 ; F. Seidel, *Guide pratique et théorique de l'éthique des affaires et de l'entreprise*, ESKA, 1995 ; P. Werhane et R.E. Freeman, « Business ethics: the state of the art », *International Journal of Management Research*, vol. 1, n° 1 (mars 1999), pp. 1-16. Les praticiens peuvent également se référer à B. Kelley, *Ethics at Work*, Gower, 1999, qui couvre la plupart des points abordés dans cette section. Voir aussi M.T. Brown, *Corporate Integrity: Rethinking organizational ethics and leadership*, Cambridge University Press, 2005.

30. Voir notamment « Promouvoir un cadre européen pour la responsabilité sociale des entreprises », *Livre vert de l'Union européenne*, 2001.

31. J. Charkham, « Corporate governance lessons from abroad », *Journal of Business Ethics*, vol. 4, n° 2 (1992), pp. 8-16.

32. Voir P. Mirvis et B. Googins, « Stages of corporate citizenship », *California Management Review*, vol. 48, n° 2 (2006), pp. 104-126, ainsi que M. Capron et F. Quairel, *La responsabilité sociale d'entreprise*, La Découverte, 2007.

33. Ce point de vue a été ardemment défendu dans les années 1970 par M. Friedman, « The social responsability of business is to increase its profits », *New York Times Magazine*, 13 septembre 1970. Friedman et d'autres se sont alors inquiétés du fait que les managers s'écartent de ce qu'ils considéraient comme leur rôle essentiel : l'accroissement du profit. Voir également A. McWilliams et D. Seigel, « Corporate social responsibility: a theory of the firm perspective », *Academy of Management Review*, vol. 26 (2001), pp. 117-127.

34. Voir Mirvis et Googins (référence 32).

35. Voir S. Macleod, « Why worry about CSR », *Strategic Communication Management* (août septembre 2001), pp. 117-127.

36. Voir M. Porter et M. Kramer, « The competitive advantage of corporate philanthropy », *Harvard Business Review*, vol. 80, n° 12 (2002), pp. 56-68.

37. Voir H. Hummels, « Organizing ethics : a stakeholder debate », *Journal of Business Ethics*, vol. 17, n° 13 (1998), pp. 1403-1419.

38. Voir D. Vogel, « Is there a market for virtue? The business case for corporate social responsibility », *California Management Review*, vol. 47, n° 4 (2005), pp. 19-45.

39. Voir S.A. Waddock et C. Bodwell, « Managing responsibility: what can be learned from the quality movement? », *California Management Review*, vol. 47, n° 1 (2004), pp. 25-37, et R. Orsato, « Competitive environmental strategies: when does it pays

to be green », *California Management Review*, vol. 48, n° 2 (2006), pp. 127-143.

40. Cette citation est tirée de Porter et Kramer (référence 36), p. 80.

41. Ces exemples sont donnés par Porter et Kramer (référence 36).

42. Voir Orsato (référence 39).

43. K. Schnietz et M. Epstein, « Does a reputation for corporate social responsibility pay off? », Social Issues in Management Conference Papers, Academy of Management Proceedings, 2002. Cette recherche montre que les grandes entreprises de la liste des 500 de *Fortune* qui figurent également dans le Domini Social Index procurent une rentabilité plus élevée à leurs actionnaires.

44. Voir Vogel (référence 38).

45. M.L. Barnett et R.M. Salomon, « Beyond dichotomy: the curvilinear relationship between social responsibility and financial performance », *Strategic Management Journal*, vol. 27, n° 11 (2006), pp. 1101-1122.

46. Voir M. Combemale et J. Igalens, *L'audit social*, PUF, 2005. Pour une discussion des indicateurs de performance adaptés à la responsabilité sociale, voir A. Chatterji et D. Levine, « Breaking down the wall of codes: evaluating non-financial performance measures », *California Management Review*, vol. 48, n° 2 (2006), pp. 29-51.

47. Sur la situation en France, voir les recommandations publiées sur le site Internet de la Commission nationale informatique et libertés : www.cnil.fr. Pour la situation dans les pays anglo-saxons, voir T.D. Miethe, *Tough Choices in Exposing Fraud, Waste and Abuse on the Job*, Westview Press, 1999 ; G. Vinten, *Whistleblowing. Subversion or Corporate Citizenship?*, Paul Chapman, 1994 ; R. Larmer, « Whistleblowing and employee loyalty », *Journal of Business Ethics*, vol. 11, n° 2 (1992) pp. 125-8.

48. Voir M. Banaji, M. Bazeman et D. Chugh, « How (Un)ethical are you? », *Harvard Business Review*, vol. 81, n° 12 (2003), pp. 56-64.

49. Dans la littérature anglo-saxonne, les parties prenantes sont appelées « stakeholders », c'est-à-dire « porteurs de mise », ce qui met l'accent sur les intérêts détenus par chacune. Les premiers écrits sur les parties prenantes se sont concentrés sur les « coalitions » dans les organisations. Voir par exemple l'ouvrage fondateur de R.M. Cyert et J.G. March, *Processus de décision dans l'entreprise*, Dunod, 1970. Plus récemment, l'analyse des parties prenantes est devenue un élément central de l'analyse stratégique. Voir par exemple I.I. Mitroff, *Stakeholders of the Organisational Mind*, Jossey-Bass, 1983 ; R.E. Freeman, *Strategic Management: A stakeholder approach*, Pitman, 1984,

ou J. Bryson, « What to do when stakeholders matter: stakeholder identification and analysis techniques », *Public Management Review*, vol. 6, n° 1 (2004), pp. 21-53.

50. Voir J. Cummings et J. Doh, « Identifying who matters: mapping key players in multiple environments », *California Management Review*, vol. 42, n° 2 (2000), pp. 83-104.

51. Voir T. Kostova et S. Zaheer, « Organisational legitimacy under conditions of complexity: the case if the multinational enterprise », *Academy of Management Review*, vol. 24, n° 1 (1999), pp. 64-81.

52. Cette technique de cartographie des parties prenantes est adaptée de A. Mendelow, *Proceedings of the 2nd International Conference on Information Systems*, Cambridge, MA, 1991. Voir également le chapitre de K. Scholes, « Stakeholder analysis », dans V. Ambrosini, G. Johnson et K. Scholes (eds), *Exploring Techniques of Analysis and Evaluation in Strategic Management*, Prentice Hall, 1998. Pour une utilisation dans le secteur public, voir K. Scholes, « Stakeholder mapping: a practical tool for public sector managers », dans G. Johnson et K. Scholes (eds), *Exploring Public Sector Strategy*, Prentice Hall, 2001, chapitre 9. Voir également J. Bryson, G. Cunningham et K. Lokkesmoe, « What to do when stakeholders matter: the case of problem formulation for the African American men project of Hennepin County, Minnesota », *Public Administration Review*, vol. 62, n° 5 (2002), pp. 568-584.

53. Voir par exemple Bryson et al. (référence 52), ainsi que K. Pajunen, « Stakeholder influences in organizational survival », *Journal of Management Studies*, vol. 43, n° 6 (2006), pp. 1261-1288.

54. Voir M. Crozier et E. Friedberg, *L'acteur et le système. Les contraintes de l'action collective*, Seuil, 1977, D. Buchanan et R. Badham, *Power, Politics and Organisational Change: Winning the turf game*, Sage, 1999, ainsi que S. Clegg, D. Courpasson et N. Philips, *Power and Organizations*, Sage, 2006. Ces ouvrages permettent de comprendre les liens entre pouvoir et stratégie.

55. Voir P. Lencioni, « Make your values mean something », *Harvard Business Review*, vol. 80, n° 7 (2002), pp. 113-117.

56. Voir J. Collins et J. Porras, *Bâties pour durer : les entreprises visionnaires ont-elles un secret ?*, First, 1996.

57. Voir par exemple B. Bartkus, M. Glassman et B. McAfee, « Mission statements : are they smoke and mirrors? », *Business Horizons*, vol. 43, n° 6 (2000), pp. 23-28, et B. Bartkus, M. Glassman et

B. McAfee, « Mission statement quality and financial performance », *European Management Journal*, vol. 24, n° 1 (2006), pp. 86-94.

58. Il est essentiel de savoir communiquer avec la communauté financière, comme le souligne A. Hutton, « Four rules », *Harvard Business Review*, vol. 46, n° 6 (2000), pp. 23-28.

59. Par exemple, I. Ansoff, *Stratégie du développement de l'entreprise. Analyse d'une politique de croissance et d'expansion*, Éditions Hommes et Techniques, 1970, soutient que les objectifs doivent être précis et mesurables.

60. Voir A. Neely, « Measuring performance in innovative firms » dans l'ouvrage dirigé par R. Delbridge, L. Grattan et G. Johnson, *The Exceptional Manager*, Oxford University Press, 2006, chapitre 6.

61. Cette discussion est fondée sur la recherche de K. Eisenhardt et D. Sull, « Strategy as simple rules », *Harvard Business Review*, vol. 79, n° 1 (2001), pp. 107-116.

Nature & Découvertes, vers le commerce vertueux

En 2008, dix-huit ans après sa création, la chaîne de magasins Nature & Découvertes concrétisait le rêve de son fondateur, François Lemarchand : créer une entreprise citoyenne et engagée pour la planète. À première vue, il s'agissait d'une entreprise de distribution d'un millier de salariés qui, avec 61 magasins en France et deux en Belgique, avait réalisé en 2006 un chiffre d'affaires de 154 millions d'euros auprès de 5,8 millions de clients. Sa gamme de produits (matériel de plein air et de randonnée, livres, aromathérapie, outillage de jardin, jumelles pour l'observation des oiseaux, etc.) était centrée sur la découverte de la nature à l'usage des citadins.

Cependant, par-delà cette activité commerciale, Nature & Découvertes répondait à une vocation militante. Chaque année, 10 % de son bénéfice net étaient réinvestis dans une fondation qui finançait des projets associatifs de protection de la planète : réintroduction de vautours dans la Drôme, dépollution de rivières, etc. De même, le club associatif Nature & Découvertes organisait des stages et des animations pédagogiques destinés à faire découvrir la nature à des milliers de citadins : savoir écouter les oiseaux, utiliser une lunette astronomique ou suivre des conférences sur la faune et la flore dans la vallée de la Loire. Enfin, la gestion de l'entreprise elle-même en faisait un cas à part dans le paysage de la distribution : chaque étape de la chaîne de valeur faisait l'objet d'une réflexion approfondie en termes de protection de l'environnement, de développement durable ou de responsabilité sociale. Même s'il était fier de sa création, François Lemarchand tenait à ne pas utiliser de manière trop commerciale ce positionnement éthique : « Utiliser de bonnes actions comme levier marketing serait épouvantable [...] il faut le faire, sans trop en dire. »

Pour autant, l'équilibre entre une activité commerciale et une démarche de développement durable était parfois difficile à réaliser.

Le tremplin Pier Import

En 1975, François Lemarchand, alors âgé de 25 ans, poursuivait ses études à l'université de Harvard après avoir été diplômé de l'ESCP. C'est aux États-Unis qu'il fut séduit par le concept des magasins de décoration Pier 1 Imports. Créée en 1962 à San Francisco, cette chaîne spécialisée dans les stocks d'invendus en provenance d'Asie s'était rapidement étendue à toute l'Amérique du Nord et à l'Europe avant d'être cotée à la Bourse de New York en 1972. Cependant, après cette trop rapide expansion, l'activité connaissait quelques difficultés. François Lemarchand fut chargé par la direction américaine du groupe de fermer la dizaine de magasins – tous déficitaires – que comptait la chaîne en France et en Belgique. Au bout de trois mois, en mobilisant toutes ses économies, il proposa à la maison mère de racheter ces magasins, qu'il renomma Pier Import. Il s'appuya alors sur sa véritable passion, le voyage, pour dénicher des fournisseurs – souvent des artisans – non seulement en Asie mais également dans la plupart des pays du sud. Cela lui permit de constituer une gamme originale qui devint rapidement à la mode : ces objets exotiques (meubles en rotin, encens, statuettes indiennes, etc.) ne se trouvaient alors nulle part ailleurs. En dix ans, il multiplia le nombre de magasins par cinq et le chiffre d'affaires par trente, passant de 2,3 à 67 millions d'euros. Cependant, à la fin des années 1980, le positionnement de Pier Import était imité par la grande distribution, qui imposait aux fournisseurs des conditions tarifaires particulièrement exigeantes contre lesquelles François Lemarchand ne souhaitait pas lutter. En 1988, il décida donc de vendre Pier Import à ses salariés pour près de 22 millions d'euros.

Grâce à ce capital, il se lança dans la création de fermes d'aquaculture dans toute l'Europe, en partant du principe que, face à l'augmentation de la consommation de poissons et pour éviter l'épuisement des ressources des océans, il fallait passer de la pêche à l'élevage. Cependant, si son intuition était juste (de nombreux entrepreneurs firent fortune sur ce principe dans les années 1990), son projet fut un échec. Il décida donc de revenir au métier qu'il connaissait le mieux : la distribution.

C'est ainsi qu'il fonda avec son épouse Françoise la chaîne Nature & Découvertes en 1990, là encore en adaptant à la France un concept de magasin repéré aux États-Unis.

Le concept Nature & Découvertes

François Lemarchand décrivait ainsi son intention stratégique : « À l'origine de Nature & Découvertes, il y a un désir : celui de mettre la nature à la portée de tous. » Pour cela, il ouvrit ses trois premiers magasins à Paris en novembre 1990. L'écologie était alors une préoccupation relativement nouvelle en France, attisée par la catastrophe de la centrale nucléaire de Tchernobyl en Ukraine en 1986, par la promulgation de nouvelles directives européennes sur la pollution automobile ou encore par le succès de l'émission télévisée « Ushuaïa », consacrée à la préservation de l'environnement.

C'est dans cette ambiance que François et Françoise Lemarchand définirent le concept de leurs magasins : une implantation dans les plus grands centres commerciaux ou en centre-ville, une surface moyenne de 350 m², une ambiance calme et détendue (musique évoquant les vagues, diffusion de parfums d'ambiance, lumière tamisée) et l'utilisation de matériaux naturels (lave, bois brut, enduits en terre, peinture à l'eau dépourvue de solvants, etc.). L'idée générale était de reproduire l'atmosphère d'une forêt et de faire du magasin au moins autant un lieu de promenade qu'un lieu de vente. Les produits, répartis en dix zones thématiques marquées par des couleurs différentes (bijoux, botanique, éveil enfants, librairie, loisirs créatifs, minéraux, randonnée, senteurs, son, vidéo), étaient originaux et « porteurs de sens ». Trois gammes jouaient un rôle prépondérant : éveil enfants, librairie et senteurs représentaient à eux seuls 40 % du chiffre d'affaires. Fidèle à la démarche qu'il avait établie avec Pier Import, François Lemarchand continuait à parcourir le monde pour trouver des fournisseurs et plus de 30 % des produits étaient achetés auprès de créateurs artisans.

Craignant de voir leur concept imité, les époux Lemarchand ouvrirent rapidement onze magasins dans les premiers mois de 1991, à la fois à Paris et dans de grandes villes de province. Entre 1991 et 1996, le nombre de magasins tripla pour atteindre 31 implantations, alors que le chiffre d'affaires passait de 9 millions d'euros à plus de 54 millions. On comptait alors 10 millions de visiteurs dans les magasins, dont 3 millions de clients.

La fondation et le club associatif

Parallèlement à l'ouverture des magasins, François et Françoise Lemarchand instituèrent deux concepts originaux : la fondation Nature & Découvertes et le club associatif.

La fondation Nature & Découvertes, dont le symbole était une tortue, « emblème de longévité et de stabilité », fut créée en 1994 grâce aux premiers bénéfices dégagés par l'entreprise. Cette fondation était placée sous l'égide de la Fonda-

Étude de cas

tion de France et était membre de l'Union mondiale pour la nature (UICN). Chaque année, la fondation Nature & Découvertes recevait 10 % des bénéfices de l'entreprise, ce qui lui avait permis de financer plus de 750 projets associatifs de protection de la nature, d'éducation à l'environnement et de sensibilisation des publics en France et en Afrique pour un montant global de 4,5 millions d'euros.

Parallèlement, les époux Lemarchand créèrent en 1997 le club Nature & Découvertes afin de « renforcer la sensibilisation du public à l'environnement et lui faire découvrir l'extraordinaire diversité de la nature ». Ce club proposait aux clients des magasins des activités naturalistes (balades, stages, ateliers enfants) organisées dans toute la France en partenariat avec plus de 1 200 associations. Dans un souci d'authenticité, le programme de ces ateliers était inscrit à la craie sur un tableau noir à l'entrée de chaque magasin. Les activités du club comprenaient également l'intervention d'animateurs dans des écoles primaires, le partenariat avec des expositions et la participation à des cycles cinématographiques et à divers événements, dont l'Université de la Terre. Cette manifestation s'était déroulée en novembre 2005 au siège de l'Unesco à Paris, à l'initiative de François Lemarchand. Elle avait réuni 9 000 personnes autour de réflexions et de débats sur le thème « Nourrir les hommes, nourrir le monde ». En 2006, le club Nature & Découvertes avait ainsi proposé près de 5 000 activités à plus de 45 000 personnes. De plus, les membres du club étaient sollicités pour évaluer les produits vendus dans les magasins. Ceux qu'ils plébiscitaient recevaient un label distinctif.

Nature & Découvertes publiait également depuis 2003 une revue annuelle intitulée *Canopée*. En mars 2007, le numéro 5 avait été diffusé à 30 000 exemplaires. L'entreprise éditait par ailleurs des livrets de 52 pages vendus 1 euro, qui donnaient de nombreuses informations sur les gestes écocitoyens et sur l'alimentation bio.

Enfin, en 2005, Nature & Découvertes avait été à l'origine de la création d'une licence professionnelle « Management du point de vente option commerce », en collaboration avec l'université Paris-XII. D'autres projets de formations spécialisées étaient à l'étude.

Une démarche intégrée

Les valeurs de Nature & Découvertes étaient exprimées dans sa « charte fondatrice », consultable sur son site Internet :

En grandissant, Nature & Découvertes a toujours cherché à préserver ses valeurs et ses équilibres : en mettant en œuvre sa Charte fondatrice, en veillant à la qualité des rapports humains dans l'entreprise et en menant une gestion profitable qui permet de préserver son indépendance financière. Plusieurs principes fondamentaux guident nos actions :

- Notre engagement pour votre satisfaction : proposer à un public de tout âge une sélection de produits originaux et de qualité, permettant de découvrir la nature et de s'en inspirer. Faire de nos magasins des lieux de curiosité, de calme et d'accueil, où nos équipes vous conseilleront et partageront avec vous leur connaissance de la nature.
- Notre engagement pédagogique : encourager la connaissance et l'expérience des richesses de la nature, par des actions pédagogiques variées et accessibles à tous.
- Notre engagement écologique : mener quotidiennement notre activité de manière écologique et participer à la protection de la nature par des actions de notre Fondation.
- Notre engagement économique : développer notre entreprise sur une base durable et profitable, en préservant l'équilibre entre les aspirations de nos clients, de nos équipes, de nos fournisseurs et de nos actionnaires, afin de contribuer positivement à la société dans laquelle nous vivons.

De fait, l'ensemble de la chaîne de valeur était conforme à ces principes fondateurs :

- Riche de son expérience chez Pier Import, François Lemarchand veillait au choix des pays dans lesquels il s'approvisionnait, de manière à limiter les pays controversés en matière de respect des conditions de travail et des droits de l'homme, notamment en ce qui concernait le travail des enfants. Des partenariats avec des fournisseurs artisans avaient été conclus, prévoyant une exclusivité des produits en échange d'une garantie d'achat, voire de facilités de paiement (préfinancement de la fabrication, paiement au comptant) et des aides à l'exportation. Chaque année, une série de fournisseurs faisait l'objet d'audits indépendants.

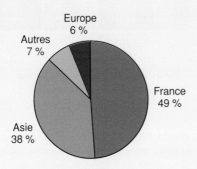

Figure 1
Origine des achats en 2005

- Le personnel des magasins bénéficiait d'une école de formation interne depuis 1991. Au travers de sa politique salariale, de la reconnaissance, de l'implication et de la responsabilisation de ses équipes, Nature & Découvertes affirmait « développer le professionnalisme et veiller à l'épanouissement de ses collaborateurs ». Le taux de turnover était particulièrement bas pour la distribution et le budget de formation interne était en constante augmentation.
- Le nouvel entrepôt ouvert en 2005, certifié ISO 14001, était construit selon la démarche HQE (haute qualité environnementale) : isolation haute performance, panneaux solaires pour le chauffage des bureaux et la production d'eau chaude, éclairage à détecteur de présence.
- Les magasins étaient conçus dans l'objectif de diminuer leur « empreinte écologique ». Pour chaque nouvelle construction, Nature & Découvertes utilisait des matières premières locales ainsi que des matériaux respectueux de l'environnement : sol en lave, peinture à l'eau, électricité d'origine renouvelable, quantité de bois nécessaire à la fabrication du mobilier réduite de 30 %, etc.
- La logistique utilisait majoritairement le ferroutage et limitait strictement le transport aérien. Depuis 2006 – pour les magasins de la région parisienne –, l'entreprise avait acquis une flotte de camions fonctionnant au gaz naturel véhicule (GNV), dont la combustion ne produisait ni oxyde de soufre, ni plomb, ni poussières, ni fumées noires et peu d'oxyde d'azote, ce qui permettait de réduire de 25 % le rejet de dioxyde de carbone. Parallèlement, la flotte automobile de l'entreprise (dix véhicules) était constituée depuis 2005 de Toyota Prius hybrides.
- Le siège social était certifié ISO 14001 depuis 2000 et équipé de panneaux solaires. Tous les déchets étaient triés et recyclés (jusqu'à seize opérations différentes), et depuis 1999 il existait un poste de « responsable environnement ».
- Le groupe ne faisait quasiment pas de publicité, mais promouvait les activités de sa fondation par des encarts dans la presse écrite et en parrainant des émissions de télévision consacrées à l'écologie.
- Depuis 2007, Nature & Découvertes utilisait une comptabilité carbone : les émissions de CO_2 étaient systématiquement comptabilisées. Le contrôleur de gestion recruté dans ce but expliquait ainsi que : « Les collaborateurs remplissent des notes de frais carbone et un

Étude de cas

budget CO_2 est mis en place pour l'année 2008. Le directeur marketing aura son budget à ne pas dépasser : ses choix de fournisseurs, d'emballages, etc., devront impérativement prendre en compte leurs émissions de gaz à effet de serre. »

Au total, Nature & Découvertes avait été dès 1993 la première entreprise française à éditer un rapport environnemental annuel. Celui-ci avait été rebaptisé « Rapport de progrès durable » en 2006. François Lemarchand, militant engagé auprès de Greenpeace et du WWF, expliquait ainsi que : « Le développement durable, ce n'est ni pour l'image ni pour nous donner bonne conscience que nous nous y sommes engagés ! C'est la raison d'être de Nature & Découvertes. »

Les dilemmes du commerce vertueux

L'engagement systématique à l'égard de l'environnement n'avait cependant pas toujours été convergent avec l'activité commerciale.

Dans les années 1990, Nature & Découvertes fut victime d'une rumeur affirmant que l'entreprise appartenait à une secte. Cette rumeur avait été officiellement démentie, mais comme le rappelait François Lemarchand : « Nous sortions de l'épure rationaliste, mécaniste, du rôle que l'on s'attend à voir jouer par un commerçant. Le fait d'aller au-delà du rôle "acheter/vendre" était suspect. En plus, nous avons une charte, une fondation, un club, un programme de sorties découvertes pour nos clients… L'amalgame a été fait. »

De plus, même si le site Internet de l'entreprise rappelait que « Nature & Découvertes n'est pas une association, mais bien une entreprise », certains éléments du modèle économique pouvaient limiter la croissance du chiffre d'affaires. Les magasins, conçus comme des lieux de promenade, reposaient sur une atmosphère qui était volontairement peu incitative à l'achat. De même, le nombre de références disponibles était délibérément limité, de manière à ne pas inciter à une surconsommation contradictoire avec

l'engagement écologique : il s'agissait de se concentrer sur des produits moins nombreux mais plus « porteurs de sens ». François Lemarchand affirmait ainsi « ne pas prendre le client par son porte-monnaie mais par son intelligence ».

Au total, l'enseigne connut une certaine stagnation de ses ventes au début des années 2000, qui conduisit à une réflexion sur le repositionnement de l'offre :

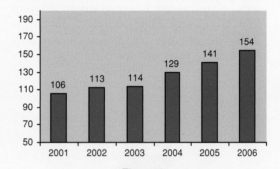

Figure 2
**Évolution du chiffre d'affaires
de Nature & Découvertes**
(millions d'euros)

Une étude révéla qu'il n'y avait pas assez de vendeurs dans les magasins le samedi, car ceux-ci étaient de sortie avec les adhérents du club. De plus, l'offre était trop masculine alors qu'une vaste majorité des clients étaient des femmes. De fait, les produits minéralogie, jugés trop statiques, furent remplacés par une offre de cosmétiques écologiques au sein d'un nouveau pôle bien-être. De même, alors que moins de la moitié des acheteurs étaient des clients sans enfants en 1997, ils étaient 73 % en 2004. Il convenait donc de réorienter l'offre vers cette clientèle. Au total, le chiffre d'affaires repartit fortement à la hausse à partir de 2004.

Le passage à vide de 2001-2003 pouvait également s'expliquer par le fait que, parallèlement à Nature & Découvertes, François Lemarchand lança en 2000 une autre chaîne de magasins, Résonances, inspirée du concept américain Restoration Hardware. Il s'agissait de vendre des articles de quincaillerie, de droguerie, de bricolage et de décoration rappelant ceux que l'on pouvait trouver dans des brocantes ou chez des antiquaires : interrupteurs en porcelaine, boutons de porte ouvragés, boîtes à cirage, etc. En 2005, l'enseigne, propriété du fils des époux Lemarchand, Antoine, comptait neuf magasins et réalisait 17,5 millions d'euros de chiffre d'affaires. Cependant, son concept était vraisemblablement moins authentique – ou en tout cas moins durable – que celui de Nature & Découvertes : en février 2006, l'offre de Résonances fut profondément repositionnée vers le bien-être, la cosmétique, les produits de massage ou l'alimentation bio.

Nature & Découvertes restait donc le seul véritable succès des Lemarchand, mais l'originalité de son modèle en faisait une entreprise particulièrement atypique, partiellement comparable à The Body Shop avant son rachat par L'Oréal début 2006, mais moins ouvertement militante que le fabricant de vêtements de plein air Patagonia, dont l'ambition n'était pas économique, mais politique : créer un contre-pouvoir en finançant des associations écologistes.

François Lemarchand confiait que : « C'est l'intérêt et la complexité de Nature & Découvertes : nous sommes d'abord une entreprise commerciale. Avant tout militantisme, notre personnel cherche un boulot intéressant, bien rémunéré et où il peut progresser. Les clients viennent d'abord chercher un bon service et des bons produits. C'est le b.a.-ba du bon commerçant. Ensuite, il y a des valeurs ajoutées, ce que l'on apporte en plus : la vertu. »

Sources : www.natureetdecouvertes.com ; « Il n'y a jamais eu autant de besoins nouveaux », *Marketing Magazine*, 1er mars 1998 ; « Le club associatif de Nature & Découvertes », *Marketing Direct*, 1er mai 2000 ; « François Lemarchand, à la découverte d'une vraie nature », www.80hommes.com ; « Pier Import dans le décor », *L'Expansion*, 1er octobre 2005 ; « Nature & Découvertes surfe sur la vague naturaliste », *Le Journal du Net*, 22 février 2006 ; « La compta se met au vert », *Metro*, 28 novembre 2007 ; C. Chiche et P.-H. Moreau, monographie ESCP-EAP, décembre 2007.

Questions

1. En vous appuyant sur les trois perspectives exprimées dans l'illustration 4.6 et sur les quatre postures présentées dans le schéma 4.4, discutez la logique de François et Françoise Lemarchand en la comparant à celle d'un distributeur classique (par exemple celle de Carrefour, voir le cas à la fin du chapitre 10).

2. Selon vous, si l'entreprise Nature & Découvertes était introduite en Bourse, devrait-elle modifier son approche ?

3. Quel est votre propre point de vue sur l'intention stratégique de Nature & Découvertes ?

4. Si vous étiez actionnaire d'une grande entreprise et que vous souhaitiez convaincre ses dirigeants d'adopter une posture du même type que celle de Nature & Découvertes, comment procéderiez-vous (vous pouvez utiliser l'analyse des parties prenantes) ?

Chapitre 5
Culture et stratégie

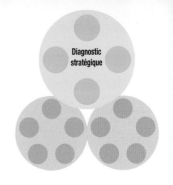

Diagnostic stratégique

Objectifs

Après avoir lu ce chapitre, vous serez capable de :

- Comprendre ce qu'est une dérive stratégique et quels en sont les symptômes.
- Montrer comment l'histoire influence la situation stratégique d'une organisation.
- Analyser l'influence de la culture organisationnelle en utilisant le tissu culturel.
- Expliquer pourquoi il est important de contester les schémas culturels implicites.

5.1 Introduction

Dans les chapitres 2, 3 et 4, nous avons vu comment l'environnement, la capacité stratégique de l'organisation et les attentes des parties prenantes influent sur l'élaboration de la stratégie. Afin de mieux apprécier ces différentes influences, il peut être utile de revenir sur leurs origines et plus largement de comprendre en quoi cela peut avoir un impact sur les stratégies présentes et futures. Beaucoup d'organisations ont en effet une longue histoire : Saint-Gobain a été créé en 1665 dans le cadre du plan de relance économique de la France voulu par Louis XIV et Colbert ; l'origine de Peugeot remonte à 1810 ; Air Liquide mène une stratégie d'internationalisation depuis 1907 ; les employés d'Accor se réfèrent systématiquement aux valeurs et aux principes des deux cofondateurs Paul Dubrule et Gérard Pélisson, dont les photos figurent dans le hall des 4 000 hôtels du groupe. De même, beaucoup d'organisations du secteur public – ministères, services de police, universités, etc. – sont fortement influencées par leur héritage historique, devenu indissociable de leur culture.

L'histoire et la culture aident à analyser les opportunités et les contraintes auxquelles les organisations sont confrontées. Pour comprendre l'environnement (voir le chapitre 2), il est nécessaire d'observer son évolution au cours du temps. Les capacités stratégiques d'une organisation (voir le chapitre 3), en particulier celles qui lui procurent un avantage concurrentiel, peuvent avoir des racines historiques et s'être développées au cours du temps d'une manière très spécifique, jusqu'à faire partie de sa culture sous la forme de comportements implicites. Si ces routines culturelles peuvent être particulièrement difficiles à imiter par les concurrents, elles peuvent également devenir de considérables sources d'inertie. La compréhension des fondements culturels de la capacité stratégique est donc particulièrement utile à la gestion du changement (voir le chapitre 14). De même, le pouvoir et l'influence des différentes parties prenantes peuvent s'expliquer par l'histoire de l'organisation. Ce chapitre est donc consacré aux racines culturelles et historiques qui peuvent influencer l'élaboration de la stratégie.

Nous détaillerons successivement le risque de dérive stratégique (voir la section 5.2), l'influence de l'histoire sur la stratégie actuelle et future (voir la section 5.3), puis les répercussions stratégiques de la culture (nationale, institutionnelle et organisationnelle) et comment les analyser (voir la section 5.3). Le schéma 5.1 résume la structure du chapitre.

Schéma 5.1	**Structure du chapitre**

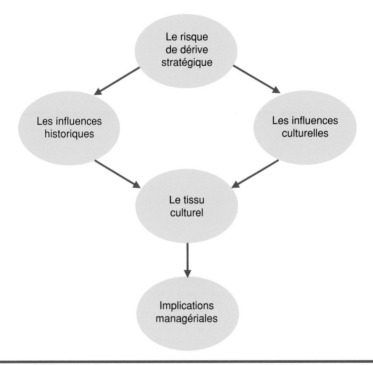

La **dérive stratégique**
est la tendance des
stratégies à se
développer de manière
incrémentale à partir
d'influences historiques
et culturelles, ce qui
peut empêcher
l'organisation de suivre
les évolutions d'un
environnement
mouvant

5.2 La dérive stratégique

Des analyses historiques des processus de développement de la stratégie ont permis d'observer le phénomène présenté dans le schéma 5.2. La dérive stratégique[1] est la tendance des stratégies à se développer de manière incrémentale à partir d'influences historiques et culturelles, ce qui peut empêcher l'organisation de suivre les évolutions d'un environnement mouvant. L'illustration 5.1 donne un exemple de dérive stratégique. Il est important de comprendre les causes et les conséquences de la dérive stratégique car elles expliquent pourquoi certaines organisations n'arrivent pas à conserver leur avantage concurrentiel au cours du temps.

| **Schéma 5.2** | **Le risque de dérive stratégique** |

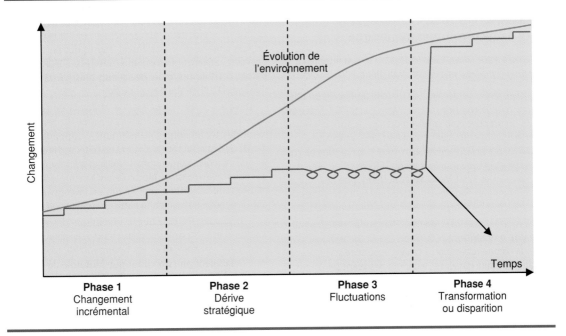

5.2.1 Les stratégies évoluent de manière incrémentale

Comme nous le verrons dans le chapitre 11, les stratégies évoluent généralement de manière incrémentale : les organisations ont tendance à reproduire ce qui a fonctionné dans le passé, surtout si cela a été porteur de succès[2]. Les recettes éprouvées sont progressivement étendues à de nouveaux territoires ou à de nouvelles gammes de produits, mais elles ne sont pas fondamentalement remises en cause. C'est ce qu'exprime la phase 1 du schéma. Dans les organisations qui connaissent le succès, on trouve de longues périodes de relative continuité durant lesquelles les stratégies établies restent passablement inchangées ou évoluent de manière très incrémentale. Ce phénomène découle de trois causes principales :

- *L'alignement avec les évolutions de l'environnement.* L'organisation peut rester en phase avec des évolutions graduelles de l'environnement en ne modifiant sa stratégie que de manière incrémentale. Il serait peu pertinent de changer radicalement la stratégie si l'environnement ne le nécessite pas.
- Les *succès passés*. Les managers sont naturellement peu enclins à significativement modifier une stratégie qui a été porteuse de succès dans le passé, en particulier si elle s'appuie sur des capacités qui fondent l'avantage concurrentiel de l'organisation (voir les chapitres 3 et 6) ou si elle est porteuse d'innovation (voir la section 5.3.1 et le chapitre 7).
- *L'expérimentation concentrique.* Les managers peuvent avoir tendance à construire des variations autour d'une formule gagnante, ce qui leur permet d'expérimenter de nouvelles approches sans trop s'écarter de leur portefeuille de

Illustration 5.1

Motorola : une histoire analogique face à une révolution numérique

Le succès d'une entreprise peut résulter de son histoire, ce qui peut conduire à une dérive stratégique.

En 1994, Motorola dominait le marché américain du téléphone mobile avec une part de marché de 60 %. Fondée en 1928, l'entreprise était célèbre pour sa capacité d'innovation. Elle avait notamment inventé le talkie-walkie utilisé par les Alliés lors de la Seconde Guerre mondiale et commercialisé le premier téléviseur à moins de 200 dollars en 1948. À la fin des années 1950, Motorola avait développé des capacités stratégiques dans les circuits imprimés, les substrats de céramique et la conception de systèmes électroniques.

Cependant, dès ses origines, Motorola avait toujours été une entreprise plus tournée vers la technologie que vers la commercialisation. Certains observateurs lui reprochaient de faire passer ses technologies avant ses clients.

Si les premiers téléphones mobiles avaient été développés par les laboratoires Bell dans les années 1970, au milieu des années 1980, Motorola était le leader de cette industrie. Ses produits étaient des téléphones cellulaires analogiques, conçus comme des évolutions logiques de ses systèmes de talkies-walkies de l'immédiat après-guerre. Ces appareils, lourds et coûteux, étaient destinés aux hommes d'affaires qui ne pouvaient pas utiliser de lignes fixes lors de leurs déplacements. Leur diffusion restait relativement confidentielle.

Au milieu des années 1990, le succès de Motorola était éclatant. De 1992 à 1995, son chiffre d'affaires avait crû de 27 % par an en moyenne pour atteindre 27 milliards de dollars, et son résultat net avait augmenté de 58 % par an pour atteindre 1,8 milliard.

Cependant, dans le même temps, les premiers téléphones utilisant la technologie numérique commençaient à apparaître sur le marché. Le numérique permettait de surmonter quelques-unes des faiblesses de l'analogique : il réduisait les interférences, permettait de crypter le transfert de données et pouvait supporter un plus grand nombre d'abonnés. C'était une technologie idéale pour un marché grand public. La demande pour les téléphones numériques augmenta rapidement, non seulement parmi la clientèle professionnelle, mais également auprès des particuliers. Ces clients étaient nettement moins attirés par les fonctionnalités techniques, mais beaucoup plus par la facilité d'usage et l'esthétique des produits.

D'après l'un des dirigeants de Motorola de l'époque, Robert Galvin, l'entreprise était « à la pointe du développement des technologies numériques ». Cependant, elle décida de rester sur l'analogique et de céder des licences de ses technologies numériques à Nokia et à Ericsson, contre de confortables royalties. Motorola lança même le Star-TAC, un nouveau téléphone analogique, en investissant dans une campagne de marketing particulièrement agressive.

Il était pourtant clair que le numérique décollait : les royalties versées par les constructeurs scandinaves augmentaient rapidement et les opérateurs de téléphonie mobile faisaient pression pour que Motorola développe des téléphones numériques : « Ils nous ont dit que nous ne savions pas de quoi nous parlions… Ce n'étaient pas des conversations amicales. Finalement, Motorola a refusé de nous écouter. Alors nous avons signé avec Ericsson, puis avec Nokia. »

En 1998, la part de marché de Motorola était tombée à 34 % et l'entreprise fut forcée de procéder à 20 000 licenciements.

Source : adapté de S. Finkelstein, « Why smart executives fail : four case histories of how people learn the wrong lessons from history », *Business History*, vol. 48, n° 2 (2006), pp. 153-170.

Questions

1. Dressez la chronologie des événements entre 1928 et 1998. Qu'est-ce que cela vous apprend sur la résistance de Motorola face aux nouvelles technologies ?

2. Étant donné que Motorola maîtrisait la technologie numérique et savait que le marché correspondant se développait, expliquez pourquoi l'entreprise a persisté dans l'analogique (vous pouvez vous aider du chapitre 11 et des commentaires qui figurent à la fin de chacune des parties).

compétences (cette démarche, appelée l'*incrémentalisme logique*, est détaillée dans la section 11.3.1).

Tout cela reste cependant difficile à mettre en œuvre. Pendant combien de temps et dans quelle mesure peut-on se contenter de changements incrémentaux ? Comment savoir à quel moment un changement radical sera préférable ?

5.2.2 Le risque de dérive stratégique

Alors que la stratégie d'une organisation continue à se modifier de manière incrémentale, elle peut s'écarter petit à petit de l'évolution de son environnement. Cela n'implique pas nécessairement qu'il y a eu de brusques changements environnementaux. Dans la phase 2 du schéma 5.2, l'évolution de l'environnement s'accélère, mais elle n'est pas soudaine. De nouveaux concurrents peuvent apparaître et s'emparer progressivement d'une partie du marché, de nouvelles technologies peuvent peu à peu remplacer les processus existants, de nouvelles gammes de produits peuvent attirer un nombre croissant de clients, mais tout cela peut prendre des années. La dérive stratégique survient lorsque l'organisation n'est pas capable d'évoluer au même rythme que son environnement. Au moins cinq raisons peuvent expliquer ce phénomène :

- Le *manque de recul*. Dans le chapitre 2, nous avons vu comment analyser les évolutions de l'environnement. Cependant, comment les managers peuvent-ils être certains de la nature, de l'importance et de la pérennité de ces évolutions ? On peut comprendre qu'ils hésitent à modifier une stratégie jusque-là gagnante pour s'adapter à ce qui ne pourrait être qu'une mode ou une baisse temporaire de la demande. Avec du recul, il est toujours facile de prévoir les évolutions majeures d'une industrie, mais il est beaucoup plus ardu de les identifier au moment où elles ont lieu.

- La *focalisation sur des réponses familières*. Les managers peuvent repérer des évolutions environnementales qu'ils ne comprennent pas totalement. Leur tendance naturelle consiste alors à minimiser cette incertitude en mobilisant des réponses qui leur sont familières, qu'ils comprennent et qu'ils ont déjà utilisées dans le passé, ce qui peut provoquer des biais d'interprétation. Confrontée à une nouvelle forme de concurrence, une entreprise établie peut ainsi estimer que ses clients resteront loyaux et que son offre reste la plus attractive.

- Les *points de blocage*. Dans le chapitre 3, nous avons vu que le succès d'une organisation peut reposer sur des capacités uniques, difficiles à imiter par les concurrents. Cependant, ces capacités sur lesquelles repose l'avantage concurrentiel peuvent devenir des points de blocage[3] extrêmement difficiles à changer pour deux raisons. Tout d'abord, elles se traduisent la plupart du temps en schémas de pensée implicites, ce qui rend leur imitation très problématique pour les concurrents, mais qui en retour empêche leur mise en cause : elles risquent alors de persister alors qu'elles ne sont plus pertinentes. Deuxièmement, au cours du temps, les capacités produisent des routines organisationnelles qui se renforcent et s'imbriquent de manière inextricable. Ce point est discuté dans la section 5.3.1.

- Les *relations deviennent des entraves*[4]. Le succès s'est peut-être construit grâce à d'excellentes relations avec les clients, les fournisseurs et les employés. Le maintien de ces relations peut être considéré comme une source de performance durable. Pour autant, ces relations empêchent des ruptures stratégiques qui impliqueraient de s'adresser à de nouveaux clients, de faire appel à de nouveaux fournisseurs ou de modifier les savoir-faire de l'organisation.

- L'*inertie de la performance*. Il faut en général un certain temps avant que les effets d'une dérive stratégique n'apparaissent sur les résultats d'une organisation.

La performance financière peut se maintenir dans les premières phases de la dérive. Les clients peuvent rester loyaux et l'organisation peut maintenir son efficience en réduisant ses coûts ou en augmentant son niveau d'activité. Il peut donc très bien ne pas y avoir de signes patents du besoin de changement, que ce soit du point de vue des managers ou de celui d'observateurs externes.

Cependant, au cours du temps, si la dérive stratégique se maintient, certains symptômes deviennent évidents : une baisse de la performance financière, une perte de parts de marché, un déclin du cours de l'action. Même les organisations qui connaissent les plus grands succès sont soumises à ce type de dérive. Danny Miller affirme ainsi que les entreprises développent une tendance naturelle – qu'il appelle le *paradoxe d'Icare* – à devenir les victimes de leurs succès passés[5].

5.2.3 Les effets de la dérive stratégique

La phase suivante (la phase 3 dans le schéma 5.2) est une période de fluctuations déclenchée par le déclin des performances. La stratégie évolue, mais dans une direction qui reste incertaine. Cela peut se traduire par des bouleversements dans l'équipe de direction, alors que les parties prenantes principales – et notamment les actionnaires s'il s'agit d'une entreprise – exigent une réaction. On peut alors observer des luttes internes sur le choix de la stratégie à adopter, qui opposent généralement les partisans du maintien des capacités historiques à ceux qui estiment qu'elles ne sont plus pertinentes. S'ils deviennent publics, ces conflits risquent d'entamer un peu plus la confiance dans l'organisation, d'où une nouvelle détérioration de la performance et du cours de l'action, une difficulté accrue pour recruter des managers de qualité ou une perte de loyauté des clients.

5.2.4 Transformation ou disparition

Alors que la situation s'envenime, trois résultats sont possibles (phase 4) : (i) l'organisation peut disparaître ; (ii) elle peut être rachetée par un concurrent ou (iii) elle peut connaître un *changement radical*. Ce type de changement peut se traduire par de multiples ruptures de la stratégie en place : lancement de nouveaux produits, intervention sur de nouveaux marchés, modification des capacités stratégiques, remplacement des dirigeants et restructuration de l'organisation.

Le changement radical n'est pas fréquent dans les organisations. Il résulte en général d'un effondrement de la performance. Ce type de changement permet aux dirigeants qui le conduisent de construire leur réputation, car c'est dans ces circonstances extrêmes que leur action est la plus visible. L'exemple du redressement spectaculaire de Nissan par Carlos Ghosn au début des années 2000 lui a ainsi conféré une aura internationale de premier plan : ses exploits de chef d'entreprise font même l'objet d'une série de mangas au Japon. Néanmoins, du point de vue des actionnaires, des salariés ou des clients, le changement radical survient souvent trop tard. L'avantage concurrentiel est peut-être déjà perdu, la valeur actionnariale a été détruite et beaucoup d'emplois risquent d'être sacrifiés. C'est en fait dans la phase 2 que tout se joue, au moment où l'organisation commence à dériver. Une étude portant sur 215 entreprises a ainsi montré que seules huit d'entre elles avaient été capables de mener un changement radical sans que leur performance n'en pâtisse[6]. Le principal problème consiste donc à repérer la dérive avant que la performance ne commence à décliner. Il est donc essentiel d'identifier dans quelle mesure des influences historiques – qu'elles soient encore légitimes ou désormais préjudiciables – pèsent sur l'élaboration de la stratégie : c'est l'objet de la prochaine section. La gestion du changement, quant à elle, sera détaillée dans le chapitre 11.

5.3 L'influence de l'histoire

Prendre en compte l'histoire des organisations permet non seulement d'anticiper le risque de dérive stratégique, mais également d'affiner le diagnostic stratégique, pour plusieurs raisons :

- *L'expérience organisationnelle des managers.* Les managers peuvent avoir passé de nombreuses années dans la même organisation ou dans la même industrie. L'expérience sur laquelle ils fondent leurs décisions est donc fortement influencée par cette histoire (voir la discussion sur le prisme de l'expérience dans les commentaires figurant après le chapitre 1). Il peut être utile que les managers prennent du recul par rapport à cette histoire, de manière à mieux comprendre comment elle les influence.
- La *mise en perspective.* Étant donné la pression des événements, les managers peuvent avoir tendance à se focaliser sur le court terme. Interpréter le présent à la lumière du passé peut se révéler particulièrement utile. Y a-t-il par exemple des tendances passées susceptibles de se répéter ? Une perspective historique aide les managers à comprendre quels ont été les déclencheurs d'événements qui ont été considérés comme des surprises dans le passé, et comment leur organisation y a réagi.
- *L'attribution fautive du succès.* Peut-on comprendre les raisons du succès actuel ? Quelles leçons peut-on en tirer pour les stratégies futures ? Le succès est parfois attribué à des causes qui ne sont pas les bonnes : il peut résulter de causes passées relativement inaperçues, voire de la chance. Or, une attribution fautive peut conduire au renforcement de comportements inadaptés. Par exemple, la stratégie future d'une firme industrielle mettait l'accent sur une politique volontariste de développement de nouveaux produits et services. En effet, les managers estimaient que la croissance de l'entreprise résultait de ses innovations, alors que le reste de son activité stagnait. Pourtant, une analyse des origines des innovations de cette entreprise montra que, pour la plupart, elles résultaient soit d'acquisitions, soit du hasard. Historiquement, il était impossible de démontrer que l'innovation avait été planifiée ou gérée de manière proactive en interne. Cette analyse historique a soulevé des questions majeures sur ce que la firme considérait comme sa capacité d'innovation.
- La *reconstruction du passé.* L'analyse historique encourage également les managers à se demander ce qui aurait pu se produire si les influences de l'environnement, les réactions des clients et des concurrents ou les décisions prises en interne avaient été différentes. Cela permet de souligner que le présent est le produit des circonstances passées, ce qui élargit les perspectives futures.
- La *détection et l'évitement des dérives stratégiques.* Si les managers sont sensibilisés à l'influence de l'histoire, ils ont plus de chances de considérer leur stratégie

actuelle comme ce que Henry Mintzberg appelle « un schéma qui émerge d'un flux de décisions[7] ». Ils peuvent ainsi se demander si la stratégie qu'ils poursuivent est utilement éclairée par l'histoire ou si à l'inverse elle n'en est que la conséquence mécanique. Ces préoccupations peuvent être complétées par une analyse de l'influence de la culture organisationnelle (voir la section 5.4).

5.3.1 La dépendance de sentier

La dépendance de sentier décrit le fait que les événements et les décisions sont conditionnés par la succession d'événements et de décisions qui les ont précédés

Associé à la notion d'*enfermement* sur une trajectoire, le concept de *dépendance de sentier* aide à mieux comprendre le rôle et l'influence de l'histoire. La **dépendance de sentier** décrit le fait que les événements et les décisions sont conditionnés par la succession d'événements et de décisions qui les ont précédés[8]. Nous avons déjà évoqué ce phénomène dans la section 3.4.3 lorsque nous avons étudié les sources de l'avantage concurrentiel.

Les exemples de contraintes de sentier ont souvent un rapport avec la technologie. Un certain nombre de technologies que nous utilisons à l'heure actuelle résultent bien plus d'un enchaînement de choix et de contraintes que d'une optimisation rationnelle : pourquoi utilisons-nous des tournevis cruciformes et des tournevis plats ? Pourquoi avons-nous le choix entre des ampoules à vis et des ampoules à baïonnette ? Pourquoi un four électrique s'allume-t-il en tournant un bouton vers la droite, alors que pour un four à gaz il faut tourner un bouton vers la gauche ? Un des cas les plus célèbres est l'agencement des touches sur le clavier des ordinateurs. Dans la plupart des pays du monde, la première ligne de touches commence par la séquence QWERTY. Cette disposition s'explique par deux raisons qui n'ont rien à voir avec une recherche d'optimisation de la vitesse de frappe : (i) le souci – sur les machines à écrire du XIXe siècle – d'éviter que la machine se bloque en cas de frappe trop rapide et (ii) aider les commerciaux qui devaient faire la démonstration de la machine en plaçant sur la première ligne toutes les lettres permettant d'écrire « type writer » (machine à écrire). Il existe des dispositions beaucoup plus rationnelles, qui permettraient à n'importe quel utilisateur de taper significativement plus vite, mais pourtant, 150 ans plus tard, le QWERTY (et en France le AZERTY) est toujours là, en dépit des progrès des machines à écrire et de leur remplacement par les ordinateurs[9]. Les choix initiaux verrouillent le système, du fait de l'usage répété par des réseaux d'utilisateurs et de fournisseurs, qui à leur tour construisent leurs propres systèmes autour de la technologie dominante. Celle-ci creuse alors un sillon dont il devient extrêmement difficile de sortir.

La dépendance de sentier ne concerne pas que les technologies. Elle caractérise également tous les comportements passés et qui deviennent figés avec le temps. Dans le contexte de la stratégie, cela prend en général la forme de routines organisationnelles soutenues par des processus et des équipements dédiés, qui structurent les systèmes de vente, de marketing, de recrutement ou de comptabilité[10]. Ces routines finissent souvent par être *institutionnalisées* par-delà les frontières de l'organisation. C'est le cas par exemple des systèmes comptables. Leur sédimentation progressive est le résultat combiné de multiples influences : les habitudes acquises par les comptables, les normes établies, les programmes de formation, les logiciels, etc. Comme le montre le schéma 5.3, ces différents éléments se sont développés au cours du temps et se sont mutuellement renforcés. Comme dans le

Schéma 5.3	La dépendance de sentier et l'enfermement

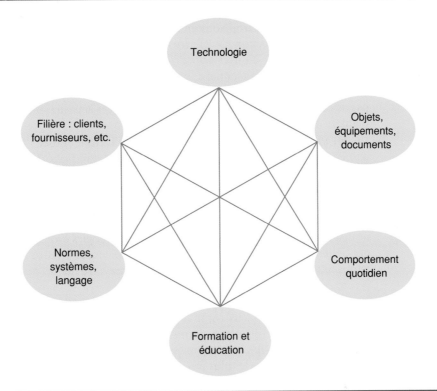

cas du QWERTY, les systèmes comptables résultent de normes implicitement acceptées, qui auraient très bien pu être différentes. Les systèmes comptables traditionnels ont tendance à persister, en dépit du nombre croissant de professionnels qui dénoncent leurs insuffisances et qui déploient d'importants efforts pour les réformer[11].

La dépendance de sentier permet de comprendre comment les événements et les décisions passés, que ce soit dans l'organisation ou dans son environnement, ont un effet positif ou négatif, notamment :

- La *construction de la stratégie* à partir de capacités déjà établies. Cet argument est souvent utilisé pour expliquer l'obtention d'un avantage concurrentiel (voir les chapitres 3 et 6). La dépendance de sentier permet en effet d'expliquer beaucoup de stratégies[12]. Les entreprises choisissent d'investir sur certains marchés, de se concentrer sur certains segments ou de se diversifier vers certaines activités en fonction des capacités qu'elles ont préalablement développées. Elles ont donc tendance à s'adresser aux concurrents qu'elles connaissent et à perfectionner les technologies qu'elles maîtrisent. Cela peut parfois renforcer leur succès, mais également déboucher sur des dérives stratégiques, comme le montre l'exemple de Motorola dans l'illustration 5.1.

- Le concept de *création de sentier* est également utile. Il suggère que certains managers, après avoir compris l'influence de l'histoire sur la stratégie de leur organisation, peuvent tenter de modifier et d'infléchir la trajectoire établie. Il peut être risqué de trop vouloir s'écarter du sentier (voir la discussion sur la légitimité dans la section 5.4.2), mais la capacité à initier des évolutions acceptables par l'organisation et ses partenaires peut permettre de construire un nouvel avantage concurrentiel. C'est notamment ce qu'a fait la grande distribution en entrant sur le marché de l'assurance ou du tourisme : l'objectif n'était pas de contester les principes fondamentaux de ces activités mais de modifier la manière dont elles sont vendues.

- *L'innovation fondée sur des capacités historiques.* Dans le musée BMW à Munich, on peut lire : « Quiconque veut construire le futur doit parcourir le passé.[13] » Ce musée est consacré à l'histoire de BMW, mais il entend également montrer comment le passé peut être une source d'idées nouvelles et d'innovations. D'ailleurs, le département innovation et technologie de BMW est situé juste à côté du musée et des archives de la marque. L'innovation peut s'enrichir de capacités historiques de deux manières. Tout d'abord, lorsque les technologies évoluent, les entreprises qui détiennent le plus d'expérience et de compétences construites au cours du temps ont tendance à plus innover que les autres[14]. De même, des connaissances construites dans des technologies adjacentes peuvent se combiner de manière innovante face à de nouvelles opportunités technologiques. Les réseaux électriques ont ainsi été conçus comme une adaptation des réseaux de gaz qui les avaient précédés[15]. De même, parmi les entreprises qui ont développé les premiers téléviseurs, celles qui étaient préalablement présentes sur le marché de la radio se sont montrées les plus innovantes[16].

Les managers doivent donc considérer le futur à la lumière du passé, ce qui peut enrichir leur compréhension de plusieurs manières. Quels sont les éléments passés qui peuvent aider à comprendre le futur ? Réciproquement, en quoi le futur peut-il s'affranchir de certains éléments passés ? Dans quelle mesure les capacités héritées du passé sont-elles encore pertinentes face à un environnement qui a évolué ? Les évolutions stratégiques sont-elles convergentes avec les évolutions de l'environnement (voir le chapitre 2) ? Les managers doivent par conséquent rester sensibles non seulement aux capacités historiques, mais également aux liens qu'elles entretiennent avec l'environnement.

- Le *style de management* peut aussi avoir des origines historiques. Il peut être hérité des valeurs du fondateur – qui ont parfois une influence considérable –, mais également des interactions entre les pratiques établies et les enseignements retirés des évolutions de l'environnement[17]. Le style de management pratiqué au sein du groupe Danone est ainsi encore largement influencé par les valeurs de son fondateur, Antoine Riboud[18], décédé en 2002. Même s'il a cédé sa place de président-directeur général à son fils Franck en 1996, son attachement aux aspects humains et sa réputation de patron « social » ont encore de fortes répercussions dans la gestion quotidienne du groupe (voir l'illustration 4.5).

Cependant, là encore, ces avantages peuvent être contrebalancés par des inconvénients. Le style de management peut être trop strictement hérité du passé et pas assez en phase avec les évolutions de l'environnement. De même, des capacités qui puisent leurs racines dans l'histoire peuvent devenir extrêmement difficiles à modifier. La dépendance de sentier joue le rôle d'un sillon qui devient de plus en plus profond au fur et à mesure que le trafic s'intensifie. Malheureusement, si le sillon devient trop profond, chacun est obligé de le suivre. C'est ainsi que les capacités qui ont fondé l'avantage concurrentiel et le succès passé peuvent progressivement devenir des points de blocage et provoquer une dérive stratégique.

5.3.2 L'analyse historique

Les managers peuvent analyser l'histoire stratégique de leur organisation de plusieurs manières[19] :

- *L'analyse chronologique.* Cela implique *a minima* d'établir la chronologie des événements clés qui illustrent les évolutions de l'environnement (en particulier l'environnement concurrentiel) et de la stratégie de l'organisation (avec quelles conséquences financières ?). Certaines entreprises ont effectué cette analyse chronologique de manière relativement exhaustive, parfois en faisant appel à des historiens. Le résultat dépasse quelquefois le simple exercice de relations publiques pour constituer d'authentiques recherches historiques[20]. Cette compréhension de l'histoire peut permettre d'exposer les managers aux différentes questions soulevées dans les sections précédentes.

- Les *influences cycliques.* Peut-on identifier des influences cycliques qui se sont manifestées à plusieurs reprises dans le passé et qui pourraient réapparaître dans le futur ? Les chercheurs ont démontré l'existence de cycles économiques, mais également de cycles industriels, marqués par exemple par des vagues d'acquisitions ou de restructurations. Comprendre la fréquence et les causes de ces cycles peut aider à concevoir des stratégies qui les évitent ou au contraire les utilisent.

- Les *points d'ancrage.* L'histoire peut être considérée comme continue, mais certains événements historiques – appelés des points d'ancrage – ont parfois un impact significatif sur certaines organisations. Il peut s'agir d'événements majeurs, par exemple une rupture technologique ou l'irruption d'un nouveau concurrent, mais également de valeurs héritées du fondateur ou de certains dirigeants particulièrement influents, ou encore de succès ou d'échecs majeurs. Même si ces points d'ancrage sont anciens dans l'histoire de l'organisation, ils peuvent avoir un impact profond sur sa stratégie actuelle et exercer des contraintes majeures sur ses orientations futures. Tout cela peut bien entendu être positif : cela permet de conserver une orientation stratégique claire et d'élaborer une vision telle que celles que nous avons décrites dans le chapitre 4. Pour autant, cet héritage peut également empêcher de contester les stratégies existantes ou bloquer toute tentative de réforme. Un exemple emblématique de ce risque est la maxime de Henry Ford « Vous pouvez choisir la couleur de votre voiture du moment que c'est du noir », qui a initié une trajectoire exclusivement orientée vers la production de masse de voitures indifférenciées. De même, le célèbre spot de télévision d'Apple en 1984 a marqué son opposition historique à IBM : on y voyait une jeune athlète lancer un marteau sur un écran géant diffusant une image de Big Brother.

- Les *récits historiques.* Comment les membres de l'organisation expliquent-ils l'histoire de leur entreprise ? Pour comprendre les fondements de la stratégie d'une organisation, un nouveau dirigeant ou un consultant externe passe en général beaucoup de temps à discuter avec les employés, afin de construire sa propre opinion à partir de leurs récits[21]. Qu'ont-ils à dire à propos de l'organisation et de son passé, de ses points d'ancrage et des origines de son succès ? Quelles en sont les implications pour ses stratégies futures ? Est-ce que leur récit suggère que l'organisation possède des capacités historiques particulièrement pertinentes face à certains marchés et certains clients, qu'elle est capable d'innover et de changer, ou à l'inverse qu'elle est tellement figée sur ses pratiques établies qu'elle risque d'être victime d'une dérive stratégique ?

L'histoire influence donc la stratégie, que ce soit positivement ou négativement. Il est possible d'analyser cette influence, mais il n'est pas toujours facile de retrouver les origines parfois anciennes des comportements organisationnels actuels. L'analyse de la culture peut faciliter ce processus. En effet, la culture d'une organisation est dans une large mesure l'héritage de son histoire : l'histoire est « encapsulée dans la culture[22] ». Par conséquent, analyser la culture d'une organisation permet de comprendre le poids des influences historiques. La prochaine section explique ce qu'est la culture organisationnelle et comment il est possible de l'analyser.

5.4 La culture organisationnelle

La culture organisationnelle peut être définie comme l'ensemble des croyances et des convictions partagées par les membres d'une organisation qui déterminent inconsciemment et implicitement la représentation que celle-ci se fait d'elle-même et de son

Il existe de nombreuses définitions de la culture. Dans les commentaires qui suivent le chapitre 1, nous l'avons définie comme « un ensemble de structures d'interprétation socialement établies »[23]. Edgar Schein définit plus précisément la **culture organisationnelle** comme l'ensemble des croyances et des convictions partagées par les membres d'une organisation qui déterminent inconsciemment et implicitement la représentation que celle-ci se fait d'elle-même et de son environnement[24]. Cette représentation collective renforcée au cours du temps se reflète dans les routines mises en place par l'organisation. La culture peut ainsi être considérée comme le résultat de croyances collectives implicites et de routines organisationnelles. Elle a donc une réelle influence sur l'élaboration et l'évolution de la stratégie.

Comme l'illustre le schéma 5.4, les influences culturelles se manifestent à plusieurs niveaux. Les sections suivantes détaillent différents cadres de référence culturelle et montrent comment la culture organisationnelle peut être caractérisée, afin de comprendre quel est son impact sur les objectifs présents et futurs de l'organisation.

5.4.1 Les cultures nationales et régionales

Beaucoup d'auteurs – dont le plus connu est certainement Geert Hofstede[25] – ont montré que le comportement au travail, le respect de l'autorité ou l'acceptation des inégalités diffèrent, notamment selon les pays. L'histoire, la religion et même le climat peuvent expliquer ces différences. De fait, les entreprises qui interviennent à l'échelle internationale doivent tenir compte des différentes normes et attentes qui prévalent dans les divers pays où elles sont présentes[26]. Disney a ainsi été taxé « d'impérialisme culturel » par les médias français lors de l'ouverture de son parc européen : ses méthodes de management à l'américaine étaient localement considérées comme inacceptables. La réalisatrice Ariane Mnouchkine a

| Schéma 5.4 | **Les cadres de référence culturelle** |

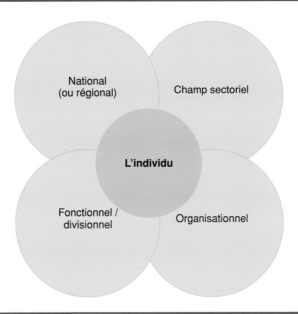

même qualifié EuroDisney de « Tchernobyl culturel ». De fait, le changement de nom du parc, devenu Disneyland Paris en 1994, a marqué une volonté de la direction d'adapter ses méthodes au contexte européen. L'illustration 5.2 montre à quelles difficultés peuvent être confrontées les entreprises occidentales qui souhaitent se développer en Chine.

Même si elles n'apparaissent pas dans le schéma 5.4 (pour des raisons de simplification), les cultures *subnationales* (le plus souvent régionales) doivent également être prises en considération, car les attitudes vis-à-vis de l'emploi, des relations avec les fournisseurs ou des attentes des consommateurs peuvent significativement différer à l'intérieur d'un même pays, comme on peut le constater dans la plupart des pays d'Europe, et notamment en Suisse (où les cantons alémaniques ont un comportement distinct de leurs voisins francophones) ou en Italie (où le Nord industriel ne saurait être confondu avec le Mezzogiorno).

5.4.2 Le champ sectoriel[27]

La culture est également influencée par l'industrie ou la profession, qui forment ce que l'on appelle un **champ sectoriel**, c'est-à-dire une communauté d'organisations partageant le même système d'interprétation[28]. Des organisations qui utilisent les mêmes technologies, la même réglementation et les mêmes systèmes de formation, ont tendance à développer une **recette**[29] : un ensemble de présupposés, de normes et de routines à propos des objectifs organisationnels et des pratiques de gestion considérées comme « bonnes ». On rencontre ainsi de nombreux acteurs et organisations dans le champ sectoriel « santé ». Même si les médecins, les infirmières, les aides-soignants et les personnels administratifs des hôpitaux manifestent chacun

Un champ sectoriel est une communauté d'organisations partageant le même système d'interprétation

Une recette est un ensemble de présupposés, de normes et de routines partagés au sein d'un champ sectoriel à propos des objectifs organisationnels et des pratiques de gestion considérées comme « bonnes »

Illustration 5.2

Le management à la chinoise

Pour les entreprises occidentales qui s'installent en Chine, comprendre les spécificités culturelles chinoises est crucial.

Voici le témoignage d'un manager européen qui a été chargé d'implanter à Pékin la filiale d'un groupe immobilier :

> Il y a un nombre incroyable d'opportunités en Chine, mais tout n'est pas bon à prendre et il faut se montrer très sélectif. Au début, nous avons eu des problèmes de gestion du temps. Essayez donc d'organiser une réunion lorsque tout le monde arrive à une heure différente et que personne n'a pensé à fixer un ordre du jour. Nous avons également eu trois réunions de plusieurs heures avec un client qui en fait ne nous a rien commandé. Il était très difficile de faire comprendre à nos interlocuteurs l'intérêt de l'analyse des coûts ou la notion de valeur pour le client.

Si les Chinois sont habitués à payer pour obtenir des produits, l'idée de payer pour des services leur était étrangère. Il leur faut du temps pour valoriser les conseils d'une entreprise de services :

> Vous devez apprendre à avancer par petits pas et à donner un peu chaque fois. Vous ne pouvez pas débarquer dans le bureau d'un client et lui dire : « Payez-moi à l'avance. » Vous devez réellement leur montrer comment vous pouvez contribuer à leur activité.

La compréhension des structures hiérarchiques pose également problème :

> Vous pensez que vous parlez au responsable le plus haut placé et il vous demande une réduction. Vous acceptez. Alors on vous organise des rencontres avec cinq autres managers, qui sont tous placés encore plus haut dans la hiérarchie, et chacun vous demande une nouvelle réduction. Faites attention !

Les symboles hiérarchiques sont également différents. Contrairement aux pays occidentaux, où il existe des codes permettant de deviner le statut d'un interlocuteur (vêtements, voiture, etc.), en Chine les dirigeants peuvent très bien être vêtus de manière tout à fait insignifiante :

> Dans une culture gangrenée par la corruption, il est important de s'habiller de manière très peu ostentatoire, car cela signale que vous êtes incorruptible. Pour autant, comme partout, les chefs veulent affirmer leur autorité. Pour cela, ils s'entourent d'une cour d'assistants. J'ai vite compris que je devais en faire autant : si j'allais seul aux réunions, on ne me prenait jamais au sérieux.

D'un point de vue occidental, certains comportements peuvent également sembler peu courtois : « Fondamentalement, une fois qu'ils vous ont payé, ils pensent que vous leur appartenez, comme leur montre ou leur voiture. »

Pour les employés, il est plus important d'entretenir des relations avec leur chef que de se montrer loyaux envers leur entreprise : « C'est la raison pour laquelle vous verrez des employés laver la voiture de leur patron le week-end. Nous avons dû expliquer à nos employés que ce n'était pas la meilleure façon d'obtenir une promotion. »

Un autre interlocuteur a témoigné de son expérience de la bureaucratie chinoise :

> Quand vous négociez avec le gouvernement, vous devez trouver quelqu'un qui estime pouvoir tirer personnellement bénéfice de l'accord. Une fois que votre intérêt et le sien sont alignés, il vous aidera à vous frayer un chemin à travers le labyrinthe. Il ne s'agit pas d'obtenir la carte de visite de quelqu'un et de l'inviter à prendre un verre. En Chine, vous devez gagner sa gratitude et sa confiance et pour cela il faut lui accorder des faveurs. Plus grandes sont ces faveurs, plus il vous aidera, professionnellement et en privé.

Le responsable de la filiale chinoise d'une entreprise française de restauration collective racontait que ses premières années en Chine lui avaient fait prendre 30 kilos, du fait de nombreux et longs dîners très arrosés de « baijiu » (alcool de céréales), finissant à minuit dans un bar à karaoké :

> À minuit, on s'est fait des amis. Demain, on pourra parler business. On ne signe jamais de contrats dans ces soirées. Mais c'est un passage obligé pour mettre en place ce que les Chinois nomment le « guanxi », des réseaux de solidarité qui vous serviront, plus tard, à trouver des clients, à faciliter des procédures administratives ou à recruter un cadre de valeur. Ici, tout fonctionne à l'échange de coups de main.

Sources : D. Slater, « When in China… », *Management Today*, mai 2006 ; Y. Rousseau, « Les tribulations d'une PME en Chine », *Les Echos*, 26 novembre 2007.

Questions

1. À partir de ces témoignages, identifiez en quoi diffèrent les normes culturelles et les schémas de pensée implicites entre les managers chinois et les managers occidentaux.

2. Si vous deviez établir des relations avec un pays dont la culture est significativement différente de la vôtre, par-delà la lecture de témoignages, comment procéderiez-vous pour comprendre les normes et les comportements locaux ?

des attentes différentes lorsqu'on entre dans le détail des décisions, des priorités et des allocations de ressources, ils sont liés au même système politico-économique et s'entendent d'ordinaire sur l'objectif général : améliorer la santé. On peut observer le même type de convergence autour d'une recette dans d'autres champs sectoriels, par exemple dans les cabinets d'audit (voir l'illustration 5.3).

On retrouve ici la notion de dépendance de sentier. Les interactions entre les membres d'un champ sectoriel renforcent leurs convictions et leurs comportements, ce qui peut conduire à un enfermement sur une trajectoire commune. Beaucoup d'industries et de professions *institutionnalisent* les recettes tacites et les complètent par un code de conduite, voire par une obligation légale d'appartenance, comme dans le cas de l'ordre des experts-comptables. Ces pratiques ont l'avantage – du point de vue des clients – de maintenir des standards de qualité et une forte cohésion entre les différents intervenants d'un même secteur. Cependant, les managers risquent de ne pas regarder au-delà de leur industrie lorsqu'ils identifient des opportunités ou des menaces. La recette devient un schéma de pensée unique, qu'il est extrêmement difficile de faire évoluer.

Tout comme les forces environnementales (voir le chapitre 2), les capacités stratégiques (voir le chapitre 3) et les attentes des parties prenantes (voir le chapitre 4), la légitimité au sein d'un champ sectoriel influe fortement sur la stratégie. La légitimité d'une stratégie concerne sa concordance avec les hypothèses, les comportements et les normes qui caractérisent un champ sectoriel. La légitimité peut découler de plusieurs éléments, comme une réglementation (décidée par un régulateur ou promulguée par une association professionnelle), des attentes normatives (de la part de la collectivité) ou plus simplement des présupposés partagés (la recette). Au cours du temps, un consensus tend à se développer entre les managers d'un même champ sectoriel à propos des stratégies censées être gagnantes ou tout simplement légitimes. En se conformant à ce consensus, les stratégies peuvent recevoir l'approbation et le soutien des parties prenantes. À l'inverse, celles qui sortent de ce cadre stratégique risquent d'être considérées comme illégitimes, par exemple par les clients ou les banquiers. Les organisations ont donc tendance à imiter mutuellement leurs stratégies. Les stratégies des concurrents peuvent bien entendu différer significativement, mais elles se cantonnent généralement aux limites de la légitimité collective[30]. Cet aspect est présenté dans l'illustration 5.3. Bien entendu, certaines organisations qui s'écartent de la norme peuvent parfois rencontrer le succès – par exemple Free (voir l'illustration 6.2) –, mais elles doivent alors construire une légitimité à part entière qui peut rebuter la plupart des clients traditionnels, qui préfèrent rester loyaux aux concurrents établis. De fait, les banquiers sont parfois réticents à financer ces francs-tireurs.

Étant donné que la culture dominante varie selon les industries, le passage d'un manager d'un secteur à un autre peut se révéler difficile. De nombreux responsables du secteur privé ont ainsi été encouragés à rejoindre le service public, afin d'y insuffler de nouvelles perspectives et de nouvelles pratiques. Beaucoup ont été surpris par la difficulté d'ajuster leur style de management aux traditions et attentes des organisations publiques, par exemple en ce qui concerne la nécessité du consensus dans l'élaboration des décisions. Dans l'illustration 5.3, l'expérience professionnelle originale de Michel Caruso impliquait qu'il avait une perspective relativement distincte de celle de ses collègues comptables.

Illustration 5.3

Débat stratégique dans un cabinet d'audit

La légitimité perçue d'une stratégie peut avoir différentes origines.

Paul-Edouard Malinky, le directeur associé de QDG, un grand cabinet d'audit comptable, discutait de développement stratégique avec deux de ses associés : Alain Lacaze, qui avait fait toute sa carrière au sein du cabinet et qui jouissait d'une grande réputation dans le métier de l'audit, et Michel Caruso, qui venait d'être recruté chez QDG après avoir été consultant en systèmes d'information. À la différence de ses collègues, Michel Caruso n'avait pas une formation de comptable.

La globalisation avait été le principal thème évoqué lors du comité de direction international qui s'était tenu la semaine précédente. Comme la plupart des cabinets d'audit, QDG était organisé par pays. La coopération internationale reposait sur les contacts personnels entre les associés des différents bureaux de par le monde. Cependant, un nombre croissant de grands clients demandaient un service intégré au niveau mondial.

Paul-Edouard Malinky donna son opinion :

Si nous ne devenons pas une entreprise plus globale, nous risquons de perdre notre position de leader mondial de l'audit. Nos concurrents évoluent dans ce sens, nous devons faire de même. Reste à savoir comment.

Alain Lacaze était d'accord, mais il restait prudent. Il souligna que les clients étaient en train d'investir dans des économies émergentes telles que la Chine :

Dans ces pays, les gouvernements vont exiger le respect des normes internationales, mais cela ne se fera pas sans mal. En Chine, par exemple, il n'y a souvent pas de véritable notion de profit et encore moins de manière de le mesurer. Si l'économie de marché s'y développe, les opportunités pour notre cabinet seront énormes. Il y a cependant de sérieux problèmes, en particulier le nombre de personnes nécessaires. On ne peut pas former des comptables expérimentés d'un coup de baguette magique. Nos standards professionnels risquent d'en souffrir. Le cabinet ne doit pas privilégier les attentes du marché aux dépens du respect de nos standards. Je vois un autre problème : notre activité est fondée sur les relations personnelles et la confiance. Tout cela ne peut pas être balayé au nom de « l'intégration globale ».

Michel Caruso souligna l'urgence de la question :

Tous nos concurrents se globalisent. Ils vont démarcher les mêmes clients, proposer les mêmes offres, avec les mêmes niveaux de service. Où est notre différence ? Pour avoir un avantage concurrentiel, nous devons agir différemment et bousculer nos certitudes. Pourquoi ne pas mettre en place une nouvelle structure, dans laquelle les dirigeants des petits pays n'entreraient pas dans le capital du cabinet ? Cela nous permettrait d'accélérer nos processus de prise de décision, d'imposer localement nos standards et de donner plus d'autorité formelle aux associés en charge des principaux clients internationaux.

Alain Lacaze avait anticipé cet argument :

Cela ne nous avancera à rien de changer une structure qui fonctionne très bien depuis des décennies. Il ne s'agit pas seulement de faire de l'argent, mais du développement de systèmes comptables adaptés à des économies qui jusqu'à maintenant étaient fermées. Nous devons coopérer avec d'autres cabinets pour nous assurer que les standards locaux seront compatibles avec les nôtres.

Paul-Edouard Malinky intervint :

Lors du comité de direction de la semaine dernière, il est clairement ressorti que nous devons mieux nous coordonner à l'international, avec un meilleur système de gestion des clients et moins nous reposer sur les relations personnelles.

Alain Lacaze réagit vivement :

Au contraire, je pense que notre grande force internationale, c'est notre réseau unique de relations interpersonnelles, que nous avons construit au cours du temps. Ce que nous devons faire, c'est renforcer ce réseau en utilisant les technologies modernes.

Cela déclencha une longue discussion.

Source : adapté d'une étude de cas de G. Johnson et R. Greenwood, « Institutional theory and strategic management », dans l'ouvrage coordonné par M. Jenkins et V. Ambrosini, *Strategic Management: A Multiple-Perspective Approach*, Palgrave, 2007.

Questions

1. Quelles sont les hypothèses implicites qui sous-tendent les arguments employés par les trois associés ?

2. Quelles sont les origines de ces hypothèses ?

3. En quoi ces perspectives différentes correspondent-elles aux discussions sur les capacités stratégiques (voir le chapitre 3) et sur les stratégies concurrentielles (voir le chapitre 6) ?

5.4.3 La culture organisationnelle

Il est possible de décomposer la culture d'une organisation en quatre niveaux d'analyse[31] (voir le schéma 5.5) :

- Les *valeurs* sont en général aisément identifiables, car elles sont le plus souvent explicitées dans les missions et objectifs affichés par l'organisation (voir la section 4.5). Cependant, ces déclarations d'intention peuvent rester au niveau de vagues généralités, comme « satisfaire nos clients », « rémunérer nos actionnaires » ou « servir la collectivité ».
- Les *croyances* sont plus révélatrices. On peut généralement les discerner dans la manière dont les individus s'expriment à propos des problèmes auxquels l'organisation est confrontée. Elles peuvent inclure par exemple la conviction que l'organisation ne devrait pas commercer avec des pays totalitaires ou que les services administratifs ne devraient pas avoir le pouvoir d'évaluer le travail des responsables opérationnels.

Lorsqu'on veut comprendre la culture d'une organisation, ce sont les valeurs et les croyances collectives qu'il convient d'identifier – et non les valeurs et croyances individuelles. Il est d'ailleurs possible que les unes et les autres divergent notablement, ce qui peut provoquer des tensions et des problèmes éthiques (voir la section 4.3.2).

- Les *comportements* sont les activités quotidiennes grâce auxquelles l'organisation fonctionne. Cela inclut la structure, les modes de contrôle, les routines et un certain nombre de pratiques plus symboliques.

Schéma 5.5	Les quatre niveaux de la culture organisationnelle

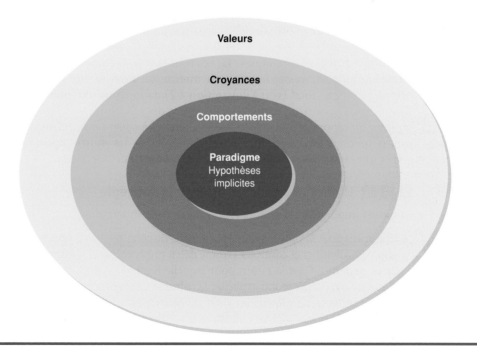

*Le **paradigme** désigne un ensemble de convictions partagées et implicites au sein d'une organisation*

- Les *hypothèses implicites* constituent le véritable cœur de la culture d'une organisation. Elles rassemblent tous les aspects de l'organisation que les individus ont du mal à identifier et à expliquer. Ces hypothèses forment ce qu'il est convenu d'appeler le *paradigme organisationnel*. Le **paradigme** désigne un ensemble de convictions partagées et implicites au sein d'une organisation. Pour qu'une organisation fonctionne de manière efficace, elle a besoin de ces convictions partagées, qui rassemblent l'*expérience collective* sans laquelle les individus devraient « réinventer le monde » chaque fois qu'ils sont confrontés à une nouvelle situation. Le paradigme peut faciliter l'élaboration d'une stratégie en aidant les membres de l'organisation à partager les mêmes interprétations. Cependant, il peut également devenir un problème lorsqu'un changement majeur est nécessaire (voir le chapitre 14) ou lorsque deux organisations culturellement incompatibles cherchent à fusionner. Nous reviendrons sur l'importance du paradigme dans la section 5.4.6.

5.4.4 Les sous-cultures organisationnelles

Lorsqu'on cherche à décrire, analyser et comprendre les relations entre la culture et la stratégie, il est parfois impossible de caractériser la totalité de l'organisation à partir d'un seul type de culture. Il peut en effet exister plusieurs *sous-cultures* au sein d'une même organisation. Ces sous-cultures peuvent résulter de la structure même de l'organisation. Par exemple, les différences entre les divisions géographiques dans une entreprise multinationale ou entre les fonctions telles que la finance, le marketing ou la production peuvent être considérables. Les différences entre divisions peuvent être particulièrement flagrantes dans les organisations résultant de fusions ou acquisitions. De plus, les divisions d'une même organisation peuvent occuper des positions concurrentielles distinctes et déployer des stratégies spécifiques. Ces différences de positionnement nécessitent et encouragent des cultures distinctes. De fait, l'adéquation entre le positionnement stratégique et la culture organisationnelle constitue un facteur essentiel au succès d'une organisation. Les différences entre les fonctions peuvent également provenir de conditions de travail spécifiques : tâches routinières ou complexes, horizon à long terme ou à court terme, focalisation interne ou externe, etc. Dans un groupe pétrolier comme Total (voir l'illustration 4.2), la fonction exploration peut ainsi compter sur un horizon temporel d'au moins dix ans, alors que la fonction distribution doit répondre aux exigences des marchés à court terme. C'est une des raisons pour lesquelles les groupes pétroliers déploient des efforts importants afin de forger une culture d'entreprise partagée par toutes leurs fonctions.

5.4.5 L'influence de la culture sur la stratégie

La nature implicite de la culture lui donne un rôle stratégique, pour deux raisons :

- Comment *gérer la culture* ? Il est très difficile de gérer ce que l'on peut difficilement observer, identifier et contrôler (voir le débat présenté dans l'illustration 5.5 à la fin de ce chapitre). C'est la raison pour laquelle il est important de disposer d'outils d'analyse qui permettent d'expliciter la culture (voir la prochaine section).
- La culture comme *moteur ou frein* de la stratégie. Les organisations peuvent devenir « captives » de leur culture et se révéler incapables d'élaborer des stratégies qui la contestent. Confrontés à un environnement changeant, les managers

cherchent en général à interpréter la situation au travers de leur culture et donc à se cantonner à des évolutions incrémentales, d'où un risque de dérive stratégique (voir la section 5.2).

Le schéma 5.6 montre quel est l'effet de la culture sur la stratégie[32]. Confrontés à la nécessité d'une action – par exemple à un déclin des performances –, les managers cherchent tout d'abord à améliorer le déploiement de la stratégie existante, en renforçant les contrôles et en optimisant les pratiques établies. Si cela ne réussit pas, une modification de la stratégie est envisagée, à condition qu'elle reste cohérente avec la culture. Les managers vont par exemple chercher à étendre leur marché, tout en estimant que les nouveaux clients ont les mêmes comportements que les anciens et que l'approche doit donc rester la même. Or, même lorsque les managers savent pertinemment qu'il est nécessaire de changer – et qu'il est technologiquement possible de le faire –, ils restent contraints à l'inertie par les routines organisationnelles, les convictions et les processus politiques (voir l'illustration 5.1). Même lorsque les individus acceptent intellectuellement la nécessité d'un changement culturel, sa mise en pratique reste problématique. L'idée selon laquelle une argumentation raisonnée est capable de faire évoluer des comportements profondément encastrés dans l'expérience collective est erronée. L'application rassurante des solutions éprouvées est le moyen le plus immédiat de réduire

| Schéma 5.6 | **L'influence de la culture sur la stratégie** |

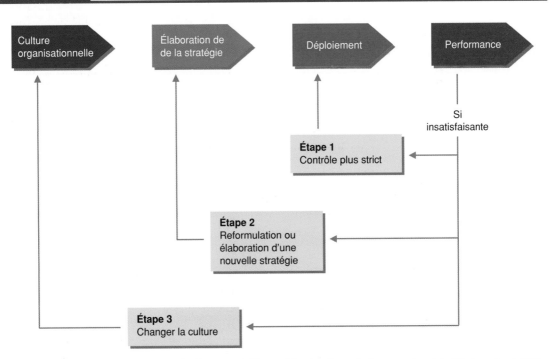

Source : adapté de P. Gringer et J-C. Spender, *Turnaround : Managerial recipes for strategic success*, Associated Business Press, 1979, p. 203.

l'incertitude et l'ambiguïté. Ce comportement peut perdurer jusqu'à ce qu'apparaisse – parfois de manière dramatique – la preuve irréfutable que le paradigme et les routines sont devenus caducs, mais à ce stade, l'organisation a en général atteint les phases 3 ou 4 d'une dérive stratégique (voir le schéma 5.2).

5.4.6 L'analyse de la culture : le tissu culturel

Le tissu culturel est une représentation des manifestations physiques et symboliques du paradigme d'une organisation

Le **tissu culturel**[33] est un outil qui permet de mieux comprendre la culture d'une organisation. Il s'agit d'une représentation des manifestations physiques et symboliques des croyances implicites d'une organisation – son paradigme (voir le schéma 5.7). Le tissu culturel correspond aux deux cercles intérieurs du schéma 5.5. Il peut être employé pour analyser la culture dans chacun des cadres de référence du schéma 5.4, mais il est plus fréquemment utilisé au niveau de l'organisation et/ou au niveau fonctionnel et divisionnel[34].

Les éléments du tissu culturel sont les suivants :

- Le *paradigme* constitue le cœur de la culture organisationnelle (voir le schéma 5.5). Fruit de l'expérience collective, il rassemble les schémas de pensée implicites qui donnent du sens et orientent les comportements. Il synthétise la manière dont l'organisation se voit et se vit, sa représentation du monde et d'elle-même. Les hypothèses sous-jacentes du paradigme peuvent être très élémentaires. Par exemple, les journalistes estiment généralement qu'informer est la mission essentielle des journaux, alors que d'un point de vue stratégique, leur viabilité financière est de plus en plus déterminée par leur capacité à vendre des espaces publicitaires. De même, le paradigme d'une organisation caritative peut consister à aider les

Schéma 5.7   **Le tissu culturel**

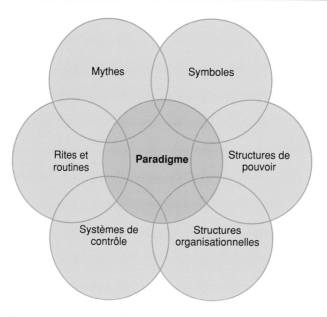

indigents, mais cela repose notamment sur la capacité à susciter et collecter efficacement des dons. Il est donc important de comprendre ce qu'est le paradigme et en quoi il peut provoquer des débats stratégiques internes. Or, étant donné qu'il est implicite, le paradigme est souvent difficile à identifier. Les observateurs externes sont paradoxalement mieux placés pour l'expliciter, notamment par l'analyse des conversations quotidiennes et des comportements spontanément adoptés au sein de l'organisation. Pour ce qui est des membres mêmes de l'organisation, ils peuvent prendre conscience de leurs hypothèses implicites en se concentrant tout d'abord sur les autres aspects plus visibles du tissu culturel.

- Les *routines* constituent la manière dont les membres de l'organisation se comportent les uns avec les autres et avec l'extérieur. Elles définissent les manières d'agir au quotidien. Elles peuvent résulter d'une longue tradition et être parfois partagées par plusieurs organisations d'une même industrie (voir la section 4.3). L'existence des routines permet de « lubrifier » le fonctionnement de l'organisation, ce qui peut être une compétence distinctive. Cependant, elles ont également tendance à renforcer les schémas de pensée implicites, ce qui peut faire obstacle au changement.

- Les *rites* sont les événements qui ponctuent la vie de l'organisation et de ses membres, afin de signifier ce qui est réellement important, de marquer l'appartenance au groupe ou de rythmer la chronologie interne. Certaines procédures formelles peuvent devenir des rites, comme les programmes de formation, les enquêtes de satisfaction, les séminaires ou encore les promotions et les évaluations. L'entraînement destiné à inculquer la discipline de combat aux jeunes recrues militaires est extrêmement ritualisé, tout comme les différents types de bizutages parfois pratiqués dans certaines écoles et universités. Les rites incluent par ailleurs des processus relativement informels, comme les discussions autour de la machine à café ou de la photocopieuse, les repas de fin d'année ou les pots d'adieu. Dans tous les cas, il s'agit de permettre à chacun de bien comprendre quelle est sa place dans l'organisation. Une liste des différents types de rites figure dans le chapitre 14 (voir le schéma 14.6).

- Les *mythes*[35], qu'ils soient racontés à l'extérieur ou à l'intérieur de l'organisation (en particulier aux nouvelles recrues), servent à inscrire le présent dans la continuité historique et à mettre en valeur certains événements ou personnalités. Généralement, ils parlent de succès, de désastres, de héros, de traîtres ou d'anticonformistes qui ont osé braver la norme. Les mythes distillent l'essence du passé de l'organisation, légitiment certains comportements et en condamnent d'autres. Ils constituent des règles de conduite qui permettent aux individus de comprendre ce qui est réellement important.

- Les *symboles*[36], tels que les logos, la répartition des bureaux et des voitures de fonction, les titres décernés ou encore le jargon utilisé, sont une représentation codée de la nature profonde de l'organisation. Par exemple, dans les organisations âgées et conservatrices, on trouve souvent de nombreux symboles de hiérarchie, tels que la stricte attribution des bureaux – quel étage, quelle superficie, combien de fenêtres – des différences de privilège selon le grade et l'ancienneté, ou encore des subtilités rigoureuses dans la manière dont les individus s'adressent la parole – emploi du tutoiement, des prénoms, des titres, etc. Ce type de formalisation peut faire obstacle au changement. Le langage utilisé pour désigner les clients ou les usagers peut également être un signe particulièrement révélateur. Le président d'une association de consommateurs australiens avait ainsi l'habitude de qualifier ses membres de *plaignants*, et dans un important centre hospitalo-universitaire britannique, les patients étaient appelés *matériaux cliniques*. Si de tels exemples peuvent sembler amusants, ils révèlent une série de présupposés tacites à l'égard des usagers – ou des patients – qui peuvent significativement influencer la stratégie de l'organisation. Bien que les symboles forment une catégorie spécifique, il convient de rappeler que la plupart des éléments constitutifs du tissu culturel ont une dimension symbolique : leur signification va au-delà de leur simple rôle fonctionnel. Les routines, les systèmes de contrôle et les procédures de récompense symbolisent ainsi le type de comportement valorisé par l'organisation.

● Les *structures de pouvoir* sont également liées aux croyances fondamentales et aux valeurs partagées. Dans les organisations victimes d'une dérive stratégique, on trouve généralement des individus particulièrement influents qui s'érigent en gardiens des traditions établies. Pour analyser les structures de pouvoir, on peut utiliser les éléments présentés dans la section 4.4.2.

● La *structure organisationnelle* fait écho en général à la structure de pouvoir. Une structure fortement hiérarchisée signale d'ordinaire que la stratégie relève exclusivement des dirigeants, alors qu'elle s'impose à tous les autres. De même, les structures fortement décentralisées (voir le chapitre 12) caractérisent des organisations dans lesquelles la compétition prime sur la collaboration.

● Les *systèmes de contrôle*, de mesure et de récompense mettent l'accent sur ce qu'il est important de surveiller dans l'organisation et sur ce qui doit focaliser l'attention. Les organisations de service public sont ainsi fréquemment accusées de se préoccuper plutôt de l'attribution des budgets que de la qualité de service et donc de se soucier plus, dans leurs procédures, de la comptabilisation des dépenses que de l'obtention de résultats. Les systèmes de récompense ont une influence déterminante sur les comportements et peuvent également empêcher le déploiement de nouvelles stratégies. Une organisation dans laquelle la rétribution est indexée sur la mesure quantitative de la performance individuelle aura généralement bien du mal à introduire une stratégie nécessitant le travail d'équipe et l'obtention de résultats qualitatifs.

L'illustration 5.4 présente le tissu culturel de la chaîne de télévision Canal+. Il apparaît que la culture de Canal+ à la fin des années 2000 finissait de se reconstruire, partagée entre un héritage fondé sur un esprit d'innovation, de différence et d'impertinence et la volonté de contrôle et de normalisation imposée par sa nouvelle équipe de direction. Cette révolution culturelle avait créé de très vives tensions en interne.

5.4.7 Conduire une analyse de la culture

Lorsqu'on souhaite analyser la culture d'une organisation, certains points importants doivent être gardés à l'esprit.

● Les *questions à poser*. Le schéma 5.8 rassemble quelques-unes des questions qui peuvent aider à comprendre une culture organisationnelle grâce au tissu culturel.

Schéma 5.8   L'analyse du tissu culturel : quelques questions utiles

Mythes et anecdotes
- Quelles sont les croyances fondamentales reflétées par les mythes et les anecdotes ?
- Quelle est la permanence de ces croyances ?
- Les mythes et les anecdotes parlent-ils :
  - Des forces ou des faiblesses de l'organisation ?
  - De ses succès ou de ses échecs ?
  - Des conformistes ou des francs-tireurs ?
- Qui sont les « bons » et qui sont les « méchants » dans les mythes et les anecdotes ?
- De quelles normes les anticonformistes s'écartent-ils ?

Symboles
- Quel est le jargon utilisé ?
- Ce jargon est-il compréhensible par les individus extérieurs à l'organisation ?
- Quels sont les aspects de la stratégie mis en valeur dans les communications et publicités ?
- Quels sont les symboles de statut et de pouvoir ?
- Quelle est la symbolique du nom de l'organisation ?
- Quelle est la symbolique du logo de l'organisation ?
- Y a-t-il des symboles spécifiques à l'organisation ?

Rites et routines
- Quelles sont les routines mises en avant ?
- Quels sont les changements qui paraîtraient incongrus ?
- Quels sont les comportements encouragés par les routines ?
- Quels sont les rites essentiels ?
- Quelles croyances fondamentales reflètent-ils ?
- Quelles sont les qualités mises en avant par les programmes de formation ?
- Est-il facile de modifier les rites et les routines ?

Structures de pouvoir
- Quelles sont les croyances fondamentales des dirigeants ?
- Ces croyances sont-elles fortement ancrées (idéalisme ou pragmatisme) ?
- Comment le pouvoir est-il réparti dans l'organisation ?
- Quelle est l'influence des parties prenantes externes ?
- Quels sont les principaux obstacles au changement ?

Systèmes de contrôle
- Qu'est-ce qui est le plus contrôlé ou suivi ?
- Préfère-t-on récompenser ou sanctionner ?
- Les contrôles sont-ils hérités de l'histoire ou liés aux stratégies en cours ?
- Y a-t-il beaucoup ou peu de contrôle ?

Structures de l'organisation
- Les structures sont-elles souples ou rigides ?
- Combien y a-t-il de niveaux hiérarchiques ?
- Quel est le degré de formalisation des structures ?
- Les structures encouragent-elles la collaboration ou la compétition ?
- Quel est le type de structure de pouvoir qui est favorisé ?

Au total
- Quelle est la culture dominante ?
- Cette culture est-elle facile à changer ?

Illustration 5.4

La mutation culturelle de Canal+

Le tissu culturel permet d'analyser les aspects implicites d'une organisation.

Mythes
- « Canal historique »
- « Nulle Part Ailleurs »
- L'épisode Messier
- L'exclusivité du football
- Le rachat de TPS
- Le PSG

Symboles
- Campagnes d'affichage
- « Les Guignols de l'info »
- Le déménagement
  à Issy-les-Moulineaux

Rites et routines
- Respect scrupuleux
  des horaires
- Festival de Cannes
  et Nuit des Césars
- Noblesse, bourgeoisie
  et prolétariat

Paradigme
- La chaîne du cinéma
  et du football
- Historiquement insoumise,
  innovante et impertinente
- Désormais gérée de manière
  professionnelle et rigoureuse

Structures de pouvoir
- « Baygon vert »
- Renvoi de tous
  les dirigeants historiques
- Ils ont été remplacés
  par des jeunes diplômés
  ou des proches
  du nouveau président

Systèmes de contrôle
- Abonnements plutôt
  que l'audience
- Indicateurs de gestion
  enfin orthodoxes

Structures organisationnelles
- L'efficacité remplace
  le management à l'affectif
- Exil des animateurs
  contestataires

Rites et routines

Les comportements au sein de Canal+ étaient historiquement régulés par un système de valeurs qui distinguait implicitement la *noblesse* (les animateurs et journalistes), la *bourgeoisie* (les services administratifs et commerciaux) et le *prolétariat* (les techniciens). Cette représentation tacite vola en éclats avec la nomination de Bertrand Meheut au poste de P-DG en 2003 : il imposa des méthodes de management issues de son expérience précédente (la direction d'une entreprise chimique), ce qui rééquilibra le pouvoir en faveur des administratifs et des managers – encore appelés les *géomètres* en interne.

Les rites qui rythmaient l'existence de Canal+ reposaient avant tout sur les émissions *en clair* – c'est-à-dire non cryptées. Le Festival de Cannes et la Nuit des Césars étaient des rites annuels, qui signalaient le poids déterminant de Canal+ dans la production cinématographique française. Plus généralement, les horaires étaient scrupuleusement respectés et l'ordre de passage des émissions suivait une planification immuable. La diffusion mensuelle d'un film X était un rite qui avait certainement contribué aux premiers succès de la chaîne, même s'il n'était évoqué que de manière implicite.

Mythes

L'histoire tumultueuse de Canal+ avait nourri plusieurs mythes. Le premier était le souvenir idéalisé des premières années (1984 à 1986), pendant lesquelles personne ne croyait à l'avenir de la chaîne. Les vétérans de cette période héroïque avaient joui d'un grand prestige. Le second mythe était la crise qui avait suivi le rachat par Vivendi (2000), qui s'était traduite par le départ des membres de l'équipe fondatrice, puis par celui du président surmédiatisé de Vivendi, Jean-Marie Messier. Les managers qui avaient survécu à la période Messier (ils se surnommaient eux-mêmes « Canal historique » en référence frondeuse au mouvement indépendantiste corse) avaient été renvoyés les uns après les autres à la suite de la nomination de Bertrand Meheut. Outre l'assainissement des finances de la chaîne, celui-ci avait écrit trois épisodes devenus mythiques : l'obtention – pour 1,8 milliard d'euros – de l'exclusivité des droits de retransmission du championnat de France de football en 2004, la fusion avec la chaîne concurrente TPS en 2005, et enfin la revente du club de football PSG (structurellement déficitaire) en 2006.

Symboles

Canal+ était riche de symboles, que ce soit ses campagnes d'affichage récurrentes et généralement décalées ou les marionnettes des « Guignols de l'info ». Par ailleurs, Canal+ ne faisait jamais référence aux *téléspectateurs*, mais aux *abonnés*, afin de rappeler constamment sa spécificité de chaîne cryptée à péage. À sa création en 1984, Canal+ avait même été la seule chaîne hertzienne cryptée au monde. Bertrand Meheut avait marqué sa rupture avec la culture de la chaîne en vendant le siège historique du groupe, à Paris, pour s'installer dans des locaux moins coûteux et plus fonctionnels à Issy-les-Moulineaux.

Structures de pouvoir

Historiquement, la chaîne s'était toujours vécue comme indépendante des pouvoirs établis, que ce soit le pouvoir politique (ridiculisé dans « Les Guignols de l'info ») ou celui de ses propres actionnaires. L'influence de Vivendi Universal sur la chaîne fut régulièrement brocardée à l'antenne, au point que le renvoi en avril 2002 du P-DG Pierre Lescure, dernier représentant de l'équipe fondatrice, fit l'objet d'une assemblée générale du personnel diffusée en direct à l'antenne. Cependant, cet esprit frondeur n'avait pas survécu à la rigueur gestionnaire de Bertrand Meheut : les dirigeants historiques avaient tous été remplacés par des managers de son choix. Ce vaste plan de restructuration, associé à son passé de chimiste, lui avait valu le surnom de « Baygon vert », en référence à une marque de pesticide.

Structures organisationnelles

Les réseaux relationnels, l'affectif et les questions d'ego revêtaient une importance toute particulière, du fait de la nature même de l'industrie, mais également à cause des deux périodes de crise (1984-86 et 2001-2003) qui avaient engendré des amitiés et des haines extrêmement vives. L'arrivée de Bertrand Meheut s'était traduite par le déploiement d'un style de management beaucoup plus efficace, voire industriel. Outre la mise en place d'équipes projets et de réunions d'information, il avait décidé d'exiler les animateurs les plus contestataires – dont ceux des « Guignols de l'info » – dans des locaux situés à l'autre bout de Paris.

Systèmes de contrôle

Alors que les autres chaînes hertziennes de télévision mesuraient leur succès par leur taux d'audience, Canal+ ne prenait en compte que le nombre de ses abonnés. Pendant la période faste des années 1990, les dirigeants de la chaîne avaient massivement investi dans des diversifications hasardeuses, au point qu'en 2002 les dettes s'élevaient à 5 milliards d'euros et les pertes à 370 millions. Focalisé sur son expansion internationale et sur le développement de son bouquet satellite, le groupe avait négligé la qualité de la chaîne, ce qui avait provoqué une baisse du nombre d'abonnés. En 2005, grâce aux méthodes de gestion rigoureuses imposées par Bertrand Meheut (mais aussi à la cession de multiples filiales et à la suppression d'un septième des effectifs), Canal+ était redevenue rentable et avait attiré 500 000 nouveaux abonnés.

Paradigme

À l'issue de cette analyse, il apparaissait que le paradigme de Canal+ avait connu une profonde mutation. Historiquement, Canal+ se vivait comme une chaîne *pas comme les autres*, opposée à la fois aux chaînes privées financées par la publicité (dont TF1 était le symbole constamment raillé) et aux chaînes publiques de France Télévisions (dont la lourdeur bureaucratique était toujours sujette à moqueries). Cependant, ce paradigme avait été très violemment mis à mal par Vivendi. À la fin des années 2000, il ne restait plus grand-chose de cet esprit contestataire. En la sauvant du naufrage, Bertrand Meheut avait transformé Canal+ en une entreprise certes moins dispendieuse, mais nettement plus orthodoxe.

Questions

1. En utilisant les informations présentées ci-dessus, résumez en quatre phrases la culture de Canal+ telle que vous la percevez.

2. Vous êtes chargé(e) de faire évoluer le paradigme d'une organisation dans des proportions comparables à celles qui sont décrites ici. Comment allez-vous procéder ?

- Le *discours officiel*. Les organisations affichent de plus en plus volontiers leurs valeurs, leurs croyances et leurs buts, par exemple dans leurs rapports annuels ou sur leur site Internet (voir l'illustration 4.5). Pour autant, ces déclarations présentent un intérêt très limité lorsqu'on cherche à analyser la culture organisationnelle. En effet, il ne s'agit pas de descriptions utiles et fidèles des comportements et du paradigme, mais au mieux de visions déformées, voire trompeuses, de la culture véritable. Cet écart ne résulte pas la plupart du temps d'une volonté délibérée de dissimulation, mais simplement du fait que le plus souvent les valeurs et les croyances affichées ne font que refléter l'intention stratégique et les aspirations d'une des parties prenantes (en général les dirigeants), plutôt que de reproduire fidèlement la culture telle qu'elle est vécue par les membres et les proches de l'organisation.

- *Résumer la culture*. Le tissu culturel est un outil particulièrement utile lorsqu'on souhaite comprendre quelles sont les croyances implicites d'une organisation, mais cet effort d'analyse peut être utilement complété par un exercice de synthèse. Il est parfois possible de capturer l'essence de la culture d'une organisation grâce au surnom que lui donnent ses membres, ses clients, ses fournisseurs ou ses concurrents. Il peut s'agir d'une formule lapidaire, voire caricaturale, mais il arrive qu'elle résume l'essentiel du paradigme. Au tout début des années 2000, lorsque la vénérable Compagnie générale des eaux s'est diversifiée dans l'industrie du divertissement pour donner naissance au groupe Vivendi Universal, les managers de l'activité d'origine, opposés à cette nouvelle stratégie, se sont ainsi trouvé un surnom : « Vivendi Univers Propre ». De même, le cabinet de conseil en stratégie McKinsey est surnommé « La Firme », ce qui met l'accent sur l'esprit hautement professionnel, délibérément élitiste – voire dominateur –, qui caractérise sa culture. Le plus souvent, les tissus culturels des grandes organisations se répartissent schématiquement entre trois pôles, qui ne sont bien entendu que des stéréotypes : (1) « la machine » indifférente et égalitaire, (2) « la jungle » cruelle et injuste, et (3) « la mère » attentionnée et (sur)protectrice. Bien que cette approche soit plutôt fruste et peu scientifique, elle est parfois utile lorsqu'on cherche à comprendre ce qui n'est pas immédiatement apparent à l'issue de l'analyse des composantes du tissu culturel. Ce raccourci permet de prendre conscience du fait que la culture peut largement encourager – ou au contraire formellement prescrire – certaines stratégies, selon qu'elles seront ou non cohérentes avec ses postulats fondamentaux.

L'analyse de la culture est également liée à d'autres notions traitées dans cet ouvrage :

- Les *capacités stratégiques*. Comme nous l'avons vu dans le chapitre 3, les capacités sont bien souvent indissociables de la culture de l'organisation. L'analyse de la culture constitue donc un complément utile à l'analyse de la capacité stratégique : elle permet de comprendre plus intimement les routines, les systèmes de contrôle et les comportements quotidiens qui forgent implicitement les compétences distinctives de l'organisation.

- *L'élaboration de la stratégie*. L'analyse de la culture permet aux managers de comprendre dans quelle mesure les influences historiques et culturelles pèsent sur l'élaboration de la stratégie. Nous reviendrons sur ce point dans le chapitre 11.

- La *gestion du changement*. L'analyse de la culture est également une étape essentielle de la gestion du changement, car elle permet de mieux comprendre avec quels freins ou moteurs un réformateur devra nécessairement composer. Comme nous le verrons dans le chapitre 14, le changement stratégique implique quasiment toujours un changement culturel.
- La *culture et l'expérience*. Nous avons souligné à plusieurs reprises au cours de ce chapitre que la culture permet aux membres d'une organisation de donner du sens à leur action. À ce titre, on peut considérer que la culture, en façonnant l'expérience, est tout à la fois le creuset et le réceptacle de la stratégie. Cette perspective est détaillée dans les commentaires qui figurent à la fin de chacune des parties de l'ouvrage.

5.5 Le management dans un contexte historique et culturel

L'histoire et la culture exercent une influence importante sur la stratégie, mais comment les managers peuvent-ils gérer l'une et l'autre ? Si à l'évidence on ne peut pas réécrire l'histoire – elle a déjà eu lieu –, la plupart des régimes totalitaires s'y sont essayés et certains observateurs accusent les grandes entreprises de faire de même à grand renfort de relations publiques. Comme nous le verrons dans le cadre de la gestion du changement (voir le chapitre 14), la gestion de la culture a fait l'objet de nombreuses recherches. On peut cependant se demander dans quelle mesure il est réaliste de gérer consciemment des schémas de pensée implicites et des traditions héritées. L'illustration 5.5 revient sur ce débat épineux.

Dans tous les cas, si les managers entendent creuser eux-mêmes le sillon culturel dans lequel s'inscrira leur stratégie, ils doivent être capables de comprendre, contester et éventuellement infléchir les capacités profondément ancrées dans la culture et dans l'histoire de leur organisation. Pour cela, il leur faut – *a minima* – apprendre à s'interroger sur des événements passés auxquels ils ont peut-être pris part et qui expliquent vraisemblablement leur position hiérarchique actuelle : une des qualités essentielles du stratège est sa capacité à questionner l'implicite. Pour cela, on peut utiliser les outils d'analyse que nous avons présentés dans ce chapitre. Cependant, cela requiert également un style de management – et donc une culture – qui encourage ce type de questionnement. Si la culture dominante proscrit l'introspection et la contestation, les leçons de l'histoire ne seront certainement pas comprises et le passé continuera à régenter le présent. Comme le disait justement André Malraux : « Ceux qui ne connaissent pas leur passé sont destinés à le revivre. »

Illustration 5.5   Débat

La dépendance de sentier

*L'histoire est-elle une contrainte majeure
ou une excuse facile ?*

Brian Arthur, un économiste de l'université de Stanford, a affirmé que lorsque plusieurs standards technologiques sont en concurrence « des événements insignifiants peuvent donner par hasard un avantage initial à l'un d'entre eux ». Le standard dominant peut ainsi être techniquement inférieur aux autres, mais :

> Plus le standard attire un grand nombre d'utilisateurs, plus il est susceptible de faire l'objet d'améliorations, ce qui en retour attire un nombre d'utilisateurs encore plus grand. Une technologie qui par chance bénéficie d'une diffusion initiale légèrement plus importante peut ainsi finir par dominer totalement un marché.

Ce phénomène, connu sous le nom de « dépendance de sentier », a été défini par Paul David comme « une situation dans laquelle des conséquences majeures peuvent résulter de causes anciennes et parfois fortuites ». Ces boucles de rétroaction peuvent déboucher sur la domination inattendue d'une technologie et l'exclusion de toutes les autres.

Les exemples les plus fréquents sont le clavier QWERTY (voir la section 5.3.1), les voitures à essence par rapport aux voitures électriques et le magnétoscope VHS par rapport au Betamax. Toutes ces technologies ont fini par dominer leurs rivales, qui étaient pourtant initialement considérées comme techniquement supérieures. Le concept de dépendance de sentier a également été appliqué à la stratégie. Tout comme les managers peuvent estimer qu'il est trop coûteux ou trop complexe de remplacer une technologie établie par une alternative potentiellement supérieure, des stratégies contestables peuvent perdurer pendant des périodes extrêmement longues.

Selon d'autres observateurs, la notion de dépendance de sentier est exagérée. Stephen Margolis et S.J. Liebowitz ont ainsi contesté l'infériorité technique des technologies dominantes. Lors de concours de dactylographie, des utilisateurs de claviers QWERTY se sont montrés plus rapides que ceux qui utilisaient d'autres types de claviers. De même, pour certaines fonctionnalités (par exemple la durée d'enregistrement), le VHS était supérieur au Betamax.

Adrian Kay conteste quant à lui la notion de contrainte de sentier dans le cadre des politiques publiques. Il préfère dire que les politiques deviennent institutionnalisées, implicites ou plus complexes, ce qui rend les réformes plus difficiles, mais cependant possibles. Il existe ainsi de nombreuses raisons qui expliquent pourquoi le système de retraite britannique est difficile à réformer, notamment les coûts que cela implique et la complexité générale du problème. Cependant, les travaux d'Adrian Kay montrent qu'au cours du temps il y a eu tout autant de réformes que de stabilité et que « la notion de dépendance de sentier ne permet d'expliquer que la stabilité ». C'est le talent managérial qui peut provoquer les réformes.

Luis Araujo et Debbie Harrison affirment également que les managers ne sont pas réellement prisonniers d'une dépendance de sentier : ils peuvent faire des choix et surmonter les forces d'inertie en ayant « un pied dans le passé, le présent et le futur ». Ils sont ainsi capables de comprendre les avantages et les inconvénients de l'histoire et d'agir en conséquence.

Sources :

L. Araujo et D. Harrison, « Path dependence, agency and technological evolution », *Technology Analysis and Strategic Management*, vol. 14, n° 1 (2007), pp. 5-19.

W.B. Arthur, « Competing technologies, increasing returns and lock in by historical events », *Economic Journal*, vol. 99 (1989), pp. 116-131.

P.A. David, « Clio and the economics of QWERTY », *Economic History*, vol. 75, n° 2 (1985), pp. 332-337.

A. Kay, « A critique of the use of path dependency in policy studies », *Public Administration*, vol. 83, n° 3 (2005), pp. 553-571.

S.J. Liebowitz et S.E. Margolis, *The Economics of Qwerty*, New York University Press, 2001.

Questions

1. Résumez les arguments avancés par ces différents auteurs. Selon eux, dans quelle mesure les managers sont-ils contraints par l'histoire ?

2. En vous appuyant sur votre expérience personnelle, sur le contenu de ce chapitre et sur les commentaires qui figurent à la fin de cette partie, expliquez quelles forces institutionnelles, culturelles et historiques s'exercent sur les managers.

3. Quel est votre avis personnel sur l'impact qu'exercent ces forces sur les choix des managers ? S'agit-il selon vous de puissantes contraintes ou d'une excuse utilisée pour masquer l'immobilisme et l'incompétence ?

Résumé

- L'histoire et la culture d'une organisation peuvent contribuer à sa capacité stratégique, mais elles peuvent également provoquer une *dérive stratégique* en empêchant la stratégie de suivre les évolutions de l'environnement.

- La trajectoire stratégique héritée de l'histoire joue un rôle majeur dans le succès ou l'échec d'une organisation. Une analyse historique peut aider les managers à expliciter cette influence.

- Les influences culturelles et institutionnelles nourrissent et contraignent l'élaboration des stratégies.

- La *culture* d'une organisation désigne l'ensemble des croyances fondamentales partagées par ses membres. Elle agit inconsciemment en définissant la manière dont l'organisation se voit et se vit, sa représentation du monde et d'elle-même.

- Le *tissu culturel* est un outil qui permet de comprendre la culture d'une organisation et son impact sur la stratégie.

Travaux pratiques ● Signale des exercices d'un niveau plus avancé

1. Identifiez quatre organisations qui selon vous sont aux différentes phases d'une dérive stratégique (voir le schéma 5.2). Justifiez votre choix.

2. ● En vous référant à la section 5.3, menez l'analyse historique d'une organisation de votre choix et répondez à la question suivante : « Le management stratégique doit-il tenir compte de l'histoire ? »

3. Identifiez le champ organisationnel (voir la section 5.4.2) auquel appartient une organisation de votre choix (par exemple un cabinet d'audit comptable, un hôpital ou une chaîne de télévision).

4. Identifiez (a) une organisation dont les valeurs affichées correspondent effectivement à l'expérience que vous en avez et (b) une organisation où ce n'est pas le cas. Expliquez les raisons de ces deux situations.

5. Utilisez les questions du schéma 5.8 pour dresser le tissu culturel d'une organisation de votre choix.

6. ● En utilisant l'exemple des organisations identifiées ci-dessus, discutez le bien-fondé de la déclaration suivante : « La culture ne peut être utilement analysée qu'à partir des symptômes obtenus par l'observation de son comportement. » Vous pouvez vous aider des ouvrages de Reitter et de Schein (voir les lectures recommandées).

Exercice de synthèse

7. ● Quelle est la relation entre les capacités stratégiques, l'avantage concurrentiel, la culture organisationnelle, le développement stratégique et la gestion du changement (voir les chapitres 3, 5, 6, 11 et 14), en particulier dans le cadre d'un changement de stratégie concurrentielle (voir la section 6.3) ou du développement d'un nouveau modèle économique utilisant Internet ?

Lectures recommandées

● Sur la dérive stratégique, voir J.-P. Detrie, F. Dromby et B. Moingeon, « Comment perdre par raison et gagner par chance. Effets pervers et stratégie d'entreprise », *Gérer et Comprendre*, n° 35 (juin 1994), ainsi que G. Johnson, « Rethinking incrementalism », *Strategic Management Journal*, vol. 9, n° 1 (1988), pp. 75-91, et « Managing strategic change: strategy, culture and action », *Long Range Planning*, vol. 25, n° 1 (1992), pp. 28-36. Voir également D.S. Sull, « Why good companies go bad », *Harvard Business Review*, vol. 77, n° 4 (1999), pp. 42-52.

● Pour une perspective historique de la stratégie, voir A. Chandler, *Stratégies et structures de l'entreprise*, Éditions d'Organisation, 2006, ainsi que I. Greener, « Theorizing path dependency: how does history come to matter in organizations? », *Management Decision*, vol. 40, n° 6 (2002), pp. 614-619, et D.J. Jeremy, « Business history and strategy » dans l'ouvrage coordonné par A. Pettigrew, H. Thomas et R. Whittington, *Handbook of Strategy and Management*, Sage, 2002, pp. 436-460.

● Pour un résumé de la théorie institutionnaliste, voir G. Johnson et R. Greenwood, « Institutional theory and strategic management », dans l'ouvrage coordonné par M. Jenkins et V. Ambrosini, *Strategic Management: A Multiple-Perspective Approach*, Palgrave, 2007.

● Pour une présentation du lien entre la stratégie et la culture organisationnelle, voir R. Reitter (ed.), *Cultures d'entreprises, études sur les conditions de réussite du changement*, Vuibert, 1991, et M. Alvesson, *Understanding Organizational Culture*, Sage, 2002. On peut également consulter le chapitre de H. Laroche,

« Culture organisationnelle » dans l'ouvrage de N. Aubert et *al.*, *Management, aspects humains et organisationnels*, PUF, 2005.

- Sur l'impact de la culture nationale sur la stratégie, voir G. Hofstede, *Vivre dans un monde multiculturel : comprendre nos programmations mentales*, Éditions d'Organisation, 1994. Pour une excellente comparaison entre la France, les États-Unis et les Pays-Bas, voir P. D'Iribarne, *La logique de l'honneur*, Seuil, 1989.

- Une explication détaillée du tissu culturel figure dans J. Balogun, V. Hope Hailey et É. Viardot, *Stratégies du changement*, 2ᵉ édition, Pearson Education, 2005, ainsi que dans le chapitre de G. Johnson, « Mapping and re-mapping organisational culture » dans V. Ambrosini, G. Johnson et K. Scholes (eds), *Exploring Techniques of Analysis and Evaluation in Strategic Management*, Prentice Hall, 1998.

Références

1. Pour une explication de la dérive stratégique, voir G. Johnson, « Rethinking incrementalism », *Strategic Management Journal*, vol. 9, n° 1 (1988), pp. 75-91, et G. Johnson, « Managing strategic change: strategy, culture and action », *Long Range Planning*, vol. 25, n° 1 (1992), pp. 28-36. Voir également E. Romanelli et M.L. Tushman, « Organisational transformation as punctuated equilibrium: An empirical test », *Academy of Management Journal*, vol. 37, n° 5 (1994), pp. 1141-1161. Cet article explique la tendance des stratégies à se développer de manière incrémentale avec de temps à autre des périodes de transformation.

2. Voir D. Miller et P. Friensen, « Momentum and revolution in organisational adaptation », *Academy of Management Journal*, vol. 23, n° 4 (1980), pp. 591-614.

3. D. Leonard-Barton, « Core capabilities and core rigidities: a paradox in managing new product development », *Strategic Management Journal*, vol. 13, n° 5 (1992), pp. 111-125.

4. Voir D.S. Sull, « Why good companies go bad », *Harvard Business Review*, vol. 77, n° 4 (1999), pp. 42-52.

5. Selon D. Miller, *Le paradoxe d'Icare*, ESKA, 1993, le succès mène à l'échec car l'organisation se spécialise sur ses recettes de succès, qui deviennent incontestables.

6. Cette recherche, connue sous le nom de *Successful strategic transformers* (SST), a été conduite par T. Devinney, G. Johnson, G. Yip et M. Hensmans dans le cadre de l'Advanced Institute of Management Research britannique.

7. Cette citation est tirée de H. Mintzberg, « Patterns in strategy formation », *Management Science*, vol. 24, n° 9 (1978), pp. 934-948.

8. Voir W.B. Arthur, « Competing technologies, increasing returns and lock in by historical events », *Economic Journal*, vol. 99 (1989), pp. 116-131.

9. Sur l'exemple des claviers, voir le chapitre « Le pouce du panda de la technologie » dans S.J. Gould, *La foire aux dinosaures*, Seuil, 1993, ainsi que P.A. David, « Clio and the economics of QWERTY », *Economic History*, vol. 75, n° 2 (1985), pp. 332-337. Plus largement sur la pérennité des standards dépassés et la difficulté à les remplacer, voir B. Jacomy, *L'âge du plip*, Seuil, 2002, ainsi que le chapitre de F. Fréry, « Les produits éternellement émergents : le cas de la voiture électrique », dans l'ouvrage coordonné par A. Bloch et D. Manceau, *De l'idée au marché*, Vuibert, 2000. L'idée que des standards imparfaits peuvent se maintenir durablement du fait d'un verrouillage est violemment réfutée par certains économistes, convaincus de l'efficience des marchés. Cela entraîne des débats parfois houleux. Voir notamment S. Liebowitz et S. Margolis, *The Economics of Qwerty*, New York University Press, 2001.

10. Voir I. Greener, « Theorizing path dependency: how does history come to matter in organizations? », *Management Decision*, vol. 40, n° 6 (2002), pp. 614-619.

11. Voir C. Maillet-Baudriet et A. Le Manh, *Normes comptables internationales IAS-IFRS*, 5ᵉ édition, Foucher, 2007. Les plus grands cabinets d'experts-comptables au monde réclament une réforme radicale : « Big four in call for real time accounts », *Financial Times*, 8 novembre 2006.

12. Voir D. Holbrook, W. Cohen, D. Hounshell et S. Klepper, « The nature, sources and consequences of firm differences in the early history of the semiconductor industry », *Strategic Management Journal*, vol. 21, nᵒˢ 10-11 (2000), pp. 1017-1042.

13. Cette phrase est inspirée d'une citation d'André Malraux : « Le futur est un présent que le passé nous donne. »

14. Voir Holbrook et *al.* (référence 12).

15. D'après une correspondance avec l'historienne Mary Rose.

16. Voir S. Klepper et K.L. Simmons, « Dominance by birthright: entry of prior radio producers and competitive ramifications in the US television receiver industry », *Strategic Management Journal*, vol. 21, nᵒˢ 10-11 (2000), pp. 987-1016.

17. Voir J.R. Kimberly et H. Bouchikhi, « The dynamics of organizational development and change: how the past shapes the present and constraints the future », *Organization Science*, vol. 6, n° 1 (1995), pp. 9-18.

18. Voir F. Torres et P. Labasse, *Mémoire de Danone*, Le Cherche midi, 2003, et P. Labasse, *Antoine Riboud, un patron dans la cité*, Le Cherche midi, 2007.

19. Voir D.J. Jeremy, « Business history and strategy » dans l'ouvrage coordonné par A. Pettigrew, H. Thomas et R. Whittington, *Handbook of Strategy and Management*, Sage, 2002, pp. 436-460.

20. Voir par exemple les ouvrages de l'historien Félix Torres et son site Internet www.public-histoire.com.

21. D'après Walsh et Ungson, la mémoire organisationnelle est notamment stockée dans les interprétations partagées et dans les souvenirs des individus. Voir J.P. Walsh et G.R. Ungson, « Organizational memory », *Academy of Management Review*, vol. 16, n° 1 (1991), pp. 57-91.

22. Citation tirée de S. Finkelstein, « Why smart executives fail: four case histories of how people learn the wrong lessons from history », *Business History*, vol. 48, n° 2 (2006), pp. 153-170.

23. Voir C. Geertz, *The Interpretation of Culture*, Basic Books, 1973, p. 12, et M. Alvesson, *Understanding Organizational Culture*, Sage, 2002, p. 3.

24. Cette définition est reprise de E. Schein, *Organisational Culture and Leadership*, 2ᵉ édition, Jossey-Bass, 1997, p. 6.

25. Voir G. Hofstede, *Culture's Consequences*, 2ᵉ édition, Sage, 2001. On peut également consulter G. Hofstede, *Vivre dans un monde multiculturel : comprendre nos programmations mentales*, Éditions d'Organisation, 1994. Pour une critique des travaux de Hofstede, voir B. McSweeney, « Hostede's model of national cultural differences and their consequences: a triumph of faith – a failure of analysis », *Human Relations*, vol. 55, n° 1 (2002), pp. 89-118. Voir également P. D'Iribarne, *La logique de l'honneur*, Seuil, 1989 ; P. D'Iribarne, A. Henry et J.-P. Segal, *Cultures et mondialisation :*

gérer par-delà les frontières, Seuil, 1998 ; M. Bosche, *Le management interculturel*, Nathan, 1993 ; F. Gauthey, D. Xardel, *Management interculturel : mythes et réalités*, Economica, 1990.

26. Sur le management interculturel, voir R. Lewis, *When Cultures Collide : Managing successfully accross cultures*, 2ᵉ édition, Bearley, 2000, qui propose un panorama des différents types de culture, des comportements dans les entreprises et des styles de management. Voir également S. Schneider et J.-L. Barsoux, *Managing Across Cultures*, 2ᵉ édition, Prentice Hall, 2003. T. Jackson « Management ethics and corporate policy: a cross-cultural comparison », *Journal of Management Studies*, vol. 37, n° 3 (2000), pp. 349-370, montre comment les cultures nationales influencent l'éthique (voir la section 4.4).

27. Pour une bonne synthèse sur les champs sectoriels, voir T. Dacin, J. Goodstein et R. Scott, « Institutional theory and institutional change: introduction to the special research forum », *Academy of Management Journal*, vol. 45, n° 1 (2002), pp. 45-57. Voir également G. Johnson et R. Greenwood, « Institutional theory and strategy », dans l'ouvrage coordonné par M. Jenkins et V. Ambrosini, *Strategic Management: A Multiple-Perspective Approach*, Palgrave, 2007.

28. Cette définition est reprise de W. Scott, *Institutions and Organizations: Foundations for organizational science*, Sage, 1995.

29. La notion de recette (*industrial recipe*) a été introduite par J. Spender, *Industry Recipes: The nature and sources of management judgement*, Blackwell, 1989. Initialement limitée aux industries, nous l'étendons ici aux champs sectoriels. L'idée générale est que les comportements sont orientés par un jeu de normes et de valeurs collectives.

30. Voir D. Deephouse, « To be different or to be the same? It's a question (and theory) of strategic balance », *Strategic Management Journal*, vol. 20, n° 2 (1999), pp. 147-166.

31. Voir R. Reitter (ed.), *Cultures d'entreprises, études sur les conditions de réussite du changement*, Vuibert, 1991 ; le chapitre de H. Laroche, « Culture organisationnelle » dans l'ouvrage de N. Aubert et *al.*, *Management, aspects humains et organisationnels*, PUF, 2005 ; E. Schein, *Organisational Culture and Leadership*, 2ᵉ édition, Jossey-Bass, 1997 ; A. Brown, *Organisational Culture*, Prentice Hall, 1998. Pour une critique du concept de culture organisationnelle, voir A. Alvesson, *Understanding Organizational Culture*, Sage, 2002.

32. Ce schéma est adapté de P. Grinyer et J-C. Spender, *Turnaround : Managerial recipes for strategic*

success, Associated Business Press, 1979, et *Industry Recipes: The nature and sources of management judgment*, Blackwell, 1989.

33. Une explication détaillée du tissu culturel est présentée dans G. Johnson, *Strategic Change and the Management Process*, Blackwell, 1987, et dans G. Johnson, « Managing strategic change : strategy, culture and action », *Long Range Planning*, vol. 25, n° 1 (1992), pp. 28-36.

34. Une présentation pratique de l'utilisation du tissu culturel figure dans le chapitre de G. Johnson, « Mapping and re-mapping organisational culture », dans V. Ambrosini, G. Johnson et K. Scholes (eds), *Exploring Techniques of Analysis and Evaluation in Strategic Management*, Prentice Hall, 1998.

35. Voir A.L. Wilkins, « Organisational stories as symbols which control the organisation », dans L.R. Pondy, P.J. Frost, G. Morgan et T.C. Dandridge (eds), *Organizational Symbolism*, JAI Press, 1983.

36. L'importance du symbolisme dans les organisations est expliquée par G. Johnson, « Managing strategic change: the role of symbolic action », *British Journal of Management*, vol. 1, n° 4 (1990), pp. 183-200.

Étude de cas

Le Club Med : des bronzés aux bobos

C'est en 2008 que le repositionnement du Club Med comme opérateur « haut de gamme, convivial et multiculturel » devait être effectif, avec l'achèvement de la refonte de son parc de villages de vacances. Pour autant, les analystes restaient encore prudents sur le bilan de la stratégie menée depuis le début des années 2000, lorsque le Club Med avait été confronté à l'essoufflement de son modèle historique.

Si le repositionnement haut de gamme ne faisait aucun doute, avec la fermeture de la moitié des implantations – jugées trop peu qualitatives –, la rénovation de la plupart des autres et l'ouverture de nouveaux villages de luxe (notamment à l'île Maurice ou au Brésil), les résultats étaient encore fragiles : en 2006, le taux d'occupation des chambres n'avait été que de 68,2 %.

Il est vrai que le repositionnement haut de gamme marquait une rupture majeure avec l'histoire et la culture du Club Med, souvent associé à l'ambiance décontractée, au confort sommaire et aux mœurs libérées, popularisés à la fin des années 1970 par la série de films comiques à succès *Les bronzés* de Patrice Leconte.

Si, après quatre années de baisse, le chiffre d'affaires progressait enfin depuis 2006, les résultats restaient en deçà des prévisions affichées par le dynamique P-DG de l'entreprise, Henri Giscard d'Estaing, au point que le groupe hôtelier Accor, qui avait acquis 28,9 % du capital du Club Med en 2004 – devenant ainsi son principal actionnaire –, décida brusquement de céder l'essentiel de cette participation en juin 2006. Certains observateurs faisaient remarquer que même si le Club Med était redevenu rentable depuis 2005, ce n'était peut-être pas tant du fait de son repositionnement vers le haut de gamme (qui avait décontenancé une partie de ses clients historiques sans nécessairement en convaincre de nouveaux), que de la cession simplement d'une partie de son parc immobilier.

Les résultats 2007 avaient malheureusement confirmé cette analyse : alors que la progression du chiffre d'affaires s'était maintenue, le résultat net était redevenu négatif, à 8 millions d'euros. Lors de la présentation de ces résultats, Henri Giscard d'Estaing imputa les pertes au « nombre restreint de cessions de murs en 2007, décalées en raison de la crise des prêts immobiliers », mais il souligna dans le même temps que pour la première fois depuis 2001 le Club Med avait gagné de nouveaux clients. Par ailleurs, le fait qu'un

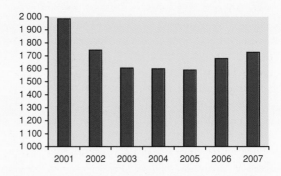

Figure 1
Évolution du chiffre d'affaires du Club Med
(millions d'euros)

nombre croissant de clients choisissent les villages les plus chers était pour lui une confirmation de la pertinence de sa stratégie de repositionnement. Le directeur financier du groupe confirma ainsi : « Nous serons prêts fin 2008 pour livrer un Club Med rentable en 2009. »

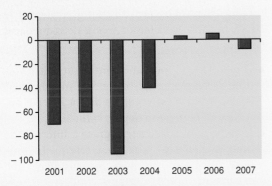

Figure 2
Évolution du résultat net du Club Med
(millions d'euros)

Quoi qu'il en soit, la rupture par rapport à l'histoire et la culture du Club devait impérativement réussir, car elle avait mobilisé l'essentiel des efforts depuis 2002.

L'histoire du Club Med : les années de croissance

Le Club Med fut fondé dans l'après-guerre par deux anciens résistants : un athlète diamantaire belge et un entrepreneur communiste français.

En février 1950, le Belge Gérard Blitz passa quelques jours de vacances dans un village de tentes près de Calvi en Corse. Issu d'une famille de diamantaires, il avait été l'un des rares athlètes à s'être distingué dans deux disciplines : la natation (recordman du monde du 400 mètres dos de 1921 à 1927) et le water-polo (trois fois médaillé olympique entre 1920 et 1936). Après la Seconde Guerre mondiale, le gouvernement belge lui avait demandé d'ériger un camp de tentes pour les soldats. Tout cela lui donna l'idée de créer un « camp de vacances » sous le soleil. Il créa alors

l'association de droit belge « Club Méditerranée » en avril 1950 et inaugura en juin son premier village sur une plage déserte, à Alcúdia aux Baléares.

Les 300 premiers clients furent hébergés sous des tentes récupérées dans des surplus militaires, puis fournies par l'entreprise familiale du Français Gilbert Trigano, militant communiste et ancien grand reporter au journal *L'Humanité*. Séduit par le concept du village de vacances, fasciné par la personnalité de Gérard Blitz, bercé par les récits d'un père né sous le soleil de l'Algérie, Gilbert Trigano devint trésorier de l'association en 1953, puis P-DG en 1963, l'année où le Club Méditerranée abandonna le statut associatif pour devenir une société anonyme.

En 1955, le Club Méditerranée ouvrit un second village de tentes à Tahiti, île dont Claudine, l'épouse de Gérard Blitz, était originaire. En 1956, ce fut le tour d'un village de neige, à Leysin en Suisse. En 1960, un village fut inauguré à Corfou en Grèce, non plus avec des tentes mais sur le modèle de cases polynésiennes. Enfin, en 1965, le Club Méditerranée ouvrit son premier village permanent à Agadir au Maroc, en ajoutant une formule d'excursions et de rencontres avec les cultures locales.

L'année suivante, l'entreprise fut introduite à la Bourse de Paris, afin de financer un large développement international, en Afrique du Nord, en Europe, mais aussi en Amérique et en Asie. Cette expansion fut couronnée par le lancement de deux voiliers de croisière à cinq mâts, le *Club Med 1* et le *Club Med 2*.

Le début des difficultés

En 1991, année du décès de Gérard Blitz, la première guerre du Golfe entraîna une crise du tourisme particulièrement préjudiciable pour le Club Med, qui enregistra de lourdes pertes. Gilbert Trigano céda alors son poste de P-DG du groupe à son fils Serge en 1993, mais celui-ci n'arriva pas à redresser la situation, malgré un plan de restructuration particulièrement sévère

Étude de cas

en 1996 qui se manifesta symboliquement par la vente du voilier *Club Med 1*. Devant l'inquiétude des actionnaires, Serge Trigano fut donc remplacé dès 1997 par un manager recruté à l'extérieur, Philippe Bourguignon, qui, après avoir été formé chez le groupe hôtelier Accor, occupait depuis 1992 le poste de P-DG du parc de loisirs EuroDisney.

Bouillant, sportif, solitaire, parfois hautain, adepte du « management par le chaos permanent », Philippe Bourguignon entreprit de redresser la situation financière du Club Med, avec l'ambition de « transformer une société de villages de vacances en une société de services ». Pour cela, il décida de mettre l'accent sur la croissance, à la fois en interne avec la baisse des prix, le renforcement du marketing et le lancement de nouveaux concepts tels que Oyyo (un village bon marché destiné exclusivement aux jeunes) et en externe avec le rachat du tour-opérateur Jet Tours en 1999 et de la société de clubs de remise en forme Gymnase Club en 2001. Cette ambitieuse politique d'expansion, accompagnée d'un plan de réduction des coûts (qui provoqua une érosion de la qualité des prestations), d'une véritable politique de ressources humaines (avec le remplacement d'une partie du personnel par des prestataires locaux) et d'une informatisation des processus (jusque-là, la gestion restait en grande partie manuelle), permit un retour aux bénéfices dès 1998. En 1999, le résultat net augmenta de 48 %. En 2000, le chiffre d'affaires connut une croissance de 28 % et le résultat net, de 51 %. Plus de 300 000 nouveaux clients rejoignirent le Club Med en trois ans. En 2001, année de la mort de Gilbert Trigano, le Club Med comptait 127 villages, 24 200 employés et 1,8 million de clients.

Cependant, les attentats du 11 septembre 2001 provoquèrent un effondrement brutal du marché mondial du tourisme. Constatant que sa stratégie de volume n'était plus tenable, désavoué par le personnel du Club Med – qui lui reprochait son comportement autocrate en rupture avec le paternalisme des Trigano –, Philippe

Bourguignon céda sa place en 2002 à son directeur général, qu'il avait personnellement recruté chez Danone, Henri Giscard d'Estaing, par ailleurs fils aîné de l'ancien président de la République française.

Le plan de repositionnement

Lorsque Henri Giscard d'Estaing en devint le P-DG, le Club Med faisait face à deux menaces externes :

- D'une part, le tourisme continuait à être victime de la menace terroriste. Si le marché avait connu une hausse régulière de 5 à 7 % par an, il était en régression depuis la fin 2001.
- D'autre part, notamment grâce à Internet, de nouveaux entrants à bas coûts tels que Lastminute ou Promovacances connaissaient une expansion rapide. Certains concurrents, tels que Fram, Look ou Marmara, proposaient eux aussi des villages de vacances sur le même principe que le Club Med, mais à des tarifs inférieurs. Or, la différence de prix pratiqués par le Club Med par rapport à ces imitateurs ne se justifiait plus, notamment depuis le plan de réduction des coûts.

Tout cela poussa Henri Giscard d'Estaing à provoquer un repositionnement vers le haut de gamme : fermeture des villages d'entrée de gamme (et notamment d'Oyyo), réhabilitation du parc restant, ouverture de quelques nouvelles implantations de prestige, hausse significative des prestations (confort des chambres, nourriture et boissons à volonté), mais aussi des tarifs. Ce repositionnement, qui ramena le nombre de villages à 80, fut accompagné par une campagne publicitaire très qualitative intitulée « Il reste tant de monde à découvrir », en rupture avec la communication décontractée utilisée jusque-là. Entre 1998 et 2008, la proportion des villages haut de gamme passa de 18 % à 47 %, alors que les villages d'entrée de gamme disparaissaient (de 34 % à 3 %). De même, la clientèle évolua significativement, la part des foyers à haut revenu parmi la clientèle passant de 63 % en 2003 à 82 % en 2005.

Ce repositionnement fut notamment financé par la vente de l'immobilier : si en 1998 le Club Med était propriétaire de 51 % de ses implantations et locataire de 29 % (le reste correspondant à des partenariats), en 2005 ces chiffres s'étaient inversés : 36 % pour la propriété et 57 % pour la location. La cession des murs réduisait les frais financiers et les amortissements, allégeait la dette et permettait ainsi de présenter un bilan convenable au marché boursier, afin de financer le programme de rénovation des villages. Fin 2006, le Club Med disposait encore d'un patrimoine immobilier estimé à 991 millions d'euros, dont 381 semblaient cessibles ou potentiellement refinançables à court terme par des contrats de « sale and lease back ». Cependant, cette stratégie se heurta à deux écueils externes : la morosité persistante du marché du tourisme (à la menace terroriste s'ajouta le tsunami de décembre 2004 en Asie), puis la crise des prêts immobiliers à partir de 2007, qui réduisit brusquement les espoirs de plus-values foncières.

Au total, début 2008, les analystes étaient encore incertains sur les résultats de cette profonde réorientation stratégique, alors qu'elle avait provoqué une rupture avec la culture historique du Club Med.

Les racines de la culture du Club Med

Pendant cinquante ans, le Club Med fut marqué par une culture particulièrement forte, qui faisait dire à Gilbert Trigano qu'il avait créé « une industrie profondément psychologique ».

Marqué par la Seconde Guerre mondiale, Gérard Blitz avait créé le Club Med notamment parce qu'il estimait que tous les Européens – sans distinction de classe – avaient droit à des vacances à la mer et au soleil. Il avait défini son concept, fondé sur la vie en communauté et le partage des bienfaits du sport, comme « l'antidote de la civilisation ». Comme l'avait souligné Gilbert Trigano : « Nous étions des survivants. Nous voulions nous mettre au service de l'homme. Plus que Gérard, j'ai cherché à concilier le monde capitaliste et l'utopie. Je me souviens de ces petits matins où nous bâtissions le monde avec une audace, une vraie folie furieuse et, en même temps, une grande lucidité : nous savions que nous pouvions influencer l'être et le devenir des gens. » Pour l'idéaliste Gérard Blitz et le pragmatique Gilbert Trigano, il s'agissait de « recueillir les hommes que détruit la société moderne en un lieu de paix et de douceur où ils peuvent récupérer leurs forces. Fabriquer un milieu artificiel destiné à réapprendre aux hommes à sourire ».

Pour cela, ils conçurent une culture riche de symboles, de rituels et de mythes. Les villages étaient volontairement isolés de leur environnement, afin de constituer une parenthèse dans la vie quotidienne. Leur confort était sommaire : d'abord des toiles de tentes, puis des cases, souvent sans électricité, avec sanitaires partagés. Dans ce monde clos, dès 1951, les clients furent appelés Gentils Membres (GM) et les animateurs, Gentils Organisateurs (GO) : cette insistance sur la gentillesse faisait partie intégrante du projet, qui se voulait à la fois primitif et chaleureux. Une fois arrivés à destination, accueillis par les GO, les GM devaient bannir le langage de leur profession et de leur milieu social, se tutoyer, ne conserver que leur prénom et donner libre cours à leurs fantasmes sexuels. Au restaurant (célèbre pour ses buffets à volonté), on ne trouvait que des tables de huit personnes, afin d'obliger les GM à faire connaissance. De même, dès 1956 – dans le but de faire disparaître l'argent dans l'enceinte du village lors du paiement des consommations au bar –, le Club Med instaura des colliers composés de boules de couleur : à chaque couleur correspondait une valeur fiduciaire. Ce système fut utilisé jusqu'en 1995, puis remplacé par des carnets de tickets, qui eux-mêmes disparurent en 2004 lorsque les boissons à volonté furent incluses dans le prix du séjour.

Étude de cas

Clés de voûte du système, les GO étaient chargés d'entretenir l'illusion de la fête permanente : danse du village, spectacles, compétitions sportives. Pendant les premières années, ils furent personnellement choisis par Gérard et Claudine Blitz. Comme le soulignait Gilbert Trigano : « Claudine a joué le rôle informel de directrice du personnel, un rôle fondamental car toute l'animation du Club repose sur les GO. Elle et Gérard ont été les parents tutélaires du Club, qui ont su choisir des enfants à leur image, avec lesquels ils ont entretenu des relations familiales. » Certains GO connurent par la suite une carrière extérieure au Club Med, soit comme artistes (le chanteur Gérard Lenorman, les humoristes Élie Kakou ou Alex Métayer), soit comme animateurs de télévision (Vincent Lagaf ou Pascal Brunner).

Sur le plan organisationnel, les meilleurs GO pouvaient espérer devenir chefs de village, c'est-à-dire responsables de l'ensemble du fonctionnement d'un club, de l'animation à l'hôtellerie en passant par la restauration et la sécurité. Les meilleurs chefs de village – un poste qu'il était difficile d'occuper après 45 ans, étant donné la nécessité d'une présence quasi permanente, nuit et jour, auprès des GM – pouvaient accéder à des postes administratifs au siège du Club Med à Paris, même si ces animateurs de terrain ne faisaient pas nécessairement de bons managers de direction générale. Serge Trigano lui-même avait débuté comme GO au village de Corfou en 1963.

Sous le logo au trident (en référence à Poséidon et à la Méditerranée), le Club Med avait ainsi généré une alchimie « sea, sex and sun », qui connut son apogée dans les années 1970.

Vers une nouvelle culture

Moquée par les films de Patrice Leconte *Les bronzés* et *Les bronzés font du ski*, cette culture communautaire se trouva en déphasage avec les évolutions de la société à partir des années 1990. Les mœurs dans certains villages étaient devenues trop libres (d'où la fuite de la clientèle familiale, qui se tournait vers les concurrents), les villages eux-mêmes étaient souvent perçus comme des ghettos, sans liens avec les cultures locales (alors que les vacances culturelles étaient de plus en plus recherchées), la familiarité des relations entre GO et GM pouvait rebuter certains clients, et enfin la quasi-obligation de participer à chacune des activités, au nom de l'esprit de communauté, était parfois vécue comme un embrigadement.

À partir de 2002, par-delà le repositionnement stratégique, Henri Giscard d'Estaing avait donc été contraint d'entreprendre une profonde mutation culturelle. Le directeur de la qualité du Club Med, malgré ses trente années passées dans l'entreprise, déclarait ainsi : « Nous ne voulons plus des vieilles soupes d'avant. Nous sommes passés de l'animation à l'ambiance […], une ambiance qui laisse les GM libres de choisir. » Une charte d'ambiance rappelant les principales valeurs du groupe – multiculturel, pionnier, gentillesse, liberté, responsabilité – fut éditée à cet effet. Elle soulignait notamment les comportements désormais inadaptés pour les GO : copinages, jugements hâtifs, individualisme. De même, un « book » d'ambiance épais comme un annuaire présentait le nouveau mode d'emploi et limitait notamment les animations jugées « vulgaires » (jeux d'eau ou déguisements en travesti). Un village école fut ouvert à Vittel en France, afin de former les 10 000 salariés présents dans les villages (sur un total de 16 000). Il s'agissait de revoir les comportements relationnels, les tenues vestimentaires et les attitudes. Au passage, l'organisation des villages fut également modifiée. Autrefois omniprésent et directement responsable de quinze chefs de service, le chef de village était désormais épaulé par deux adjoints (l'un en charge de l'hôtellerie et l'autre des loisirs).

Une transformation en devenir

Volontiers souriant, prudent, à l'écoute de ses subordonnés, économe, ancien élu politique (à l'âge de seulement 22 ans, il était devenu en 1979 conseiller général du Loir-et-Cher), Henri Giscard d'Estaing pouvait réussir à modifier profondément la culture du Club Med. Il avait personnellement négocié sur le terrain la fermeture des 40 villages jugés indignes du nouveau positionnement. Parallèlement, il avait consulté Serge Trigano, pourtant renvoyé par son prédécesseur Philippe Bourguignon, sur la culture historique du Club Med.

Cependant, cette évolution était encore embryonnaire dans l'esprit des clients et notamment de la clientèle potentielle visée : les hauts revenus. Là était tout l'enjeu de cette stratégie : si la satisfaction des GM augmentait, ce n'était pas le cas de leur fréquentation. En fait, plutôt que d'attirer de nouveaux clients, le Club Med avait réalisé 40 % de son chiffre d'affaires 2006 avec 582 000 GM, au lieu de 758 000 en 2001. Or, rien n'assurait que les nouveaux actionnaires auraient la patience de laisser à Henri Giscard d'Estaing le temps d'achever la transformation du Club Med : alors que le cours de l'action avait dépassé les 54 euros en août 2007, il s'était effondré à 34 euros en janvier 2008.

En décembre 2007, la société de gestion de portefeuilles Richelieu Finance, devenue depuis le retrait d'Accor le premier actionnaire du Club Med avec 20,3 % du capital, avait évoqué un rapprochement avec le tour-opérateur suisse Kuoni, dont elle détenait également 12 %. L'objectif aurait été de « réfléchir ensemble au développement de quelques activités communes ou à des synergies dans le domaine des voyages ». La direction de Kuoni avait immédiatement répondu « ne pas pouvoir imaginer cela », alors que Henri Giscard d'Estaing avait affirmé que son groupe n'avait « pas besoin de se rapprocher » d'un autre opérateur touristique. Une fusion de ce type aurait gravement compromis la refonte stratégique et culturelle du Club Med, qui avait encore besoin de temps pour porter ses fruits.

Sources : clubmed.net ; psychologies.com ; *Les Echos*, 10 septembre 2007 et 17 septembre 2007 ; *Capital*, mars 2005 ; *Enjeux Les Echos*, octobre 2006 ; *Le Monde*, 16 décembre 2007 ; *Challenges*, 17 décembre 2007 ; monographie ESCP-EAP 2007 par J. de Florival et C. Hamard.

Questions

1. Analysez la culture du Club Med jusqu'en 2000.

2. Sur quoi a reposé le succès du Club Med entre les années 1950 et les années 1990 ?

3. Comment expliquez-vous les difficultés du Club Med au début des années 1990 ?

4. Pourquoi le plan de Philippe Bourguignon a-t-il échoué ? Pensez-vous que le plan de Henri Giscard d'Estaing connaîtra un meilleur succès ?

Commentaires
sur la partie 1

Dans la partie 1, nous avons montré quelles sont les influences que les managers doivent prendre en compte pour élaborer la stratégie de leur organisation. Or, comme nous l'avons souligné dans le chapitre 1, il est difficile de concilier toutes ces influences : elles sont nombreuses et parfois antagonistes, leurs effets sont souvent incertains et elles sont susceptibles d'évoluer au cours du temps. Le diagnostic stratégique d'une organisation est donc une tâche ardue.

Nous allons utiliser les quatre prismes stratégiques étudiés dans les commentaires introductifs pour comprendre comment les managers donnent du sens à la situation stratégique à laquelle ils sont confrontés, ce qui nous permettra de revenir sur certains des thèmes abordés dans les chapitres de la partie1. Remarquons cependant que :

- Aucun des prismes n'est meilleur que les autres, mais ils fournissent des perspectives complémentaires sur la manière dont les managers font face à l'incertitude.
- Pour comprendre ce qui suit, vous devez préalablement avoir lu les commentaires introductifs figurant après le chapitre 1 : ils expliquent en quoi consistent les quatre prismes.

Le prisme de la méthode

Les concepts et les outils analytiques de la stratégie peuvent être utilisés pour comprendre la situation complexe et incertaine à laquelle les managers sont confrontés lorsqu'ils élaborent une stratégie. Il convient donc de :

- Conduire une analyse rigoureuse des forces de l'environnement, des capacités stratégiques de l'organisation, du pouvoir des parties prenantes et des influences culturelles.
- Construire des scénarios afin d'envisager des futurs possibles.
- Élaborer une vision claire de la position stratégique de l'organisation grâce aux conclusions de ces différentes analyses.
- Impliquer les managers dans cette démarche d'analyse grâce à un processus systématique de planification stratégique.

Une fine compréhension de la situation permet aux managers de bâtir de meilleures stratégies car ils peuvent ainsi anticiper de quelle manière différentes options sont susceptibles de résoudre les problèmes identifiés.

Le prisme de l'expérience

Les managers donnent du sens à la situation stratégique de leur organisation au travers de leur expérience individuelle ou collective. Face à certains problèmes, cela permet d'appliquer immédiatement des solutions toutes faites, ce qui peut être très utile. Cependant, en figeant l'expérience, en filtrant l'interprétation des stimuli et en biaisant systématiquement les réponses, cette approche peut se révéler dangereuse. Le futur risque ainsi d'être interprété au regard de l'expérience passée, qui joue le rôle d'un mécanisme de réduction de l'incertitude.

Les capacités stratégiques – et notamment les compétences fondamentales – qui ont conduit au succès passé sont généralement encastrées dans la culture organisationnelle. Au cours du temps, cela peut déboucher sur une dérive stratégique.

Il est vital de contester les schémas de pensée implicites. Pour mener une analyse stratégique, il convient d'expliciter les hypothèses qu'utilisent les managers, car celles-ci orientent leurs décisions. C'est un des principaux rôles des grilles d'analyses présentées dans la partie 1.

Le prisme de la complexité

L'élaboration d'un diagnostic stratégique suffisamment précis pour pouvoir évaluer rationnellement des options stratégiques est impossible, car l'incertitude est par nature irréductible. La compréhension des fondements de la situation stratégique d'une organisation ne peut jamais être complète. Qui plus est, des analyses trop rigoureuses risquent de générer de la conformité et d'imposer une représentation univoque du contexte.

Cependant, l'ambiguïté et l'incertitude peuvent avoir un impact positif, car elles suscitent une variété de perspectives capables de stimuler de nouvelles idées au sein de l'organisation et dans son environnement immédiat. Ces nouvelles idées peuvent tout aussi bien émerger de la base de l'organisation que de son sommet. Dans un souci d'innovation, les managers doivent donc apprendre à stimuler et à utiliser cette diversité.

Si les managers ne sont pas capables d'élaborer un diagnostic stratégique objectivement « exact » de leur organisation, il leur est parfois possible de formuler une vision suffisamment claire ou de définir un ensemble de « règles simples » qui autorisent assez de variété pour que des idées nouvelles puissent émerger.

En ce qui concerne la dérive stratégique, deux points doivent être soulignés :

- Un degré suffisamment élevé de variété peut permettre de faire émerger des idées nouvelles et des expérimentations qui aident à éviter une dérive.
- Cette dérive est inévitable, mais l'instabilité qui en résulte provoque elle-même la génération d'idées nouvelles, ce qui constitue une opportunité d'innovation.

Le prisme du discours

Le diagnostic stratégique d'une organisation ne décrit pas tant une réalité objective que la représentation privilégiée qu'en ont des parties prenantes dominantes, telles que les dirigeants, les investisseurs ou les pouvoirs publics : cette représentation transparaît notamment dans leurs discours. Ce que disent les puissants ayants droit montre comment ils donnent du sens à leur position et comment ils cherchent à orienter la stratégie. Le discours a donc une influence réelle sur la stratégie.

- Le discours est également lié à l'identité. Chaque partie prenante a sa propre identité et sa propre manière de s'exprimer à propos de la stratégie de l'organisation : l'analyse de son discours permet donc de comprendre ses intérêts et son influence.
- Les concepts et les outils stratégiques peuvent être utilisés par les managers pour montrer qu'ils occupent une position particulière dans la détermination du devenir de leur organisation. En ce sens, le discours stratégique est lié au pouvoir.
- Les individus peuvent s'enfermer dans un type de discours stratégique, jusqu'à être incapables d'en changer. En ce sens, le discours dominant peut contribuer à une dérive stratégique.

Partie 2

Les choix stratégiques

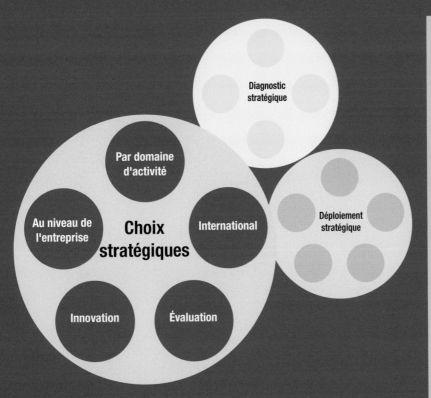

Cette partie explique :

- Comment une organisation se positionne par rapport à ses concurrents.

- Comment gérer l'étendue et la diversité du périmètre d'activité d'une organisation.

- Comment gérer les stratégies internationales.

- Comment stimuler l'innovation et l'esprit entrepreneurial.

- Comment développer une organisation en termes de croissance interne, croissance externe ou stratégies relationnelles.

- Quels outils utiliser pour évaluer les choix stratégiques.

Introduction à la partie 2

Les choix stratégiques concernent les décisions qui orientent l'avenir d'une organisation et la manière dont elle doit répondre aux nombreuses pressions et influences que nous avons identifiées dans la partie 1. De même, l'évaluation des stratégies futures doit impérativement tenir compte du déploiement stratégique, qui peut exercer des contraintes significatives sur les choix effectués.

Comme le montre le schéma II.i, il existe trois choix stratégiques essentiels :

1. *Comment positionner l'organisation par rapport à ses concurrents ?* Pour obtenir une performance financière durablement supérieure à celle des concurrents, vaut-il mieux proposer la même offre que la leur à un prix inférieur, ou plutôt proposer une offre différenciée, soit plus élaborée et plus chère, soit moins élaborée et moins chère ? Peut-on construire un avantage concurrentiel durable en étant simplement plus agile et plus flexible que ses concurrents ? Plutôt que d'affronter la concurrence, ne vaut-il pas mieux coopérer avec elle ? Le chapitre 6 est consacré à ces questions.

2. *Quel doit être le périmètre de l'organisation en termes de produits et de marchés ?* Doit-elle rester focalisée sur une offre étroite ? Doit-elle au contraire chercher à se diversifier ? Le chapitre 7 traite de ces questions en termes de portefeuille d'activités, le chapitre 8 sous l'angle de la stratégie internationale, et le chapitre 9 du point de vue de l'innovation et de l'entrepreneuriat.

3. *Selon quelles modalités déployer une stratégie ?* Pour chacun de ces choix, vaut-il mieux procéder par croissance organique, par acquisitions ou au travers de collaborations avec d'autres organisations ? Cette question fait l'objet de la première partie du chapitre 10.

| Schéma II.i | Les choix stratégiques |

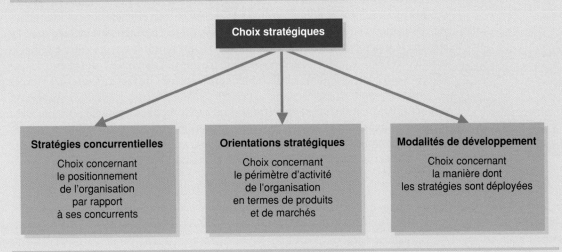

Cette partie de l'ouvrage soulève une autre interrogation :

4. *Comment évaluer ces différents choix stratégiques ?* Quels critères et quels outils mobiliser pour cela ? La seconde partie du chapitre 10 propose quelques réponses.

Les cinq chapitres qui composent cette partie permettent de mieux comprendre ces différentes options stratégiques. Attention cependant à ne pas distinguer trop strictement ces choix stratégiques du diagnostic stratégique présenté dans la partie 1. Ces deux aspects sont interdépendants et non séquentiels :

1. Les *questions stratégiques clés*. Les choix n'ont de sens que dans le contexte de la situation stratégique de l'organisation. Il convient donc de bien clarifier les questions stratégiques clés : parmi tous les éléments obtenus grâce au diagnostic stratégique, à quels problèmes réellement importants faut-il répondre en priorité ? Trop souvent, le produit fini d'un diagnostic est une longue liste d'observations et de recommandations, d'où les questions essentielles n'émergent pas de manière assez explicite. Malheureusement, il n'existe pas de « méta outil » permettant de synthétiser les apports de toutes les analyses. Pour cela, les meilleures méthodes restent le jugement individuel et le débat collectif. Les outils stratégiques constituent une aide à la réflexion, mais ils ne s'y substituent pas.

2. Le *diagnostic stratégique génère des options*. Dans la partie 1, nous avons expliqué comment les stratèges peuvent identifier les forces à l'œuvre dans leur environnement (voir le chapitre 2), identifier les capacités stratégiques de leur organisation (voir le chapitre 3), répondre aux attentes des parties prenantes (voir le chapitre 4) et prendre en compte les contraintes historiques et culturelles (voir le chapitre 5). L'évaluation de ces différentes influences génère des idées et soulève des interrogations qui peuvent déboucher sur des options stratégiques. L'identification des options stratégiques n'est donc pas limitée aux concepts présentés dans la partie 2.

Une autre manière de considérer le lien entre les parties 1 et 2 consiste à utiliser l'un des outils les plus anciens et les plus courants de la stratégie : l'analyse SWOT (voir la section 3.6.4 et l'illustration 3.6). Le SWOT a en effet été conçu pour générer des options stratégiques à partir d'une synthèse du diagnostic stratégique. Le schéma II.ii présente une évolution du SWOT qui renforce encore cette qualité, la matrice TOWS[*]. Chaque case de cette matrice permet de générer des options stratégiques qui correspondent à différentes combinaisons de facteurs internes (forces et faiblesses, soit *strengths* et *weaknesses*) et de facteurs externes (menaces et opportunités, soit *threats* et *opportunities*). La case en haut à gauche présente ainsi les options qui utilisent les forces de l'organisation pour saisir les opportunités de son environnement. Il peut s'agir par exemple d'une extension vers une zone géographique où le marché est censé croître rapidement. Réciproquement, la case en

---

[*]   Voir H. Weihrich, « The TOWS matrix – a tool for situational analysis », Long Range Planning, avril 1982, pp. 54-66.

bas à droite présente les options qui minimisent les faiblesses afin de détourner les menaces, par exemple en évitant les principaux concurrents et en se focalisant sur des niches spécialisées.

Schéma II.ii La matrice TOWS

		Facteurs internes	
		Forces (S)	**Faiblesses (W)**
Facteurs externes	**Opportunités (O)**	Options stratégiques SO Utilisent les forces pour saisir les opportunités	Options stratégiques WO Minimisent les faiblesses pour saisir les opportunités
	Menaces (T)	Options stratégiques ST Utilisent les forces pour éviter les menaces	Options stratégiques WT Minimisent les faiblesses pour éviter les menaces

Chapitre 6
Les stratégies par domaine d'activité

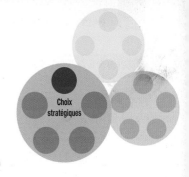
Choix stratégiques

Objectifs

Après avoir lu ce chapitre, vous serez capable de :

- Découper une organisation en domaines d'activité stratégique (DAS).
- Décrire les différentes stratégies génériques permettant d'obtenir un avantage concurrentiel en termes de trajectoires sur l'horloge stratégique.
- Déterminer dans quelle mesure un avantage concurrentiel peut être durable.
- Choisir des stratégies adaptées à un environnement hyperconcurrentiel.
- Expliquer les relations entre compétition et coopération.
- Utiliser les principes de la théorie des jeux applicables aux stratégies concurrentielles.

6.1 Introduction

Ce chapitre concerne un choix stratégique fondamental : quelle stratégie concurrentielle adopter pour obtenir un avantage concurrentiel au niveau d'un domaine d'activité stratégique (DAS) ? Par exemple, face à la concurrence croissante des compagnies aériennes à bas coûts, les compagnies traditionnelles telles que Air France doivent-elles se lancer dans une stratégie de prix ou au contraire maintenir et perfectionner leur différenciation ? Le schéma 6.1 présente les thèmes qui structurent ce chapitre :

- Pour pouvoir étudier les stratégies par domaine d'activité, il est tout d'abord indispensable de découper l'organisation en DAS. En effet, la plupart des organisations sont composées de plusieurs DAS, qui interviennent sur des marchés distincts, dont les clients ont des besoins différents et qui nécessitent des ressources et compétences spécifiques. Ce chapitre débute donc par la présentation des techniques de *segmentation stratégique* permettant d'identifier les DAS. Il est important de souligner que la segmentation stratégique est un préalable obligatoire à la définition des stratégies au niveau des DAS, mais qu'il s'agit pourtant d'une démarche partiellement intuitive, toujours contestable et en tout cas jamais triviale.

Schéma 6.1	**Les stratégies par domaine d'activité**

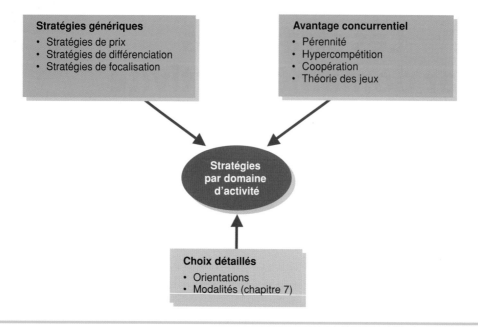

Nous présenterons ensuite les *stratégies génériques*, c'est-à-dire les différentes stratégies concurrentielles pouvant être déployées au niveau d'un DAS : stratégies de prix, stratégies de différenciation et stratégies de focalisation.

- Puis nous examinerons les questions liées à l'obtention et au maintien d'un *avantage concurrentiel*. Dans la section 6.4, nous traiterons de la *pérennité* des stratégies.
- Cependant, la pérennité des stratégies peut être particulièrement problématique dans un environnement turbulent et incertain. C'est pourquoi, dans la section 6.5, nous reviendrons sur la notion d'*hypercompétition* (introduite dans la section 2.3.2).
- Nous examinerons ensuite dans la section 6.6 les conditions et les avantages éventuels de la *coopération* par rapport à la compétition.
- Enfin, nous utiliserons dans la section 6.7 la *théorie des jeux* afin d'étudier les interdépendances entre les actions des concurrents.

Un domaine d'activité stratégique (DAS) – ou strategic business unit (SBU) – est une sous-partie de l'organisation à laquelle il est possible d'allouer ou retirer des ressources de manière indépendante et qui correspond à une combinaison spécifique de facteurs clés de succès

6.2 La segmentation stratégique : l'identification des DAS[1]

Dans la section 1.2.2, nous avons défini un domaine d'activité stratégique (DAS) – ou *strategic business unit* (SBU) – comme une sous-partie de l'organisation à laquelle il est possible d'allouer ou retirer des ressources de manière indépendante et qui correspond à une combinaison spécifique de facteurs clés de succès. Cependant, nous n'avons pas précisé comment dans la pratique il est possible de subdiviser l'organisation en DAS. Il s'agit de la **segmentation stratégique**, à laquelle cette section est consacrée.

La dénomination *segmentation stratégique* ne doit pas être confondue avec celle de *segmentation marketing* : alors qu'en marketing on segmente la clientèle afin de définir des couples produits/clients (on obtient ainsi des *segments de marché*, par exemple une catégorie d'individus présents sur une zone géographique donnée, voir la section 2.4.2), la segmentation stratégique consiste à subdiviser l'organisation selon des combinaisons spécifiques de marchés, concurrents et technologies. La segmentation stratégique n'englobe pas la segmentation marketing, elle repose sur des critères différents[2] :

- Alors que la segmentation marketing permet d'adapter les produits aux clients, de choisir les cibles commerciales et de définir les approches de distribution, de prix et de promotion, la segmentation stratégique est censée révéler des synergies entre activités, des opportunités d'acquisitions ou de cessions et permettre de délimiter les processus d'allocation de ressources.
- Le niveau d'analyse est différent. Pour chacun de ses modèles, un constructeur automobile généraliste comme Peugeot fabrique ainsi plusieurs dizaines de variantes (diesel, essence, cylindrée, niveau de finition, carrosserie trois ou cinq portes, berline, break ou cabriolet, etc.), ce qui correspond à autant de segments marketing. Pourtant, en ce qui concerne la segmentation stratégique, la totalité de la gamme de Peugeot (hors utilitaires et compétition) relève du même DAS : mêmes technologies, mêmes usines, même réseau de distribution, mêmes concurrents et donc au total même chaîne de valeur (voir la section 3.6.1). On peut faire la même remarque en ce qui concerne un laboratoire pharmaceutique : chaque produit correspond à un segment marketing (ce qui peut aboutir à plusieurs centaines de segments), alors que les DAS se situent en général au niveau des classes thérapeutiques (cardio-vasculaires, antiulcéreux, anti-infectieux, etc.), auxquelles s'ajoutent quelquefois des DAS définis selon des axes réglementaires (médicaments éthiques, génériques et de confort) ou technologiques (chimiques ou génomiques).
- La segmentation marketing relève de la gestion à court terme et peut être remise en question au quotidien, en fonction des évolutions des attentes des consommateurs. En revanche, la segmentation stratégique est généralement plus pérenne, même si elle peut aussi être affectée par les évolutions de l'environnement (progrès technologiques, ouvertures ou fermetures de marchés, apparition de nouveaux concurrents, etc.).

La segmentation d'une organisation en DAS est un exercice difficile et largement intuitif. Cependant, il est possible de réduire en partie cette complexité et d'obtenir une subdivision en DAS qui soit utile aux choix stratégiques. Pour cela, nous allons présenter une méthode pratique de segmentation stratégique.

La segmentation stratégique consiste à subdiviser l'organisation en domaines d'activité stratégique

6.2.1 Une méthode pratique de segmentation stratégique

Lorsqu'on cherche à découper une organisation en DAS (ce qui revient à effectuer une partition, en identifiant des sous-ensembles homogènes mais mutuellement exclusifs), on doit généralement faire face à deux écueils opposés :

- On peut être tenté d'utiliser un niveau de découpage trop fin, en considérant que chaque produit, chaque implantation géographique, chaque division organisationnelle constitue un DAS indépendant. Le risque est alors d'aboutir au mieux à une segmentation marketing (voir ci-dessus), au pire à des allocations de ressources aberrantes, ne laissant aucune possibilité de synergies ou d'économies d'échelle. La gestion du portefeuille d'activités (voir le chapitre 7) peut alors devenir extrêmement problématique.

- À l'inverse, on peut considérer que l'organisation dans son ensemble constitue un seul DAS, en refusant de la subdiviser en sous-parties autonomes. Dans ce cas, il sera impossible de privilégier certaines activités par rapport à d'autres, d'envisager des cessions ou d'adopter des positionnements stratégiques cohérents avec les différents environnements concurrentiels auxquels les DAS sont confrontés.

Afin d'éviter ces deux écueils, une méthode pratique de segmentation stratégique consiste à considérer que deux sous-parties d'une organisation (deux divisions, deux filiales, deux implantations géographiques, deux unités opérationnelles, voire deux lignes de produits, etc.) appartiennent au même DAS à condition qu'elles partagent les deux séries de critères présentés dans le schéma 6.2.

Les critères de segmentation externes

Une première série de critères est externe à l'organisation. Ces critères soulignent que chaque DAS correspond à une sous-partie de l'environnement concurrentiel,

Schéma 6.2	**Les critères de segmentation stratégique**	
	Même DAS	**DAS différents**
Facteurs clés de succès	Même combinaison	Combinaisons différentes
Critères externes • Clientèle • Marché pertinent • Distribution • Concurrence	Mêmes clients Même marché Même réseau Mêmes concurrents	Clients différents Marchés différents Réseaux différents Concurrents différents
Critères internes • Technologies • Compétences • Synergies • Structure de coûts	Identiques Identiques Fortes Coûts partagés prépondérants	Différentes Différentes Faibles Coûts spécifiques prépondérants
Chaîne de valeur	Une seule chaîne de valeur	Plusieurs chaînes de valeur

caractérisée par une *combinaison spécifique de facteurs clés de succès* (voir la section 2.5.2) :

- Même *clientèle.* On peut distinguer par exemple les clients individuels et les clients institutionnels, les clients civils et militaires, les administrations et les entreprises, etc. Pour appartenir à un même DAS, deux sous-parties de l'organisation doivent s'adresser à la même clientèle.

- Même *marché pertinent.* Le marché pertinent est l'échelle géographique à laquelle les produits ou services peuvent être proposés. Dans les grandes entreprises, on distingue généralement le niveau local (un pays), le niveau régional (l'Union européenne, l'Amérique du Nord, etc.) et le niveau global (le monde). Dans une organisation de plus petite taille ou dans une entreprise de réseau (banque de dépôt, distribution, service postal), le niveau local correspond en général à une zone géographique très réduite, alors que le plus haut niveau de découpage dépasse rarement celui d'un pays. Pour appartenir à un même DAS, deux sous-parties de l'organisation doivent intervenir au même niveau de marché pertinent. Une division qui répond localement à des besoins spécifiques et une autre qui propose globalement des produits identiques ne sauraient relever du même DAS.

- Mêmes *réseaux de distribution.* Si deux sous-parties de l'organisation mobilisent des réseaux de distribution distincts (distributeurs, grossistes, vente directe, vente en ligne, équipes commerciales intégrées, etc.), on peut considérer qu'elles n'appartiennent pas au même DAS.

- Mêmes *concurrents.* Pour appartenir au même DAS, deux sous-parties de l'organisation doivent être confrontées aux mêmes concurrents. On peut d'ailleurs considérer que la présence de concurrents spécialisés est un signe probant d'existence d'un DAS autonome.

Les critères de segmentation internes

Une deuxième série de critères est interne à l'organisation. Il s'agit ici de découper l'organisation à partir d'éléments qui lui sont propres (mais nécessairement en adéquation avec l'environnement concurrentiel). Ces critères rappellent que chaque DAS peut se voir *attribuer ou retirer des ressources de manière autonome* :

- Mêmes *technologies.* Si les technologies utilisées par deux sous-parties de l'organisation sont significativement différentes, elles n'appartiennent pas au même DAS. Cependant, si l'utilisation de technologies identiques est un signe d'appartenance à un même DAS, il convient de rappeler que certaines entreprises peuvent appuyer l'ensemble de leurs activités sur des technologies partagées (voir la discussion sur les diversifications liées dans la section 7.3.1).

- Mêmes *compétences.* Plus globalement, si les compétences mobilisées par deux sous-parties de l'organisation sont significativement différentes, on est en présence de deux DAS distincts. À l'inverse, si les deux sous-parties partagent les mêmes compétences, on peut estimer qu'elles relèvent du même DAS.

- *Synergies.* Plus les synergies entre deux sous-parties d'une organisation sont élevées, plus il est vraisemblable qu'elles appartiennent au même DAS. Comme nous le verrons dans la section 7.3.1, les synergies peuvent concerner n'importe laquelle des étapes de la chaîne de valeur.

● *Coûts partagés* prépondérants. Si deux sous-parties de l'organisation présentent des structures de coûts distinctes, elles ont peu de chances d'appartenir au même DAS. On parle alors de prépondérance de *coûts spécifiques* : les seuls coûts partagés par les deux activités seront des frais de structure liés au fonctionnement de la direction générale ou à une série de fonctions centrales (recherche et développement, gestion de trésorerie, gestion des ressources humaines, communication institutionnelle, etc.). À l'inverse, si deux sous-parties de l'organisation partagent de nombreux coûts, liés par exemple à l'utilisation de technologies identiques, à un réseau de distribution commun ou plus globalement à de mêmes ressources et compétences, il est probable qu'elles relèvent du même DAS.

Au travers de ces différents critères, on retrouve l'idée qu'*un DAS correspond à une chaîne de valeur spécifique* (voir la section 3.6.1). De fait, la notion de triplet marché/concurrent/technologie caractéristique de chaque DAS ne fait que recouvrir celle de chaîne de valeur indépendante. Cette constatation permet d'ailleurs de définir un critère général de segmentation : chaque DAS pourrait devenir une entreprise autonome, avec ses propres ressources et compétences et son propre marché, caractérisé par une combinaison spécifique de facteurs clés de succès.

6.2.2 Limites et utilité de la segmentation stratégique

La segmentation stratégique est une tâche complexe, face à laquelle les managers sont souvent hésitants. Elle consiste en effet à prendre une série de décisions qui peuvent avoir des répercussions considérables sur les processus d'allocation de ressources et sur les positionnements stratégiques : selon qu'une activité appartient à un DAS ou à un autre – voire qu'elle constitue un DAS à part entière –, elle peut se voir attribuer ou retirer les ressources nécessaires à son développement. Les divisions structurelles qui composent les organisations ne sont d'ailleurs pas toujours définies en fonction des DAS (voir le chapitre 13). Un DAS est une sous-partie d'une organisation du point de vue de la prise de décision stratégique, mais il ne constitue pas nécessairement une division du point de vue structurel.

Une des raisons qui contribuent le plus à la difficulté d'une identification incontestable des DAS est l'existence de *synergies*. Par définition (voir la section 7.3), une synergie correspond au partage de certains maillons entre les chaînes de valeur de deux DAS distincts. Par conséquent, s'il existe des synergies, il est possible de trouver des points communs entre deux DAS, ce qui peut laisser supposer qu'ils n'en font qu'un seul. Le risque est alors de confondre des activités distinctes, confrontées à des environnements caractérisés par des facteurs clés de succès différents, ce qui peut déboucher sur une érosion de leur avantage concurrentiel. Les notions de synergie et de segmentation stratégique sont partiellement antinomiques.

Il est donc indispensable de rester pragmatique et surtout de s'interroger sur les conséquences de la segmentation retenue. Pour cela, deux indicateurs clés doivent permettre de valider ou d'invalider une segmentation *a priori* :

● Quelles sont les répercussions de la segmentation stratégique retenue en termes d'allocations de ressources ? Le découpage adopté conduit-il à des absurdités (abandon d'activités prometteuses, adoption d'une stratégie de niche pour une activité fondée sur les économies d'échelle, mélange d'activités de volume et d'activités différenciées, etc.) ? Si à l'inverse il apparaît que la segmentation retenue est homogène avec le type d'avantage concurrentiel recherché pour chaque DAS et que les décisions d'attribution des ressources ne présentent pas d'incohérences notoires, on peut supposer que cette segmentation est correcte.

- L'identification des facteurs clés de succès est-elle cohérente avec la segmentation retenue ? Si les environnements concurrentiels respectifs de deux DAS partagent la même combinaison de facteurs clés de succès – et nécessitent donc la même capacité stratégique –, on peut largement supposer qu'ils ne font qu'un. Réciproquement, si l'on doit distinguer deux sous-parties caractérisées par des combinaisons de facteurs clés de succès distinctes au sein d'un même DAS (une partie de l'activité requiert une solide réputation et pas l'autre, une partie impose une grande taille et pas l'autre, une partie repose sur un type de technologie et pas l'autre, etc.), on est en présence de deux DAS différents.

Quoi qu'il en soit, il convient de garder à l'esprit que la segmentation stratégique n'a rien de définitif. Les évolutions technologiques, réglementaires, commerciales, sociales, etc. peuvent conduire à reconsidérer les frontières des DAS :

- Plusieurs DAS peuvent fusionner en un seul. Les smartphones résultent ainsi de la convergence entre les assistants numériques personnels et les téléphones mobiles. Les fabricants tels que Sony qui proposaient ces deux gammes de produits – et qui avaient donc pour cela mis en place deux DAS distincts, chacun disposant de leur budget et de leurs responsables – ont dû reconsidérer leur segmentation stratégique.
- Réciproquement, un DAS unique peut être fragmenté en plusieurs DAS autonomes. L'histoire de l'informatique a été marquée par une série de divergences de ce type : les ordinateurs se sont séparés en gros et mini-systèmes, puis sont apparus les micros, puis les portables, puis les assistants numériques. Chacun de ces nouveaux produits a provoqué l'apparition d'un nouveau DAS, avec ses propres technologies, son propre marché et ses propres concurrents.

La volonté des dirigeants peut également provoquer des resegmentations, selon qu'ils souhaitent encourager des rapprochements entre activités ou au contraire stimuler l'autonomie de chacune. Ce phénomène est tout aussi fréquent dans les entreprises (d'où de très fréquentes réorganisations) que dans la sphère publique. En France, au cours des dix dernières années, le ministère de la Santé a ainsi été successivement rattaché à la Protection sociale, à la Famille et aux Personnes handicapées, à l'Assurance-maladie, à la Solidarité, au Sport…

L'illustration 6.1 propose un exercice de segmentation stratégique à partir de l'exemple de l'équipementier automobile Valeo.

6.3 Les stratégies génériques

Cette section est consacrée aux **stratégies génériques**[3] (ou **stratégies concurrentielles**), c'est-à-dire les positionnements (**réduction des prix, différenciation, focalisation**) qui permettent d'établir un avantage concurrentiel au niveau d'un DAS. Pour les organisations du secteur public, il s'agit de maintenir la qualité de service tout en respectant les contraintes budgétaires.

Les stratégies génériques (ou stratégies concurrentielles) sont les approches (réduction de prix, différenciation, focalisation) qui permettent d'établir un avantage concurrentiel au niveau d'un domaine d'activité stratégique

Illustration 6.1

La segmentation stratégique chez Valeo

La segmentation stratégique, qui consiste à subdiviser l'organisation en triplets marchés/concurrents/technologies, n'est pas un exercice trivial.

Valeo se présentait comme un équipementier focalisé sur « la conception, la fabrication et la vente de composants, de systèmes et de modules pour les automobiles et poids lourds, tant en première qu'en deuxième monte ». Avec un chiffre d'affaires de 10 milliards d'euros en 2006, le groupe employait 71 100 personnes dans 29 pays avec 131 sites de production, 68 centres de recherche et développement et neuf plates-formes de distribution. En 2007, le groupe était présent sur deux branches : la première monte (vente aux constructeurs automobiles) et la deuxième monte (ventes de pièces détachées pour le service après-vente).

La première monte comprenait onze familles de produits qui, pour leur R&D et leur marketing, étaient réunies en trois domaines d'innovation dotés de leur propre budget. Ces domaines concevaient des innovations, qui étaient ensuite transférées aux familles de produits qui en assuraient la négociation commerciale, la mise au point et la production :

- Domaine « Aide à la conduite » :
  - Commutation & Systèmes de détection (8 % du chiffre d'affaires) : aides au stationnement, capteurs de pluie, etc.
  - Éclairage signalisation (10 % du chiffre d'affaires) : projecteurs, phares, feux de signalisation, etc.
  - Systèmes d'essuyage (9 % du chiffre d'affaires) : balais, systèmes de lavage, etc.
- Domaine « Efficacité de la propulsion » :
  - Systèmes de contrôle moteur (3 % du chiffre d'affaires) : allumage, injecteurs, etc.
  - Systèmes électriques (9 % du chiffre d'affaires) : démarreurs, alternateurs, etc.
  - Thermique moteur (11 % du chiffre d'affaires) : radiateurs, refroidisseurs, etc.
  - Compresseurs (3 % du chiffre d'affaires) : compresseurs, contrôles, etc.
  - Transmissions (12 % du chiffre d'affaires) : embrayages, convertisseurs, etc.
- Domaine « Amélioration du confort » :
  - Sécurité habitacle (6 % du chiffre d'affaires) : télécommandes, antivols, serrures, etc.
  - Thermique habitacle (12 % du chiffre d'affaires) : climatiseurs, filtres, etc.
  - Systèmes de liaison (4 % du chiffre d'affaires) : faisceaux électriques, relais, etc.

La deuxième monte, sous le nom de Valeo Service (14 % du chiffre d'affaires), était subdivisée en deux branches : Produits Distribution Indépendante (organisée par pays) et Produits Rechange Constructeurs (organisée par constructeur). Ces deux branches partageaient leurs fonctions marketing et logistiques mais disposaient d'interfaces clients distinctes.

Chacune des familles affrontait des concurrents spécifiques : Bosch, Denso, Visteon et Hella pour l'éclairage signalisation, TRW, Siemens et ZKW pour les systèmes électriques, Bosch, Delphi et Denso pour la sécurité habitacle, etc. Les technologies utilisées par chaque famille étaient également différentes.

En revanche, pour toutes les familles, les clients étaient les grands constructeurs automobiles (GM, Ford, Toyota, Renault Nissan, VW, PSA, Daimler, Fiat, BMW, Honda), sauf pour la sous-famille Produits Distribution Indépendante de Valeo Service, qui s'adressait à des clients spécifiques, les réseaux de réparation et de maintenance (garages affiliés ou non aux constructeurs, centres autos, rayons automobile des super et hypermarchés).

On pouvait également distinguer les clients par zones géographiques : du fait notamment des conditions climatiques et des réglementations, les automobiles ne nécessitaient pas les mêmes équipements en Amérique, en Europe ou en Asie.

La création des trois domaines d'innovation avait été décidée en 2004 dans le cadre du plan stratégique « Valeo 2010 », afin de proposer aux constructeurs des solutions globales et de renforcer les synergies entre les familles de produits. Le précédent découpage en quatre activités : électrique-électronique (sept familles), thermique (deux familles), transmissions (une famille) et service (deux familles) avait alors été abandonné. Pour autant, le nouveau regroupement posait quelques problèmes : la famille Commutation & Systèmes de détection apparaissait ainsi principalement dans le domaine « Aide à la conduite », mais également dans le domaine « Amélioration du confort ». De même, sur le terrain, le personnel continuait à réfléchir en termes de familles. Enfin, Valeo Service trouvait mal sa place dans ce découpage.

Source : adapté de valeo.com.

Questions

1. En utilisant le schéma 6.2, proposez une segmentation stratégique de Valeo. Cette segmentation doit-elle être réalisée au niveau des familles de produits ou au niveau des domaines d'innovation ?

2. Expliquez la disparition du découpage en quatre activités.

3. Selon vous, la segmentation stratégique doit-elle prendre en compte la dimension géographique ?

La discussion sur les stratégies génériques part du postulat selon lequel une organisation construit un avantage concurrentiel en proposant à ses clients ce qu'ils demandent ou ce dont ils ont besoin, de manière plus efficace et/ou efficiente que ses concurrents et selon une approche difficilement imitable par ces derniers. Très schématiquement, il existe pour cela deux grandes options. Soit (a) on propose une offre de même valeur que celle des concurrents mais à un prix inférieur, soit (b) on propose une offre différente, qu'elle soit supérieure mais plus coûteuse ou inférieure mais moins chère. Le choix d'une stratégie générique revient donc à se positionner à la fois en termes de prix et de valeur. Les différentes trajectoires stratégiques résultant de ces choix sont présentées dans le schéma 6.3[4], et l'illustration 6.2 donne l'exemple des fournisseurs d'accès à Internet en France.

6.3.1 La stratégie de prix (trajectoire 2)

La trajectoire 2 sur le schéma 6.3, la **stratégie de prix**, consiste à proposer une offre dont la valeur perçue est comparable à celle des offres concurrentes, mais à un prix inférieur. C'est par exemple le positionnement choisi par les centres E. Leclerc dans la grande distribution en France. Dans le secteur public, la notion de prix correspond au coût supporté par la collectivité en tant que financeur. L'objectif consiste généralement à améliorer l'efficience d'année en année, sans rien perdre de la qualité des prestations.

Sous l'influence de Michael Porter, on rencontre dans de nombreux ouvrages la dénomination *stratégie de coûts*. Nous préférons parler de *stratégie de prix*[5] car – comme nous l'avons déjà souligné dans la section 3.3 – la réduction des coûts en tant que telle n'est pas une stratégie. Quelle que soit la technique utilisée pour réduire les coûts (procédés innovants, obtention de matières premières à moindre frais, économies d'échelle, efficience de gestion, etc.), elle ne saurait être durablement inimitable par les concurrents. Cependant, si les marges augmentent, les prix finissent nécessairement par baisser sous la pression de la concurrence : dans toutes les industries où les coûts baissent, ce ne sont pas les marges qui augmentent, mais les prix qui diminuent. De fait, là où une entreprise espérait accroître ses marges en abaissant son coût, elle ne fait que décaler son profit vers le bas, jusqu'à finir par buter sur le coût salarial. Or, en baissant individuellement leur coût salarial, les entreprises finissent collectivement par entamer le pouvoir d'achat de leur clientèle. Baisser les coûts peut parfois permettre de rétablir ponctuellement des marges de manœuvre nécessaires au déploiement d'une stratégie, mais cela ne saurait se substituer à la stratégie elle-même : une « stratégie de coûts » n'est pas une stratégie[6].

Lorsqu'on cherche à construire un avantage concurrentiel au travers d'une stratégie de prix, plusieurs approches peuvent être utilisées :

- On peut tenter de conquérir une part de marché supérieure à celle des concurrents, afin de jouer sur les avantages de coûts dégagés par les économies d'échelle, le pouvoir de négociation et l'effet d'expérience (voir la section 3.3). On parle alors de *stratégie de volume*, le succès passant nécessairement par la croissance et la conquête de parts de marché. Cependant, les avantages d'une part de marché relative élevée ne sont pas toujours évidents. Il est particulièrement réducteur de

La stratégie de prix consiste à proposer une offre dont la valeur perçue est comparable à celle des offres concurrentes, mais à un prix inférieur

Schéma 6.3	**Les stratégies génériques : l'horloge stratégique**

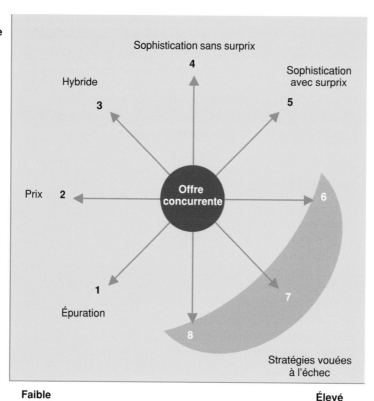

		Besoins / risques
1	Épuration	Risque de se limiter à un segment spécifique
2	Prix	Risque de guerre des prix et de faibles marges ; nécessité d'avoir les coûts les plus bas
3	Hybride	Stratégie de prix évoluant vers la différenciation
4	Sophistication sans surprix	Surcroît de valeur perçue par le client permettant de conquérir des parts de marché
5	Sophistication avec surprix	Surcroît de valeur perçue par le client permettant de pratiquer un surprix
6	Surcroît de prix / valeur standard	Marge supérieure si les concurrents ne suivent pas ; risque de perte de parts de marché
7	Surcroît de prix / baisse de valeur	Possible uniquement en situation de monopole
8	Baisse de valeur / prix standard	Perte de parts de marché

(6, 7, 8) Échec probable

Note : l'horloge stratégique est issue des travaux de Cliff Bowman (voir D. Faulkner et C. Bowman, *The Essence of Competitive Strategy*, Prentice Hall, 1995).

Illustration 6.2

Les stratégies concurrentielles dans l'Internet français

En dix ans, les stratégies des fournisseurs d'accès à Internet en France se sont déplacées sur l'horloge stratégique.

C'est en 1994 qu'apparurent les premiers fournisseurs d'accès à Internet (FAI) français : FranceNet et WorldNet. L'accueil du public fut mitigé, car plusieurs millions de Français étaient déjà équipés d'un Minitel. Présenté en 1983 comme une version électronique de l'annuaire téléphonique, ce petit terminal noir et blanc était devenu un véritable phénomène de société : les Français utilisaient les services 3615 pour consulter leur compte en banque, réserver des billets de train ou d'avion, mais surtout pour discuter en ligne. Des milliers de forums existaient, sur à peu près tous les sujets (le charme y tenait une place importante). Par rapport au Minitel, le Web semblait moins sécurisé, plus complexe et plus coûteux.

Pourtant, avec l'augmentation de la vitesse et de la fiabilité des modems, le Web finit par se substituer au Minitel. Même France Telecom, opérateur historique et inventeur du Minitel, devint fournisseur d'accès. En 1999, plusieurs FAI (les Français France Telecom et Club Internet ou l'Américain AOL) se partageaient un marché de l'accès à Internet qui reposait sur le paiement d'un abonnement relativement coûteux. En contrepartie, ils proposaient un portail d'accès offrant un bouquet de services (météo, actualités, e-mail, etc.) et recensaient les sites intéressants (Google n'existait pas encore).

C'est alors que Xavier Niel, un jeune entrepreneur qui avait fondé WorldNet après avoir créé et revendu des services de Minitel rose, lança Free. À la différence des autres FAI, Free proposait uniquement un accès à Internet, mais sans abonnement et au prix d'une communication locale. Cette offre était simple et moins chère que celle de la concurrence, mais le succès resta limité, car la majorité des internautes avait encore besoin de l'aide d'un portail.

Dans les trois années qui suivirent, l'industrie fut secouée par de profonds bouleversements (explosion des bulles Internet puis télécoms, lancement à grande échelle de la technologie ADSL) qui entraînèrent une série de consolidations : Club Internet fut revendu à Deutsche Telekom, AOL fusionna avec Time Warner, alors que Cegetel et LDCom firent leur apparition. LDCom était à l'origine un grossiste qui posait des câbles et les louait aux FAI. Lorsque ses principaux clients firent faillite après 2001, il les racheta, devenant FAI de fait, et adopta peu de temps après la marque Neuf Telecom.

C'est dans cet environnement perturbé qu'en octobre 2002 Free lança une offre radicalement nouvelle : un accès illimité par ADSL (à 512 Kbit/s) pour 29,99 euros. À cette époque, l'offre comparable la moins chère était à

45 euros. Les concurrents réagirent en abaissant leurs prix : fin 2003, tous ou presque proposaient un accès à 512 Kbit/s pour environ 30 euros. Cependant, dans l'intervalle, Free proposa trois innovations majeures : alors que son tarif était maintenu à 29,99 euros, il doubla sa vitesse à 1 024 Kbit/s et surtout ajouta un service de téléphonie gratuit et illimité et une offre de télévision numérique (une centaine de chaînes dont une soixantaine gratuites), le tout grâce à la Freebox, un terminal de connexion ADSL remis à tous les nouveaux abonnés.

Tous les autres FAI furent obligés de contrer cette offre en lançant leur propre « box » : Livebox pour France Telecom, Neufbox pour Neuf, AOLbox pour AOL, Alicebox pour Alice (Telecom Italia). Chacun se positionnait par rapport à Free : France Telecom, fort de son statut d'opérateur historique et de sa part de marché dominante, proposait une offre équivalente mais significativement plus chère. Neuf, qui avait fusionné avec Cegetel en 2005, puis racheté AOL France en 2006 et Club Internet en 2007 avant d'être racheté à son tour par l'opérateur mobile SFR, était au coude à coude avec Free, en proposant une offre comparable. De son côté, Alice multipliait les promotions pour séduire de nouveaux abonnés avec une offre moins attractive.

Cette concurrence continuait à tirer le marché : en 2007, Free proposait – toujours au même tarif – un accès à 28 Mbit/s, l'offre de télévision incluait un service de vidéo à la demande, et la Freebox, désormais équipée de WiFi et d'un disque dur, était devenue un magnétoscope numérique. En avril 2006, l'offre de Free avait été considérée comme la plus attractive des pays de l'OCDE.

L'avenir passait vraisemblablement par le remplacement de l'ADSL par de la fibre optique, ce qui nécessitait des investissements majeurs. De plus, si Free avait gagné la bataille du « triple play » (Internet, téléphonie, télévision), l'ajout de la téléphonie mobile laissait prédire une guerre du « quadruple play ». Or, sur ce terrain, France Telecom et SFR, déjà opérateurs de téléphonie mobile, étaient largement avantagés. Pour rester en lice, Free tenta de négocier le coût d'une licence 3G, ce que l'ARCEP, l'autorité française de régulation des télécoms, lui refusa en novembre 2007. Même si Xavier Niel était devenu en dix ans la dix-neuvième fortune de France, l'avenir de Free restait donc encore incertain.

Sources : iliad.fr ; *Capital*, février 2007 ; *Le Monde*, 20 novembre 2006 et 31 juillet 2007 ; *Les Echos*, 21 décembre 2007.

Questions

1. Comment la position des différents FAI sur le schéma 6.3 a-t-elle évolué au cours du temps ?
2. Que conseilleriez-vous aux concurrents d'une entreprise qui réussit une stratégie hybride ?
3. Pour une industrie de votre choix, positionnez les différents concurrents sur l'horloge stratégique.

supposer une corrélation directe entre la part de marché et l'avantage concurrentiel. Les firmes dominantes ne sont pas nécessairement les plus rentables et elles peuvent rapidement perdre leur part de marché au profit de concurrents plus petits mais plus dynamiques. De plus, si la notion de domination par le volume doit être retenue, elle ne peut être positive que pour une seule firme, celle qui présente déjà les coûts les plus faibles. Dans sa forme pure, elle conduit par itérations successives à des situations de monopole, la diminution des coûts autorisant une baisse de prix et donc un accroissement des parts de marché qui à leur tour – par effet de volume et d'expérience – permettent de réduire les coûts : plus la part de marché est élevée, plus les coûts baissent, et plus la part de marché est élevée. L'observation de la réalité économique permet de réfuter cette boucle de rétroaction par trop théorique.

- Une organisation peut également réduire ses prix en se concentrant sur les aspects de sa chaîne de valeur qui sont effectivement valorisés par les clients et en sous-traitant toutes les fonctions qui peuvent être assurées de manière plus efficiente par des spécialistes externes. Cette approche n'est pas non plus exempte de risques. Tout d'abord, les concurrents peuvent faire exactement la même chose, ce qui réduit à néant l'avantage ainsi obtenu. Par ailleurs – et c'est plus problématique –, l'organisation peut être tentée d'externaliser des activités qu'elle n'a pas été capable d'identifier comme des sources potentielles de création de valeur, ce qui lui ferme d'éventuelles opportunités de différenciation (voir la section 6.4.2).

- Une stratégie de prix permet d'obtenir un avantage concurrentiel lorsque (a) la sensibilité des clients aux prix est importante et (b) l'entreprise possède un avantage de coûts difficilement imitable par ses concurrents. Le défi fondamental de la stratégie de prix consiste donc à réduire les coûts d'une manière qui soit spécifique et durable. Même si l'expérience prouve que cette condition est particulièrement difficile à atteindre, il existe quelques pistes, que nous présenterons dans la section 6.4.1.

En soi, la réduction des coûts n'apporte aucun avantage concurrentiel. Ce qui importe, c'est la manière dont les managers décident de l'utiliser. Dans tous les cas, le client n'a pas conscience – et ne se préoccupe probablement pas – des coûts supportés par l'entreprise, mais bien des prix qu'elle pratique et de la valeur qu'elle propose.

6.3.2 Les stratégies de différenciation (trajectoires 1, 4 et 5)[7]

La stratégie de différenciation consiste à proposer une offre dont la valeur perçue est différente de celle des offres des concurrents

La seconde option consiste à jouer non pas sur une réduction des prix, mais sur un différentiel de valeur perçue par les clients. On parle alors de stratégie de différenciation. Comme le montre le schéma 6.4, il existe deux grands types de différenciation, selon que l'on décide de réduire (trajectoire 1) ou d'accroître (trajectoire 4) la valeur perçue par rapport aux offres concurrentes. Dans le premier cas, la diminution de valeur permet de réduire les coûts (le produit ou service étant plus simple, il est moins coûteux à produire), mais impose une baisse de prix afin que l'offre reste attractive pour le client. Dans le second cas, en revanche, le surcroît de valeur entraîne généralement des coûts supplémentaires (l'offre étant plus élaborée, elle est plus coûteuse à produire) qui doivent être compensés

Schéma 6.4	La différenciation : sophistication ou épuration

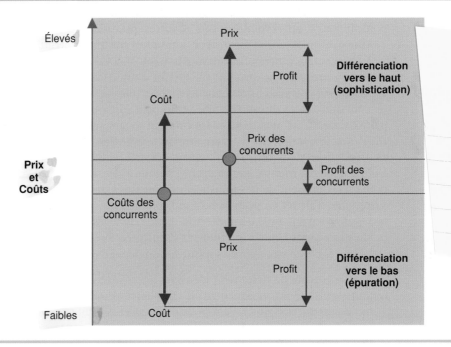

par une augmentation des prix ou par des volumes plus importants. Cependant, pour que l'une ou l'autre de ces différenciations soit profitable à l'entreprise, il est nécessaire soit de réduire plus le coût que le prix (dans le cas de la différenciation vers le bas), soit d'augmenter plus le prix que le coût (dans celui de la différenciation vers le haut). Le profit dégagé est ainsi supérieur à celui des concurrents.

La trajectoire 1 peut sembler peu attirante, mais certaines organisations connaissent pourtant un grand succès grâce à elle. Il s'agit de la différenciation vers le bas ou **stratégie d'épuration**, qui consiste à proposer pour un prix réduit une offre dont la valeur perçue est inférieure à celle des concurrents. Cette stratégie s'adresse en priorité aux clients dont le principal critère d'achat est le prix. Elle n'est viable que lorsqu'il existe suffisamment de clients qui, même s'ils reconnaissent que la qualité du produit ou du service est limitée – voire médiocre –, ne peuvent pas ou ne souhaitent pas s'orienter vers une offre de plus grande valeur. C'est l'approche suivie par des chaînes de distribution telles que Aldi, Lidl ou Netto. Leurs magasins sont basiques, leur gamme de marchandises est relativement limitée, le service est quasi inexistant, mais leurs prix sont extrêmement bas. La stratégie d'épuration ne saurait être confondue avec une stratégie de prix : alors que cette dernière consiste à maintenir le niveau de valeur perçue par le client mais à réduire le prix, l'épuration s'appuie sur la réduction simultanée – mais dissymétrique – du prix *et* de la valeur.

L'épuration peut permettre des succès éclatants, tels que ceux de H&M, IKEA ou Bic, qui a réussi à l'appliquer successivement pour les stylos, les briquets et les

La stratégie d'épuration consiste à proposer pour un prix réduit une offre dont la valeur perçue est inférieure à celle des concurrents

rasoirs (mais en échouant, il est vrai, dans le parfum). Comme le montre le cas de Free dans l'illustration 6.2, l'épuration peut également être utilisée par une entreprise afin de pénétrer sur un marché et réaliser des volumes de vente suffisants pour financer son évolution vers d'autres positionnements. L'illustration 6.3 montre comment easyJet a construit son succès sur une stratégie d'épuration.

La stratégie de sophistication consiste à proposer un produit ou service dont la valeur est jugée supérieure à celles des offres concurrentes

À l'inverse, la différenciation vers le haut – ou **stratégie de sophistication** – consiste à proposer un produit ou service dont les caractéristiques sont jugées supérieures à celles des offres concurrentes et valorisées comme telles par la clientèle. En utilisant ce surcroît de valeur, on peut soit – trajectoire 4 – augmenter la part de marché (et ainsi réduire les coûts en jouant sur un éventuel effet d'expérience), soit – trajectoire 5 – accroître les marges en pratiquant des prix supérieurs. Dans les deux cas, le profit est supérieur à celui obtenu par les concurrents. L'illustration 6.4 montre comment BMW utilise cette approche. Dans les services publics, l'équivalent de la sophistication consiste à devenir un *centre d'excellence* susceptible d'attirer en priorité les fonds publics. Les universités et les centres de recherche peuvent ainsi démontrer la qualité de leurs enseignements et de leurs publications pour obtenir des budgets supplémentaires.

Le succès d'une stratégie de sophistication dépend de deux points essentiels :

- Il est nécessaire de clairement identifier *qui sont les clients*, ce qui n'est pas toujours trivial. Qui sont les clients d'une chaîne de télévision, les téléspectateurs ou les annonceurs qui payent pour diffuser leurs publicités ? Les clients d'une école ou d'une université sont-ils les étudiants ou les entreprises qui les recrutent ? Avant d'entreprendre une stratégie de différenciation, il convient donc de bien identifier qui sont les *clients stratégiques* (voir la section 2.4.3). Les organisations publiques sont confrontées à des problèmes comparables. La valeur perçue de leur offre est très différemment appréciée par les syndicats, le pouvoir politique ou les usagers. Or, les managers – dans le public comme dans le privé – peuvent dangereusement se méprendre sur ce que les clients *valorisent* effectivement (voir la section 2.4.4). Un manager peut par exemple concevoir une stratégie de sophistication en termes de raffinements techniques. Or, même si le produit obtenu présente des performances inégalées, il n'apporte aucun avantage concurrentiel si les consommateurs estiment que ce progrès ne constitue pas un supplément de valeur.

- Il est tout aussi important d'identifier *qui sont les concurrents* et donc quel est le marché visé. S'agit-il de conquérir une clientèle large – et donc de contrer l'offre de nombreux concurrents – ou au contraire de pratiquer une très forte différenciation qui s'adresse à une frange réduite de clientèle ? Pour cela, il est utile de bien distinguer les groupes stratégiques présents dans l'industrie (voir la section 2.4.1).

La détention d'une capacité stratégique permettant d'établir un avantage concurrentiel difficilement imitable est indispensable à la pérennité de la différenciation (voir la section 3.4.3). Pour autant, il est en général peu pertinent de fonder une stratégie de différenciation – qu'il s'agisse d'une épuration ou d'une sophistication – sur des bases statiques. En effet, les concurrents finissent toujours par imiter une différenciation réussie. On ne se différencie jamais dans l'absolu, mais par rapport aux offres concurrentes, qui bien évidemment n'ont aucune raison de ne pas évoluer, surtout face à une

Illustration 6.3

La stratégie d'épuration d'easyJet

Une stratégie d'épuration repose sur la réduction systématique de tous les coûts.

Lors de sa création en 1995, easyJet était considérée comme un épiphénomène de la déréglementation du transport aérien en Europe, et la plupart des observateurs prédisaient sa disparition rapide. Pourtant, au milieu des années 2000, cette compagnie implantée à l'aéroport de Luton, dans la grande banlieue de Londres, avait fait beaucoup mieux que survivre. Partie d'une modeste flotte de six avions en location utilisés sur une seule destination, easyJet possédait en 2006 pas moins de 122 avions qui transportaient plus de 33 millions de passagers sur 262 lignes desservant 74 aéroports européens. Son bénéfice s'élevait à 187 millions d'euros pour un chiffre d'affaires de 2,348 milliards.

La stratégie d'épuration pratiquée par easyJet était fortement inspirée de celle à laquelle se livrait le Texan Southwest Airlines sur les lignes intérieures américaines depuis 1971. Le rapport annuel de l'entreprise confirmait cette stratégie :

- Nous utilisons Internet pour réduire les coûts de distribution. Plus de 95 % de nos places sont vendues en ligne, ce qui fait d'easyJet l'un des tout premiers distributeurs en ligne d'Europe.

- Nous maximisons l'utilisation de nos actifs. Nos avions volent plus longtemps, avec des temps d'escale plus courts. Cela abaisse significativement nos coûts unitaires.

- Nous n'imprimons pas de billets. Nos passagers reçoivent un e-mail de confirmation. Cela nous permet de réduire les coûts d'édition, de distribution, de traitement et de vérification de millions de transactions annuelles.

- Nous ne servons pas de repas gratuits. Nous éliminons les services non nécessaires et complexes à gérer tels que la restauration gratuite, les sièges préattribués, les correspondances et le transport de fret. Cela nous permet de réduire notre coût total.

- Une utilisation efficiente des aéroports. Nous desservons les principaux aéroports européens, mais de manière plus efficiente que les compagnies traditionnelles grâce à des escales plus courtes et la négociation de tarifs d'accès progressifs. [Étant donné que easyJet n'assure pas de correspondances, les passagers doivent récupérer et réenregistrer leurs bagages à chaque escale. Cela implique que les avions n'ont pas à attendre le transfert des bagages avant de pouvoir repartir.]

D'autres facteurs contribuaient à la réduction des coûts :

- Une focalisation sur l'Airbus A319 et le retrait des Boeing 737 d'ancienne génération, ce qui permettait de bénéficier d'une « flotte d'avions récents, modernes et sûrs à un prix très compétitif ». Outre de substantielles économies de maintenance, ces avions étaient de plus en plus souvent directement possédés par easyJet, d'où une réduction des coûts financiers.

- Une réduction des coûts de manutention.

- Une politique de couverture face à la hausse du prix du carburant.

Par-delà ces différents facteurs, le rapport annuel 2006 affirmait que la proposition faite aux clients d'easyJet était la suivante :

- Un service pratique, sûr et peu coûteux. Nous desservons les principales destinations européennes à partir d'aéroports aisément accessibles et nous proposons un service à bord convivial. Notre différence est fondée avant tout sur notre personnel, qui contribue largement à notre succès. Tout cela nous permet de proposer une offre attractive pour une large gamme de clientèle, à la fois en tourisme et en affaires.

Source : easyjet.com.

Questions

1. En utilisant les sections 6.3.1 et 6.3.2, identifiez les fondements de la stratégie d'épuration d'easyJet.

2. La stratégie d'easyJet est-elle aisément imitable par un concurrent établi comme Air France ?

3. Est-ce que easyJet est fréquemment en concurrence avec d'autres compagnies à bas coûts, comme Ryanair, sur les mêmes trajets ? Quelles seraient les conséquences de cette concurrence frontale ?

Illustration 6.4

Une stratégie de sophistication réussie : BMW

La sophistication ou stratégie de différenciation vers le haut consiste à accroître la valeur de l'offre plus que l'on accroît son coût.

Grâce à des ventes mondiales de près de 1,4 million de voitures (et 100 000 motos), le constructeur automobile allemand Bayerische Motoren Werke (BMW) réalisa en 2006 un bénéfice de 2,9 milliards d'euros pour un chiffre d'affaires de 49 milliards. Possédé à 49 % par la famille Quandt, BMW affichait une capitalisation boursière d'environ 40 milliards d'euros, soit huit fois celle de General Motors.

Depuis les années 1960, BMW avait choisi une stratégie de différenciation vers le haut qui en avait fait le deuxième constructeur automobile le plus rentable au monde après Porsche. Près de 80 % du chiffre d'affaires était réalisé hors d'Allemagne, la marque possédant 23 usines réparties dans sept pays. C'était le premier importateur européen aux États-Unis, qui étaient son premier marché en volume, devant l'Allemagne. L'innovation – notamment en termes de moteurs – était au cœur de la stratégie de BMW : sur 106 600 salariés, 9 400 travaillaient dans les dix centres de R&D répartis dans cinq pays. Le groupe consacrait 6,5 % de son CA à la R&D, un ratio exceptionnel dans l'industrie. En cinq ans, avec seulement 5 % de salariés en plus, BMW avait augmenté son volume de production de 40 %.

L'approche de BMW pouvait être symbolisée par la comparaison entre son produit phare, la Série 3, et une voiture de taille comparable proposée par un constructeur généraliste, la Peugeot 407. En 2006, Peugeot avait vendu 181 500 exemplaires de sa 407, essentiellement en Europe, pour un prix de vente moyen de 27 000 euros (le tarif catalogue variant de 22 000 euros pour l'entrée de gamme à 46 350 euros pour le coupé à moteur V6 HDi). De son côté, BMW avait vendu 508 500 exemplaires de sa Série 3 (dont plus de 20 % aux États-Unis), pour un prix de vente moyen de 38 000 euros (le tarif catalogue variant de 28 100 euros pour l'entrée de gamme à 72 900 euros pour le coupé M3 à moteur 8 cylindres). Or, si l'écart de prix de vente moyen entre les deux voitures atteignait environ 40 % (soit 11 000 euros de plus pour une Série 3 que pour une 407), leur écart de coût ne dépassait pas 15 % (soit 2 500 euros de plus pour la BMW). Le coût supérieur de la BMW Série 3 s'expliquait par la complexité de ses moteurs (4, 6 et 8 cylindres essence et diesel) et par le fait que plus de 50 % de ses composants étaient fabriqués par des équipementiers allemands plus chers (électronique Fuba, connectique AMP, sellerie EYBL, etc.). Cependant, ces coûts directs plus élevés

étaient compensés par un volume de production supérieur à celui de la Peugeot 407. À l'inverse, le coût moindre de la Peugeot 407 s'expliquait par le fait qu'elle partageait de nombreux composants avec d'autres modèles du groupe PSA. De plus, ses équipements (sellerie Faurecia, éclairage Valeo, etc.) étaient moins coûteux et plus diversifiés que ceux de la BMW. Enfin, la clientèle de la BMW Série 3 délaissait les versions d'entrée de gamme au profit des versions plus sophistiquées et plus chères. Ce mouvement était particulièrement net aux États-Unis, où tous les modèles vendus étaient des 6 ou 8 cylindres. Au total, la marge réalisée par BMW sur chacune de ses voitures était trois fois supérieure à celle qui était réalisée par Peugeot.

BMW était expert en sophistication mais peu doué pour les stratégies de prix. L'entreprise l'avait appris à ses dépens avec l'épisode Rover. Racheté au Japonais Honda en 1994, ce constructeur généraliste britannique avait été revendu pour la somme symbolique de 15 euros en 1999. Habitué aux marges confortables et à la puissance de son image, BMW n'avait pas su gérer un constructeur généraliste au positionnement incertain. Cette opération ratée lui avait coûté au total 4 milliards d'euros.

BMW bénéficiait cependant du succès de deux marques héritées de cet épisode britannique et plus cohérentes avec son positionnement : Mini et Rolls-Royce. En 2006, le groupe avait ainsi vendu 188 000 Mini et 805 Rolls-Royce, là encore avec des marges particulièrement élevées.

En 2007, Norbert Reithofer, président du directoire de BMW, annonça une stratégie « à horizon 2020 » qui prévoyait la poursuite de la différenciation vers le haut, tout en admettant que « la formule du succès d'hier ne marchera pas dans le futur ». L'avenir passait notamment par l'ajout d'une quatrième marque, des efforts de productivité accrus et une réduction des coûts d'approvisionnement.

Sources : bmw.com ; www.psa-peugeot-citroen.com ; G. Naudy, « Les poules aux œufs d'or », *L'Auto Journal*, n° 564 (2001), pp. 15-16 ; J.L. Barbery, « Le duel des belles Allemandes », *L'Expansion*, septembre 2006 ; *Les Echos*, 10 octobre 2007.

Questions

1. Expliquez la stratégie de sophistication de BMW à partir du schéma 6.4. Discutez la viabilité d'une stratégie inverse (épuration) dans l'automobile.

2. Sur quelles ressources et compétences s'appuie la différenciation de BMW ? Son avantage concurrentiel vous paraît-il décisif, durable et défendable ?

3. Comparez le rapport qualité/prix de la BMW Série 3 avec celui de la Peugeot 407. Comment expliquez-vous que la BMW se vende presque trois fois plus que la Peugeot ?

différenciation particulièrement attractive. L'organisation peut alors être tentée de proposer une offre encore plus sophistiquée ou encore plus épurée, mais il existe dès lors un risque de différenciation excessive. L'offre n'est plus attractive pour une grande partie de la clientèle, les concurrents ne cherchent plus à l'imiter et on évolue vers une stratégie de *focalisation* (voir la section 6.3.5).

6.3.3 La stratégie hybride (trajectoire 3)

La **stratégie hybride** consiste à proposer simultanément un surcroît de valeur et une réduction de prix par rapport aux offres concurrentes. C'est par exemple la stratégie suivie par Free à partir de 2002 (voir l'illustration 6.2). Ici, le succès dépend à la fois de la capacité à générer de la valeur en répondant aux besoins des clients, mais également d'une structure de coûts suffisamment optimisée pour pouvoir pratiquer des prix bas, tout en maintenant une capacité d'investissement suffisante pour entretenir et renouveler les facteurs de différenciation[8]. On peut estimer que si l'on crée un surcroît de valeur pour le client, il n'est pas nécessaire de baisser les prix. On pourrait très bien les maintenir au niveau des offres concurrentes, voire les augmenter, comme dans le cas d'une stratégie de sophistication. Cependant, la stratégie hybride peut se révéler préférable dans les situations suivantes :

La stratégie hybride consiste à proposer simultanément un surcroît de valeur et une réduction de prix par rapport aux offres concurrentes

- Lorsqu'on peut produire et écouler des *volumes* très supérieurs à ceux de la concurrence, les marges peuvent rester élevées grâce à l'effet d'expérience.
- Lorsqu'il est possible d'identifier clairement les capacités stratégiques sur lesquelles la différenciation est établie, on peut *réduire fortement les coûts des autres fonctions*. Free utilise ainsi une fonction de support clientèle réduite, ce qui lui permet de concentrer ses investissements sur la différenciation obtenue grâce à sa technologie, son offre produits et le déploiement de son réseau (voir l'illustration 6.2).
- Lorsqu'on cherche à *pénétrer sur un marché* où des concurrents sont déjà établis. Une entreprise peut ainsi avoir intérêt à repérer des maillons faibles dans le portefeuille d'activités de ses concurrents – par exemple une division mal gérée sur une zone géographique particulière – et proposer sur ce marché une offre supérieure et moins chère[9]. L'objectif est de prendre des parts de marché et d'établir un tremplin à partir duquel de nouveaux développements seront possibles. Bien entendu, cela impose une structure de coûts globale permettant de se contenter localement de faibles marges.

Il est important de souligner que du fait de la pression concurrentielle et du progrès technologique *toute* stratégie tend à évoluer dans le sens de la stratégie hybride, c'est-à-dire vers un accroissement de la valeur pour une réduction du prix. On peut aisément constater cette tendance en comparant par exemple une automobile ou un vol transatlantique des années 1950 avec leurs équivalents actuels : la valeur est nettement supérieure (gains de qualité, de service, de rapidité, de fiabilité, etc.) pour un prix – en pourcentage du pouvoir d'achat moyen – qui a été au moins réduit de moitié. Le cas de l'informatique est encore plus impressionnant, puisqu'en vertu de la *loi de Moore*, constatée en 1965 par Gordon Moore – un des fondateurs d'Intel –, la vitesse et la puissance des ordinateurs doublent tous les dix-huit mois à prix constant.

Cette évolution, inévitable dans une économie de marché soumise à la concurrence, implique que toute stratégie générique ne peut être que temporaire. Puisque la valeur de l'offre augmente progressivement alors que son prix diminue, les stratégies de sophistication doivent continuellement ajouter des caractéristiques nouvelles pour ne pas être rattrapées par la concurrence banalisée, les stratégies d'épuration doivent veiller à ne pas proposer un produit ou un service trop minimaliste par rapport à une offre concurrente toujours plus élaborée, alors que les stratégies de prix ne doivent pas sacrifier l'amélioration de la valeur : du fait de la concurrence, l'offre de référence se déplace toujours dans le sens d'un ajout de valeur pour une réduction du prix. En fait, comme le montre le cas de Free dans l'illustration 6.2, la stratégie hybride consiste essentiellement à être en avance sur l'évolution inéluctable de l'offre de référence et par là même – en fixant de nouveaux standards de prix et de valeur – à précipiter son avancée. Cette évolution n'est pas toujours graduelle : de temps à autre, une *innovation disruptive* (voir la section 9.4.3) peut provoquer un déplacement brutal de l'offre de référence, ce qui repositionne l'ensemble des offres sur le marché. C'est par exemple l'effet qu'a eu l'apparition des compagnies à bas coûts dans le transport aérien (voir l'illustration 6.3) ou celle du MP3 dans l'industrie du disque.

6.3.4 Les stratégies de focalisation

L'horloge stratégique ne résume pas l'ensemble des stratégies possibles. En effet, dans toutes les trajectoires que nous avons étudiées jusqu'ici, l'objectif de l'organisation est de concurrencer l'offre de référence et d'attirer – en cas de succès – l'ensemble de la clientèle en lui proposant une combinaison de valeur et de prix qui correspond mieux à ses attentes. Or, il existe une option moins ambitieuse mais tout aussi envisageable, la **stratégie de focalisation** – ou *stratégie de niche –*, qui consiste à refuser la confrontation directe, pour se limiter à un segment de marché très spécifique, sur lequel on peut espérer être protégé des assauts de la concurrence. Il s'agit alors de proposer une offre très fortement différenciée qui ne peut attirer qu'une frange de clientèle.

La stratégie de focalisation – ou stratégie de niche – consiste à proposer une offre très fortement différenciée qui ne peut attirer qu'une frange de clientèle

La focalisation peut tout d'abord consister en un prolongement extrême des stratégies de sophistication (trajectoire 5) et d'épuration (trajectoire 1). On peut ainsi se focaliser sur une clientèle particulièrement aisée, en lui proposant un écart de valeur et de prix considérable par rapport à l'offre de référence, ou au contraire s'adresser aux moins fortunés, qui n'ont pas de moyens suffisants pour acquérir les produits de la concurrence. Dans un cas, on aboutit aux produits et aux services de luxe, comme les palaces, les vols en première classe ou les vêtements de haute couture, dont le marché mondial est limité à quelques milliers de privilégiés. L'autre extrême correspond à des offres minimalistes, réservées aux clients les plus démunis, comme le vin en brique ou les transports internationaux en autocar.

La stratégie de focalisation peut également s'appuyer sur une différenciation qualitative, qui consiste à se spécialiser sur une clientèle dont les besoins sont particuliers. On peut citer par exemple les vêtements pour femmes enceintes, les voiturettes sans permis ou encore les véhicules pour aéroports.

Dans tous les cas, la focalisation doit respecter quelques conditions de réussite :

● Le marché doit être d'une *taille suffisamment réduite* pour ne pas attirer les concurrents plus puissants. Le volume des ventes ne doit pas permettre à une grosse entreprise de couvrir ses frais de structure. De fait, l'entreprise qui choisit la focalisation est obligée de conserver une taille modeste, mais cela la protège de ses puissants concurrents.

- Les actifs permettant de répondre aux besoins de la cible retenue doivent être *spécifiques* : technologie propriétaire, machines spéciales, réseau de distribution dédié, etc. Si les concurrents qui s'adressent au marché général peuvent utiliser leurs ressources génériques pour intervenir sur la niche, celle-ci n'est pas protégée.
- Une niche judicieusement choisie est protégée des gros concurrents qui s'affrontent sur le marché général, mais elle peut très bien être convoitée par *plusieurs entreprises de petite taille* – ou par des divisions spécialisées d'organisations plus vastes. Il existe ainsi plusieurs dizaines de concurrents sur le marché des montres mécaniques de luxe. En fait, on peut retrouver au niveau d'une seule niche les différentes trajectoires figurant sur l'horloge stratégique, certains concurrents cherchant une différenciation encore plus élaborée, alors que d'autres peuvent viser l'épuration (relative) ou la stratégie de prix (mais pas de volume).
- La plupart des nouvelles entreprises débutent par une stratégie de focalisation qui leur permet, avec des moyens limités, de ne pas subir les assauts des concurrents établis. Cependant, en cas de succès et de croissance, leur niche finit par devenir attractive pour de gros concurrents. Il est alors nécessaire d'*abandonner la focalisation*, mais la transition vers une autre stratégie générique doit être menée avec soin : vaut-il mieux s'entraîner à affronter les gros concurrents ou chercher à être racheté par l'un d'entre eux ? La sortie de niche passe-t-elle par la salle de musculation ou par le concours de beauté ? Dans tous les cas, l'accroissement de clientèle implique en général une recomposition de la structure de financement de l'entreprise, et en particulier l'appel à de nouveaux actionnaires.

6.3.5 Les stratégies vouées à l'échec (trajectoires 6, 7 et 8)

Les stratégies des trajectoires 6, 7 et 8 mènent généralement à l'échec. La trajectoire 6 consiste à augmenter le prix sans accroître la valeur perçue par les clients. Il s'agit d'une stratégie que des organisations en situation de monopole peuvent être tentées de suivre. Cependant, à moins que ces organisations ne soient protégées par la législation ou par des barrières à l'entrée infranchissables, la concurrence finira toujours par éroder leurs privilèges. La trajectoire 7 est encore plus désastreuse, puisqu'elle implique une réduction de la valeur du produit ou du service, accompagnée d'une augmentation de prix. Même une organisation farouchement protégée par la force publique et jouissant d'une situation de monopole sur une offre indispensable à la population (santé, énergie, etc.) ne peut durablement subsister avec un tel positionnement, en tout cas dans une démocratie. La trajectoire 8, qui correspond à une réduction de valeur pour un prix comparable à celui de la concurrence, est également dangereuse, bien qu'elle puisse sembler séduisante pour certaines organisations. Les concurrents risquent en effet d'en profiter pour accroître substantiellement leur part de marché.

On peut également estimer qu'il existe une quatrième trajectoire d'échec, qui consiste à ne pas clairement choisir *une* stratégie générique. Bien des organisations restent ainsi *coincées au milieu* de plusieurs trajectoires possibles, faute de s'investir pleinement sur l'une d'entre elles. C'est ce qui explique par exemple l'échec du rachat du constructeur généraliste Rover par BMW (voir l'illustration 6.4) ou réciproquement celui du constructeur différencié Jaguar par Ford.

Se refuser à définir son positionnement est une erreur majeure, car la stratégie consiste avant tout à choisir ce que l'on ne fera pas.

6.4 Conserver l'avantage concurrentiel

La pérennité de l'avantage concurrentiel est une question cruciale. Est-il possible de construire un avantage concurrentiel qui puisse être conservé au cours du temps ? Plusieurs points de vue existent. Cette section présente les arguments en faveur de la pérennité, en s'appuyant notamment sur la notion de robustesse des capacités stratégiques (voir la section 3.4.3). Cependant, comme nous le verrons dans la section 6.5, on peut également affirmer que face à un environnement de plus en plus turbulent et incertain, le maintien de l'avantage concurrentiel devient extrêmement difficile, voire impossible.

6.4.1 Conserver un avantage de prix

Le maintien d'un avantage de prix peut reposer sur plusieurs approches (voir le schéma 6.5) :

- Une organisation peut accepter des *marges unitaires réduites* lorsqu'elle peut les compenser par une augmentation de son volume de ventes ou lorsqu'elle peut s'appuyer sur des synergies avec d'autres activités au sein de son portefeuille (voir le chapitre 7).

Schéma 6.5 **La robustesse de l'avantage concurrentiel**

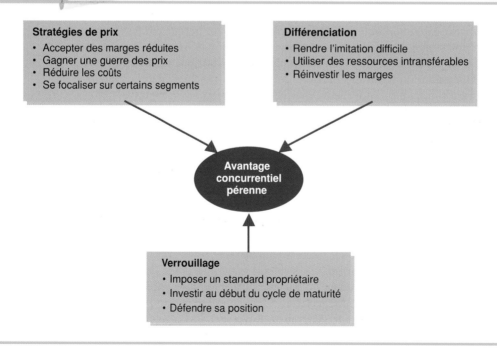

- Certains concurrents peuvent bénéficier d'une *structure de coûts* unique, par exemple un accès à un réseau de distribution particulier, la possibilité d'obtenir des matières premières à un prix plus faible ou la localisation dans une zone où la main-d'œuvre est moins coûteuse.
- Les avantages de coûts peuvent résulter de *capacités organisationnelles spécifiques* qui permettent d'améliorer l'efficience tout au long de la chaîne de valeur. Michael Porter définit le concurrent qui pratique la domination par les coûts comme « *Le* producteur dont les coûts sont les plus faibles [...] un producteur à bas coûts doit trouver et exploiter toutes les sources d'avantage de coûts[10] » (voir la section 3.3 et le schéma 3.3). Cela peut nécessiter un état d'esprit dans lequel l'innovation orientée vers la réduction des coûts est considérée comme essentielle à la survie. C'est ainsi que la compagnie aérienne à bas coûts Ryanair a déclaré en 2006 que son ambition ultime était de proposer des billets gratuits.
- Il convient de se préparer – si nécessaire – à mener et à gagner une *guerre des prix*, ce qui implique de bénéficier d'une meilleure structure de coûts ou de réserves financières plus importantes, permettant de supporter des pertes à court terme dans le but de décourager les concurrents sur la durée.
- Une organisation peut chercher à *exploiter au mieux la courbe d'expérience* en concentrant son apprentissage sur les étapes de la chaîne de valeur qui lui permettront de réduire ses prix. Cependant, cela n'a d'intérêt qu'à la condition que les concurrents soient incapables de faire de même. Il est donc essentiel de repérer sur quelles étapes de la chaîne de valeur les concurrents sont les plus vulnérables, du fait d'une part de marché relative significativement plus faible ou de coûts intrinsèquement plus élevés.
- On peut également se focaliser sur des *segments de clientèle* qui recherchent avant tout les prix les plus bas. Le succès des marques distributeurs proposées par les super et hypermarchés est caractéristique de cette démarche : ils peuvent pratiquer des prix bas pour des produits semblables car ils n'ont pas à supporter les coûts de structure et de publicité des grandes marques.

Le maintien d'une stratégie de prix expose cependant à deux risques majeurs :

- La baisse des prix finit nécessairement par provoquer une *baisse de la valeur* dans l'esprit du client. La stratégie de prix évolue alors de manière non intentionnelle vers une stratégie d'épuration, avec le risque que le différentiel de prix ne soit plus considéré comme légitime par rapport au différentiel de valeur.
- À force de se concentrer sur la baisse des prix, les concurrents peuvent perdre la capacité à concevoir leur offre en termes de *création de valeur*. L'externalisation des services informatiques – pour des raisons de coûts – s'est ainsi traduite par leur banalisation, et plus personne ne s'interroge sur la manière dont les stratégies concurrentielles pourraient être transformées par ces systèmes (voir la section 12.3).

6.4.2 Conserver un avantage de différenciation

Il est peu pertinent de construire une différenciation sur des critères que les concurrents peuvent aisément imiter. Beaucoup d'entreprises tentent d'obtenir un avantage concurrentiel grâce au lancement de nouveaux produits et services qui sont rapidement imités par leurs concurrents. Cela ne signifie pas que ces innovations sont inutiles, mais elles ne permettent pas d'établir une différenciation durable. L'illustration 6.5 montre comment les producteurs de vin français et australiens ont tenté de se différencier les uns par rapport aux autres. De même, le débat qui clôt ce chapitre (voir l'illustration 6.7) porte sur la pertinence de l'avantage concurrentiel obtenu grâce à une différenciation.

La pérennité de la différenciation repose sur les points suivants (voir le schéma 6.3) :

- Les *difficultés d'imitation*. Nous avons déjà détaillé les caractéristiques d'une stratégie difficilement imitable (complexité, ambiguïté, encastrement dans l'histoire et la culture) dans la section 3.4.3.
- Certaines ressources ou compétences peuvent se révéler *intransférables*, c'est-à-dire impossibles à transposer dans d'autres organisations. Un laboratoire pharmaceutique peut retirer un avantage déterminant grâce à la qualité de ses chercheurs, tout comme un club de football grâce à ses joueurs vedettes. Cependant, ces précieux actifs peuvent être captés par les concurrents : ils sont transférables. Ce n'est pas le cas de certains critères de différenciation :

  - Des *actifs intangibles* comme une marque ou une réputation. Lorsqu'un concurrent acquiert une entreprise qui bénéficie d'une excellente réputation, celle-ci peut être mise en cause par les clients du fait du changement de propriétaire.
  - Les *coûts de transfert*. Lorsque le coût associé au changement de fournisseur est excessif aux yeux des clients, le simple fait de proposer une offre comparable ne suffira pas à les attirer.
  - La *cospécialisation*. Si les ressources et compétences d'une organisation sont intimement liées à celles de ses clients – par exemple dans le cadre d'une stratégie d'externalisation –, le transfert vers un autre partenaire peut se révéler extrêmement problématique.

- Une organisation qui bénéficie d'une *structure de coûts* inférieure à celle de ses concurrents peut décider de ne pas baisser ses prix en conséquence, mais au contraire de conserver des marges élevées pour investir dans le renforcement de sa différenciation. C'est par exemple le choix qu'ont fait Kellogg's et Mars. Lorsqu'une entreprise met au point un procédé de fabrication significativement moins coûteux que celui de ses concurrents, son intérêt n'est pas nécessairement d'abaisser ses prix. En effet, si elle exclut la plupart des concurrents du marché en pratiquant des tarifs inférieurs à leur prix de revient, elle court le risque de voir le prix de marché descendre au niveau de ses propres coûts et donc éroder ses marges. Il peut être plus pertinent de maintenir les prix juste au-dessus des coûts des concurrents. Leur difficulté à réaliser des profits sert alors de rempart à la baisse des prix. On cherche ainsi non pas une part de marché, mais une part des profits. Historiquement, cette approche a notamment été utilisée par le fabricant de skis Salomon.

Le verrouillage consiste pour une organisation à imposer au marché sa technologie ou sa démarche, jusqu'à en faire un standard de l'industrie

6.4.3 Le verrouillage du marché

Une autre manière de concevoir la pérennité des stratégies de prix ou de différenciation passe par la notion de verrouillage[11], qui consiste pour une organisation à imposer au marché sa technologie ou sa démarche, jusqu'à en faire un *standard* de

Illustration 6.5

Bataille dans le vin :
le match France Australie

Une différenciation réussie doit s'appuyer sur ce que les clients valorisent.

Pendant des siècles, les vins français ont été considérés comme les meilleurs du monde. Au travers du système d'appellation d'origine contrôlée (AOC), qui différenciait environ 450 régions selon leur climat, leur sol et leur cépage, la tradition vinicole française reposait sur la notion de terroir. Les producteurs, grâce à leur expérience et leur savoir-faire, étaient les garants de cette tradition.

En 2001, la domination traditionnelle des vins français à l'exportation était gravement érodée par le succès des vins dits du « Nouveau Monde » (Chili, Afrique du Sud, Argentine, États-Unis, Nouvelle-Zélande et surtout Australie). Sur le marché britannique, premier marché extérieur des vins français, les vins du Nouveau Monde représentaient 37 % des ventes en valeur, soit une progression de 125 % par rapport à 1995, essentiellement au détriment des vins français. Sur le segment des vins à plus de 8 euros, les vins australiens étaient même en tête des ventes.

Le succès des vins australiens auprès des distributeurs pouvait s'expliquer par toute une série de facteurs. Leur qualité était constante, à l'inverse des vins français qui variaient beaucoup selon l'année et l'origine. Alors que les producteurs français avaient toujours mis en avant l'importance du terroir, l'Australie s'était présentée comme une seule région vinicole produisant plusieurs cépages tels que le shiraz ou le chardonnay. Cela permettait d'éviter la difficulté que rencontrait la très grande majorité des clients des vins français, incapables de situer tel château du Médoc par rapport à tel village du Mâconnais. Les producteurs de vins du Nouveau Monde avaient délibérément construit leur approche en partant du consommateur, non du terroir. Il s'agissait en général de grandes entreprises qui composaient le style, la qualité et le goût de leurs vins à partir d'études de marché auprès des clients, puis achetaient le raisin qui leur était nécessaire et obtenaient ainsi un produit standardisé mais de qualité constante. À l'inverse, les vins français étaient beaucoup plus imprévisibles, ce qui faisait tout leur charme auprès des connaisseurs, mais se révélait exaspérant pour le consommateur moyen, furieux de ne pas avoir obtenu la qualité pour laquelle il avait payé.

Entre 1994 et 2003, la France perdit 84 000 viticulteurs. L'inquiétude était si forte qu'en 2001 le gouvernement français chargea un comité d'experts d'étudier le problème. Les conclusions de ce comité choquèrent les puristes. Leur rapport recommandait en effet de mener la riposte sur deux fronts : d'une part améliorer la qualité des vins d'appellation d'origine contrôlée (AOC) et d'autre part créer une nouvelle catégorie, les vins de cépage des pays de France, produits et assemblés aux normes de la compétition internationale, sur la base d'une liste de cépages et non plus de terroirs.

En droite ligne avec cette recommandation, Opéra Vins et Spiritueux (OVS), un groupe formé de sept coopératives, annonça qu'il ambitionnait de devenir un des trois premiers acteurs vinicoles en France en commercialisant des vins « faciles » sous la marque ombrelle Chamarré. Ces vins seraient conçus comme les vins australiens et vendus aux mêmes prix qu'eux, entre 7 et 10 euros la bouteille. Pascal Renaudat, le gérant de OVS, déclara :

> Nous avons simplifié notre produit et refusé l'arrogance qui nous caractérisait peut-être. Il est important de produire à bon prix un vin qui corresponde à ce que veulent boire les consommateurs… Ce n'est pas un vin pour les connaisseurs, mais pour le plaisir.

« Il est temps de se débarrasser de la prétention guindée qui enferme le vin français », déclara Renaud Rosari, le maître de chais de Chamarré. « Avec Chamarré, nous voulons donner de la vie à notre vin pour le consommateur. C'est une marque vivante, simple et accessible, synonyme de qualité constante et du style décontracté que recherchent les consommateurs. » L'objectif affiché de OVS était de vendre 4 millions de bouteilles en 2006, 25 millions en 2009 et 30 millions en 2010, dont neuf dixièmes hors de France.

Les observateurs britanniques saluaient cette riposte française à l'affront australien, mais Jamie Goode, de wineanorak.com, souligna que : « Le problème est que tout le monde fait ça… La clé est l'accès au marché. Vous devez être présent dans la grande distribution, ce qui implique une marque forte, sinon, avec leur pouvoir de négociation, les centrales d'achat vous imposeront des prix ridiculement bas. »

Sources : adapté du *Financial Times*, 11 février et 3 et 4 mars 2001 ; *The Independent*, 4 août 2003 ; *Les Echos*, 10 septembre 2003 ; *Sunday Times*, 5 février 2006 ; *The Guardian*, 7 février 2006 ; *Les Echos*, 21 février 2006 et 15 juin 2007.

Questions

1. Expliquez la réputation historique du vin français en utilisant la notion de pérennité de l'avantage concurrentiel (voir les sections 6.4.2 et 3.4).

2. Quelles sont les raisons du succès des vins du Nouveau Monde ? Ce succès peut-il être pérennisé ?

3. Quelle est la stratégie concurrentielle adoptée par Chamarré pour répondre au défi des vins australiens (et des autres vins du Nouveau Monde) ?

l'industrie. IBM a fondé historiquement son succès sur cette approche, tout comme Microsoft (avec le MS-DOS, puis Windows) ou Intel (avec ses gammes Pentium, puis Centrino). Les technologies qui accèdent au rang de standard ne sont pas nécessairement les meilleures sur le plan technique. Parmi les contre-exemples célèbres, on peut rappeler que l'Apple OS du Macintosh était indiscutablement supérieur au MS-DOS du PC. La performance technologique n'est donc pas la clé du verrouillage d'un marché. Il s'agit de redéfinir l'architecture de l'industrie autour du standard, de telle manière que la plupart des organisations présentes soient contraintes de fonder leur prospérité sur son adoption. C'est ainsi que de nombreuses sociétés de logiciel ont développé des produits pour le système Windows et les processeurs Intel, réduisant de fait l'attractivité et la légitimité des standards concurrents.

Pour verrouiller une industrie à l'aide d'un standard, plusieurs critères sont nécessaires (voir le schéma 6.5) :

- La première condition est l'obtention d'une *part de marché dominante*. Il est probable que les autres organisations n'acceptent de se conformer à un standard qu'à la condition qu'il leur assure d'incontestables débouchés. La victoire du MS-DOS sur l'Apple OS nous rappelle que la prolifération rustique l'emporte toujours sur le raffinement sélectif.

- Pour imposer un standard, il est nécessaire d'obtenir une position dominante dans les toutes premières phases de développement de l'industrie : c'est une des dimensions de l'*avantage au premier entrant* (voir les sections 3.3 et 9.4.1). La volatilité fréquente dans les marchés immatures peut permettre à des organisations dont c'est le seul objectif de s'emparer le plus vite possible d'une part de marché dominante. C'est l'approche qu'ont utilisée Microsoft et Intel. Il s'agit donc de s'imposer au démarrage du cycle de maturité de l'industrie, voire avant : de plus en plus souvent, les entreprises tentent de définir les standards avant même leur lancement, afin d'éviter des guerres aussi longues que coûteuses. On peut citer le DVD, qui a résulté d'un accord préalable entre constructeurs et non d'un conflit ouvert sur le marché.

- Une fois qu'un standard obtient une position dominante, il bénéficie d'une *boucle de rétroaction positive* : plus nombreux sont les clients et les concurrents ayant adopté le standard, plus ceux qui ne l'ont pas encore rejoint sont tentés de le faire. Pour les concurrents, il s'agit d'assurer leurs débouchés. Pour les clients, c'est une manière de limiter le risque de leur investissement.

- Lorsqu'une entreprise a réussi à imposer son standard à l'industrie, elle détient un avantage concurrentiel particulièrement précieux, qu'elle cherchera généralement à protéger de manière agressive. Microsoft a ainsi été accusé par les tribunaux d'abuser de sa capacité à verrouiller son marché à l'aide de Windows.

6.4.4 Comment répondre à des concurrents à bas prix ?[12]

Comme le montre l'exemple de l'industrie du transport aérien, l'irruption de concurrents à bas prix constitue une menace majeure pour les acteurs en place. De même, dans les services publics, la recherche d'efficience et d'équilibre budgétaire ouvre la porte à de nouveaux prestataires moins coûteux que les opérateurs traditionnels. Du fait de ces nouveaux entrants, les concurrents établis, qui constituaient jusque-là l'offre de référence, peuvent se retrouver malgré eux relégués en position de sophistication, voire être exclus du marché.

Le schéma 6.6 montre quelles sont les questions à se poser face à une telle situation et quelles peuvent être les réponses. Si les concurrents établis souhaitent maintenir une offre plus élaborée que celle des nouveaux entrants, on peut leur faire les recommandations suivantes :

- Construire de *multiples sources de différenciation*. Il est plus facile de démontrer que la valeur est supérieure si l'on peut s'appuyer sur plusieurs critères. Le Danois Bang & Olufsen a ainsi maintenu la valeur de ses systèmes audiovisuels grâce à la conjonction d'un design spécifique, d'innovations technologiques et de la maîtrise de son réseau de distribution.
- S'assurer que la différenciation est *perceptible*. Les clients doivent être capables de percevoir la différence. Gillette a ainsi éprouvé des difficultés à persuader les clients de l'intérêt de ses piles Duracell, qui n'offraient pas de véritables différences par rapport aux piles à bas prix proposées par la grande distribution.

| Schéma 6.6 | **Résister à des concurrents à bas prix** |

Lorsqu'un concurrent à bas prix pénètre dans votre industrie :

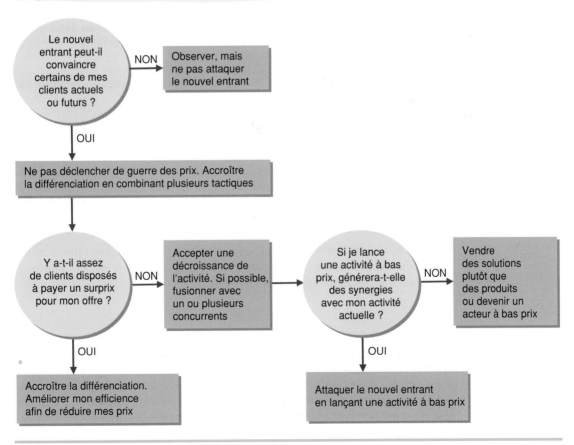

- *Réduire l'écart de prix* avec les nouveaux entrants. C'est ce qui fait l'intérêt d'une stratégie hybride.
- Se focaliser sur les *segments de marché moins sensibles au prix*. Face à easyJet ou Ryanair, la plupart des compagnies aériennes traditionnelles se sont recentrées sur les vols long-courriers et sur la clientèle affaires.

Si les concurrents en place souhaitent combattre les nouveaux entrants sur le terrain du prix, on peut leur conseiller les approches suivantes :

- Établir une *marque spécifique* au positionnement à bas prix, afin d'éviter la confusion dans l'esprit des clients. Depuis mai 2007, Air France/KLM utilise ainsi une marque réservée au transport à bas prix : Transavia.com.
- *Gérer séparément* la nouvelle activité afin de s'assurer qu'elle recevra les ressources nécessaires. Le risque est de considérer la nouvelle activité à bas prix comme un sous-produit ou de l'étouffer sous les procédures et la culture de l'activité traditionnelle.
- S'assurer de la *différence de positionnement* entre l'activité traditionnelle et la nouvelle activité à bas prix. Les filiales Internet de certaines banques pratiquent ainsi des tarifs inférieurs à ceux des agences physiques, ce qui leur permet de toucher de nouveaux segments de clientèle.
- Laisser à la nouvelle activité *l'autonomie* nécessaire au déploiement de sa propre stratégie concurrentielle. Il ne s'agit pas de se contenter d'une stratégie défensive. La nouvelle activité doit être considérée comme un DAS à part entière. Les projections financières doivent anticiper une certaine cannibalisation de l'offre traditionnelle.

Une troisième possibilité pour les concurrents établis consiste à *modifier leur modèle économique* :

- *Devenir un fournisseur de solutions*. Les nouveaux entrants à bas prix vont probablement se focaliser sur une offre simple, ce qui laisse la possibilité de solutions plus élaborées, incorporant des produits et des services. Beaucoup d'entreprises industrielles occidentales, confrontées à la concurrence des pays à bas coûts de main-d'œuvre, ont ainsi migré vers des activités de conseil et de conception.
- *Devenir un concurrent à bas prix.* La réponse la plus radicale consiste à abandonner l'activité traditionnelle pour répondre frontalement aux nouveaux entrants[13]. Cette approche est cependant extrêmement risquée car elle implique une refonte totale de la stratégie. S'il s'agit de jouer le jeu des nouveaux entrants, ceux-ci sont en général les mieux armés.

6.5 Les stratégies concurrentielles en environnement hypercompétitif

Dans les sections 6.3 et 6.4, nous avons supposé que toute stratégie concurrentielle est fondée sur la recherche d'un avantage concurrentiel durable. Cependant, cela n'est pas toujours possible, comme nous allons le voir dans les sections 6.5, 6.6 et 6.7.

Comme nous l'avons constaté dans la section 2.3.2, beaucoup d'organisations sont confrontées à des situations turbulentes, incertaines et imprévisibles, dans lesquelles la concurrence est de plus en plus âpre. Nous avons qualifié ce type d'environnement d'*hypercompétitif*[14]. Dans ce contexte, l'imitation, l'obsolescence et les évolutions rapides des préférences des clients impliquent que tout avantage ne peut être que temporaire. Les stratégies concurrentielles reposent alors sur la vitesse, sur la flexibilité et sur l'innovation. Cette section est consacrée aux stratégies concurrentielles en environnement hypercompétitif (voir le schéma 6.7).

Schéma 6.7	**Les stratégies concurrentielles et l'hypercompétition**

6.5.1 Surmonter l'avantage des concurrents

Il existe plusieurs manœuvres permettant de surmonter l'avantage des concurrents :

- *L'imitation.* Un concurrent peut chercher à obtenir un avantage en proposant de nouveaux produits ou services ou en pénétrant sur de nouveaux marchés. Ces manœuvres peuvent être relativement faciles à imiter.
- *Le repositionnement stratégique.* Comme nous l'avons vu dans la section 6.4.4, l'une des manières de surmonter l'avantage d'un concurrent consiste à se repositionner sur l'horloge stratégique. Un concurrent établi peut ainsi se repositionner face à un nouvel entrant à bas prix. De même, une organisation qui suit une stratégie d'épuration peut tenter d'introduire un certain degré de sophistication sans pour autant accroître son prix (ce qui correspond à un repositionnement sur la trajectoire 3 sur l'horloge stratégique). Bien entendu, ce nouveau positionnement risque d'être imité par les concurrents, ce qui impose de concevoir de nouvelles sources de différenciation. L'innovation et l'agilité[15] sont donc essentielles.
- *Bloquer un avantage au premier entrant.* Les concurrents ne doivent donc pas laisser à un pionnier le temps d'établir un avantage grâce à un nouveau produit ou un nouveau modèle économique. Plutôt que de lancer une imitation de la nouvelle offre, ils doivent en proposer une version plus perfectionnée, afin d'établir une sophistication leur permettant de dépasser ou de contourner le pionnier.

- *Surmonter les barrières à l'entrée.* Il existe plusieurs manières de surmonter les barrières à l'entrée :

  – *Prendre les places fortes.* Une entreprise peut tenter de dominer une zone particulière – que ce soit une région géographique ou un segment de marché – afin d'y détenir un pouvoir de marché incontestable. Cependant, ces places fortes peuvent être envahies. Les concurrents peuvent par exemple utiliser les économies d'échelle qu'ils ont obtenues sur d'autres marchés pour pénétrer dans la place forte. Une manière de dissuader un concurrent d'envahir une place forte consiste d'ailleurs à menacer d'envahir la sienne. Cette stratégie du « œil pour œil » est typique de marchés tels que le ciment ou la sidérurgie, dans lesquels l'ajout d'une capacité de production supplémentaire est préjudiciable à l'ensemble des concurrents. Il est également possible de tenter de construire des places fortes en contrôlant les réseaux de distribution. Les nouveaux entrants peuvent contourner cette stratégie en établissant de nouveaux canaux : vente par correspondance plutôt que magasins, vente en ligne plutôt que distributeurs, etc. L'acquisition d'une partie des réseaux de distribution existants peut également permettre de renverser ce type de place forte.

  – *Contrecarrer la puissance de feu.* Certains concurrents peuvent disposer de substantielles réserves de ressources (ce que l'on appelle quelquefois leur *puissance de feu*) permettant de soutenir une longue guerre concurrentielle (comme nous l'avons vu dans la section 6.4.1). Pour surmonter cet avantage, les concurrents de taille plus modeste peuvent se regrouper. C'est ce que font les groupements de distributeurs tels que Leclerc ou Intermarché pour concurrencer les groupes intégrés tels que Carrefour ou Auchan.

6.5.2 Les caractéristiques des stratégies hypercompétitives réussies

Le message radical proposé par Richard D'Aveni[16] est que les managers doivent repenser intégralement leur approche de la stratégie. Il n'est plus possible de planifier des positions pérennes liées à la maîtrise durable d'un avantage concurrentiel. Au contraire, la planification à long terme risque de détruire l'avantage concurrentiel car elle allonge les délais de réponse. Dans un environnement hypercompétitif, les organisations doivent apprendre à faire mieux et plus vite que leurs concurrents, mais si tout le monde y parvient, le niveau de concurrence sera encore exacerbé et l'obtention d'un avantage encore plus improbable. Certains principes inconfortables – voire paradoxaux – émergent de cette constatation :

- Tout avantage n'est qu'éphémère et finit nécessairement par s'éroder, une stratégie pertinente est toujours imitée et *une bonne idée ne peut jamais être une bonne idée longtemps.* Cependant, un avantage à long terme peut résulter d'une *succession d'avantages temporaires.*
- Maintenir obstinément un avantage passé peut empêcher de développer les nouvelles conditions de succès. Un leader doit être capable de *détruire délibérément la stratégie qui l'a conduit au succès* plutôt que de mourir avec elle. Afin d'assurer leur pérennité, les entreprises doivent être préparées à détruire les fondements de leur propre avantage concurrentiel[17].

- Il faut *éviter d'attaquer systématiquement les faiblesses des concurrents.* Si un concurrent finit par être habitué à un type d'attaque, il peut les anticiper et apprendre à les contrecarrer.
- Plutôt que de tenter d'élaborer et de déployer un plan magistral capable de remettre en cause toute la stratégie établie, mieux vaut *multiplier les initiatives modestes* qui contribuent chacune à infléchir l'orientation générale. L'objectif à long terme est ainsi moins aisément discernable par les concurrents, et la liberté de mouvement est beaucoup plus grande.
- *Rompre le statu quo* est un comportement stratégique et non une provocation sans fondement. La capacité à constamment « casser le moule » peut devenir une compétence fondamentale.
- *Tenter d'être imprévisible.* Si le comportement d'une entreprise est prévisible, ses manœuvres seront nécessairement anticipées et/ou imitées par les concurrents. La surprise est donc essentielle. Dans ces conditions, l'imprévisibilité et l'irrationalité – au moins apparentes – peuvent être préférables. Les managers doivent éviter d'utiliser des schémas de comportement convenus et des stratégies gagnantes maintes fois répétées. L'imprévisibilité et l'incohérence doivent cependant être gérées avec précaution en interne.
- Il peut être particulièrement utile de *tromper les concurrents* sur les intentions stratégiques réelles. On peut pour cela s'inspirer de la théorie des jeux (voir la section 6.7 ci-dessous) et afficher des manœuvres qui relèvent avant tout du bluff, le déploiement des stratégies effectives bénéficiant alors de l'effet de surprise[18].

6.6 Compétition et collaboration[19]

Jusqu'ici, nous avons largement mis l'accent sur la nature fondamentalement concurrentielle des industries et des marchés. Cependant, la concurrence n'est pas toujours la seule solution envisageable. Dans certains cas, la collaboration entre les organisations peut permettre de construire un avantage ou d'éviter la concurrence. En général, la collaboration entre des concurrents (on parle alors d'alliance) ou entre des fournisseurs et des clients (ce qui correspond à un partenariat) est avantageuse lorsque la somme des coûts d'achat et des coûts de transaction (qui incluent le repérage des partenaires et la négociation d'un contrat) est moins élevée que le coût que devrait supporter l'organisation pour effectuer la même tâche en interne. La collaboration peut aussi permettre d'établir des coûts de transfert. Il est possible d'illustrer les avantages de la collaboration en utilisant le modèle des 5(+1) forces de la concurrence que nous avons introduit dans la section 2.3.1 (voir le schéma 6.8) :

- *Collaboration afin d'accroître le pouvoir de vente.* Un nombre croissant de fournisseurs (par exemple les équipementiers automobiles ou les fabricants de composants pour l'aéronautique) cherchent à établir des liens étroits avec leurs puissants clients, afin de réduire les délais de livraison, de participer aux activités de recherche et développement, de construire des systèmes d'information communs permettant de diminuer les stocks et même de faire partie des équipes de conception des nouveaux modèles. Les relations ainsi établies augmentent le

Schéma 6.8　Compétition et collaboration

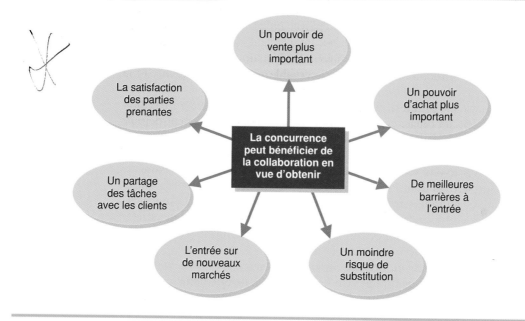

coût de transfert pour les constructeurs, qui en cas de changement de fournisseur devront construire une nouvelle collaboration.

- *Collaboration afin d'accroître le pouvoir d'achat.* Cette situation est typique des centrales d'achat de la grande distribution et notamment de celles qui rassemblent des opérateurs indépendants comme Leclerc ou Intermarché. Par le recours à leur centrale, ces magasins sont capables d'obtenir de leurs fournisseurs des conditions tarifaires qui leur seraient systématiquement refusées s'ils négociaient individuellement. Dans les services publics, si pendant des décennies les entreprises pharmaceutiques ont pu profiter de la très forte fragmentation de leurs clients (les médecins), les gouvernements cherchent désormais à mettre fin à cette situation, soit en obligeant les médecins à se regrouper, soit en mettant en place des agences de certification des médicaments qui assurent de fait un rôle de centrale d'achat.

- *Collaboration permettant de construire des barrières à l'entrée ou d'éviter des substitutions.* Face à la menace de nouveaux entrants ou de substituts, les concurrents d'une industrie peuvent chercher à collaborer afin d'investir conjointement dans la recherche ou dans le marketing. C'est notamment ce qui s'est produit en France dans l'industrie sucrière lors de l'apparition de l'aspartame : un collectif de producteurs de sucre de betterave a financé une série de campagnes de promotion sur le sucre. Une approche identique a été adoptée par les producteurs d'acier afin de contrer la substitution par le verre ou l'aluminium.

- *Collaboration afin de surmonter des barrières à l'entrée ou d'améliorer la position concurrentielle.* Une organisation qui cherche à développer son activité au-delà de ses frontières traditionnelles peut recourir à la collaboration, que ce soit au travers de réseaux informels ou par l'établissement d'alliances structurées. Une bonne manière d'acquérir des connaissances sur un marché spécifique consiste à collaborer avec des concurrents locaux. D'ailleurs, dans certains pays, les gouvernements obligent les nouveaux entrants à fonder des coentreprises avec des acteurs locaux. La collaboration peut aussi permettre de développer à moindres frais des infrastructures telles qu'un réseau de distribution, un système d'information ou un centre de recherche et développement. La collaboration peut enfin être requise pour des raisons culturelles : les clients peuvent préférer traiter avec des partenaires locaux plutôt qu'avec des expatriés. Dans un nombre croissant d'industries, du fait d'une concurrence accrue, on constate une *désintégration verticale* des filières. Or, si chaque entreprise se concentre sur un champ de compétence de plus en plus étroit, la capacité à proposer des solutions cohérentes aux clients passe nécessairement par un surcroît de collaboration[20].

- *Collaboration afin de partager des tâches avec des clients.* Dans un nombre croissant de pays, les services publics ont tendance à solliciter leurs clients ou leurs usagers dans la réalisation de leur tâche[21]. Il s'agit par exemple de l'autoévaluation de l'impôt sur le revenu, dont les motivations incluent tout autant un souci d'efficience que de qualité, d'exactitude et d'appropriation de la part du contribuable. Les entreprises spécialisées dans le commerce en ligne utilisent une approche comparable : les sites Internet sont conçus pour permettre aux clients de personnaliser le produit qu'ils achètent (ordinateur, bouquet de fleurs, voyage, etc.) en fonction de leurs propres besoins.

- Dans le secteur public, la collaboration peut être *exigée par les autorités* qui cherchent à maximiser l'impact de leur financement, à accroître les standards de qualité ou à résoudre des problèmes sociaux qui impliquent la participation de plusieurs champs d'expertise (comme la lutte contre la drogue ou la sécurité). Une différence majeure avec le secteur privé est que le partage des connaissances et la diffusion des meilleures pratiques sont considérés comme un devoir (ou du moins fixés comme une exigence). Cette idéologie altruiste – qui fait primer l'intérêt collectif sur celui de l'organisation – peut rapidement générer des dilemmes dans les services publics marchands dont la performance est évaluée au travers d'étalonnages et de classements. Collaborer avec des concurrents n'est jamais simple.

6.7 La théorie des jeux[22]

La **théorie des jeux** étudie les interdépendances entre les actions d'un ensemble de concurrents. Cette théorie repose sur deux postulats fondamentaux :

- La *rationalité*. Les concurrents sont censés avoir un comportement rationnel : ils ne prendront pas de décisions contraires à leur propre intérêt.
- L'*interdépendance*. Les concurrents sont censés se trouver dans une situation d'interdépendance : ils sont affectés par leurs actions réciproques ; les manœuvres de l'un d'entre eux déclenchent des réactions de la part des autres ; les choix des uns sont influencés par les choix des autres. De plus, les concurrents sont conscients de ces interdépendances et ils sont capables d'anticiper les différentes décisions que peuvent prendre tous les acteurs en présence.

La théorie des jeux étudie les interdépendances entre les actions d'un ensemble de concurrents

De ces postulats découlent deux principes de base pour le stratège qui souhaite utiliser la théorie des jeux :

- *Prendre le point de vue du concurrent.* Le stratège doit se mettre dans la position du concurrent afin de déterminer quelles décisions il est rationnellement le plus à même de prendre, ce qui permet alors d'envisager la meilleure manière d'y réagir. Pour choisir sa stratégie, il faut comprendre celle de l'adversaire.
- *Élaborer en avançant, puis déduire en reculant.* Il faut essayer de concevoir la séquence de mouvements que les concurrents pourront adopter, en partant d'hypothèses raisonnables sur le résultat qu'ils espèrent. La théorie des jeux met donc l'accent sur la dynamique de l'interaction concurrentielle.

6.7.1 Le dilemme du prisonnier et le problème de la coopération

À des degrés divers, tous les concurrents coopèrent (voir la section 6.6). C'est ce que l'on appelle parfois la *coopétition*[23]. La décision de coopérer ou non est le thème de l'un des plus célèbres exemples de la théorie des jeux : le dilemme du prisonnier. Ce dilemme est celui auquel sont confrontés deux prisonniers enfermés dans deux cellules distinctes. Chacun de leur côté, sans pouvoir communiquer l'un avec l'autre, ils doivent choisir entre coopérer en ne révélant aucune information à leurs interrogateurs, ou bien dénoncer leur complice afin d'en tirer un avantage. Le schéma 6.9 présente une situation comparable, mais dans le cadre de stratégies concurrentielles. Supposons que deux entreprises doivent décider si elles vont coopérer ou au contraire s'affronter pour la maîtrise d'un nouveau marché. La coopération est moins coûteuse, sa rentabilité est meilleure et plus rapide : elle correspond à la case en bas à gauche dans le schéma 6.9. Cependant, cette coopération risque de ne pas se produire. En effet, chacun des concurrents sait que s'il obtient une position dominante sur le marché, son gain sera encore plus important (cela correspond aux cases en haut à droite et en bas à gauche). Le danger, bien entendu, est que les deux concurrents fassent ce même raisonnement et investissent tous les deux, soit pour accroître leur avantage, soit pour empêcher l'autre de le faire. Le résultat correspond alors aux gains en haut à gauche, qui sont nettement moins intéressants que si les deux concurrents s'étaient fait mutuellement confiance. Le modèle du dilemme du prisonnier démontre qu'en privilégiant leur intérêt personnel – ou en voulant s'assurer que l'autre ne réussira pas –, les concurrents obtiennent un résultat inférieur à celui qu'ils auraient eu en coopérant.

Schéma 6.9	Un dilemme du prisonnier

		Concurrent A	
		Ne pas coopérer	Coopérer
Concurrent B	Ne pas coopérer	B = 5 A = 5	B = 12 A = 2
	Coopérer	B = 2 A = 12	B = 9 A = 9

C'est un exemple de ce que les spécialistes de la théorie des jeux appellent une **stratégie dominante** : sa performance est supérieure à toutes les autres, quels que soient les choix des concurrents. Dans le dilemme du prisonnier, la coopération serait préférable. Or, si l'un des deux concurrents ne coopère pas, l'autre risque d'en être victime. La stratégie dominante consiste donc à ne pas coopérer. Le principe général veut que lorsqu'il existe une stratégie dominante, il faille l'adopter. Le gain final d'une stratégie dominante n'est pas nécessairement le plus élevé possible, mais la perte est également limitée.

Une stratégie dominante est celle dont la performance est supérieure à toutes les autres, quels que soient les choix des concurrents

En fait, dans la pratique, cette situation « perdant-perdant » est peu probable si le nombre de joueurs est limité et qu'ils interagissent de manière répétée, car ils apprennent à se connaître et à anticiper leur comportement. En revanche, dans le cas où de nombreux concurrents s'affrontent pour le partage d'un marché fragmenté, même s'il serait logique que chacun maintienne ses prix à un niveau relativement élevé, personne ne suppose que les autres agiront en ce sens et la défiance dégénère le plus souvent en guerre des prix.

6.7.2 Les jeux séquentiels

Le dilemme du prisonnier est un jeu simultané, dans lequel les joueurs prennent leurs décisions au même moment sans savoir ce que font les autres. Ce n'est généralement pas le cas dans la réalité. Les décisions stratégiques sont le plus souvent séquentielles : chaque concurrent fait un mouvement en fonction de celui que viennent de faire les autres, dans une succession d'actions et de réactions. Dans cette situation, le principe fondamental consiste *à élaborer en avançant, puis à déduire en reculant*. Le stratège doit envisager (i) quel est le résultat espéré par le concurrent, (ii) quelle séquence de mouvements celui-ci va adopter pour atteindre ce résultat et (iii) quelle est alors la meilleure stratégie à adopter pour lui-même. Afin de mener ce raisonnement à bien, il convient de garder à l'esprit que les concurrents ne disposent pas des mêmes capacités stratégiques et qu'ils auront donc chacun leur propre stratégie dominante. Dans le transport aérien en Europe, easyJet et Ryanair ont ainsi une stratégie dominante fondée sur l'épuration.

L'illustration 6.6 montre comment utiliser la théorie des jeux dans une situation de décisions séquentielles. Si l'on s'en tient à un jeu simultané (comme dans la section 6.7.1), le mieux que puisse faire Innova est de suivre sa stratégie dominante en investissant peu. Cela lui permet d'échapper à la pire situation, mais le gain reste minime. L'illustration montre comment le fait de considérer le jeu d'un point de vue séquentiel peut permettre à Innova d'améliorer significativement sa position.

On peut également retirer plusieurs leçons de cette illustration :

- La chronologie des décisions est capitale.
- Il convient de bien peser les risques.
- La capacité à bluffer et à leurrer son adversaire est essentielle.
- Il est nécessaire d'apparaître comme crédible lorsqu'on s'engage sur une trajectoire donnée. Dans l'illustration, Innova ne peut pas atteindre son résultat sans avoir la réputation de toujours tenir ses engagements.

Illustration 6.6

Le jeu séquentiel d'Innova et Nasda

La théorie des jeux peut aider à définir une stratégie concurrentielle.

Innova et Nasda sont deux éditeurs de jeux vidéo. Innova est connu pour sa créativité, mais sa capacité de financement est relativement faible. À l'inverse, Nasda dispose de solides capacités financières, mais sa créativité est moins développée.

Ces deux entreprises sont confrontées à un choix crucial : investir ou non en recherche et conception. Investir fortement réduirait le délai de développement de nouveaux jeux, mais entraînerait des coûts considérables. La pire situation pour les deux concurrents consiste à

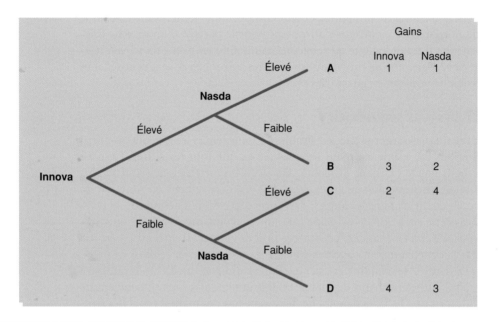

6.7.3 Changer les règles du jeu

Après avoir compris la logique d'une interaction concurrentielle grâce à la théorie des jeux, un concurrent peut parfois estimer que la situation ne lui permet pas d'atteindre un niveau de performance satisfaisant. La nature du marché peut par exemple pousser à la guerre des prix, lui interdisant de dégager durablement des bénéfices. Dans d'autres situations, la concurrence peut être uniquement fondée sur la capacité à investir lourdement, que ce soit en marketing ou en recherche et développement, avec le risque de réduire significativement ses résultats. Confronté à des situations de ce type, ce concurrent peut alors être tenté de changer les règles du jeu. Sur un marché dominé par des stratégies de prix, un concurrent peut ainsi :

- Construire des *facteurs de différenciation* grâce à l'identification de ce que les clients valorisent (voir la section 6.3.2).
- Rendre la *tarification plus transparente*, par exemple en cherchant à faire en sorte que la publication de listes de tarifs devienne une norme dans l'industrie.

investir lourdement. Étant donné sa faiblesse financière, ce serait en effet une décision particulièrement risquée pour Innova. En ce qui concerne Nasda, même si sa capacité à lever des fonds est supérieure, elle ne sortirait pas gagnante d'une confrontation fondée sur la créativité.

Innova a donc une stratégie dominante : maintenir ses investissements à un niveau faible. Si Nasda investit peu, Innova l'emportera du fait de sa capacité d'innovation. De fait, les responsables de Nasda s'attendent à ce que Innova investisse peu. Ils savent aussi que si eux-mêmes investissent peu, Innova l'emportera dans tous les cas. Pour eux, le fait de ne pas investir est une stratégie dominée : il est donc logique qu'ils investissent.

Cette situation peut également être considérée d'un point de vue séquentiel (voir la figure ci-dessus). Si Innova décide de peu investir, il est probable que Nasda investisse beaucoup et l'emporte (solution C). Cependant, si Innova agit en premier en investissant lourdement, cela place Nasda dans une situation difficile : soit Nasda investit autant et aboutit à une situation peu avantageuse pour les deux concurrents (solution A), soit Nasda – ayant anticipé ce risque – préfère peu investir et aboutit à la solution B.

En analysant ces différentes logiques de jeu, les responsables d'Innova peuvent réaliser que s'ils laissent Nasda jouer en premier, ils n'ont aucune possibilité de l'emporter. En revanche, s'ils jouent d'abord en investissant lourdement, ils ont une chance de gagner. Bien entendu, cette solution est risquée, notamment par rapport à la capacité financière d'Innova à gérer son investissement. Il se peut aussi que Nasda ne croie pas au fait que Innova va investir fortement. Innova doit donc absolument apparaître comme crédible quant à sa volonté d'investir. Si Innova hésite, temporise ou fractionne son investissement, Nasda investira fortement, ce qui aboutira à la solution A, mauvaise pour les deux concurrents. Cependant, si les responsables d'Innova réussissent à faire croire qu'ils sont prêts à investir lourdement – alors que leur véritable intention est de limiter leur investissement –, cela persuadera Nasda de peu investir (solution D). Innova aura alors atteint une stratégie dominante.

Source : adapté de A.K. Dixit et B.J. Nalebuff, *Thinking Strategically*, W.W. Norton & Co., 1991.

Questions

1. Suggérez d'autres situations dans lesquelles la théorie des jeux pourrait se révéler utile et expliquez pourquoi.

2. Qu'est-ce qui pourrait empêcher de prendre des décisions stratégiques de cette manière ?

À première vue, cela ne semble pas constituer une protection contre la guerre des prix. Cependant, les principes de la théorie des jeux suggèrent qu'une plus grande transparence tend à encourager la coopération entre les concurrents.

- Récompenser la *loyauté* des clients. Les programmes de fidélité mis en place par les compagnies aériennes ou la grande distribution constituent de bons exemples. Les principes de la différenciation suggèrent qu'il s'agit d'une stratégie peu intéressante, car elle est aisément imitable par les concurrents. Cependant, elle peut permettre de réduire la pression sur les prix.

La théorie des jeux repose sur la rationalité. Or, il se peut que les concurrents ne se comportent pas toujours de manière rationnelle. La théorie des jeux constitue pourtant une approche particulièrement utile lorsqu'on cherche à comprendre les phénomènes d'interaction entre concurrents, notamment dans quelle situation ils auront intérêt à s'affronter – et sur quelles bases – plutôt que coopérer.

Illustration 6.7 — **Débat**

Être ou ne pas être différencié ?

Les stratégies de différenciation ne risquent-elles pas de rendre les organisations qui les adoptent inutilement excentriques plutôt que de leur assurer un avantage concurrentiel ?

Dans ce chapitre, nous avons présenté l'intérêt des stratégies de différenciation, au travers desquelles une organisation affiche sa spécificité. Ce choix est cohérent avec l'approche par les ressources (voir le chapitre 3), qui insiste sur le caractère distinctif et inimitable de la capacité stratégique. Pour autant, jusqu'à quel point doit-on encourager la différenciation ? Ne risque-t-elle pas de déboucher sur une simple manifestation d'excentricité ?

Philipp Natterman, consultant chez McKinsey, est un fervent défenseur de la différenciation[1]. Dans deux industries, la micro-informatique et la téléphonie mobile, il a étudié la relation entre la rentabilité et la différenciation (à la fois en termes de prix et de caractéristiques de l'offre) sur de longues périodes. Il a constaté qu'au fur et à mesure que la différenciation s'amenuise au cours du temps, les profits se réduisent. Il accuse certaines méthodes de management telles que l'étalonnage (voir le chapitre 3), qui tendent à encourager la convergence vers les « meilleures pratiques » de l'industrie. Le problème avec les meilleures pratiques est qu'elles deviennent rapidement des standards adoptés par tous. Or, suivre le troupeau n'apporte aucun avantage concurrentiel.

Cependant, les « institutionnalistes », tels que Paul DiMaggio et Walter Powell, soulignent au contraire les avantages d'un comportement grégaire[2]. Ils conçoivent les industries comme des « champs sectoriels » dans lesquels toutes sortes d'acteurs doivent interagir : clients, fournisseurs, employés, autorités de régulation, etc. La capacité de chacun de ces acteurs à interagir efficacement dépend de sa légitimité aux yeux des autres. Au cours du temps, les industries développent des normes institutionnalisées sur les comportements légitimes, qu'il est donc rationnel d'adopter. Il est plus facile pour les clients et les fournisseurs de traiter avec des organisations qui sont plus ou moins les mêmes. Il est rassurant pour les candidats à l'embauche et pour les autorités de régulation de ne pas être confrontés à des organisations trop différentes les unes des autres. Dans les cas où les facteurs qui déterminent la performance sont particulièrement incertains – par exemple lorsque les connaissances jouent un rôle clé –, mieux vaut être légitime qu'original. Dans la mesure où les clients, les fournisseurs, les employés et les régulateurs valorisent la conformité, elle devient indiscutablement préférable. Être un marginal peut se révéler coûteux.

L'interprétation institutionnaliste de la conformité explique de nombreux comportements stratégiques. Les vagues de fusions dans certaines industries semblent ainsi répondre à des frénésies collectives, dans lesquelles les organisations sont paniquées à l'idée d'être tenues à l'écart de la tendance générale. De la même manière, bien des pratiques managériales, telles que le reengineering, le six-sigma, les progiciels de gestion intégrée ou la gestion de la relation client, sont tout autant le résultat de modes que d'analyses factuelles. Pour autant, l'approche institutionnaliste soutient que suivre la mode n'est pas une mauvaise chose.

Il semble donc que l'approche par les ressources et les théories institutionnalistes s'opposent sur la valeur de la différenciation. David Deephouse a étudié le dilemme apparent entre la différenciation et la conformité dans l'industrie bancaire américaine et il a découvert une relation curvilinéaire entre la différenciation et la performance financière[3]. Une forte conformité correspond à une performance médiocre, une différenciation moyenne est associée à une performance supérieure, mais une différenciation exacerbée semble réduire la performance. Deephouse conclut en faveur d'un équilibre entre la différenciation et la conformité. Il suggère également que l'intérêt de la différenciation diffère selon que les acteurs clés de l'industrie – les clients, les fournisseurs, les employés, etc. – ont convergé ou non vers des normes institutionnalisées sur ce qu'ils considèrent comme une stratégie légitime. Il est donc possible d'être trop différencié, mais le niveau de différenciation acceptable dépend de l'industrie.

Sources :

1. P.M. Natterman, « Best practices does not equal best strategy », *McKinsey Quarterly*, n° 2 (2000), pp. 22-31.
2. P.J. DiMaggio et W.W. Powell, « The iron cage revisited: institutional isomorphism and collective rationality in organisational fields », *American Sociological Review*, vol. 48 (1983), pp. 147-160.
3. D. Deephouse, « To be different, or to be the same? It's a question (and theory) of strategic balance », *Strategic Management Journal*, vol. 20 (1999), pp. 147-166.

Questions

1. Dans quelle mesure est-ce que (a) les universités et (b) les constructeurs automobiles vous semblent-ils différenciés ?

2. Étant donné la nature de leur industrie respective et les acteurs clés qui y interviennent, dans quelle mesure ces organisations devraient-elles adopter une approche de différenciation ou de conformité ?

Résumé

- La segmentation stratégique consiste à subdiviser l'organisation en domaines d'activité stratégique (DAS), qui correspondent à des combinaisons spécifiques de triplets marchés/concurrents/technologies auxquels il est possible d'allouer ou retirer des ressources de manière indépendante. L'identification des DAS est un préalable indispensable à la définition des stratégies concurrentielles, mais c'est pourtant une étape complexe, largement intuitive et toujours contestable.

- Les stratégies par domaine d'activité consistent à obtenir un avantage concurrentiel au niveau d'un domaine d'activité stratégique.

- Les choix fondamentaux qui s'offrent aux domaines d'activité stratégique en termes de construction d'un avantage concurrentiel sont :

  – La *stratégie de prix*, qui consiste à proposer une offre comparable à celle des concurrents, mais à un prix inférieur.

  – La *stratégie de différenciation*, qui consiste soit à proposer une offre plus élaborée que celle des concurrents, mais à un prix supérieur *(stratégie de sophistication)*, soit à proposer une offre moins élaborée que celle des concurrents, mais à un prix inférieur *(stratégie d'épuration)*. Dans les deux cas, il s'agit d'accroître le différentiel entre le coût et le prix.

  – La *stratégie hybride*, qui consiste à proposer pour un prix réduit une offre dont la valeur perçue est supérieure à celle des concurrents.

  – La *stratégie de focalisation*, qui consiste à se concentrer sur une niche de marché dont les besoins sont spécifiques.

- Pour conserver un avantage concurrentiel, il est généralement nécessaire de détenir des capacités stratégiques difficilement imitables par les concurrents. Il est également envisageable de *verrouiller* un marché en devenant le *standard de l'industrie*, reconnu par les fournisseurs et les clients.

- Dans un environnement hypercompétitif, il est très difficile de maintenir un avantage concurrentiel. La vitesse, la flexibilité, l'innovation et la volonté de changer les stratégies gagnantes sont les conditions du succès.

- Dans certaines conditions, la *collaboration* peut être préférable à la compétition ou compatible avec elle.

- La *théorie des jeux* permet d'analyser les manœuvres stratégiques des concurrents afin de les devancer ou de les contrecarrer.

vaux pratiques ● Signale des exercices d'un niveau plus avancé

1. En vous référant au schéma 6.3, l'horloge stratégique, identifiez des organisations qui suivent les trajectoires stratégiques 1 à 5. Si vous avez du mal à définir clairement quelle trajectoire est suivie, exposez les raisons de votre hésitation et précisez ce qu'il conviendrait de modifier pour que les organisations choisies suivent une trajectoire précise.

2. Vous venez d'être nommé(e) assistant(e) du directeur général d'une grande entreprise industrielle qui vous demande d'expliquer ce que l'on désigne par « différenciation » et quelles sont ses conditions de réussite. Rédigez un bref rapport qui traite de ces questions.

3. ● Les stratégies génériques décrites dans la section 6.3 sont-elles adaptées aux organisations du secteur public ? Illustrez votre réponse à travers l'exemple d'un service public de votre choix.

4. En utilisant la section 6.4, estimez la capacité de Yahoo! (voir l'illustration 1.1), de Virgin (voir le cas figurant à la fin du chapitre 7) et d'une organisation de votre choix à conserver leur avantage concurrentiel.

5. ● Choisissez une industrie dans laquelle l'intensité concurrentielle s'accroît (par exemple la banque, les jeux vidéo ou la distribution d'électricité). Dans quelle mesure les principes de l'hypercompétition s'appliquent-ils à cette industrie ?

6. En vous appuyant sur la section 6.6 (stratégies de coopération), rédigez un bref rapport à l'attention du directeur général d'une activité évoluant dans un environnement fortement concurrentiel, afin d'expliquer dans quelles conditions la coopération peut être préférée à la compétition.

7. ● Dans quelle mesure la théorie des jeux vous paraît-elle utile à la définition des stratégies concurrentielles ? Vous pouvez vous appuyer sur les lectures recommandées concernant la théorie des jeux (en particulier l'ouvrage de Dixit et Nalebuff).

Exercice de synthèse

8. Quelles sont les conséquences sur les orientations et les modalités de développement (voir le chapitre 10) d'une stratégie internationale (voir le chapitre 8) fondée sur un verrouillage (voir la section 6.4.3) ? Utilisez le schéma 6.5 pour argumenter votre réponse.

Lectures recommandées

● La notion de stratégie générique a été introduite par les deux ouvrages de M.E. Porter, *Choix stratégiques et concurrence : techniques d'analyse des secteurs et de la concurrence dans l'industrie*, Economica, 1982, et *L'avantage concurrentiel*, InterÉditions, 1986. Ces deux ouvrages sont fortement recommandés aux lecteurs qui souhaitent approfondir les discussions introduites dans les sections 6.3 et 6.4 sur les stratégies génériques et sur l'avantage concurrentiel.

● Sur les stratégies génériques, on peut également consulter G. Blanc, P. Dussauge et B. Quelin, « Stratégies concurrentielles et différenciation », *Gérer et Comprendre*, septembre 1991, pp. 75-86.

● La notion d'hypercompétition et les stratégies associées sont présentées dans R. D'Aveni et R. Gunther, *Hypercompétition*, Vuibert, 1995. La question de l'hypercompétitivité fait l'objet de nombreux débats. Certains auteurs, tels que R.W. Wiggins et T. Ruefli, « Schumpeter's ghost: is hypercompetition making the best of times shorter? », *Strategic Management Journal*, vol. 26, n° 10 (2005), pp. 887-911, estiment que l'hypercompétition est de plus en plus fréquente. À l'inverse, d'autres tels que G. McNamara, P.M. Vaaler et C. Devers, « Same as it ever was: the search for evidence of increasing hypercompetition », *Strategic Management Journal*, vol. 24 (2003), pp. 261-278, pensent que ce concept est très exagéré.

- Sur les stratégies de collaboration, voir B. Garette et P. Dussauge, *Les stratégies d'alliance*, Éditions d'Organisation, 1995, ainsi que Y. Doz et G. Hamel, *L'avantage des alliances*, Dunod, 2000.

- Beaucoup de choses ont été écrites sur la théorie des jeux, mais la plupart s'appuient sur des développements théoriques qui vont bien au-delà des prétentions de cet ouvrage. Pour une synthèse accessible, voir A. Dixit et B. Nalebuff, *Thinking Strategically*, W.W. Norton & Co., 1991, ainsi que P. Cahuc, *La nouvelle microéconomie*, La Découverte, 1993. Voir également R. McCain, *Game Theory: A Non-Technical Introduction to the Analysis of Strategy*, South Western, 2003.

Références

1. Sur les principes et les méthodes de segmentation stratégique, voir T. Atamer et R. Calori, *Diagnostic et décisions stratégiques*, Dunod, 1993 ; C. Marmuse, *Politique générale*, 2e édition, Economica, 1996 ; *Strategor*, 4e édition, Dunod, 2005 ; E. Adler et J. Lauriol, « La segmentation, fondement de l'analyse stratégique », *Harvard l'Expansion*, printemps 1986, pp. 99-112.

2. B. Ramanantsoa, « Voyage en stratégie » *Revue française de marketing*, Cahiers 99 bis, 1984.

3. Le débat sur les stratégies génériques a été fortement influencé par les écrits de Michael Porter, en particulier par son ouvrage *L'avantage concurrentiel*, InterÉditions, 1986. Plusieurs auteurs critiquent le point de vue de Porter sur les stratégies génériques : J. Broustail et R. Greggio, *Citroën : essai sur quatre-vingts ans d'anti-stratégie*, Vuibert, 2000.

4. Voir D. Faulkner et C. Bowman, *The Essence of Competitive Strategy*, Prentice Hall, 1995, et R. D'Aveni et R. Gunther, *Hypercompétition*, Vuibert, 1995.

5. Nous reprenons en cela le point de vue de D. Faulkner et C. Bowman (référence 4).

6. Voir F. Fréry, « Le low cost tue la prospérité », *Courrier Cadres*, n° 1611 (2006), pp. 36-37.

7. Sur le lien entre la différenciation et la rentabilité, voir B. Sharp et J. Dawes, « What is differentiation and how does it work? », *Journal of Marketing Management*, vol. 17, n° 7/8 (2001), pp. 739-759.

8. Parmi les chercheurs et auteurs qui affirment que les stratégies de coûts ne sont pas incompatibles avec la différenciation, on compte notamment D. Miller, « The generic strategy trap », *Journal of Business Strategy*, vol. 13, n° 1 (1992), pp. 37-42,

C.W.L. Hill, « Differentiation versus low cost or differentiation and low cost: a contingency framework », *Academy of Management Review*, vol. 13, n° 3 (1988), pp. 401-412, et S. Thornhill et R. White, « Strategic Purity: a multi-industry evaluation of pure vs. hybrid business strategies », *Strategic Management Journal*, vol. 28, n° 5 (2007), pp. 553-561.

9. Voir G. Hamel et C.K. Prahalad, « Do you really have a global strategy? », *Harvard Business Review*, vol. 63, n° 4 (1985), pp. 139-48.

10. Ces citations concernant les stratégies génériques de Porter sont tirées de son ouvrage *L'avantage concurrentiel*, InterÉditions, 1986, pp. 12-15.

11. Sur le verrouillage des marchés, voir notamment F. Jallat, *À la reconquête du client, stratégies de capture*, Village Mondial, 2001, et A.C. Hax et D.L. Wilde II, « The Delta Model », *Sloan Management Review*, hiver 1999, pp. 11-28.

12. Cette section est construite à partir de l'article de N. Kumar, « Strategies to fight low-cost rivals », *Harvard Business Review*, vol. 84, n° 12 (2006), pp. 104-113.

13. Sur la concurrence dans ce type de situation, voir A. Rao, M. Bergen, S. Davis, « How to fight a price war », *Harvard Business Review*, vol. 78, n° 2 (2000), pp. 107-115.

14. L'existence de conditions hypercompétitives est sujette à débat. R.W. Wiggins et T. Ruefli, « Schumpeter's ghost: is hypercompetition making the best of times shorter? », *Strategic Management Journal*, vol. 26, n° 10 (2005), pp. 887-911, pensent que l'hypercompétition est démontrée. À l'inverse, G. McNamara, P.M. Vaaler et C. Devers, « Same as it ever was: the search for evidence of increasing

hypercompetition », *Strategic Management Journal*, vol. 24 (2003), pp. 261-278, estiment que ce concept est très exagéré.

15. Sur l'agilité, voir S. Goldman, R. Nagel et K. Preiss, *Agile Competitors and Virtual Organizations: Strategies for Enriching the Customer*, Van Nostrand Reinhold, 1995, et O. Badot, *Théorie de l'entreprise agile*, L'Harmattan, 1997.

16. C'est la conclusion radicale à laquelle aboutissent D'Aveni et Gunther (référence 4).

17. L'idée qu'il convient de détruire soi-même les sources de son succès est au centre de l'ouvrage du cofondateur d'Intel, A. Grove, *Seuls les paranoïaques survivent*, Village Mondial, 2004.

18. Sur la capacité à tromper les concurrents, voir G. Stalk Jr, « Curveball : strategies to fool the competition », *Harvard Business Review*, vol. 84, n° 12 (2006), pp. 115-122.

19. Les avantages et inconvénients des stratégies de collaboration entre organisations sont présentés dans B. Garette et P. Dussauge, *Les stratégies d'alliance*, Éditions d'Organisation, 1995. Voir également Y. Doz et G. Hamel, *L'avantage des alliances*, Dunod, 2000, et C. Huxham, *Creating Collaborative Advantage*, Sage Publications, 1996, ainsi que D. Faulkner, *Strategic Alliances: Co-operating to compete*, McGraw-Hill, 1995.

20. Sur la désintégration verticale, ou *unbundling*, voir V. Kapur, J. Peters et S. Berman, « High tech 2005: the horizontal, hypercompetitive future », *Strategy and Leadership*, vol. 31, n° 2 (2003), pp. 34-47.

21. Voir J. Brudney et R. England, « Towards a definition of the co-production concept », *Public Administration Review*, vol. 43, n° 10 (1983), pp. 59-65, et J. Alford, « A public management road less travelled: clients as co-producers of public services », *Australian Journal of Public Administration*, vol. 57, n° 4 (1998), pp. 128-137.

22. Sur la théorie des jeux, voir A.K. Dixit et B.J. Nalebuff, *Thinking Strategically*, W.W. Norton & Co., 1991, ainsi que P. Cahuc, *La nouvelle microéconomie*, La Découverte, 1993, A. Brandenburger et B.J. Nalebuff, *La coopétition*, Village Mondial, 1996, ou encore R. McCain, *Game Theory: A Non-Technical Introduction to the Analysis of Strategy*, South Western, 2003, et le chapitre de S. Regan, « Game theory perspective » dans l'ouvrage dirigé par M. Jenkins et V. Ambrosini, *Strategic Management: A Multiple-Perspective Approach*, Palgrave, 2007.

23. Voir Brandenburger et Nalebuff (référence 22).

Palm en eaux troubles

Le bilan de l'année 2007 était préoccupant pour Palm, le célèbre fabricant d'ordinateurs de poche. Si son chiffre d'affaires s'était maintenu à environ 1,5 milliard de dollars, son bénéfice s'était effondré de 336 millions en 2006 à 56 millions en 2007. Sur le dernier trimestre, l'entreprise avait même enregistré une perte de 9,6 millions de dollars. On pouvait craindre un retour à la situation calamiteuse du début des années 2000, lorsque l'entreprise avait accumulé en trois ans plus de 850 millions de dollars de pertes.

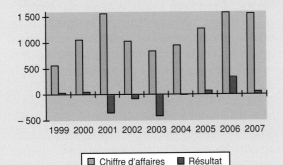

Figure 1
Performance financière de Palm
(millions de dollars)

Depuis 2004, Palm avait effectué un repositionnement stratégique majeur. Pionnier et leader des ordinateurs de poche dans les années 1990, seul constructeur informatique – avec Apple – à concevoir à la fois les machines et leur système d'exploitation (le Palm OS), l'entreprise californienne était désormais essentiellement un fabricant de téléphones équipés de fonctions avancées (des *smartphones*) qui utilisaient pour la plupart le système d'exploitation de son concurrent historique, Microsoft. Les smartphones représentaient plus de 80 % du chiffre d'affaires, qui se concentrait de plus en plus sur le marché américain. L'activité historique, les ordinateurs de poche, était en déclin rapide.

Or, sur le marché des smartphones, Palm était largement distancé, à la fois par les fabricants de téléphones – au premier rang desquels Nokia – et par les différentes marques de machines utilisant elles aussi Windows Mobile (HP, HTC ou Asus). Par ailleurs, l'irruption de deux nouveaux concurrents monopolisait l'attention des analystes : auprès de la clientèle des entreprises, les terminaux BlackBerry du Canadien Research in Motion (RIM) faisaient désormais partie de la panoplie obligée de tout manager, alors que sur le marché des particuliers le succès foudroyant de l'iPhone d'Apple avait largement éclipsé le lancement du dernier modèle

Étude de cas

de Palm, le Centro. À côté du très médiatique smartphone d'Apple, la gamme de Palm faisait désormais pâle figure.

De plus, Palm avait multiplié au cours de l'année 2007 les annonces inquiétantes : annulation de la commercialisation de son ordinateur ultraportable Foleo avant même son lancement, suppression d'emplois, fermeture de ses 34 magasins américains, accord à l'amiable pour dédommager des milliers de clients mécontents de la fiabilité d'un de ses modèles et surtout report « de 12 à 18 mois » de la nouvelle version de son système d'exploitation, dont la diffusion devenait confidentielle par rapport à celle de ses concurrents (moins de 2 % des smartphones vendus dans le monde en 2007 en étaient équipés).

Au total, alors que l'entreprise avait fêté en 2006 les 10 ans du produit qui l'avait rendue célèbre, le PalmPilot, son avenir semblait rapidement s'assombrir et les options stratégiques qui s'offraient à elle étaient de moins en moins nombreuses.

Les débuts du PalmPilot

Jeff Hawkins, le fondateur de Palm Computing, pouvait s'enorgueillir de descendre d'une lignée d'innovateurs. En 1974, alors adolescent, son naufrage contre un pont de l'Hudson River avec un navire sur coussin d'air inventé par son père avait interrompu une ligne ferroviaire pour une journée entière. Ingénieur électricien, il avait travaillé chez Intel, puis chez GriD, une filiale de Tandy qui concevait un des tout premiers ordinateurs portables. De 1986 à 1988, il s'engagea dans un doctorat à l'université de Berkeley, qu'il ne termina pas. Ses recherches lui permirent cependant de mettre au point un logiciel de reconnaissance d'écriture qu'il breveta et baptisa « PalmPrint ». Il retourna alors chez GriD où il développa un ordinateur portable équipé d'un stylet et capable de reconnaître l'écriture manuelle. Destiné à une clientèle de niche (les opérateurs de derricks pétroliers notamment), le produit fut bien accueilli, mais sa diffusion resta confidentielle.

Jeff Hawkins voulait aller plus loin. Il fonda l'entreprise Palm Computing en janvier 1992, avec une idée mais sans produit ni stratégie. Six mois plus tard, il fut rejoint par Donna Dubinsky, une diplômée du MBA de l'université de Harvard qui avait fait toute sa carrière en tant que cadre dirigeante au sein d'Apple. En octobre 1993, Palm Computing introduisit le Zoomer, un assistant personnel avec un très petit clavier et un système de reconnaissance d'écriture fondé sur PalmPrint. Apple avait lancé deux mois plus tôt son Newton, sur le même principe que le Zoomer. John Sculley, alors P-DG d'Apple, avait inventé à cette occasion l'acronyme PDA, pour *personal digital assistant* (assistant numérique personnel), qui devint le terme générique pour décrire les produits de cette industrie naissante. Mais ni le Zoomer ni le Newton ne soulevèrent l'enthousiasme du marché : encombrants, offrant les fonctionnalités d'un micro-ordinateur mais avec un clavier et un écran trop petits et des performances insuffisantes, seulement quelques dizaines de milliers de ces ordinateurs de – grande – poche furent vendus.

En juin 1994, Hawkins et Dubinsky décidèrent de prendre le contre-pied de l'approche qu'avaient jusque-là adopté tous les concurrents du marché des PDA. Leur constat était simple : plus de 90 % des possesseurs de Zoomer disposaient aussi d'un micro-ordinateur et appréciaient que le Zoomer puisse s'y connecter. Ils voulaient que le Zoomer complète leur micro-ordinateur, mais n'attendaient pas qu'il s'y substitue. Ils ne désiraient pas que leur PDA sache rivaliser avec un micro-ordinateur, mais avec un agenda papier.

Fort de ce diagnostic, Jeff Hawkins s'engagea alors dans la conception d'un nouveau produit avec quatre principes directeurs. Jusqu'alors, les PDA étaient censés reconnaître l'écriture manuelle de tous les utilisateurs, ce qui rendait les logiciels de reconnaissance complexes, gourmands en ressources et peu efficaces. Hawkins opta pour l'approche inverse. Moyennant un effort d'apprentissage, c'était l'utilisateur qui devait adapter son écriture afin de faciliter la reconnaissance des caractères : ainsi le A s'écrivait comme un V inversé. Ce choix changea radicalement les performances de la machine et surtout la fiabilité de la reconnaissance de l'écriture. Deuxième principe, le nouveau PDA devait tenir complètement dans la poche d'une chemise ou dans la paume de la main, d'où le nom de PalmPilot (« palm » signifiant paume en français). En comparaison, le Newton d'Apple avait la taille d'une cassette vidéo. Troisième principe, l'appareil devait rester simple avec quatre logiciels d'usage quotidien : un agenda, un carnet d'adresses, un gestionnaire de tâches et un gestionnaire de mémos, le tout dans un design élégant. Dernier principe, le PalmPilot se synchronisait avec les micro-ordinateurs, ce qui facilitait la sauvegarde et la mise à jour des données. Le PalmPilot n'était pas conçu comme un ordinateur de poche, mais comme une extension nomade de l'ordinateur de bureau.

Lancé en avril 1996, le PalmPilot connut un succès fulgurant. Nettement plus simple et moins cher que les autres PDA, il occupait alors seul le marché qu'il venait de créer. En dix-huit mois, un million d'exemplaires furent vendus, un record dans la vitesse de diffusion : mieux que les téléphones cellulaires ou les téléviseurs couleur en leur temps.

La vie financière mouvementée de Palm

Si le succès commercial était au rendez-vous, la réussite financière était plus mitigée. Un seul des investisseurs du début avait accepté de poursuivre l'aventure. Donna Dubinsky géra la trésorerie de l'entreprise avec parcimonie : Palm Computing disposait des ressources pour concevoir ses nouveaux produits, mais il manquait 5 millions de dollars pour assurer le lancement commercial et la production. Elle chercha donc des partenaires et entra en contact avec US Robotics, une entreprise qui avait connu un développement très important sur le marché des modems. Mieux qu'un partenariat, US Robotics proposa de racheter purement et

simplement Palm Computing. Pour 44 millions de dollars en actions, Palm Computing et ses 28 salariés devinrent ainsi une division de US Robotics.

En 1997, US Robotics fut à son tour racheté par la société 3Com, géant américain de la communication en réseau, dirigée par le Français Éric Benhamou. L'année suivante, visiblement peu satisfaits de leur intégration dans une aussi vaste structure, Hawkins et Dubinsky quittèrent Palm Computing pour fonder une entreprise concurrente, Handspring, estimant « frustrant de toujours avoir à demander la permission ».

Lors du rachat de US Robotics, les dirigeants de 3Com envisagèrent de céder l'activité PDA, dans la mesure où les synergies n'apparaissaient pas évidentes. Les activités de 3Com portaient en effet sur la fourniture de solutions d'accès à l'information pour les entreprises à partir de réseaux à haut débit. De fait, le 2 mars 2000, 95 % de Palm Computing furent introduits en Bourse, dans une opération jugée particulièrement réussie. Introduite à 38 dollars, l'action bondit jusqu'à 165 dollars avant de se stabiliser à 95 dollars. À la fin de la journée, la capitalisation boursière de Palm Computing s'élevait à 53,4 milliards de dollars. Interrogé sur les liens subsistant entre Palm et 3Com, Éric Benhamou répondit : « Je suis la seule passerelle : je suis le président des deux sociétés. Nous avons tout séparé : toutes les organisations, dans tous les pays, toutes les usines, tous les centres de développement. »

Palm comprenait alors deux activités : la fabrication des ordinateurs de poche (vendus à l'époque de 200 à 500 euros) et la vente du système d'exploitation Palm OS sous licence à des fabricants concurrents comme Handspring, Sony ou IBM. Le chiffre d'affaires de l'entreprise provenait à 95 % de ses ventes de matériel. On comptait plus de 175 000 développeurs enregistrés concevant des logiciels destinés au système d'exploitation Palm OS, ce qui offrait une palette de plus de 13 000 logiciels complémentaires, de la lecture de livres numériques à la connexion Internet, en passant par les jeux et la compatibilité avec les traitements de texte et tableurs.

En 2001, l'explosion de la bulle Internet entraîna Palm dans la tourmente. Cette année-là, l'entreprise enregistra une perte de 356 millions de dollars, alors que sa capitalisation boursière tombait à moins de 2 milliards et que le cours de son action ne dépassait pas 2 dollars. Afin de réagir à cet effondrement, la direction de Palm Computing décida de filialiser l'activité qui s'occupait de la conception et de la commercialisation du Palm OS. Dans le même temps, la production des PDA fut intégralement externalisée auprès de deux fournisseurs, dont Flextronics, le géant singapourien de la sous-traitance. La situation financière se redressa légèrement en 2002, avec tout de même une perte de 82 millions de dollars. Cette période trouble permit cependant de réaliser l'acquisition du concurrent Handspring – fondé par Hawkins et Dubinsky – pour un montant de l'ordre de 170 millions de dollars. À l'époque, Handspring commercialisait un nouveau concept, le Treo, un hybride de PDA et de téléphone mobile. Or, si le marché des PDA régressait depuis deux ans, celui des téléphones mobiles était encore en expansion. Le rachat de Handspring (qui en 2001 avait enregistré une perte de 54,1 millions de dollars pour un chiffre d'affaires de 371 millions) semblait donc judicieux.

En 2003, Palm profita de ce rachat pour se scinder en deux entreprises distinctes, cotées séparément en Bourse. D'un côté, PalmSource serait chargé du système d'exploitation Palm OS (soit un chiffre d'affaires de 76 millions de dollars en 2003), et de l'autre, palmOne s'occuperait des PDA, par la fusion des gammes Palm et Handspring (soit un chiffre d'affaires de 871 millions de dollars en 2003). En novembre 2004, Éric Benhamou céda sa place de président du conseil d'administration de PalmSource à un autre Français, Jean-Louis Gassé, un des dirigeants historiques d'Apple. Il conservait en revanche la présidence de palmOne, alors que Jeff Hawkins en devenait le directeur technique.

En 2005, Access, une entreprise japonaise connue pour avoir développé un navigateur Internet sur téléphone mobile, lança une offre publique d'achat sur PalmSource pour 311 millions de dollars et annonça son intention de mettre au point une nouvelle version de Palm OS fondée sur Linux. Cette opération permit à palmOne de reprendre le nom Palm. L'année suivante, Palm acheta à Access une licence perpétuelle du code source de Palm OS pour la somme de 44 millions de dollars, ce qui lui donnait le droit de modifier ce système d'exploitation et de le faire fonctionner en combinaison de n'importe quelle autre technologie et sur n'importe quels produits Palm. Début 2007, afin d'éviter toute confusion, Access décida de renommer Palm OS Garnet OS.

Au cours de l'année 2007, de nombreuses rumeurs coururent sur un rachat de Palm par l'un de ses concurrents. On évoqua successivement les noms de Nokia, qui aurait ainsi pu renforcer sa position aux États-Unis, de Motorola, qui éprouvait de vives difficultés dans les smartphones haut de gamme, voire d'Apple, sachant que la plupart des dirigeants de Palm étaient des anciens d'Apple et que l'expérience de Palm aurait pu contribuer au développement de l'iPhone. En dépit de ses difficultés, Palm restait une proie tentante, car ses années fastes lui avaient permis de se constituer une confortable trésorerie de 500 millions de dollars. Finalement, en juin 2007, c'est le fonds d'investissement Elevation Partners, fondé par le chanteur Bono et par John Rubinstein, responsable du département iPod chez Apple jusqu'en 2005 (où il était surnommé « the podfather »), qui racheta 25 % du capital de Palm. John Rubinstein remplaça Éric Benhamou au poste de Président de Palm, alors que Ed Colligan en restait le directeur général.

Au total, entre 1996 et 2007, Palm Computing avait connu deux fusions, une croissance fulgurante, une introduction en Bourse, une acquisition, des pertes abyssales, une scission, une OPA, deux changements de raison sociale et l'entrée d'un fonds d'investissement. Peu d'entreprises symbolisaient aussi bien la turbulence des marchés technologiques.

Le réveil de Microsoft et les hésitations de Sony

Microsoft avait toujours considéré le marché des PDA comme une extension naturelle des systèmes d'information d'entreprise et à ce titre comme un terrain sur lequel il se devait d'être présent. Dès 2002, les PDA occupèrent ainsi la deuxième place dans les 4 milliards de dollars que consacrait annuellement la firme de Bill Gates à sa recherche et développement, juste derrière les applications Internet.

Pour les grands fabricants d'ordinateurs, les PDA étaient des PocketPC, c'est-à-dire des compléments naturels des PC, qu'ils pouvaient vendre à leur clientèle professionnelle par l'intermédiaire d'offres jointes. De fait, ces machines sous Windows Mobile, nettement plus gourmandes en mémoire et en vitesse de calcul que les Palm, étaient aussi au départ plus chères (jusqu'à 800 euros pour les plus perfectionnées). Cependant, le brusque ralentissement du marché en 2001 et l'irruption de Dell et des marques taïwanaises (Acer et Asus), puis la fusion entre HP et Compaq, avaient contraint Palm à baisser ses prix afin de mieux correspondre à l'écart de performance avec les PocketPC. Malgré ces efforts de repositionnement, à partir de 2004, la plupart des machines sous Palm OS et des machines sous Windows Mobile étaient proposées à des prix équivalents, à l'exception de l'entrée de gamme, toujours nettement moins chère chez Palm (de l'ordre d'une centaine d'euros), mais réservée à un usage d'agenda électronique. Fin 2004, pour la première fois de son histoire, Palm fut ainsi devancé par Microsoft : en l'espace d'un an, Windows Mobile gagna 8,1 points de part de marché, alors que Palm OS en perdait 17,1.

La fin de la domination de Palm OS s'expliquait notamment par les errements de Sony. En 2005, alors qu'il était le deuxième client de Palm-Source derrière palmOne, Sony avait annoncé l'arrêt de sa gamme de PDA. Pourtant, en octobre 2002 le constructeur japonais avait acquis 6 % du capital de PalmSource, et l'on pensait qu'il allait en prendre le contrôle.

Or, Sony était dans une position stratégique ambiguë : l'entreprise utilisait une licence Windows pour son activité PC (les ordinateurs de marque Vaio), une licence Palm OS pour ses PDA, une licence du système Symbian pour ses smartphones Sony Ericsson et même un système d'exploitation maison pour sa PlayStation, soit quatre systèmes d'exploitation pour quatre lignes de produits, dont deux étaient directement concurrentes. Il était donc prévisible que des arbitrages finiraient par être effectués. L'équilibre des forces entre les différentes divisions de Sony avait fait – malheureusement pour PalmSource – que le Palm OS n'avait pas été retenu.

Officiellement, Sony préférait se concentrer sur les consoles de jeu et sur les smartphones Sony Ericsson sous système d'exploitation Symbian. Cette décision était d'ailleurs caractéristique d'une réorientation générale du marché.

Les smartphones et le BlackBerry

Par-delà la montée en puissance de Windows Mobile et le retrait de Sony, la principale menace pour Palm venait d'un phénomène plus vaste : le déclin du marché des PDA depuis 2001, qui s'expliquait essentiellement par le succès des smartphones.

Cette menace était paradoxalement née du fiasco de l'un des pionniers du marché des ordinateurs de poche, le Britannique Psion, dont les machines n'avaient jamais réussi à s'imposer face à celles de Palm. En 2001, Psion avait été contraint de se retirer du marché des PDA pour se concentrer sur les systèmes d'exploitation. Ce recentrage se matérialisa au travers d'une coentreprise avec Ericsson, Nokia et Motorola, qui

Étude de cas

déboucha sur un système d'exploitation baptisé Symbian, destiné à assurer la convergence entre PDA et téléphones portables. Début 2008, le capital de Symbian était détenu conjointement par Nokia (47,9 %), Ericsson (15,6 %), Sony Ericsson (13,1 %), Panasonic (10,5 %), Siemens (8,4 %) et Samsung (4,5 %). Le développement des normes de téléphonie 3G, qui nécessitaient de larges écrans couleur et une puissance de calcul importante pour donner toute leur mesure, poussait également à la convergence entre téléphone mobile et PDA. D'ailleurs, le rachat de Handspring par Palm avait été en partie motivé par son modèle Treo, un PDA sous Palm OS faisant également fonction de téléphone.

Au total, selon les chiffres de la société d'études britannique Canalys, fin 2006, Symbian occupait 67 % des parts du marché mondial des appareils nomades au sens large – assistants personnels, ordinateurs de poche, smartphones (mais en excluant les lecteurs MP3 du type iPod d'Apple et les consoles de jeu portables) – devant Windows Mobile (20,2 %), RIM (7 %), Linux (6 %) et Garnet OS (5 %). Sur ce même périmètre, mais côté constructeurs, Nokia était numéro un avec 50,2 % (au-delà des smartphones, Nokia avait vendu 437 millions de téléphones mobiles en 2007, soit 1,2 million par jour), suivi de RIM (8,3 %), Motorola (6,6 %) et Palm (5,5 %). En trois ans, la part de marché de Palm avait été divisée par trois, alors que le marché des PDA s'était effondré de 41 % rien qu'en 2006.

Le cas de Research In Motion (RIM) était particulièrement symptomatique du retournement du marché vers les appareils communicants. RIM était une entreprise canadienne, basée à Waterloo dans l'Ontario. Lancée en Amérique du Nord en janvier 1999, puis sur le marché européen en septembre 2001, sa solution BlackBerry comprenait une série de logiciels (un système d'exploitation spécifique, des programmes de gestion de messagerie, etc.), une gamme de terminaux comparables à des PDA, avec une fonc-tion de téléphone mobile et des services associés. Le BlackBerry permettait d'accéder en temps réel et sans fil aux comptes de messagerie et aux bases de données des entreprises : dès qu'un message électronique était reçu sur le compte de messagerie de l'utilisateur, il était transmis à son terminal mobile. Il était alors possible d'y répondre grâce à un petit clavier incorporé.

Le BlackBerry était commercialisé par plus de 80 opérateurs dans le monde. Si le terminal était vendu entre 89 et 209 euros l'unité, il convenait d'y ajouter un abonnement spécifique (24 euros par mois en supplément de l'abonnement au téléphone mobile), ainsi que le logiciel serveur à installer dans l'entreprise (environ 3 500 euros pour vingt utilisateurs).

Le BlackBerry était une solution proposée aux entreprises qui employaient des « professionnels nomades ». Dès la fin de l'année 2004, 75 % des 40 plus grosses entreprises françaises en avaient équipé leurs cadres supérieurs, notamment dans les secteurs de la banque et de la finance. RIM avait adopté une stratégie commerciale astu-cieuse, qui consistait à équiper en priorité les dirigeants des entreprises. De fait, posséder un BlackBerry devenait un signe de distinction pour les managers. Si dans un premier temps RIM n'avait pas envisagé de cibler le marché grand public, des solutions pour particuliers avaient été proposées à partir de 2004. Il était même possible d'implanter le système sur des machines concur-rentes : dès septembre 2004, PalmSource avait annoncé une alliance avec RIM qui rendait Gar-net OS compatible avec les solutions BlackBerry.

Le succès de RIM était comparable à celui de Palm cinq ans plus tôt : entre 2003 et fin 2007, le nombre d'utilisateurs était passé de 500 000 à plus de 12 millions dans 50 pays (soit plus de 20 mil-lions de machines vendues en huit ans). En 2007, RIM avait dégagé un bénéfice de 632 millions de dollars US pour un chiffre d'affaires de 3 milliards (en croissance annuelle de 47 %).

Contrairement à la plupart de ses concurrents, qui avaient délocalisé leur production en Asie, les usines de RIM étaient implantées dans l'Ontario et au Mexique pour l'Amérique du Nord et en Hongrie pour l'Europe. Cette décision s'expliquait par le fait que le coût de la main-d'œuvre n'était pas discriminant : 80 % du coût des terminaux provenaient des composants électroniques. De plus, en termes logistiques, il était préférable d'être proche des principales zones de consommation.

Le remarquable succès de RIM avait attiré des convoitises. La société américaine NTP, spécialisée dans la vente de technologies brevetées, l'avait ainsi accusé d'avoir contrefait certains de ses brevets. Craignant qu'un procès ne freine son expansion – et même si cette plainte était largement contestable –, RIM avait préféré verser 612,5 millions de dollars à NTP en 2006, dans le cadre d'un accord à l'amiable.

La déferlante de l'iPhone

Si le BlackBerry était devenu la référence sur le marché professionnel, pour les particuliers, l'année 2007 fut marquée par le lancement de l'iPhone d'Apple. Attendu depuis longtemps par les passionnés, cet appareil au design très soigné, qui était à la fois un smartphone, un iPod à grand écran et une solution de navigation sur Internet, fut officiellement lancé en juin 2007. Grâce à une campagne marketing remarquable, il ne fallut que 74 jours pour vendre un million d'exemplaires d'une machine très séduisante par son large écran tactile, mais non exempte de limitations (pas d'accès à Internet à haut débit, mémoire non extensible, prix de lancement de 599 dollars hors abonnement avec obligation de contracter un forfait mensuel d'au moins 59,99 dollars sur 2 ans). En septembre 2007, alors que son lancement était annoncé en Europe à 399 euros (plus un abonnement mensuel d'au moins 49 euros), le prix de l'iPhone fut abaissé aux États-Unis à 399 dollars.

L'extraordinaire intérêt suscité par ce produit avait permis à Apple de négocier des conditions très avantageuses auprès des opérateurs qui en avaient obtenu l'exclusivité de distribution : AT&T aux États-Unis, Orange en France, T-Mobile en Allemagne ou O2 au Royaume-Uni. Apple percevait ainsi jusqu'à 30 % de la facture mensuelle payée par chaque abonné. Cette modification profonde de la filière de la téléphonie (jusque-là, les opérateurs ne rétrocédaient aucun revenu aux fabricants de terminaux) imposait cependant que l'iPhone soit un système fermé, inutilisable en dehors des réseaux des opérateurs exclusifs. Or, plusieurs passionnés réussirent rapidement à annuler les protections logicielles prévues par Apple, ce qui leur permit d'utiliser leur iPhone sur le réseau de n'importe quel opérateur : cela provoqua l'apparition d'un véritable marché parallèle d'iPhones « déverrouillés ». De plus, dans certains pays – dont la France –, la législation en vigueur obligea l'opérateur exclusif à vendre également l'iPhone sans abonnement. Au total, en janvier 2008, plus de 25 % des 4 millions d'iPhones en circulation dans le monde étaient déverrouillés. Or, sur ces machines, Apple ne percevait aucun revenu mensuel.

Apple restait cependant très confiant sur le succès de son modèle économique : alors que le cours de son action avait augmenté de 134 % en 2007, l'entreprise annonça un objectif de vente de 10 millions d'iPhones dans le monde en 2008.

Quelle stratégie pour Palm ?

Début 2008, la gamme de Palm comprenait deux séries de produits :

1. La gamme PDA (moins de 20 % du chiffre d'affaires), reliquat de l'activité historique, avec trois modèles sous Garnet OS, allant d'un agenda électronique fidèle au concept original du PalmPilot et vendu 99 euros, jusqu'à un modèle multimédia avec connexion sans fil Bluetooth et WiFi, lancé en 2005 et vendu 299 euros.

2. La gamme de smartphones sous Windows Mobile ou Garnet OS (plus de 80 % du chiffre d'affaires), équipés d'un clavier, d'un appareil

Étude de cas

photo numérique et d'une connexion sans fil Bluetooth. Cette gamme comprenait un nombre variable de produits selon les pays (quatre en France, mais six aux États-Unis). Le plus cher était proposé à 299 euros en Europe (avec abonnement), alors que le modèle le plus récent, le Centro sous Garnet OS, avait été lancé fin 2007 aux États-Unis à 99 dollars (là aussi avec abonnement).

L'avenir de Palm était incertain : sa gamme était vieillissante, sa différenciation s'était érodée et son image n'attirait plus ni les professionnels, adeptes du BlackBerry, ni le grand public, conquis par l'iPhone. L'entreprise disposait encore d'une confortable trésorerie de 500 millions de dollars, mais paradoxalement il lui était pour l'instant plus rentable de placer cette somme en banque que de l'investir dans sa propre activité. À l'annonce des mauvais résultats publiés fin 2007, Ed Colligan, le directeur général de Palm, déclara : « Nous avons pris des mesures permettant d'aligner nos dépenses avec les contraintes de notre environnement et nous nous focalisons sur des initiatives essentielles qui auront un impact majeur sur notre succès à long terme ». Les analystes restèrent circonspects face à l'imprécision de cette annonce.

Ce cas a été préparé en collaboration avec Thierry Boudès, ESCP-EAP European School of Management.

Sources : palm.com ; rim.com ; symbian.com ; microsoft.com ; *Les Echos*, 10 janvier 2008 ; lexpansion.com ; *La Tribune*, 4 janvier 2008.

Questions

1. En vous référant à la section 6.2, déterminez sur combien de DAS Palm intervenait jusqu'en 2003. Que pensez-vous de la décision de scission entre palmOne et PalmSource ? Sur combien de DAS intervenait Palm en 2007 ?

2. En vous référant à la section 6.3, déterminez comment a évolué la stratégie générique de Palm à la suite de l'arrivée successive de Microsoft, du BlackBerry et de l'iPhone.

Qu'est-ce qui a provoqué ces repositionnements ?

3. En vous référant à la section 6.4, expliquez pourquoi Palm n'a pas réussi à verrouiller son marché.

4. Supposez que vous êtes directeur général de Palm début 2008. Identifiez les options stratégiques qui vous semblent les plus pertinentes.

Chapitre 7
Les orientations et la stratégie au niveau de l'entreprise

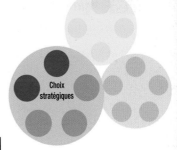

Objectifs

Après avoir lu ce chapitre, vous serez capable de :

- Décrire plusieurs orientations stratégiques, dont la pénétration de marché, la consolidation, le développement de produits, le développement de marché et la diversification.

- Déterminer dans quel cas la diversification est une stratégie de croissance pertinente.

- Distinguer la diversification liée de la diversification conglomérale et expliquer leur intérêt respectif.

- Montrer en quoi une maison mère ou une direction générale peut accroître ou détruire la valeur de son portefeuille d'activités.

- Analyser un portefeuille d'activités et décider lesquelles doivent se voir allouer des ressources.

7.1 Introduction

Dans le chapitre 6, nous avons présenté les choix stratégiques envisageables au niveau d'un domaine d'activité stratégique (DAS), par exemple les stratégies de prix ou de différenciation. Dans ce chapitre, nous allons nous intéresser aux choix concernant le *périmètre d'activité* de l'organisation dans son ensemble : sur quels nouveaux marchés entrer ? Avec quelles offres ? L'organisation doit-elle se concentrer sur quelques DAS, voire sur un seul ? Doit-elle au contraire se diversifier sur un large périmètre d'activités, à la fois en termes de marchés et d'offres ? Au cours de leur histoire, beaucoup d'organisations ont choisi d'étendre leur périmètre à un nombre de plus en plus important de DAS. Par exemple, si Virgin a commencé comme distributeur de musique, son activité couvre maintenant un périmètre extrêmement divers, allant du cinéma au transport aérien et de la téléphonie mobile aux services financiers. De même, alors que Sony était à l'origine un fabricant de radios, son portefeuille d'activités couvre maintenant les jeux vidéo, la production de musique et de films, ainsi qu'une très large gamme d'équipements électroniques. Au fur et à mesure que les organisations ajoutent de nouveaux DAS à leur portefeuille d'activités, leur stratégie doit évoluer en conséquence. Les choix de modification du périmètre d'activité et d'arbitrage entre les différents DAS relèvent de ce qu'il est convenu d'appeler la *stratégie au niveau de l'entreprise* ou *stratégie corporate*.

Ce chapitre débute par la matrice d'Ansoff, qui distingue quatre orientations stratégiques fondamentales : la *pénétration des marchés actuels*, le *développement de marchés nouveaux* (à la fois en termes géographiques et en termes de segments de clientèle), le *développement de produits nouveaux* (grâce à l'innovation et à l'amélioration de l'offre actuelle) et la *diversification* (qui implique une extension du périmètre de l'organisation à la fois en termes de marchés et d'offres). La suite du chapitre détaille la notion de diversification en soulignant ses avantages et ses inconvénients. Le chapitre 8 est consacré à l'internationalisation en tant que forme de développement de marchés, et le chapitre 9 revient sur le développement de produits grâce à l'innovation et à l'entrepreneuriat.

La diversification soulève d'autres thèmes développés dans ce chapitre. Le premier est le rôle de la direction générale chargée d'arbitrer entre les différents DAS qui composent le portefeuille d'activités. Étant donné leur éloignement du terrain, comment les activités de la direction générale, ses décisions et ses ressources sont-elles susceptibles d'accroître la performance des DAS ? Comme nous le verrons dans le débat qui clôt ce chapitre (voir l'illustration 7.6), le rôle stratégique de la direction générale fait l'objet de nombreuses critiques. Le second thème concerne l'équilibre du portefeuille d'activités et l'allocation de ressources entre les DAS. Quelles activités faut-il privilégier ? Lesquelles faut-il au contraire céder ? Selon quels critères ? Plusieurs matrices d'allocation de ressources peuvent être utilisées pour répondre à cette question.

Cette discussion n'est pas uniquement valable pour les grandes organisations diversifiées. Même une petite entreprise peut être constituée de plusieurs domaines d'activité stratégique. Une PME de maçonnerie peut ainsi travailler à la fois pour les collectivités locales, pour une clientèle industrielle et pour des particuliers. Or, ces trois activités s'adressent non seulement à des segments marketing différents, mais de plus elles nécessitent des compétences distinctes et ne sont pas caractérisées par les mêmes facteurs clés de succès. Ce sont donc trois DAS à propos desquels le dirigeant de l'entreprise doit prendre des décisions d'allocation de ressources. Les organisations du secteur public, comme les hôpitaux ou les collectivités territoriales, comprennent également différents services qui sont les équivalents des DAS dans une entreprise. La notion de stratégie au niveau de l'entreprise les concerne donc aussi. Dans une certaine mesure, la privatisation de certains services publics résulte de l'incapacité des pouvoirs publics à accroître – ou maintenir – la performance de ces activités.

Le schéma 7.1 résume les principaux thèmes de ce chapitre. Après avoir présenté les orientations stratégiques définies par la matrice d'Ansoff, nous détaillerons les options de diversification, ce qui nous conduira à examiner le rôle de la direction générale, puis l'utilisation des matrices d'allocation de ressources.

La direction générale rassemble les responsables situés hiérarchiquement au-dessus des domaines d'activité stratégique et qui n'ont pas d'interaction directe avec les clients et les concurrents

| Schéma 7.1 | Les enjeux de la stratégie au niveau de l'entreprise |

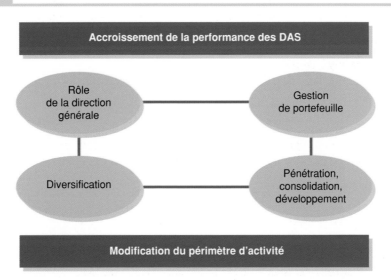

7.2 Les orientations stratégiques

La *matrice produits/marchés*[1] – ou *matrice d'Ansoff* – permet d'identifier simplement les orientations de développement stratégique qui s'offrent à une organisation (voir le schéma 7.2). La plupart des organisations débutent dans la case A, en haut à gauche de la matrice. Elles peuvent alors choisir soit de *renforcer la pénétration* de leur offre sur le marché où elle est déjà proposée (rester dans la case A), soit de *développer une nouvelle offre* sur ce même marché (case B), soit de proposer l'offre existante sur de *nouveaux marchés* (case C), soit enfin d'entreprendre une *diversification* plus radicale en proposant une offre nouvelle sur des marchés nouveaux (case D).

La matrice d'Ansoff repose implicitement sur une option de croissance. Or, la croissance est rarement une bonne chose en soi. Les organisations de service public sont ainsi fréquemment accusées de croître de manière incontrôlée. De même, certains dirigeants d'entreprises privées sont soupçonnés de construire des empires aux dépens de leurs actionnaires. Nous ajoutons donc une cinquième option à la matrice d'Ansoff, la *consolidation*, qui consiste à protéger l'offre existante sur le marché actuel. La suite de cette section détaille ces cinq options. L'illustration 7.1 présente une application de la matrice d'Ansoff à propos du développement de McDonald's.

7.2.1 La pénétration de marché

La **pénétration de marché**, qui consiste à accroître la diffusion de l'offre existante sur le marché actuel, est l'orientation stratégique la plus évidente. Elle s'appuie sur des capacités stratégiques établies et ne nécessite pas d'incursion vers des territoires inconnus. Le périmètre d'activité de l'organisation reste exactement le même.

La pénétration de marché consiste à accroître la part de marché détenue par l'organisation

Schéma 7.2	Les orientations stratégiques : la matrice d'Ansoff

Produits

Existants | Nouveaux

Marchés

	Existants	Nouveaux
Existants	**A** Pénétration de marché Consolidation	**B** Nouveaux produits et services
Nouveaux	**C** Développement de marchés	**D** Diversification

Source : adapté de I. Ansoff et E. McDonnel, *Stratégie du développement de l'entreprise*, Éditions d'Organisation, 1989.

De plus, un accroissement de la part de marché implique généralement un renforcement du pouvoir de négociation vis-à-vis des acheteurs et des fournisseurs, une meilleure exploitation des économies d'échelle et un gain d'expérience.

Cependant, la pénétration de marché implique deux contraintes :

- Le risque de *riposte des concurrents*. La pénétration de marché peut exacerber l'intensité concurrentielle (voir le modèle des 5(+1) forces dans la section 2.2) car les concurrents chercheront à défendre leur part de marché. Cela peut provoquer des guerres des prix ou une escalade des investissements publicitaires, au point d'anéantir l'intérêt du gain de parts de marché. Ce risque est particulièrement aigu sur les marchés stagnants, où tout accroissement des volumes de vente se fait nécessairement aux dépens des concurrents. Lorsqu'il existe un risque de riposte, les organisations qui choisissent la pénétration de marché doivent s'appuyer sur des capacités stratégiques qui leur procurent un avantage concurrentiel incontestable. Sur un marché déclinant, il peut être plus simple de gagner des parts de marché en rachetant des concurrents. En suivant cette approche, certaines entreprises ont connu une croissance fulgurante. C'est par exemple le cas du groupe Arcelor Mittal, constitué d'une série continue de rachats et de fusions : parti de la petite fonderie que possédait son père dans le désert du Rajasthan au début des années 1970, l'entrepreneur indien Lakshmi Mittal est ainsi devenu en 2004 le premier producteur mondial d'acier. Les acquisitions peuvent réduire l'intensité concurrentielle en consolidant l'industrie (voir la section 7.2.2).

Illustration 7.1

McDonald's échappe à une indigestion

Les orientations de développement stratégique peuvent se compléter les unes les autres. Il peut donc être pertinent de les mener de front.

En 1995, pour la première fois, plus de la moitié des bénéfices de McDonald's furent réalisés en dehors des États-Unis, notamment grâce à l'ouverture des marchés russe, indien et chinois. Les marchés internationaux étaient attrayants à plus d'un titre. Tout d'abord, le taux de profit y était plus élevé qu'aux États-Unis, où une vive concurrence (la part de marché de McDonald's y était d'environ 40 %) tirait les prix vers le bas. À l'étranger, McDonald's était capable d'attirer plus de clients et de leur faire payer des prix supérieurs. Par ailleurs, l'expansion internationale semblait sans limites. Au début des années 2000, McDonald's nourrissait chaque jour dans ses 30 000 restaurants près de 50 millions de personnes (soit environ 0,8 % de la population mondiale) et son objectif était de mettre *chaque* habitant de la planète à proximité immédiate d'un Big Mac.

Depuis 1990, McDonald's avait réduit le coût d'ouverture de ses restaurants de 30 % grâce à des approvisionnements globaux, des équipements standardisés et une architecture optimisée. Cela impliquait que des restaurants pouvaient être implantés dans des sites qui auraient été impossibles à rentabiliser seulement cinq ans auparavant. On comptait ainsi des restaurants McDonald's dans plus de 30 hôpitaux de par le monde, dans des supermarchés Wal-Mart à travers les États-Unis, dans le Muséum d'histoire naturelle de Taichung à Taïwan, à bord du ferry suédois *Silja Europa*, dans des aéroports, des écoles, des bases militaires, dans des trains allemands et même à bord des avions charters d'une compagnie suisse.

Si cette politique de multiplication des implantations était ambitieuse, McDonald's restait spécialisé sur les hamburgers, ce qui pouvait se révéler risqué, comme les restaurants européens l'avaient constaté lors de la crise de la vache folle. De plus, si l'entreprise lançait fréquemment de nouvelles recettes de sandwiches, les succès durables et internationaux étaient rares. En quinze ans, en dehors du Happy Meal et des Chicken McNuggets, aucune nouvelle recette n'avait réussi à séduire la planète. Des innovations locales comme les McChicken Premiere en Belgique ou le « 280 grammes » en France étaient restées confinées à leur marché d'origine.

McDonald's décida donc d'entreprendre une série d'acquisitions de chaînes de restaurants proposant des concepts différents du sien. Cette stratégie de développement commença en 1996 avec le rachat de la chaîne

italienne Burghy (forte de 80 restaurants) et se poursuivit par des prises de participations dans Boston Chicken, Chipotle Mexican Grill, Donatos Pizza et Aroma (une chaîne de cafés). En janvier 2001, McDonald's racheta également 33 % de la chaîne de sandwicheries haut de gamme Prêt à Manger (qui comme son nom ne l'indiquait pas était anglaise). Ces différentes chaînes permettaient non seulement d'élargir le périmètre d'activité, mais de plus elles pouvaient s'appuyer sur les compétences fondamentales de McDonald's en logistique, marketing, franchise et immobilier. Certains observateurs doutaient cependant de la pertinence du mariage entre un géant américain comme McDonald's et des chaînes européennes comme Aroma ou Prêt à Manger, qui s'adressaient plutôt à des niches de clientèles huppées. Les compétences de McDonald's ne leur étaient pas nécessairement transférables. À l'inverse, on pouvait craindre que leur rapprochement avec McDonald's nuise à leur image. Début 2002, plusieurs nouveaux concepts furent expérimentés, comme les hôtels 4 étoiles Golden Arch, les bistrots McCafé, voire la vente de produits courants (timbres, vêtements, etc.) dans certains restaurants.

Lors du quatrième trimestre 2002, sous l'effet d'une intense guerre des prix déclenchée par ses concurrents Burger King, Quick ou Wendy's, McDonald's fut déficitaire pour la première fois de son histoire (de 345 millions de dollars), alors que son chiffre d'affaires stagnait depuis trois ans à environ 15 milliards. Le groupe lança alors un vaste plan de « revitalisation », qui se traduisit par la cession de la chaîne Donatos Pizza, la fermeture de 719 restaurants non rentables (surtout au Moyen-Orient et en Amérique du Sud), le licenciement de plusieurs centaines de salariés, la rénovation de 5 000 des 13 000 restaurants américains et enfin la diversification de ses menus (introduction de salades destinées plus spécialement aux femmes, nouvelle offre de petits déjeuners). Ce plan porta ses fruits : en 2003, le chiffre d'affaires repartit à la hausse (17,1 milliards de dollars), tout comme les profits (1,5 milliard). En 2006, la chaîne Chipotle Mexican Grill fut cédée à son tour, mais 755 nouveaux restaurants McDonald's furent ouverts, alors qu'un millier de McCafé étaient désormais présents dans 34 pays. Le chiffre d'affaires dépassa 21,5 milliards de dollars et les profits atteignirent 3,5 milliards.

Questions

1. En vous référant au schéma 7.2, classez les différentes orientations de développement stratégique de McDonald's, avant et après la crise de 2002.
2. Quels sont selon vous les avantages et les inconvénients de chacune de ces orientations ?

● Les *contraintes légales*. Les autorités de concurrence, comme le Conseil de la concurrence en France ou le Bureau de la concurrence au Canada, peuvent s'opposer à la pénétration de marché afin d'éviter l'apparition de concurrents détenant un pouvoir de marché jugé trop important. Pour cela, elles utilisent généralement l'indice de Herfindahl-Hirschmann (somme des carrés des parts de marché des concurrents), qui permet de mesurer la concentration d'un marché. Dès que cet indice dépasse 1 000 ou dès qu'il augmente de 100, la situation fait en règle générale l'objet d'une enquête. Lors de la fusion entre Gaz de France et Suez en 2007, la Direction de la concurrence de la Commission européenne a ainsi exigé que les deux entreprises cèdent une partie de leurs actifs et ouvrent leurs réseaux à la concurrence en France et en Belgique[2].

7.2.2 La consolidation

La consolidation consiste à défendre la position d'une organisation sur ses marchés actuels en maintenant son offre existante

La **consolidation** consiste à défendre la position d'une organisation sur ses marchés actuels en maintenant son offre existante. Cette option de développement occupe formellement la même case de la matrice d'Ansoff que la pénétration de marché, mais elle n'implique pas une croissance de l'activité. La consolidation peut prendre deux formes :

● La *défense des parts de marché*. Face à des concurrents agressifs qui cherchent à accroître leur volume de ventes, il peut être nécessaire de défendre sa part de marché, parfois de manière vigoureuse et créative. Même si la part de marché n'est pas une fin en soi, il est important de veiller à ce qu'elle ne s'érode pas trop, ne serait-ce que pour assurer la pérennité de l'organisation. Le chiffre d'affaires doit notamment être suffisamment élevé pour couvrir les frais fixes tels que la R&D. Lorsqu'on cherche à protéger sa part de marché, la différenciation, le renforcement de la loyauté des clients et l'accroissement des coûts de transfert sont des approches généralement efficaces.

● Le *retrait* ou la *restructuration* de certaines activités. Lorsque le marché est globalement déclinant, il est souvent inévitable de réduire le volume d'activité en fermant certaines implantations. On peut également envisager de céder une partie de l'activité à des concurrents. Les attentes des parties prenantes dominantes peuvent parfois provoquer des retraits. L'objectif d'un entrepreneur peut ainsi consister à vendre son entreprise avant de prendre sa retraite. La cession ou la fermeture d'activités périphériques peut rendre l'activité principale plus attractive aux yeux de repreneurs potentiels.

Le terme « consolidation » est parfois utilisé pour désigner le rachat de concurrents dans une industrie fragmentée et déclinante. En acquérant des concurrents plus faibles et en réduisant leur capacité de production, une organisation peut accroître son pouvoir de marché et améliorer la rentabilité globale. Étant donné que cette forme de consolidation se traduit par une augmentation de la part de marché, elle peut être considérée comme une pénétration de marché dont la motivation resterait défensive.

Même si la pénétration de marché et la consolidation ne sont pas des approches statiques, leurs limites poussent souvent les managers à envisager d'autres orientations stratégiques.

7.2.3 Le développement de produits

Le **développement de produits** consiste à proposer une offre nouvelle sur les marchés existants. Il s'agit d'une extension limitée du périmètre d'activité. En pratique, même si la pénétration de marché nécessite probablement le lancement de nouvelles offres, le développement de produits implique un degré d'innovation plus important. Pour Sony, le développement de produits s'est traduit par exemple par le passage des magnétophones à cassette au Walkman, puis aux lecteurs de CD portables et enfin aux lecteurs MP3. Les marchés visés sont les mêmes, mais les technologies sont radicalement différentes. Même s'il est souvent indispensable (Sony ne pouvait plus espérer continuer à vendre des Walkman à cassette après le succès de l'iPod d'Apple), le développement de produits peut être une approche coûteuse et risquée, pour deux raisons :

Le développement de produits consiste à proposer une offre nouvelle sur les marchés existants

- Il implique de *nouvelles capacités stratégiques*. Le développement de produits nécessite généralement la maîtrise de nouvelles technologies avec lesquelles l'organisation est peu familière. Beaucoup de banques ont ainsi développé une offre sur Internet au début des années 2000, avant de réaliser que les compétences nécessaires étaient trop éloignées de leur activité historique. La plupart ont été contraintes d'acquérir de nouvelles capacités stratégiques en marketing et en informatique, grâce à l'assistance de spécialistes[3]. Le développement de produits requiert le plus souvent de lourds investissements, avec une probabilité de réussite incertaine.
- Le *risque d'échec dans la gestion du projet*. Même dans le cas d'extension vers des domaines relativement familiers, le développement de produits peut entraîner des délais et des coûts imprévus. La mise au point de l'Airbus A380 s'est ainsi traduite par un surcoût estimé à 1,7 milliard d'euros par rapport aux prévisions initiales, alors que le premier exemplaire n'a été livré que le 15 octobre 2007, soit 18 mois après la date prévue. Le manque de coopération entre les usines françaises et allemandes ainsi que l'incompatibilité entre leurs logiciels de conception se sont traduits par un niveau de complexité qu'Airbus a été incapable de maîtriser (voir l'illustration 11.4). Lorsque le retard a été annoncé, la direction a été contrainte de démissionner et le cours de l'action EADS – la maison mère d'Airbus – a chuté de 26 % en une séance.

Les stratégies de développement de produits nouveaux sont détaillées dans le chapitre 9.

7.2.4 Le développement de marchés

Face au risque et au coût du développement de produits nouveaux, les organisations peuvent préférer le développement de marchés. Le **développement de marchés** consiste à proposer l'offre existante sur de nouveaux marchés. Là encore, l'extension du périmètre reste limitée. Bien entendu, le développement de marchés implique généralement une forme de développement du produit, par exemple l'adaptation à des normes locales ou la modification de l'emballage. Le développement vers de nouveaux marchés peut prendre trois formes :

Le développement de marchés consiste à proposer l'offre existante sur de nouveaux marchés

- L'extension vers de *nouveaux segments marchés*. C'est par exemple la logique qui conduit certaines universités à proposer des cours du soir, afin de toucher un public plus âgé que les étudiants traditionnels.

- L'extension vers de *nouveaux usages*. Les producteurs d'acier inoxydable ont ainsi progressivement trouvé de nouvelles applications pour un matériau qui à l'origine était réservé à la coutellerie et aux arts ménagers. Aujourd'hui, l'acier inoxydable est utilisé dans l'aérospatiale, l'automobile, l'emballage (fûts de bière et cuves à vin), l'industrie chimique, voire les bijoux et les montres.
- L'extension *géographique*. Il peut s'agir du développement vers de nouvelles régions pour une petite entreprise, mais aussi de l'internationalisation pour une plus grande.

Dans tous les cas, le nouveau marché doit être caractérisé par des *facteurs clés de succès* identiques à ceux du marché d'origine (voir la section 2.5.2).

Les stratégies qui consistent à simplement exporter l'offre existante sur de nouveaux marchés sont en général condamnées à l'échec. De plus, le développement de marchés entraîne les mêmes risques que le développement de produits : il est nécessaire de disposer des ressources (marque reconnue) et compétences (notamment en marketing) permettant de toucher de nouveaux clients. Le problème consiste également à coordonner des DAS géographiquement distincts, qui peuvent avoir des besoins très spécifiques. Le développement de marchés à l'international fait l'objet du chapitre 8.

7.2.5 La diversification

La diversification consiste pour une entreprise à s'engager sur des domaines d'activité dans lesquels elle n'est pas encore présente, tant en termes d'offres que de marchés

La **diversification** consiste pour une entreprise à s'engager sur des domaines d'activité dans lesquels elle n'est pas encore présente, tant en termes d'offres que de marchés, ce qui correspond à la case D du schéma 7.1. Elle consiste donc à modifier radicalement le périmètre d'activité de l'organisation. En réalité, la plupart des diversifications ne sont pas aussi extrêmes. La matrice d'Ansoff ne prend en compte que les diversifications conglomérales (voir la section 7.3.2), alors que dans la pratique beaucoup de diversifications s'appuient sur des synergies avec les activités existantes. De fait, le développement de produits et le développement de marchés impliquent toujours une forme de diversification, que ce soit en termes d'offres ou de segments de clientèle. La diversification est une question de degré.

Quoi qu'il en soit, la matrice d'Ansoff souligne que plus une organisation s'éloigne de son activité d'origine, plus elle doit développer de nouvelles ressources et compétences. La diversification n'est qu'une des orientations de développement envisageables, mais c'est certainement celle qui soulève le plus de questions stratégiques. C'est pourquoi la section suivante lui est consacrée.

7.3 Les formes de diversification

Dans la matrice d'Ansoff, la diversification est l'orientation de développement la plus radicale[4]. De nombreuses raisons peuvent justifier la diversification, mais on considère généralement qu'elle contribue à la performance pour trois raisons principales :

- La diversification *accroît l'efficience* en utilisant les ressources et compétences existantes de l'organisation sur de nouveaux marchés ou sur de nouvelles offres. Par opposition aux économies d'échelle, c'est ce que l'on appelle en général des *économies de champ*[5]. Si une organisation possède des ressources ou compétences sous-utilisées qu'elle ne peut pas aisément céder ou supprimer, il peut être logique de les employer sur de nouvelles activités. En d'autres termes, il est possible de réaliser des économies en étendant le périmètre d'activité de l'organisation. Beaucoup d'écoles et d'universités disposent ainsi de larges ressources en termes d'amphithéâtres ou de résidences étudiantes, qui sont sous-utilisées pendant les vacances. Il peut être judicieux pour ces institutions de se diversifier dans l'organisation de conférences, voire dans le tourisme, ce qui permet de mieux utiliser ces ressources. Les économies de champ peuvent concerner des ressources *tangibles* (telles que les résidences universitaires), mais également des ressources *intangibles*, comme des marques, voire des compétences et des savoir-faire. Dans tous les cas, il s'agit de profiter de *synergies* entre différents domaines d'activité stratégique. Une **synergie** correspond à la situation où deux DAS ou plus sont complémentaires, de telle manière que leur performance combinée est supérieure à la somme de leurs performances individuelles[6]. Une synergie se manifeste par le fait que les chaînes de valeur respectives de plusieurs DAS partagent un ou plusieurs maillons (voir la section 3.6.1). L'illustration 7.2 montre comment l'entreprise Zodiac s'est diversifiée en utilisant plusieurs pivots de synergie successifs.

- La diversification permet *d'étendre la capacité managériale* de l'organisation à de nouveaux marchés ou à de nouvelles offres. Cette justification est proche de la précédente, mais elle permet de mettre l'accent sur des compétences qui sont souvent négligées. Au niveau de la direction générale, les managers peuvent développer la capacité à gérer toute une gamme de produits et services différents. Même s'ils ne partagent aucune ressource au niveau opérationnel, certains DAS peuvent reposer sur des approches comparables au niveau du siège. C.K. Prahalad et Richard Bettis[7] ont qualifié ce type de capacité managériale de « logique dominante » de l'organisation. Le groupe de luxe LVMH constitue un bon exemple de cette approche. Il s'agit en effet d'un conglomérat rassemblant des activités fort différentes – du champagne à la mode, des parfums à l'horlogerie en passant par la distribution et l'information financière – qui partagent très peu de ressources et compétences opérationnelles, mais qui nécessitent toutes une communication savamment orchestrée et le savoir-faire difficilement reproductible de talentueux créatifs (voir la section 7.4.1).

- La diversification permet *d'accroître le pouvoir de marché*. Si elle contrôle un vaste portefeuille d'activités, une organisation diversifiée peut se permettre de subventionner certains DAS à l'aide des surplus dégagés par un autre, ce qui sera impossible à un concurrent spécialisé. Cela procure au DAS qui bénéficie de cette manne un avantage concurrentiel, jusqu'à éventuellement pousser les concurrents en dehors du marché, la position de monopole obtenue permettant alors de dégager de confortables profits. Si ce type d'approche peut se révéler extrêmement bénéfique pour l'organisation, elle l'est nettement moins pour le consommateur. C'est la raison pour laquelle la Commission européenne a refusé en 2001 que General Electric prenne le contrôle de l'équipementier électronique Honeywell[8]. Grâce à cette acquisition, General Electric aurait été capable de proposer des moteurs d'avions équipés de systèmes Honeywell à un prix défiant toute concurrence. Étant donné que les constructeurs d'avions

Une synergie correspond à la situation où deux DAS ou plus sont complémentaires, de telle manière que leur performance combinée est supérieure à la somme de leurs performances individuelles

Illustration 7.2

Zodiac gonfle son portefeuille d'activités

En jouant sur différents pivots permettant des diversifications liées successives, une entreprise peut constituer un portefeuille d'activités varié tout en maintenant d'indéniables synergies.

L'entreprise Zodiac fut fondée à Boulogne-Billancourt en banlieue parisienne en 1896 par Maurice Mallet, après que celui-ci eut effectué sa première ascension en ballon. L'activité consistait alors à fabriquer des dirigeables, ce qui fait de Zodiac la plus ancienne entreprise aéronautique au monde encore en activité. À la suite de l'explosion du zeppelin *Hindenburg* près de New York en 1937, Zodiac décida de s'écarter de la production de dirigeables – jugés trop dangereux par le grand public – pour se recentrer sur la fabrication de canots pneumatiques. Cela lui permettait d'exploiter sa technologie des structures gonflables. Cette diversification était particulièrement judicieuse, puisqu'en 1996 l'entreprise célébra la vente de son millionième canot. Ce produit, remarquablement pratique et peu coûteux (moins de 10 000 euros), était devenu très populaire tant auprès des militaires que des plaisanciers, au point de devenir un nom commun.

Pour autant, face à une concurrence de plus en plus active, notamment italienne, Zodiac avait tenu à ne pas s'enfermer dans cette seule activité. En 1978, l'entreprise racheta Aerazur, spécialisé dans les gilets de sauvetage et les radeaux de survie gonflables (ce qui était cohérent avec l'activité marine), mais également dans les parachutes. Cette acquisition, suivie en 1979 de celle de EFA, un autre spécialiste des parachutes, permit à Zodiac de revenir en force sur le marché de l'aéronautique. En effet, les compagnies aériennes étaient les premiers clients mondiaux de gilets de sauvetage et de radeaux de survie. Cette réorientation fut confirmée en 1987 par le rachat d'Air Cruisers, un fabricant de toboggans d'évacuation gonflables. Zodiac devint ainsi un fournisseur de premier plan de Boeing et Airbus. Cette position fut encore renforcée par l'acquisition des deux principaux fabricants mondiaux de sièges d'avions, le Français Sicma Aero Seats en 1987 et l'Américain Weber Aircraft en 1992. En 1997, Zodiac racheta pour 150 millions d'euros l'Américain MAG Aerospace, leader mondial des toilettes et compacteurs de déchets pour avions. Enfin, avec le rachat d'Intertechnique en 1999 et d'Esco en 2002, Zodiac accéda à un portefeuille d'équipements aéronautiques « actifs » comme la gestion de l'oxygène, de la puissance électrique ou des systèmes de freinage et d'arrêt d'urgence. Ces nouvelles compétences lui permirent de se diversifier dans les équipements automobiles (notamment les airbags, mais cette activité fut revendue en 2005) et dans les systèmes de mesure et de transmission (dont une activité téléphonie, également revendue en 2005).

Parallèlement, Zodiac conforta sa position dans les canots gonflables en rachetant plusieurs concurrents : Bombard-L'Angevinière en 1980, Sevylor en 1981, Hurricane et Metzeler en 1987.

Enfin, Zodiac développa à partir de 1981 une division de fabrication de piscines. Si les premières tentatives reprenaient la technologie de la structure gonflable, le groupe s'étendit par la suite – là encore par croissance externe – vers les piscines hors sol à structure rigide, les systèmes de nettoyage et de purification d'eau (grâce à des technologies également utilisées dans les avions) et les articles gonflables de sport et de jeux nautiques (cette dernière activité fut revendue en 2004).

Au total, le chiffre d'affaires consolidé du groupe Zodiac dépassa les 2,3 milliards d'euros en 2006, pour un résultat net de 163 millions, avec une très forte présence à l'international, notamment aux États-Unis. L'action était cotée à la Bourse de Paris, et des rumeurs d'OPA étaient fréquentes. Cependant, le capital restait détenu à 25 % par des actionnaires familiaux (40 % des droits de vote), et étant donné que près de 25 % du chiffre d'affaires étaient réalisés dans des activités de défense, une OPA hostile était interdite par le droit français.

En 2007, sous la pression des analystes financiers, qui souhaitaient une meilleure visibilité de son activité, Zodiac décida de se séparer de sa division marine (qui incluait les piscines). Cette division, qui représentait 19 % du chiffre d'affaires du groupe, fut reprise en majorité par le fonds américain Carlyle sous le nom Zodiac Marine & Pool, après une fusion avec le spécialiste californien des piscines Jandy Pool Products. Zodiac en conserva 27 % du capital.

C'est ainsi que 111 ans après sa fondation, Zodiac se recentra sur l'aéronautique. Le groupe détenait plus de 40 % du marché mondial de certains équipements des avions de ligne, avec notamment la fourniture du système de distribution électrique des Airbus A380 et Boeing 787. Début 2004, les deux sondes américaines Spirit et Opportunity se posèrent sur la planète Mars grâce à des parachutes Zodiac.

Sources : zodiac.com ; *Le Figaro économie*, 24 mai 2004 ; *Les Echos*, 9 novembre 2002, 9 janvier 2006 et 21 avril 2006.

Questions

1. Identifiez sur quels pivots a reposé chacune des diversifications de Zodiac.
2. Pensez-vous que les analystes financiers ont eu raison de pousser Zodiac à se séparer de son activité marine ?

choisissent de plus en plus les fournisseurs les moins chers, la Commission craignait que General Electric ne se retrouve en position de monopole et pratique des prix prohibitifs une fois ses concurrents chassés du marché.

D'autres raisons permettent de justifier une diversification, mais leur impact sur la performance des activités est moins immédiat. Quelquefois, la diversification semble même servir plutôt les ambitions des managers que les intérêts des actionnaires :

- *Réagir au déclin du marché* est parfois une raison invoquée pour justifier une diversification, mais elle est souvent discutable. Microsoft a ainsi énormément investi dans le lancement de sa console de jeu Xbox (500 millions de dollars rien qu'en marketing), en réponse au ralentissement de son cœur d'activité, les logiciels. Or, jusqu'à présent, les actionnaires de Microsoft n'ont pas tiré bénéfice de cette diversification : ils auraient certainement préféré que Microsoft leur verse directement ce budget et laisse Nintendo et Sony s'affronter sur le marché des consoles de jeux. Microsoft a justifié ses diversifications comme une réponse indispensable face à la convergence à l'œuvre dans l'industrie informatique et électronique.

- *Répartir les risques* au long d'une plus grande série d'activités est une deuxième motivation fréquente de la diversification. La théorie financière est cependant très critique à l'égard de cette approche. Elle stipule que les investisseurs peuvent plus efficacement répartir leur risque en investissant eux-mêmes dans un plus grand nombre d'entreprises. Alors que les managers peuvent apprécier le sentiment de sécurité procuré par un portefeuille diversifié, les investisseurs n'ont pas besoin que chacune des entreprises dans lesquelles ils investissent soit diversifiée. De leur point de vue, il est préférable que chacune se concentre sur son cœur de métier. Cette logique ne s'applique pas aussi bien aux entreprises non cotées en Bourse, car leurs propriétaires y ont généralement immobilisé une grande partie de leurs actifs, ce qui les empêche de diversifier leurs investissements. Par conséquent, il est plus logique pour une entreprise non cotée d'intervenir sur un portefeuille d'activités diversifiées : si l'une d'entre elles périclite, elle n'entraînera pas l'ensemble dans sa chute.

- *Répondre aux attentes de parties prenantes influentes*, en particulier des dirigeants, peut conduire à des diversifications hasardeuses. À la fin des années 1990, face à la pression des analystes boursiers de Wall Street, qui exigeaient une croissance continue, le courtier en énergie Enron (voir l'illustration 4.1) s'est ainsi diversifié très au-delà de son activité d'origine pour intervenir dans des domaines aussi variés que la pétrochimie, l'aluminium ou même le courtage de bande passante sur les réseaux de communication. En satisfaisant les attentes à court terme des analystes, cette stratégie a artificiellement stimulé le cours de l'action, alors que dans le même temps les dirigeants réalisaient des profits considérables grâce à leurs plans de stock-options. Cependant, en dépit des tentatives de maquillage des comptes orchestrées par ces mêmes dirigeants, il est vite apparu que cette diversification n'était pas profitable, ce qui a conduit Enron à la plus retentissante faillite de l'histoire de Wall Street.

Afin de déterminer si ces diverses justifications contribuent à la performance de l'organisation, il est important de clarifier la notion de diversification, en particulier en ce qui concerne l'existence – ou l'absence – de synergies entre les DAS qui composent le portefeuille d'activités. Les prochaines sections sont consacrées à cette distinction.

7.3.1 La diversification liée

*La **diversification liée** correspond à un développement vers de nouvelles activités qui présentent des points communs avec les activités existantes*

La **diversification liée** correspond à un développement vers de nouvelles activités qui présentent des points communs avec les activités existantes. On peut citer le cas de Procter & Gamble et d'Unilever dont toutes les activités présentent des points communs : produits de grande consommation à obsolescence rapide s'appuyant sur des marques de plus en plus globales, ce qui leur permet de partager les efforts de recherche et développement ou de marketing et d'utiliser les relations tissées avec les grands réseaux de distribution.

En utilisant les notions de filière et de chaîne de valeur (voir la section 3.6.1), on peut identifier deux formes principales de diversification (voir le schéma 7.3) : l'*intégration verticale* et l'*intégration horizontale* :

*L'**intégration verticale** désigne le développement vers des activités adjacentes de la filière, que ce soit vers l'amont ou vers l'aval*

*L'**intégration vers l'amont** consiste en un développement vers les étapes situées en amont de l'organisation dans la filière*

*L'**intégration vers l'aval** consiste en un développement vers les étapes situées en aval de l'organisation dans la filière*

*L'**intégration horizontale** consiste en un développement vers des activités qui sont concurrentes ou complémentaires par rapport aux activités existantes*

- L'**intégration verticale** désigne le développement vers des activités adjacentes de la filière, que ce soit vers l'amont ou vers l'aval. On distingue deux types d'intégration verticale, selon la direction adoptée le long de la filière. L'**intégration vers l'amont** consiste en un développement vers les étapes situées en amont de l'organisation dans la filière. L'organisation se positionne ainsi au niveau de ses fournisseurs. On peut citer l'exemple du rachat du club de football Paris-Saint-Germain par la chaîne de télévision cryptée Canal+ (voir l'illustration 5.4). Grâce à cette acquisition, Canal+ a amélioré sa position lors de la négociation des droits de retransmission des matches. Réciproquement, l'**intégration vers l'aval** consiste en un développement vers les étapes situées en aval de l'organisation dans la filière. L'organisation se positionne ainsi au niveau de ses distributeurs, de ses clients ou des activités de service après-vente. On peut citer le cas du rachat de la chaîne de parfumeries Sephora par le groupe LVMH, propriétaire notamment des parfums Dior et Guerlain. De même, le fabricant de semi-conducteurs et de composants de radiocommunication Samsung est devenu constructeur d'ordinateurs et de téléphones mobiles.

- L'**intégration horizontale** consiste en un développement vers des activités qui sont concurrentes ou complémentaires par rapport aux activités existantes. Beaucoup d'organisations cherchent ainsi à exploiter leur capacité stratégique sur d'autres marchés. Par-delà la recherche sur Internet, Google s'est ainsi diversifié vers les cartes, les images ou le courrier électronique. Puisqu'elle s'appuie sur des synergies, l'intégration horizontale consiste à utiliser un ou plusieurs maillons de la chaîne de valeur existante comme *pivots de diversification* vers les nouvelles activités :

  – Le pivot peut être *commercial*, lorsqu'une organisation qui maîtrise un réseau de distribution ou qui a su développer une réputation auprès d'un segment de clientèle l'utilise pour proposer des produits parfois très différents. Si les technologies employées dans les aliments surgelés, la lessive et la margarine n'ont rien de commun, elles sont diffusées auprès des mêmes consommateurs *via* des canaux identiques, ce qui en fait des activités liées dans le portefeuille d'Unilever. La situation est identique pour Gillette avec les rasoirs, la mousse à raser et les déodorants.

Schéma 7.3 **Les options de diversification liée pour une entreprise industrielle**

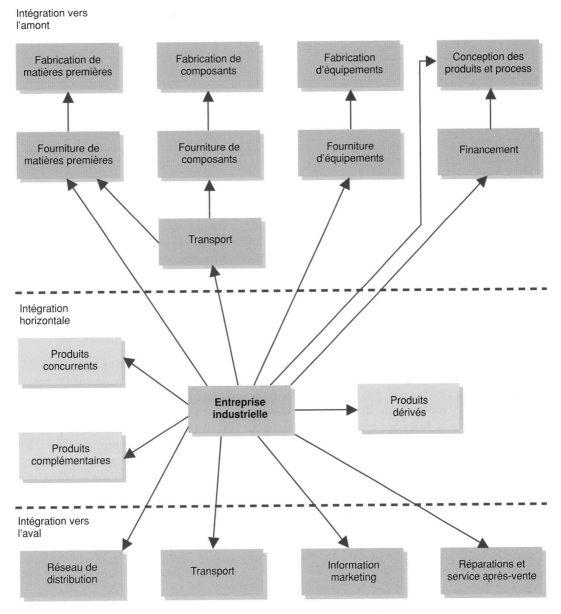

Remarque : certaines entreprises fabriquent des composants ou des produits semi-finis. Elles disposent alors d'une autre possibilité d'intégration verticale vers l'aval, l'assemblage et la production de produits finis.

– Réciproquement, le pivot peut être *technologique*, lorsqu'une organisation propose toute une gamme de produits qui reposent sur une technologie commune. On peut citer le cas de l'entreprise japonaise Toray qui, grâce à ses compétences dans les matériaux composites, fabrique des produits aussi variés que des empennages de missiles, des pare-chocs de voiture ou des raquettes de tennis. Pour analyser les diversifications liées par pivot technologique, il est possible d'utiliser la représentation de l'entreprise par *arbres technologiques*[9], qui aide à mettre en évidence les racines scientifiques communes entre des domaines d'activité parfois très éloignés en termes de marchés.

– Le pivot peut également être constitué par une *compétence* obtenue grâce au lien entre plusieurs étapes de la chaîne de valeur, comme dans le cas de Bic, qui après avoir prouvé sa capacité à développer un produit basique et jetable en plastique moulé avec les stylos a renouvelé l'opération sur les briquets, les rasoirs, les bateaux (avec la planche à voile) et les parfums (mais cette dernière tentative a été un échec). On peut également citer l'exemple de l'entreprise française GPS, qui a utilisé les compétences acquises sous sa marque de travaux photo express PhotoService (réponse rapide aux demandes des clients, programme de fidélisation, implantation dans les principales galeries marchandes) pour les appliquer dans la fabrication de lunettes en une heure sous l'enseigne GrandOptical. De même, les diversifications historiques de groupes comme Veolia, Bouygues ou Lagardère se sont appuyées sur une compétence commune : la capacité à négocier avec des responsables politiques.

– Enfin, il est possible d'utiliser successivement *plusieurs* pivots de diversification, comme le montre l'exemple de Zodiac (voir l'illustration 7.2).

Cependant, le fait que deux activités appartiennent à la même filière ou présentent certaines synergies n'implique pas qu'elles reposent sur la même capacité stratégique. À la fin des années 1990, certains constructeurs automobiles ont ainsi entrepris une diversification vers l'aval en rachetant des spécialistes de réparation et de service après-vente (Midas pour Fiat en 1998 et Kwik-Fit/Speedy pour Ford en 1999). Ces diversifications étaient justifiées par l'idée de proposer aux clients un service plus intégré. Or, les constructeurs ont rapidement constaté que ces activités impliquaient des capacités différentes, reposant non pas sur l'optimisation de grandes unités industrielles, mais au contraire sur la couverture de larges territoires grâce à de petites unités de service. L'absence de réelles synergies a finalement contraint ces constructeurs à renoncer à leurs diversifications. Ford a ainsi revendu Kwik-Fit/Speedy en 2002 (pour un prix trois fois inférieur à celui auquel il l'avait acheté trois ans plus tôt) et Fiat a cédé Midas en 2004. Les synergies sont souvent bien plus difficiles à identifier et surtout bien plus coûteuses en pratique que les managers veulent bien l'admettre[10].

La diversification liée peut se révéler décevante pour au moins deux raisons :

● Les processus de transfert de compétences et de partage du savoir peuvent mobiliser une part trop importante du temps et de l'énergie des managers de la direction générale.

● Les managers des DAS peuvent être réticents à partager leurs compétences, surtout si leur rétribution est fondée sur la performance de leur seule activité et non sur la capacité de transfert des meilleures pratiques.

En résumé, l'idée selon laquelle les synergies constitueraient une garantie de succès a été mise en doute[11]. Même si certaines recherches ont prouvé que la diversification liée a un impact positif sur la performance (voir la section 7.3.3), il convient de bien s'interroger sur les synergies et sur les gains de performance.

7.3.2 La diversification conglomérale

La **diversification conglomérale** correspond au développement d'activités qui ne présentent aucun point commun avec les activités existantes. Par opposition à la diversification liée, il s'agit donc d'accoler des chaînes de valeur totalement indépendantes, qui ne partagent aucun maillon. Étant donné qu'il n'existe aucune économie de champ entre les activités réunies au sein d'un conglomérat, alors que le coût du siège peut parfois être considérable, les analystes financiers ont tendance à faire subir aux groupes fortement diversifiés une *décote de holding*, c'est-à-dire une moindre valorisation de leur cours de Bourse. Selon les analystes, chacune des activités rapporterait plus aux actionnaires si elle était cotée indépendamment. Par ailleurs, les gestionnaires de fonds peuvent considérer que la direction générale d'un conglomérat leur fait concurrence, puisque c'est à eux de diversifier leurs risques entre plusieurs activités. Enfin, les logiciels utilisés par les analystes répartissent les entreprises par industries afin de comparer leur performance. De fait, un conglomérat qui intervient dans plusieurs industries ne peut pas être évalué à l'aide de ces outils, ce qui complexifie la tâche des analystes. Toutes ces raisons poussent les marchés boursiers à sanctionner les diversifications conglomérales. C'est ainsi qu'en 2003 le conglomérat Vivendi Universal – qui intervenait à l'époque à la fois dans le cinéma, les parcs d'attractions, la téléphonie mobile, la télévision, les jeux vidéo et la distribution d'eau – subit une décote de holding de l'ordre de 15 à 20 %, au travers de laquelle les marchés le poussaient à se scinder en plusieurs entreprises distinctes. C'est d'ailleurs ce que la direction de Vivendi Universal a finalement été contrainte de faire.

Pour autant, les critiques à l'égard des conglomérats peuvent être exagérées, car dans certaines situations la diversification conglomérale peut être profitable :

- Un conglomérat peut réussir en exploitant une *logique dominante*. C'est le cas de Berkshire Hathaway, l'entreprise présidée par l'investisseur Warren Buffet, surnommé « l'oracle d'Omaha ». Berkshire Hathaway est un conglomérat présent dans des activités très diverses, telles que l'assurance, les matériaux de construction, la distribution, la production de moquettes, la formation d'équipages pour le transport aérien et maritime, le textile, la chaussure et les journaux. Cependant, il se spécialise dans des activités matures dont il peut comprendre la logique et dont les dirigeants lui inspirent confiance. Pendant la bulle Internet des années 1990, Warren Buffet a délibérément évité d'acheter des entreprises de technologie car il savait qu'elles étaient étrangères à sa logique dominante. De même, le groupe français Bolloré (voir l'illustration 7.3) suit une logique dominante consistant – à côté de ses activités historiques – à réaliser des plus-values boursières sur des grandes entreprises sous-valorisées et confrontées à d'importants défis stratégiques (Bouygues, Vivendi Universal, Lazard, Havas, etc.).

La diversification conglomérale correspond au développement d'activités qui ne présentent aucun point commun avec les activités existantes

Illustration 7.3

Bolloré : un conglomérat florissant

Les conglomérats fortement diversifiés constituent une forme d'entreprise de moins en moins fréquente mais qui peut cependant se révéler profitable.

En 2007, Vincent Bolloré, lointain héritier des papeteries familiales fondées en 1822 en Bretagne, infléchit une nouvelle fois le cap de son groupe, une des 500 plus grosses entreprises mondiales, qui avec un bénéfice 2006 de 583 millions d'euros pour un chiffre d'affaires de 5,98 milliards rassemblait alors plus de 350 sociétés et 30 600 salariés. Sa stratégie consistait à s'appuyer sur les métiers traditionnels du groupe, afin de mener une politique de diversification, notamment dans les médias. Il aimait annoncer qu'il se retirerait en 2022, date du bicentenaire du groupe, en léguant à ses enfants un secteur motivant : les médias. Les activités du groupe comprenaient :

- Un pôle logistique et transport : avec 60 % du chiffre d'affaires, c'était l'activité la plus rentable du groupe. Cette division s'était notamment appuyée sur l'armateur Delmas, leader sur le continent africain, acquis à la suite d'une OPA en 1991 et revendu pour 332 millions d'euros à CMA-CGM en 2006. Au total, le groupe possédait une flotte de navires porte-conteneurs, plusieurs lignes de chemin de fer, 3,5 millions de m² de bureaux et d'entrepôts, et 15 000 permanents dans 40 pays d'Afrique.
- Un pôle distribution d'énergie : avec la reprise d'une partie des réseaux de distribution de Shell et de BP en France, Bolloré détenait 10 % du marché français de la distribution de fioul domestique, en plus d'un réseau de stations-service, d'un oléoduc et de vastes dépôts pétroliers dans le nord de l'Europe.
- Des actifs agro-industriels : au travers de ses propres filiales ou de participations dans des groupes comme Socfinal, Bolloré était le premier planteur privé mondial en Asie et en Afrique (hévéas, palmiers à huile, café, cacao).
- Un pôle terminaux et systèmes spécialisés : leader mondial des systèmes de contrôle d'accès (billetterie, cartes d'embarquement, lecteurs de codes-barres, etc.) *via* la filiale IER.
- Un pôle films plastique et papiers minces : leader mondial des films polypropylène pour condensateurs, un des trois leaders mondiaux des films thermorétractables, leader mondial des papiers minces (papiers à cigarettes, notices pharmaceutiques, édition littéraire de luxe, etc.).

- Un pôle batteries électriques supercapacités : le groupe avait mis au point une batterie lithium métal polymère de haute performance permettant à un véhicule électrique de rouler à 125 km/h et de disposer d'une autonomie de 250 km.
- Un pôle média, comprenant la société française de production, la chaîne de télévision Direct 8, les quotidiens gratuits *Direct Soir* et *Matin Plus*, une salle de cinéma à Paris, douze licences WiMax en France et une participation dans Gaumont, ainsi que dans les groupes de publicité et de communication Havas et Aegis et dans la société de sondage CSA.
- Des participations financières, notamment dans Mediobanca, l'une des principales banques italiennes.

La philosophie de Vincent Bolloré consistait à faire en sorte qu'aucune de ces activités ne dépasse 10 % des actifs du groupe. En dehors des participations purement financières, il tenait à prendre la majorité de ses filiales et à placer ses managers aux commandes. Il veillait à son indépendance financière, recourant le moins possible aux banques (les dettes s'élevaient à moins de 20 % des capitaux propres) et à la Bourse. La structure financière du groupe était particulièrement complexe (holdings, sous-holdings, participations croisées multiples), de manière à assurer à Vincent Bolloré un contrôle personnel de l'ensemble.

Le groupe était financé sur ses activités propres (qui rapportaient environ 250 millions d'euros par an), mais également par des opérations d'allers et retours éclair en Bourse, qui suivaient toujours le même scénario : prise de participation minoritaire dans une entreprise sous-valorisée et confrontée à d'importants défis stratégiques, montée en puissance au capital afin d'encourager la spéculation, puis revente brusque des titres. De 1998 à 2006, ces opérations (sur Bouygues, Lazard, Pathé, Olivetti, Vivendi Universal, PSA ou Vallourec) avaient rapporté plus de 1,5 milliard d'euros.

Vincent Bolloré, surnommé « le petit prince du cash-flow », réinvestissait ces plus-values selon une règle stricte : un tiers pour les métiers existants, un tiers pour le rachat en Bourse des filiales encore cotées et un tiers pour les nouvelles diversifications. Il prévoyait d'investir 1,5 milliard d'euros en cinq ans dans les voitures électriques et dans les médias.

Sources : Capital, octobre 2001 ; La Tribune, 8 avril 2002 ; Les Echos, 14 septembre 2004, 20 novembre 2006, 26 mars et 1er octobre 2007 ; bollore.com.

Questions

1. Que pensez-vous de l'approche de Vincent Bolloré ?
2. Comment expliquez-vous que les groupes diversifiés tels que Bolloré soient de moins en moins nombreux ?

● Les conglomérats peuvent être une bonne solution dans les *pays où les marchés ne sont pas matures*. Ils peuvent en effet faire office de marchés internes de capitaux et de ressources humaines lorsque les marchés externes ne fonctionnent pas bien. C'est ainsi que le succès des conglomérats coréens (les chaebol) repose notamment sur le fait qu'ils sont capables de mobiliser les investissements et de former les managers bien mieux que les entreprises coréennes indépendantes. De plus, la très forte cohésion culturelle entre les managers de ces chaebol réduit les coûts de coordination et de contrôle qui seraient nécessaires dans un conglomérat occidental, où la confiance à l'égard des managers serait moindre[12]. Le même principe peut s'appliquer à d'autres économies en forte croissance dont les marchés de capitaux et du travail sont encore sous-développés.

La distinction entre diversification liée et diversification conglomérale n'est bien souvent qu'une question de degré. Dans le cas de Berkshire Hathaway ou de Bolloré, même si les liens opérationnels entre les activités sont minimes, il existe bien une cohérence d'ensemble en termes de *logique parentale* (voir la section 7.4.4). Réciproquement, les constructeurs automobiles qui ont tenté une intégration vers des activités apparemment liées comme la réparation et l'entretien ont été contraints de constater que les synergies étaient très inférieures à ce qu'ils avaient tout d'abord supposé. L'imprécision de la frontière entre la diversification liée et la diversification conglomérale nourrit de vives polémiques en termes de performance.

7.3.3 La diversification et la performance

Étant donné que la plupart des grandes entreprises sont diversifiées, mais également que la diversification peut quelquefois servir avant tout les intérêts des managers, de très nombreux travaux de recherche ont été consacrés au lien entre la diversification et la performance : les entreprises diversifiées réussissent-elles mieux que celles qui ne le sont pas ? Il serait en effet quelque peu inquiétant de constater que les grandes entreprises se diversifient avant tout pour répartir les risques personnels de leurs dirigeants, pour préserver les postes des managers alors que leur activité décline, ou pour maintenir les taux de croissance exigés par les marchés boursiers, comme dans le cas d'Enron.

Les recherches ont montré que les entreprises qui se développent au travers de *diversifications liées* obtiennent une performance supérieure à celles qui restent spécialisées et à celles qui choisissent les *diversifications conglomérales*. En d'autres termes, la rentabilité augmente avec la diversification, mais seulement jusqu'à un certain seuil, au-delà duquel cette relation s'inverse[13] (voir le schéma 7.4).

Cependant, s'il s'agit d'une règle générale, vérifiée en moyenne, il existe de nombreuses exceptions. Certaines diversifications liées échouent – comme l'intégration verticale tentée par les constructeurs automobiles – alors que certains conglomérats ont d'excellents résultats – comme Berkshire Hathaway ou Bolloré. Les reproches adressés à la diversification conglomérale sont très largement exagérés : une logique dominante ou un contexte national spécifique peuvent largement plaider en sa faveur. En fait, ce n'est pas tant le degré de diversification qui détermine la performance, mais la capacité à gérer la diversité : « Investir dans une

| Schéma 7.4 | La diversification et la performance |

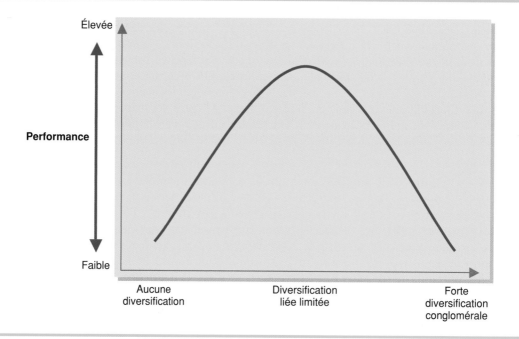

société monométier, c'est investir dans un secteur d'activité ; investir dans une société diversifiée, c'est investir dans une équipe de direction performante.[14] » Quoi qu'il en soit, même si en moyenne la diversification liée rapporte plus que la diversification conglomérale, toute stratégie de diversification doit faire l'objet d'un examen attentif.

7.4 L'impact du siège sur la performance des DAS

Certaines directions générales sont incapables de contribuer à la performance des DAS qui composent leur portefeuille d'activités. Rien qu'en 2006, deux conglomérats américains, Tyco et Cendant, ont décidé de se scinder en plusieurs entreprises distinctes, reconnaissant ainsi que leurs divisions seraient plus performantes une fois devenues indépendantes. De même, dans le secteur public, un certain nombre d'établissements (hôpitaux, universités, etc.) voient leur autonomie s'accroître vis-à-vis de leur autorité de tutelle, sous prétexte qu'une plus grande indépendance leur permettra d'améliorer leur performance. Certains observateurs vont jusqu'à mettre en doute l'intérêt des directions générales dans les groupes diversifiés (voir l'illustration 7.6). Cette section montre comment les maisons mères, les sièges ou les directions générales des holdings peuvent améliorer ou détruire la performance de leurs DAS et présente trois *logiques parentales* qu'elles sont susceptibles d'adopter.

7.4.1 L'ajout ou la destruction de performance par la direction générale[15]

Toute direction générale – dans les entreprises comme dans la sphère publique – doit démontrer qu'elle rapporte plus qu'elle ne coûte. Pour les organisations du secteur public, l'incapacité à améliorer la performance des activités se traduit par leur privatisation ou par le recours à des prestataires privés. Les entreprises cotées doivent faire face à un défi supplémentaire : elles doivent faire la preuve qu'elles contribuent plus à la performance de leurs activités que ne le feraient d'autres propriétaires. En cas d'échec, elles risquent d'être victimes d'une OPA hostile ou d'un démantèlement. Les concurrents qui estiment qu'ils sont plus à même d'accroître la performance des DAS peuvent être tentés de racheter l'entreprise dans son ensemble, de reprendre les activités qui les intéressent et de revendre les autres. Si l'offre de ces repreneurs est plus attractive et plus crédible que ce que la direction générale en place peut promettre, les actionnaires risquent fort d'y être sensibles (voir l'exemple de Cadbury Schweppes dans l'illustration 7.4).

De fait, on peut considérer qu'il existe une concurrence entre les directions générales sur le droit de posséder ou non certaines activités. Sur le marché du contrôle des DAS, les équipes de direction générale doivent démontrer qu'elles disposent d'un « avantage parental » (en référence au rôle de maison mère), sur le même principe que les DAS doivent obtenir un avantage concurrentiel. Elles doivent faire la preuve que les activités qu'elles contrôlent ne pourraient pas être plus performantes si elles étaient rattachées à une autre entreprise ou si elles étaient indépendantes. Les directions générales doivent donc avoir une vision très claire de la manière dont elles ajoutent de la performance. En pratique, cependant, beaucoup de leurs activités ne font que consommer les ressources générées par les DAS.

Les activités génératrices de performance[16]

Une direction générale peut accroître la performance des DAS de quatre manières différentes :

- La *lisibilité*. La direction générale peut se doter d'une *intention stratégique*[17] capable de guider et motiver les responsables d'activités, de manière qu'ils contribuent à la maximisation de la performance du groupe, en adhérant à ses objectifs communs. La vision doit également contribuer à la *lisibilité pour les parties prenantes externes*, en aidant notamment les actionnaires à comprendre pourquoi certains DAS font partie du portefeuille d'activités. Enfin, une orientation explicite permet de *discipliner* la direction générale, de manière à éviter qu'elle se perde dans des activités aussi coûteuses qu'inappropriées.
- La *formation* et l'*accompagnement*. La direction générale peut aider les responsables d'activités à développer des capacités stratégiques en leur apprenant à améliorer leurs compétences et leurs initiatives. Elle peut également faciliter la coopération et le partage entre les DAS, de manière à renforcer les *synergies*. La mise en place de programmes de formation à la stratégie au niveau du groupe permet de faciliter ce type d'échanges. En réfléchissant ensemble à leur stratégie, les managers de différents DAS peuvent apprendre à se connaître et à coopérer.

Illustration 7.4

Cadbury se sépare de Schweppes

Les entreprises trop diversifiées peuvent être des proies désignées pour certains financiers.

En mars 2007, le financier américain Nelson Peltz utilisa son fonds d'investissement Trian Fund Management LP pour prendre 3 % du capital du groupe britannique Cadbury Schweppes. Nelson Peltz était connu comme un actionnaire activiste, toujours prompt à extraire le maximum de profit en pressurant les managers ou en démantelant les groupes jugés insuffisamment performants. En quelques jours, l'action Cadbury gagna 15 %, passant de 580 à 680 pence.

Cadbury Schweppes était né en 1969 du rapprochement de Cadbury, un spécialiste du chocolat et de la confiserie fondé en 1824, et de Schweppes, un fabricant de soda fondé en 1720. Le portefeuille de marques de Cadbury incluait notamment les chewing-gums Hollywood, Malabar et Stimorol, les bonbons Kiss Cool, Carambar, Kréma, La Pie qui Chante et La Vosgienne, ainsi que les chocolats Poulain. L'entreprise était le numéro un mondial de la confiserie, avec une part de marché de 10 %, juste devant Mars et Nestlé. Pour sa part, Schweppes détenait les marques 7 Up, Canada Dry, Dr Pepper, ainsi que la gamme des sodas Schweppes. Cependant, sur son principal marché, les États-Unis, Schweppes était largement distancé par Coca-Cola et PepsiCo, qui à eux deux détenaient 75 % du marché. Cadbury Schweppes avait pourtant concentré ses efforts sur ce marché, tout d'abord en rachetant Dr Pepper et 7 Up en 1995, puis en cédant son activité soda européenne (dont les marques Orangina, Oasis et Gini) aux fonds Blackstone et Lion Capital en 2005, et enfin en investissant massivement dans des usines d'embouteillage en 2006.

Deux jours après l'annonce de l'entrée au capital de Nelson Peltz, Cadbury Schweppes annonça qu'il envisageait de vendre sa division boissons. Plusieurs options étaient envisagées : créer une entreprise indépendante, vendre l'activité à un concurrent ou à des fonds d'investissements ou encore l'introduire en Bourse et vendre progressivement les actions restantes.

Quelques jours après, des rumeurs commencèrent à circuler sur une fusion entre Cadbury Schweppes et l'Américain Hershey's, qui détenait 5 % du marché mondial de la confiserie. Cette fusion aurait donné naissance à un groupe disposant d'un pouvoir de marché considé-rable et de la capacité à résister aux pressions de la grande distribution. D'après Citigroup, le rapprochement de Cadbury et de Hershey's aurait donné naissance à une entité possédant 15,7 % du marché mondial de la confiserie et 16,2 % de celui du chocolat, devant son principal concurrent, Wrigley. De plus, les deux entreprises étaient largement complémentaires : Cadbury était faible sur le marché de la confiserie américain, alors que Hershey's était faible en Europe. Cependant, du fait de la complexité de la structure de propriété de Hershey's, possédé pour un tiers par le fonds Milton Hershey School Trust, qui en détenait les deux tiers des droits de vote, l'opération ne put aboutir.

En mai 2007, Cadbury Schweppes annonça officiellement qu'il se séparait de son activité boissons aux États-Unis. Son action atteignit 723 pence. Cependant, en raison de la crise du marché du crédit, le délai de vente fut prolongé afin que les candidats au rachat puissent compléter leurs propositions. Le cours de l'action descendit jusqu'à 530 pence. En septembre, Cadbury Schweppes déclina une offre de rachat proposée par un consortium de fonds d'investissement réunissant Blackstone, KKR et Lion Capital, pour environ 10 milliards d'euros. Le montant était jugé trop faible et le montage financier restait trop difficile.

Enfin, en octobre 2007, alors que le cours de l'action était remonté vers 590 pence, John Sunderland, le président du groupe, annonça que « étant donné qu'une vente acceptable est improbable dans un avenir proche, le conseil d'administration estime maintenant prudent de donner la priorité à une scission de nos activités boissons en Amérique ». Cette scission serait réalisée au deuxième trimestre 2008 *via* une émission d'actions destinée aux actionnaires existants et l'entité serait cotée à la Bourse de New York. Elle devait s'accompagner de 470 suppressions de postes et coûter environ 50 millions d'euros. À l'annonce de cette opération, le cours de l'action atteignit 617 pence.

Sources : Wall Street Journal, mars 2007 ; The Financial Times, mars 2007 ; easybourse.com ; Les Echos, octobre 2007.

Questions

1. Expliquez les mouvements du cours de l'action de Cadbury Schweppes.
2. Selon vous, pourquoi la cession de la division sodas aux États-Unis n'a-t-elle pas été envisagée plus tôt par Cadbury Schweppes ?

- La mise à disposition de *services centraux* et de *ressources*. Le siège peut utiliser sa capacité d'*investissement*. Il peut également fournir des services, par exemple en termes de gestion des ressources humaines, de gestion de trésorerie ou de gestion fiscale, qui une fois centralisés disposent d'une échelle suffisante pour construire une véritable *expertise*. Les services centraux disposent généralement de capacités hors de portée des DAS, notamment en termes de *pouvoir de négociation* auprès des fournisseurs ou des autorités de régulation. Ils peuvent également *tisser des relations* avec d'autres entreprises dans le cadre de la définition d'alliances ou de partenariats. Enfin, le siège peut gérer l'expertise au sein du groupe, par exemple en *transférant les managers* d'un DAS à l'autre ou en créant des *systèmes de management des connaissances*.
- L'*intervention*. Enfin, la direction générale peut intervenir au niveau des DAS afin d'améliorer leur performance. Elle doit être capable de *contrôler* et d'*améliorer* leur performance, que ce soit en remplaçant les managers les moins compétents ou en les aidant à redresser leur activité. Le siège doit également *stimuler et développer les ambitions stratégiques* des DAS, de manière à les pousser à toujours s'améliorer.

Les activités destructrices de performance

Cependant, les directions générales peuvent aussi détruire la performance des DAS de trois manières :

- L'*augmentation des coûts*. Les frais de personnel et de fonctionnement du siège sont généralement élevés ; c'est souvent là que l'on trouve les managers les mieux payés et les bureaux les plus luxueux. Les DAS doivent générer assez de chiffre d'affaires pour couvrir ces coûts de structure. Si ces coûts excèdent le surcroît de performance obtenu grâce à l'activité du siège, celui-ci détruit de la performance.
- La *complexité bureaucratique*. Par-delà ses coûts de fonctionnement, la direction générale peut créer un « brouillard bureaucratique ». L'ajout d'un niveau de management supplémentaire et la nécessité de se coordonner avec les autres DAS ralentissent les décisions et conduisent à des compromis.
- Le *manque de visibilité des performances*. Un des problèmes des grandes entreprises diversifiées est que la médiocre performance de certaines activités peut être masquée par l'ensemble. Les DAS les plus rentables subventionnent ceux qui le sont moins. En interne, la possibilité de compenser les performances décevantes diminue la motivation des responsables d'unités : ils disposent d'un filet de sécurité. En externe, les actionnaires et les analystes financiers ne peuvent pas évaluer la performance de chaque DAS. De fait, les actions des entreprises diversifiées sont souvent sous-cotées : les investisseurs préfèrent les entreprises mono activité, dans lesquelles les faibles performances ne peuvent pas être dissimulées.

Ces risques suggèrent l'approche que doivent suivre les directions générales soucieuses de ne pas entamer la performance de leurs DAS. Elles doivent toujours garder un œil sur leurs propres coûts, à la fois financiers et bureaucratiques, de manière à s'assurer qu'ils ne croissent pas au-delà de ce qui est requis par leurs stratégies. Elles doivent également faire tout ce qui est en leur pouvoir pour améliorer la transparence financière, afin que les DAS restent exposés à la pression des marchés et que les actionnaires soient confiants dans le fait qu'on ne leur dissimule rien.

Les directions générales peuvent contribuer à la performance de leur DAS de multiples façons. Toutes ne sont pas compatibles les unes avec les autres, et certaines sont difficiles à combiner. Par exemple, un siège interventionniste a peu de chances d'être considéré par les responsables d'activités comme un facilitateur. Les managers risquent alors de se concentrer sur la maximisation de leur performance individuelle plutôt que de trouver des sources de coopérations avec leurs collègues des autres DAS, ce qui pourrait pourtant bénéficier à l'ensemble. Du fait de ces incompatibilités, on distingue en général trois *logiques parentales*, chacune étant intrinsèquement cohérente mais clairement distincte des deux autres[18]. Ces trois logiques parentales sont résumées dans le schéma 7.5.

Schéma 7.5	**Trois logiques parentales**

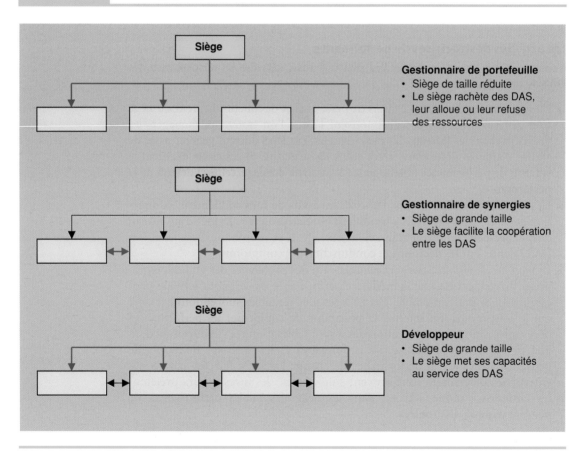

7.4.2 Le gestionnaire de portefeuille

Le **gestionnaire de portefeuille** agit comme un investisseur actif lorsque les actionnaires sont soit trop dispersés, soit trop inexpérimentés pour le faire. En pratique, il se comporte comme un agent au nom des marchés financiers ou des actionnaires, afin d'accroître la performance créée par les différents DAS d'une manière plus efficiente ou efficace qu'ils ne pourraient le faire eux-mêmes. Son rôle consiste à identifier et à acquérir des entreprises ou des actifs sous-évalués et à leur permettre d'améliorer leur performance. Cela peut passer par exemple par l'acquisition d'une autre entreprise, dont les DAS les moins performants seront cédés, alors que ceux dont le potentiel semble prometteur seront encouragés à le réaliser. Les directions générales de ce type ne se préoccupent généralement pas des synergies au sein de leur portefeuille d'activités et ne s'impliquent que de manière très limitée dans la gestion opérationnelle des DAS. Elles se contentent de repérer les opportunités de restructurations, d'allouer ou de retirer des investissements et d'intervenir ponctuellement lorsque la performance des DAS connaît un déclin trop prononcé.

Le gestionnaire de portefeuille cherche généralement à maintenir les coûts du siège à un niveau modeste en limitant la taille des services centraux, tout en laissant une forte autonomie aux responsables des DAS. Cette autonomie est contrebalancée par la fixation d'objectifs de performance clairement affichés. Les responsables des DAS sont explicitement avertis du fait que leur rémunération, voire leur poste, dépend directement de leur capacité à atteindre les niveaux de performance attendus. Du fait qu'elle n'intervient pas directement dans leur stratégie, une direction générale de ce type peut gérer un nombre relativement élevé de DAS. Son rôle consiste avant tout à fixer des objectifs financiers, à évaluer le potentiel des activités et à leur allouer ou à leur retirer des ressources en conséquence.

Certains observateurs affirment que l'époque des gestionnaires de portefeuille est révolue. Le meilleur fonctionnement des marchés financiers implique qu'il est de plus en plus difficile de repérer et d'acquérir à faible prix des entreprises dont la performance peut être significativement améliorée. Pourtant, certains gestionnaires de portefeuille continuent de rencontrer un grand succès. C'est notamment le cas des fonds d'investissement tels que Apax Partners, Blackstone, KKR, Texas Pacific Group ou Axa Private Equity, qui rachètent, améliorent puis revendent des entreprises. En 2006, Apax Partners détenait ainsi des participations dans 360 entreprises différentes, allant de l'ancienne activité semi-conducteurs de Philips à la marque de prêt-à-porter Tommy Hilfiger. Un autre exemple de cette logique est Wendel, le holding familial présidé par le baron Ernest-Antoine Seillière. La direction de Wendel intervient peu dans la gestion de ses filiales, telles que l'équipementier électrique Legrand, l'éditeur Editis ou la société de certification Bureau Veritas. Elle laisse les responsables des DAS faire leur travail, du moment que les objectifs qu'elle leur fixe sont atteints. Les frais de structure du siège restent limités, mais en cas de besoin les managers des DAS peuvent utiliser les considérables ressources financières du groupe pour réaliser leurs projets d'investissement.

Un gestionnaire de portefeuille est une direction générale qui agit pour le compte des marchés financiers ou des actionnaires

7.4.3 Le gestionnaire de synergies

Un gestionnaire de synergies est une direction générale qui cherche à accroître la performance des DAS en s'appuyant sur leurs synergies

La recherche de synergies est souvent considérée comme la raison d'être des directions générales et des maisons mères[19]. C'est la justification la plus fréquente des stratégies de diversification. En termes d'activités génératrices de performance pour les DAS, un **gestionnaire de synergies** recherche trois choses : construire une vision commune, faciliter la coopération entre les DAS et fournir des ressources et des services centraux. Par exemple, chez Apple, la vision de Steve Jobs selon laquelle l'ordinateur personnel doit être le cœur d'un nouveau style de vie numérique guide les managers des différentes lignes de produits (iMac, iPod, iLife, iPhone) afin qu'ils assurent une compatibilité sans faille entre toutes leurs offres. Le résultat est un surcroît de valeur pour l'utilisateur. De même, GE facilite la coopération entre ses activités en investissant massivement dans la formation de ses managers, ce qui facilite le transfert de connaissances. Une entreprise métallurgique diversifiée dans l'acier et l'aluminium peut centraliser ses approvisionnements en énergie et ainsi bénéficier de synergies en accroissant son pouvoir de négociation auprès de ses fournisseurs. L'obtention de synergies peut cependant se révéler difficile (voir la section 7.3.1) pour trois principales raisons :

- Des *coûts excessifs*. Le partage et la coopération peuvent générer des coûts de coordination supérieurs aux gains qu'ils sont censés apporter (qu'il s'agisse de coûts financiers ou de coûts d'opportunité). La gestion des synergies implique de lourds investissements en termes de management.
- Surmonter les *intérêts locaux*. Les managers des DAS doivent accepter de coopérer. Étant donné que leur rétribution est le plus souvent liée à la performance spécifique de leur DAS, ils risquent de se montrer réticents à sacrifier leur temps et leurs ressources pour le bien commun.
- Les synergies ne sont parfois qu'une *illusion*. Il est facile de surestimer la valeur des compétences ou des savoir-faire des autres DAS, notamment lorsque la direction générale doit justifier l'acquisition d'une nouvelle entreprise. Les synergies espérées sont souvent impossibles à mettre en pratique.

L'incapacité de beaucoup d'entreprises à réaliser les gains annoncés a conduit à mettre en doute la notion même de synergie. Les synergies ne sont pas aussi faciles à obtenir qu'on pourrait le croire ou l'affirmer. Devant l'incapacité à trouver des synergies avec Mercedes, Daimler a ainsi fini par céder Chrysler au fonds d'investissement Cerberus Capital Management fin 2007. Pour autant, la recherche des synergies est toujours un des thèmes dominants de la stratégie d'entreprise, comme le montre le cas de Zodiac dans l'illustration 7.2.

7.4.4 Le développeur[20]

Un développeur est une direction générale qui cherche à utiliser ses propres compétences pour améliorer la performance de ses DAS

Le **développeur** est une direction générale qui cherche à utiliser ses propres compétences pour améliorer la performance de ses DAS. Le problème ici ne consiste pas à créer des synergies ou à transférer des connaissances *entre* activités, mais à utiliser des ressources et compétences *centrales* afin de développer le potentiel des DAS. Une direction générale peut ainsi avoir développé une marque puissante (comme dans le cas de Virgin) ou accumulé une expertise spécifique en gestion financière ou en recherche et développement. Si des compétences centrales de ce type existent, les managers du siège doivent identifier des *opportunités de déve-loppement*, c'est-à-dire des DAS dont la performance est inférieure à ce qu'elle pourrait être grâce à une marque reconnue ou à une R&D de haut niveau. Ces opportunités de développement sont plus probables dans le cas d'une diversification liée que dans le cas d'une diversification conglomérale et elles impliquent généralement l'échange de managers et de ressources entre les DAS.

Les compétences du siège peuvent varier. Shell affirme ainsi que son apport ne réside pas uniquement dans ses considérables moyens financiers, mais aussi dans sa capacité à négocier avec les gouvernements ou à former des managers interna-tionalement mobiles, qui peuvent travailler n'importe où dans le monde à condi-tion de rester dans le système Shell, ce qui permet de globaliser les activités. De même, la direction de 3M est obsédée par l'idée d'innovation. Pour cela, elle cherche à établir une culture qui donne un statut distinctif aux ingénieurs et aux innovateurs et fixe des objectifs d'innovation aux DAS. Pour sa part, l'Oréal a développé des compétences fondamentales dans la construction de marques glo-bales et dans le marketing de biens de grande consommation en s'appuyant sur une recherche et développement de pointe. Cette expertise centrale a fortement influencé la définition du périmètre d'activité du groupe.

Diriger un groupe sur la base d'une logique de développeur soulève au moins quatre défis :

- *L'identification des capacités stratégiques du siège*. La direction générale doit déterminer de quelle manière elle est capable d'accroître la performance des DAS. Si ces compétences sont mal définies, plutôt que de profiter aux activités, elles risquent d'interférer dans leur développement. Il est donc indispensable d'établir sans ambiguïté quelles sont les ressources et compétences que la direc-tion générale est capable de mobiliser.

- La *focalisation*. Le siège doit se focaliser sur les capacités stratégiques qui lui permettent d'accroître la performance des DAS et ne doit pas chercher à se développer au-delà, à moins de le faire à un coût minimal. Les managers de la direction générale doivent consacrer leur temps et leur énergie aux activités véritablement génératrices de performance pour leurs DAS. Les autres services centraux traditionnels peuvent être avantageusement sous-traités à des presta-taires spécialisés.

- Le *syndrome des « bijoux de la couronne »*. Certaines entreprises diversifiées détiennent des DAS qui arrivent à un excellent niveau de performance par eux-mêmes, indépendamment des compétences centrales. Ils deviennent alors des « bijoux de la couronne », dont il est hors de question de se séparer. Or, la logi-que du développeur veut qu'à partir du moment où le siège ne peut pas contri-buer à la performance, il la réduit car il devient de fait un centre de coûts. Il doit donc vendre ces activités, même si elles sont rentables, et investir la plus-value dans le développement de ses autres DAS.

- La *compréhension intime*. Si la logique du développeur est adoptée, les mana-gers du siège doivent avoir une compréhension suffisamment intime des DAS qui composent leur portefeuille pour identifier ceux qui peuvent bénéficier de leur intervention. Nous reviendrons sur cette question dans la section 7.5.3, en relation avec les modèles de gestion de portefeuille.

Le schéma 7.6 compare les trois logiques parentales en termes de contribution de la direction générale à la performance des DAS, à l'aide des critères que nous avons détaillés dans la section 7.4.1.

Schéma 7.6   Les trois logiques parentales et la création de performance

Activités génératrices de performance (voir la section 7.4.1)	Gestionnaire de portefeuille	Gestionnaire de synergies	Développeur
Mission générale Définition d'une intention stratégique Image externe claire Fixation d'objectifs et de standards	●	● ●	● ●
Formation et accompagnement Développement de capacités stratégiques Construction de synergies		● ●	
Services centraux Capacité d'investissement Économies d'échelle Transfert de compétences et de connaissances Expertise spécialisée Mise en relation avec des réseaux externes	●	● ● ● ● ●	● ●
Modalités d'intervention au niveau des DAS Contrôle de la performance Amélioration de la performance Développement des ambitions stratégiques	●	●	● ●

7.5 Les matrices de gestion de portefeuille

Dans la section précédente, nous avons décrit les différentes logiques que la direction générale d'une organisation multiactivité est susceptible d'adopter. Cette section est consacrée aux outils – ou *matrices d'allocation de ressources* – qui permettent aux managers de la direction générale de gérer leur portefeuille d'activités et notamment de sélectionner les DAS qu'il convient de conserver et ceux qu'il vaut mieux céder. Chacun de ces outils donne plus ou moins d'importance à l'un ou l'autre des trois critères fondamentaux suivants :

- L'*équilibre* du portefeuille, c'est-à-dire sa cohérence interne (notamment en termes de génération et de consommation de liquidités financières) et sa pertinence par rapport à la logique parentale.
- L'*attrait* des DAS en termes de génération de profit ou de potentiel de croissance.
- Le degré de *compatibilité* entre les DAS, que ce soit en termes d'exploitation de synergies ou de capacité du siège à accroître leur performance.

7.5.1 La matrice BCG[21]

La matrice de gestion de portefeuille la plus célèbre est celle du Boston Consulting Group, développée dans les années 1960. Le principe de la **matrice BCG** consiste à positionner chacun des DAS selon deux axes : la *part de marché relative* du DAS (c'est-à-dire le fait qu'il soit ou non leader sur son marché) et le *taux de croissance* du marché (voir le schéma 7.7). Une part de marché élevée et une croissance forte sont bien entendu attractives. Ce modèle souligne également qu'une croissance forte exige d'importants investissements, par exemple pour accroître la capacité de production ou pour développer les marques. Il doit donc exister un équilibre au sein du portefeuille, les surplus générés par les DAS dont la croissance est faible servant à financer ceux dont la croissance est forte.

La matrice BCG positionne chacun des DAS selon (a) leur part de marché relative et (b) le taux de croissance de leur marché

Schéma 7.7	La matrice BCG

Part de marché relative

	Élevée	Faible
Élevée (Croissance du marché)	Étoiles	Dilemmes
Faible	Vaches à lait	Poids morts

La matrice BCG permet ainsi de distinguer quatre types d'activités :

- Une **étoile** (ou *star*) est un domaine d'activité leader sur un marché en croissance. Il faut généralement investir lourdement pour obtenir et conserver cette position, mais les gains d'expérience générés par des volumes supérieurs (voir la section 3.3 et le schéma 3.4) impliquent que les coûts décroissent plus rapidement que ceux des concurrents.
- Un **dilemme** est un domaine d'activité suiveur sur un marché en croissance. On peut tenter d'investir massivement pour accroître la part de marché afin d'obtenir une étoile, mais il n'est pas certain que cette politique porte ses fruits avant que le marché n'atteigne sa phase de maturité. Étant donné que tous les dilemmes ne deviennent pas des étoiles, le BCG recommande d'en détenir plusieurs.
- Une **vache à lait** est un domaine d'activité leader sur un marché mature. Étant donné que la croissance est faible et que les conditions de marché sont stables, le besoin d'investissement est souvent limité. Par ailleurs, les volumes supérieurs à

Dans la matrice BCG, une étoile (ou star) est un domaine d'activité leader sur un marché en croissance

Dans la matrice BCG, un dilemme est un domaine d'activité suiveur sur un marché en croissance

Dans la matrice BCG, une vache à lait est un domaine d'activité leader sur un marché mature

Dans la matrice BCG, un poids mort est un domaine d'activité suiveur sur un marché statique ou en déclin

ceux de la concurrence permettent d'obtenir des coûts inférieurs et donc des marges plus élevées. Par conséquent, les vaches à lait sont utilisées pour financer d'autres activités, en particulier les dilemmes.

- Un **poids mort** est un domaine d'activité suiveur sur un marché statique ou en déclin, ce qui constitue la pire des situations, pouvant mener à une consommation disproportionnée de temps et de ressources. Le BCG recommande de céder ou de mettre fin à ces activités.

La matrice BCG présente plusieurs avantages. Elle permet de visualiser aisément les besoins et le potentiel de chacune des activités qui composent le portefeuille d'une entreprise diversifiée. Elle alerte la direction générale sur les exigences financières liées à la croissance et sur le fait que les étoiles finissent toujours par décliner. Enfin, elle force les responsables d'activités à la discipline, en leur rappelant que la direction générale récupérera le surplus qu'ils génèrent pour le réallouer en fonction des intérêts globaux. Les vaches à lait ne sont pas censées amasser leurs profits. Les ressources excédentaires ne sont d'ailleurs pas uniquement financières : la direction peut décider de transférer à des étoiles ou des dilemmes des managers sous-utilisés par des vaches à lait ou des poids morts.

Cependant, la matrice BCG présente quatre défauts majeurs :

- *L'imprécision des termes.* Il peut être difficile de définir ce que signifient pratiquement « croissance élevée » ou « part de marché faible » pour un domaine d'activité stratégique donné. Les managers peuvent avoir tendance à donner une définition étroite de leur marché, de manière à s'arroger une part de marché plus élevée. Or, suivant la réponse fournie, on peut obtenir par exemple une vache à lait ou un poids mort.

- *L'hypothèse d'autofinancement.* En supposant que le portefeuille doit être équilibré et que les vaches à lait doivent financer les étoiles et les dilemmes, la matrice BCG néglige le recours aux marchés de capitaux externes, par exemple les augmentations de capital ou l'endettement. L'idée selon laquelle le financement est nécessairement interne n'a de sens que dans les pays où les marchés financiers sont sous-développés ou dans les entreprises familiales qui souhaitent limiter leur dépendance vis-à-vis d'actionnaires ou de prêteurs externes.

- *L'hypothèse de l'effet d'expérience.* La matrice BCG n'est pertinente que dans les industries où l'effet d'expérience est important. En effet, par construction, le modèle suppose que c'est la détention d'une part de marché dominante qui permet de dégager un profit supérieur. Or, lorsque l'effet d'expérience est limité, la part de marché n'est pas un gage de rentabilité et un leader peut se révéler moins rentable que ses suiveurs. La matrice BCG n'est donc pas pertinente dans les industries où les concurrents s'appuient sur des stratégies de différenciation plutôt que sur des stratégies de volume. Si on peut l'utiliser sans problème dans la sidérurgie ou les composants électroniques, elle est en revanche inadaptée aux entreprises de luxe, aux cabinets de conseil ou aux institutions d'enseignement, activités dans lesquelles ce ne sont pas nécessairement les leaders qui sont les plus rentables.

- La *simplification excessive.* Par construction, les vaches à lait sont censées générer les liquidités nécessaires à la création et au développement des étoiles et des dilemmes. Cependant, ce raisonnement ne prend pas en compte les *répercussions comportementales* de ces transferts de bénéfices. Comment la direction générale peut-elle motiver les managers des vaches à lait, qui voient leurs gains systématiquement réinvestis dans d'autres domaines d'activité ? Par ailleurs, le modèle repose sur une certaine *confusion entre les causes et les conséquences*. La catégorisation des DAS peut ainsi précipiter leur évolution : une fois qualifiée de vache à lait, une activité devra financer le reste du portefeuille, ce qui accélérera son déclin. Enfin, l'idée qu'un poids mort doit nécessairement être vendu ou fermé suppose qu'il n'existe *pas de synergies* au sein du portefeuille et que l'entreprise pratique la diversification conglomérale. Or, certains poids morts peuvent être très utiles, par exemple pour offrir une gamme complète, pour gêner un concurrent ou pour empêcher la survenue d'un nouvel entrant.

Au total, la matrice BCG aurait dû rester cantonnée à ce pourquoi elle avait été conçue au départ : l'arbitrage entre les DAS de grands conglomérats pratiquant des stratégies de volume et l'autofinancement. Elle a pourtant connu une gloire allant très au-delà de ce contexte spécifique, car elle a laissé croire qu'il était possible de simplifier des choix aussi complexes que la définition d'un portefeuille d'activités. Or, la complexité des décisions stratégiques ne peut se réduire à un arbitrage entre quatre cases réparties sur deux axes. Prendre la carte pour le territoire, c'est devenir au mieux un cartographe, mais certainement pas un explorateur. En dépit de ces limitations – souvent mal connues ou mal comprises –, la matrice BCG reste donc une méthode fréquemment utilisée, dont la terminologie est désormais profondément ancrée dans le langage courant des managers.

7.5.2 La matrice attraits/atouts (McKinsey)

Une autre manière d'analyser un portefeuille d'activités est d'utiliser la *matrice attraits/atouts*[22]. Développée à l'origine par le cabinet de conseil McKinsey pour aider le conglomérat General Electric à gérer son portefeuille d'activités, elle consiste à classer les DAS selon leur potentiel de performance, évalué en fonction de l'attractivité de leur environnement et de leur capacité à y dégager un avantage concurrentiel. Plus précisément, la matrice attraits/atouts positionne chacun des DAS selon (a) l'attrait de leur marché et (b) les atouts concurrentiels de l'organisation sur ce marché. L'attrait peut être identifié grâce à une analyse PESTEL ou une analyse des 5(+1) forces de la concurrence (voir le chapitre 2), alors qu'un canevas stratégique, une cartographie des activités ou une analyse de la chaîne de valeur (voir le chapitre 3) peuvent permettre de définir les atouts. De fait, la matrice McKinsey est une forme de visualisation du SWOT (voir la section 3.6.4), dans laquelle les attraits correspondent aux facteurs clés de succès de l'environnement et les atouts représentent la capacité stratégique de chacun des DAS.

La matrice attraits/atouts positionne chacun des DAS selon (a) l'attrait de leur marché et (b) les atouts concurrentiels de l'organisation sur ce marché

Afin d'enrichir la matrice attraits/atouts, certains analystes choisissent de représenter graphiquement la taille de chacun des marchés et la part qu'en détient l'entreprise. Le résultat s'apparente alors au schéma 7.8, sur lequel on peut s'inquiéter du fait que l'entreprise bénéficie d'une position concurrentielle forte et de parts de marché élevées sur des marchés qui présentent peu d'intérêt, alors que respectivement elle présente peu d'atouts et des parts de marché réduites sur les marchés réellement attrayants.

| Schéma 7.8 | La matrice attraits/atouts |

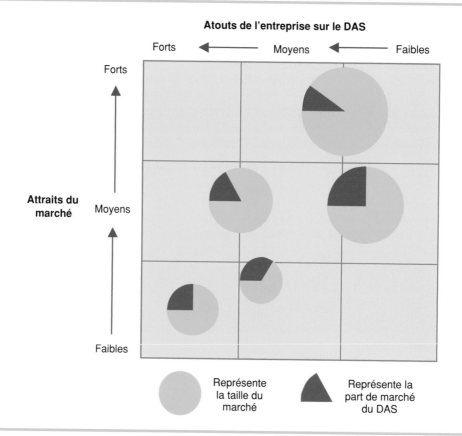

Comme le montre le schéma 7.9, la matrice attraits/atouts permet également de déterminer quelles stratégies doivent être déployées en fonction du positionnement des DAS. Les activités qui présentent le plus fort potentiel de croissance et les atouts les plus importants sont celles qui doivent se voir allouer des ressources en priorité. Réciproquement, les activités les plus faibles ou qui pâtissent de marchés relativement peu attractifs doivent être cédées ou faire l'objet d'une moisson (c'est-à-dire être ponctionnées au maximum avant leur disparition).

La matrice McKinsey est plus complexe que la matrice BCG, mais elle présente deux avantages. Tout d'abord, contrairement aux quatre cases de la matrice BCG, les neuf cases de la matrice McKinsey laissent la possibilité d'une situation moyenne. Les managers doivent donc être particulièrement sélectifs dans leurs conclusions. En encourageant les arbitrages sur les cas indécis, la matrice McKinsey est moins mécanique que la matrice BCG. Deuxièmement, les deux axes de la matrice McKinsey ne reposent pas sur de simples mesures (les parts de marché relatives et les taux de croissance). Les atouts peuvent résulter de bien d'autres facteurs que la part de marché, et les attraits ne se limitent pas au taux de croissance de l'industrie. La matrice McKinsey repose donc implicitement

| Schéma 7.9 | **Recommandations stratégiques pour la matrice attraits/atouts** |

Attraits du marché

	Forts	Moyens	Faibles
	Investissement croissance	Investissement sélectif	Sélectivité
Atouts de l'entreprise sur le DAS	Investissement sélectif	Sélectivité	Moisson/ Désinvestissement
	Sélectivité	Moisson/ Désinvestissement	Moisson/ Désinvestissement

sur une démarche de diagnostic stratégique, ce qui en fait un outil plus élaboré que la matrice BCG. Cependant, les notions d'atouts et d'attraits étant par essence subjectives, le véritable intérêt de la matrice McKinsey réside plus dans les analyses et les débats qu'il convient de mener pour la construire que dans le schéma obtenu : son apport principal est certainement dans sa démarche. Par ailleurs, la matrice McKinsey partage certaines des limites de la matrice BCG : les termes sont tout aussi imprécis, l'autofinancement reste la norme, et la confusion entre les causes et les conséquences demeure.

Jusqu'ici, nous avons présenté des modèles d'analyse de portefeuille qui reposent sur les notions d'équilibre ou d'attrait. La troisième logique est celle de la compatibilité avec les capacités de la maison mère.

7.5.3 La matrice Ashridge

La *matrice Ashridge*, développée par Michael Goold et Andrew Campbell, introduit le critère de compatibilité des DAS avec les compétences de la direction générale[23]. Une activité peut être attractive du point de vue de la matrice BCG ou de la matrice McKinsey, mais si la direction générale ne peut pas contribuer à sa performance, mieux vaut ne pas la conserver dans le portefeuille.

La matrice Ashridge est construite à partir de deux axes (voir le schéma 7.10) :

- La compatibilité entre les *facteurs clés de succès* que doivent maîtriser les DAS (voir la section 2.5.2) et la capacité stratégique de la direction générale. Il s'agit de la faculté du siège à comprendre les DAS qui composent son portefeuille. On appelle parfois cette dimension le *flair*.

| Schéma 7.10 | La matrice Ashridge |

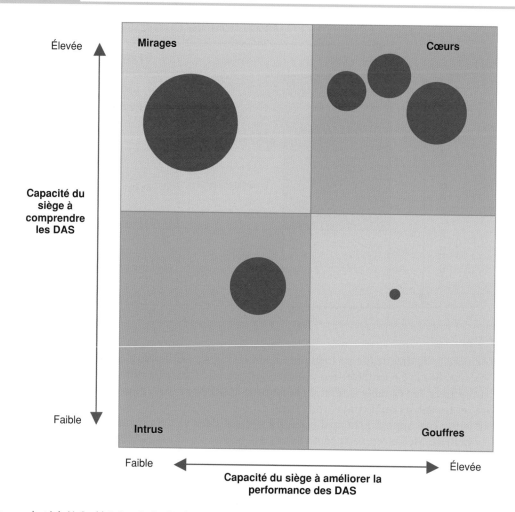

Source : adapté de M. Goold, A. Campbell et M. Alexander, *Corporate Level Strategy*, Wiley, 1994.

- La compatibilité entre les besoins des DAS et les capacités de la direction générale. Il s'agit de mesurer le gain de performance que les DAS sont susceptibles de dégager grâce aux compétences, aux ressources et aux caractéristiques de la direction générale. On appelle parfois cette dimension le *bénéfice*.

Si la direction générale n'est pas capable de comprendre quels facteurs clés de succès doivent maîtriser ses DAS, si elle n'a pas le « flair », elle risque de compromettre leur développement stratégique. Le deuxième axe, qui évalue dans quelle mesure les DAS peuvent tirer « bénéfice » du siège, implique que la direction générale devrait céder les activités qu'elle comprend mais dont elle ne peut pas accroître les performances.

Le schéma 7.10 donne un exemple de portefeuille d'activités analysé au moyen de la matrice Ashridge :

- Les activités *cœur* sont celles que la direction générale peut valoriser sans risque. Elles doivent être au centre de la stratégie future.
- Les activités *mirage* sont celles que la direction générale comprend bien mais qu'elle n'a pas la capacité d'aider. Ces activités ne gagnent généralement rien à faire partie de l'organisation et seraient tout aussi performantes en tant qu'entreprises indépendantes. Si elles font partie d'une stratégie future, elles doivent être gérées d'une manière qui préserve leur autonomie.
- Les activités *gouffre* sont dangereuses. Elles semblent attrayantes car la direction générale peut en théorie améliorer leur performance. Cependant, cet attrait est trompeur, car il est très probable que les décisions de la direction générale nuisent à ces activités – dont elle ne comprend pas réellement la logique – plutôt qu'elles ne leur profitent. Dans cette situation, le siège dispose des capacités nécessaires pour améliorer la performance des DAS, mais il ne les utilise pas à bon escient. La direction générale devra acquérir de nouvelles capacités pour faire évoluer ces activités *gouffre* en activités *cœur*. Il peut être plus facile de les céder à une autre entreprise plus à même d'améliorer leur performance et qui paiera pour cela un bon prix.
- Les activités *intrus* sont clairement inadaptées. Elles ne sont pas cohérentes avec les capacités de la direction générale, qui est de surcroît incapable d'améliorer leur performance. La meilleure solution est de ne pas les conserver.

Cette approche met l'accent sur ce que la direction générale apporte aux DAS. Elle implique une analyse pertinente des capacités du siège et des besoins des DAS. Elle peut se révéler particulièrement utile lorsqu'une entreprise estime qu'elle comprend très bien les besoins d'une activité alors qu'elle n'a pas les capacités nécessaires pour la faire progresser, ou à l'inverse lorsqu'elle détient les capacités nécessaires mais qu'elle se méprend sur les besoins de son DAS. L'illustration 7.5 montre comment le groupe PPR a su évoluer en évitant ces deux écueils. Les directions générales devraient se concentrer sur les activités cœur et sur celles qui peuvent le devenir, celles qui cumulent le flair et le bénéfice.

Le concept de compatibilité du portefeuille d'activités avec les capacités du siège est tout aussi pertinent dans le secteur public. Il implique que les managers publics ne devraient contrôler directement que les services et les activités pour lesquels ils possèdent une expertise spécifique. Les autres activités devraient être déléguées, privatisées ou établies en tant qu'agences indépendantes. Si cette tendance peut effectivement être constatée dans de nombreux pays, elle résulte souvent bien plus de considérations idéologiques que d'une réelle analyse stratégique du rôle des services centraux.

Illustration 7.5

PPR entre deux mondes

Une direction générale doit comprendre sur quoi repose la performance de ses domaines d'activité stratégique et être capable d'y contribuer.

En 2007, le portefeuille d'activités du groupe PPR (17,9 milliards d'euros de chiffre d'affaires en 2006, 78 000 salariés) comprenait deux univers *a priori* très différents :

- Un univers distribution (80 % du chiffre d'affaires et 57 % du résultat opérationnel). PPR était l'un des premiers distributeurs non alimentaires européens, avec les enseignes Redcats (numéro trois mondial de la vente à distance), Conforama (numéro deux mondial de l'équipement du foyer derrière IKEA), la Fnac (leader en France, en Belgique, en Espagne et au Portugal pour les produits culturels et technologiques) et la CFAO (leader de la distribution automobile et pharmaceutique en Afrique).
- Un univers luxe (20 % du chiffre d'affaires et 43 % du résultat opérationnel). PPR était le numéro trois mondial du luxe (derrière le Français LVMH et le Suisse Richemont) au travers de marques telles Gucci, Yves Saint-Laurent, Bottega Veneta, Balenciaga, Boucheron, Stella McCartney ou Alexander McQueen.

Sur son site Internet, le groupe justifiait ce portefeuille inhabituel :

PPR combine deux univers : d'un côté, la Distribution correspondant à des activités de masse, sur des marchés stables et matures, à l'intérieur desquels le Groupe choisit les segments de métier les plus dynamiques. De l'autre, les activités de Luxe qui se développent sur des marchés mondiaux, plus étroits, mais à croissance plus forte, et à niveaux de rentabilité structurellement plus élevés. Ces deux univers sont différents, mais complémentaires en termes de cycles économiques et géographiques. Leur réussite est étroitement liée à la gestion de la marque, la qualité du service client et la maîtrise de la distribution. C'est en conjuguant ces deux univers que PPR atteint, en termes de produits, de format de vente, de marques et d'implantations géographiques, un équilibre spécifique qui explique son profil de croissance supérieur à la moyenne de ses marchés.

L'aventure de PPR avait commencé en 1962, lorsque François Pinault, alors âgé de 26 ans, avait repris la société de négoce de bois dans laquelle il travaillait. Il avait rapidement racheté des concurrents, puis – avec l'aide d'investisseurs institutionnels et d'une introduction à la Bourse de Paris en 1988 – était devenu un acteur majeur dans la filière bois. Anticipant une crise de surproduction, il décida de se diversifier dans la distribution avec le rachat de la CFAO (qui comprenait le distributeur de matériel électrique Rexel) en 1990, de Conforama en 1991, des magasins du Printemps (propriétaires du spécialiste de la vente à distance La Redoute) en 1992, de la

Fnac en 1994, et de Guilbert (leader européen de fournitures et de mobilier de bureau) en 1998.

C'est en 1999 que commença la diversification dans le luxe, avec la prise de contrôle de Gucci, à l'époque convoité par LVMH. Certains observateurs affirmaient que François Pinault n'avait pas supporté que Bernard Arnault, le président de LVMH, rachète la chaîne de parfumerie Sephora avant lui et que le rachat de Gucci avait été conçu en représailles. Quoi qu'il en soit, les marges de Gucci, très supérieures à celles de la distribution et encore plus à celles du bois, avaient convaincu François Pinault de poursuivre dans cette voie, ce qu'il fit avec les rachats successifs d'Yves Saint-Laurent, Boucheron, Balenciaga et Bottega Veneta.

Parallèlement, afin d'éviter une décote de holding, PPR céda toutes ses activités professionnelles (Guilbert, Pinault bois et matériaux et Rexel), trop éloignées de ces nouvelles diversifications.

En 2003, François Pinault, devenu quatrième fortune de France, se retira pour se consacrer à sa passion pour l'art contemporain. Son fils François-Henri lui succéda et poursuivit la refonte du portefeuille d'activités en cédant en 2006 les magasins du Printemps – jugés insuffisamment rentables – et en rachetant en 2007 l'équipementier de sport Puma, arguant que « les tendances de consommations montrent que les clients mélangent désormais le luxe et le sport », mais surtout attiré par sa marge opérationnelle de 15 %.

Peu de groupes de cette taille avaient connu une telle mutation en si peu de temps, mais tout portait à croire que ce mouvement allait continuer. C'est ce qu'estimaient les analystes financiers, qui tout en appréciant la bipolarisation du groupe (en 2006, le cours de l'action PPR avait dépassé de 2,6 % la progression de la Bourse de Paris) anticipaient un recentrage sur le luxe. Alors que ses dirigeants historiques – pour la plupart spécialistes de la distribution professionnelle – partaient à la retraite, PPR avait recruté des experts de l'industrie du luxe pour les placer à la tête de ses nouveaux DAS :

Groupe exigeant, PPR ne se contente pas d'acquérir des entreprises, il s'engage dans les métiers afin de les développer. PPR place l'expertise au cœur du développement de ses marques et de ses enseignes et valorise l'esprit entrepreneurial ainsi que des qualités managériales partagées.

Sources : ppr.com ; *Les Echos*, 3 février 2005, 3 octobre 2006 et 4 avril 2006 ; *Challenges*, 31 octobre 2007.

Questions

1. Comment la direction de PPR peut-elle contribuer à la performance de ses DAS ? Comment peut-elle la réduire ?
2. Quelle est la logique parentale la plus appropriée pour PPR (gestionnaire de portefeuille, gestionnaire de synergies, développeur) ?

Illustration 7.6 | **Débat**

L'entreprise n'est-elle qu'une défaillance du marché ?

Étant donné que la diversification présente de nombreux risques et inconvénients, dans quelle mesure doit-on chercher à étendre le périmètre d'activité d'une organisation ?

La notion de stratégie au niveau de l'entreprise concerne des organisations qui possèdent et contrôlent des DAS diversifiés, éventuellement localisés dans des zones géographiques distinctes. L'économiste Oliver Williamson, un des pères de l'approche par les coûts de transaction (voir la section 7.4.1), affirme que ce type de structure ne devrait exister qu'en cas de « défaillance du marché »[1]. Si les marchés fonctionnaient correctement, les activités n'auraient pas besoin d'être coordonnées au travers d'une hiérarchie de managers. Elles pourraient parfaitement prospérer par elles-mêmes et se coordonner si nécessaire au travers de transactions de marché. La « main invisible » du marché pourrait ainsi remplacer la « main visible » des managers de la direction générale. Le besoin d'une stratégie au niveau de l'entreprise ne serait donc que la conséquence d'une imperfection des marchés, liée à deux causes principales :

- La *rationalité limitée*. Les individus ne sont pas capables de savoir et d'analyser tout ce qui se passe sur un marché. Des transactions pures et parfaites sont donc impossibles en pratique. Cependant, les flux d'information et la qualité des analyses peuvent parfois être améliorés par la présence d'une direction générale qui se substitue au marché.

- L'*opportunisme*. Des DAS indépendants, avant tout préoccupés par leur propre intérêt, risquent de se comporter de manière opportuniste, par exemple en trichant sur les délais de livraison ou sur la qualité. Il n'est donc pas possible de leur faire confiance. En ce cas, mieux vaut rassembler les activités sous l'autorité et le contrôle d'une direction générale, dont la structure hiérarchique pourra plus facilement repérer et sanctionner ce type de déviances.

Selon Oliver Williamson, les DAS ne devraient être placés sous la responsabilité d'une direction générale que dans la mesure où celle-ci permet de réduire les « coûts de transaction » provoqués par la rationalité limitée (systèmes d'information) et l'opportunisme (systèmes de contrôle et de sanction).

Cette comparaison entre les coûts de transaction d'une hiérarchie et ceux d'un marché a des implications majeures sur les stratégies de diversification et d'internationalisation :

- L'amélioration des marchés de capitaux peut réduire l'avantage relatif des conglomérats en termes de gestion d'un portefeuille d'activités diversifiées. Au fur et à mesure que les marchés sont mieux capables de récolter et de traiter l'information, les conglomérats sont de moins en moins justifiés, ce qui pourrait expliquer leur déclin dans de nombreux pays.

- L'amélioration de la protection internationale de la propriété intellectuelle peut encourager les organisations multinationales à céder des licences de leurs technologies à des entreprises locales, plutôt que de s'implanter elles-mêmes sur ces marchés étrangers. Si la contrefaçon et la copie illégale des technologies diminuent et que la possibilité de collecter des droits d'auteurs et des redevances augmente, les entreprises auront moins intérêt à intervenir elles-mêmes dans des zones géographiques lointaines.

En d'autres termes, si les défaillances du marché sont combattues, la diversification et l'internationalisation des entreprises perdent leur raison d'être.

L'approche par les coûts de transaction proposée par Oliver Williamson oblige les organisations diversifiées à justifier leur existence. Deux réponses sont possibles. Tout d'abord, les défenseurs de la diversification peuvent souligner la difficulté à échanger des informations sur un marché. Un acheteur ne peut ainsi constater la valeur de nouvelles connaissances qu'après les avoir achetées. Par conséquent, selon Bruce Kogut[2], la logique des organisations diversifiées repose notamment sur le fait que des managers appartenant à la même structure sont plus enclins à partager et à transférer des connaissances. Le deuxième argument consiste à souligner que les organisations diversifiées n'ont pas seulement pour rôle de réduire les coûts d'information et de contrôle, mais qu'elles sont également capables d'accroître la performance des ressources et compétences qu'elles combinent. Rassembler des individus créatifs au sein d'une même structure stimule les échanges, l'innovation et la motivation. Pour Sumantra Ghoshal, le rôle des entreprises diversifiées consiste plus à accroître la valeur qu'à réduire les coûts[3].

Sources :

1. O.E. Williamson, « Strategy research: governance and competence perspectives », *Strategic Management Journal*, vol. 12 (1998), pp. 75-94.
2. B. Kogut et U. Zander, « What firms do? Coordination, identity and learning », *Organization Science*, vol. 7, n° 5 (1996), pp. 502-519.
3. S. Ghoshal, C.A. Bartlett et P. Moran, « A new manifesto for Management », *Sloan Management Review*, vol. 40, n° 3 (1999), pp. 9-20.

Question

Quels types de connaissances difficiles à échanger sur un marché un groupe diversifié tel que Cadbury Schweppes (voir l'illustration 7.4) ou PPR (voir l'illustration 7.5) peut-il transférer entre ses activités et ses implantations géographiques ? Que pensez-vous du rôle stratégique de ces connaissances ? Ce rôle a-t-il tendance à augmenter ou à diminuer ?

Résumé

- Beaucoup d'organisations rassemblent plusieurs – parfois de nombreux – domaines d'activité stratégique. La stratégie au niveau de l'entreprise concerne la *direction générale*, c'est-à-dire les niveaux hiérarchiques situés au-dessus de ces DAS.

- La stratégie au niveau de l'entreprise comprend deux aspects : (a) la nature et la diversité du *périmètre d'activité* et de la *couverture géographique* et (b) la capacité du siège à *améliorer la performance* des DAS.

- La diversité du portefeuille d'activités est généralement analysée en termes de *diversification liée* ou de *diversification conglomérale*, c'est-à-dire en fonction de l'existence de *synergies* entre les DAS.

- La performance tend à décroître lorsque la diversité est trop élevée.

- La direction générale ou la maison mère peut améliorer la performance des DAS en adoptant plusieurs *logiques parentales* : gestionnaire de portefeuille, gestionnaire de synergies ou développeur.

- La direction doit accepter de céder les activités dont elle ne peut pas améliorer la performance.

- Plusieurs modèles – ou *matrices d'allocation de ressources* – peuvent aider les managers de la direction générale à gérer leur portefeuille d'activités. Les plus courants sont la matrice BCG, la matrice attraits/atouts, la matrice Ashridge.

Travaux pratiques • Signale des exercices d'un niveau plus avancé

1. En utilisant la matrice d'Ansoff (voir le schéma 7.2), identifiez et expliquez les orientations stratégiques envisageables pour une organisation de votre choix, ainsi que pour Virgin (voir le cas à la fin de ce chapitre) et Zodiac (voir l'illustration 7.2).

2. Évaluez dans quelle mesure le portefeuille d'activités d'une grande organisation diversifiée (par exemple Google, Siemens ou Tata Group) relève de la diversification liée ou de la diversification conglomérale, et correspond à une logique dominante (voir la section 7.3.1).

3. Grâce à quelle logique parentale (gestionnaire de portefeuille, gestionnaire de synergies, développeur, voir la section 7.4) la direction générale d'une grande organisation multiactivité (voir la question 7.2) est-elle susceptible d'améliorer la performance de ses DAS ? Cette logique serait-elle uniformément adaptée à tous les DAS ?

4. • Analysez le portefeuille d'activités d'une grande organisation multiactivité (voir la question 7.2) à l'aide de la matrice d'allocation de ressources de votre choix. Justifiez la position de chacun des DAS dans la matrice. Quelles conclusions tirez-vous de cette analyse ?

5. Dressez la matrice Ashridge (voir le schéma 7.10) d'une grande organisation multiactivité (voir la question 7.2).

Exercice de synthèse

6. Prenez l'exemple d'une opération de fusion acquisition récente (voir le chapitre 10) et déterminez dans quelle mesure elle a relevé d'une diversification liée ou d'une diversification conglomérale. Dans quelle mesure était-elle cohérente avec la logique dominante des entreprises concernées ? En analysant l'évolution du cours de Bourse (utilisez par exemple www.boursorama.com), commentez la réaction des investisseurs face à cette fusion acquisition.

Lectures recommandées

- Sur les orientations stratégiques, voir notamment A. Campbell et R. Park, *The Growth Gamble*, Nicholas Brearly, 2005.
- Sur la diversification, on peut consulter J.-P. Détrie et B. Ramanantsoa, *Stratégie de l'entreprise et diversification*, Nathan, 1983, ainsi que le chapitre de M. Goold et K.S. Luchs, « Why diversify: four decades of management thinking » dans l'ouvrage coordonné par D. Faulkner et A. Campbell, *The Oxford Handbook of Strategy*, vol. 2, Oxford University Press, 2003, pp. 18-42.
- Le problème de l'amélioration de la performance des DAS par les directions générales et les maisons mères est examiné en détail dans M. Goold, A. Campbell et M. Alexander, *Corporate Level Strategy*, Wiley, 1994.
- Une synthèse des différents modèles d'analyse de portefeuille, de leurs avantages et de leurs inconvénients figure dans l'ouvrage coordonné par A. Dayan, *Manuel de gestion*, vol. 1, livre 1, partie 3, chapitre V, 2e édition, Ellipses/AUF, 2004, ainsi que dans le chapitre de D. Faulkner, « Portfolio matrices », de l'ouvrage collectif coordonné par V. Ambrosini, G. Johnson et K. Scholes, *Exploring Techniques of Analysis and Evaluation in Strategic Management*, Prentice Hall, 1998.

Références

1. Ce schéma est une extension de la matrice produits/marchés, élaborée par I. Ansoff et E. McDonnel, *Stratégie du développement de l'entreprise*, Éditions d'Organisation, 1989.

2. Sur la Direction de la concurrence de la Commission européenne et son utilisation de l'indice de Herfindahl-Hirschmann, voir ec.europa.eu/comm/competition.

3. Voir J. Huang, M. Enesi et R. Galliers, « Opportunities to learn from failure with electronic commerce: a case study of electronic banking », *Journal of Information Technology*, vol. 18, n° 1 (2003), pp. 17-27.

4. Sur la croissance et la diversification, voir A. Campbell et R. Parks, *The Growth Gamble*, Nicholas Brearly, 2005, et D. Laurie, Y. Doz et C. Sheer, « Creating new growth platforms », *Harvard Business Review*, vol. 84, n° 5 (2006), pp. 80-90.

5. Sur les économies de champ, voir le grand classique de A. Chandler, *Scale and Scope. The Dynamics of Industrial Capitalism*, Belknap Press, 1994, ainsi que D.J. Teece, « Towards an economic theory of the multi-product firm », *Journal of Economic Behavior and Organization*, vol. 3 (1982), pp. 39-63.

6. Voir M. Goold et A. Campbell, « Desperately seeking synergy », *Harvard Business Review*, vol. 76, n° 2 (1998), pp. 131-145.

7. Voir C.K. Prahalad et R. Bettis, « The dominant logic: a new link between diversity and performance », *Strategic Management Journal*, vol. 6, n° 1 (1986), pp. 485-501 ; R. Bettis et C.K. Prahalad, « The dominant logic: retrospective and extension », *Strategic Management Journal*, vol. 16, n° 1 (1995), pp. 5-15.

8. Voir H. Dumez et A. Jeunemaître, « Les stratégies de déstabilisation de la concurrence : déverrouillage et recombinaison du marché », *Revue française de gestion*, vol. 30, n° 148 (2004), pp. 196-206.

9. La notion d'arbre technologique a été développée dans les années 1960 au Japon et aux États-Unis. Pour une synthèse sur le sujet, voir M. Giget, « Arbres technologiques et arbres de compétences », *Futuribles* (novembre 1989), et M. Giget, *La dynamique stratégique de l'entreprise*, Dunod, 1998.

10. Voir A. Pehrson, « Business relatedness and performance: a study of managerial perceptions », *Strategic Management Journal*, vol. 27, n° 3 (2006), pp. 265-282.

11. Voir A. Campbell et K. Luchs, *Strategic Synergy*, Butterworth Heinemann, 1992.

12. Voir C. Markides, « Corporate strategy: the role of the center », dans A. Pettigrew, H. Thomas et R. Whittington (eds), *Handbook of Strategy and Management*, Sage, 2002. Pour une discussion récente sur les chaebol, voir J. Chang et H.-H. Shin, « Governance system effectiveness following the crisis: the case of Korean business group headquarters », *Corporate Governance : an International Review*, vol. 14, n° 2 (2006), pp. 85-97.

13. L.E. Palich, L.B. Cardinal et C. Miller, « Curvilinearity in the diversification-performance linkage: an examination over three decades of research », *Strategic Management Journal*, vol. 21 (2000), pp. 155-174. La courbe en cloche fait l'objet d'un consensus chez les chercheurs, mais certains travaux soulignent des différences temporelles ou géographiques. Voir par exemple M. Mayer et R. Whittington, « Diversification in context: a cross national and cross temporal extension », *Strategic Management Journal*, vol. 24 (2003), pp. 773-781, ainsi que A. Chakrabarti, K. Singh et I. Mahmood, « Diversification and performance: evidence from East Asian firms », *Strategic Management Journal*, vol. 28 (2007), pp. 101-120.

14. Jérôme Hervé, vice-président au bureau de Paris du cabinet de conseil BCG, cité dans *Les Echos* (11 juin 2007).

15. Pour une discussion des logiques parentales, voir Markides (référence 12). Voir également D. Collis, D. Young et M. Goold, « The size, structure and performance of corporate headquarters », *Strategic Management Journal*, vol. 28, n° 4 (2007), pp. 383-406.

16. M. Goold, A. Campbell et M. Alexander, *Corporate Level Strategy*, Wiley, 1994, présentent à la fois la capacité de création et de destruction de performance par les directions générales.

17. Pour une discussion du rôle et du degré de précision de la mission, voir A. Campbell, M. Devine et D. Young, *A Sense of Mission*, Hutchinson Business, 1990. Cependant, G. Hamel et C.K. Prahalad affirment dans le chapitre 6 de leur ouvrage *La conquête du futur*, InterÉditions, 1995, que les missions ne suffisent pas à résumer l'*intention stratégique*. Il s'agit plutôt de rédiger une déclaration brève mais claire qui se focalise plus sur la définition exacte de l'orientation stratégique (ils utilisent le mot *destin*) que sur les modalités que suivra la stratégie.

18. Les deux premières logiques présentées ici sont tirées d'un article de M. Porter, « From competi-

tive advantage to corporate strategy », *Harvard Business Review*, vol. 65, n° 3 (1987), pp. 43-59.

19. Voir A. Campbell et K. Luchs, *Strategic Synergy*, Butterworth Heinemann, 1992.

20. La logique de développeur est expliquée en détail dans M. Goold, A. Campbell et M. Alexander (référence 16).

21. Pour une présentation détaillée de la matrice BCG, voir le chapitre de A.C. Hax et N.S. Majluf dans l'ouvrage coordonné par R.G. Dyson (ed.), *Strategic Planning : Models and analytical techniques*, Wiley, 1990 ; voir également le chapitre de D. Faulkner, « Portfolio matrices », dans V. Ambrosini, G. Johnson et K. Scholes, *Exploring Techniques of Analysis and Evaluation in Strategic Management*, Prentice Hall, 1998. Sur les origines de cette matrice, voir B. Henderson, *Henderson on Corporate Strategy*, Abt Books, 1979. On peut également consulter le chapitre consacré aux matrices d'allocation de ressources dans le livre 1 de l'ouvrage coordonné par A. Dayan, *Manuel de gestion*, Ellipses/AUF, 2e édition, 2004.

22. Voir le chapitre de A. Hax et N. Majluf, « The use of the industry attractiveness-business strength matrix in strategic planning » dans l'ouvrage coordonné par R. Dyson, *Strategic Planning: Models and analytical techniques*, Wiley, 1990.

23. Cette section s'appuie sur M. Goold, A. Campbell et M. Alexander (référence 16).

Virgin : un conglomérat cohérent ?

Le groupe Virgin était une des principales entreprises britanniques non cotées en Bourse. En 2007, le groupe comprenait 63 activités aussi diverses que le transport aérien et ferroviaire, les clubs de gym ou la téléphonie mobile, mais également Virgin Galactic, qui prévoyait d'envoyer des touristes dans des vols suborbitaux.

L'image de Virgin était étroitement liée à la personnalité de son fondateur, Richard Branson. Son goût immodéré pour la publicité l'avait poussé à jouer un petit rôle dans la série américaine *Friends* et dans le film *Casino Royale*, mais également à tenter un tour du monde sans escale en ballon. De même, lors du retrait du Concorde en 2003, il avait proposé à Air France et à British Airways de leur racheter cinq supersoniques, pour 1,4 million d'euros chacun. Conscientes de la nature essentiellement médiatique de cette demande, les deux compagnies avaient refusé[1]. Tout cela avait cependant un impact sur la marque Virgin. Les adjectifs « innovant », « provocateur », « jeune » et « performant » étaient spontanément associés à l'entreprise.

En 2006, Richard Branson annonça qu'il envisageait d'investir 3 milliards de dollars dans les énergies renouvelables. Grâce à une fusion avec le câblo-opérateur NTL, il entreprit également une expansion vers les médias en accusant publiquement NewsCorp, le groupe du magnat Ruppert Murdoch, de nuire à la démocratie au Royaume-Uni. Enfin, en 2007, il prit la tête d'un consortium d'investisseurs pour racheter la sixième banque britannique, Northern Rock, ruinée par la crise du crédit hypothécaire. Cependant, en février 2008, le gouvernement britannique estima que son offre (1,25 milliard de livres) était insuffisante face à l'ampleur de la crise, et préféra « temporairement nationaliser » Northern Rock.

La nature et l'échelle de ces opérations – pour le financement desquelles il décida de vendre ses magasins Virgin Mégastore fin 2007 – démontraient que le goût de Richard Branson pour les défis restait intact.

Origines et activités

Virgin avait été fondé en 1970 en tant que société de vente de disques par correspondance. L'entreprise s'était développée autour de l'édition et la distribution musicale, jusqu'à son introduction à la Bourse de Londres en 1986. Son chiffre d'affaires était alors de 360 millions d'euros. À cette époque, l'introduction en Bourse semblait présenter plusieurs avantages : elle permettait de capitaliser sur le succès passé, d'obtenir à moindre coût les fonds nécessaires à l'expansion continue et peut-être d'attirer des managers plus expérimentés.

Cependant, Richard Branson n'avait pas réussi à se soumettre aux obligations d'un dirigeant de société cotée. Le respect des procédures imposées par les autorités du marché boursier et la nécessaire communication avec les actionnaires consommaient beaucoup de temps et d'argent. Branson détestait devoir se justifier auprès d'analystes et de gestionnaires de fonds qui – selon lui – ne comprenaient rien à son activité. L'obligation de générer du profit à court terme, en particulier lorsque le prix de l'action commença à baisser, fut la goutte qui fit déborder le vase. Branson décida alors de retirer l'entreprise de la Bourse en rachetant les actions à leur prix d'émission.

Le nom Virgin symbolisait l'idée que l'entreprise était vierge dans chacune de ses nouvelles activités. Richard Branson affirmait que « la marque est notre actif le plus précieux. Notre but ultime est d'en faire une marque globale de premier plan. » Pour autant il cherchait à comprendre la logique de chacune des activités sur lesquelles il apposait sa marque. À propos de son intention d'établir Virgin Fuels, une compagnie produisant des carburants à base d'éthanol, il avait ainsi reconnu que « Virgin est une entreprise assez inhabituelle : nous allons vers des industries dont nous ne savons rien et dans lesquelles nous nous immergeons. »

Le schéma de développement reposait sur des coentreprises dans lesquelles Virgin apportait sa marque et des partenaires financiers prenaient la majorité du capital. La diversification dans le vêtement et les cosmétiques n'avait ainsi nécessité initialement que 1 500 euros, alors que le partenaire Victory Corporation – pourtant propriétaire à part égale de la filiale nouvellement créée – avait investi près de 30 millions. Avec Virgin Mobile, Virgin avait construit un opérateur virtuel de téléphonie mobile en s'appuyant sur des opérateurs existants qui vendaient leurs services sous la marque Virgin. La compétence de ces opérateurs résidait dans la maîtrise technique de leur infrastructure, pas dans la construction d'une marque. Virgin avait réussi à se différencier en proposant des services inédits au Royaume-Uni, tels que les cartes prépayées ou le paiement à la minute sans abonnement. Alors qu'il ne possédait aucun réseau en propre, Virgin avait ainsi remporté le trophée du meilleur opérateur de téléphonie mobile du Royaume-Uni. En France, Virgin Mobile avait atteint son millionième abonné en deux ans.

Virgin Fuels était un projet quelque peu différent car Virgin apportait le capital et utilisait sa marque pour attirer l'attention sur les possibilités offertes par sa technologie.

En 2005, Virgin avait fusionné son activité téléphonie mobile britannique avec le câblo-opérateur NTL pour créer la première offre « quadruple play » au Royaume-Uni (télévision, accès Internet à haut débit, téléphonie fixe et téléphonie mobile). Avec 9 millions d'abonnés, cette nouvelle entité – baptisée Virgin Media – pouvait concurrencer les grands réseaux télévisés sur l'achat de programmes sportifs ou de catalogues de films[2]. Branson tenta même de racheter la chaîne de télévision ITV, mais NewsCorp l'en empêcha en s'emparant avant lui d'une minorité de blocage.

Le groupe avait été comparé à un keiretsu japonais, une structure rassemblant des unités autonomes, dirigées par des équipes indépendantes, qui utilisaient la même image de marque. La philosophie établie par Branson voulait que chaque fois qu'une filiale dépassait une certaine taille, elle était scindée en deux entités distinctes. Branson affirmait qu'étant donné que son groupe ne faisait pas appel au marché boursier, son fonctionnement pouvait fortement différer de celui des grandes entreprises cotées, qui devaient satisfaire actionnaires, parties prenantes et analystes financiers, viser des profits à court terme et dégager de confortables dividendes. L'avantage d'un conglomérat non coté était que ses propriétaires pouvaient réinvestir les profits afin d'assurer le succès à long terme de ses activités.

Étant donné que certaines activités n'étaient pas des coentreprises mais bien des filiales du groupe, certains observateurs suggéraient que Virgin était devenu une coquille, qui n'était pas toujours capable d'apporter une réelle expertise à ses DAS. Will Whitehorn, le directeur général de Virgin, répondait à ces critiques : « Chez Virgin, nous savons ce que veut dire notre marque. Lorsque nous mettons notre marque sur quelque chose, nous faisons une promesse. »

Par-delà la marque, Branson affirmait que Virgin contribuait à la performance de ses activités de trois manières : ses compétences en relations publiques et en marketing, son expérience de l'entrepreneuriat et sa compréhension des opportunités offertes par les marchés *institutionnalisés*. Dans le jargon interne, un marché institutionnalisé était un secteur dominé par quelques concurrents qui ne créaient pas assez de valeur pour leurs clients, soit par inefficience, soit par focalisation sur leur rivalité. Virgin réussissait généralement à identifier les concurrents trop confiants en eux-mêmes et à offrir plus qu'eux pour un prix moindre. L'entrée sur les industries de l'énergie, des médias et de la banque, après le transport aérien ou le transport ferroviaire, était conforme à ce modèle.

La logique parentale

En 2007, Virgin n'arborait toujours pas les attributs traditionnels d'une multinationale. Branson décrivait Virgin comme « une société de capital-risque avec une marque »[3]. On ne pouvait même pas véritablement parler de *groupe* au sens classique du terme, car les résultats n'étaient pas consolidés, ni pour d'éventuels analystes externes, ni pour les systèmes de contrôle internes. Son site Internet décrivait Virgin comme étant plus une famille qu'une hiérarchie. La direction financière était localisée à Genève.

Branson et son équipe de développement analysaient environ cinquante propositions d'investissement par semaine. Quatre pistes de développement étaient prospectées en permanence. Branson avait expliqué ses critères privilégiés pour évaluer toute nouvelle opportunité : elle devait être globale, renforcer la marque et procurer un bon retour sur investissement[4].

Chaque activité était financièrement isolée : de cette manière, les créanciers d'une filiale n'avaient aucun droit sur les actifs des autres. Ce cloisonnement ne se limitait pas à la finance, mais concernait également les questions éthiques. En 2006, Branson avait ainsi reproché à la grande distribution d'utiliser les CD comme produits d'appel. Selon lui, en vendant les CD à perte, les hypermarchés ruinaient les distribu-

teurs spécialisés – dont il faisait alors partie – mais sans faire preuve de la moindre innovation. Branson avait fait de l'innovation sur les marchés institutionnalisés son credo : pour lui, la vente à perte n'avait rien d'innovant.

De plus, la structure du groupe Virgin était si opaque qu'il était bien difficile de se prononcer sur sa situation financière réelle, tant en termes de chiffre d'affaires que d'endettement ou de profit. Les entreprises du groupe n'effectuaient même pas la clôture de leurs comptes à la même date. Certains critiques ne manquaient pas de rappeler que l'écheveau complexe des participations croisées et la domiciliation des sièges sociaux dans des paradis fiscaux tels que les îles anglo-normandes et les îles Vierges avaient bien peu de rapport avec l'image d'ouverture et d'honnêteté affichée par Branson.

Virgin et Branson

Historiquement, le groupe Virgin avait été contrôlé principalement par Branson et ses fidèles lieutenants, dont la plupart travaillaient avec lui depuis plus de vingt ans. La philosophie managériale du groupe prônait l'autonomie, la responsabilisation des managers opérationnels et la décentralisation de la prise de décision (le siège du groupe ne rassemblait qu'une trentaine de personnes). Étant donné que les activités étaient dispersées dans un grand nombre d'industries et de marchés, le contrôle exercé par le siège restait distant. Tant que son intervention n'était pas requise pour finaliser des contrats majeurs ou pour définir de grandes orientations stratégiques, Branson préférait déléguer le pouvoir de décision aux managers en charge des activités (dont la plupart avaient une expérience réussie dans de grandes multinationales) et faire confiance à leur esprit d'initiative.

Le lancement de Virgin Fuels démontrait la convergence croissante entre les préoccupations personnelles de Branson et le développement de Virgin. En justifiant ses efforts pour construire une compagnie d'énergie « propre », Branson s'était ainsi livré à une série de commentaires géopolitiques en soulignant que les carburants « verts » pourraient permettre d'éviter « une nouvelle guerre au Moyen-Orient ». Il s'était publiquement opposé à la guerre en Irak[5]. En d'autres occasions, le lien entre ses opinions politiques et l'activité de Virgin était moins clair. Son affirmation selon laquelle NewsCorp menaçait la démocratie britannique pouvait être interprétée soit comme une préoccupation sincère, soit comme un reproche adressé au puissant concurrent qui l'avait empêché de racheter ITV.

La performance du groupe

Au cours de son histoire, Virgin s'était attaqué – avec des succès divers – à toute une série de marchés institutionnalisés, avec pour ambition de « secouer des secteurs empâtés et vaniteux ».

Branson conservait un grand intérêt pour le transport aérien, même si certains analystes doutaient de l'avenir de cette activité, cyclique par nature. Outre ses 51 % dans Virgin Atlantic (Singapore Airlines détenait le reste du capital), il possédait également Virgin Express (en Europe), Virgin America (aux États-Unis), Virgin Blue (en Australie) et Virgin Nigeria. Afin de concilier son engagement à l'égard de la réduction des émissions à effet de serre avec ses ambitions aéronautiques, il avait annoncé fin 2007 qu'il espérait faire voler ses avions avec des biocarburants « d'ici au début de la prochaine décennie. »

Le principal problème de Branson restait cependant la compagnie de chemin de fer Virgin Rail, dont les deux lignes, rachetées à l'ancienne compagnie nationale British Rail, avaient été classées respectivement vingt-troisième et vingt-quatrième sur vingt-cinq dans le classement national réalisé par l'Autorité ferroviaire britannique en 2000. En 2002, Virgin Rail avait tout de même réussi à dégager un bénéfice, alors qu'il lui fallait payer un droit d'exploitation au gouvernement britannique, pour un total s'élevant à près de 2 milliards d'euros entre 2006 et 2015.

Le futur

Le style de Branson était fidèle à ce qu'il avait décrit dans son autobiographie : « Au début des années 1970, je passais mon temps à jongler avec les banquiers, les fournisseurs et les créditeurs de manière à toujours rester solvable en les jouant les uns contre les autres. Aujourd'hui, je ne jongle plus avec des banquiers, j'achète et je revends des entreprises. C'est juste une question d'échelle. » Cependant, la structure du capital de Virgin avait évolué depuis le début des années 2000. Si le groupe restait une société familiale, certaines de ses filiales étaient désormais cotées en Bourse, ce qui constituait pour Branson une nouvelle manière de « jongler » avec la finance. Les fonds levés seraient réservés à « de futurs investissements dans de nouvelles activités de Virgin à travers le monde, en mettant l'accent sur les États-Unis, où le dollar est faible, la Chine et l'Afrique. »

Aux yeux de nombreux commentateurs, l'approche de Virgin présentait un risque majeur : « La principale menace est que la marque Virgin, l'actif le plus précieux du groupe, soit entachée par un échec. »[6] Cet argument était repris par un autre observateur[7] : « Un client qui a eu une mauvaise expérience avec une des activités de Virgin risque de fuir toutes les autres. » Cependant, d'après les études marketing réalisées par le groupe, les clients qui avaient eu une mauvaise expérience avec l'une des activités continuaient à utiliser les autres, du fait même de la grande diversité de la marque. Le capital de confiance que détenait cette marque expliquait d'ailleurs pourquoi Virgin osait conserver des activités aussi risquées que sa compagnie ferroviaire.

Fin 2006, Branson avait évoqué son retrait des affaires, affirmant que son groupe « marchait à peu près tout seul à présent »[8]. Il laissait entendre que son fils Sam pourrait prendre sa suite[9]. Pour autant, c'est au moment où il parlait de se retirer qu'il lança des opérations majeures dans les médias, l'énergie et la banque. Il avait certainement une conception très active de la pré-retraite.

Étude de cas

Notes

1 *La Tribune*, 2 juillet 2003.

2 *Sunday Telegraph*, 4 décembre 2005.

3 *Sunday Business*, 29 juillet 2001.

4 *PR Newswire Europe*, 16 octobre 2006.

5 *Fortune*, 6 février 2006.

6 *The Times*, 1998.

7 Wells, 2000.

8 *Independent on Sunday*, 26 novembre 2006.

9 Ibid.

Sources : *The Economist*, 5 octobre 2002, 9 mai 2003 et 12 juillet 2001 ; P. McCosker, « Stretching the brand: a review of the Virgin Group », *European Case Clearing House*, 2000 ; *The Times*, 5 juin 2002 et 30 avril 2002 ; « Virgin files high with brand extension », *Strategic Direction*, vol. 18, n° 10 (octobre 2002) ; *Tribune Business News*, 29 juillet 2001 ; *Sunday Business*, 29 juillet 2001 ; *South China Morning Post*, 28 juin 2002 ; C. Vignali, « Virgin Cola », *British Food Journal*, vol. 103, n° 2 (2001), pp. 131-139 ; *Forbes Magazine*, vol. 166, n° 1 (7 mars 2000).

Ce cas a été actualisé par Aidan McQuade, université de Strathclyde, à partir d'un cas original d'Urmilla Lawson.

Questions

1. Quelle est la logique parentale de Virgin ?

2. Y a-t-il des synergies entre les domaines d'activité du groupe Virgin ?

3. Le groupe Virgin améliore-t-il la performance de ses filiales ? Si oui, comment ?

4. Quelles sont les principales difficultés auxquelles le groupe Virgin est confronté et comment peuvent-elles être surmontées ?

Chapitre 8
Les stratégies internationales

Choix stratégiques

Objectifs

Après avoir lu ce chapitre, vous serez capable de :

- Déterminer le potentiel d'internationalisation de différents marchés au cours du temps.
- Identifier les sources d'avantage concurrentiel liées à l'international, que ce soit grâce à l'approvisionnement global ou au travers de l'exploitation des facteurs locaux présentés par le diamant de Porter.
- Distinguer quatre principaux types de stratégies internationales.
- Évaluer le potentiel des marchés internationaux grâce à leur attrait, les différences culturelles et d'autres formes de distance, ainsi que la menace de riposte des concurrents établis.
- Déterminer le mérite relatif de différentes modalités d'internationalisation, dont les coentreprises, la cession de licences et l'investissement direct.

8.1 Introduction

Dans le chapitre précédent, nous avons présenté le développement de marchés comme une orientation stratégique grâce à la matrice d'Ansoff. Ce chapitre est consacré à un type particulier de développement de marchés, l'internationalisation. L'extension vers de nouvelles zones géographiques soulève des questions sur les pays à sélectionner, le niveau d'adaptation de l'offre de produits ou services aux particularités locales et la manière de gérer des activités distantes. Ces questions concernent de très nombreuses organisations. C'est bien entendu le cas des grandes multinationales comme Nestlé, Toyota ou McDonald's, mais de plus en plus de petites organisations s'internationalisent dès leur création. Les organisations du secteur public doivent elles aussi faire des choix en termes de collaboration, de sous-traitance et même de concurrence avec des organisations étrangères. L'Union européenne oblige les services publics à ouvrir leurs appels d'offres à des fournisseurs internationaux.

Le schéma 8.1 présente la structure de ce chapitre. Les stratégies internationales dépendent avant tout de l'environnement (voir le chapitre 2) et des capacités

Schéma 8.1	**Les stratégies internationales**

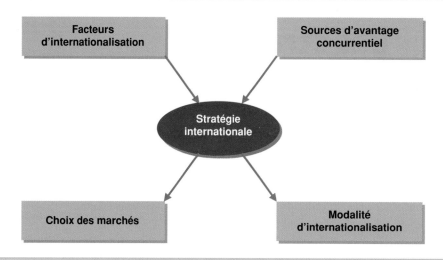

organisationnelles (voir le chapitre 3). En ce qui concerne l'environnement, le schéma 8.1 souligne le rôle des facteurs d'internationalisation (convergence des attentes des consommateurs, concurrence globale, etc.). Pour ce qui est de la capacité stratégique, il rappelle l'impact des sources nationales et internationales d'avantage concurrentiel (coût de la main-d'œuvre, demande locale, etc.). La stratégie internationale retenue détermine quant à elle le choix des marchés (quels pays ? quelles régions ?) et les modalités appropriées (coentreprise, investissement direct, etc.).

La prochaine section est consacrée aux *facteurs d'internationalisation*. Puis nous verrons quelles sont les sources nationales et internationales d'avantage concurrentiel en utilisant notamment le *diamant de Porter*. À la lumière de ces deux types de critères, nous examinerons ensuite les *types de stratégies internationales*. Du fait que certaines zones géographiques exigent des adaptations significatives des produits ou des services, les stratégies internationales peuvent parfois se traduire par de véritables diversifications[1]. Cela nous conduira à examiner le *choix des marchés* et des *modalités d'internationalisation*. Pour cela, nous soulignerons l'interdépendance entre l'attrait des marchés et la *distance* qui les sépare, ainsi que la *menace de riposte* des concurrents locaux. Les avantages respectifs des différentes modalités d'internationalisation seront détaillés, de même que les *séquences d'entrée* sur un nouveau marché. Les deux dernières sections examinent des questions qui font écho à celles que nous avons présentées à propos de la diversification dans le chapitre 7 : l'internationalisation et la *performance*, ainsi que la *gestion d'un portefeuille* d'activités internationales.

8.2 Les facteurs d'internationalisation

De nombreuses raisons poussent les organisations à s'internationaliser. Les barrières qui freinent le commerce international sont beaucoup moins élevées que par le passé. La réglementation internationale s'est améliorée, ce qui rend les investissements à l'étranger moins risqués. Les progrès des technologies de communication (de l'avion à Internet) facilitent le déplacement des personnes et la diffusion des idées. Enfin, le succès des nouvelles puissances que sont les BRIC (Brésil, Russie, Inde, Chine) offre de nouvelles opportunités et de nouveaux défis pour les organisations internationales[2].

Cependant, la plupart de ces tendances sont ambivalentes et elles n'ont pas le même impact sur toutes les industries. Les mouvements migratoires entre certaines zones sont plus difficiles que par le passé. Le développement d'Internet et du transport aérien permet aux communautés expatriées de conserver leur culture d'origine, ce qui freine l'émergence de goûts et de valeurs globales. Beaucoup de prétendues multinationales sont concentrées sur quelques marchés (notamment l'Europe de l'Ouest et l'Amérique du Nord) ou n'entretiennent des relations ponctuelles qu'avec un ou deux pays étrangers, exclusivement utilisés comme sources d'approvisionnement ou de sous-traitance. Si pour certaines industries on constate une forte globalisation (par exemple les systèmes d'exploitation pour ordinateurs), à l'inverse les goûts des consommateurs continuent à varier significativement d'une zone à l'autre pour de nombreuses catégories de produits (notamment à peu près tout ce qui touche à l'alimentation). Les managers ne doivent donc pas être dupes des discours qui proclament l'émergence d'un monde homogène et intégré (voir le débat de l'illustration 8.6). Comme le montre l'exemple de la distribution en Chine (voir l'illustration 8.1), les facteurs d'internationalisation sont généralement bien plus complexes que cela.

Afin d'éviter toute simplification outrancière, les stratégies internationales doivent donc être élaborées à partir d'un diagnostic méticuleux des tendances d'évolution des marchés visés. Le modèle des facteurs d'internationalisation proposé par Georges Yip permet de réaliser ce diagnostic (voir le schéma 8.2)[3]. Même si ce modèle se réfère à la nécessité d'une *stratégie globale*, dans laquelle toutes les parties de l'organisation sont coordonnées au niveau mondial, la plupart de ces facteurs s'appliquent plus largement aux *stratégies internationales*, qui reposent sur un niveau de coordination moins abouti. Les quatre facteurs d'internationalisation sont les suivants :

- Les *facteurs de marché*. La convergence des marchés est un moteur essentiel de l'internationalisation. Trois éléments contribuent à ce phénomène. Le premier de ces éléments est la *convergence des besoins et des goûts des clients* : le fait que dans la plupart des pays les clients ont les mêmes besoins en termes de crédit a ainsi permis l'émergence de quelques acteurs globaux tels que Visa. Deuxièmement, il existe des *clients globaux* : lorsque le groupe PSA a implanté une nouvelle usine à Porto Real au Brésil en 2001, certains de ses grands équipementiers comme Faurecia ou Vallourec l'ont accompagné. Enfin, l'apparition de politiques de *marketing global* implique que les marques, les modes de distribution et la communication peuvent être développés au niveau mondial, comme le montrent les exemples de Coca-Cola, Nokia ou L'Oréal.

Illustration 8.1

La distribution en Chine : globale ou locale ?

L'internationalisation n'est pas seulement une question de processus, comme Carrefour et Wal-Mart l'ont découvert en Chine.

Au début des années 2000, la Chine attirait irrésistiblement les groupes de grande distribution occidentaux. Avec une croissance annuelle de 13 %, le marché chinois devait atteindre 747 milliards de dollars en 2010. Près de 520 millions de Chinois devaient rejoindre la classe moyenne avant 2025. La distribution locale étant fragmentée et essentiellement régionale, les grands distributeurs occidentaux étaient convaincus d'avoir un avantage concurrentiel.

En 1995, après une expérience de six ans à Taïwan, Carrefour fut le premier à entrer sur le marché chinois de manière significative. En 2006, il était devenu le sixième plus gros distributeur en Chine, ce qui ne correspondait pourtant qu'à une part de marché de 0,6 %. Wal-Mart, le leader mondial de la distribution, était juste derrière, notamment après son acquisition en 2006 d'une chaîne taïwanaise déjà implantée sur le continent. Ces deux rivaux poursuivaient des stratégies très différentes. Wal-Mart s'appuyait sur son approche standardisée et centralisée, tous ses magasins étant censés s'approvisionner à partir de son entrepôt logistique flambant neuf, construit à Shenzhen. À l'inverse, Carrefour suivait une stratégie décentralisée : à l'exception de Shanghai, où il possédait plusieurs magasins, il autorisait les managers de ses magasins, dispersés dans tout le pays, à s'approvisionner auprès de fournisseurs locaux.

La croissance de Carrefour, de Wal-Mart et de leurs concurrents locaux démontrait qu'il existait déjà un marché substantiel pour les hypermarchés en Chine. Carrefour importait le concept de marque de distributeur, alors que Wal-Mart déployait son expertise logistique. La hausse du niveau de vie et l'exposition aux idées étrangères accéléraient l'acceptation du concept par les consommateurs chinois. Pour autant, les progrès restaient lents. Wal-Mart ne dégageait toujours aucun profit en Chine. Quant à Carrefour, sa marge de 2 à 3 % était significativement inférieure aux 5 % obtenus en France.

Une des découvertes de Wal-Mart avait été que les consommateurs chinois préféraient faire leurs courses souvent, en achetant de petites quantités chaque fois. À la différence des Américains, qui se déplaçaient une fois par semaine dans de vastes hypermarchés de banlieue pour remplir le coffre de leur voiture de nourriture surgelée et de packs de boissons, les Chinois ne prenaient que la quantité dont ils avaient besoin, n'hésitant pas à ouvrir les conditionnements en gros volume pour n'acheter qu'une bouteille de lait ou une seule boîte de conserve. Wal-Mart avait donc décidé de vendre une partie de ses surgelés à l'unité, en laissant les consommateurs prendre exactement la quantité qu'ils désiraient. En 2006, le géant américain alla même jusqu'à autoriser les syndicats dans ses magasins chinois, ce qu'il n'avait jamais fait dans un autre pays.

Une autre surprise pour les distributeurs occidentaux était l'existence de différences régionales parfois considérables. Dans le nord de la Chine, les sauces au soja étaient importantes. Dans le centre, les sauces au piment étaient nécessaires. Dans le sud, c'était la sauce aux huîtres qui importait. Pour les fruits, le nord voulait des dattes et le sud, des litchis. Dans le nord, le froid stimulait la consommation de viande rouge et – étant donné que les clients portaient d'épaisses couches de vêtements – il fallait que les allées des magasins soient plus larges. Les habitants du nord n'avaient pas tous accès à l'eau chaude : ils se lavaient donc les cheveux moins souvent, ce qui impliquait que le shampoing se vendait mieux en petits sachets qu'en grandes bouteilles.

Sources : Financial Times, Wall Street Journal et Euromonitor.

Questions

1. Quels sont les avantages et les inconvénients respectifs de l'approche de Carrefour et de celle de Wal-Mart ?

2. Quels risques court un grand distributeur occidental en restant en dehors du marché chinois ?

● Les *facteurs de coûts*. L'internationalisation peut permettre de réduire certains coûts. Là encore, on distingue trois raisons à ce phénomène. Tout d'abord, l'augmentation des volumes au-delà d'un seul marché national peut permettre de dégager des *économies d'échelle*, que ce soit en termes de production ou de pouvoir de négociation avec les fournisseurs. Des entreprises issues de petits

| Schéma 8.2 | **Les facteurs d'internationalisation** |

Source : adapté de G. Yip, *Total Global Strategy II*, Prentice Hall, 2003, chapitre 8.

pays tels que la Suisse ou les Pays-Bas ont ainsi tendance à être beaucoup plus internationalisées que les entreprises américaines, qui disposent d'un vaste marché à domicile. Les économies d'échelle sont particulièrement déterminantes dans les industries où les coûts de développement sont très élevés, comme l'industrie aéronautique : il est indispensable de les répartir sur le volume permis par une présence internationale. Deuxièmement, l'internationalisation est encouragée par l'existence d'avantages liés à la *localisation*. Dans l'industrie textile, il est ainsi pertinent de localiser la production partout où la main-d'œuvre est peu coûteuse, notamment en Asie ou en Afrique, mais de maintenir la création dans les quelques endroits où l'expertise des créateurs est concentrée, à Paris, à New York ou à Milan. Enfin, il convient de prendre en compte l'aspect *logistique* et notamment le coût de transport des biens ou des services par rapport à leur prix final. Il est ainsi pertinent de délocaliser la production de composants électroniques, mais nettement moins celle de produits encombrants tels que les meubles.

- Les *facteurs réglementaires*. L'intervention des gouvernements peut favoriser ou limiter la globalisation des marchés. Les variables dont disposent les autorités pour influencer le commerce international sont nombreuses : droits de douane, standards techniques, subventions aux entreprises locales, restrictions des investissements étrangers, obligation d'un contenu local, contrôle des transferts de technologie, encadrement de la propriété intellectuelle, contrôle des changes et de la monnaie. Aucun gouvernement n'autorise une parfaite ouverture de son économie, et les situations diffèrent en général d'une industrie à l'autre. L'agriculture et les industries de défense sont généralement les plus protégées. Pour autant, l'Organisation mondiale du commerce continue à encourager une plus grande libéralisation des marchés et la création de larges zones de libre-échange, comme l'Union européenne, l'ALENA ou le Mercosur, a permis de mettre fin à un grand nombre de réglementations locales[4].

- Les *facteurs concurrentiels*. Ces facteurs sont plus spécifiquement liés aux stratégies globales. On distingue deux éléments. Le premier est l'*interdépendance* entre les opérations localisées dans plusieurs pays, qui encourage une coordination globale. Une entreprise dont l'usine polonaise approvisionne à la fois le marché allemand et le marché russe doit ainsi se montrer particulièrement attentive à l'évolution de la demande dans ces deux pays, afin d'éviter des surstocks ou des ruptures. Le second élément est lié à la présence de *concurrents globaux*. Plus les concurrents globaux sont nombreux, plus ceux qui ne le sont pas encore sont poussés à le devenir. En effet, les concurrents globaux peuvent utiliser les profits qu'ils génèrent sur un marché pour subventionner leurs opérations dans d'autres zones. Un concurrent moins global est alors vulnérable, car il sera incapable de contrer ce type d'attaque. Le danger est alors un retrait progressif de toutes les filiales touchées et la disparition graduelle des économies d'échelle envisagées[5].

L'élément clé de ce modèle est que le potentiel d'internationalisation des industries est variable. De nombreux facteurs peuvent l'encourager ou le freiner. Avant toute décision d'internationalisation, il est donc indispensable de mener cette analyse dans le cadre spécifique de l'industrie concernée. L'illustration 8.2 présente certaines des raisons qui ont poussé la Deutsche Post à s'internationaliser depuis la fin des années 1990.

8.3 Les sources d'avantage nationales et internationales

La localisation des activités est une source majeure d'avantage concurrentiel et l'une des caractéristiques distinctives de l'internationalisation par rapport aux autres stratégies de diversification. Comme l'a expliqué Bruce Kogut, une organisation peut améliorer la configuration de sa chaîne de valeur – et au-delà de sa filière – en s'appuyant sur des spécificités nationales (voir la section 3.6.1)[6]. Deux types d'opportunités sont possibles : l'exploitation d'*avantages nationaux* particuliers, le plus souvent dans le pays d'origine de l'entreprise, et les avantages liés à la mise en place d'une *filière internationale*.

Illustration 8.2

L'internationalisation de la Deutsche Post

La globalisation des marchés et les évolutions politiques et réglementaires peuvent pousser une organisation à s'internationaliser.

L'internationalisation de la Deutsche Post a été intimement liée aux opportunités et aux contraintes résultant de la déréglementation des marchés nationaux et internationaux, alors que les industries du transport et de la logistique se globalisaient. Le point de départ de cette mutation fut la réforme du système postal allemand en 1990. La « loi sur la structure des postes et télécommunications » maintenait la Deutsche Post sous statut d'entreprise publique mais la préparait à une privatisation progressive (introduction de 29 % du capital en Bourse en 2000). Dans les années qui suivirent, l'entreprise connut une période de consolidation et de restructuration, avec notamment l'intégration de l'ancienne poste est-allemande. En 1997, au moment où le marché postal allemand fut libéralisé, la Deutsche Post était prête pour une expansion internationale rapide.

La globalisation des activités de la Deutsche Post fut largement provoquée par les attentes d'un nombre croissant de clients professionnels, qui désiraient un prestataire unique pour leurs opérations de livraison et de logistique, à la fois sur le plan national et international. Dans les cinq années qui suivirent, la Deutsche Post procéda à l'acquisition d'acteurs clés de l'industrie de la logistique et du transport, tels que Danzas et DHL, avec pour objectif de « devenir le numéro un mondial des services de logistique ». Cette expansion internationale permit à la Deutsche Post – qui dans l'intervalle avait été renommée Deutsche Post World Net (DPWN) afin de symboliser ses ambitions globales – d'obtenir une série de contrats de premier plan, comme le transport, le stockage et la livraison des automobiles BMW sur tout le continent asiatique. À partir de 2003, dans le cadre de son programme START, DPWN chercha à harmoniser ses structures et ses produits en créant des réseaux intégrés et en déployant des processus globaux afin de dégager des économies d'échelle. Dans le même temps, le groupe adopta la devise « Une seule marque – un seul interlocuteur pour le client », ce qui se traduisit par le choix de la marque DHL pour l'ensemble de ses activités logistiques.

La déréglementation des marchés et l'élimination des barrières commerciales continuèrent à encourager l'expansion internationale. L'entrée de la Chine dans l'Organisation mondiale du commerce laissa ainsi entrevoir un énorme potentiel pour DPWN. Entre 2002 et 2004, le groupe connut une croissance de 35 % sur le marché chinois, avec notamment 40 % de part de marché sur les services de livraison express transfrontaliers, au travers d'une coentreprise avec Sinotrans. Dans le même temps, DPWN renforça sa présence en Europe, notamment au Royaume-Uni, où il obtint une licence de distribution de colis auprès du régulateur local, ce qui lui permit de racheter l'opérateur Speedmail.

Source : dpwn.de.

Questions

1. Quels ont été les facteurs d'internationalisation associés à la stratégie de DPWN ?
2. Évaluez les avantages et les inconvénients respectifs d'une stratégie multidomestique et d'une stratégie globale pour DPWN.

8.3.1 Le diamant de Porter[7]

Comme toute stratégie, l'internationalisation doit reposer sur un avantage concurrentiel durable (voir le chapitre 3). Cet avantage doit être significatif, car les nouveaux venus pénètrent généralement sur un marché étranger avec une série de désavantages par rapport aux concurrents locaux : moins bonne connaissance du marché, relations à construire avec les clients, chaîne de valeur à adapter, etc. Les déboires de Wal-Mart en Europe illustrent cette situation : si le géant de la distribution américain a connu le succès dans un certain nombre de pays asiatiques où les marchés sont encore peu développés, il a été contraint de se retirer d'Allemagne en 2006, après une décennie de déconvenues face à des concurrents locaux mieux établis. Par rapport aux distributeurs allemands, Wal-Mart ne possédait pas d'avantage concurrentiel décisif.

Dans le chapitre 3, nous avons considéré l'avantage concurrentiel en général. Le contexte international ajoute une dimension supplémentaire : certaines régions ou certains pays bénéficient d'avantages concurrentiels particulièrement difficiles à imiter. C'est le cas de la Suisse pour la banque privée, de l'Italie pour la maroquinerie et la chaussure, ou de Taïwan pour les ordinateurs portables. Michael Porter a proposé un modèle, le **diamant de Porter**, qui explique pourquoi les nations ont tendance à être plus compétitives dans certaines industries que dans d'autres (voir le schéma 8.3).

Le diamant de Porter suggère que l'avantage national, qui varie d'une industrie à l'autre, repose sur quatre facteurs interdépendants :

Le diamant de Porter suggère qu'il existe des raisons intrinsèques au fait que certaines nations – ou certaines industries au sein d'une même nation – sont plus compétitives que d'autres

- Les *conditions spécifiques*. Certains pays bénéficient de facteurs de production particuliers qui profitent aux entreprises locales lorsqu'elles s'internationalisent. Le multilinguisme des Suisses leur a ainsi donné un avantage significatif dans la banque, alors que la disponibilité d'énergie à bas prix a avantagé l'industrie nord-américaine de l'aluminium.
- La *demande locale*. Les caractéristiques, les exigences et la sophistication des clients locaux peuvent devenir une source d'avantage concurrentiel à l'international. Le niveau d'exigence des consommateurs japonais en matière d'équipement électrique et électronique a ainsi largement stimulé les constructeurs

| Schéma 8.3 | **Le diamant de Porter – les déterminants de l'avantage national** |

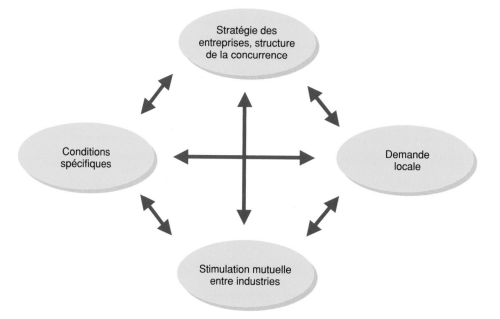

Source : M. Porter, *L'avantage concurrentiel des nations,* InterÉditions, 1993.

locaux, leur permettant de devenir des leaders mondiaux. De même, la présence de clients locaux aux goûts sophistiqués a permis à la France et à l'Italie de dominer l'industrie mondiale du luxe depuis plusieurs décennies.

- La *stimulation mutuelle*. L'existence de « grappes » d'industries interdépendantes peut largement contribuer à la construction d'un avantage concurrentiel. Ces grappes sont souvent régionales, ce qui renforce les coopérations. En Italie du Nord, l'industrie de la chaussure en cuir, celle de la machine-outil pour la cordonnerie et les bureaux de design et de style ont ainsi connu un développement synchrone. De même, la Silicon Valley constitue un district technologique qui rassemble des constructeurs d'ordinateurs, des éditeurs de logiciels, des centres de recherche et des sociétés de capital-risque, dont la combinaison entretient un cercle vertueux.

- La *concurrence*, la *stratégie* et la *structure des entreprises*. Les caractéristiques de l'interaction concurrentielle dans un pays donné permettent également d'expliquer certains avantages. La recherche d'excellence technique des entreprises allemandes leur donne ainsi un avantage dans l'industrie mécanique, tout en construisant de larges réservoirs d'expertise. De même, la structure de la concurrence locale peut devenir un puissant stimulant : s'ils sont trop dominants sur leur marché d'origine, les concurrents risquent de devenir arrogants et de perdre leur avantage international. L'existence d'une forte concurrence locale peut ainsi aider les organisations dans leur développement global. C'est une des explications du succès des entreprises japonaises, fortement stimulées par un marché local très concurrentiel. Il en est de même pour l'industrie chimique allemande ou pour les entreprises pharmaceutiques suisses.

Différents gouvernements ont utilisé le diamant de Porter afin d'améliorer l'avantage concurrentiel de leurs industries locales. L'idée selon laquelle la rivalité locale est la source de la compétitivité globale a poussé de nombreux pays à encourager la concurrence plutôt qu'à protéger leurs champions nationaux. Il est également possible de stimuler les entreprises locales en fixant des niveaux d'exigence très élevés en termes de performances, de sécurité ou de protection de l'environnement (ce qui revient à créer une demande locale plus sophistiquée) ou en encourageant la coopération verticale entre les fournisseurs et leurs clients (ce qui revient à créer des grappes d'entreprises interdépendantes).

Au niveau des organisations elles-mêmes, cependant, l'intérêt principal du diamant de Porter consiste à définir dans quelle mesure il leur est possible de s'appuyer sur leurs spécificités locales pour établir leur avantage global. C'est ainsi que la taille réduite du marché néerlandais a contraint Heineken ou Philips à s'internationaliser dès leur origine. De même, Benetton a historiquement profité du tissu industriel de la région de Trévise en Italie du Nord pour sous-traiter sa production auprès de fournisseurs locaux, avant de construire un réseau mondial de boutiques indépendantes[8]. Avant d'entreprendre une internationalisation, les managers doivent déterminer quelles sources d'avantage national peuvent contribuer à la capacité stratégique de leur propre organisation.

8.3.2 Les filières internationales

Cependant, les sources d'avantage ne sont pas seulement nationales. Certaines organisations obtiennent un avantage concurrentiel grâce à la configuration internationale de leur filière. Une entreprise peut systématiquement exploiter les différentes expertises, ressources et conditions de coûts disponibles à travers le monde, de manière à localiser chacun des maillons de sa chaîne de valeur dans un pays ou une région où il sera conduit de manière plus efficace et plus efficiente. Pour cela, il est possible d'investir directement, de former des coentreprises, mais également de mettre en place une politique de **prospection globale** – ou *global sourcing* – qui consiste à acheter les services et les composants auprès des fournisseurs les plus appropriés à l'échelle mondiale, quelle que soit leur localisation. Certains pays occidentaux utilisent ainsi du personnel médical étranger afin de compenser des pénuries locales, en particulier en ce qui concerne les chirurgiens ou les infirmières.

La prospection globale – ou global sourcing – consiste à acheter les services et les composants auprès des fournisseurs les plus appropriés à l'échelle mondiale, quelle que soit leur localisation

Différents avantages peuvent découler de cette approche :

- Les *avantages de coûts*. Ils résultent de toute une combinaison de facteurs (coûts de transport et de communication, fiscalité, possibilités d'obtention de subventions, etc.). Les coûts de main-d'œuvre sont bien souvent un élément crucial dans les décisions de localisation. Les entreprises américaines et européennes délocalisent ainsi de plus en plus leurs activités informatiques en Inde, où un programmeur coûte quatre fois moins cher qu'aux États-Unis, pour une compétence équivalente. Or, cet afflux d'investissements a provoqué une hausse des salaires locaux et certaines entreprises informatiques indiennes commencent désormais à délocaliser leur activité vers des zones encore moins coûteuses, notamment en Chine. On prévoit que les filiales des entreprises indiennes pourraient à terme contrôler jusqu'à 40 % des exportations chinoises de services informatiques.

- Des *capacités uniques* peuvent permettre à une organisation d'accroître son avantage concurrentiel. Une des raisons pour lesquelles le cabinet de conseil Accenture a implanté un bureau de développement informatique dans la ville de Dalian en Chine était que les communications avec les multinationales japonaises et coréennes installées dans la région étaient ainsi beaucoup plus aisées que si le même bureau avait été localisé en Inde ou aux Philippines. Les organisations peuvent également chercher à exploiter des avantages liés à des capacités technologiques ou scientifiques locales. Boeing a ainsi implanté son principal centre d'ingénierie en dehors des États-Unis à Moscou, afin de profiter de l'expertise russe en aérodynamique. L'internationalisation ne concerne plus seulement l'exploitation de compétences existantes sur de nouvelles zones géographiques, mais également le développement de la capacité stratégique en s'appuyant sur certaines spécificités locales.

- Les *caractéristiques nationales* de certaines zones peuvent permettre aux organisations de développer des offres différenciées destinées à couvrir différents segments de marché. Gibson, le fabricant américain de guitares électriques, complète ainsi sa gamme de produits fabriqués aux États-Unis par des instruments souvent semblables mais bien moins coûteux, fabriqués en Corée du Sud sous la marque Epiphone. De la même manière, le concurrent de Gibson, Fender, propose des alternatives mexicaines à sa gamme de guitares américaines.

Bien entendu, une des conséquences de l'exploitation des avantages disponibles dans différentes zones géographiques est la création de réseaux de relations internes et externes particulièrement complexes. Boeing a ainsi développé un réseau global d'activités de R&D au travers de ses filiales et de ses partenariats avec d'autres organisations (voir l'illustration 8.3).

Illustration 8.3

Le réseau global de R&D de Boeing

Certaines organisations cherchent à exploiter les avantages spécifiques de leurs localisations au niveau mondial.

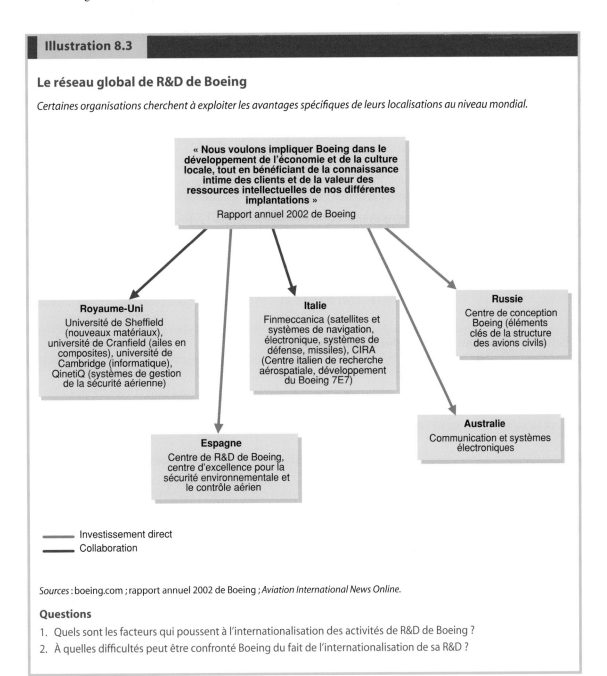

_____ Investissement direct

▬▬▬ Collaboration

Sources : boeing.com ; rapport annuel 2002 de Boeing ; *Aviation International News Online.*

Questions

1. Quels sont les facteurs qui poussent à l'internationalisation des activités de R&D de Boeing ?

2. À quelles difficultés peut être confronté Boeing du fait de l'internationalisation de sa R&D ?

8.4 Les stratégies internationales

Même si elles peuvent obtenir un avantage concurrentiel grâce à des sources locales ou en exploitant une filière internationale, les organisations doivent choisir quelles stratégies internationales elles vont déployer. Le principal problème auquel elles sont confrontées est appelé le **dilemme global-local**, qui désigne l'arbitrage entre la standardisation internationale des offres ou leur adaptation aux spécificités locales. Certains produits – par exemple les téléviseurs – sont globalement identiques dans tous les pays du monde, ce qui permet de bénéficier de considérables économies d'échelle si la conception, la production et la logistique sont centralisées. À l'inverse, d'autres offres – par exemple les programmes télévisés – répondent à des goûts très spécifiques, ce qui oblige les entreprises à décentraliser leur production aussi près que possible de chacun des marchés. Le dilemme global-local peut ainsi entraîner toute une gamme de réponses en termes de centralisation ou de décentralisation.

Le dilemme global-local désigne l'arbitrage entre la standardisation internationale des offres ou leur adaptation aux spécificités locales

On peut ainsi distinguer quatre types de stratégies internationales, en fonction de la *dispersion* internationale des activités de l'organisation et du niveau de *coordination* que ces activités nécessitent (voir le schéma 8.4)[9] :

- L'*exportation simple.* Cette stratégie implique la concentration de certaines activités (en particulier la production) sur une seule zone géographique, généralement le pays d'origine de l'organisation. Dans le même temps, le marketing des produits exportés est très peu coordonné, des agents indépendants prenant en charge la commercialisation sur les différents marchés. Les prix, la présentation des produits, la distribution et même les marques peuvent être déterminés

---

Schéma 8.4   **Quatre stratégies internationales**

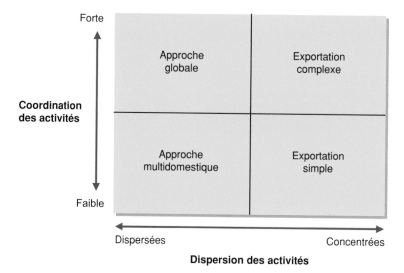

Source : adapté de M. Porter « Changing patterns of international competition », *California Management Review*, vol. 28, n° 2 (1987), pp. 9-39.

localement. Cette stratégie est souvent choisie par des organisations qui disposent d'un solide avantage national – identifiable grâce au diamant de Porter – mais dont les capacités de coordination sont insuffisantes ou dont la coordination des offres n'apporte aucune valeur supplémentaire aux clients (c'est par exemple le cas pour les produits agricoles banalisés ou pour certaines matières premières).

● *L'approche multidomestique*. Cette stratégie se caractérise à la fois par une coordination faible et par une dispersion des activités sur plusieurs zones géographiques – y compris la production et parfois la conception. Les produits et services ne sont pas exportés mais produits localement. Chaque marché est traité indépendamment, selon ses propres spécificités, mais ces adaptations locales peuvent entraîner une diversification croissante du portefeuille d'activités. Cette stratégie convient lorsque les économies d'échelle sont limitées et que la réponse aux besoins locaux est fortement génératrice de valeur. C'est souvent le cas dans les services professionnalisés tels que le conseil ou l'audit, pour lesquels les relations locales sont déterminantes. Cependant, la réputation et la marque risquent de pâtir d'une trop forte divergence entre les pratiques nationales.

● *L'exportation complexe*. Cette stratégie implique la localisation de la plupart des activités dans un seul pays et la coordination globale du marketing. Il s'agit de bénéficier d'économies d'échelle en production et en conception, tout en gérant les marques et les politiques de prix de manière plus systématique. De fait, la coordination est beaucoup plus complexe que dans le cas de l'exportation simple. Il s'agit d'une étape classique pour les entreprises issues des pays émergents, qui tiennent à conserver leurs avantages nationaux (notamment une main-d'œuvre bon marché), tout en cherchant à construire une marque forte et des réseaux de distribution internationaux.

● *L'approche globale*. Cette stratégie correspond au niveau de maturité internationale le plus élevé, avec des activités étroitement coordonnées, bien que géographiquement très dispersées. En mobilisant des filières internationales, la localisation de chaque activité est choisie en fonction de l'avantage national de chaque pays : la conception, la production, le marketing ou la direction générale peuvent ainsi être localisés dans des pays différents. Le modèle Le Mans de Pontiac, une des marques de General Motors, a ainsi été conçu par sa filiale allemande, Opel, pendant que la campagne publicitaire était sous-traitée à une agence localisée au Royaume-Uni. Plusieurs des composants les plus complexes ont été produits au Japon, afin d'exploiter les capacités technologiques locales, puis la voiture a été assemblée en Corée du Sud, là où une main-d'œuvre qualifiée à faible coût était disponible. Pour pouvoir bénéficier d'une telle dispersion de leurs activités, les organisations doivent développer une forte capacité de coordination (voir la discussion sur la structure transnationale dans le chapitre 12).

Dans la pratique, ces quatre stratégies internationales ne sont jamais absolument distinctes. La coordination et la dispersion sont des phénomènes progressifs. Les entreprises oscillent ainsi entre ces quatre stratégies. De plus, leurs choix sont influencés par les évolutions des facteurs d'internationalisation (voir la section 8.2). Si les attentes des clients sont fortement homogènes, les entreprises privilégieront l'exportation complexe ou l'approche globale. À l'inverse, lorsque les économies d'échelle sont limitées, l'approche multidomestique sera plus adéquate.

8.5 Les critères et les modalités d'internationalisation

Une fois qu'ils ont choisi une stratégie internationale à partir de sources significatives d'avantage concurrentiel et en fonction de facteurs d'internationalisation, les managers doivent décider sur quels pays investir. En effet, tous les pays n'ont pas la même attractivité. On peut les comparer en utilisant des outils d'analyse de l'environnement, tels que le modèle PESTEL (voir la section 2.2.1) ou le modèle des 5(+1) forces de la concurrence (voir la section 2.3.1). Cependant, il existe également des déterminants permettant de définir spécifiquement l'attractivité des marchés. Ces déterminants peuvent être classés selon deux principales dimensions : les caractéristiques intrinsèques de chaque marché et la nature de la concurrence. L'estimation initiale de l'attractivité d'un pays peut être précisée en considérant d'une part différentes mesures de la *distance* qui le sépare du pays d'origine du nouvel entrant et d'autre part la probabilité de *riposte* des concurrents établis. De même, différentes *modalités d'internationalisation* peuvent être envisagées.

8.5.1 Les caractéristiques de marché

Au moins trois des éléments de l'analyse PESTEL sont à prendre en considération pour comparer des marchés :

- *Politique.* L'environnement politique peut varier fortement d'un pays à l'autre, tout comme il peut évoluer rapidement. Depuis la fin du communisme, la Russie a ainsi connu de fréquents revirements à l'égard des entreprises étrangères. Les gouvernements peuvent également créer des opportunités significatives pour les investisseurs. Le gouvernement français a ainsi accordé des avantages spécifiques à Disney pour l'implantation de son parc d'attractions à Marne-la-Vallée en 1987 ou à Toyota pour la construction de son usine à Valenciennes en 1998. De même, les évolutions politiques et réglementaires peuvent favoriser l'expansion internationale, comme dans le cas de la Deutsche Post (voir l'illustration 8.2). Avant d'investir dans un pays, il est important de déterminer son niveau de *risque politique.*
- *Économique.* Les critères clés qu'il convient de prendre en compte pour comparer l'attractivité de plusieurs pays sont la richesse nationale et le revenu disponible, qui permettent d'estimer le marché potentiel. Les économies en croissance rapide offrent également des opportunités : dans les pays en développement comme la Chine, la croissance se traduit par l'émergence d'une vaste population de consommateurs avides de nouveaux produits et services. Cependant, lorsqu'elles comparent différents pays, les entreprises doivent veiller à la stabilité des monnaies locales, dont les variations peuvent avoir des répercussions considérables sur la performance, comme les entreprises qui se sont implantées en Argentine à la fin des années 1990 en ont fait la douloureuse expérience. Il est donc important d'évaluer le *risque de change.*
- *Social.* Les facteurs sociaux sont importants, par exemple la disponibilité d'une main-d'œuvre bien formée ou la structure démographique de la population. Lorsqu'on définit les attentes des consommateurs, il convient de prendre en considération d'éventuelles spécificités culturelles.

- *Légal.* Le droit peut varier significativement d'un pays à l'autre, notamment en ce qui concerne la capacité à faire respecter les contrats, la propriété intellectuelle ou la protection contre la corruption. Comme l'ont montré dans le passé les difficultés de certaines entreprises étrangères dans plusieurs pays d'Amérique latine, le système judiciaire joue également un rôle dans la sécurité des employés.

Il est fréquent de classer les pays les uns par rapport aux autres en fonction de critères tels que ceux-ci, puis de choisir ceux dont les scores sont les plus élevés. Cependant, Pankaj Ghemawat a souligné que le point majeur n'est pas seulement l'attractivité relative des pays, mais surtout la compatibilité de chacun avec l'entreprise elle-même[10]. Pour l'organisation qui s'internationalise, certains pays sont en effet plus lointains – ou plus « incompatibles » – que d'autres. En d'autres termes, des entreprises de différentes nationalités n'obtiendront pas les mêmes résultats dans les pays les mieux classés : un pays latino-américain peut être aussi bien classé qu'un pays d'Afrique de l'Est en termes d'attractivité, mais une entreprise espagnole y sera certainement plus à l'aise. Par-delà le classement des pays, chaque entreprise doit donc ajouter sa propre évaluation en fonction de sa proximité avec chacun.

En soulignant que « la distance importe toujours », Ghemawat propose le modèle CAGE, un acronyme dont chacune des lettres correspond à l'un des critères de distance :

- *La distance culturelle.* Il s'agit ici de mesurer les différences en termes de langues, d'ethnie, de religion et de normes sociales. La proximité culturelle ne concerne pas uniquement les similarités entre les goûts des consommateurs, mais s'étend également aux pratiques managériales. Une entreprise américaine sera ainsi plus proche du Canada que du Mexique, l'inverse étant vrai pour une entreprise espagnole.
- *La distance administrative et politique.* Il s'agit ici d'estimer la distance en termes de traditions administratives, politiques ou légales. L'héritage colonial peut diminuer ces différences, comme le montre la proximité entre la France et la plupart des pays d'Afrique de l'Ouest, qui par-delà la langue partagent la même organisation administrative. Par ailleurs, les faiblesses institutionnelles – par exemple une administration lente ou corrompue – peuvent accroître la distance entre les pays. Les différences politiques peuvent avoir le même effet : les entreprises chinoises sont capables d'intervenir dans des pays où les entreprises américaines éprouvent certaines difficultés, par exemple en Algérie ou au Moyen-Orient.
- *La distance géographique.* Il ne s'agit pas seulement de mesurer le nombre de kilomètres qui séparent deux pays, mais également d'autres caractéristiques géographiques telles que la taille, l'accès maritime et la qualité des infrastructures de communication. Les difficultés de Wal-Mart en Europe sont ainsi liées au fait que son système logistique a été conçu pour couvrir les vastes étendues du territoire des États-Unis, ce qui le rend peu pertinent dans les pays européens, à la fois plus petits et plus densément peuplés. Les infrastructures de transport peuvent réduire ou augmenter les distances physiques. La France est ainsi plus proche de l'Europe continentale que du Royaume-Uni, du fait de la barrière représentée par la Manche et de la vétusté de l'infrastructure routière et ferroviaire britannique.

- *La distance économique.* Le dernier élément du modèle CAGE concerne la distance en termes de richesse. Plutôt que de simplement supposer qu'il vaut mieux entrer sur un marché riche que sur un marché pauvre, le modèle souligne que les multinationales issues des pays riches éprouvent généralement des difficultés à intervenir dans des pays pauvres (voir dans l'illustration 8.4 comment Unilever traite ce problème). Dans les économies en développement, les entreprises des pays riches finissent en général par se focaliser sur les classes les plus aisées. À l'inverse, les entreprises issues de pays émergents ont souvent du mal à comprendre toutes les attentes des classes moyennes dans les pays riches[11].

8.5.2 Les caractéristiques concurrentielles

L'évaluation de l'attractivité relative des marchés au moyen des modèles PESTEL et CAGE n'est que la première étape. Il convient ensuite d'analyser la concurrence. Pour cela, on peut mobiliser le modèle des 5(+1) forces de la concurrence (voir la section 2.3.1). Les pays où les concurrents sont nombreux, où les clients sont puissants (par exemple des chaînes de grande distribution comme en Europe ou en Amérique du Nord) et où les barrières à l'entrée pour les investisseurs étrangers sont faibles, sont généralement peu attractifs. Cependant, il convient également de prendre en compte la probabilité de riposte des concurrents locaux.

Si dans le modèle des 5(+1) forces la probabilité de riposte correspond à l'intensité concurrentielle, on peut parfaire cette analyse en mobilisant la théorie des jeux (voir la section 6.7). Le principe consiste à positionner les marchés selon deux axes (voir le schéma 8.5)[12]. Le premier axe est l'*attractivité pour l'attaquant*, mesurée notamment grâce aux analyses PESTEL et CAGE et au

Schéma 8.5	**Les ripostes concurrentielles internationales**

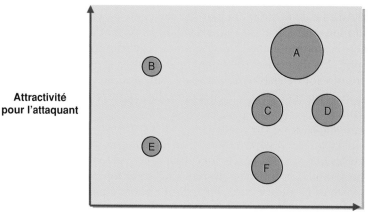

Note : la taille des bulles indique le poids relatif du défenseur.

Source : adapté de I. MacMillan, S. Van Putten et R. McGrath, « Global gamesmanship », *Harvard Business Review*, vol. 81, n° 5 (2003), pp. 62-71.

Illustration 8.4

Adaptation locale et standardisation globale chez Hindustan Lever

Les grandes entreprises internationalisées doivent adapter leurs produits et services aux spécificités locales.

Au milieu des années 2000, Unilever était l'une des plus grandes entreprises de biens de grande consommation au monde. Elle cherchait à établir des marques globales à l'aide de vastes programmes de recherche et développement. Cependant, elle était également très consciente de la nécessité d'accompagner cette globalisation d'une adaptation aux conditions spécifiques de certains marchés. Pour pouvoir atteindre une couverture globale, elle devait être capable de vendre ses produits tout aussi bien dans des zones riches que dans des régions pauvres. D'après certaines estimations internes, la moitié de son chiffre d'affaires proviendrait d'ailleurs des pays émergents en 2010, soit une augmentation de 30 % par rapport à 2000.

Dans les zones rurales de l'Inde, Hindustan Lever adaptait donc les produits du groupe au contexte local.

La plupart des efforts consistaient à proposer les marques dans les foires et les marchés locaux. Les produits étaient ainsi distribués à l'arrière de camions, pendant que les vendeurs argumentaient sur leurs avantages à l'aide de mégaphones. Les responsables locaux soulignaient que « même si nos clients sont pauvres, ils ne veulent pas acheter des versions au rabais des produits de marque. Si les entreprises expliquent la différence, ils paient ».

Afin de développer les compétences nécessaires à cette approche, les futurs managers de Lever en Inde débutaient systématiquement leur carrière par un stage de plusieurs semaines dans les villages les plus reculés, où ils mangeaient, dormaient et parlaient avec les habitants : « Une fois que vous avez passé du temps avec les clients, vous réalisez qu'ils veulent la même chose que vous. Ils veulent une bonne qualité de vie. »

Certaines innovations avaient été introduites dans la manière de commercialiser les produits : des femmes impliquées dans les opérations de microcrédit vendaient directement des produits Lever afin de faire fructifier leur épargne collective. Puisque la télévision était peu répandue dans la région, les responsables marketing de Hindustan Lever avaient également organisé des milliers de petits spectacles fondés sur le folklore local, qui étaient montrés à l'occasion des foires et des marchés. L'objectif n'était pas uniquement de promouvoir les marques Lever, mais aussi d'expliquer aux populations l'importance d'une meilleure hygiène. Les vendeurs participaient par ailleurs à des rassemblements religieux, pendant lesquels ils éclairaient les mains des pèlerins à l'aide de lampes à rayons ultraviolets, afin de montrer les dangers des germes et de la saleté.

La conception des produits était également adaptée aux spécificités locales. Les femmes indiennes étaient ainsi très fières de leur chevelure et considéraient que de beaux cheveux étaient un de leurs seuls luxes. Cependant, elles lavaient généralement leurs cheveux avec des savons pour le corps. Lever avait donc débloqué un budget de recherche et développement afin de mettre au point un savon peu onéreux qui pouvait être utilisé à la fois pour le corps et les cheveux. Ce savon était vendu dans les campagnes et les petites villes.

Comme l'affirmait Keki Dadiseth, un des dirigeants de Hindustan Lever : « Tout le monde veut des marques. Or, il y a bien plus de pauvres que de riches sur cette planète. Pour être une entreprise vraiment globale […] vous ne devez négliger aucun segment. »

Source : R. Balu, « Strategic innovation: Hindustan Lever Ltd », fastcompany.com, n° 47 (juin 2001).

Questions

1. À quels défis une multinationale telle que Unilever doit-elle faire face lorsqu'elle développe des marques globales tout en cherchant à maintenir sa flexibilité locale ?

2. Donnez d'autres exemples d'adaptations locales de marques globales.

3. Les multinationales ont été accusées de vendre des offres trop coûteuses dans les zones les moins riches des pays émergents. Quel est votre point de vue sur la dimension éthique des activités de Hindustan Lever ?

modèle des 5(+1) forces. Sur le schéma 8.5, les pays A et B sont les plus attractifs pour le nouvel entrant. Le second axe est la *réactivité du défenseur*, qui est le plus souvent déterminée par l'attractivité du marché de son propre point de vue, mais également par sa structure globale ou multidomestique. La riposte du défenseur sera plus intense si le marché est important pour lui et s'il a la capacité managériale nécessaire pour coordonner sa contre-attaque. Dans notre exemple, le défenseur est particulièrement réactif dans les pays A et D. Le troisième élément est le *poids relatif* du défenseur, c'est-à-dire son pouvoir de riposte. Celui-ci est généralement fonction de sa part de marché locale, mais il peut aussi dépendre de ses relations avec des acteurs importants tels que les distributeurs ou les gouvernements. Sur le schéma 8.5, le poids relatif, représenté par la taille des bulles, est plus important dans les pays A, C, D et F.

Le choix du marché peut être significativement modifié par ces différentes dimensions. Si l'on ne considère que l'attractivité, le pays le mieux placé sur le schéma 8.5 est le pays A. Malheureusement, la réactivité du défenseur est très forte dans ce pays, et c'est également celui où son poids relatif est le plus élevé. De fait, le pays B est un meilleur choix d'internationalisation que le pays A. De même, le pays C est plus intéressant que le pays D car même si leur attractivité est équivalente, la réactivité du défenseur y est moindre. Un des résultats les plus surprenants obtenus grâce à la prise en compte de la réactivité et du poids relatif est la réévaluation du pays E : alors qu'il est classé cinquième en termes d'attractivité, il est second lorsque tous les critères sont pris en considération.

Ce type d'analyse est particulièrement féconde lorsqu'on observe l'internationalisation de deux concurrents comparables tels que Unilever et Procter & Gamble, ou Air France et British Airways. Dans ce cas, l'analyse peut être utilisée pour toutes les manœuvres stratégiques, que ce soit l'extension sur un marché ou l'entrée sur un autre. Dans le cas de concurrents globalement intégrés, c'est le poids relatif d'ensemble du défenseur qui doit être pris en considération, car il peut choisir de riposter sur d'autres marchés où son impact sur l'attaquant sera le plus dévastateur. Bien entendu, ce type d'analyse peut être appliquée aux interactions entre des entreprises diversifiées, même en dehors d'un contexte d'internationalisation. Dans ce cas, chacune des bulles représente un domaine d'activité.

8.5.3 Les modalités d'internationalisation

Une fois qu'un marché a été choisi, l'organisation doit décider selon quelle modalité elle va s'y implanter. Les modalités d'internationalisation diffèrent selon le montant des ressources engagées et le degré d'implication opérationnelle de l'organisation. Ces modalités incluent notamment : l'exportation, les arrangements contractuels (licences et franchises), les coentreprises et les alliances, et enfin les investissements directs, qui peuvent impliquer soit l'acquisition d'une organisation déjà établie localement, soit la création *ex nihilo* d'une filiale. Ces modalités de développement stratégique sont expliquées en détail dans la section 10.3, mais leurs avantages et inconvénients sont résumés dans le schéma 8.6.

Les modalités d'entrée sont souvent choisies selon le stade de développement de l'organisation. En effet, l'internationalisation entraîne l'organisation sur des territoires nouveaux et généralement mal connus, ce qui force les managers à apprendre de nouvelles méthodes de gestion[13]. L'internationalisation est donc

| Schéma 8.6 | **Avantages et inconvénients des modalités d'internationalisation** |

Exportation

Avantages
- Pas besoin d'une présence locale
- Possibilité d'exploiter les économies d'échelle
- Grâce à Internet, de petites entreprises inexpérimentées peuvent accéder aux marchés internationaux

Inconvénients
- Empêche de bénéficier des avantages locaux
- Limite les opportunités d'apprentissage
- Peut créer une dépendance vis-à-vis des intermédiaires
- Expose à des barrières commerciales et à des droits de douane
- Implique des coûts de transport
- Peut limiter la possibilité de répondre rapidement aux demandes des clients

Coentreprises et alliances

Avantages
- Partage des risques avec un partenaire
- Mutualisation de ressources et de compétences
- Peut être exigé par le gouvernement local

Inconvénients
- Difficulté de repérage du meilleur partenaire et de la définition des obligations contractuelles
- Risque de difficultés relationnelles avec le partenaire
- Risque de perte d'avantage concurrentiel par transfert de technologie sauvage
- Limite la capacité à intégrer et à coordonner les activités internationales

Licences

Avantages
- Génération de chiffre d'affaires prévue par contrat grâce à la vente de droits de production ou d'image
- Limite l'exposition économique et financière

Inconvénients
- Difficulté de repérage du meilleur partenaire et de la définition des obligations contractuelles
- Risque de perte d'avantage concurrentiel par transfert de technologie sauvage
- Limite la capacité à intégrer et à coordonner les activités internationales

Investissement direct

Avantages
- Contrôle des ressources et compétences
- Facilite l'intégration et la coordination des activités internationales
- Les acquisitions permettent une implantation rapide
- Les implantations *ex nihilo* permettent la construction d'équipements modernes et peuvent recevoir le soutien financier des autorités locales

Inconvénients
- L'engagement financier génère un risque élevé
- Les acquisitions peuvent soulever des problèmes d'intégration et de coordination
- Les implantations *ex nihilo* peuvent prendre du temps et leur coût est peu prévisible

souvent conçue comme un processus séquentiel au travers duquel l'organisation accroît graduellement son engagement envers ses nouveaux marchés, accumule des connaissances et renforce ses compétences. L'internationalisation progressive suggère que les organisations utilisent initialement des modalités d'implantation qui leur permettent à la fois de maximiser leur acquisition de connaissances et de minimiser l'exposition de leurs actifs. Une fois que la décision d'internationalisation est prise, l'organisation accroît son implantation de manière séquentielle. Un bon exemple est l'entrée de BMW sur le marché automobile américain. Après une longue période pendant laquelle le constructeur allemand s'est contenté d'exporter ses modèles aux États-Unis, il a fini par construire en 1994 une usine à Spartanburg en Caroline du Sud, afin de conforter sa position sur un marché stratégique pour son avenir, mais aussi pour s'affranchir en partie des risques de taux de change entre le dollar et le deutsche mark (puis l'euro). L'internationalisation progressive permet ainsi aux entreprises d'accroître graduellement leur compréhension des marchés locaux tout en limitant leur engagement financier.

À l'inverse de cette internationalisation progressive menée par la plupart des grandes entreprises, de nombreuses organisations de petite taille s'internationalisent à un stade très précoce de leur développement en utilisant simultanément plusieurs modalités d'implantation dans différents pays. L'illustration 8.5 donne un exemple de ces entreprises « nées globales »[14]. Les petites entreprises de ce type doivent gérer en parallèle leur processus d'internationalisation et le développement de leur stratégie et de leurs infrastructures, alors que les connaissances requises leur font bien souvent défaut.

Les multinationales issues des pays émergents contrôlent elles aussi rapidement les différentes modalités d'internationalisation. Parmi les exemples les plus remarquables, on peut citer le groupe d'électroménager chinois Haier, le groupe pharmaceutique indien Ranbaxy Laboratories et le producteur de ciment mexicain Cemex. Les stratégies internationales de ces entreprises ne se limitent pas à l'exportation de produits à bas coûts[15]. Elles développent généralement des capacités uniques sur leur marché d'origine, dans des domaines négligés par les multinationales présentes. Elles établissent ensuite des têtes de pont sur les marchés développés. Du fait des besoins du marché chinois, Haier a ainsi développé une capacité de production très efficiente de produits électroménagers simples, ce qui lui a donné un avantage de coût transférable sur d'autres marchés. En 1999, Haier a ouvert une usine aux États-Unis, en Caroline du Sud, ce qui lui permet de concurrencer directement les multinationales américaines Whirlpool et General Electric sur leur propre terrain. En 2005, associé avec les fonds privés Blackstone et Bain Capital, Haier a même proposé de racheter le numéro trois américain de l'électroménager, Maytag, mais Whirlpool a renchéri afin d'en prendre le contrôle avant lui.

Au travers de l'internationalisation progressive, les organisations utilisent initialement des modalités d'implantation qui leur permettent à la fois de maximiser leur acquisition de connaissances et de minimiser l'exposition de leurs actifs

Illustration 8.5

La mini-multinationale

GNI est une entreprise de biotechnologiques qui avec moins de 100 salariés intervient dans cinq pays sur quatre continents.

Christopher Savoie était un entrepreneur américain ayant fait des études de médecine au Japon. Parlant couramment japonais, il avait pris la nationalité japonaise. En 2001, il fonda GNI, une entreprise de biotechnologies qui en 2006 avait levé 3 milliards de yens (20 millions d'euros) auprès de plusieurs fonds d'investissement, dont la célèbre banque Goldman Sachs. L'entreprise était présente à Tokyo et Fukuoka au Japon, à Shanghai en Chine, à Cambridge et Londres au Royaume-Uni et à San Jose en Californie. Elle entretenait également des collaborations avec un laboratoire situé à Auckland en Nouvelle-Zélande. Christopher Savoie résumait cette internationalisation en soulignant que « nous prenons les meilleurs dans chaque pays et nous les faisons travailler ensemble ».

La stratégie de GNI consistait à se focaliser sur les maladies endémiques en Asie mais relativement délaissées par les grands laboratoires pharmaceutiques occidentaux, par exemple le cancer de l'estomac ou l'hépatite. Selon Christopher Savoie : « L'Asie n'a eu que les miettes de la recherche médicale. Nous sommes une petite entreprise, nous devions trouver une niche. Nous avons estimé que la moitié de la population humaine était un bon point de départ. »

Les chercheurs de GNI travaillaient sur les cordons ombilicaux, afin d'obtenir des cellules non affectées par l'environnement. Or, traditionnellement, les parents japonais conservaient les cordons ombilicaux de leurs enfants. GNI avait donc établi un partenariat avec une maternité située à Cambridge afin de s'approvisionner en matériaux génétiques. Réciproquement, le Japon produisait des supercalculateurs et les scientifiques japonais avaient élaboré les algorithmes nécessaires à l'analyse du code génétique. Le Japon avait également été le principal financeur de GNI, car la législation locale était très favorable à la création d'entreprise. La Chine était utilisée pour tester les traitements sur des patients. La réglementation locale permettait en effet d'effectuer les tests cliniques plus rapidement et pour dix fois moins cher qu'au Japon. En 2005, GNI avait fusionné avec Shanghai Genomics, une start-up dirigée par deux entrepreneurs chinois ayant fait leurs études aux États-Unis. Le bureau de San Jose, pour sa part, était chargé d'établir des relations avec les grandes entreprises pharmaceutiques américaines.

Christopher Savoie affirmait que son modèle économique était particulièrement simple :

Nous avons une structure de coûts chinoise, des supercalculateurs japonais, des cordons ombilicaux et des cliniciens britanniques. Nous mobilisons ce réseau pour atteindre des résultats scientifiques de premier plan que nous transformons en molécules afin de concurrencer les acteurs les plus puissants de notre industrie.

Sources : D. Pilling, « March of the mini-multinational », *Financial Times*, 4 mai 2006 ; www.gene-networks.com.

Questions

1. Analysez la filière mise en place par GNI en termes d'avantages de coûts, de capacités distinctives et de caractéristiques nationales.

2. Quels sont les défis managériaux que GNI devra relever du fait de sa croissance ?

8.6 L'internationalisation et la performance

L'impact de l'internationalisation sur la performance a fait l'objet d'un grand nombre de recherches, au même titre que celui de la diversification (voir la section 7.3.3). Les principales conclusions de ces recherches sont les suivantes[16] :

- Une *courbe en cloche*. Même si les avantages potentiels de l'internationalisation sont non négligeables (économie d'échelle, utilisation de ressources locales, etc.), la nécessité de combiner de multiples activités sur un vaste périmètre géographique génère une complexité dont le coût peut parfois excéder les bénéfices. Comme pour la diversification, il apparaît que la relation entre l'internationalisation et la performance suit une courbe en cloche (voir le schéma 7.4 et la section 7.2.3), d'où il ressort que les meilleurs résultats correspondent à un niveau d'internationalisation modéré. Cependant, les recherches récentes de Georges Yip sur les grandes entreprises britanniques montrent que la performance à l'international s'améliore significativement lorsque le pourcentage du chiffre d'affaires réalisé hors des frontières dépasse les 40 %[17]. L'accumulation d'expérience et d'engagement en termes d'internationalisation permet apparemment d'obtenir des niveaux de performance élevés.

- Le *désavantage des activités de services*. Un certain nombre d'études suggèrent que si la performance des entreprises industrielles croît avec leur internationalisation, ce n'est pas le cas pour les entreprises de services. Trois raisons peuvent expliquer ce phénomène. Tout d'abord, dans de nombreux pays, les activités de services (par exemple la banque ou la comptabilité) sont plus réglementées que les activités industrielles. Deuxièmement, du fait de leur nature intangible, les services sont généralement plus sensibles aux différences culturelles et nécessitent donc une plus grande adaptation que les produits manufacturés, ce qui peut impliquer des coûts d'apprentissage plus élevés. Enfin, dans les services, la production et la consommation sont simultanées, ce qui impose une plus forte présence locale et réduit d'autant la possibilité de dégager des économies d'échelle[18].

- L'*internationalisation et la diversité*. Il est important de prendre en compte l'interaction entre l'internationalisation et la diversification. Les entreprises diversifiées obtiennent généralement de meilleurs résultats à l'international, car elles disposent déjà des compétences et des structures requises pour gérer une grande diversité. En revanche, les entreprises qui sont à la fois très diversifiées et très internationalisées risquent de supporter des coûts de coordination excessifs. Cependant, étant donné que bien des entreprises n'ont pas encore atteint le seuil d'internationalisation au-delà duquel les effets négatifs l'emportent sur les gains et que par ailleurs la diversification est actuellement considérée avec un scepticisme affiché – notamment par les marchés boursiers –, beaucoup choisissent de réduire la diversité de leur offre pour se concentrer sur leur expansion internationale. C'est le choix qu'ont fait par exemple Danone ou Unilever.

8.7 Le rôle des filiales dans un portefeuille international

Les leaders stratégiques sont les filiales qui détiennent des ressources et compétences de haut niveau et qui sont implantées sur des marchés dont l'importance est cruciale

Comme la diversification, l'internationalisation peut impliquer différentes formes de relations entre les filiales et la maison mère. La complexité des stratégies menées par des entreprises telles que Boeing ou General Motors peut déboucher sur des réseaux de filiales très différenciées, qui jouent des rôles stratégiques distincts, en fonction du niveau de ressources et compétences mis à leur disposition et de l'importance stratégique de leur marché local (voir le schéma 8.7)[19].

- Les **leaders stratégiques** sont les filiales qui détiennent des ressources et compétences de haut niveau et qui sont implantées sur des marchés dont l'importance est cruciale (par exemple du fait de leur taille ou de l'accès à des

Schéma 8.7	**Le rôle des filiales dans les organisations internationales**

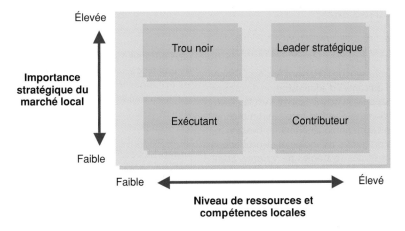

Source : C.A. Bartlett et S. Ghoshal, *Le management sans frontières*, Éditions d'Organisation, 1991.

technologies clés). Les filiales américaines des entreprises européennes ou japonaises jouent souvent ce rôle.

- Les **contributeurs** sont des filiales localisées dans des zones géographiques de faible importance stratégique, mais qui détiennent des ressources clés, ce qui leur donne un rôle majeur dans le succès concurrentiel de l'organisation. La filiale australienne de l'équipementier de télécommunications suédois Ericsson a ainsi développé des systèmes qui ont contribué au succès de l'ensemble du groupe.

- Même s'ils ne contribuent pas significativement à l'avantage concurrentiel de l'organisation, les **exécutants** peuvent générer des ressources financières nécessaires à l'ensemble du groupe. Ils sont comparables aux « vaches à lait » de la matrice BCG. Le risque principal est de ponctionner tous leurs profits jusqu'à en faire l'équivalent des « poids morts ».

- Les **trous noirs** sont des filiales situées dans des pays qui sont essentiels au succès concurrentiel de l'organisation, mais qui ne disposent pas des ressources et compétences nécessaires. C'est la situation qu'ont connue bien des filiales de groupes américains et européens au Japon. Les trous noirs possèdent certaines des caractéristiques des « dilemmes » de la matrice BCG : ils nécessitent des investissements élevés afin d'améliorer leur position concurrentielle. Pour améliorer la situation d'un trou noir, on peut tenter de conclure des alliances avec des entreprises locales ou développer certaines ressources et compétences de manière ciblée[20].

Là encore, il convient de compléter cette analyse en déterminant de quelle manière les filiales sont gérées et contrôlées, comme nous le verrons dans le chapitre 11. L'illustration 8.6 revient sur cette question.

*Les **contributeurs** sont des filiales localisées dans des zones géographiques de faible importance stratégique, mais qui détiennent des ressources clés, ce qui leur donne un rôle majeur dans le succès concurrentiel de l'organisation*

*Les **exécutants** sont les filiales qui se contentent d'exécuter les stratégies existantes mais qui peuvent générer des ressources financières nécessaires à l'ensemble du groupe*

*Les **trous noirs** sont des filiales situées dans des pays qui sont essentiels au succès concurrentiel de l'organisation, mais qui ne disposent pas des ressources et compétences nécessaires*

Illustration 8.6   Débat

Global, local ou régional ?

Les entreprises deviennent-elles réellement globales ou les pressions régionales et locales demeurent-elles fortes ?

Theodore Levitt, professeur de la Harvard Business School et ancien membre du conseil d'administration du groupe de publicité international Saatchi & Saatchi, s'est fait l'avocat de la globalisation des marchés. Selon lui, les technologies de communication homogénéisent les besoins sur tous les marchés, alors que les technologies de production augmentent l'intérêt des stratégies de volume. Étant donné les avantages obtenus grâce aux économies d'échelle et le nivellement des goûts des consommateurs, les entreprises qui déploient des stratégies réellement globales sont capables de pratiquer des prix assez bas pour éliminer tous leurs concurrents encore focalisés sur les besoins locaux. Il affirme que « l'entreprise globale cherchera systématiquement à standardiser son offre… Les entreprises qui n'accepteront pas cette nouvelle réalité globale seront les victimes de celles qui le feront ». Il cite Coca-Cola, Rolex, Sony et McDonald's en exemple. Selon lui, les entreprises devraient cesser de prêter attention aux différences héritées du passé pour s'impliquer dans la globalisation à venir.

Gerry Wind et Susan Douglas ont intelligemment répondu à cette argumentation en soulignant les dangers du « mythe de la globalisation ». Ils mettent en doute à la fois la tendance à l'homogénéisation des marchés et le rôle croissant des économies d'échelle. Même les entreprises apparemment globales s'adaptent aux besoins locaux : Coca-Cola vend ainsi des produits spécifiques au Japon et son eau en bouteille Dasani – grand succès aux États-Unis – a été un échec en Europe. Pour ce qui est des avantages de volume, ils sont contrebalancés par de nouvelles technologies de production automatisées et flexibles, qui permettent de fabriquer à moindre coût de courtes séries adaptées aux besoins locaux. De plus, alors que le niveau de vie mondial augmente, les consommateurs sont de moins en moins sensibles aux prix et sont disposés à dépenser plus pour des offres qui répondent plus précisément à leurs besoins. Selon Wind et Douglas, la confiance aveugle dans l'inéluctabilité de la globalisation débouchera sur d'amères déceptions.

Entre le global et le local, il existe une voie moyenne, le régional. Pankaj Ghemawat souligne ainsi que l'essentiel du commerce international est intrarégional. Les pays européens, par exemple, commercent avant tout les uns avec les autres. De plus, cette tendance s'accroît : les échanges intrarégionaux sont passés de 40 % du commerce mondial il y a 40 ans à 55 % au début des années 2000. Ce régionalisme se traduit dans la structure des entreprises multinationales : Alan Rugman a calculé qu'au début du XXIe siècle, plus de 300 des plus grandes entreprises du monde réalisent encore la majorité de leurs ventes dans leur région d'origine. Une entreprise apparemment aussi globale que McDonald's est en fait birégionale, car 80 % de son chiffre d'affaires sont toujours concentrés en Amérique du Nord et en Europe. De grandes multinationales telles que Procter & Gamble et General Electric réalisent encore respectivement 55 % et 60 % de leurs ventes en Amérique du Nord.

Face à ces statistiques, Theodore Levitt peut rétorquer que ce qui importe, c'est la tendance : quelle sera la situation dans le futur ? Il y aura encore certainement quelques différences locales, mais ne vont-elles pas décliner ? Le commerce intrarégional est peut-être en croissance, mais n'est-ce pas simplement le résultat de la création d'entités supranationales telles que l'Union européenne ou l'ALENA ? Sur la route qui nous mène à l'intégration globale, nous ne devons pas être distraits par des péripéties temporaires.

Sources : T. Levitt, « The globalization of markets », *Harvard Business Review*, vol. 61, n° 3 (1983), pp. 92-102 ; S. Douglas et G. Wind, « The myth of globalization », *California Journal of World Business*, vol. 22, n° 4 (1987), pp. 19-30 ; P. Ghemawat, « Regional strategies for global leadership », *Harvard Business Review*, vol. 83, n° 12 (2005), pp. 98-108 ; A. Rugman, *The Regional Multinationals*, Cambridge University Press, 2005.

Questions

1. Établissez la liste des produits ou services qui selon vous sont de plus en plus globaux. De même, établissez la liste de ceux qui le sont de moins en moins.

2. Combien de pays avez-vous visités au cours de votre vie ? Combien vos parents en avaient-ils visités lorsqu'ils avaient votre âge ?

Résumé

- Le potentiel d'internationalisation d'une activité est déterminé par quatre facteurs : le *marché*, le *coût*, le *gouvernement* et les *stratégies des concurrents*.

- Les sources d'avantage des stratégies internationales peuvent provenir à la fois de la mise en place d'une *filière d'approvisionnement international* ou de *sources nationales* que l'on peut résumer grâce au *diamant de Porter*.

- Il existe quatre grands types de stratégies internationales, selon la dispersion et la coordination des activités : l'*exportation simple*, l'*exportation complexe*, l'approche *multidomestique* et l'approche *globale*.

- Le choix d'un marché pour une stratégie d'internationalisation doit être fondé sur son *attractivité*, sur les différentes mesures de la *distance* qui le sépare du pays d'origine et sur la probabilité de *riposte* des concurrents établis.

- Les modalités d'internationalisation incluent l'*exportation*, les arrangements contractuels (*licences* et *franchises*), les *coentreprises*, les *alliances* et les *investissements directs*.

- L'internationalisation a un impact positif sur la performance financière, mais une internationalisation excessive peut la dégrader.

- On peut arbitrer entre les filiales d'une entreprise internationale à l'aide de méthodes de *gestion de portefeuille* comparables à celles qui sont utilisées dans les entreprises diversifiées.

Travaux pratiques • Signale des exercices d'un niveau plus avancé

1. En utilisant le schéma 8.2 (les facteurs d'internationalisation de Yip), comparez deux marchés de votre choix et analysez en quoi chacun des facteurs pousse à leur internationalisation croissante.

2. ● Utilisez les quatre déterminants du diamant de Porter (voir le schéma 8.3) pour expliquer l'avantage national d'une industrie particulièrement puissante dans votre pays (par exemple le luxe ou l'agroalimentaire en France, l'énergie ou les mines au Canada, la banque ou la pharmacie en Suisse, etc.).

3. Déterminez la stratégie internationale de McDonald's (voir l'illustration 7.1), de PPR (voir l'illustration 7.5) et d'une autre entreprise qui vous est familière en utilisant le schéma 8.4.

4. ● En utilisant le modèle CAGE (voir la section 8.5.1), évaluez la distance qui sépare une petite entreprise de votre choix de plusieurs marchés étrangers. Quelles modalités d'internationalisation (exportation, alliance, licence ou investissement direct) recommanderiez-vous sur les marchés les plus attractifs ?

5. ● Expliquez en quoi l'internationalisation a eu un impact sur un service public ou une organisation à but non lucratif de votre choix. Quel devrait être selon vous cet impact dans le futur ?

Exercice de synthèse

6. Comme dans la question 8.3, utilisez le schéma 8.4 pour catégoriser la stratégie internationale d'une entreprise multinationale de votre choix. En vous appuyant sur la section 12.2, déterminez en quoi la structure de cette organisation correspond à cette stratégie.

Lectures recommandées

● Pour mieux comprendre les réalités – et les inefficiences – d'une économie globalisée, voir P. Rivoli, *Les aventures d'un tee-shirt dans l'économie globalisée*, Fayard, 2007. T. Friedman, *La terre est plate : une brève histoire du 21e siècle*, Saint-Simon, 2006, propose une vision plus optimiste.

● Sur les stratégies internationales, voir G. Yip, *Total Global Strategy II*, Prentice Hall, 2003, ainsi que J.-P. Lemaire et G. Petit, *Stratégies d'internationalisation*, Dunod, 2e édition, 2003, et A. Rugman et S. Collinson, *International Business*, 4e édition, Prentice Hall, 2006.

● Pour un recueil d'articles académiques sur l'internationalisation, voir A. Rugman et T. Brewer (eds), *The Oxford Handbook of International Business*, Oxford University Press, 2003.

● Pour un point de vue financier dans le cadre de l'internationalisation, voir G. Arnold, *Corporate Financial Management*, 3e édition, Prentice Hall, 2005, chapitre 7.

● Sur la structure des entreprises internationales, on peut se rapporter au grand classique de C. Bartlett et S. Ghoshal, *Le management sans frontières*, Éditions d'Organisation, 1991.

Références

1. De fait, beaucoup d'auteurs désignent l'internationalisation comme une « diversification internationale ». Voir N. Capar et M. Kotabe, « The relationship between international diversification and performance in service firms », *Journal of International Business Studies*, vol. 34 (2003), pp. 345-355.

2. T. Friedman, *La terre est plate : une brève histoire du 21ᵉ siècle*, Saint-Simon, 2006, et P. Rivoli, *Les aventures d'un tee-shirt dans l'économie globalisée*, Fayard, 2007.

3. Voir G. Yip, *Total Global Strategy II*, Prentice Hall, 2003. Sur la globalisation des entreprises, voir également J.-P. Lemaire et G. Petit, *Stratégies d'internationalisation*, Dunod, 2ᵉ édition, 2003.

4. Des données intéressantes sur l'ouverture des marchés sont disponibles sur le site Internet de l'Organisation mondiale du commerce : www.wto.org/indexfr.htm.

5. Voir G. Hamel et C.K. Prahalad, « Do you really have a global strategy ? », *Harvard Business Review*, vol. 63, n° 4 (1985), pp. 139-148.

6. B. Kogut, « Designing global strategies: comparative and competitive value added chains », *Sloan Management Review*, vol. 27 (1985), pp. 15-28.

7. Voir M.E. Porter, *L'avantage concurrentiel des nations*, InterEditions, 1993.

8. Voir F. Fréry, *Benetton ou l'entreprise virtuelle*, 2ᵉ édition, Vuibert, 2003.

9. Cette typologie est adaptée de M. Porter « Changing patterns of international competition », *California Management Review*, vol. 28, n° 2 (1987), pp. 9-39. Sur les stratégies internationales, voir également l'ouvrage de J.-P. Lemaire et G. Petit (référence 3 ci-dessus).

10. Voir P. Ghemawat, « Distance still matters », *Harvard Business Review*, vol. 79, n° 8 (2001), pp. 137-147.

11. Pour une analyse des entreprises issues des pays émergents, voir T. Khanna et K. Palepu, « Emerging giants: building world-class companies in developing countries », *Harvard Business Review*, vol. 84, n° 10 (2006), pp. 60-67.

12. Ce modèle est introduit par I. MacMillan, A. Van Putten et R. McGrath, « Global gamesmanship », *Harvard Business Review*, vol. 81, n° 5 (2003), pp. 62-71.

13. Pour une discussion sur le rôle de l'apprentissage et de l'expérience dans l'implantation sur un nouveau marché, voir M.F. Guillén, « Experience, Imitation, and the sequence of foreign entry : wholly owned and joint-venture manufacturing by South Korean firms and business groups in China, 1987-1995 », *Journal of International Business Studies*, vol. 83 (2003), pp. 185-198, et M.K. Erramilli, « The experience factor in foreign market entry modes y service firms », *Journal of International Business Studies*, vol. 22, n° 3 (1991), pp. 479-507.

14. G. Knights et T. Cavusil, « A taxonomy of born-global firms », *Management International Review*, vol. 45, n° 3 (2005), pp. 15-35.

15. Voir T. Khanna et K. Palepu (référence 11), ainsi que J. Sinha, « Global champions from emerging markets », *McKinsey Quarterly*, n° 2 (2005), pp. 26-35.

16. M. Hitt et R.E. Hoskisson, « International diversification: effects on innovation and firm performance in product-diversified firms », *Academy of Management Journal*, vol. 40, n° 4 (1997), pp. 767-798.

17. Voir G. Yip, A. Rugman et A. Kudina, « International success of British companies », *Long Range Planning*, vol. 39, n° 1 (2006), pp. 241-264.

18. Voir N. Capar et M. Kotabe, « The relationship between international diversification and performance in service firms », *Journal of International Business Studies*, vol. 34 (2003), pp. 345-355, et F.J. Contractor, S.K. Kundu et C. Hsu, « A three-stage theory of international expansion: the link between multinationality and performance in the service sector », *Journal of International Business Studies*, vol. 34 (2003), pp. 5-18.

19. Voir C. Bartlett et S. Ghoshal, *Le management sans frontières*, Éditions d'Organisation, 1991, et A.M. Rugman et A. Verbeke, « Extending the theory of the multinational enterprise: internationalization and strategic management perspectives », *Journal of International Business Studies*, vol. 34 (2003), pp. 125-137.

20. Pour une analyse détaillée du rôle des filiales dans une organisation internationalisée, voir J. Birkinshaw, *Entrepreneurship and the Global Firm*, Sage, 2000.

Lenovo : le PC passe à l'Est

En mai 2005, Lenovo, treizième constructeur mondial de micro-ordinateurs, racheta la division PC d'IBM, troisième constructeur mondial. Lenovo, qui à l'époque était présent uniquement en Chine, paya 1,75 milliard de dollars pour prendre le contrôle d'une activité intervenant dans le monde entier, qui avait fait partie des pionniers historiques de l'industrie, avec le lancement du premier IBM PC en 1981. Michael Dell, dont l'entreprise était alors le leader mondial de la micro-informatique, commenta sobrement : « Cela ne marchera jamais. »

Lenovo avait été fondé sous le nom Legend en 1984 par Liu Chanzhi, un chercheur de 40 ans qui travaillait alors à l'Institut d'informatique de l'Académie chinoise des sciences. Son expérience incluait notamment le démontage de radars américains récupérés lors de la guerre du Vietnam et la récolte du riz lors de la Révolution culturelle. Pour obtenir de son Institut les 25 000 dollars de capital qui lui étaient nécessaires pour lancer son entreprise, Liu Chanzhi assura à son directeur qu'il atteindrait un chiffre d'affaires de 250 000 dollars. Il s'installa dans la vieille salle de garde de l'Institut et se fit prêter d'autres locaux lorsque ce fut nécessaire. Une de ses premières activités fut la vente de téléviseurs couleur. Cependant, il ne connut le succès qu'en 1987, avec la commercialisation du premier convertisseur de caractères chinois pour les PC d'importation.

Legend commença véritablement à croître lorsque Liu Chanzhi, grâce à l'appui de son père, qui occupait un poste élevé au sein du gouvernement chinois, importa des PC à bas prix depuis Hongkong. En 1988, il publia sa première annonce de recrutement, grâce à laquelle 58 nouveaux employés rejoignirent Lenovo. Alors que l'équipe d'origine était composée de quarantenaires, ces nouveaux venus étaient tous âgés de moins de 30 ans, car la Révolution culturelle avait bloqué l'accès aux études universitaires pendant dix ans, de 1966 à 1976. Parmi les nouvelles recrues figurait Yang Yuanqing, qui prit la direction de l'activité PC de Legend avant l'âge de 30 ans et qui devint par la suite le président de la nouvelle entité Lenovo-IBM à 41 ans. C'est cette nouvelle équipe qui fut à l'origine de la production du premier PC Legend en 1990 et qui permit à l'entreprise de détenir 30 % du marché chinois en 2005. L'entreprise fut partiellement introduite à la Bourse de Hongkong en 1994.

L'accord

L'opération de rachat de la division PC d'IBM débuta en 2004, avec le soutien du cabinet de conseil McKinsey et de la banque d'investissement Goldman Sachs. Legend venait d'être rebaptisé Lenovo en 2003 (pour « Legend Novo » ou « nouveau Legend »). De son côté, IBM voulait se débarrasser de sa division PC, dont la part de marché aux États-Unis n'était plus que de 4 % et dont la rentabilité souffrait fortement d'une vive intensité concurrentielle, dominée par Dell et HP. La stratégie d'IBM consistait à se recentrer sur les services et les gros systèmes, nettement plus lucratifs. Même si IBM avait également reçu une offre de rachat de la part du fonds d'investissement Texas Pacific Group, le prix proposé par Lenovo était plus élevé. Texas Pacific Group se contenta donc de prendre une participation dans le capital de la nouvelle entité. IBM en prit pour sa part 13 %, alors que le principal actionnaire restait l'Académie chinoise des sciences, un organisme gouvernemental, avec 27 %.

Le nouveau président, Yang Yuanqing, avait une vision claire des objectifs de l'entreprise, même s'il admettait qu'il faudrait pour cela relever plusieurs défis :

Dans 5 ans, je veux que Lenovo soit une marque de PC réputée, dont la croissance sera le double de celle de son industrie. Je veux des marges importantes et peut-être d'autres activités mondiales par-delà les PC. Nous sommes au début de cette nouvelle entreprise, ce qui nous permet de définir les fondements de sa culture. Les trois mots que je souhaite utiliser pour la décrire sont confiance, respect et harmonie.

Il ajoutait :

En tant qu'entreprise globale, nous devrons peut-être sacrifier notre vitesse, particulièrement pendant notre première phase. Nous devons améliorer notre communication. Nous devons prendre du temps pour nous comprendre les uns les autres. Cependant, la vitesse était dans les gènes de l'ancien Lenovo. J'espère qu'elle sera dans les gènes du nouveau Lenovo.

IBM n'avait pas totalement laissé son ancienne activité voler de ses propres ailes. Lenovo avait le droit d'utiliser les marques IBM et ThinkPad sur ses PC pendant cinq ans. Les équipes commerciales d'IBM seraient financièrement motivées à vendre des PC Lenovo, tout comme elles l'avaient été à vendre les PC IBM. IBM Global Services était chargé d'assurer la maintenance et le support après-vente. IBM détenait deux sièges d'observateurs au conseil d'administration de la nouvelle entité. Enfin, Stephen Ward, l'ancien directeur de la division PC d'IBM, âgé de 51 ans, avait été nommé directeur général de Lenovo.

Le management du nouveau géant

Cette nomination d'un ancien IBM à la tête de la nouvelle entité n'était pas réellement une surprise. Après tout, près de 80 % du chiffre d'affaires (13 milliards de dollars) venait d'IBM et il était important de donner aux clients et aux salariés des gages de continuité. Pour autant, l'entreprise était confrontée à d'importants défis.

Les choses n'avaient pas bien commencé. Lorsque l'équipe chinoise était venue pour la première fois à New York pour rencontrer l'équipe américaine, personne ne l'avait accueillie à l'aéroport, contrairement à ce qu'exigeait la politesse en Chine. Par ailleurs, Yang Yuanqing et Stephen Ward s'étaient opposés sur la localisation du nouveau quartier général : le premier voulait qu'il soit partagé entre Pékin et New York, alors que le second voulait le maintenir uniquement aux États-Unis. C'est finalement cette seconde solution qui avait été retenue : le siège fut implanté à Raleigh en Caroline du Nord et Yang Yuanqing dut déménager aux États-Unis avec sa famille. Dans la nouvelle organisation, l'ancienne activité d'IBM et l'ancien Lenovo restaient des divisions distinctes. Pourtant, l'entreprise avait besoin d'être en liaison constante avec la Chine, distante de 13 heures de vol et de 12 fuseaux horaires. Les téléconférences étaient donc devenues un véritable mode de vie, les Américains devant appeler soit à 6 heures du matin, soit à 23 heures pour pouvoir joindre leurs collègues chinois. Les téléconférences se déroulaient toujours en anglais, langue que beaucoup de Chinois ne maîtrisaient que très imparfaitement, et le langage corporel était impossible à observer.

La nationalité officielle de l'entreprise – chinoise – était un problème pour certaines parties prenantes. IBM avait obtenu par le passé de nombreuses commandes auprès du gouvernement américain et certains membres du Congrès lancèrent une campagne de dénigrement, en soulignant le danger de laisser des « ordinateurs chinois » avoir accès à des domaines sensibles. En Allemagne, le droit du travail empêchait que les

Étude de cas

anciens salariés d'IBM soient obligés de rejoindre Lenovo. Or, nombre d'entre eux préférèrent ne pas être transférés dans la nouvelle entité, ce qui laissa la filiale exsangue pendant un certain temps. Au Japon, les anciens salariés d'IBM étaient également mal à l'aise à l'idée d'être dirigés par des Chinois. Enfin, entre les deux cultures dominantes au sein du nouveau Lenovo, l'américaine et la chinoise, les différences étaient considérables. Qiao Jian, vice-président des ressources humaines, commentait ainsi la situation :

> Les Américains aiment parler. Les Chinois aiment écouter. Au départ, nous nous demandions pourquoi ils n'arrêtaient pas de parler alors qu'ils n'avaient rien à dire. Mais nous avons appris à être plus directs lorsque nous avons un problème et les Américains apprennent à écouter.

Les différences culturelles n'étaient pas uniquement nationales. Lenovo était une entreprise jeune et relativement simple : en gros un seul produit vendu dans un seul pays. À l'inverse, IBM était beaucoup plus complexe : c'était une multinationale géante, fondée en 1924. L'équipe de direction de Lenovo était composée de trentenaires, nettement plus jeunes que leurs collègues d'IBM. L'âge moyen de la nouvelle entité dans son ensemble était de 28 ans. De même, IBM était célèbre pour ses procédures et ses routines. Comme le disait Qiao Jian : « Chez IBM, une fois qu'ils ont fixé un horaire pour une téléconférence, ils le conservent toutes les semaines. Mais pourquoi organiser une téléconférence si l'on n'a rien à se dire ? » Par ailleurs, dans la culture d'IBM, il était de coutume d'arriver en retard aux réunions, ce qui était inadmissible du point de vue de Lenovo.

Quelques résultats contrastés

Au départ, les réactions au nouveau Lenovo furent positives. Les clients IBM restèrent fidèles et le cours de l'action commença à monter. Les anciens managers d'IBM toujours en fonction soulignaient que si auparavant ils étaient un peu

des cendrillons dans le vaste empire IBM, ils travaillaient à présent pour un spécialiste des PC. Le fait qu'un PC Lenovo fabriqué en Chine bénéficiait d'un coût de main-d'œuvre de seulement 3 dollars constituait un considérable avantage.

Cependant, Dell répondit à cette menace en baissant ses prix de 100 dollars par machine en moyenne. Cela provoqua un effondrement de la part de marché de Lenovo aux États-Unis, au point qu'en décembre 2005 Stephen Ward fut remplacé par William Amelio, l'ancien responsable de Dell pour la région Asie-Pacifique. Par-delà sa connaissance intime du principal concurrent de Lenovo, il avait vécu plusieurs années à Singapour et comprenait bien les spécificités du management asiatique :

> Grâce aux 5 années que j'ai passées en Asie, il y a une chose que j'ai apprise… c'est d'être très patient. De par mes fonctions je dois avoir un sens de l'urgence et de l'exigence, mais au contact de ces différences culturelles, j'ai appris à tempérer mes élans de façon à être plus efficace.

William Amelio commença par réduire les coûts en supprimant 1 000 postes, soit 10 % de la main-d'œuvre de Lenovo hors de Chine. Il intégra les anciennes activités IBM et Lenovo en une seule structure. L'entreprise lança une nouvelle gamme de PC sous la marque Lenovo, à destination des PME américaines, un marché traditionnellement négligé par IBM. Afin d'améliorer son impact sur ce segment, Lenovo renforça ses relations avec les grands groupes de distribution américains tels que Office Depot. La part de marché aux États-Unis commença à remonter de nouveau au-dessus de 4 %. Au niveau mondial, grâce notamment aux positions acquises sur le marché asiatique, la part de marché de Lenovo était proche de 8 %, ce qui en faisait le troisième constructeur mondial, derrière HP (environ 18 % de part de marché) et Dell (environ 15 %), mais devant le Taïwanais Acer (environ 7 %) et le Japonais Toshiba (environ 4 %). Afin de consolider sa position en Asie, Lenovo envisageait de pénétrer sur le marché indien, mais il lui fallait également améliorer sa position en Europe.

L'année 2007 fut riche en rebondissements. Tout d'abord, grâce à l'annonce de très bons résultats (hausse du chiffre d'affaires de 9,9 % à 14,6 milliards de dollars et surtout hausse du résultat avant impôts de 122 % à 188 millions), le cours de l'action Lenovo connut une forte hausse : il passa d'environ 3 dollars à plus de 5 dollars en quelques semaines. Cette hausse n'était pas nécessairement une bonne nouvelle pour Lenovo, car elle permettait à Texas Pacific Group et surtout à IBM de revendre leurs participations. En effet, d'après l'accord établi au moment de la fusion, IBM pouvait céder ses 1,3 milliard d'actions Lenovo à partir de mai 2008, mais cette transaction était nettement plus probable si elle se traduisait par une plus-value. Or, ce départ pouvait altérer certaines synergies qui existaient encore avec IBM.

Cependant, l'événement le plus important de l'année 2007 pour Lenovo fut l'échec de sa tentative de fusion avec le fabricant de PC européen Packard Bell. Grâce à cette fusion, Lenovo espérait augmenter très significativement sa part de marché en Europe. Or, c'est son principal concurrent asiatique, Acer, qui le devança en rachetant successivement l'Américain Gateway, puis l'Européen Packard Bell. Grâce à ces deux acquisitions, Acer devenait le troisième constructeur mondial de PC, avec une part de marché de 8,8 %, alors que Lenovo était rétrogradé à la quatrième place. Non seulement Lenovo perdait ainsi l'occasion de rééquilibrer sa position en Europe, mais surtout il laissait un très puissant concurrent y occuper une position enviable : sur le marché européen, Acer avait d'ores et déjà dépassé Dell et était désormais au coude à coude pour la première place avec HP.

La prochaine manche concernerait le marketing : Lenovo comptait en effet sur les jeux Olympiques de Pékin en 2008 – dont il était l'un des principaux sponsors – pour accroître très significativement sa notoriété mondiale.

Sources : L. Zhijun, *The Lenovo Affair*, Wiley, 2006 ; *Business Week*, 9 mai 2005, 22 décembre 2005, 20 avril 2006 et 7 août 2006 ; *Financial Times*, 8 novembre 2005, 9 novembre 2005 et 10 novembre 2005 ; *Le Monde informatique*, 28 août 2007 ; *La Tribune*, 19 octobre 2007.

Questions

1. Quelles sources nationales d'avantage concurrentiel Lenovo peut-il retirer de son implantation en Chine ?

2. En utilisant le modèle CAGE (voir la section 8.5.1) et les types de ripostes concurrentielles (voir le schéma 8.5), commentez l'entrée de Lenovo sur le marché américain.

3. Quel type de stratégie internationale conseilleriez-vous à Lenovo : l'exportation simple, l'approche multidomestique, l'exportation complexe ou l'approche globale ?

Chapitre 9
L'innovation et l'entrepreneuriat

Choix
stratégiques

Objectifs

Après avoir lu ce chapitre, vous serez capable de :

- Comprendre les principaux dilemmes liés à l'innovation : proposer des technologies ou répondre aux marchés, développer des produits ou développer des procédés et lancer une nouvelle technologie ou élaborer un nouveau modèle économique.

- Anticiper et éventuellement influencer la diffusion des innovations.

- Décider s'il est opportun d'être le premier entrant sur un marché et définir de quelle manière les concurrents établis peuvent répondre à un nouvel entrant innovant.

- Décrire les défis auxquels les entrepreneurs sont confrontés à chaque phase du développement de leur entreprise.

- Comprendre les impératifs et les spécificités des entrepreneurs sociaux lorsqu'ils créent de nouvelles organisations afin de répondre à des problèmes de société.

9.1 Introduction

L'innovation et l'entrepreneuriat sont des moteurs fondamentaux de l'économie. Steve Jobs est un entrepreneur technologique dont la créativité dans les ordinateurs, l'électronique grand public et le cinéma d'animation l'a conduit à fonder Apple et à faire de Pixar un des leaders mondiaux de l'industrie du divertissement. Xavier Niel a fondé Free, dont les innovations successives ont révolutionné Internet en France (voir l'illustration 6.2). Le Prix Nobel Muhammad Yunus est un entrepreneur social et un innovateur, pionnier du microcrédit – des prêts de faible montant accordés à des entrepreneurs trop pauvres pour s'adresser à des banques classiques – et le fondateur de la banque Grameen au Bangladesh.

Ce chapitre est consacré à l'innovation, qu'elle soit conduite par un entrepreneur indépendant ou générée par les membres d'une organisation déjà établie. Comme nous l'avons vu dans le chapitre 6, l'innovation constitue un aspect essentiel des stratégies concurrentielles, dont elle peut établir ou au contraire mettre en cause la pérennité. C'est également l'une des voies de développement présentées dans le chapitre 7. Pour sa part, l'entrepreneuriat est à l'origine de toutes les entreprises. L'innovation et l'entrepreneuriat sont liés par le même souci de créativité, qu'il s'agisse d'élaborer de nouveaux produits, de nouveaux services, de nouveaux procédés ou de nouvelles organisations. Pour les entreprises privées confrontées à un environnement concurrentiel, l'innovation est souvent une condition de survie. Pour les organisations de service public, la pression budgétaire et les exigences croissantes des usagers imposent des innovations toujours plus nombreuses, voire des formes particulières d'entrepreneuriat.

Deux thèmes structurent l'ensemble du chapitre. Le premier est la chronologie. En termes d'innovation, vaut-il mieux être un *premier entrant* ou un *suiveur rapide* ? À quel moment une innovation est-elle susceptible d'atteindre le *point de bascule* où la demande décolle brusquement ? Pour un entrepreneur, quand faut-il faire appel à des managers externes et quand faut-il envisager de se retirer ? Le second thème est la collaboration. L'élaboration d'innovations et de nouvelles organisations est rarement un travail solitaire. Les innovations et les créations d'entreprise réussies résultent généralement de collaborations fructueuses. Ces collaborations peuvent prendre plusieurs formes : entre une organisation et ses clients, entre des grandes entreprises et des petites start-up, voire entre des entreprises privées et des entrepreneurs sociaux. Le schéma 9.1 résume les liens entre la chronologie, la collaboration, l'innovation et l'entrepreneuriat.

Au sein de cette structure d'ensemble, ce chapitre détaille tout d'abord l'innovation, puis l'entrepreneuriat :

- La section 9.2 présente les *dilemmes fondamentaux* que doivent résoudre les managers : développer des technologies ou répondre aux attentes du marché, élaborer des innovations de produit ou des innovations de procédé, et choisir entre l'innovation technologique ou la mise au point d'un nouveau modèle

Schéma 9.1	**La logique innovation/entrepreneuriat**

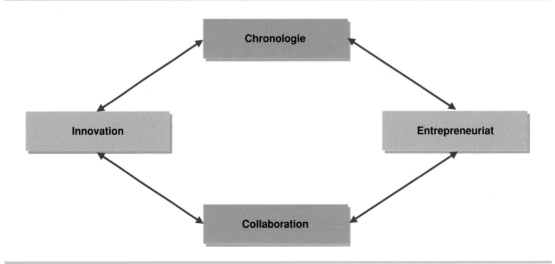

économique. Même si ces choix ne sont pas totalement fermés, les managers doivent décider où allouer leurs ressources.

- La section 9.3 est consacrée à la *diffusion* de l'innovation. Une innovation peut se répandre plus ou moins vite du fait de certains choix managériaux concernant à la fois l'offre (par exemple la conception du produit) et la demande (par exemple le marketing). Ce processus suit généralement une *courbe de diffusion* caractérisée par deux *points critiques* : le point de bascule et le point d'effondrement.

- La section 9.4 expose les choix concernant la chronologie, en détaillant notamment la notion d'*avantage au premier entrant*, les opportunités offertes aux *suiveurs rapides* et la manière dont les concurrents établis peuvent riposter face à des innovateurs.

- La section 9.5 concerne l'entrepreneuriat. Elle présente les choix auxquels les entrepreneurs sont confrontés à chaque *phase de développement* de leur projet, du démarrage à la sortie. Elle examine également les types de collaboration que les entrepreneurs doivent établir, en particulier avec des entreprises de plus grande taille pratiquant l'*innovation ouverte*.

- La section 9.5.3 est dédiée à la notion d'*entrepreneuriat social*, grâce auquel des individus ou des petits groupes de personnes peuvent lancer des initiatives flexibles et innovantes que des agences publiques de grande taille ne sont généralement pas capables d'offrir. Les entrepreneurs sociaux sont eux aussi confrontés à des choix concernant la collaboration, en particulier avec les grandes entreprises.

Le débat qui clôt ce chapitre (voir l'illustration 9.6) rassemble les notions d'innovation et d'entrepreneuriat, puisqu'il compare la capacité d'innovation des grandes entreprises à celle des petites start-up.

9.2 Les dilemmes de l'innovation

L'innovation soulève des dilemmes fondamentaux pour les stratèges. Elle est en effet plus complexe que l'invention. L'invention implique la conversion de nouvelles connaissances dans un nouveau produit, un nouveau service ou un nouveau procédé. L'**innovation**, quant à elle, ajoute la phase critique de la mise à disposition de cette nouvelle offre, que ce soit par la commercialisation dans le cas des entreprises privées ou au moyen d'autres techniques de diffusion dans le cas des services publics[1]. Les dilemmes stratégiques résultent de cette seconde phase. Les stratèges doivent se prononcer sur trois questions fondamentales : jusqu'où cultiver les opportunités technologiques plutôt que de répondre aux attentes du marché, combien investir dans les innovations de produit par rapport aux innovations de procédé, et dans quelle mesure se focaliser sur l'innovation technologique plutôt que d'élaborer un nouveau modèle économique[2] ?

L'innovation implique la conversion de nouvelles connaissances dans un nouveau produit, un nouveau service ou un nouveau procédé, et la mise à disposition de cette nouvelle offre, soit par une commercialisation, soit au moyen d'autres techniques de diffusion

9.2.1 Innovation poussée par la technologie ou tirée par le marché ?

On considère souvent que l'innovation est la conséquence de la technologie. Selon ce point de vue (communément appelé le *technology push*), les scientifiques et les ingénieurs mettent au point des innovations dans leurs laboratoires de R&D, puis ces innovations sont transformées en nouveaux produits, services ou procédés que le reste de l'organisation est chargé de fabriquer et de vendre : ce sont donc les avancées technologiques qui déterminent ce qui sera commercialisé. De fait, les mangers devraient avant tout écouter les scientifiques et les ingénieurs, les laisser suivre leurs intuitions et ne pas hésiter à financer leurs recherches : de généreux budgets de R&D seraient indispensables à l'apparition d'innovations.

Or, il existe une autre perspective (que l'on appelle en général le *market pull*) qui souligne que l'innovation se différencie fondamentalement de l'invention par le fait qu'elle fait intervenir des utilisateurs. Eric von Hippel[3] a ainsi démontré que dans de nombreuses industries, ce sont les utilisateurs – et non les producteurs – qui sont à l'origine de nombreuses innovations. Par conséquent, les managers devraient bien plus observer leurs utilisateurs que financer leurs chercheurs. Von Hippel a affiné cette approche en soulignant que ce ne sont pas les utilisateurs ordinaires qui sont les meilleures sources d'innovation, mais ceux qu'il appelle les *utilisateurs pilotes* (ou *lead users*), c'est-à-dire ceux qui – du fait de leurs compétences ou des contraintes spécifiques qui sont les leurs – développent un usage imprévu et original des technologies mises à leur disposition. Les meilleurs chirurgiens adaptent ainsi bien souvent leurs instruments médicaux pour réaliser de nouveaux types d'opérations. De même, les champions sportifs mettent au point des améliorations de leurs équipements afin d'atteindre de meilleurs niveaux de performance. Dans de nombreuses industries, les handicapés modifient l'usage des produits et des services afin de les adapter à leur handicap. Selon ce point de vue, ce sont donc les attentes des utilisateurs qui provoquent l'innovation. Les managers doivent ainsi construire des relations étroites avec les utilisateurs pilotes, que ce soient les meilleurs chirurgiens, les champions sportifs ou les clients handicapés. Une fois que les fonctions marketing et commerciales ont identifié les usages inattendus, les scientifiques et les ingénieurs sont chargés de les traduire en offres nouvelles destinées à l'ensemble du marché.

Chacun de ces deux points de vue est intéressant. En s'appuyant trop sur la réponse aux besoins de ses clients actuels, une entreprise peut devenir trop conservatrice et vulnérable aux innovations disruptives qui répondent à des attentes encore non identifiées (voir la section 9.4.3). De même, il existe de très nombreux exemples d'entreprises qui ont aveuglement poursuivi leur quête de l'excellence technologique sans prendre en compte les besoins réels du marché. De fait, le *technology push* et le *market pull* sont deux positions extrêmes, que l'on peut mobiliser pour attirer l'attention sur un choix crucial : dans la recherche de nouvelles innovations, quelle importance relative donner à la science et à la technologie par rapport à l'observation des usages effectifs des clients ? En pratique, la plupart des organisations trouvent un compromis entre ces deux approches, mais cet arbitrage est susceptible de varier au cours du temps et en fonction de l'industrie. Comme dans l'exemple de Sole Technology (voir l'illustration 9.1), les utilisateurs peuvent

Illustration 9.1

Quelles chaussures pour les skateboardeurs ?

Chez Sole Technology, l'innovation résulte à la fois des utilisateurs et du développement technologique.

Après avoir obtenu un diplôme en informatique industrielle, Pierre-André Senizergues débuta sa carrière comme skateboardeur professionnel en France. En moins de vingt ans, il créa une entreprise de chaussures et de vêtements pour les sports extrêmes qui réalisa plus de 200 millions de dollars de chiffre d'affaires en 2007 sous les marques Etnies, éS, Emerica ou ThirtyTwo. Implantée à Lake Forest en Californie, Sole Technology hébergeait également le premier laboratoire de recherche sur les chaussures de skateboard au monde.

Tout n'avait pourtant pas bien commencé pour Pierre-André Senizergues. En 1988, en tant que sportif professionnel, il avait pris comme sponsor Etnies, une jeune marque française de chaussures de skateboard. L'année suivante, il fut obligé de mettre fin à sa carrière sportive à cause de problèmes de dos. Malgré son faible niveau d'anglais et son absence d'expérience en entreprise, il persuada Etnies de lui accorder une licence de distribution sur le marché américain. Les cinq premières années furent très difficiles, mais grâce à des modifications qu'il apporta lui-même aux produits, le succès débuta au milieu des années 1990. En 1996, il racheta la marque Etnies à ses fondateurs français et créa l'entreprise Sole Technology. Au cours des dix années qui suivirent, son activité connut une croissance annuelle à deux chiffres.

Depuis le départ, Pierre-André Senizergues avait été capable d'utiliser son expertise de skateboardeur professionnel dans la conception de ses produits : « Sur ce marché, vous devez être authentique, vous devez venir du skateboard. » Par exemple, dans les années 1990, il avait remarqué que les skateboarders achetaient des chaussures basses pour des raisons esthétiques, alors que des chaussures montantes auraient été préférables en termes de performance. Il conçut donc des chaussures basses offrant des caractéristiques sportives de haut niveau. L'entreprise restait proche de la compétition : elle était partenaire de plus de 100 athlètes de par le monde. Elle était également à l'écoute de ses clients. Sur son site Internet, il était possible de dessiner ses propres chaussures. De même, ses projets de nouveaux produits étaient généralement annoncés sur des blogs, afin de récolter les réactions et les idées des utilisateurs. Les 400 salariés de Sole Technology avaient un âge moyen de 28 ans et beaucoup d'entre eux étaient toujours impliqués dans les sports extrêmes.

Cependant, Pierre-André Senizergues avait également construit le premier centre de recherche consacré au skateboard, le Sole Technology Institute. Sur près de 1 000 m^2, ce centre reproduisait une piste complète de skateboard. Pierre-André Senizergues estimait que le skateboard devait développer sa propre recherche en biomécanique, plutôt que d'emprunter des technologies élaborées pour d'autres disciplines sportives. Une des retombées du Sole Technology Institute avait été le G20^2, un système amortisseur de talon à base de gel et d'air. Grâce à cette innovation, tout à fait en phase avec les tendances d'évolution des chaussures féminines, Sole Technology restait à la pointe de la mode.

Sources : Financial Times, 23 août 2006 ; Footwear News, 20 février 2006 ; www.soletechnology.com.

Questions

1. Pour quelles raisons est-il important d'être « authentique » sur le marché des chaussures pour skateboardeurs ?

2. Si une grande entreprise telle que Nike ou Adidas cherchait à intervenir sur ce marché, que lui conseilleriez-vous ?

jouer un rôle essentiel au départ, alors que les innovations internes peuvent prendre de plus en plus d'importance avec la croissance de l'entreprise. Le point clé consiste en fait à prendre conscience de ce dilemme et à être capable de l'arbitrer de manière délibérée, faute de quoi ce seront l'habitude ou les préjugés qui guideront la démarche d'innovation.

9.2.2 Innovation de produit ou innovation de procédé ?

Tout comme les managers doivent trouver un équilibre entre le développement technologique et l'écoute du marché, ils doivent déterminer l'influence relative des innovations de produit et des innovations de procédé. L'innovation de produit concerne le produit ou service qui est commercialisé, notamment en termes de fonctionnalités, alors que l'innovation de procédé caractérise la manière dont cette offre est élaborée et distribuée, notamment en termes de coûts et de qualité. Certaines entreprises se spécialisent dans l'innovation de produits, d'autres dans l'innovation de procédés. Dans l'informatique, Apple a ainsi été un pionnier en termes de produits, alors que Dell a introduit ou amélioré de nombreuses innovations de procédé.

Les industries suivent en règle générale des trajectoires technologiques caractérisées par l'évolution de l'importance relative des innovations de produit et des innovations de procédé au cours du temps. Des périodes d'innovation de produit, pendant lesquelles on modifie avant tout les fonctionnalités, sont souvent suivies de périodes où dominent des innovations de procédé visant à améliorer la production et la distribution. William Abernathy et James Utterback[4] ont ainsi montré qu'à son origine l'industrie automobile a été dominée par la concurrence sur les fonctionnalités des produits : types de motorisation (essence, électrique ou à vapeur), position du moteur (à l'avant ou à l'arrière), nombre de roues (trois ou quatre), etc. Lorsque Henry Ford introduisit le Modèle T, l'industrie se fixa sur un *design dominant* : moteur à essence, situé à l'avant, quatre roues. Dès que ce design dominant fut établi, le taux d'innovations de produit chuta car la concurrence se déplaça vers les procédés permettant de produire ce type de véhicules de manière aussi efficiente que possible. Là encore, c'est Henry Ford, avec l'invention de la chaîne d'assemblage, qui fixa la norme pour au moins un siècle.

Cette séquence selon laquelle les innovations de produit conduisent à la définition d'un design dominant, puis à un déplacement de la concurrence vers les innovations de procédé, est commune à beaucoup d'industries[5]. Le schéma 9.2 présente le modèle général de la séquence entre innovations de produit et innovations de procédé. Ce modèle a plusieurs implications :

- Les *nouvelles industries* privilégient souvent l'innovation de produit, car la concurrence se focalise sur la définition des fonctionnalités essentielles du produit ou du service.
- Les *industries matures* privilégient généralement l'innovation de procédé, car la concurrence se focalise sur la recherche de production efficiente d'un design dominant de produit ou de service.
- Les *nouveaux entrants* de petite taille ont en général le plus de chances de succès dans la première phase, lorsque la concurrence concerne encore la définition des fonctionnalités de l'offre. Avant la Ford Modèle T, on comptait plus de 100 constructeurs automobiles aux États-Unis.
- Les *concurrents établis* bénéficient plutôt d'un avantage dans la deuxième phase, une fois que le design dominant est fixé. Les économies d'échelle et la capacité à améliorer les processus de manière continue peuvent alors jouer à plein. En 1930, il ne restait que quatre constructeurs automobiles aux États-Unis (Ford, General Motors, Chrysler et American Motors), qui produisaient tous des voitures très comparables.

| Schéma 9.2 | **Innovation de produit et innovation de procédé** |

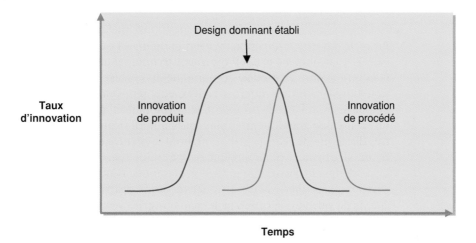

Source : adapté de J. Abernathy et W. Utterback, « A dynamic model of process and product innovation », *Omega*, vol. 3, n° 6 (1975), pp. 142-160.

Cette séquence n'est pas toujours aussi nette. Dans la pratique, les innovations de produit et de procédé sont souvent simultanées[6]. Chaque nouvelle génération de microprocesseurs exige ainsi des innovations de procédé, sans lesquelles la précision requise serait inatteignable. Cependant, ce modèle aide les managers à focaliser leur attention et leurs investissements. Il souligne également quel est l'avantage concurrentiel des nouveaux entrants et des firmes établies.

9.2.3 Innovation technologique ou innovation de modèle économique ?

Une question clé pour les innovateurs est l'importance de la technologie dans la construction de nouvelles connaissances. Beaucoup d'innovations réussies ne s'appuient pas uniquement sur des avancées technologiques, mais sur la recombinaison des différents éléments du modèle économique. Souvent, les innovateurs créent de nouveaux liens entre les clients, les producteurs et les fournisseurs sans nécessairement recourir à de nouvelles technologies. easyJet a ainsi contourné les agences de voyage en vendant directement ses billets sur Internet, mais l'utilisation d'aéroports secondaires, moins coûteux et moins encombrés, a également contribué à la redéfinition de l'offre. La simplification du service et le choix d'aéroports ont été aussi importants que l'innovation technologique. Internet n'a certainement pas été inventé par easyJet, tout comme ses avions sont les mêmes que ceux de la plupart de ses concurrents.

Gary Hamel définit un modèle économique comme étant une « manière de faire des affaires »[7]. De manière plus formelle, un modèle économique – ou *business model* – décrit la structure de l'offre d'une organisation, son positionnement

Un modèle économique – ou business model – décrit la structure de l'offre d'une organisation, son positionnement au sein de sa filière et le profit qui peut en résulter

au sein de sa filière et le profit qui peut en résulter. Le concept de chaîne de valeur présenté dans la section 3.6.1 peut être utilisé pour expliquer la plupart des modèles économiques, en distinguant deux éléments essentiels[8] :

- *L'offre.* Un modèle économique peut impliquer une manière originale de définir et de mettre à disposition un produit ou un service. En termes de chaîne de valeur, cela concerne le développement technologique, les achats, la logistique et la production. Le modèle économique du logiciel libre (système d'exploitation Linux, navigateur Internet Firefox, etc.) repose ainsi sur une communauté de plusieurs milliers de programmeurs volontaires, qu'ils soient indépendants ou salariés de grandes entreprises telles que IBM ou HP[9]. Cette approche est très différente de celle de Microsoft, dont le modèle économique est fondé sur un développement technologique réalisé en interne.

- Le *mode de distribution.* Un modèle économique peut également impliquer une manière particulière de commercialiser ou de distribuer l'offre. En termes de chaîne de valeur, cela concerne le marketing, les ventes, la logistique et les services. Linux est ainsi gratuitement diffusé auprès des utilisateurs, alors que les logiciels Microsoft sont vendus. IBM et HP équipent leurs machines de ce système d'exploitation, ce qui leur évite d'avoir à payer une licence à Microsoft. Des distributeurs de Linux tels que Red Hat réalisent un profit en ajoutant au logiciel un manuel d'utilisation, des mises à jour régulières et d'autres services. Ils réclament pour cela un abonnement annuel à leurs clients.

Le concept de modèle économique recouvre largement celui de stratégie au niveau d'un domaine d'activité[10], mais leurs différences permettent de mettre l'accent sur deux points majeurs :

- *Radical ou incrémental.* Un changement de modèle économique implique une transformation radicale de la stratégie. À l'inverse, beaucoup d'initiatives stratégiques consistent en des ajustements incrémentaux du modèle économique existant, par exemple l'augmentation d'une capacité de production ou l'entrée sur une nouvelle zone géographique. Le concept de modèle économique peut aider les managers à comprendre les limites des ajustements incrémentaux et à admettre le besoin de transformations radicales.

- *Standardisation ou différenciation.* Dans beaucoup d'industries, en particulier les industries matures, les modèles économiques des différents concurrents sont standardisés autour d'une structure commune. À l'inverse, les stratégies par domaines d'activité consistent à obtenir et à maintenir une différenciation et un avantage par rapport aux concurrents. Les stratégies par domaines d'activité aident donc à rappeler aux managers qu'ils doivent se positionner par rapport à leurs concurrents.

Le concept de modèle économique rappelle aux managers que les avancées technologiques et scientifiques ne sont qu'un des constituants possibles de l'innovation. L'innovation peut provenir de tous les maillons de la chaîne de valeur, pas uniquement de la recherche et développement (voir l'illustration 9.2).

Illustration 9.2

Nival Interactive sort le grand jeu

En modifiant son modèle économique, une entreprise peut afficher de nouvelles ambitions.

En avril 2006, dix ans après avoir fondé Nival Interactive, Sergei Orlovsky annonça un changement radical dans son modèle économique. Jusque-là éditeur russe de jeux vidéo pour PC, l'entreprise déménageait à Los Angeles, recrutait une nouvelle équipe de direction et ciblait à présent à la fois les jeux pour PC et les jeux pour consoles. La gamme de jeux comprenait déjà des produits à succès tels que *Blitzkrieg, Heroes of Might and Magic, Night Watch* et *Hammer and Sickle*. Sergei Orlovsky justifia la délocalisation de son entreprise de la manière suivante : « Normalement, notre chiffre d'affaires augmente de 20 à 50 % par an. Grâce à notre nouveau modèle économique, nous allons l'augmenter de 100 %. »

Sergei Orlovsky avait fondé Nival Interactive en 1996, alors qu'il n'était qu'un étudiant en informatique de 23 ans. Son tout premier jeu se vendit à 100 000 exemplaires dans le monde, ce qui était un excellent début pour un jeu sur PC. En 2003, il lança *Blitzkrieg*, un jeu de stratégie se déroulant pendant la Seconde Guerre mondiale. Les ventes atteignirent 1,5 million d'exemplaires, alors que dans l'industrie du jeu pour PC, 500 000 copies constituaient un succès estimable. La même année, Nival Interactive établit un partenariat avec l'éditeur de jeux français Ubisoft pour développer la cinquième édition de *Heroes of Might and Magic*, un jeu de stratégie réputé. Nival avait un avantage de coût significatif : les programmeurs russes coûtaient quatre fois moins que leurs homologues occidentaux.

Cependant, le marché des jeux pour PC était limité : il représentait moins d'un milliard de dollars en 2005, alors que les jeux pour consoles (Wii, PlayStation, Xbox)

étaient cinq fois plus importants. En 2005, le fonds de capital-risque américain Ener1 Group acheta 70 % de Nival Interactive pour un montant estimé à 10 millions de dollars. Ener1 Group proposa le changement de modèle économique : l'implantation de l'équipe de direction aux États-Unis, l'injection de capital et l'extension vers les jeux pour consoles, tout en conservant les avantages de coûts liés aux programmeurs russes.

Sergei Orlovsky devint président et un nouveau directeur général fut recruté : Kevin Bachus, l'un des quatre créateurs de la Xbox de Microsoft. D'autres managers américains ayant préalablement travaillé pour Atari, Electronic Arts, Sega ou Sony rejoignirent l'entreprise. Cette équipe de direction remaniée mit en place le nouveau modèle économique, qualifié de « délocalisation inversée ». Il ne s'agissait pas d'une entreprise occidentale sous-traitant sa production dans un pays à bas coûts de main-d'œuvre, mais au contraire d'une entreprise russe délocalisant sa créativité et son management aux États-Unis. Nival Interactive comptait s'appuyer sur ces nouveaux talents, son augmentation de capital et ses équipes de développement à bas coûts – pas uniquement localisées en Russie, mais potentiellement en Chine ou n'importe où ailleurs – pour constituer une combinaison unique d'efficience et de motivation.

Sources : Business Week, 3 mars 2006 ; www.nival.com.

Questions

1. Selon vous, dans quelle mesure la récente transformation de Nival Interactive est-elle un changement de modèle économique plutôt qu'un changement de stratégie ?

2. Quelles sont les conséquences – positives comme négatives – de cette évolution pour Sergei Orlovsky, à titre personnel ?

9.3 La diffusion de l'innovation

Par-delà la question de la source de l'innovation, il convient de s'interroger sur sa diffusion[11]. Afin de rembourser ses coûts de recherche et de développement, il est important qu'une innovation soit rapidement et largement adoptée par le marché. Les managers peuvent influencer la vitesse d'adoption d'une innovation, à la fois du côté de l'offre et du côté de la demande, en s'appuyant notamment sur le modèle de la *courbe de diffusion*.

La diffusion est le processus par lequel les innovations se répandent plus ou moins vite et plus ou moins largement auprès des utilisateurs

9.3.1 La vitesse de diffusion

La vitesse de diffusion d'une innovation peut varier considérablement en fonction de la nature du produit concerné. Il a fallu vingt ans pour que 60 % des foyers américains soient équipés d'un micro-ordinateur, alors qu'il n'a fallu que dix ans à Internet pour atteindre le même taux. La vitesse de diffusion est influencée par une combinaison de facteurs liés à l'offre et à la demande, que les managers peuvent en grande partie contrôler. Du côté de l'*offre*, on peut citer les caractéristiques du produit suivantes :

- Le *degré d'amélioration* de la performance par rapport à l'offre existante, du point de vue du client. Par exemple, sur la plupart des marchés, la téléphonie 3G n'a pas apporté un gain de performance suffisant pour provoquer une adoption rapide. À l'inverse, le DVD s'est très rapidement substitué à la VHS.
- La *compatibilité* avec d'autres éléments de l'offre. Par exemple, les téléviseurs numériques sont devenus plus attractifs lorsque les chaînes de télévision ont commencé à émettre dans ce format. La compatibilité avec l'offre existante peut également faciliter l'adoption : les téléviseurs numériques se seraient beaucoup moins bien vendus s'ils n'avaient pas été capables de recevoir des émissions en analogique.
- La *complexité* doit rester limitée pour le consommateur, l'idéal étant de lui permettre de conserver la plupart des habitudes qu'il a développées en tant qu'utilisateur de l'offre précédente. Il convient également de s'assurer qu'il est facile d'obtenir des informations, de passer une commande ou de solliciter de l'assistance. Bien souvent, les nouveaux produits d'investissement ou d'assurance rebutent inutilement les clients par leur complexité.
- L'*expérimentation*, c'est-à-dire la possibilité de tester l'offre avant de l'acheter, soit directement, soit grâce au témoignage d'autres clients, peut favoriser la diffusion. C'est la raison pour laquelle les publicités des nouveaux produits mettent souvent en avant des clients satisfaits ou affichent la caution de célébrités ou d'experts.

Du côté de la *demande*, les facteurs qui influencent la vitesse de diffusion sont les suivants :

- La *communication* est une condition préalable. Beaucoup d'innovations potentiellement gagnantes ont échoué du fait que les clients étaient insuffisamment avertis de leur existence, en particulier lorsque les efforts de communication des innovateurs se sont limités à des campagnes de promotion auprès de leurs distributeurs.
- La *base installée*, suivant son ampleur, permet ou non d'enclencher un cercle vertueux. L'idée générale est que personne ne souhaite être seul à adopter une technologie nouvelle et qu'à l'inverse tout le monde se rassure en achetant les technologies qui connaissent déjà le succès : la diffusion actuelle encourage la diffusion future, l'absence de diffusion dissuade les clients potentiels. Il est donc essentiel d'assurer dès la phase de lancement une large diffusion de l'innovation (d'où les considérables budgets de lancement des nouveaux modèles de consoles de jeux vidéo) ou plus subtilement de convaincre les clients que l'innovation – même si c'est une rupture – n'est qu'une simple évolution d'une offre déjà répandue[12].

● Le *comportement des consommateurs*. Le comportement des clients pionniers (les innovateurs) diffère de celui des retardataires (les conservateurs), mais le comportement des derniers est largement influencé par celui des premiers. Cela implique qu'il convient généralement de cibler au départ les innovateurs (souvent les clients les plus jeunes et les plus aisés) afin de constituer la masse critique qui encouragera les plus conservateurs (en général les plus âgés et les moins riches) à adopter eux aussi la nouvelle offre. Les innovations ciblant d'emblée les retardataires risquent de connaître une diffusion plus lente. Dans tous les cas, les lancements de produits doivent être orchestrés avec la plus grande attention, en particulier lorsqu'on cherche à la fois à convaincre de nouveaux clients sans perdre la clientèle existante : il faut alors séduire les uns sans perturber les autres.

Ces différents facteurs doivent permettre d'influencer la vitesse de diffusion d'une innovation. Lorsqu'un manager cherche à convaincre ses supérieurs hiérarchiques de l'opportunité de financer le lancement d'une innovation, son argumentation peut utiliser tous ces critères. Il doit ainsi montrer comment le gain de performance sera valorisé par les clients, quel est le niveau de compatibilité avec d'autres produits ou services, quelle approche commerciale sera utilisée pour informer le marché et à partir de quelles cibles initiales l'ensemble de la clientèle peut être convaincue[13].

9.3.2 La courbe de diffusion

La vitesse de diffusion n'est généralement pas constante. Les innovations réussies se diffusent souvent selon la courbe présentée dans le schéma 9.3[14]. Cette courbe de diffusion montre que l'adoption est lente dans une première phase, suivie d'une deuxième phase d'accélération, puis d'un plateau correspondant à la limite de la demande. La hauteur de la courbe montre l'ampleur de la diffusion, alors que sa largeur montre sa vitesse.

Schéma 9.3	La courbe de diffusion d'une innovation

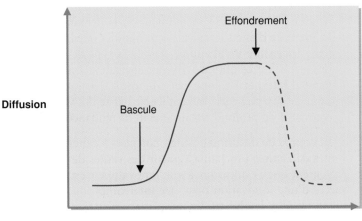

La diffusion des innovations ne suit pas toujours exactement ce schéma, mais cette courbe peut aider les managers à anticiper certains problèmes. Quatre points de décision clés peuvent en effet être identifiés :

Un point de bascule est le moment où la demande pour un produit ou un service connaît brutalement une croissance exponentielle

- Le *point de bascule*. La demande pour une nouvelle offre peut être faible, jusqu'à atteindre un point de bascule à partir duquel elle explose brusquement[15]. Le point de bascule est particulièrement frappant lorsqu'il existe des *effets de réseau*, c'est-à-dire lorsque la valeur de l'offre croît avec le nombre d'utilisateurs. Les SMS ont connu ce type de basculement : une fois qu'un nombre suffisant d'utilisateurs a commencé à s'échanger des messages, il est devenu intéressant pour les autres d'apprendre à le faire. L'anticipation d'un point de bascule peut aider les managers à concevoir des plans d'investissement, à définir un niveau de production ou à prévoir une stratégie de distribution. Les entreprises ont en effet tendance à sous-estimer la demande. Au milieu des années 1980, Motorola prévoyait de vendre au cours de l'année 2000 environ 900 000 téléphones mobiles dans le monde. En réalité, au cours de l'année 2000, 900 000 téléphones ont été vendus toutes les 19 heures et c'est Nokia qui s'est emparé du marché. L'incapacité à anticiper un point de bascule peut donc se traduire par une diminution brutale de la part de marché.

- *L'anticipation du plateau*. La courbe de diffusion alerte les managers sur le fait que la croissance de la demande finit toujours par ralentir. Il est en effet tentant d'extrapoler la croissance actuelle, surtout lorsqu'elle est élevée. Or, un investissement destiné à accroître la capacité de production, décidé juste avant le ralentissement de la demande, peut avoir de lourdes conséquences sur la structure de coûts de l'entreprise.

- *L'ampleur de la diffusion*. La courbe ne conduit pas nécessairement à une adoption de l'offre par la totalité des utilisateurs potentiels. La plupart des innovations ne parviennent pas à remplacer en totalité les offres existantes. Les disc-jockeys et les mélomanes les plus exigeants continuent ainsi à utiliser des disques vinyle, plutôt que des CD ou encore moins des MP3. Les managers doivent donc être capables d'anticiper le point maximal de diffusion, en admettant que la croissance ne s'étendra généralement pas à la totalité du marché potentiel.

- Le *point d'effondrement*. Le point d'effondrement est l'opposé du point de bascule : il correspond au moment où la demande s'effondre brusquement[16]. La présence d'effets de réseau peut signifier que la défection de quelques clients peut déclencher un abandon massif. Ce type de phénomène est très difficile à inverser. C'est ce qui est arrivé au navigateur Internet Netscape lors du lancement d'Internet Explorer par Microsoft. La notion de point d'effondrement rappelle aux managers qu'une légère baisse des ventes peut être le signe avant-coureur d'un profond retournement de tendance.

La courbe de diffusion aide les managers à éviter de simplement extrapoler les ventes de l'année prochaine à partir des ventes de l'année dernière. Elle montre également que la diffusion d'une innovation n'est pas un processus linéaire : le succès d'une innovation peut être interrompu ou compromis à n'importe quel point. De plus, la plupart des innovations n'atteignent même pas le point de bascule et encore moins le point d'effondrement. Le véhicule électrique Segway, présenté en 2001 comme une technologie révolutionnaire censée remplacer l'automobile, ne s'est vendu qu'à 6 000 exemplaires en deux ans, alors que sa capacité de production était de 500 000 unités. L'illustration 9.3 présente la diffusion rapide mais irrégulière du site MySpace.

Illustration 9.3

MySpace contre Facebook

Combien de temps la croissance exponentielle d'un réseau social peut-elle durer ?

MySpace fut fondé en 2003 en tant que site de mise en relation pour les musiciens indépendants de Los Angeles. En 2006, c'était un des sites Internet les plus populaires aux États-Unis, avec une part de marché de 80 % parmi les sites de réseaux sociaux. MySpace était un support publicitaire attractif pour les annonceurs ciblant les jeunes, tels que Coca-Cola ou Procter & Gamble. L'institut d'études de marché Alexa mesura que si en 2004 MySpace avait été visité quotidiennement par 0,1 % des internautes, ce pourcentage était passé à plus de 5 % en 2007, avec plus de 100 millions d'utilisateurs (voir la figure 1). Ruppert Murdoch, le propriétaire du groupe de médias News Corporation, fut si impressionné par cette croissance exponentielle qu'en 2005 il acheta l'entreprise, vieille alors de seulement deux ans, pour 580 millions de dollars.

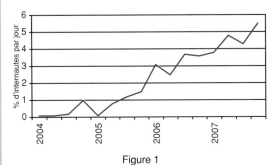

Figure 1
Pourcentage quotidien d'internautes utilisateurs de la barre d'outils Alexa visitant le site myspace.com
(*Source* : www.alexa.com).

Ce rachat permit à MySpace de disposer des ressources nécessaires à son expansion. En 2006, l'entreprise avait développé plus de vingt nouveaux services en ouvrant onze nouveaux sites internationaux (dont myspace.fr en France et cf.myspace.com au Canada). Pour autant, la croissance pouvait buter sur de nombreux obstacles. Le volume et la diversité des messages publiés par les utilisateurs créaient des problèmes de capacité et de fiabilité. Des controverses se développaient sur certains contenus illicites ou tendancieux. De nouveaux concepts apparaissaient, tels

que YouTube et son service de diffusion de vidéos (racheté par Google en octobre 2006). News Corporation commençait à imposer des contraintes en termes de contenu et de style. Enfin, en étant parvenu à maturité, MySpace risquait de ne plus être à la mode pour ses millions d'utilisateurs.

Cependant, en 2007, la principale menace pour l'expansion de MySpace fut le succès foudroyant d'un autre site communautaire, Facebook. Créé en février 2004 sur le campus de l'université de Harvard par Mark Zuckerberg, un étudiant de 20 ans, Facebook décolla brusquement début 2006 pour atteindre (avec 200 000 nouveaux inscrits par jour) 50 millions de membres en octobre 2007. Sa fréquentation quotidienne (mesurée par Alexa) était alors comparable à celle de MySpace. Fin octobre 2007, Microsoft acheta 1,6 % du capital de l'entreprise pour 240 millions de dollars. Cela valorisait Facebook à 15 milliards de dollars, soit cent fois son chiffre d'affaires 2007, alors que la participation personnelle de Mark Zuckerberg était estimée à 3 milliards de dollars. Dans le même temps, Steve Ballmer, le directeur général de Microsoft, estimait que les réseaux communautaires étaient une « mode passagère », mais que son entreprise, encore très dépendante de Windows et Office, devait être présente sur ces nouveaux concepts. Avec 30 milliards de dollars de trésorerie, Microsoft pouvait tout à fait se permettre cet investissement. Quelques jours plus tard, début novembre 2007, Google annonça un partenariat avec MySpace. Son objectif affiché était de contrer le succès de Facebook et d'entraver ainsi l'expansion de Microsoft.

Face au « développement viral » de ces sites communautaires, les observateurs commençaient à parler de bulle spéculative, à l'image de celle qui avait détruit la « nouvelle économie » au début des années 2000.

Sources : *Business Week*, 13 juin 2006 ; *Les Echos*, 12 octobre 2007 ; *Le Nouvel Observateur*, 1er novembre 2007 ; *Le Monde*, 1er novembre 2007.

Questions

1. Selon vous, comment les annonceurs potentiels ont-ils vraisemblablement interprété la croissance soudaine du trafic de MySpace à la fin de 2004 et la chute tout aussi brusque au début de 2006 ?

2. Pouvez-vous prévoir l'audience future de MySpace ?

9.4 Innovateurs et suiveurs

Un choix crucial pour les managers consiste à décider s'il vaut mieux déclencher les innovations ou se contenter de les suivre. La courbe de diffusion semble privilégier les innovateurs : ils peuvent facilement récolter des parts de marché lors de la phase de croissance et établir ainsi une position dominante. Les exemples d'innovateurs qui ont durablement bénéficié de leur statut de premier entrant sont nombreux, que ce soit Coca-Cola dans les sodas ou Otis dans les ascenseurs. Cependant, beaucoup de premiers entrants échouent. Même Apple n'a pas réussi à imposer son PDA – le Newton – en 1993 : c'est un suiveur, Palm, qui s'est emparé de ce marché. Réciproquement, l'iPod n'a été lancé que deux ans après le premier baladeur numérique, le Lyra de Thomson. De même, Amazon est entré sur le marché de la vente de livres sur Internet quatre ans après le véritable pionnier, la librairie californienne Computer Literacy.

9.4.1 L'avantage au premier entrant

L'avantage au premier entrant donne au concurrent qui est le premier à proposer une nouvelle offre un avantage sur ceux qui le suivent

L'avantage au premier entrant donne au concurrent qui est le premier à proposer une nouvelle offre un avantage sur ceux qui le suivent. Le premier entrant bénéficie d'un monopole, ce qui lui permet de pratiquer des prix élevés sans craindre une riposte de la concurrence. En pratique, cependant, les innovateurs préfèrent souvent sacrifier leurs marges pour accélérer la croissance de leurs ventes. De plus, ce monopole est par essence temporaire. L'avantage au premier entrant repose fondamentalement sur cinq arguments[17] :

- *L'effet d'expérience* profite aux premiers entrants. En accumulant rapidement de l'expérience, ils peuvent disposer d'une expertise plus élevée que celle des suiveurs, encore peu familiarisés avec la nouvelle offre (voir le schéma 3.4).
- *L'effet d'échelle* joue le même rôle. Les premiers entrants peuvent profiter de volumes plus importants, ce qui leur permet de mieux amortir leurs investissements ou de disposer d'un meilleur pouvoir de négociation auprès de leurs fournisseurs.
- La *préemption des ressources rares*. Les premiers entrants peuvent s'emparer des matières premières, de la main-d'œuvre compétente ou des composants nécessaires à un coût moindre que celui que devront supporter les suiveurs.
- La *réputation*. Les premiers entrants peuvent bénéficier du fait que les clients auront tendance à associer leur marque avec la nouvelle offre. De fait, les suiveurs auront plus de mal à imposer leur propre marque.
- Les *coûts de transfert* des acheteurs. Les premiers entrants peuvent verrouiller le marché en créant un standard propriétaire ou des formules d'abonnement ou de fidélisation que les suiveurs pourront difficilement contourner (voir le chapitre 6).

Tous ces éléments confèrent un avantage aux premiers entrants. Grâce aux effets d'échelle et d'expérience, ils peuvent riposter aux suiveurs en déclenchant une guerre des prix. De même, leur réputation et le verrouillage du marché leur procurent un avantage marketing : ils peuvent ainsi pratiquer des prix plus élevés et dégager les marges nécessaires au confortement de leur position vis-à-vis des suiveurs.

Pour autant, les exemples du Newton d'Apple et du Lyra de Thomson montrent que l'avantage au premier entrant n'est pas toujours décisif. En effet, les suiveurs disposent eux aussi de deux avantages potentiels[18] :

- Le phénomène du *passager clandestin*. Les suiveurs peuvent imiter les innovations à un coût nettement inférieur à celui qu'a dû engager le pionnier pour les élaborer. D'après certaines recherches, le coût de l'imitation serait 35 % moins élevé que celui de l'innovation.
- L'*apprentissage*. Les suiveurs peuvent observer ce qui a bien fonctionné et ce qui a échoué. Ils commettent donc moins d'erreurs que les pionniers et peuvent appliquer d'emblée les meilleures solutions.

9.4.2 Premier entrant ou second gagnant ?

Afin d'arbitrer entre les avantages respectifs des premiers entrants et des suiveurs, les managers doivent évaluer la situation spécifique à leur propre entreprise. Trois facteurs contextuels peuvent être pris en considération pour réaliser cet arbitrage :

- La *capacité à capturer du profit*. David Teece souligne que les innovateurs sont capables de capturer le profit de leurs innovations[19]. Cela dépend cependant de la facilité avec laquelle les suiveurs peuvent les imiter, qui elle-même est fonction de deux principaux facteurs. Tout d'abord, une innovation est aisément imitable lorsqu'elle implique peu de savoir tacite, quand elle est disponible sur le marché (ce qui n'est pas le cas de la plupart des innovations de procédé) et donc quand il est possible de pratiquer de « l'ingénierie inversée ». Deuxièmement, l'imitation est facilitée si les droits de la propriété intellectuelle sont limités, par exemple lorsque l'innovation n'est pas brevetée ou que le brevet est difficile à défendre[20]. Une entreprise ne doit pas se comporter en premier entrant si la probabilité d'imitation est élevée.
- Les *actifs complémentaires*. La possession des actifs et des ressources nécessaires au déploiement industriel et commercial de l'innovation est souvent indispensable[21]. Dans l'industrie pharmaceutique, beaucoup de petites entreprises européennes de biotechnologie sont confrontées à cette contrainte : alors que le plus vaste marché mondial, les États-Unis, requiert de considérables ressources en marketing et en distribution, celles-ci sont contrôlées par les concurrents établis. Les start-up sont donc obligées soit de se vendre aux principaux acteurs qui détiennent déjà les actifs complémentaires, soit de leur céder des licences à des conditions souvent défavorables. Les organisations qui souhaitent rester indépendantes et exploiter elles-mêmes leurs innovations ont peu d'intérêt à se comporter en premiers entrants si elles ne disposent pas des actifs complémentaires nécessaires.
- Un *environnement turbulent*. Lorsque les marchés et les technologies évoluent rapidement, les premiers entrants ont peu de chances d'établir un avantage durable. La première console de jeux vidéo, l'Odyssey, a ainsi été lancée par l'entreprise américaine Magnavox en 1972. Cependant, la technologie et le marché étaient alors très dynamiques. Magnavox n'a fait que survivre jusqu'à la deuxième génération de consoles, puis a fini par quitter l'industrie en 1984. En 2007, la septième génération de consoles est dominée par Nintendo (entré en 1983), Sony (entré en 1994) et Microsoft (entré en 2001)[22]. Dans les industries

moins dynamiques, les premiers entrants peuvent généralement construire un avantage plus pérenne, comme le montre l'exemple de Coca-Cola dans les sodas. Les managers doivent donc estimer la turbulence future du marché pour déterminer la valeur de l'avantage au premier entrant.

Pour une grande entreprise établie, Costas Markides et Paul Geroski affirment que la meilleure riposte face à une innovation radicale n'est pas d'être un premier entrant mais un « suiveur rapide »[23]. Les concurrents en place n'ont généralement ni la culture ni les systèmes nécessaires pour créer des marchés totalement nouveaux. En revanche, ils disposent des actifs financiers, industriels et commerciaux leur permettant de dominer le marché une fois qu'il a émergé. L'objectif des « suiveurs rapides » consiste donc à consolider les expérimentations des premiers entrants pour en faire des modèles économiques durables (voir la section 9.2.3). Leur ambition n'est pas d'être des pionniers, mais de dominer la deuxième génération de concurrents. Sur le marché des micro-ordinateurs, le puissant concurrent IBM a ainsi suivi de petites entreprises innovantes comme Apple ou Osborne. Devenu un acteur important, Apple à son tour a suivi des pionniers tels que Napster sur la musique en ligne. Pour autant, comme le montre la section suivante, il n'est pas toujours aisé d'être un « suiveur rapide ».

9.4.3 La riposte des concurrents établis

Pour les entreprises déjà établies sur le marché, l'innovation constitue souvent plus une menace qu'une opportunité. La domination de Kodak sur le marché de la pellicule photo a ainsi été réduite à néant par l'apparition de la photographie numérique. Comme l'a montré Clayton Christensen, le problème majeur est que les relations entre les concurrents en place et leurs clients peuvent devenir trop proches[24]. Les clients préfèrent généralement des améliorations incrémentales des technologies existantes et sont incapables d'imaginer des innovations réellement radicales. Même les utilisateurs pilotes (voir la section 9.2.1) se contentent souvent d'adapter ce qui existe déjà. Les entreprises établies prennent donc l'habitude de développer des innovations incrémentales qui répondent ou dépassent légèrement les attentes de leurs clients. Comme le montre le schéma 9.4, les concurrents en place se bornent à améliorer régulièrement les technologies existantes selon une trajectoire ascendante (technologie 1), en fonction d'une démarche d'*innovation continue*.

Même si sa performance est initialement inférieure à celle des technologies existantes, une innovation disruptive peut leur devenir significativement supérieure

Le défi pour les entreprises établies consiste alors à être capables de sortir de la trajectoire de l'innovation continue pour passer sur la trajectoire de l'innovation disruptive et rejoindre la technologie 2. Même si au départ sa performance est inférieure à celle des technologies existantes, une innovation disruptive peut leur devenir significativement supérieure. Ce gain de performance peut provoquer une croissance spectaculaire, soit en créant de nouveaux segments de clients, soit en s'emparant de la clientèle des concurrents établis. Une innovation disruptive provoque en fait un déplacement brutal de l'offre de référence sur le marché, ce qui bouleverse les stratégies concurrentielles établies : un concurrent peut se retrouver subitement en différenciation vers le haut, alors que jusque-là il constituait l'offre de référence dans son industrie (voir la section 6.5). S'il n'accompagne pas ce repositionnement par une modification de son modèle économique, il peut se voir exclu du marché.

| Schéma 9.4 | **L'innovation disruptive** |

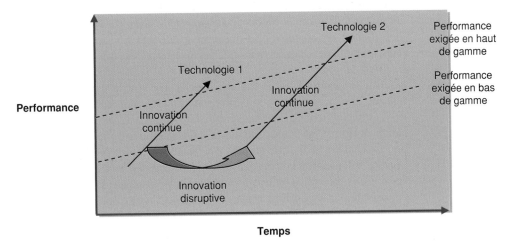

Source : adapté de C. Christensen et M.E. Raynord, *The Innovator's Solution*, Harvard Business School Press, 2003.

Il est particulièrement difficile pour les concurrents en place de répondre à une innovation disruptive, car sa faible performance initiale rend sa menace peu crédible dans un premier temps et son adoption implique un profond bouleversement des modèles économiques existants. Dans l'industrie musicale, les grandes maisons de disques ont établi un modèle qui consiste à vendre leurs CD grâce aux réseaux de distribution et à les promouvoir à l'aide de la radio et de la télévision. Elles ont réagi à la diffusion des fichiers MP3 sur Internet en se contentant de poursuivre en justice des sites tels que Napster pour non-respect des droits d'auteur et en soulignant la médiocre qualité sonore des fichiers échangés. Cependant, le groupe Arctic Monkeys et sa petite maison de production indépendante Domino ont radicalement bouleversé ce modèle en distribuant gratuitement les fichiers MP3 de leurs chansons par Internet à partir de 2003, afin de se constituer une large audience. Lorsqu'il est enfin sorti en 2006, le premier CD des Arctic Monkeys s'est vendu à 360 000 exemplaires en une semaine, soit plus que les Beatles en leur temps.

Face au risque d'innovation disruptive, les concurrents établis peuvent utiliser deux approches :

• *Développer un portefeuille d'options réelles.* Les entreprises les plus vulnérables aux innovations disruptives sont celles qui s'appuient sur un seul modèle économique et dont l'activité repose principalement sur un unique produit ou service. Rita McGrath et Ian MacMillan recommandent aux entreprises de se constituer un portefeuille d'*options réelles* afin de maintenir leur dynamique organisationnelle[25]. Les options réelles sont des investissements limités qui génèrent plusieurs opportunités de développement futur (pour une discussion plus technique, voir le chapitre 10). Charger une équipe de R&D d'explorer une technologie émergente ou prendre des parts dans le capital d'une petite start-up innovante sont de bons exemples d'options réelles. Dans les deux cas, il s'agit de s'assurer qu'il est possible de conduire un développement rapide au cas où l'opportunité se révélerait substantielle. Rita McGrath et Ian MacMillan identifient trois sortes d'options (voir le schéma 9.5). Lorsque le marché est relativement bien connu mais que les technologies sont incertaines, on parle d'*options de positionnement* : il est préférable d'en détenir plusieurs afin de garantir sa position sur le marché, quelle que soit la technologie finalement retenue. Réciproquement, si l'entreprise détient une technologie intéressante, mais qu'il convient de la tester sur plusieurs marchés, on parle d'*option d'exploration*. Enfin, il est important de détenir quelques *options tremplins*, qui ont peu de chances d'aboutir en tant que telles, mais qui peuvent conduire à des opportunités intéressantes dans le futur. Même si elles ne sont pas profitables, ces options tremplins sont des sources d'apprentissage. Le principe moteur de l'approche par les options réelles est « échouer vite et pour pas cher et essayer autre chose » (voir l'illustration 9.4).

- *Développer des isolats.* Les nouveaux projets, en particulier lorsqu'ils s'inscrivent dans une démarche d'options réelles, doivent être protégés des systèmes et des contraintes de l'activité principale de l'entreprise. Les managers en charge d'une option réelle ne doivent pas supporter les mêmes impératifs de croissance ou de rentabilité que le reste de l'organisation, car leur mission fondamentale relève de l'apprentissage et de la préparation. C'est la raison pour laquelle les grandes organisations établies placent souvent leurs projets innovants au sein de structures dédiées et indépendantes, appelées des *isolats*, et recrutent généralement pour cela

Schéma 9.5	**Un portefeuille d'options d'innovations**

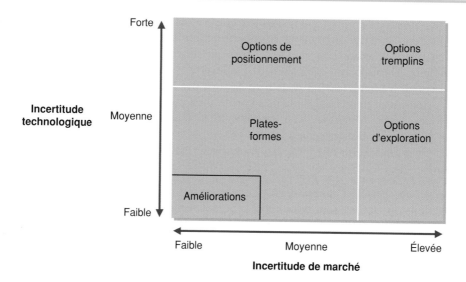

Source : I. MacMillan et R.G. McGrath, *The Entrepreneurial Mindset,* Harvard Business School Press, 2000, p. 176.

Illustration 9.4

Somfy ouvre son marché

Tout en développant leurs propres technologies, les entreprises innovantes doivent rester ouvertes aux attentes de leur marché.

Implanté à Cluses, au pied du Mont-Blanc, dans le pôle de compétitivité de la vallée de l'Arve (sud-est de la France), Somfy était le leader mondial des automatismes pour ouvertures et fermetures de la maison et du bâtiment (rideaux, stores, volets roulants, grilles, portes de garage, etc.). Avec un résultat opérationnel de 126 millions d'euros pour un chiffre d'affaires de 655 millions en 2006, le groupe était implanté dans 51 pays à travers un réseau de 52 filiales et 26 bureaux répartis dans sept zones géographiques. Parmi ses 4 300 salariés, on comptait pas moins de 35 nationalités. Le groupe Somfy s'appuyait sur cette proximité terrain pour anticiper les attentes des consommateurs locaux et surtout pour guider ses programmes d'innovation. En dépit de sa taille moyenne, Somfy était en effet la septième entreprise la plus innovante en France en termes de dépôts de brevets (une quarantaine de nouveaux brevets par an).

Créé en 1969, Somfy avait depuis toujours été contraint à l'innovation, du fait de trois risques stratégiques majeurs :

En tant que groupe industriel, Somfy était confronté à la concurrence des pays à bas coûts de main-d'œuvre (Europe de l'Est et surtout Chine). Il lui était donc indispensable de baisser ses coûts de production (d'environ 4 % par an). Pour cela, à côté des économies d'échelle dégagées par ses usines situées en France, en Italie et aux États-Unis (qui assemblaient 42 500 moteurs par jour), le groupe avait ouvert un site de production en Tunisie en 2006 et avait même racheté son principal concurrent chinois. Somfy bénéficiait également du fait que ses fournisseurs avaient aussi pour clients les constructeurs automobiles ou leurs équipementiers (fabricants de moteurs pour vitres électriques ou toits ouvrants), qui les contraignaient à de constantes baisses de prix.

Somfy fabriquait des moteurs, mais pas les rideaux, volets et portes, conçus et installés par des assembleurs. Or, les plus importants de ceux-ci (à l'image de l'Alsacien Bubendorff, le leader européen) menaçaient de procéder à une intégration vers l'amont en produisant eux-mêmes leurs moteurs. Face à cette menace, Somfy jouait sur sa capacité d'innovation (il était passé de la motorisation à l'électronique, puis aux systèmes radiocommandés), sur sa politique d'affiliation et de formation des installateurs (15 000 d'entre eux étaient passés par les « écoles Somfy ») et sur la publicité auprès du grand public (selon la logique « Powered by Somfy », inspirée de « Intel Inside »). Somfy comptait en effet 25 000 clients, mais 210 millions d'utilisateurs dans le monde.

Somfy était un acteur modeste face aux géants de l'automatisme tels que Legrand, Schneider ou Siemens, qui pouvaient à tout moment décider de s'emparer de son marché. Pour contrer cette menace, Somfy avait mis l'accent sur le sans-fil, sachant que culturellement ses puissants concurrents étaient des électriciens, très attachés aux liaisons filaires. Grâce à ces innovations, un sixième des moteurs Somfy intégraient un système radio, alors que le prix moyen de vente d'un moteur radio était de 50 % supérieur à celui d'un moteur filaire.

Wilfrid Le Naour, directeur général de Somfy, aimait rappeler que « chez Somfy, 1 000 personnes font de la stratégie ». Son approche consistait en effet à donner une grande liberté d'innovation aux filiales étrangères, afin qu'elles puissent adapter l'offre aux spécificités locales. En Allemagne, où les clients avaient des exigences techniques particulièrement élevées, des compétences spécifiques avaient ainsi été développées. De même, aux États-Unis, où les stores d'extérieur n'existaient pratiquement pas, l'entreprise s'était diversifiée dans la motorisation des écrans de home cinéma.

Autre symbole de cette approche par expérimentations, le bureau indien de Somfy ne comptait en 2007 que quelques personnes car le marché local était encore restreint. Un responsable justifiait pourtant cette implantation : « C'est un investissement pour le futur avec l'idée de comprendre le marché sur place : je m'implante, je comprends, j'agis. »

Sources : www.somfy.com ; www.somfyfinance.com ; *Les Echos*, 24 janvier 2006 et 21 février 2006.

Questions

1. Que pensez-vous de l'affirmation du directeur général de Somfy selon laquelle « chez Somfy, 1 000 personnes font de la stratégie » ? Quels sont selon vous les avantages et les inconvénients de cette approche en termes d'innovation ?

2. Que pensez-vous de l'équilibre réalisé par Somfy entre l'innovation poussée par la technologie et l'innovation tirée par le marché ?

des managers venus de l'extérieur[26]. Lorsqu'en 2003, la compagnie aérienne américaine Delta Airlines, fondée dans les années 1920, a décidé de répondre à la menace des compagnies à bas coûts, elle a créé une filiale spécifique, Song Airlines. Cette nouvelle compagnie a non seulement adopté le modèle économique de ses concurrents à bas coûts (voir l'illustration 6.3), mais elle a aussi innové en proposant sur chaque siège un système de divertissement gratuit incluant des programmes musicaux en MP3, des quiz grâce auxquels les passagers pouvaient s'affronter d'un rang à l'autre et la télévision par satellite. Les consignes de sécurité étaient diffusées sous forme de chansons (plusieurs styles étant disponibles sur demande). Ce type de domaine d'activité stratégique indépendant soulève deux problèmes[27]. Tout d'abord, la nouvelle division peut se voir refuser certaines ressources dont dispose pourtant l'activité principale, comme la marque ou les systèmes d'information. Deuxièmement, l'innovation se retrouve isolée du reste de l'organisation, qui peut donc tranquillement s'enfermer dans sa routine. Delta Airlines a répondu à cette seconde menace en réabsorbant Song Airlines une fois que l'expérimentation s'est révélée concluante. Certaines des innovations ont d'ailleurs été transférées à l'ensemble de l'activité, comme la télévision par satellite.

9.5 L'entrepreneuriat et la collaboration

Étant donné les difficultés qu'éprouvent les grandes entreprises établies à encourager l'innovation, on pourrait en conclure que la meilleure approche consiste à fonder une nouvelle entreprise. Des créateurs d'entreprise indépendants tels que James Dyson, le pionnier de l'aspirateur sans sac, ou Larry Page et Sergei Brin, les fondateurs de Google, sont des exemples emblématiques de l'approche entrepreneuriale de l'innovation[28]. Cette section présente quelques-unes des questions clés pour les entrepreneurs innovants et aborde la question complexe des relations avec les grandes entreprises, avant de conclure par les opportunités offertes par l'entrepreneuriat social.

9.5.1 Les étapes du développement entrepreneurial

Le développement entrepreneurial suit en général quatre phases : le démarrage, la croissance, la maturité et la sortie[29]. Bien entendu, beaucoup d'entreprises disparaissent avant d'avoir parcouru l'intégralité de cette séquence : on estime ainsi que la probabilité de disparition d'une nouvelle entreprise au cours de sa première année est de 20 % et que les deux tiers s'évanouissent en moins de six ans[30]. Cependant, chacune des quatre phases soulève des questions clés pour les entrepreneurs :

● Le *démarrage*. Les défis sont nombreux dans cette phase, mais la question cruciale pour la survie et la croissance de l'entreprise est celle du financement. Les prêts accordés par la famille et les amis sont fréquents, mais ils sont généralement limités. De plus, étant donné la probabilité d'échec, ils sont également source de brouilles. Les emprunts bancaires peuvent aussi constituer une source de financement, mais leurs exigences de remboursement sont souvent trop rigides par rapport aux rentrées d'argent irrégulières que connaît une start-up.

| Schéma 9.6 | **Les étapes et les défis du développement entrepreneurial** |

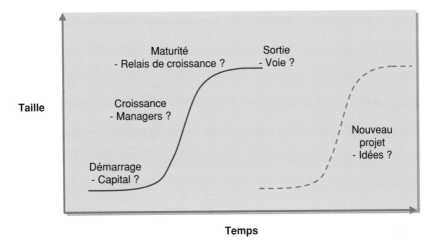

Les sociétés de *capital-risque* sont spécialisées dans ce type de financement, mais elles exigent en général un siège au conseil d'administration et elles peuvent placer leurs propres managers dans l'équipe de direction. Les recherches montrent que le soutien de capital-risqueurs augmente significativement la probabilité de succès d'une start-up, mais en moyenne, sur 400 propositions d'investissement, ils n'en acceptent qu'une seule[31].

- La *croissance*. Le problème clé lors de la croissance est celui des managers. Les entrepreneurs doivent accepter de laisser leur entreprise entre les mains de managers expérimentés. Cette transition est généralement nécessaire au-delà de vingt employés. En effet, beaucoup d'entrepreneurs sont de piètres managers : s'ils avaient voulu être managers, ils auraient probablement travaillé pour une entreprise déjà établie. Ils doivent donc choisir entre continuer à assurer eux-mêmes la direction de leur entreprise ou s'en remettre à des managers professionnels. En 2001, les jeunes fondateurs de Google, Larry Page et Sergei Brin, ont ainsi cédé à la pression de leurs capital-risqueurs en nommant Eric Schmidt, l'ancien directeur général de l'éditeur de logiciels Novell, âgé de 46 ans, à la tête de leur entreprise.

- La *maturité*. À cette phase, le défi pour les entrepreneurs consiste à retenir leur enthousiasme et leur engagement vis-à-vis du modèle économique de départ afin de trouver de nouveaux relais de croissance. L'entrepreneuriat doit céder la place à l'*intrapreneuriat*, c'est-à-dire la génération de nouveaux projets venus de l'organisation elle-même. Cela prend souvent la forme de diversifications (voir le chapitre 7). La décision de l'éditeur de jeux vidéo russe Nival Interactive de se lancer dans les jeux pour consoles est un bon exemple de cette démarche (voir l'illustration 3.2). Cette phase est particulièrement critique : beaucoup de start-up ne réussissent pas leur transition vers une seconde génération technologique. De fait, il est souvent moins risqué d'envisager une sortie à ce stade[32].

● La *sortie*. La dernière étape désigne le moment où l'entrepreneur et/ou les investisseurs de départ se retirent du projet et entendent obtenir une rémunération pour leur apport et le risque qu'ils ont encouru. Les entrepreneurs peuvent envisager trois principales voies de sortie. La vente de l'affaire à une autre entreprise est une solution fréquente : MySpace a ainsi été vendu à News Corporation deux ans après sa création (voir l'illustration 9.3), de même que Skype a été racheté par eBay (voir le cas à la fin du chapitre 3). Certains entrepreneurs vendent l'entreprise à leurs propres managers en utilisant la technique de la reprise d'entreprise par les salariés (RES ou MBO, pour *management buy-out*). Enfin, une voie de sortie pour certaines entreprises à succès est l'introduction en Bourse. Dans ce cas, le capital de l'entreprise est vendu au public, généralement sur des marchés dédiés tels que le NASDAQ à la Bourse de New York ou le Nouveau marché à la Bourse de Paris. L'introduction en Bourse ne peut concerner qu'une partie du capital, ce qui peut permettre aux entrepreneurs de rester dans l'entreprise et de disposer d'un apport de capital. Google a ainsi levé 1,67 milliard de dollars lors de son introduction en Bourse en 2004, en ne vendant pourtant que 7 % de son capital. Il est de coutume de dire que les bons entrepreneurs planifient leur sortie dès la phase de démarrage. C'est du moins ce qu'espèrent les capital-risqueurs.

Les entrepreneurs qui ont réussi leur premier projet de création d'entreprise deviennent souvent des *entrepreneurs en série* : ils créent une série de nouvelles entreprises, et les financent en investissant le capital obtenu par la revente de leurs projets précédents. Pour eux, le problème n'est généralement plus le financement mais la capacité à trouver de nouvelles idées.

9.5.2 L'entrepreneuriat et la collaboration

Dans la mythologie contemporaine des affaires, l'entrepreneuriat est synonyme d'indépendance, voire d'individualisme. On présente les entrepreneurs de manière stéréotypée, comme des héros solitaires ayant eu une inspiration géniale dans le dortoir de leur université ou au fond d'un garage. William Hewlett et David Packard, les fondateurs de HP, Steve Jobs et Steve Wozniak, les fondateurs d'Apple, ou encore Michael Dell sont des archétypes de cette représentation. Or, si l'on cherche à aller au-delà du mythe, on découvre en général des trajectoires plus complexes, dans lesquelles les relations avec de grandes entreprises peuvent jouer un rôle essentiel. Bien souvent, les entrepreneurs ont commencé par travailler pour des organisations de grande taille et ont continué à entretenir avec elles une forme de collaboration[33]. Alors que William Hewlett était tout juste diplômé de l'université de Stanford, David Packard travaillait pour General Electric et Lutton Industries. HP utilisa au départ l'outil industriel de Lutton Industries et plus tard l'entreprise s'appuya sur ses relations avec General Electric pour recruter des managers expérimentés. À l'âge de 12 ans, Steve Jobs travailla comme stagiaire auprès de William Hewlett et il devint quelques années plus tard le quarantième employé de l'éditeur de jeux vidéo Atari. Steve Wozniak était lui aussi salarié chez HP avant de fonder Apple. Pour sa part, Michael Dell reçut un soutien actif de l'université du Texas à Austin, où il était étudiant.

L'entrepreneuriat implique généralement des collaborations étroites avec d'autres organisations, en particulier de grandes entreprises. Les entrepreneurs doivent décider comment exploiter leur réseau de relations, en particulier au sein des organisations capables de développer des innovations majeures. Heureusement, les besoins des entrepreneurs répondent souvent à ceux des grandes entreprises, qui de plus en plus pratiquent ce que Henry Chesbrough appelle l'*innovation ouverte*[34] : elles ne se contentent plus de s'appuyer sur leurs ressources internes, mais mobilisent également la capacité d'innovation de partenaires externes tels que les universités, les fournisseurs et les clients. Dans le cadre de l'innovation ouverte, deux notions sont particulièrement importantes :

- Les *fonds captifs*. Beaucoup de grandes entreprises telles que Intel, Nokia, Sanofi-Aventis, France Telecom ou Air Liquide ont constitué des fonds captifs, c'est-à-dire des fonds d'investissement internes qui prennent des participations dans des start-up afin de se prémunir contre des innovations disruptives ou dans le but de générer des opportunités de croissance future[35]. Ces entreprises sont ainsi exposées à une plus grande variété d'idées nouvelles. Elles peuvent diversifier leurs risques tout en protégeant les projets émergents contre leur bureaucratie interne. De leur côté, les entrepreneurs ont accès à du capital, mais également aux connaissances et aux réseaux relationnels d'une grande entreprise (voir le cas de Trace TV dans l'illustration 9.5). Il est essentiel que les entrepreneurs et le fonds captif restent conscients de l'objectif de la prise de participation : s'agit-il simplement d'obtenir une rentabilité de l'investissement ou plutôt d'une vision stratégique (exploration de nouvelles opportunités de marché, développement d'une nouvelle technologie, etc.) ? Si la grande entreprise change d'orientation vis-à-vis de son fonds captif, elle risque de perturber fortement le développement entrepreneurial des start-up dans lesquelles elle a investi. Siemens et Nokia ont ainsi été contraints de céder tout ou partie de leurs prises de participation, alors que Ericsson et Diageo ont liquidé la totalité de leurs fonds captifs.

- Les *écosystèmes*. Les grandes entreprises innovantes telles que Cisco, IBM ou Intel entretiennent en général un écosystème d'entreprises plus petites : à la fin des années 1990, IBM avait ainsi tissé 1 398 alliances, la plupart d'entre elles avec des entreprises de petite taille. Ces écosystèmes sont des communautés de fournisseurs, d'agents, de distributeurs, de franchisés, d'entrepreneurs et de fabricants de produits ou services complémentaires[36]. Apple a ainsi créé un écosystème autour de son iPod, rassemblant plus de 100 entreprises qui fabriquent des accessoires et des périphériques tels que des étuis, des enceintes et des stations d'accueil. En constituant un écosystème, les grandes entreprises bénéficient d'un niveau de satisfaction plus élevé de leurs clients, heureux de trouver des produits compatibles. Pour leur part, les membres de l'écosystème peuvent profiter d'un marché vaste et lucratif : les accessoires pour iPod sont référencés chez la plupart des distributeurs et leur rentabilité est élevée. Pour autant, les grandes entreprises doivent veiller à gérer leur écosystème pour qu'il continue à évoluer dans leur intérêt : il s'agit pour elles d'établir et surtout de régulièrement mettre à jour une *plate-forme technologique* sur laquelle l'écosystème peut croître et prospérer[37]. Parmi les exemples de plates-formes de ce type, on peut citer les produits Palm (voir le cas à la fin du chapitre 6) ou la norme i-mode développée par l'opérateur de téléphonie mobile DoCoMo, qui impose un format spécifique des sites web auxquels elle donne accès. À chaque nouvelle génération de la plate-forme technologique, les entrepreneurs qui appartiennent à

Illustration 9.5

Métissage entrepreneurial chez Trace TV

Les entrepreneurs savent utiliser avec profit leurs relations avec de grandes entreprises.

En 2007, Trace TV était la quatrième chaîne de télévision française la plus exportée dans le monde, derrière TV5 Monde, France 24 et EuroNews. Émise dans près de cent pays avec un potentiel de 8 millions de téléspectateurs en France et de plus d'un milliard dans le monde, Trace TV était une chaîne diffusée sur tous les supports de distribution numérique (câble, satellite, ADSL, mobile, Internet). Son contenu était consacré à tous les genres musicaux urbains (rap, R'n'B, raï, raga, zouk, électro, dance, etc.) présentés sous différentes formes (clips, concerts, interviews, documentaires, magazines). Ses revenus provenaient des redevances payées par les diffuseurs, des ressources publicitaires, des produits dérivés et des licences de marque et de contenus. Trace TV avait été fondée en mars 2003 par trois entrepreneurs, Olivier Laouchez, Richard Wayner et Claude Grunitzky, dont les expertises étaient très complémentaires.

Le Martiniquais Olivier Laouchez avait accumulé une expérience de plus de dix ans dans la télévision et la musique. Après des études à ESCP-EAP et deux ans de coopération pour Renault en Indonésie, il était revenu en Martinique où il avait fondé ATV, le premier groupe privé de télévision aux Antilles. En 1998, il rencontra Jérôme Ebella, producteur des rappeurs Doc Gyneco, Passi et Stomy Bugsy sous le label Secteur A, qui souhaitait lancer une chaîne de télévision sur le câble et le satellite. Inspiré par le succès de la chaîne américaine Black Entertainment Television, Olivier Laouchez accepta de prendre la direction de Secteur A et noua des contacts avec une filiale du groupe Canal+. C'est par l'intermédiaire de Denis Olivennes, alors directeur général de Canal+, qu'il rencontra Richard Wayner en 2001.

Jeune banquier américain d'origine jamaïcaine, diplômé de l'Institut d'études politiques de Paris, Richard Wayner était alors en charge au sein de la banque d'affaires Goldman Sachs du fonds d'investissement Urban development Group, dédié aux minorités ethniques. Il fut tout de suite conquis par le projet et accepta pour la première fois de financer un projet hors des États-Unis, pour 6 millions d'euros. Après dix-huit mois de négociations, Olivier Laouchez et Richard Wayner rachetèrent la chaîne MCM Africa au groupe Lagardère, ce qui leur permit de disposer dès le départ de ses accords de diffusion sur les différents réseaux câblés. C'est alors qu'une autre rencontre paracheva leur projet, celle de Claude Grunitzky.

Togolais élevé à Washington et lui aussi diplômé de l'Institut d'études politiques de Paris, Claude Grunitzky avait fondé en Angleterre et aux États-Unis la revue transculturelle *Trace*, grâce au financement du groupe Lagardère. En mars 2003, il rejoignit Olivier Laouchez et Richard Wayner pour donner naissance à Trace TV.

---

l'écosystème doivent miser sur son succès, alors qu'ils ne peuvent généralement pas directement l'influencer. Une question cruciale pour eux consiste donc à envisager de quitter l'écosystème lorsque celui-ci commence à péricliter. C'est notamment la menace qui pèse sur l'écosystème de Palm depuis l'apparition du Blackberry et surtout de l'iPhone d'Apple. Pour la minimiser, Palm a proposé des produits fonctionnant sous Windows Mobile, ce qui a eu pour effet de fusionner son écosystème avec celui – bien plus solide – de Microsoft (voir le cas à la fin du chapitre 6).

L'entrepreneuriat social désigne la création d'organisations non lucratives qui mobilisent des idées et des ressources dans le but de résoudre des problèmes sociaux

9.5.3 L'entrepreneuriat social

L'entrepreneuriat ne concerne pas que le secteur privé. La sphère publique est elle aussi l'objet d'un nombre croissant de projets qui impliquent une approche entrepreneuriale[38]. De même, la notion d'entrepreneuriat social a connu récemment un remarquable essor. L'**entrepreneuriat social** désigne la création d'organisations non lucratives qui mobilisent des idées et des ressources dans le but de résoudre des problèmes sociaux[39]. L'indépendance et les revenus générés par le marché confèrent aux entrepreneurs sociaux une flexibilité et un dynamisme que

L'actionnariat de la chaîne – sous la forme d'un holding basé aux Pays-Bas – comprenait au départ les trois fondateurs, Goldman Sachs (*via* son fonds Urban development Group) à 39 % et le groupe Lagardère à 20 %. Ce dernier revendit sa participation à Universal Music Group, alors que le personnel de la chaîne ainsi que plusieurs « personnalités françaises et américaines, dirigeants d'institutions financières et de sociétés audiovisuelles » (d'après le site Internet de la chaîne) devenaient également actionnaires.

Olivier Laouchez était alors le premier Noir à diriger une chaîne de télévision française. Installée dans le XVe arrondissement de Paris, Trace TV dégagea dès 2004 un chiffre d'affaires de 5 millions d'euros. À l'époque, Olivier Laouchez expliquait :

> Nous perdons toujours de l'argent, notre objectif est d'atteindre l'équilibre en trois ans au lieu de six en principe pour les chaînes de télévision. Nous sommes sur un modèle « low-cost », le maître mot c'est de tenir, il nous faut prouver notre audience avant que les revenus n'arrivent.

En fait, Trace TV parvint à l'équilibre dès 2006. Olivier Laouchez s'amusait alors :

> Les banquiers français, qui me prenaient parfois pour le coursier, m'ont tous envoyé promener. Mais certains me rappellent aujourd'hui pour entrer au capital. […] Je rencontre souvent des patrons d'autres chaînes qui me

tiennent des discours très modernes, et qui font exactement le contraire en me proposant de racheter Trace TV, et de me laisser juste le poste de directeur général […] comme si on était incapable d'être P-DG parce qu'on est noir.

Pour Trace TV, la première véritable déconvenue fut le refus, début 2007, du Conseil supérieur de l'audiovisuel de lui accorder une licence de diffusion sur la télévision numérique terrestre en Île-de-France. Ce n'était pourtant que partie remise, car d'autres licences devaient encore être attribuées.

Sources : www.trace.tv ; *Capital*, février 2005 ; www.grioo.com, www.ecrans.fr ; www.csa.fr ; *Le Monde*, 6 juin 2007.

Questions

1. De quelles collaborations ont bénéficié les fondateurs de Trace TV ? À quelles difficultés auraient-ils été confrontés sans ces relations avec de grandes entreprises ?

2. Quelles ont été selon vous les motivations de Lagardère et Goldman Sachs pour prendre des participations dans Trace TV ?

3. Avez-vous des idées de création d'entreprise ? Quelles relations pourriez-vous mobiliser pour les réaliser ?

les organisations du secteur public – trop bureaucratiques ou trop soumises aux impératifs politiques – sont souvent incapables d'égaler. L'entrepreneuriat social couvre ainsi un large spectre d'activités, du microcrédit accordé aux paysans du Bangladesh par la banque Grameen à la création d'emplois locaux par la coopérative Mondragon au Pays basque espagnol, en passant par les nombreuses entreprises de commerce équitable qui se développent dans la plupart des pays occidentaux (voir par exemple le cas de Nature & Découvertes à la fin du chapitre 4). Par-delà cette diversité, les entrepreneurs sociaux sont confrontés à trois choix principaux :

- La *mission sociale*. Pour les entrepreneurs sociaux, la mission sociale est fondamentale. Elle comporte généralement deux éléments : les objectifs finaux et les processus opérationnels. La banque Grameen a ainsi l'objectif de réduire la pauvreté rurale, en particulier pour les femmes. Son processus consiste à aider les pauvres à monter leur propre activité lucrative en leur accordant des prêts d'un montant trop faible pour intéresser des banques traditionnelles.

- La *forme organisationnelle*. Beaucoup d'entreprises sociales prennent la forme d'une coopérative, ce qui permet d'impliquer les salariés et d'autres parties prenantes sur une base démocratique et de s'assurer d'un engagement collectif. Il convient cependant de s'interroger sur le choix des parties prenantes impliquées. Les coopératives peuvent également souffrir d'une forte lenteur dans la prise de décisions importantes. C'est la raison pour laquelle certaines entreprises sociales adoptent parfois des structures plus hiérarchiques, par exemple en créant une fondation, voire en prenant un statut d'entreprise classique. Cafédirect, une entreprise britannique de commerce équitable, a même été introduite en Bourse. Elle a versé ses premiers dividendes à ses actionnaires en 2006.

- Le *modèle économique*. Par-delà les subventions publiques et les dons, les entreprises sociales s'appuient généralement sur des revenus obtenus auprès de clients. Les associations d'aide au logement et les sociétés de microcrédit réclament des intérêts, et les entreprises de commerce équitable vendent leurs produits. Par conséquent, comme tous les autres entrepreneurs, les entrepreneurs sociaux doivent concevoir un modèle économique efficient, qui peut cependant impliquer certaines adaptations en termes de chaîne de valeur. Les entreprises de commerce équitable sont ainsi souvent beaucoup plus proches de leurs fournisseurs que les entreprises classiques : elles conseillent les agriculteurs ou contribuent à l'éducation et à la création d'infrastructures dans les régions concernées.

Les entrepreneurs sociaux, comme tous les autres entrepreneurs, doivent généralement tisser des relations avec de grandes entreprises privées (voir l'illustration 9.6). En Bulgarie, l'entreprise Ten Senses a ainsi créé le premier magasin de commerce équitable du pays grâce à l'aide de la banque américaine Citigroup et de la compagnie pétrolière Shell. Rosabeth Moss Kanter souligne que les entreprises privées peuvent retirer d'importants bénéfices de leur implication dans l'entrepreneuriat social[40] : cela peut leur permettre de développer de nouvelles technologies et de nouveaux services, d'accéder à de nouveaux types de candidats à l'embauche et de créer des relations avec des collectivités locales qui peuvent à terme devenir clientes de leurs produits ou services. Dans cette optique, les grandes entreprises devraient élaborer leurs stratégies en prenant en compte l'entrepreneuriat social, qui ne doit pas être uniquement considéré comme une activité caritative destinée à se donner bonne conscience.

Les grandes entreprises sont-elles plus ou moins innovantes que les petites ?

Les petites entreprises sont-elles réellement innovantes ?

Le célèbre économiste autrichien Joseph Schumpeter a affirmé que les grandes entreprises sont proportionnellement plus innovantes que les petites. Cette affirmation a fait l'objet d'une controverse. Si elle est vérifiée, les chercheurs ou les managers qui travaillent dans une grande entreprise ne devraient jamais la quitter pour créer leur propre start-up, tandis que Google ou Cisco devraient continuer à absorber des petites entreprises innovantes. De même, les autorités de régulation devraient se montrer plus bienveillantes à l'égard des grandes firmes dominantes telles que Microsoft qui affirment que leur taille leur permet d'être plus innovantes.

Plusieurs arguments plaident en faveur de l'affirmation de Schumpeter selon laquelle les grandes entreprises sont plus innovantes :

- Les grandes entreprises disposent de ressources plus importantes et plus variées, ce qui leur permet de rassembler les divers éléments nécessaires à l'innovation.
- Les grandes entreprises peuvent se permettre de prendre plus de risques, car elles savent qu'elles peuvent amortir le coût d'un échec.
- Les grandes entreprises sont plus motivées pour innover, car elles disposent des actifs complémentaires (par exemple les canaux de distribution) leur permettant de capitaliser sur leurs innovations.

Réciproquement, les petites entreprises peuvent apparaître comme plus innovantes pour plusieurs raisons :

- Les petites entreprises, du fait de leur taille, bénéficient d'un meilleur partage des connaissances.
- Les petites entreprises sont plus flexibles et moins bureaucratiques, ce qui leur permet d'innover plus rapidement et de manière plus audacieuse.
- Les petites entreprises sont plus motivées pour innover, car leur survie en dépend. À l'inverse, les grandes entreprises peuvent se contenter de défendre et d'exploiter leurs positions acquises.

Beaucoup de recherches ont porté sur la capacité d'innovation relative des grandes et des petites entreprises. Certains de ces travaux comparent l'effort de recherche, en mesurant par exemple le budget de R&D par rapport au chiffre d'affaires. D'autres se concentrent sur le résultat de la R&D en observant par exemple si les grandes entreprises déposent proportionnellement plus ou moins de brevets que les petites. Si aucun consensus général ne se dégage de toutes ces recherches, on peut cependant affirmer que :

- Dans les industries de haute technologie, par exemple dans l'électronique ou dans les logiciels, les grandes entreprises sont proportionnellement moins innovantes que les petites.
- Les grandes entreprises sont plus innovantes dans les services que dans l'industrie.

Jusqu'ici, la recherche ne permet pas d'affirmer qu'en règle générale les grandes entreprises sont plus ou moins innovantes que les petites. Pour autant, les scientifiques, les fonds d'investissement et les gouvernements doivent prendre en compte les spécificités de chaque industrie.

Sources :

C. Camisón-Zomosa, R. Lapiedra-Alcani, M. Segarra-Ciprés et M. Boronat-Navarro, « A meta-analysis of innovation and organizational size », *Organization Studies*, vol. 25, n° 3 (2004), pp. 331-361.

C.-Y. Lee et T. Sung, « Schumpeter's legacy : a new perspective on the relationship between firm size and R&D », *Research Policy*, vol. 34 (2005), pp. 914-931.

Question

Que feriez-vous si vous étiez chargé(e) d'accroître la capacité d'innovation d'une grande entreprise industrielle dans une activité de haute technologie ?

Résumé

- L'innovation soulève trois *dilemmes* fondamentaux : vaut-il mieux proposer des technologies ou répondre au marché, se focaliser sur les innovations de produit ou les innovations de procédé, et se concentrer sur l'innovation technologique ou sur l'élaboration de nouveaux modèles économiques ?

- L'innovation se diffuse selon un modèle dans lequel un démarrage lent est suivi par une croissance rapide lorsque le *point de bascule* est franchi, puis par une saturation de la demande. Les managers peuvent influencer ce processus en combinant des initiatives liées à l'offre et à la demande. Ils ne doivent pas supposer que l'innovation suivra nécessairement cette *courbe de diffusion* et ils doivent rester attentifs aux *points d'effondrement*.

- Les managers doivent choisir entre pénétrer les premiers sur un marché ou être des suiveurs, sachant que ces deux approches présentent des avantages et des inconvénients. Être le *premier entrant* sur un marché sans disposer des actifs complémentaires et de la capacité à capturer les profits mène généralement à l'échec. Les stratégies de *suiveur rapide* sont souvent plus pertinentes.

- Les entreprises établies peuvent facilement devenir captives de leurs relations avec leurs clients existants, au risque d'être victimes d'*innovations disruptives* capables de révéler des marchés totalement nouveaux. Les concurrents en place peuvent se protéger de ce conservatisme en développant des *portefeuilles d'options réelles* ou en mettant en place des *isolats*.

- Le *développement entrepreneurial* suit généralement quatre phases : le démarrage, la croissance, la maturité et la sortie. Les entrepreneurs doivent aussi définir quels types de *collaborations* ils entretiennent avec les grandes entreprises, en particulier s'ils sont impliqués dans un *écosystème* ou une démarche d'*innovation ouverte*. Il n'est pas démontré que les petites entreprises sont plus innovantes que les grandes.

- L'*entrepreneuriat social* est une façon flexible de traiter les problèmes sociaux, mais il soulève plusieurs dilemmes concernant la mission, la forme organisationnelle et le modèle économique retenus. Les entrepreneurs sociaux et les grandes entreprises doivent interagir d'une manière qui leur soit mutuellement bénéfique

Travaux pratiques ● Signale des exercices d'un niveau plus avancé

1. ● Déterminez la stratégie d'innovation qui a conduit à un nouveau produit ou service que vous avez récemment utilisé. En référence aux dilemmes présentés dans la section 9.2, déterminez si cette innovation était plutôt poussée par la technologie ou tirée par le marché, s'il s'agissait d'une innovation de produit ou de procédé et si elle concernait uniquement la technologie ou plus largement le modèle économique.

2. En utilisant un site qui analyse le trafic sur Internet (tel que alexa.com), comparez les évolutions de la fréquentation pour des sites établis tels que Amazon.com ou eBay et pour des sites plus récents tels que YouTube ou Facebook. En référence à la section 9.3, comment expliquez-vous ces évolutions et quelles projections en faites-vous ?

3. ● Déterminez la réponse des entreprises établies face à un nouveau produit ou service que vous avez récemment utilisé (voir la question 9.1). Dans quelle mesure cette innovation a-t-elle été disruptive (voir la section 9.4.3) ?

4. Identifiez la phase de développement entrepreneurial dans laquelle se trouvent Sole Technology (voir l'illustration 9.1), Nival Interactive (voir l'illustration 9.2), Facebook (voir l'illustration 9.3) et Trace TV (voir l'illustration 9.5). À quelles questions ces entreprises devraient-elles être confrontées dans les années à venir ?

5. En utilisant la section 9.5.3, définissez la mission sociale, la forme organisationnelle et le modèle économique d'un exemple d'entrepreneuriat social de votre choix.

Exercice de synthèse

6. Supposez que vous et vos amis ou collègues souhaitiez créer une entreprise. En utilisant la section 15.4.4, exposez brièvement les éléments du plan stratégique de ce projet. De quelles informations avez-vous besoin ?

Lectures recommandées

- Il existe de nombreux ouvrages consacrés à l'innovation et à ses répercussions stratégiques, par exemple J. Broustail et F. Fréry, *Le management stratégique de l'innovation*, Dalloz, 1993 ; J.-Y. Prax, B. Buisson, P. Silberzahn, *Objectif innovation*, Dunod, 2005 ; S. Fernez-Walch et F. Romon, *Management de l'innovation*, Vuibert, 2006, ou M. Shilling et F. Thérin, *Gestion de l'innovation technologique*, Maxima, 2006.
- G. Markides et P. Geroski, *Fast Second: how smart companies bypass radical innovation to enter and dominate new markets*, Jossey-Bass, 2005, présentent au travers de nombreux exemples les principaux problèmes stratégiques liés à l'innovation.
- Sur la diffusion des innovations, voir notamment B. Chakravorti, *The Slow Pace of Fast Change*, Harvard Business School Press, 2003, ainsi que E. Le Nagard-Assayag et D. Manceau, *Marketing des nouveaux produits : de la création au lancement*, Dunod, 2005, et A. Bloch et D. Manceau, *De l'idée au marché*, Vuibert, 2000.
- L'ouvrage de P.A. Wickham, *Strategic Entrepreneurship*, 3e édition, Prentice Hall, 2004, est certainement la référence sur la stratégie entrepreneuriale en Europe.
- Sur l'entrepreneuriat social, voir par exemple A. Nichols (ed.), *Social Entrepreneurship: New paradigms of sustainable social change*, Oxford University Press, 2006.
- Sur l'aspect financier des start-up, voir G. Arnold, *Corporate Financial Management*, 3e édition, Prentice Hall, 2005, chapitre 2.

Références

1. Cette définition est adaptée de celle que propose P. Trott, *Innovation, Management and New Product Development*, 3ᵉ édition, Prentice Hall, 2005.

2. Une bonne discussion des modèles académiques qui sous-tendent ces dilemmes figure dans R. Rothwell, « Successful industrial innovation: critical factors for the 1990s », *R&D Management*, vol. 22, nᵒ 3 (1992), pp. 221-239.

3. Voir E. von Hippel, *The Sources of Innovation*, Oxford University Press, 1988.

4. Voir J. Abernathy et W. Utterback, « A dynamic model of process and product innovation », *Omega*, vol. 3, nᵒ 6 (1975), pp. 142-160.

5. Voir P. Anderson, M.L. Tushman, « Technological discontinuities and dominant design : a cyclical model of technological change », *Administrative Science Quarterly*, vol. 35 (1990), pp. 604-633.

6. Voir J. Tang, « Competition and innovation behaviour », *Research Policy*, vol. 35 (2006), pp. 68-82.

7. Voir G. Hamel, *La révolution en tête*, Village Mondial, 2000.

8. Voir J. Magretta, « Why business models matter », *Harvard Business Review*, vol. 80, nᵒ 5 (2002), pp. 86-92.

9. Sur les aspects organisationnels du logiciel libre, voir T. Loilier et A. Tellier, « Comment peut-on se faire confiance sans se voir ? Le cas du développement des logiciels libres », *M@n@gement*, vol. 7, nᵒ 3 (2004), pp. 275-306.

10. Sur les liens entre les modèles économiques et les stratégies par domaines d'activité, voir G. Yip, « Using strategy to change your business model », *Business Strategy Review*, vol. 15, nᵒ 2 (2004), pp. 17-24, et G.M. Mansfield et L. Fourie, « Strategy and business models – strange bedfellows ? A case for convergence and its evolution into strategic architecture », *South African Business Management Journal*, vol. 15, nᵒ 1 (2004), pp. 35-44.

11. Sur la diffusion, voir E. Rogers, *Diffusion of Innovations*, Free Press, 1995 ; E. Le Nagard-Assayag et D. Manceau, *Marketing des nouveaux produits : de la création au lancement*, Dunod, 2005 ; W.C. Kim et R. Mauborgne, « Knowing a winning business idea when you see one », *Harvard Business Review*, vol. 78, nᵒ 5 (2000), pp. 129-138 ; B. Chakravorti, *The Slow Pace of Fast Change*, Harvard Business School Press, 2003 ; J. Cummings et J. Doh, « Identifying who matters: mapping key players in multiple environments », *California Management Review*, vol. 42, nᵒ 2 (2000), pp. 83-104.

12. Voir F. Fréry, « Le management des ruptures technologiques », dans *L'art du management 2.0*, Village Mondial, 2001 ; F. Fréry, « Du bon usage de la rupture », *Le Nouvel Économiste*, nᵒ 1391 (6 juin 2007), p. 14, et F. Fréry, « Mi-virtuelle, mi-réelle, Barbie a encore rajeuni », *Les Echos Innovation* (6 août 2007), disponible sur www.lesechos.fr.

13. Voir J. Cummings et J. Doh (référence 11).

14. Voir J. Nichols et S. Roslow, « The S-curve : an aid to strategic marketing », *Journal of Consumer Marketing*, vol. 3, nᵒ 2 (1986), pp. 53-64, et F. Suarez et G. Lanzolla, « The half-truth of first-mover advantage », *Harvard Business Review*, vol. 83, nᵒ 4 (2005), pp. 121-127.

15. Voir M. Gladwell, *Le point de bascule*, Intercontinental, 2003. On retrouve le phénomène de point de bascule dans les événements sociaux auxquels sont confrontés de nombreux services publics, par exemple la réduction de la criminalité ou la diffusion d'une épidémie.

16. Voir S. Brown, « The tripping point », *Marketing Research*, vol. 17, nᵒ 1 (2005), pp. 8-13.

17. Voir G. Markides et P. Geroski, *Fast Second: how smart companies bypass radical innovation to enter and dominate new markets*, Jossey-Bass, 2005 ; R. Kerin, P. Varadarajan et R. Peterson, « First-mover advantage: a synthesis, conceptual framework and research propositions », *Journal of Marketing*, vol. 56, nᵒ 4 (1992), pp. 33-52, et P.F. Suarez et G. Lanzolla (référence 14).

18. Voir P.F. Suarez et G. Lanzolla (référence 14), ainsi que S. Min, U. Manohar et W. Robinson, « Market pioneer and early follower survival risks: a contingency analysis of really new versus incrementally new product-markets », *Journal of Marketing*, vol. 70, nᵒ 1 (2006), pp. 15-33.

19. Voir D. Teece, *Managing Intellectual Capital*, Oxford University Press, 2000.

20. Voir P. Corbel, *Management stratégique des droits de la propriété intellectuelle*, Gualino, 2007.

21. Voir D. Teece (référence 19).

22. Sur l'interaction concurrentielle dans l'industrie des consoles de jeux vidéo, voir M. Shilling, « Technological leapfrogging: lessons from the US video game console industry », *California Management Review*, vol. 45, nᵒ 3 (2003), pp. 6-32.

23. Voir G. Markides et P. Geroski (référence 17).

24. Voir J. Bower et C. Christensen, « Disruptive technologies: catching the wave », *Harvard Business Review*, vol. 73, nᵒ 1 (1995), pp. 43-53, C. Christensen, *The Innovator's Dilemma*, Harvard Business

School Press, 1997, et C. Christensen et M.E. Raynord, *The Innovator's Solution*, Harvard Business School Press, 2003.

25. Voir R. McGrath et I. MacMillan, *The Entrepreneurial Mindset*, Harvard Business School Press, 2000.

26. Voir C. Christensen et M.E. Raynord (référence 24). Sur la notion d'isolat, voir J. Broustail et F. Fréry, *Le management stratégique de l'innovation*, Dalloz, 1993.

27. Voir V. Govindarajan et C. Trimble, « Organizational DNA for strategic innovation », *California Management Review*, vol. 43, n° 3 (2005), pp. 47-75.

28. Sur l'entrepreneuriat, voir par exemple J.A. Timmons, *New Venture Creation: Entrepreneurship in the 21st Century*, 6e édition, Irwin, 2004, O. Basso et P. Bieliczky, *Guide pratique du créateur de start-up*, Éditions d'Organisation, 1999, et P.A. Wickham, *Strategic Entrepreneurship*, 3e édition, Prentice Hall, 2004.

29. Le cycle de développement entrepreneurial est discuté par S. Hanks, C. Watson, E. Jansen et G. Chandler, « Tightening the life-cycle construct: a taxonomy study of growth stage configurations in high-technology organizations », *Entrepreneurship Theory and Practice*, (hiver 1993), pp. 5-28, et D. Flynn et A. Forman, « Life cycles of new venture organizations: different factors affecting performance », *Journal of Developmental Entrepreneurship*, vol. 6, n° 1 (2001), pp. 41-58.

30. Voir D. Flynn et A. Forman (référence 29).

31. Voir D. Flynn et A. Forman (référence 29).

32. Voir R. Kaplinsky, « Firm size and technological change », *Journal of Industrial Economies*, vol. 32, n° 1 (1983), pp. 39-59, et D. Mayer et M. Kenney, « Economic action does not take place in a vacuum: understanding Cisco's acquisition and development strategy », *Industry and Innovation*, vol. 11, n° 4 (2004), pp. 293-325.

33. Voir P. Audia et C. Rider, « A garage and an idea: what more does an entrepreneur need? », *California Management Review*, vol. 40, n° 1 (2005), pp. 6-28.

34. Voir H. Chesbrough, *Open Innovation: the New Imperatives for Creating and Profiting from Technology*, Harvard Business School Press, 2003. Le directeur de la recherche d'Intel décrit l'approche ouverte de son entreprise dans D. Tennenhouse, « Intel's open-collaborative model of industry-university research », *Research and Technology Management* (juillet-août 2004), pp. 19-26.

35. Voir H. Chesbrough, « Making sense of corporate venture capital », *Harvard Business Review*, vol. 80, n° 3 (2002), pp. 4-11, et A. Campbell, J. Birkinshaw, A. Morrison et R. Van Basten Batenburg, « The future of corporate venturing », *MIT Sloan Management Review*, vol. 45, n° 1 (2003), pp. 33-41.

36. Le directeur de la recherche d'IBM décrit les écosystèmes dans P.M. Horn, « The changing nature of innovation », *Research and Technology Management* (novembre-décembre 2005), pp. 28-33. Voir également B. Iyer, C.-H. Lee et N. Venkatraman, « Managing in a Small World Ecosystem », *California Management Review*, vol. 48, n° 3 (2006), pp. 28-47.

37. Voir A. Gawer et M. Cusumano, *Platform Leadership : how Intel, Microsoft and Cisco drive industry innovation*, Harvard Business School Press, 2002.

38. Voir P. DuGay, « Against enterprise », *Organization*, vol. 11, n° 1 (2004), pp. 17-48.

39. Voir S. Alvord, L. Brown et C. Letts, « Social entrepreneurship and societal transformation: an exploratory study », *Journal of Applied Behavioral Science*, vol. 43, n° 3 (2004), pp. 260-282, A. Nichols (ed.), *Social Entrepreneurship : New paradigms of sustainable social change*, Oxford University Press, 2006, et J. Austin, H. Stevenson et J. Wei-Skillern, « Social and commercial entrepreneurship: same, different, or both? », *Entrepreneurship Theory and Practice*, vol. 30, n° 1 (2006), pp. 1-23.

40. Voir R. Moss Kanter, « From spare change to real change », *Harvard Business Review*, vol. 77, n° 3 (1999), pp. 122-132.

TomTom sur l'orbite du succès

Introduction

L'année 2007 fut marquée par une nouvelle croissance record pour TomTom, le leader européen des systèmes de navigation par satellite (appelés PND, ou *personal navigation devices*). Depuis 2001 et le lancement de son premier logiciel de navigation, TomTom Navigator, son chiffre d'affaires (1,7 milliard d'euros) avait été multiplié par 212 et son résultat (290 millions) par 280. Sur l'année 2007, TomTom avait vendu plus de 9 millions d'exemplaires de son produit phare, le TomTom GO, soit deux fois plus qu'en 2006, cinq fois plus qu'en 2005 et quarante fois plus qu'en 2004, l'année de son lancement. Son marché continuait à exploser : il avait encore doublé en un an en Europe (pour atteindre 16 millions de PND) et triplé aux États-Unis (avec 9 millions). La fortune professionnelle des quatre fondateurs de l'entreprise, qui possédaient 56 % de son capital, était estimée à 700 millions d'euros chacun.

L'année 2007 avait également été marquée par une évolution profonde du périmètre d'activité de TomTom : pour 2 milliards d'euros, l'entreprise avait en effet lancé une OPA sur son fournisseur de cartographie, le Néerlandais Tele Atlas. Cette acquisition lui permettrait de contrôler une étape clé de la filière de la navigation, de sécuriser un approvisionnement en données cruciales et de poursuivre son mouvement d'intégration verticale.

Histoire de la technologie GPS

Les outils de navigation par satellite fonctionnent grâce au GPS (*global positioning system*), une constellation de 24 satellites orbitant à 20 200 kilomètres d'altitude, qui émettent en permanence un signal daté précisément grâce à leur horloge atomique. Ce système a été initié par l'armée américaine en 1978 sous le nom de Navstar

(*navigation system with timing and ranging*). Il comprenait alors 11 satellites. En 1983, le président américain Ronald Reagan décida d'ouvrir cette technologie aux usages civils, à la suite de la destruction par les Soviétiques d'un avion de ligne de la Korean Airlines qui s'était égaré au-dessus de la Sibérie. En 1995, le système devint pleinement opérationnel grâce à la mise en orbite complète de la constellation de 24 satellites GPS. En 1996, le président américain Bill Clinton autorisa l'élimination progressive d'un dispositif de brouillage, mis en place par les militaires, qui limitait la précision des GPS civils à 100 mètres. Avec la suppression de ce brouillage, effective le 1er mai 2000, la précision des GPS civils passa à 10-15 mètres, ce qui permit l'émergence d'appareils réellement utiles pour le grand public.

Les récepteurs GPS tels que les PND fonctionnent en captant les signaux d'au moins quatre satellites et en mesurant les écarts relatifs de leurs horloges. On peut ainsi déterminer la distance du récepteur par rapport à chacun des satellites et ainsi le situer avec précision (latitude, longitude, altitude, mais également direction et vitesse). Le GPS est couramment utilisé pour localiser des véhicules, des navires, des avions, des missiles et même des satellites en orbite basse.

Afin de limiter la dépendance à l'égard des États-Unis, d'autres systèmes de localisation par satellite existent ou sont en développement : le Glonass russe (lancé dans les années 1980, mais jamais pleinement opérationnel), le Beidou chinois (opérationnel uniquement en Chine car il utilise trois satellites géostationnaires) et le Galileo européen (système civil de 30 satellites prévu pour 2012).

TomTom, prototype du suiveur rapide

En 1991, Peter-Frans Pauwels et Pieter Geelen, deux ingénieurs fraîchement diplômés de l'université d'Amsterdam, fondèrent l'entreprise Palmtop. Leur activité consistait alors à développer des logiciels (dictionnaires, jeux, planificateurs d'itinéraires) pour les ordinateurs de poche, notamment la gamme Series 3 du constructeur britannique Psion. En 1994, Corinne Vigreux, une Française qui occupait le poste de directeur commercial international chez Psion, rejoignit les deux fondateurs pour les aider à commercialiser leurs produits. Le lancement du Palm Pilot en 1996, puis l'apparition des premiers PDA sous système Windows leur permirent de diversifier leurs débouchés.

En 2001, Harold Goddjin, le directeur exécutif de Psion, rejoignit à son tour l'équipe de Palmtop. Pour éviter d'évidentes confusions avec Palm, les quatre entrepreneurs décidèrent de renommer leur entreprise TomTom, un nom conseillé par un cabinet spécialisé.

Pauwels, Geelen, Vigreux et Goddjin formaient une équipe remarquablement complémentaire : deux spécialistes du logiciel, deux spécialistes du matériel ; deux ingénieurs, une commerciale et un manager ; deux entrepreneurs et deux cadres issus d'une entreprise renommée.

Le premier produit de TomTom fut un logiciel de navigation par satellite utilisable sur les PDA, le TomTom Navigator, lancé en 2001. Proposé par HP avec un PDA et une antenne GPS, ce logiciel connut un grand succès et permit à TomTom de réaliser son premier million d'euros de profit. Cependant, c'était une solution compliquée à utiliser par le grand public et aisément piratée par les spécialistes. Par ailleurs, comme le déclarait Corinne Vigreux : « Nous voulions être tout à fait maîtres de notre destinée et ne pas dépendre d'un gros fabricant. » Aussi, en 2003, TomTom recruta Mark Gretton, l'ancien directeur technique de Psion, qui avait créé le Psion Series 3, afin de mettre en place une équipe spécialisée dans le matériel et de développer un PND, le TomTom GO.

Les PND existaient déjà à cette époque. Le premier récepteur GPS portable avait été commercialisé par l'entreprise californienne Magellan en 1989. C'est encore Magellan qui avait lancé en 1997 le premier appareil portable de communication globale par satellite. Magellan avait été rachetée par l'équipementier militaire français Thales en 2001. Parallèlement, l'entreprise américaine Garmin, fondée en 1989 à Olathe (Kansas), avait développé des récepteurs GPS spécialisés pour les usages maritimes, la randonnée, l'aviation ou le guidage automobile. De même, l'entreprise néo-zélandaise Navman, au départ spécialisée dans les GPS maritimes, avait proposé des systèmes portables de navigation automobile dès 1997.

Les systèmes de guidage par satellite pour automobiles existaient d'ailleurs depuis le début

Étude de cas

des années 1990, mais il s'agissait pour la plupart de systèmes fixes, intégrés en usine dans le tableau de bord des voitures haut de gamme, pour un prix souvent supérieur à 2 000 euros.

Le TomTom GO arrivait donc sur un marché déjà exploré par de nombreux pionniers. Cependant, lancé au printemps 2004 au prix de 799 euros, il marquait une étape décisive dans l'intégration du matériel et du logiciel. Grâce aux compétences développées et acquises par Tom-Tom, c'était le premier PND véritablement utilisable par le grand public : il tenait dans la main, n'avait pas d'antenne extérieure, s'installait grâce à une ventouse sur le pare-brise et se commandait uniquement à l'aide de son écran tactile. Afin de prendre en charge le lancement du GO, TomTom avait pris soin de recruter Alexander Ribbink, ancien vice-président du développement chez Unilever et vice-président du développement des marques chez Mars. Le succès fut foudroyant :

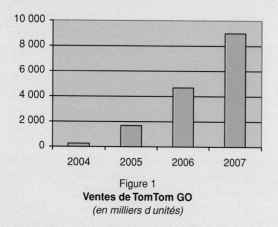

Figure 1
Ventes de TomTom GO
(en milliers d unités)

TomTom accompagna cette croissance exponentielle en lançant chaque année une nouvelle génération de GO, qui apportèrent chaque fois une série d'innovations : écran de plus en plus large, intégration de l'info trafic et de la météo, lecture de MP3, fonction mains libres pour les téléphones, reconnaissance vocale, possibilité

pour les utilisateurs de corriger les erreurs sur les cartes, etc. Parallèlement, les prix avaient fortement baissé : en 2007, les prix des PND TomTom allaient de 199 euros pour l'entrée de gamme (un appareil comparable au GO de 2004) à 449 euros pour le plus perfectionné.

À côté de l'autofinancement (le résultat net de TomTom représentait chaque année plus de 20 % de son chiffre d'affaires), cette croissance s'appuya sur une introduction à la Bourse d'Amsterdam en mai 2005, qui permit de lever 117 millions d'euros pour 44 % du capital. Comme à son habitude, TomTom recruta à cette occasion un manager expérimenté, Marina Wyatt, ancienne directrice financière de Psion et de Colt Telecom. Émise à 15,90 euros, l'action TomTom atteignit les 70 euros fin 2007.

Cette croissance impliqua également une forte augmentation du nombre de salariés. Leur nombre doubla tous les ans à partir de 2002, pour atteindre 816 personnes fin 2006. Pour gérer cette expansion, TomTom recruta Harry Van de Kraats, l'ancien directeur des ressources humaines de la division surgelés d'Unilever aux Pays-Bas.

Un marché en pleine ébullition

La formidable croissance de TomTom attira cependant de nombreuses convoitises.

Le pionnier Magellan, mal intégré par Thales, ne réussit pas à conserver ses positions. De fait, Thales le revendit au fonds d'investissement Shah Capital Partners en 2006, ce qui se traduisit par une brusque reprise des ventes. De même, en février 2007, Navman fut racheté par le Taïwanais Mitac, déjà propriétaire de la marque Mio, mais la coexistence des deux marques était relativement difficile à gérer.

Le principal concurrent de TomTom était Garmin, qui régnait sur le marché nord-américain, où sa part de marché en 2007 était d'environ 50 % (mais le marché local était deux fois moins développé que le marché européen en volume). Réciproquement, TomTom dominait le marché européen, avec une part de marché supérieure à 35 %. Outre le renforcement de leur position sur leur marché domestique, l'ambition des deux concurrents était d'améliorer leur part de marché à l'international. TomTom avait ainsi lancé une vaste campagne publicitaire aux États-Unis, ce qui lui avait permis de conquérir plus de 25 % du marché local. De son côté, Garmin avait réduit ses prix de manière très agressive en Europe (avec des PND proposés à partir de 149 euros), obtenant ainsi une part de marché de plus de 15 %, ce qui lui avait permis de repasser très légèrement devant TomTom au niveau mondial (en volume). La concurrence entre les deux leaders était frontale : leurs gammes étaient comparables en termes de fonctionnalités et ils n'avaient pas hésité à se poursuivre mutuellement en justice, chacun accusant l'autre de copier certaines de ses innovations. Cependant, leur modèle économique était différent : si Garmin se vantait de son intégration verticale (il fabriquait ses PND dans ses propres sites de production, ce qui en faisait un groupe de 7 000 personnes), TomTom sous-traitait totalement la fabrication du GO (ce qui lui permettait d'avoir dix fois moins de salariés).

Il existait également quelques concurrents de moindre importance, qui étaient souvent cantonnés à des rôles nationaux. C'était notamment le cas de ViaMichelin en France. Dès le début du XXe siècle, le fabricant de pneus Michelin avait cherché à renforcer l'usage de l'automobile en développant une série de services complémentaires : installation de bornes sur les routes françaises, création du fameux guide des restaurants, publication de guides touristiques et édition de cartes routières. ViaMichelin était le lointain descendant de cette dernière activité. Lancés fin 2005, ses PND étaient comparables à ceux de la concurrence, ce qui lui avait permis (grâce à la réputation locale de Michelin) d'être deuxième sur le marché français, derrière TomTom mais devant Mio et Navman. En revanche, dans le reste du monde, la présence de ViaMichelin restait

négligeable et l'activité était largement déficitaire. De fait, en janvier 2008, Michelin annonça l'arrêt de sa gamme de PND, préférant se concentrer sur la fourniture de contenus. De la même manière, Medion et Blaupunkt jouaient un certain rôle sur le marché allemand, alors que les fabricants historiques de systèmes de navigation intégrés dans les tableaux de bord des voitures (notamment Pioneer ou Sony), devant l'effondrement de leur marché d'origine, étaient eux aussi passés aux PND. Réciproquement, TomTom avait d'ailleurs passé un accord avec Toyota, afin d'équiper en usine sa Yaris d'un GO, pour un tarif très inférieur à celui des systèmes intégrés classiques.

Au total, d'après l'institut spécialisé Canalys, les parts de marché mondiales en volume se répartissaient comme suit fin 2007 :

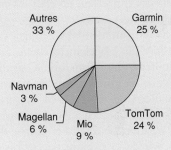

Figure 2
Parts de marché mondiales

Les enjeux futurs

Alors que les experts prévoyaient que le marché mondial des PND triplerait entre 2007 et 2010, deux enjeux stratégiques majeurs mobilisaient l'attention des concurrents : le contrôle de la cartographie et la montée en puissance des fabricants de téléphones mobiles.

Si le repérage par satellite était un service gratuitement fourni par le gouvernement américain, il n'en était pas de même pour le travail de relevé cartographique, indispensable aux logiciels de navigation : les automobilistes n'attendaient pas de leur PND une indication de leur position en termes de latitude et de longitude,

Étude de cas

mais bien des instructions claires, avec les noms de rue, le détail de chaque intersection et éventuellement la présence de stations-service, de parkings ou de radars de contrôle de vitesse. Pour cela, il était donc indispensable d'effectuer des relevés précis sur le terrain et surtout de les actualiser fréquemment, afin de tenir compte des modifications incessantes du réseau routier. Deux entreprises se partageaient ce travail de fourmi : l'Américain NavTeq et le Néerlandais Tele Atlas. Tous deux employaient la même technique : leurs équipes sillonnaient les routes à bord de voitures équipées de récepteurs et notaient scrupuleusement tous les détails. Il s'agissait d'une tâche fastidieuse, très consommatrice en temps et en main-d'œuvre, mais indispensable à la précision des PND. La principale réclamation des utilisateurs concernait en effet les erreurs de cartographie.

Tous les fabricants de PND se fournissaient soit auprès de NavTeq (Magellan, Michelin, Sony), soit auprès de Tele Atlas (TomTom, Garmin, Mio). Le contrôle de ces données constituait un élément clé de la filière des PND. C'est la raison pour laquelle TomTom lança en juillet 2007 une OPA sur Tele Atlas – entreprise cotée à la Bourse d'Amsterdam – au prix de 21,25 euros par action, pour un montant total de 2 milliards d'euros. La direction de Tele Atlas réagit favorablement à cette offre et l'action TomTom gagna immédiatement 7,8 %.

Cependant, deux événements vinrent perturber ce rachat. En octobre 2007, le leader mondial de la téléphonie mobile, le Finlandais Nokia, racheta NavTeq pour 8,1 milliards de dollars, soit la plus grosse acquisition de son histoire. Soucieux de ne pas voir les deux fournisseurs de données cartographiques être contrôlés par des concurrents, Garmin réagit quelques jours plus tard en lançant une contre-OPA sur Tele Atlas, à 24,50 euros par action. Le titre TomTom plongea immédiatement de 18,77 % à 55,06 euros, le marché craignant de voir Tele Atlas lui échapper. La Bourse s'inquiétait aussi du prix éventuel d'une surenchère de la part de TomTom.

D'ailleurs, le titre Garmin chuta lui aussi de 7,7 % à Wall Street. Pour sa part, le conseil d'administration de Tele Atlas, ravi de cette bataille boursière, indiqua avoir « informé Tom-Tom que la direction a l'intention de soutenir et recommander l'offre de Garmin, à moins que TomTom ne l'égale ». Suite à ces déclarations, le titre Tele Atlas bondit de 14,87 % à 27,58 euros, soit bien au-dessus du prix proposé par les deux protagonistes. Finalement, en novembre 2007, TomTom releva son offre de 41 % à 30 euros par action, ce qui valorisait Tele Atlas à 2,9 milliards d'euros, soit 1,1 milliard de plus qu'en juillet. Garmin décida de ne pas surenchérir et annonça un contrat exclusif de six ans renouvelable quatre ans avec NavTeq. En dépit du surprix payé pour Tele Atlas, l'action TomTom bondit de 8 % à la Bourse d'Amsterdam, les investisseurs anticipant le succès de sa stratégie de contrôle de son principal fournisseur.

Le rachat de NavTeq par Nokia était cohérent avec l'évolution de la géolocalisation : Nokia avait déjà lancé en 2006 son modèle haut de gamme N95, qui incorporait une fonction GPS, et il prévoyait d'étendre progressivement cette fonction à l'ensemble de sa gamme. De même, Apple avait doté son iPhone d'un accès à Google Maps. Pour les fabricants de téléphonie mobile, l'enjeu consistait à proposer des services localisés et personnalisés, et notamment l'envoi de SMS et MMS publicitaires en fonction de la position de l'abonné. D'après certaines prévisions, ce marché pouvait quintupler entre 2007 et 2011, pour atteindre plus de 11 milliards de dollars.

Or, face à Nokia, TomTom et Garmin restaient des acteurs modestes. Nokia avait en effet vendu 437 millions de téléphones mobiles en 2007 (soit 1,2 million par jour), alors que TomTom ou Garmin ne produisaient que 10 millions de GPS par an. Cette différence avait de fortes répercussions sur les coûts d'achat de pièces telles que les écrans, les puces, les antennes GPS ou les batteries. Tom-Tom, qui avait progressivement délaissé son activité purement logicielle (TomTom Navigator) pour se concentrer sur le GO, risquait donc de devoir revenir sur cette tendance pour proposer des solutions de navigation aux fabricants de téléphones portables. Sa maîtrise de la filière téléphonie restait cependant très limitée, et en tout cas sans commune mesure avec sa position dominante dans l'industrie des PND.

Pour autant, TomTom pouvait miser sur un flux continu de nouvelles innovations, qui reposait non seulement sur un budget de R&D de 36 millions d'euros en 2006 (pour 101 millions en marketing), mais également sur une interaction constante avec ses clients. En effet, certains utilisateurs n'hésitaient pas à rajouter des fonctionnalités à leur PND. Plusieurs sites Internet tels que gpspassion.com leur permettaient d'échanger et de télécharger des fichiers de points d'intérêt (localisation des radars, mais aussi de magasins, d'hôtels, de restaurants, etc.), de modifier la voix utilisée pour le guidage, voire de redessiner une partie de l'interface. En 2007, TomTom avait d'ailleurs officialisé ces pratiques en développant le service *Mapshare*, qui permettait à ses clients de relever sur leur GO et de transmettre par Internet d'éventuelles erreurs sur ses cartes. Cette approche, inspirée des sites communautaires du type MySpace ou YouTube, permettait à la fois de constituer une base de clientèle active, mais également d'actualiser et d'enrichir les cartes à moindre frais. Par ailleurs, TomTom avait racheté en janvie 2006 une petite société écossaise, Applied Generics, qui avait développé un logiciel permettant de connaître en temps réel l'état du trafic routier en analysant la position des téléphones mobiles : plus la concentration de téléphones sur une portion de route était importante, plus la probabilité d'un encombrement était élevée. Cette technologie appelée HD Traffic, qui fonctionnait sur l'ensemble du réseau routier, permettait de s'affranchir des fournisseurs d'info trafic (comme V-Trafic ou ViaMichelin en France), qui ne proposaient leurs services que sur les grands axes routiers en utilisant les ondes radio FM.

Les perspectives d'avenir étaient encourageantes car le marché potentiel restait vaste. En Europe et en Amérique du Nord, seule une faible proportion d'automobilistes était encore équipée. Or, la volonté des pouvoirs publics de multiplier les radars, associée à la baisse des prix des PND, stimulaient la demande. Par ailleurs, cette demande était encore limitée aux pays riches : dans le reste du monde, le nombre d'utilisateurs restait insuffisant pour justifier une actualisation permanente des cartes. De plus, le marché de la première monte (équipement d'origine d'un PND sur les voitures neuves) était à peine émergent. Cependant, nul ne pouvait prévoir si TomTom saurait saisir ces opportunités, ni même si le PND – et non le téléphone mobile – serait à l'avenir le produit phare de la navigation routière : en mars 2008, Nokia annonça ainsi son intention de commercialiser 35 millions de téléphones équipés d'une fonction GPS avant la fin de l'année.

Sources : investors.tomtom.com ; gpspassion.com ; monographie ESCP-EAP 2006 par P.-E. Perchaud, F. Novella et A. Thillaye ; *Les Echos*, 23 juillet 2007 et 2 octobre 2007 ; *Le Point*, 5 juillet 2007 ; « TomTom et le marché des GPS portables » ; latribune.fr, 31 octobre, 1er et 16 novembre 2007 ; lemondeinformatique.fr, 8 et 19 novembre 2007 ; mobifrance.com, 5 février 2008.

Questions

1. Positionnez TomTom par rapport aux trois dilemmes de l'innovation présentés dans la section 9.2.

2. En vous référant à la section 9.3.2, déterminez le moment du point de bascule dans le développement de TomTom. Peut-on anticiper un point d'effondrement ?

3. Pourquoi TomTom, qui n'a pas été le premier entrant sur son marché, en est-il devenu un leader ?

4. Quelles sont les collaborations dont TomTom a bénéficié au cours de son développement ?

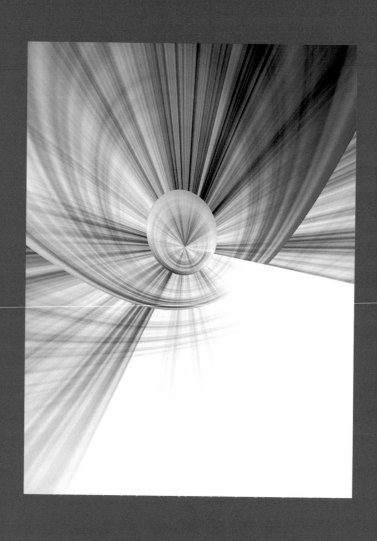

Chapitre 10
Les modalités de développement et l'évaluation de la stratégie

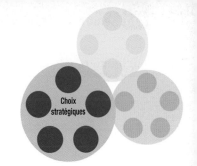

Objectifs

Après avoir lu ce chapitre, vous serez capable de :

- Décrire les trois modalités de développement stratégique : la croissance interne, les fusions et acquisitions, les alliances et partenariats.
- Mobiliser les trois critères de réussite permettant d'évaluer les choix stratégiques : la pertinence, l'acceptabilité et la faisabilité.
- Utiliser les différentes techniques d'évaluation des options stratégiques.

10.1 Introduction

Ce chapitre conclut la deuxième partie, qui a été consacrée aux choix stratégiques envisageables pour une organisation (voir le schéma II.i). Dans le chapitre 6, nous avons vu quels choix de positionnement sont possibles par rapport aux concurrents. Cela inclut notamment les orientations en termes de produits et de marchés, qui ont été présentés dans le chapitre 7 et développés dans les chapitres 8 (pour l'internationalisation) et 9 (pour l'innovation). Il existe cependant un troisième niveau de choix, qui concerne les modalités selon lesquelles une stratégie concurrentielle ou une orientation stratégique peuvent être déployées. La section 10.2 est consacrée à cette question.

Grâce aux outils introduits dans la première partie et dans les quatre précédents chapitres, il est possible de générer des idées de développement stratégique. Cependant, ces options doivent être évaluées selon différents *critères de réussite*. Pour cela, nous présenterons dans la section 10.3 une série de *techniques d'évaluation des options stratégiques*.

Le schéma 10.1 résume la structure de ce chapitre.

| Schéma 10.1 | **La logique innovation/entrepreneuriat** |

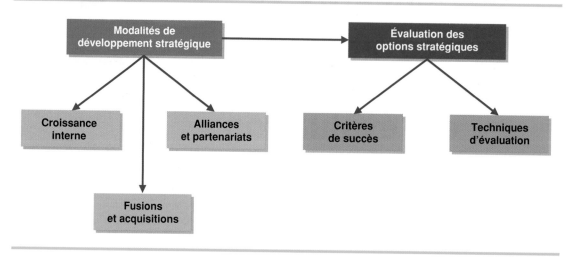

10.2 Les modalités de développement stratégique

Les modalités de développement sont les méthodes permettant de conduire une orientation stratégique

Chacune des orientations stratégiques discutées dans les chapitres 6 à 9 peut être menée au travers de différentes modalités de développement. Ces méthodes permettant de poursuivre une stratégie peuvent être réparties en trois catégories : la croissance interne, la croissance externe (fusions, acquisitions, cessions) et la collaboration (alliances et partenariats).

10.2.1 La croissance interne[1]

La croissance interne – ou croissance organique – consiste à développer les stratégies à partir des propres capacités de l'organisation

La croissance interne – ou *croissance organique* – consiste à développer les stratégies à partir des propres capacités de l'organisation. Pour beaucoup d'organisations, la croissance interne constitue la principale modalité de développement stratégique. Ce choix s'explique par plusieurs raisons :

- Les *offres à fort contenu technologique*, que ce soit en termes de produits ou de procédés, conduisent en général à la croissance interne, car cela permet de mieux acquérir et renforcer les capacités indispensables à l'avantage concurrentiel. Ces capacités permettent à leur tour de créer de nouveaux produits et de nouveaux marchés.
- *L'apprentissage et la construction de capacités* peuvent être améliorés par la croissance interne. Une organisation peut ainsi acquérir une meilleure connaissance de ses marchés et une plus grande proximité avec ses clients en développant sa propre force commerciale plutôt qu'en faisant appel à des agents ou des distributeurs externes.
- *L'étalement de l'investissement.* Développer de nouvelles activités en interne est parfois significativement plus coûteux qu'acquérir une autre organisation. Cependant, la possibilité d'étaler ces coûts constitue un avantage majeur. C'est une des principales raisons pour lesquelles les petites organisations ou les services

publics, qui n'ont généralement pas à leur disposition immédiate les ressources nécessaires pour des investissements majeurs, peuvent privilégier la croissance interne.

- Un *processus moins brutal*. La croissance interne implique un changement plus fluide que la croissance externe, ce qui permet de minimiser les risques de rupture avec les activités existantes, d'amoindrir les chocs culturels et de limiter les luttes politiques souvent liées à une acquisition (voir la section 10.2.2).

- De plus, la vitesse d'évolution de l'organisation est moindre en cas de développement interne, ce qui permet de minimiser – ou du moins d'aménager – les ruptures avec les activités traditionnelles.

- Les *caractéristiques de l'environnement concurrentiel* peuvent imposer une croissance interne. Les organisations qui souhaitent développer des innovations radicales ne peuvent pas recourir à des acquisitions ou à des alliances, faute de cibles ou de partenaires. De même, les organisations qui souhaitent se développer par acquisition ne sont pas toujours capables d'identifier des cibles convaincantes. Cette situation a longtemps été une des caractéristiques des entreprises occidentales cherchant à s'implanter au Japon.

10.2.2 Les fusions et acquisitions[2]

Une **acquisition** correspond au rachat d'une organisation par une autre organisation, alors qu'une **fusion** est la décision mutuellement consentie par des organisations de partager leur possession. En pratique, peu d'acquisitions sont hostiles, tout comme peu de fusions sont réalisées entre égaux. Concrètement, ces deux modalités de développement se traduisent par le fait qu'une organisation exerce une influence stratégique sur une autre. On observe de grandes vagues de fusions et acquisitions à l'échelle planétaire[3]. Globalement, le nombre d'acquisitions a triplé entre 1991 et 2001. Ce mouvement a décliné après 2000, pour atteindre à peu près 1 200 milliards de dollars en 2002. Depuis, le mouvement est reparti à la hausse, pour atteindre environ 3 800 milliards de dollars en 2006[4] (voir le schéma 10.2). La plupart des opérations de fusions et acquisitions concernent l'Amérique du Nord et l'Europe de l'Ouest. Du fait de différences significatives dans les systèmes de gouvernement d'entreprise (voir la section 4.2), elles sont beaucoup moins fréquentes dans d'autres parties du monde, notamment au Japon.

Une acquisition correspond au rachat d'une organisation par une autre organisation

Une fusion est la décision mutuellement consentie par des organisations de partager leur possession

Les motivations des fusions et acquisitions

Beaucoup de facteurs peuvent motiver des fusions et acquisitions. La nécessité de s'adapter à un *environnement* changeant constitue l'argument le plus souvent avancé :

- La *vitesse*. Dans certains cas, les produits et les marchés évoluent tellement rapidement que la croissance externe est la seule manière de maintenir les positions commerciales, la croissance interne ne permettant pas la même vitesse de réaction.

- La *situation concurrentielle* peut pousser une entreprise à favoriser la croissance externe. Dans un marché statique où les positions des concurrents sont stables, il peut être difficile pour un nouvel entrant de privilégier la croissance interne, car cela débouche généralement sur une capacité de production excédentaire et donc à terme sur une guerre des prix. En revanche, si le nouvel entrant choisit d'absorber un concurrent déjà établi, le risque de riposte est réduit.

| Schéma 10.2 | **Les fusions et acquisitions en valeur (milliards de dollars)** |

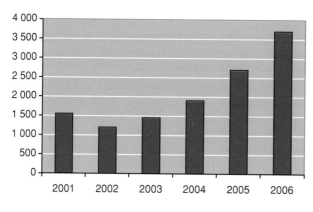

■ Montant des fusions et acquisitions dans le monde

Source : « All aboard the M&A express », *Sunday Times Business Focus*, 31 décembre 2006.

- Les *opportunités de consolidation*. Lorsqu'une industrie est peu concentrée, il peut être intéressant de rééquilibrer l'offre et la demande en achetant des concurrents et en arrêtant une partie de leur production. De même, la *déréglementation* a généré un niveau de fragmentation considéré comme sous-optimal dans beaucoup d'industries telles que les télécommunications, la production d'électricité ou la distribution d'eau. Certains concurrents ont donc cherché – au travers d'acquisitions – à tirer bénéfice des économies d'échelle, à rationaliser l'offre ou à accroître leur pouvoir de négociation en proposant une palette complète de services aux collectivités (électricité, gaz, télécommunications, etc.).
- Les *marchés financiers* peuvent aussi motiver les fusions et acquisitions. Si la valeur de l'action d'une entreprise ou son PER (*price earnings ratio* ou *ratio cours/bénéfice*, c'est-à-dire le ratio entre le cours de l'action et le bénéfice par action) sont élevés, elle peut être tentée d'absorber une autre entreprise dont la valeur de l'action ou le PER sont faibles. Ce point de vue est une motivation essentielle pour les acquéreurs les plus agressifs. Un cas extrême est le dépeçage, dans lequel le principal objectif de l'acquisition est le gain à court terme obtenu par l'achat d'actifs sous-évalués et revendus par appartements.

Les fusions et acquisitions peuvent également être justifiées par des considérations liées à la *capacité stratégique* :

- Une acquisition peut permettre *d'exploiter des capacités stratégiques*. En rachetant des entreprises sur des marchés étrangers, on peut exercer un effet de levier sur sa propre capacité de R&D ou de marketing.
- La *réduction des coûts* peut aussi pousser à préférer la croissance externe : cela permet de fusionner des services, de rationaliser des ressources (notamment au niveau du siège) ou de profiter d'économies d'échelle.

- *L'obtention de nouvelles capacités* peut également motiver une acquisition. Une entreprise peut ainsi être rachetée pour son expertise en R&D, sa connaissance d'un processus de production ou sa forte pénétration sur un marché.

Les acquisitions peuvent enfin être fondées sur les *attentes des parties prenantes* les plus influentes :

- Les *investisseurs institutionnels* exigent une croissance continue que seules les fusions et acquisitions – à partir d'une certaine taille – sont à même d'assurer. Cela peut finir par contraindre l'entreprise à se diversifier au-delà de son périmètre de compétence. L'acquéreur risque alors de ne pas suffisamment comprendre sa cible pour lui permettre de s'épanouir et ainsi réduire sa performance plutôt que de la favoriser (voir le chapitre 7). Ce *dilemme entre croissance et cohérence* est particulièrement aigu pour les entreprises de grande taille, pour lesquelles une croissance annuelle de 10 % peut parfois impliquer un surcroît de chiffre d'affaires de plusieurs centaines de millions d'euros, impossible à réaliser par croissance interne et/ou dans le cadre de leur périmètre actuel[5].
- Les *ambitions personnelles des managers* peuvent expliquer les fusions et acquisitions car elles leur offrent rapidement de meilleures perspectives de carrière et l'opportunité de rémunérations plus élevées. Grâce aux perturbations qu'elle provoque et à l'attention qu'elle suscite, une fusion ou une acquisition peut également permettre à une équipe dirigeante de masquer temporairement des difficultés de gestion ou une carence stratégique.
- Les motivations de certaines parties prenantes peuvent être plus *spéculatives* que stratégiques, ce qui peut les conduire à favoriser des acquisitions « cosmétiques », susceptibles d'entraîner une hausse rapide mais éphémère du cours de Bourse. Les autres parties prenantes se méfient le plus souvent de ces spéculateurs, car leur cupidité peut détruire la prospérité à long terme.

Le débat qui figure à la fin de ce chapitre (voir l'illustration 10.7) souligne que toutes les parties prenantes ne bénéficient pas équitablement des fusions et acquisitions.

Les fusions et acquisitions et la performance financière

La plupart des fusions et acquisitions dégradent la performance financière[6]. Plus de 70 % des fusions et acquisitions se traduisent par une réduction de valeur pour les actionnaires des deux organisations. De manière assez surprenante, la perte est souvent plus importante pour les actionnaires de l'acquéreur que pour ceux de la cible, qui réalisent généralement une plus-value lors de l'offre publique d'achat, en particulier si elle est hostile. De même, les managers de la cible réussissent parfois mieux à préserver leur position que ceux de l'acquéreur, essentiellement du fait que la posture de résistant est plus facile à adopter ouvertement que celle d'envahisseur. Pour les acquéreurs, l'erreur la plus courante est de payer trop cher, ce qui peut parfois être encouragé par les banques d'affaires, rémunérées en pourcentage de la transaction. Les acheteurs sont souvent bien trop optimistes à propos des avantages qu'ils retireront d'une acquisition. Il ne faut pas oublier qu'à côté des capacités stratégiques convoitées, des ressources et compétences de moindre qualité – voire incompatibles avec celles de l'acheteur – feront aussi partie de la transaction. De fait, beaucoup d'organisations préfèrent acheter – lorsque c'est possible – des marques ou des technologies plutôt qu'une entreprise dans sa totalité. Même lorsqu'une opération de fusion ou acquisition réussit, il faut parfois un temps considérable pour que l'acquéreur retire un avantage financier de sa croissance externe.

Les conditions de succès des fusions et acquisitions[7]

La manière de gérer une opération de fusion ou d'acquisition dépend fortement de l'orientation stratégique retenue[8]. Quoi qu'il en soit, quatre problèmes doivent être résolus :

- L'acquéreur peut se révéler incapable d'*améliorer la performance* de ses cibles. Nous avons déjà évoqué ce point dans la section 7.4.
- Il convient également d'obtenir l'*adhésion des managers intermédiaires*, dont dépendent la pérennité de l'activité de la cible et notamment le maintien de la confiance de ses clients. Si certains dirigeants de la cible doivent être remplacés, il convient de le faire très rapidement, avant qu'une ambiance délétère ne s'installe.
- Les synergies attendues ne sont pas toujours réalisées, soit parce qu'elles n'existent pas, soit en raison de difficultés d'intégration des activités de la cible. Lorsque l'opération est motivée par l'*apprentissage organisationnel*, il peut être difficile d'identifier quelles connaissances doivent être transférées (voir les sections 3.4.3 et 3.6.2).
- L'échec des fusions et acquisitions résulte très souvent d'*incompatibilités culturelles*, qui sont encore plus problématiques dans le cadre des fusions transfrontalières[9]. Ce choc culturel peut être particulièrement violent lorsque les modèles économiques et les routines des deux organisations sont trop différents.

10.**2**.**3** Les alliances et partenariats[10]

La collaboration entre deux organisations peut prendre deux formes : les *alliances* (lorsque les organisations sont concurrentes) et les *partenariats* (lorsqu'elles ne le sont pas). Les alliances et partenariats varient considérablement en termes de forme et de complexité, du simple partenariat entre un producteur et un distributeur jusqu'aux alliances entre de multiples concurrents dans le but de proposer des solutions élaborées. Chacune des 500 plus grosses entreprises mondiales participe ainsi en moyenne à 60 alliances ou partenariats[11]. Ces modalités de développement stratégique connaissent une popularité croissante. En effet, les organisations ne sont pas toujours capables de faire face à la complexité de l'environnement global à partir de leurs seules ressources et compétences internes[12]. Pour obtenir des matières premières, des savoir-faire, de l'innovation, des financements ou des accès à des marchés, les organisations peuvent établir des collaborations plutôt que d'envisager des acquisitions (voir l'illustration 10.1). Les alliances et partenariats permettent également de renforcer l'apprentissage et d'expérimenter certains développements pour un coût inférieur à celui d'une croissance interne ou externe, dans le cadre d'une approche fondée sur les options réelles[13] (voir la section 10.3.2). Pour autant, environ la moitié des opérations d'alliances et de partenariats échouent[14].

Il est possible de distinguer les types de collaborations selon leur *nature* (alliances ou partenariats) et selon la *forme* qu'elles prennent (licences, franchises, coentreprises, consortiums, etc.).

Illustration 10.1

Les modalités d'internationalisation des cabinets d'avocats

Les organisations doivent parfois arbitrer entre les avantages et les risques des acquisitions et des alliances.

Au milieu des années 1990, les cabinets d'avocats américains et britanniques s'internationalisaient, mais selon des modalités différentes. « Les grands cabinets d'avocats américains, qui bénéficient localement du plus vaste marché mondial, restent prudents à l'étranger. À l'inverse, les principaux cabinets britanniques misent gros sur la construction de réseaux internationaux leur permettant d'avoir une présence globale. » Il était encore difficile de dire lequel de ces choix serait le plus pertinent pour répondre aux besoins des clients multinationaux : « Soit ils préféreront des prestataires globaux, soit ils feront leur choix parmi différents prestataires locaux, en fonction des pratiques juridiques de chaque pays. »

La plupart des grands cabinets d'avocats étaient américains, mais les plus gros étaient les cabinets britanniques appartenant au « cercle magique » de Londres. Dans les années 1990, du fait de la taille relativement réduite de leur marché national, ces cabinets ont décidé d'aller au-delà des relations informelles qu'ils avaient tissées avec leurs confrères étrangers pour mettre en place des alliances, pratiquer des fusions ou ouvrir leurs propres bureaux… Les trois quarts des 25 plus gros cabinets britanniques ont au moins un bureau en propre en Chine, alors que ce n'était le cas que d'un tiers d'entre eux en 2004.

En 2007, les résultats étaient impressionnants : « Les quatre plus gros cabinets du cercle magique ont dégagé une performance supérieure à celle de la profession, pourtant elle-même en hausse. »

Des problèmes existaient cependant. Les systèmes juridiques étaient significativement différents d'un pays à l'autre. « L'ordre des avocats anglais cherche à promouvoir internationalement le droit anglais » et « le gouvernement britannique et la profession juridique redoublent d'efforts pour persuader les pays étrangers de lever leurs restrictions à l'exercice de la justice ».

Les cabinets américains ont eu tendance à se focaliser sur leur marché domestique, où ils peuvent bénéficier de la présence de la plupart des plus grandes multinationales – même s'ils constatent qu'un nombre croissant d'entre elles choisissent d'implanter leur siège social en dehors des États-Unis afin d'éviter les contraintes de la loi Sarbanes-Oxley sur la publication des informations financières.

Leur approche consistait à « maintenir une forte rentabilité sur leur marché domestique, ouvrir quelques bureaux dans des zones clés et établir des liens avec des cabinets locaux dans les pays dont ils étaient absents ». Cette expansion était peu coûteuse et elle leur évitait de trop s'engager sur des marchés potentiellement risqués. Le cabinet anglais Slaughter & May adopta la même approche : « Plutôt que de s'implanter directement à l'étranger, établir des liens significatifs avec un réseau de cabinets amis dans les zones économiquement significatives. »

Les partisans de cette approche soulignaient également que, selon une enquête, la présence internationale des cabinets d'avocats ne faisait pas partie des dix premières préoccupations de leurs clients. Par ailleurs, en dehors de l'Amérique du Nord et de l'Europe, les marchés étaient nettement moins lucratifs.

De plus, les cabinets américains et britanniques n'adoptaient pas la même posture vis-à-vis des fusions et acquisitions : « Les gros cabinets britanniques sont toujours à l'affût d'une fusion avec un cabinet américain qui leur permettrait d'étendre leur influence – même si la plupart du temps cela ne débouche sur rien. » À l'inverse, un associé d'un des plus importants cabinets américains déclarait à propos des fusions : « Ce n'est pas notre manière de faire. Nous n'avons jamais fusionné, nous n'avons jamais acheté un autre cabinet, et nous ne le ferons jamais. »

Source : « Reach *versus* risk », *Financial Times*, 14 décembre 2006, p. 15.

Questions

1. En vous référant aux arguments présentés dans les sections 10.2.2 et 10.2.3., expliquez la logique des fusions acquisitions ou des alliances pour les cabinets d'avocats.

2. Quels sont les risques liés à chacune de ces approches ?

Les alliances

Une alliance est une collaboration entre deux organisations concurrentes

Une alliance est une collaboration entre deux organisations concurrentes. Des concurrents peuvent être tentés de collaborer pour plusieurs raisons[15], qui mènent à identifier deux grands types d'alliances, les alliances *complémentaires* (qui reposent sur la combinaison des chaînes de valeur) et les alliances *supplémentaires* (qui reposent sur l'obtention d'une masse critique)[16] :

- Les *alliances complémentaires* (également appelées *alliances de cospécialisation*) correspondent à la situation dans laquelle deux concurrents ou plus décident de collaborer afin de bénéficier de leurs ressources et compétences respectives. Au long de la chaîne de valeur, un des alliés peut avoir développé une expertise supérieure sur certains maillons, mais réciproquement être moins compétent sur d'autres. L'alliance complémentaire consiste donc à échanger des pôles d'excellence et à assurer un apprentissage commun en s'appuyant sur l'expertise de chacun. On peut citer notamment le cas de l'alliance entre les deux constructeurs automobiles Renault et Matra, qui a donné naissance à l'Espace et plus largement au concept du monospace en Europe. Matra a conçu le véhicule, qui était assemblé dans son usine de Romorantin dans le centre de la France, notamment grâce à ses compétences dans le domaine des carrosseries en matériaux composites. Réciproquement, Renault a apporté ses moteurs, divers composants mécaniques, son réseau de distribution et sa marque. Au total, les trois premières générations d'Espace (de 1984 à 2002) ont résulté d'apports complémentaires de la part des deux alliés. Un autre cas d'alliance complémentaire est constitué par les multiples accords conclus entre les grandes compagnies aériennes (SkyTeam, One World ou Star Alliance), qui mettent en commun leurs réseaux de correspondances et d'escales, en général développés sur des zones géographiques distinctes.

- Les *alliances supplémentaires* (également appelées *pseudo-concentrations*) consistent à cumuler les forces de plusieurs organisations – notamment en termes de part de marché – de manière à atteindre une visibilité et une crédibilité permettant de renforcer les chances de succès d'un projet. Elles concernent des organisations qui souhaitent additionner leurs ressources et compétences afin de dépasser un seuil de rentabilité ou une taille critique. On peut citer le consortium européen Airbus : chacun de ses membres serait capable de concevoir, produire et commercialiser un avion sans recourir à une alliance, mais en participant au projet commun, il s'assure une progression plus rapide le long de la courbe d'expérience, un pouvoir de négociation supérieur auprès des fournisseurs et des débouchés plus larges auprès des compagnies aériennes. Les alliances supplémentaires sont également utilisées pour imposer des normes industrielles, notamment dans l'électronique grand public. Étant donné qu'une norme a d'autant plus de chances de s'imposer qu'elle bénéficie dès son apparition d'une diffusion importante (voir la section 6.4.3 sur le verrouillage des marchés et la section 9.3 sur la diffusion des innovations), un standard qui rassemble plusieurs concurrents est plus à même de connaître le succès. On peut citer l'alliance entre Sony, Apple, Hitachi, LG, Sharp, TDK, Samsung, Mitsubishi, Panasonic, Philips, Thomson et Sun pour imposer le DVD Blu-ray en 2005, face au standard concurrent HD-DVD proposé – jusqu'à son abandon en février 2008 – par Toshiba, Microsoft, Intel, Sanyo, NEC et Acer.

Les partenariats

Si une alliance est une collaboration entre concurrents, à l'inverse, un partenariat est une collaboration entre des organisations qui ne sont *pas* concurrentes. Deux cas de figure peuvent se présenter :

Un partenariat est une collaboration entre des organisations qui ne sont pas concurrentes

- Les *partenariats d'impartition*[17] désignent les collaborations entre des organisations qui entretiennent des relations de client/fournisseur. Le fournisseur s'assure ainsi d'un débouché commercial et le client peut obtenir une offre adaptée à ses besoins. La participation de certaines compagnies aériennes à la conception des avions de ligne relève des partenariats d'impartition, à l'image de Singapore Airlines, qui s'est associé à Airbus sur le projet du A380. De même, le constructeur de microprocesseurs Intel finance les deux tiers des campagnes publicitaires des fabricants de micro-ordinateurs qui utilisent son slogan « Intel Inside ».
- Les *partenariats symbiotiques* sont des collaborations entre des organisations qui non seulement ne sont pas concurrentes (c'est la définition d'un partenariat), mais qui de plus n'entretiennent aucune relation de client/fournisseur. Si les causes de ces accords peuvent être multiples, il s'agit généralement d'exploiter conjointement une clientèle ou une ressource. On peut évoquer le partenariat historique entre Disney, McDonald's et Nestlé : les enfants poussaient leurs parents à manger chez McDonald's ou à acheter des produits Nestlé pour retrouver les personnages des films Disney, ou réciproquement ils insistaient pour aller au cinéma afin de voir le film dont leur restaurant ou leurs céréales faisaient la promotion. Ce partenariat a été rompu par Disney en 2006, le groupe ne souhaitant plus que son image soit associée à celle de McDonald's, accusé de provoquer une épidémie d'obésité chez les enfants.

Les formes d'alliances et partenariats

En dehors de ces différences de *nature* entre alliances et partenariats, il existe de multiples *formes* de collaboration entre organisations. Certaines relations sont très formalisées et incluent notamment des prises de participations croisées ou la création d'organisations communes, alors que d'autres restent très lâches, au point d'éviter toute contractualisation :

- Les *coentreprises* – ou *joint-ventures* – correspondent à la situation dans laquelle les organisations restent indépendantes mais possèdent conjointement une structure juridique créée pour la circonstance. Cette solution a notamment été privilégiée dans les collaborations entre des entreprises occidentales et leurs homologues chinoises. Les Occidentaux apportent des technologies, de l'expertise managériale et des financements, alors que les Chinois fournissent la main-d'œuvre et l'accès aux marchés locaux.
- Les *consortiums* impliquent généralement deux organisations ou plus dans une forme de coentreprise focalisée sur un projet particulier. Cela inclut notamment les grands projets d'ingénierie ou de génie civil comme Eurotunnel, Airbus ou Arianespace. Il est également possible d'établir des consortiums entre des organisations du secteur public, par exemple dans les infrastructures de transport (gestion partagée de certaines lignes du RER parisien entre la RATP et la SNCF).
- Les *réseaux* sont des arrangements moins formalisés dans lesquels des organisations cherchent à obtenir un avantage mutuel sans établir d'entité possédée

conjointement, voire sans recourir à des contrats. Carlos Jarillo suggère que les réseaux se caractérisent par une coordination reposant sur l'adaptation mutuelle, sur la confiance et – en général – sur l'existence d'un *centre stratégique*, c'est-à-dire une organisation qui construit, coordonne et contrôle le réseau[18]. Ce type d'arrangement peut se développer dans les industries très concurrentielles où chacun peut cependant bénéficier des connaissances des autres. C'est le cas par exemple en Formule 1[19], où les innovations se répandent rapidement entre les écuries concurrentes.

D'autres types d'alliances et partenariats sont de nature contractuelle et n'impliquent généralement pas de participations croisées :

- La *franchise*. Le franchisé se concentre sur certaines activités comme la production, la distribution ou la vente, alors que le franchiseur est responsable de la publicité, du marketing et de la formation. L'exemple le plus connu est certainement celui de McDonald's, dont les deux tiers des restaurants sont en franchise.
- Les accords de *licence* sont courants dans les industries à fort contenu scientifique, dans lesquelles le droit de fabriquer un produit breveté est accordé en échange du versement d'une commission.
- Dans le cas de la *sous-traitance*, une entreprise délègue un service ou une partie d'un processus à un prestataire externe. Dans les services publics, c'est de plus en plus souvent le cas pour le nettoyage, le gardiennage ou les systèmes d'information, sous-traités à des entreprises privées.

Le schéma 10.3 présente trois facteurs qui peuvent influencer la forme que prend l'alliance ou le partenariat :

- La *vitesse d'évolution du marché* peut imposer des mouvements stratégiques rapides. Le recours à un réseau relativement informel peut alors se révéler préférable à une coentreprise, qui nécessite souvent plus de temps.
- La *capacité à gérer les ressources et compétences*. Si une stratégie nécessite des ressources distinctes, dédiées spécifiquement au projet, une coentreprise sera plus appropriée. À l'inverse, les stratégies qui peuvent s'appuyer sur les ressources existantes des partenaires encouragent plutôt le recours à une structure contractuelle moins contraignante, voire à un réseau.
- Les *attentes des parties prenantes*. Afin de réduire leur risque financier, certaines parties prenantes peuvent encourager une collaboration, notamment sous la forme d'une coentreprise.

Les conditions de succès des alliances et partenariats[20]

Même si les organisations peuvent rechercher les avantages présentés ci-dessus, il n'est pas toujours facile de faire fonctionner une collaboration, qui par nature tend à évoluer. Une collaboration purement technologique peut ainsi déboucher sur des opportunités de marché imprévues. Le succès des alliances et partenariats dépend donc de la manière dont ils sont gérés et encouragés tout au long de leur évolution par les parties impliquées. Les trois points suivants sont particulièrement importants :

- L'*intention stratégique*. Une ambition stratégique claire est essentielle. Même si les partenaires ou les alliés peuvent avoir des motivations différentes, celles-ci doivent rester compatibles. Au fur et à mesure de l'évolution de la relation, les

Schéma 10.3	Les types d'alliances et partenariats

Forme de la relation

Facteurs qui influencent le choix	Commerciale ● Réseaux ● Alliances opportunistes	Contractuelle ● Licences ● Franchise ● Sous-traitance	Patrimoniale ● Consortiums ● Coentreprises
Marché ● Vitesse d'évolution	Changements rapides	⟶	Changements lents
Ressources ● Gestion des actifs ● Actifs engagés ● Risque de perdre les actifs au profit de l'allié	Gérés séparément par chaque allié Construits à partir des actifs des alliés Risque élevé	⟶ ⟶ ⟶	Gérés conjointement Spécifiques à l'alliance Risque faible
Objectifs ● Répartir le risque financier ● Climat politique	Maintient le risque Climat défavorable	⟶ ⟶	Dilue le risque Climat favorable

objectifs de chacun peuvent diverger, ce qui risque de se traduire par une rupture. Il est donc primordial de veiller à la compatibilité des ambitions. Lorsque celles-ci convergent durablement, on peut envisager une modalité plus formelle, par exemple une fusion[21].

● Les *avantages espérés*. Pour pouvoir gérer l'évolution des attentes réciproques, la volonté d'échanger des informations sur la performance respective des partenaires est indispensable. Par ailleurs, les parties impliquées doivent être conscientes du fait que l'intérêt des alliances et partenariats réside avant tout dans l'apprentissage et l'expérimentation. Si l'un des partenaires ou des alliés n'adhère pas à ces objectifs et tente d'imposer une vision statique de la relation, cela peut provoquer des problèmes majeurs[22]. Il apparaît également que les alliances et partenariats qui développent des services ou des produits à fort contenu intellectuel tendent à intégrer plus étroitement les organisations impliquées, car la dépendance mutuelle à l'égard de connaissances tacites y est plus cruciale[23].

● La *gestion de la relation*. Le soutien des dirigeants est indispensable au succès des alliances et partenariats, car ceux-ci impliquent la construction et le maintien de multiples relations entre les organisations impliquées. Or, ce processus peut générer des conflits politiques et culturels que seule l'implication des dirigeants peut aider à surmonter. De même, l'existence de relations interpersonnelles pérennes permet d'assurer la compatibilité au niveau opérationnel. Dans les alliances internationales, cela implique de transcender les différences culturelles nationales. Enfin, il apparaît que la confiance est certainement le plus important des critères de réussite et une cause majeure d'échec si elle est absente[24]. Cependant, la confiance dépend de deux séries de facteurs distincts. Elle peut tout d'abord reposer sur les *ressources* mises en jeu, dans le sens où chaque partenaire est confiant dans le fait que les autres possèdent les ressources et compétences nécessaires à leur contribution au projet. La confiance repose aussi sur le *rôle* tenu par chacun des partenaires : chacun des alliés a-t-il confiance dans les motivations des autres ? Ces rôles sont-ils compatibles en termes d'attitude, d'intégrité, d'ouverture, de discrétion et d'engagement ? De fait, il apparaît que la qualité de la relation joue un rôle majeur dans le succès des alliances et partenariats, bien plus que les ressources physiques impliquées[25].

Au total, le succès d'une alliance ou d'un partenariat inclut des *objectifs clairs*, des *structures de gouvernement* et des *arrangements organisationnels* explicites, en particulier en ce qui concerne les fonctions transversales communes, mais il est également nécessaire de garder la relation *flexible*, de manière qu'elle puisse évoluer.

10.3 L'évaluation de la stratégie

Les critères de réussite permettent d'évaluer la probabilité de succès d'une option stratégique

Nous avons présenté un grand nombre de choix stratégiques, résumés dans le schéma 10.4. Cette section explique comment évaluer ces choix en définissant pourquoi certaines stratégies réussissent mieux que d'autres. Trois critères de réussite permettent d'évaluer la probabilité de succès des options stratégiques :

● La *pertinence* concerne la cohérence d'une stratégie avec la situation dans laquelle l'organisation évolue, c'est-à-dire avec le diagnostic stratégique que nous avons présenté dans la partie 1.

Schéma 10.4 **Les options stratégiques**

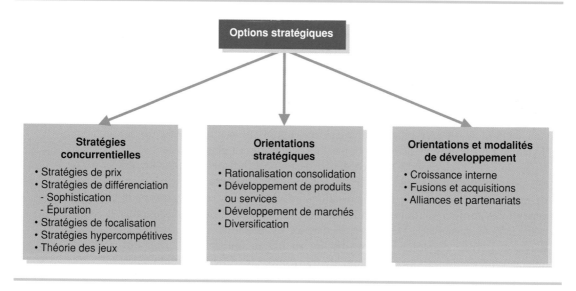

- L'*acceptabilité* concerne la *performance attendue* d'une stratégie (notamment en termes de *gain* ou de *risque*) et sa cohérence avec les attentes des parties prenantes.
- La *faisabilité* concerne la capacité d'une stratégie à être effectivement déployée. Son évaluation nécessite de mesurer – souvent de manière *quantitative* – la capacité stratégique mobilisable.

10.3.1 La pertinence

La pertinence désigne l'adéquation entre une stratégie et les conclusions du diagnostic stratégique de l'organisation. Elle concerne donc la logique intrinsèque de la stratégie. Pour l'évaluer, il convient de déterminer dans quelle mesure celle-ci correspond aux tendances et aux évolutions futures de l'*environnement*, exploite les *capacités stratégiques* de l'organisation et répond aux *attentes des parties prenantes* et aux *influences culturelles*. Les outils et méthodes présentés dans les chapitres 2 à 4 peuvent donc aider à évaluer la pertinence, comme le montre le schéma 10.5. Il convient cependant de souligner que l'utilisation de ces outils et méthodes débouche généralement sur une longue liste de facteurs parmi lesquels il est indispensable d'identifier les points réellement importants. Une des compétences majeures du

La pertinence désigne l'adéquation entre une stratégie et les conclusions du diagnostic stratégique de l'organisation

Schéma 10.5	Évaluer la pertinence grâce aux outils du diagnostic stratégique

Outil ou concept	Schémas et illustrations	Permet de comprendre	Exemples de stratégies concernées
PESTEL	Illust. 2.1	Opportunités de croissance, risques de déclin, évolution de la structure de l'industrie	Convergence de deux industries Intégration verticale
Scénarios	Illust. 2.2	Niveau d'incertitude et de risque	Nécessité de parer aux imprévus
5(+1) forces	Sch. 2.2 Illust. 2.3	Forces concurrentielles	Développement de barrières à l'entrée
Groupes stratégiques	Illust. 2.5	Attractivité de certains groupes Barrières à la mobilité Créneaux stratégiques	Besoin de se repositionner sur un groupe plus attractif
Compétences fondamentales	Sch. 3.1, 3.6 et 3.8	Niveaux seuil de performance Fondements de l'avantage concurrentiel	Éliminer des faiblesses Exploiter des forces
Chaîne de valeur	Sch. 3.6 et 3.7	Opportunités d'intégration verticale ou d'externalisation	Réaliser une intégration verticale (par exemple par fusion ou alliance)
Cartographie des parties prenantes	Sch. 4.5 Illust. 4.4(a) et (b)	Acceptabilité des stratégies Pouvoir et intérêt	Déterminer comment les parties prenantes seront affectées et comment gérer cette situation politique
Tissu culturel	Sch. 5.7 Illust. 5.4	Acceptabilité effective Impact sur la faisabilité	Gérer un choc culturel en cas de fusion ou d'alliance

stratège est d'ailleurs la capacité à discerner les questions clés : le manager résout les problèmes, le dirigeant les formule. Si cela n'est pas préalablement effectué, il est très difficile d'évaluer la pertinence d'une stratégie.

Dans les discussions sur les orientations stratégiques des chapitres précédents et sur les modalités de développement de la section 10.2, nous avons expliqué non seulement quelles options sont envisageables, mais également pour quelles raisons certaines peuvent se révéler préférables. Les différents exemples utilisés dans ces sections peuvent donc permettre d'illustrer en quoi une stratégie peut être considérée comme pertinente. Le schéma 10.6 résume ces différents points et propose une liste de contrôle des raisons pour lesquelles on peut estimer que certaines orientations ou modalités de développement sont pertinentes.

Schéma 10.6 **Quelques exemples de pertinence des options stratégiques**

Option stratégique	Cette option est pertinente en termes de…		
	Environnement	Capacité stratégique	Influence culturelle et/ou impact des parties prenantes
Orientations			
Consolidation	Retrait d'un marché déclinant Vente d'actifs (spéculation) Maintien de la part de marché	Consolidation grâce à l'innovation et à l'investissement	Rester focalisé sur ce que l'organisation et ses parties prenantes connaissent le mieux
Pénétration de marché	Gagner des parts de marché	Exploiter des ressources et compétences supérieures	
Développement de produits	Utiliser la connaissance des besoins des clients	Exploiter la R&D	Apporter suffisamment de croissance aux parties prenantes tout en prenant des décisions culturellement acceptable
Développement de marchés	Marchés actuels saturés Nouvelles opportunités géographiques, de clients ou de besoins	Exploiter les produits actuels	
Diversification	Marché actuel saturé ou déclinant	Exploiter les compétences fondamentales sur de nouveaux marchés	Répondre aux attentes des parties prenantes en termes de croissance rapide, mais risque de choc culturel
Méthodes			
Croissance interne	Premier entrant Pas d'alliés ou de cibles disponibles	Apprentissage et développement de compétences Étalement des coûts	Facilité culturelle et politique
Fusions et acquisitions	Vitesse Offre et demande PER des actions	Acquisition de compétences Économies d'échelle	Croissance ou augmentation du cours d'action Risque de choc culturel
Alliances et partenariats	Vitesse Définition d'un standard	Compétences complémentaires Transfert de connaissances	Nécessaire pour s'implanter Dilution du risque À la mode

Les outils permettant d'évaluer la pertinence

Plusieurs outils permettent d'évaluer la pertinence d'une option stratégique :

- La *matrice TOWS*[26], présentée dans l'introduction de la partie 2 (voir le schéma II.ii), est un outil permettant d'identifier des options stratégiques à partir d'une analyse SWOT. Il est également possible d'utiliser cette matrice afin d'évaluer la pertinence des options stratégiques en vérifiant dans quelle mesure elles sont cohérentes avec les conclusions du diagnostic stratégique.
- C'est la *pertinence relative* des options qui importe. Certaines options envisageables sont plus pertinentes que d'autres. La pertinence s'évalue donc en termes relatifs et non absolus. Certains outils et techniques peuvent se révéler particulièrement utiles dans cette optique :
  - Le *classement* des options stratégiques par rapport à des facteurs clés obtenus grâce au diagnostic stratégique. L'illustration 10.2 fournit un exemple détaillé.
  - Les *arbres de décision*, qui permettent également d'évaluer les options stratégiques au regard d'une liste de facteurs. Les options les plus pertinentes émergent progressivement, au fur et à mesure de l'ajout de contraintes successives, concernant par exemple la croissance, l'investissement ou le périmètre d'activité (voir l'illustration 10.3).
  - Les *scénarios* permettent de vérifier l'adéquation de certaines options avec une série de situations futures probables. Cette approche est particulièrement utile lorsque le degré d'incertitude est élevé, comme nous l'avons souligné dans la section 2.2.2 (voir l'illustration 2.2). Les options pertinentes sont celles qui restent cohérentes avec plusieurs scénarios, donc *a priori* celles qui sont les plus ouvertes ou les moins coûteuses.

10.3.2 L'acceptabilité

L'acceptabilité désigne la performance attendue d'une stratégie. Cette performance peut être évaluée selon trois dimensions : les *gains*, le *risque* et les *réactions des parties prenantes*. Le schéma 10.7 résume quelques-unes des techniques d'analyse de l'acceptabilité et souligne leurs principales limites. Il est conseillé d'utiliser plusieurs de ces approches lorsqu'on souhaite évaluer l'acceptabilité d'une stratégie.

L'acceptabilité désigne la performance attendue d'une stratégie et sa capacité à répondre aux attentes des parties prenantes

Les gains

Les gains sont les bénéfices que les parties prenantes peuvent espérer retirer d'une stratégie. Les créations d'entreprise ou les projets d'investissement sont généralement évalués en fonction de leur gain espéré. L'évaluation des gains financiers et non financiers générés par une option stratégique constitue donc une mesure essentielle de son acceptabilité, du moins du point de vue de certaines parties prenantes. Il existe plusieurs approches permettant d'analyser ces gains. Cette section se penche brièvement sur quatre d'entre elles. Il est important de souligner qu'il n'existe pas de standard absolu permettant de définir ce qu'est un gain élevé ou un gain faible. Tout dépend de l'industrie, du pays et des attentes des différentes parties prenantes. Il existe également un débat sur la méthode qu'il convient d'utiliser pour évaluer les gains.

Les gains sont les bénéfices que les parties prenantes peuvent espérer retirer d'une stratégie

Illustration 10.2

Le classement des options : La Poterie Périgourdine

Le classement consiste à confronter les options stratégiques aux résultats d'une analyse SWOT.

Au milieu des années 2000, comme beaucoup d'autres fabriques traditionnelles, La Poterie Périgourdine, une entreprise familiale bicentenaire implantée à Sarlat en Dordogne, était confrontée à la pression concurrentielle croissante de produits très bon marché importés de pays à bas coûts de main-d'œuvre. La direction envisageait de lancer des produits haut de gamme, ciblés sur les riches consommateurs soucieux d'authenticité. L'exercice de classement ci-dessous fut effectué à cette occasion.

Les résultats de ce classement étaient intéressants à plus d'un titre. Tout d'abord, ils mettaient en lumière la nécessité de refuser le statu quo. Deuxièmement, les stratégies de rupture – comme l'intégration vers la distribution ou la diversification – apparaissaient peu pertinentes. Elles ne résolvaient pas les problèmes de l'activité principale, ne correspondaient pas aux ressources et compétences de La Poterie Périgourdine et n'étaient pas cohérentes avec sa culture. Les seules options envisageables concernaient des stratégies d'évolution, comme on pouvait s'y attendre dans le cas d'une entreprise fière de ses origines et de son patrimoine. Il s'agissait donc essentiellement de choisir entre des investissements significatifs permettant soit de réduire fortement les coûts de production afin de concurrencer les importations (options 2 et 5), soit de lancer des produits à forte valeur destinés aux segments de marché les plus fortunés (option 4). L'entreprise choisit finalement cette dernière option, avec un certain succès.

Source : adapté de la série *Troubleshooter*, BBC.

Questions

1. L'option 4 a-t-elle été classée au-dessus des autres parce que :
   (a) Elle a le plus grand nombre de +.
   (b) Elle a le moins grand nombre de –.
   (c) Elle a la meilleure répartition de + et de –.
   (d) Pour d'autres raisons.
   Justifiez votre choix
2. Établissez la liste des principales forces et faiblesses d'une démarche de classement de ce type.

Options Stratégiques	Facteurs issus de l'analyse SWOT						
	Actionnaires familiaux	Autres investisseurs	Importations à bas prix	Manque de compétences marketing	Faible mécanisation	Goût des clients	Classement
1. Ne rien faire	+	?	–	?	–	–	C
2. Consolider (investir, mécanisation)	+	–	+	?	+	?	B
3. Conquête de marchés étrangers	–	–	–	–	–	?	C
4. Lancer des produits haut de gamme	+	+	+	–	?	+	A
5. Lancer une gamme de produits banalisés pour hôtels et restaurants	+	+	+	?	–	?	B
6. Ouvrir des magasins	–	–	?	–	?	?	C
7. Se diversifier	–	–	?	?	?	+	C
+ = favorable ; – = défavorable ; ? = incertain ou hors de propos A = préférable ; B = possible ; C = inadapté							

Illustration 10.3

L'arbre de décision stratégique d'un cabinet d'experts-comptables

Les arbres de décision permettent d'évaluer les options stratégiques par éliminations successives.

Un cabinet d'experts-comptables, dont l'essentiel des honoraires venait de la certification de comptes, vit son activité décliner significativement. Une série de nouvelles stratégies fut donc envisagée. En utilisant un arbre de décision stratégique, il fut possible d'éliminer une série d'options en les confrontant à quelques critères clés que tous les développements futurs devaient nécessairement inclure, tels que la croissance, l'investissement (acquisition de nouveaux locaux, informatisation, acquisition d'autres cabinets) et la diversification (vers le conseil fiscal, qui présentait des synergies avec la certification des comptes).

L'analyse de l'arbre de décision révéla que si les associés du cabinet souhaitaient privilégier la croissance, les options 1 à 4 étaient préférables aux options 5 à 8. Dans une seconde étape, il apparut que le besoin de limiter le montant des investissements favorisait les options 3 et 4 par rapport aux options 1 et 2.

Les associés avaient bien conscience des limites de cette méthode, en particulier du fait que les choix à chaque embranchement étaient généralement trop simplistes. Répondre *oui* ou *non* à la diversification excluait l'ensemble des options existant entre ces deux extrêmes, comme la modification de la démarche de certification des comptes (qui était une variante importante par rapport aux options 6 ou 8). Pour autant, cet arbre de décision constituait une bonne base de réflexion pour le filtrage des options stratégiques.

Questions

1. Inversez la séquence des trois paramètres afin de considérer tout d'abord la diversification, puis l'investissement et enfin la croissance. Obtenez-vous les mêmes options ?

2. Ajoutez un quatrième paramètre à l'arbre de décision : le développement par croissance interne ou par acquisitions. Quelles sont les seize options que vous obtenez ?

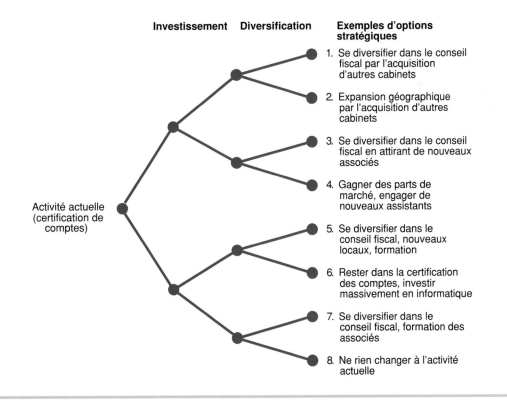

| Schéma 10.7 | L'évaluation de l'acceptabilité des options stratégiques |

Technique	Utilisée pour évaluer	Exemples	Limites
Gains Analyses de rentabilité	Rentabilité financière des projets d'investissements	Rentabilité du capital Délai de retour sur investissement Valeur actuelle nette	Applicable à des projets distincts Uniquement pour des gains et des coûts tangibles
Analyse coût bénéfice	Coûts et bénéfices globaux (tangibles et intangibles)	Grands projets d'infrastructure	Difficultés de quantification
Options réelles	Séquence de décisions	Analyse des options réelles	Quantification
Analyse de la valeur actionnariale	Impact de nouvelles stratégies sur la valeur pour l'actionnaire	Fusions et acquisitions	Détails techniques souvent complexes
Risque Projections de ratios financiers	Robustesse de la stratégie	Analyse de point mort Impact sur le ratio d'endettement et la liquidité	
Analyse de sensibilité	Test d'hypothèses, robustesse	Analyse conditionnelle	Teste les facteurs séparément
Réaction des parties prenantes	Dimension politique de la stratégie	Cartographie des parties prenantes Théorie des jeux	Largement qualitatif

Les analyses de rentabilité[27]

Les outils financiers classiques sont très fréquemment utilisés pour évaluer l'acceptabilité des options stratégiques. Les trois techniques les plus courantes sont les suivantes (voir le schéma 10.8) :

- Le calcul du *retour sur capitaux engagés* (ou ROCE : *return on capital employed*) consiste à évaluer le taux de retour sur le capital investi dans une stratégie donnée. Dans le schéma 10.8(a), le taux de retour est de 15 % à la troisième année. Le ROCE est une mesure de la rentabilité des ressources mobilisées pour déployer une option stratégique donnée.
- Le *délai de retour sur investissement*. Il s'agit du temps nécessaire avant que le flux cumulé de liquidités ne devienne positif, soit trois ans et demi sur le schéma 10.8(b). Cette méthode est utilisée lorsqu'il est nécessaire d'investir fortement pour financer une stratégie nouvelle. Il s'agit alors de décider si ce délai est acceptable et si l'organisation est disposée à patienter pendant cette durée avant de rentabiliser son investissement. La réponse varie, notamment d'une industrie à l'autre. Dans les grands travaux d'infrastructure publique (ponts,

Schéma 10.8	L'évaluation de la rentabilité des options stratégiques

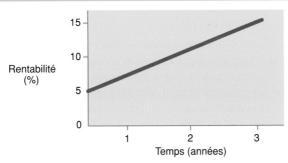

(a) Rentabilité du capital employé

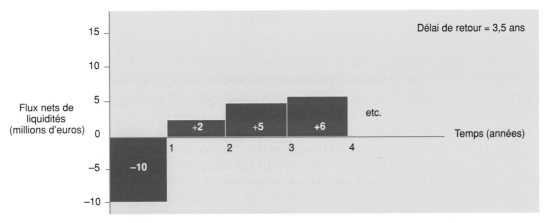

(b) Délai de retour sur investissement

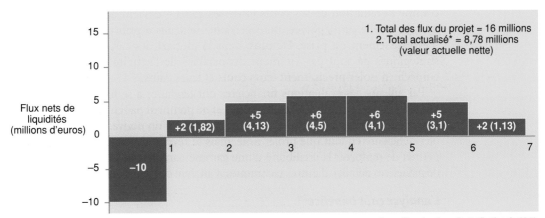

(c) Valeur actuelle nette (VAN)

tunnels, etc.), un délai de retour de 50 ans est tout à fait acceptable. Lors de la construction du viaduc de Millau, inauguré en 2004, la société Eiffage a ainsi obtenu de l'État français une concession d'exploitation de 75 ans.

- L'analyse de la *valeur actuelle nette* (VAN), qui découle de la précédente, est certainement la technique d'évaluation d'investissement la plus courante. Une fois que les flux nets de liquidités (gains moins dépenses) ont été évalués pour chaque année [voir le schéma 10.8(c)], ils sont actualisés afin de refléter le fait que les fonds générés plus tôt ont une valeur actuelle supérieure à celle des gains ou des dépenses plus tardives. Sur le schéma, le taux d'actualisation de 10 % représente la rémunération attendue par les investisseurs. Par exemple, le flux net de l'année 3, qui s'élève à 5 millions d'euros, est ramené à 4,13 millions (soit 5 divisé par 1 plus 10 % exposant 2) et celui de l'année 7, c'est-à-dire 2 millions, à 1,13 million (soit 2 divisé par 1 plus 10 % exposant 6). La valeur actuelle nette du projet est alors calculée en additionnant les flux nets de liquidités actualisés, pour toute la durée prévue, soit 8,79 millions. Cela signifie que le projet va générer un gain de 8,79 millions sur l'ensemble de sa durée. La VAN dépend fortement des hypothèses de calcul : si les ventes augmentent moins que prévu, le montant de 8,79 millions ne sera jamais atteint. Le *taux de rentabilité interne* (TRI) est le taux d'actualisation qui aboutit à une VAN nulle. Dans l'exemple du schéma 10.8(c), le TRI est d'environ 35 %.

Même si ces techniques financières peuvent être utiles à l'évaluation des options stratégiques, il est important de rappeler que certaines de leurs hypothèses implicites limitent fortement leur utilisation. En aucun cas elles ne sauraient être utilisées comme unique moyen d'analyse de l'acceptabilité d'une stratégie, et l'analyste ne doit pas être mystifié par l'apparente rigueur méthodologique de ces outils. Ces méthodes ont été développées pour motiver des décisions d'investissement. Elles se concentrent donc sur l'évaluation de projets d'investissement spécifiques, pour lesquels les coûts et les flux de liquidités sont aisément prévisibles. Or, ces conditions ne sont pas nécessairement vérifiées dans le cas des développements stratégiques. La manière précise dont une stratégie se déroule – tout comme l'évaluation de ses coûts et de ses gains – devient apparente au fur et à mesure qu'elle est déployée, mais certainement pas *a priori*, lorsque la décision d'investissement est prise. De plus, dans la plupart des cas, les développements stratégiques ne sont pas aisément dissociables de l'activité quotidienne, ce qui empêche d'isoler précisément leurs coûts et leurs gains.

Par ailleurs, les évaluations financières ont tendance à se focaliser sur des coûts *tangibles* et des gains directs et *mesurables* et ne prennent pas en compte les répercussions générales d'une stratégie. Ainsi, le lancement d'un nouveau produit peut sembler déficitaire en tant que projet isolé, mais se révéler stratégiquement légitime s'il permet de renforcer la crédibilité d'une gamme complète aux yeux des clients. Afin de pallier ces défauts, d'autres techniques d'analyse des gains ont été développées.

L'analyse coût bénéfice[28]

Dans de nombreuses situations, l'analyse de la rentabilité donne une vision trop étroite du gain obtenu grâce à une stratégie, en particulier lorsque les répercussions indirectes sont importantes. C'est notamment le cas pour les grands projets d'infrastructure publique, comme l'implantation d'un aéroport ou d'un réseau d'égouts (voir l'illustration 10.4), ou pour les organisations impliquées dans des

Illustration 10.4

Un projet de réseau d'égouts

Les investissements en infrastructures – comme un réseau d'égouts – nécessitent souvent de prendre en compte les coûts et bénéfices indirects associés au projet.

Une compagnie de distribution d'eau détenant le monopole de l'alimentation et de l'évacuation en eau courante dans une agglomération de 50 000 habitants devait investir dans de nouveaux réseaux d'égouts afin de répondre à une réglementation de plus en plus contraignante. Pour évaluer divers projets, elle utilisa une analyse coût bénéfice. Les chiffres ci-dessous proviennent d'une analyse réelle.

Bénéfices

Les bénéfices résultaient essentiellement d'une moindre utilisation des rivières comme déversoirs. Il existait également des bénéfices économiques liés à la construction des égouts. Les bénéfices suivants sont quantifiés dans le tableau :

- Bénéfice multiplicateur pour l'économie locale lié aux dépenses supplémentaires des individus employés par le projet.
- Bénéfice associé lié aux achats à des entreprises locales, y compris l'effet multiplicateur de ces dépenses.
- Réduction du risque d'inondation due au débordement ou à l'effondrement des vieux égouts. La probabilité d'inondation pouvait être quantifiée à l'aide d'un historique et le coût des dégâts, par un recensement détaillé des terrains inondables.
- Réduction des fermetures de rues pour cause d'inondation et de réparation des vieux égouts. Des statistiques sur le coût des retards pour les usagers, la mesure du trafic sur les artères concernées et la fréquence des fermetures dans le passé pouvaient être utilisées pour quantifier les économies.
- L'accroissement de la valeur d'agrément des rivières (par exemple pour la plaisance et la pêche) pouvait être mesuré en interrogeant les usagers ou en comparant avec les effets sur la demande constatés dans des situations analogues.
- L'augmentation de la valeur foncière et immobilière pouvait être mesurée en interrogeant des agences spécialisées, et là encore en comparaison avec des situations analogues.

Coût/Bénéfice	Millions	Millions
Bénéfices		
Multiplicateur et associés		0,9
Prévention des inondations		2,5
Moins d'entrave à la circulation		7,2
Agrément des rivières		4,6
Valeur des terrains		23,6
Accroissement du nombre de visiteurs		4,0
Total des bénéfices		42,8
Coûts		
Coûts de construction	18,2	
Moins coût de main-d'œuvre	(4,7)	
Coût d'opportunité	(13,5)	
Valeur actuelle des bénéfices nets (VAN)	**29,3**	
Taux réel de rentabilité interne (TRI)	**15 %**	

Remarque : les montants sont actualisés à un taux réel de 5 % sur 40 ans.

- L'accroissement du nombre de visiteurs sur les installations de bord de rivière grâce à la réduction de la pollution.

Coût de construction

Il s'agissait du coût total moins celui de la main-d'œuvre non qualifiée. En effet, l'utilisation d'une main-d'œuvre non qualifiée n'était pas une charge pour l'économie locale et son coût devait être déduit afin de parvenir au coût d'opportunité.

Bénéfice net

Une fois les coûts et les bénéfices quantifiés, des techniques classiques d'actualisation pouvaient être utilisées pour calculer la valeur actuelle nette du projet. Ensuite, l'analyse pouvait être poursuivie comme pour un projet classique.

Source : G. Owen, Sheffield Business School.

Questions

1. La liste des bénéfices vous paraît-elle pertinente ?
2. Est-il facile d'attribuer une valeur monétaire à chacun de ces bénéfices ?

programmes d'innovation à long terme (comme l'industrie pharmaceutique ou aérospatiale). L'*analyse coût bénéfice* consiste à donner une valeur monétaire à tous les coûts et tous les bénéfices liés à une option stratégique, y compris les répercussions tangibles et intangibles sur les individus et sur d'autres organisations.

Même si la valorisation monétaire est souvent difficile en pratique, l'analyse coût bénéfice constitue une approche intéressante, à condition de bien comprendre ses limites. Son principal avantage est de forcer les individus à expliciter les différents facteurs susceptibles d'influencer les choix stratégiques. Même en cas de divergence sur la valeur qui doit être donnée à un coût ou à un bénéfice, cette analyse permet au moins de définir un cadre commun de réflexion à partir duquel les décideurs peuvent comparer les mérites respectifs des différents arguments.

Les options réelles[29]

Les trois approches précédentes supposent un certain degré de clarté sur les orientations et les résultats des options stratégiques. Or, dans un grand nombre de cas, le coût et le bénéfice d'une stratégie ne deviennent clairs qu'au moment de sa mise en œuvre. Dans ces conditions, l'approche traditionnelle par la valeur actuelle nette risque de dévaluer un projet du fait qu'elle ne prend pas en compte les options de développement que celui-ci rend possibles. Timothy Luehrman[30] affirme que ce surcroît de valeur est lié au fait que : « L'exécution d'une stratégie implique presque toujours une série de décisions. Certaines actions sont menées immédiatement, alors que d'autres sont volontairement différées [...]. La stratégie fixe le cadre au sein duquel les décisions futures seront prises, mais dans le même temps elle laisse la possibilité d'apprendre grâce aux résultats déjà obtenus et d'infléchir les décisions en conséquence. » La flexibilité peut donc être utilisée pour étendre, restreindre, réorienter, différer, accélérer ou arrêter un projet. Cela implique que la stratégie doit être considérée comme une série d'*options réelles*, c'est-à-dire des choix d'orientation effectués à un certain moment dans le temps, au fur et à mesure que la stratégie prend forme à partir des choix passés. Cette approche présente trois principaux avantages :

- *Rapprocher l'évaluation stratégique et l'évaluation financière*. Les options réelles permettent une meilleure compréhension du gain et du risque stratégique et financier en considérant séparément chaque étape de la stratégie. La valeur générée par une technologie susceptible de devenir une plate-forme de développement pour plusieurs autres produits ou procédés n'est ainsi généralement pas claire au départ. Cependant, au fur et à mesure que le projet se développe, ses directions futures (voire sa fin anticipée) deviennent de plus en plus claires.
- *Évaluer des options émergentes*. Cette approche permet de donner une valeur à des options qui apparaissent grâce à une décision stratégique initiale.
- *Prendre en compte l'incertitude*. Les analyses de rentabilité obligent les managers à faire des hypothèses qui peuvent se révéler irréalistes. L'approche par les options réelles permet de surmonter cette difficulté. Elle est donc liée aux autres méthodes destinées à analyser un futur incertain, comme la construction de scénarios (voir la section 2.2.2). Comme le montre le schéma 10.9, l'approche par les options réelles souligne que lorsque l'incertitude est élevée, il peut être préférable de différer les décisions le plus longtemps possible. En effet, les gains potentiels sont plus facilement évalués une fois que le projet est

Schéma 10.9	L'analyse des options réelles

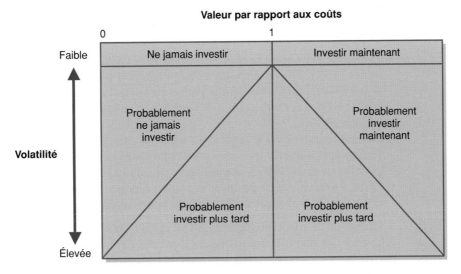

Valeur par rapport aux coûts

Source : adapté de T.A. Luehrman, « Strategy as a porfolio of real options », *Harvard Business Review*, vol. 67, n° 5 (1998), pp. 89-99.

avancé. Cela peut éventuellement rendre viables des stratégies considérées au départ comme défavorables (ce qui correspond à la catégorie « Probablement investir plus tard » sur le schéma).

L'analyse de la valeur actionnariale[31]

De nombreux spécialistes ont tenté de pallier les limitations des analyses financières classiques, notamment le fait que les indicateurs comptables traditionnels – comme le profit opérationnel – ne prennent pas en compte le coût du capital. Ces lacunes peuvent en effet tromper les managers sur la création ou la destruction de performance économique et déboucher sur des représentations faussées de l'acceptabilité des options stratégiques. Par ailleurs, il s'agissait également de rappeler que la responsabilité fondamentale des dirigeants d'entreprise – en tout cas d'un point de vue légal – devait être la défense des intérêts des actionnaires (voir les sections 4.2.1 et 4.2.2). Dans le même temps, de nombreuses recherches ont mis en cause la pertinence financière des opérations de fusions acquisitions (voir la section 10.2.2). L'ensemble de ces facteurs a débouché sur ce qu'il est convenu d'appeler l'*analyse de la valeur actionnariale*, devenue dans les années 1990 le *management de la valeur actionnariale* (voir la section 13.4.1).

Il convient tout d'abord d'insister sur le fait que le mot *valeur* n'a pas le même sens selon qu'il s'applique aux clients (c'est alors le prix qu'ils sont disposés à payer pour une offre, c'est en général le sens adopté en stratégie) ou aux actionnaires (c'est le surcroît de profit qu'ils peuvent réaliser grâce à leur investissement, c'est le sens adopté en finance). L'analyse de la valeur actionnariale repose sur l'idée que les entreprises doivent être gérées avec l'objectif spécifique de maximiser la valeur pour les actionnaires. Or, l'exclusivité de cet objectif est idéologiquement contestable : une entreprise a par définition pour objectif la génération de profit, mais les modalités de partage de ce profit relèvent du débat politique, pas de la stratégie.

Il existe deux mesures de la valeur actionnariale. La première est interne à l'organisation, la seconde est externe :

- La mesure externe est la *rentabilité totale pour l'actionnaire* ou *total shareholder return* (TSR). Elle correspond à l'augmentation du prix de l'action au cours d'une année, plus les dividendes par action versés la même année, le tout divisé par le prix de l'action au début de l'année. Un exemple simple est donné dans le schéma 10.10(a).

- La mesure interne est le *profit économique* ou *economic value added* (EVA). Si le résultat opérationnel (après impôts) est plus élevé que le coût du capital nécessaire pour l'obtenir, alors l'EVA est positive. Le schéma 10.10(b) donne un exemple de ce calcul. Il a été démontré qu'une EVA positive conduit à une augmentation du cours de l'action. Par conséquent, l'EVA est une bonne manière d'approximer le TSR.

Utilisés de manière intelligente, le TSR et l'EVA peuvent permettre d'assurer la cohérence des objectifs des managers avec ceux des actionnaires. Même si l'analyse de la valeur actionnariale a permis de pallier certaines des insuffisances des analyses financières traditionnelles, elle ne supprime pas pour autant les incertitudes inhérentes à l'évaluation des choix stratégiques. On lui a également reproché de privilégier les gains à court terme[32]. Pour autant, l'idée de valoriser les stratégies peut permettre d'apporter plus de réalisme et de clarté à des options souvent trop vagues. Les entreprises qui utilisent l'analyse de la valeur actionnariale l'adoptent le plus souvent comme démarche générale de management, et pas uniquement pour évaluer des options stratégiques[33]. Nous reviendrons sur l'analyse de la valeur actionnariale dans la section 13.4.1.

Schéma 10.10	**Les mesures de la valeur actionnariale**

(a) Rentabilité totale pour l'actionnaire (TSR)	**(b) Profit économique (EVA)**
Étant donné • Le prix à l'ouverture, 1 € • Le prix à la clôture, 1,20 € • Le dividende versé, 5 cts Alors • L'accroissement du prix (20 cts) plus le dividende reçu (5 cts) Le TSR vaut • 25 cts divisé par le prix à l'ouverture 1 €, exprimé en pourcentage : 25 %	Étant donné • Le profit opérationnel après impôts, 10 millions • Le capital employé, 100 millions • Le coût du capital, 8 % Alors • Le capital nécessaire pour obtenir le profit opérationnel après impôts est le capital employé multiplié par le coût du capital : $100 \times 8\,\% = 8$ millions L'EVA vaut • Le profit opérationnel après impôts moins le coût du capital : $10 - 8 = 2$ millions

Le risque

Afin d'évaluer l'acceptabilité d'une stratégie, il convient également de déterminer son niveau de risque. Le risque désigne la probabilité et les conséquences de l'échec d'une stratégie. Le risque peut être particulièrement élevé pour les organisations qui mettent en œuvre des programmes d'innovation à long terme, lorsque l'évolution de l'environnement est particulièrement incertaine ou lorsque la stratégie suscite des angoisses collectives majeures, par exemple l'utilisation d'organismes génétiquement modifiés[34]. De plus en plus d'analystes tentent d'évaluer formellement les risques dans les projets d'investissement, en particulier des risques non financiers tels que les « risques pour l'image de marque » ou les « risques de laisser passer une opportunité ». La réalisation d'un diagnostic stratégique (voir la partie 1) constitue un préalable indispensable à une évaluation du risque, mais d'autres techniques peuvent être mobilisées.

Le risque désigne la probabilité et les conséquences de l'échec d'une stratégie

Les ratios financiers[35]

L'impact d'une option stratégique sur les principaux ratios financiers peut donner une bonne estimation du risque. Au niveau le plus général, le risque dépend notamment de l'évolution de la *structure du capital* de l'entreprise : des options qui impliquent un accroissement des emprunts à long terme détériorent le ratio d'endettement et donc augmentent le risque financier.

On peut également s'intéresser à l'impact de chacune des options stratégiques sur la *liquidité* de l'organisation. Une petite entreprise recherchant une forte croissance peut ainsi être tentée de financer son développement en retardant le paiement de ses fournisseurs et en utilisant largement les découverts bancaires, ce qui accroît très fortement son risque financier. La survie de l'entreprise dépend alors de la probabilité que les fournisseurs ou les banquiers exigent d'être payés avant que la croissance ne devienne effective. Ce risque doit impérativement être soupesé avec la plus grande attention.

L'analyse de sensibilité[36]

L'analyse de sensibilité est quelquefois appelée *analyse conditionnelle*. Étant donné qu'elle consiste à répondre à des questions du type « que se passerait-il si… ? », elle permet de mettre en doute chacune des hypothèses qui sous-tendent une option stratégique. Son objectif est notamment de définir quelle est la sensibilité de la performance prévisible (par exemple la rentabilité) par rapport à chacune de ces hypothèses. Une stratégie peut ainsi reposer sur l'hypothèse que le marché va connaître une croissance de 5 % par an ou que l'entreprise ne va pas être confrontée à une grève dans l'année qui suit ou que des équipements coûteux pourront être utilisés à 90 % de leur capacité. L'analyse de sensibilité consiste à déterminer quel serait l'effet sur la performance si jamais la demande ne croissait que de 1 % ou si au contraire elle augmentait de 10 %. La stratégie envisagée serait-elle toujours appropriée dans ces deux cas extrêmes ? Cette technique aide les managers à construire une représentation fidèle des risques associés à chacune des stratégies et à définir le degré de confiance que l'on peut raisonnablement associer à chaque décision. L'illustration 10.5 montre comment on peut l'utiliser dans le cadre de l'évaluation de la stratégie.

Illustration 10.5

L'analyse de sensibilité

L'analyse de sensibilité permet d'évaluer dans quelle mesure le succès d'une stratégie dépend des hypothèses qui la sous-tendent.

En 2005, la Compagnie Rhodanienne de Chimie était une entreprise qui proposait un seul produit sur un marché mature et relativement stable. Elle souhaitait utiliser cette position établie en tant que vache à lait afin de générer la marge brute d'autofinancement (MBA) nécessaire au lancement d'un nouveau produit lié à son activité actuelle. Des estimations avaient montré que pour rendre possible ce projet il était nécessaire de disposer entre 2006 et 2011 d'une MBA de 4 millions d'euros (à la valeur de 2005).

Même si la performance attendue de l'entreprise sur cette période était une MBA de 9,5 millions d'euros (*hypothèse de base*), les dirigeants souhaitaient évaluer l'impact de trois facteurs clés :

- La possibilité d'une augmentation des *coûts de production* (main-d'œuvre, frais généraux, matières), qui pouvait s'établir à 3 % par an.

- La *capacité de production*, qui pouvait être réduite de 25 % du fait d'équipements vieillissants et d'un climat social incertain.

- Les *niveaux de prix*, qui du fait de la menace de survenue d'un nouveau concurrent pouvaient diminuer de 3 % par an.

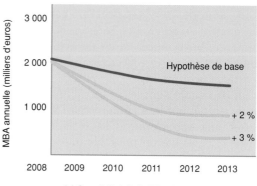

(a) Sensibilité de la MBA à l'évolution des coûts de production

Il fut décidé d'utiliser une analyse de sensibilité pour évaluer l'impact possible de chacun de ces facteurs sur la capacité de l'entreprise à générer 4 millions d'euros de MBA. Les résultats sont présentés sur les graphiques.

À partir de cette analyse, les dirigeants conclurent que l'objectif de 4 millions serait atteint avec une capacité de production minimale de 60 %, ce qui semblait tout à fait envisageable. L'augmentation des coûts de production de 3 % par an n'empêchait pas l'entreprise d'atteindre son objectif avant 2011. En revanche, une baisse des prix de 3 % créait un manque à gagner de 2 millions d'euros.

Les réactions des parties prenantes

Dans le chapitre 4, nous avons montré que dans le but d'analyser le contexte politique et d'établir des priorités, il est possible d'élaborer une *cartographie des parties prenantes* (voir le schéma 4.9). Par définition, ce type de cartographie n'est utile que dans le cadre de l'analyse d'options stratégiques spécifiques. On peut donc y recourir pour anticiper les réactions probables des parties prenantes à une nouvelle stratégie, pour envisager la possibilité de gérer ces réactions et donc pour déterminer l'acceptabilité d'une stratégie.

Les réactions des parties prenantes peuvent être cruciales dans de nombreuses situations :

- La *restructuration du capital*. Une nouvelle stratégie peut nécessiter une augmentation de capital, ce qui peut déclencher l'hostilité de certains actionnaires, soucieux d'éviter une dilution de leur pouvoir.
- Une *fusion* ou une *acquisition*. Le rapprochement avec une autre organisation peut être inacceptable pour les syndicats, l'État ou certains clients.

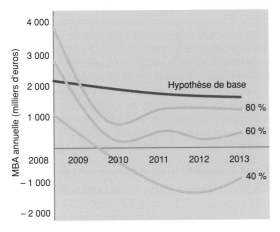

(b) Sensibilité de la MBA à l'évolution de l'utilisation des machines

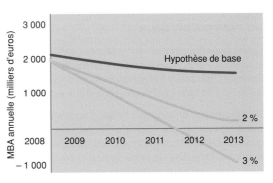

(c) Sensibilité de la MBA à la réduction des prix

La direction déduisit de tout cela que le facteur clé de succès de l'opération était la capacité de l'entreprise à préserver son niveau de prix en cas de survenue du nouvel entrant. Elle décida donc de déployer une politique marketing agressive afin de décourager les entrants potentiels.

Source : les calculs du test de sensibilité utilisent les programmes informatiques employés dans le cas *Doman* par P.H. Jones (Sheffield Business School).

Questions

Que doit faire l'entreprise si sa politique marketing ne réussit pas à empêcher l'érosion des prix :

(a) Accroître son volume de ventes et l'utilisation de sa capacité de production ?

(b) Réduire ses coûts de production unitaires ?

(c) Autre chose ?

- Un *nouveau modèle économique*. La mise en place d'un site de vente en ligne provoque généralement le contournement du réseau de distribution traditionnel, qui peut être tenté de prendre des mesures de rétorsion à l'encontre des autres activités de l'organisation.
- L'*externalisation* se traduit le plus souvent par des suppressions d'emplois ou par le transfert des salariés concernés au prestataire, ce qui peut provoquer une forte réaction des syndicats.

10.3.3 La faisabilité

La **faisabilité** consiste à déterminer si l'organisation possède les ressources et compétences nécessaires au déploiement d'une stratégie. On peut utiliser pour cela plusieurs techniques d'analyse.

La faisabilité financière

L'évaluation de la faisabilité financière peut reposer sur une *prévision des flux de financement*[37]. Comme on peut le constater dans l'illustration 10.6, cette analyse

La faisabilité consiste à déterminer si l'organisation possède les ressources et compétences nécessaires au déploiement d'une stratégie

Illustration 10.6

L'analyse des flux de financement : un exemple pratique

L'analyse des flux de financement peut être utilisée pour déterminer si une option stratégique est faisable en termes financiers. Pour cela, il faut prévoir les fonds qui seront requis pour financer la stratégie et définir leur provenance.

Distribulec (un distributeur belge d'appareils électriques) envisageait une stratégie d'expansion qui impliquait l'ouverture de magasins en France. Afin d'évaluer la faisabilité financière de cette stratégie, de déterminer quels fonds seraient nécessaires et d'identifier quelle pourrait être leur provenance, l'entreprise décida de mener une analyse des flux de financement.

Étape 1 : Identification des sources

L'ouverture de nouveaux magasins devait permettre de faire passer le chiffre d'affaires de 30 millions d'euros à 31,65 millions par an dans les trois ans à venir. Cela devait permettre de générer un flux de liquidités de 15 millions sur trois ans (estimation des profits futurs corrigée des dotations aux amortissements ; il s'agissait donc du flux réel de financement pour l'entreprise dans les trois ans à venir).

Étape 2 : Identification des charges

Les nouveaux magasins allaient engendrer une série de coûts. Étant donné que Distribulec avait décidé d'acheter les fonds de commerce plutôt que de les louer, il fallait financer l'achat et la rénovation des magasins, ce qui nécessitait 13,25 millions d'euros. Il fallait également financer l'augmentation du besoin en fonds de roulement (stocks et créances), qui était calculée non pas par une évaluation de la progression de chacun des postes, mais au prorata de la situation actuelle. Pour réaliser le chiffre d'affaires actuel de 30 millions, un besoin en fonds de roulement de 10 millions était nécessaire. L'augmentation des ventes de 1,65 million devait donc nécessiter un accroissement de 0,55 million du besoin en fonds de roulement. De même, le surcroît d'impôts était estimé à 1,2 million et celui des dividendes à 0,5 million.

Étape 3 : Identification et financement des besoins

Ces calculs faisaient apparaître un besoin de 0,5 million qu'il convenait de financer. Il était possible d'émettre de nouvelles actions, mais les dirigeants préféraient contracter un emprunt à court terme pour un montant de 0,65 million. Cet emprunt à 7,5 % par an imposait le versement de 0,15 million d'intérêts sur les trois ans. Le résultat net du projet était donc un gain de 0,5 million.

Source : Sara Martin, Cranfield School of Management.

Questions

1. Quelles sont les étapes de cette évaluation pour lesquelles le risque d'erreur est le plus élevé ?
2. Étant donné votre réponse à la question 1, comment l'analyse devrait-elle être présentée aux décideurs ?
3. Comment cette incertitude pourrait-elle influencer la phase de déploiement de la stratégie ?

Produits	Euros	Charges	Euros
Flux de liquidités	15 000 000	Investissement	13 250 000
		Fonds de roulement	550 000
		Impôts	1 200 000
		Dividendes	500 000
Sous-total	15 000 000	Sous-total	15 500 000

Remarque : la différence entre produits et charges fait apparaître un besoin de 500 000 euros.

cherche à déterminer les fonds nécessaires au déploiement d'une stratégie et à identifier leur provenance. L'analyse des flux de financement est soumise aux difficultés, aux limites et aux erreurs inhérentes à toutes les méthodes de prévision. Pour autant, elle permet de montrer rapidement si la stratégie proposée est réaliste d'un point de vue financier. Le problème du financement des développements stratégiques constitue une interface essentielle entre la stratégie et la finance, qui sera examinée plus en détail dans la section 13.4.2.

La faisabilité financière peut également être évaluée grâce à une *analyse du seuil de rentabilité*[38], qui est une technique simple et largement répandue. Puisqu'elle peut être utilisée pour estimer la pertinence d'objectifs de gain (par exemple un taux de profit prévisionnel ou un ROCE), l'analyse du seuil de rentabilité permet aussi une évaluation de l'acceptabilité. Elle permet notamment de mesurer le risque d'options stratégiques qui présentent des structures de coût largement différentes.

Le déploiement des ressources

Même si la faisabilité financière est importante, il peut se révéler utile de mesurer plus largement la cohérence entre les options stratégiques et les ressources et compétences détenues par l'organisation. Une stratégie d'expansion géographique peut ainsi être fortement conditionnée par une expertise en marketing et en distribution ou par la disponibilité des fonds permettant de financer l'augmentation des stocks. De même, une stratégie de développement de nouveaux produits destinés aux clients actuels dépend avant tout des compétences d'ingénierie, de la capacité de l'outil industriel et de la réputation de l'organisation en termes de qualité des nouveaux produits.

Une évaluation du déploiement des ressources peut être utilisée pour se prononcer sur deux aspects : tout d'abord dans quelle mesure la capacité stratégique de l'organisation doit évoluer afin d'atteindre le seuil requis par chaque stratégie, et ensuite quelles sont les ressources clés et les compétences fondamentales qui doivent être développées afin d'obtenir et de maintenir un avantage concurrentiel. Il s'agit de déterminer si ces évolutions sont crédibles en termes d'échelle, de qualité des ressources et de délais.

10.3.4 Les limites des critères d'évaluation

À l'issue de cette discussion sur les critères d'évaluation des options stratégiques, trois limites doivent être soulignées :

- *Savoir arbitrer entre des conclusions divergentes.* Les conclusions obtenues en appliquant les critères de pertinence, d'acceptabilité et de faisabilité peuvent diverger. Une stratégie peut ainsi sembler très pertinente, mais inacceptable du point de vue de certaines parties prenantes influentes. Il est donc important de rappeler que les différentes méthodes présentées dans ce chapitre constituent des aides à la décision, mais qu'elles ne doivent pas se substituer à la capacité de jugement des managers. La responsabilité des managers consiste justement à arbitrer entre des choix difficilement conciliables. Les méthodes d'évaluation leur permettent de mieux comprendre les enjeux de cet arbitrage, mais elles ne les soustraient pas à leur rôle de décideurs.

- *Maintenir une cohérence entre les éléments d'une stratégie.* La stratégie concurrentielle (prix, différenciation, focalisation), l'orientation stratégique (développement de produits ou de marchés, diversification) et la modalité de développement (croissance interne, croissance externe, alliance ou partenariat) doivent être cohérentes les unes avec les autres : elles doivent être considérées

Illustration 10.7 | Débat

À qui profitent les fusions ?

Les fusions et acquisitions impliquent des montants exorbitants. Cet argent est-il judicieusement dépensé ?

Dans ce chapitre, nous avons montré l'importance des fusions et acquisitions en tant que modalité de développement stratégique, mais nous avons également souligné certaines de leurs limites. Les échecs retentissants ont en effet été nombreux. Lorsqu'en 2001 le groupe de médias Time Warner a fusionné avec le fournisseur d'accès à Internet AOL, la capitalisation boursière de Time Warner s'élevait à 90 milliards de dollars. À peine trois ans plus tard, la valeur des participations de Time Warner dans le nouvel ensemble n'était plus que de 36 milliards, soit une perte de plus de 50 milliards, alors que dans le même temps la valeur des entreprises de médias n'avait baissé en moyenne que de 16 %.

Michael Porter, professeur à la Harvard Business School, s'est montré particulièrement sceptique à l'égard des fusions et acquisitions, en soulignant qu'une entreprise achetée sur deux est revendue après quelques années[1]. La figure ci-contre montre l'évolution de la capitalisation boursière des entreprises impliquées dans des opérations d'acquisition aux États-Unis entre 1996 et 2001[2]. En 2000, les actionnaires des acquéreurs ont ainsi perdu collectivement plus de 150 milliards de dollars. Les auteurs de cette étude ont calculé que sur la période 1991-2001, chaque fois que 100 dollars ont été dépensés dans une opération d'acquisition, les actionnaires ont perdu plus de 7 dollars.

Selon certains observateurs, ces énormes pertes sont la conséquence du fait que les fusions et acquisitions ne font que servir l'appétit de pouvoir des managers, au détriment de l'intérêt de leurs actionnaires : il apparaît d'ailleurs que plus de la moitié des dirigeants perdent leur poste après une fusion ratée[3]. Si cette interprétation est correcte, il serait judicieux d'encadrer plus strictement les fusions et acquisitions sur un plan légal, afin d'aider les cibles à résister ou à refuser les offres publiques d'achat hostiles. Si les OPA sauvages étaient plus sévèrement réglementées, des milliards de dollars seraient économisés chaque année.

Cependant, cet encadrement présenterait aussi des inconvénients[4]. Même si les entreprises qui recourent à des acquisitions ne créent généralement pas de valeur pour leurs actionnaires, elles contribuent à améliorer le système économique dans son ensemble :

- La menace d'une OPA hostile force les managers à veiller aux intérêts de leurs actionnaires.
- Les fusions et acquisitions peuvent efficacement restructurer des firmes ou des industries stagnantes. L'absence de menace d'OPA hostiles a souvent été présentée comme une des causes de l'incapacité de l'économie japonaise à se restructurer depuis le début des années 1990.

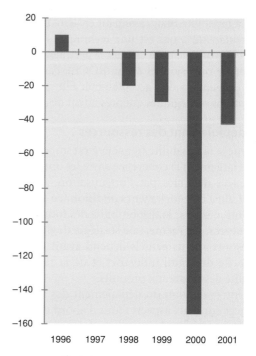

■ Évolution de la capitalisation boursière (en milliards de dollars US)

Sources :

1. M. Porter, « From competitive advantage to corporate strategy », *Harvard Business Review*, mai-juin 1987, pp. 43-60.
2. S.B. Moeller, F.P. Schlingman et R.M. Stulz, « Wealth destruction on a massive scale? A study of acquiring firm returns on the recent merger wave », *Journal of Finance*, vol. 60, n° 2 (2006), pp. 757-782.
3. K.M. Lehn et M. Zhao, « CEO turnover after acquisitions: are bad bidders fired? », *Journal of Finance*, vol. 61, n° 4 (2006), pp. 1759-1811.
4. « Hostile bids are back again: who should rejoice ? », *The Economist*, 21 février 2004.

Questions

1. Choisissez une opération de fusion ou acquisition récente, et suivez l'évolution du cours des actions des entreprises impliquées (par exemple grâce au site bourse.lesechos.fr) plusieurs semaines avant et plusieurs semaines après l'annonce de l'opération. Que vous suggèrent ces évolutions sur la pertinence de l'opération ?

2. Identifiez dans la presse ou sur Internet un cas d'OPA hostile. Quelles ont été les actions menées par les dirigeants de la cible pour résister à la prise de contrôle ?

comme un tout et partager la même logique. Si ce n'est pas le cas, la situation peut rapidement devenir problématique. Une stratégie de différenciation fondée sur des compétences distinctives patiemment accumulées au cours du temps est ainsi rarement cohérente avec un développement par croissance externe, comme l'ont démontré les échecs du rachat de Rover par BMW ou de Chrysler par Daimler.

- *Tout est dans l'application.* Ce n'est que lors du déploiement effectif de la stratégie que l'on peut réellement constater la pertinence, l'acceptabilité et la faisabilité des options retenues. Cela peut conduire à la refonte, voire à l'abandon de certaines options. En pratique, l'évaluation se déroule donc au moment du déploiement. C'est une des raisons qui justifient l'expérimentation et le recours à des démarches exploratoires peu coûteuses. Un des secrets des organisations qui réussissent un grand nombre de développements stratégiques est qu'elles en tentent un nombre encore plus grand. Plus généralement, il serait hasardeux de supposer que l'évaluation systématique des options stratégiques est la norme dans toutes les organisations. Dans les prochains chapitres, nous verrons comment traduire effectivement la stratégie en actions et en quoi consiste pratiquement le management stratégique.

Résumé

- Il existe trois *modalités* de développement stratégique :
  - La *croissance interne* a pour principal avantage de s'appuyer sur les capacités stratégiques d'une organisation. Cependant, elle peut conduire à surexploiter les ressources, et elle nécessite généralement le développement de nouvelles capacités.
  - La *croissance externe* par fusions et acquisitions permet d'acquérir rapidement de nouvelles compétences indisponibles en interne. Néanmoins, de nombreuses opérations de croissance externe sont des échecs.
  - Les *alliances* et les *partenariats* impliquent que la relation mutuelle soit gérée et développée de manière positive. La confiance y est également fondamentale.

- Le succès ou l'échec des stratégies peut être évalué grâce à trois *critères de réussite* :
  - La *pertinence* consiste à déterminer si la stratégie est en adéquation avec le diagnostic stratégique présenté dans la partie 1. Elle concerne la logique intrinsèque de la stratégie.
  - L'*acceptabilité* d'une stratégie dépend de trois facteurs : le *gain* attendu, le niveau de *risque* et la *réaction* prévisible des parties prenantes.
  - La *faisabilité* consiste à déterminer si l'organisation maîtrise les ressources et compétences nécessaires au déploiement de la stratégie.

- Une stratégie comprend trois éléments – le positionnement (stratégie concurrentielle), l'orientation et la modalité – qui doivent être cohérents les uns avec les autres.

Travaux pratiques • Signale des exercices d'un niveau plus avancé

1. Envisagez différentes combinaisons d'orientations et de modalités de développement stratégique pour Nature & Découvertes (voir le cas à la fin du chapitre 4), pour TomTom (voir le cas à la fin du chapitre 9) ou pour une organisation de votre choix.

2. Rédigez une courte recommandation (un paragraphe) à l'attention d'un directeur général qui vous a demandé un avis sur un développement de son entreprise au travers de fusions et acquisitions. Rédigez une recommandation identique à l'attention des directeurs de deux hôpitaux qui envisagent de fusionner leurs établissements.

3. • « Les alliances stratégiques ne survivront pas à long terme si elles sont uniquement considérées comme une manière de combler un vide dans la gamme de ressources et compétences de l'organisation. » Commentez cette affirmation en relation avec une alliance qui vous est familière.

4. En vous inspirant de l'illustration 10.2, effectuez le classement des options stratégiques pour une organisation de votre choix.

5. • En gardant à l'esprit vos réponses aux questions de l'illustration 10.4 :
   a) Quelle est selon vous la validité de l'analyse coût bénéfice ?
   b) Comment peut-on l'améliorer ?

6. En utilisant les critères de pertinence, d'acceptabilité et de faisabilité, évaluez les options stratégiques envisageables pour Carrefour (voir le cas à la fin de ce chapitre) ou une organisation de votre choix.

7. • En utilisant des exemples tirés de vos réponses aux questions précédentes, commentez l'affirmation selon laquelle « le choix stratégique est en fin de compte un sujet très subjectif. Il est dangereux de penser que les méthodes analytiques peuvent se substituer à la réalité ». Vous pouvez vous référer aux commentaires figurant à la fin de la partie 2.

Exercice de synthèse

8. Expliquez en quoi les critères de réussite (voir la section 10.3) peuvent différer selon qu'on les applique à une organisation du secteur public ou du secteur privé. Montrez en quoi ces différences sont liées à la nature de l'environnement (voir le chapitre 2) et aux attentes des parties prenantes (voir le chapitre 4).

Lectures recommandées

- Sur les fusions et acquisitions, voir D. Rankine, P. Hawson et F. Fréry, *Réussir une acquisition*, Pearson Education, 2006, ainsi que P. Gaughan, *Mergers, Acquisitions and Corporate Restructurings*, 4e édition, Wiley, 2007.
- Sur les alliances et partenariats, on peut consulter P. Dussauge et B. Garette, *Les stratégies d'alliance*, Éditions d'Organisation, 1995, ainsi que Y. Doz et G. Hamel, *L'avantage des alliances*, Dunod, 2000, et J. Child, *Cooperative Strategy*, Oxford University Press, 2005.
- Les techniques d'évaluation sont présentées plus en détail dans V. Ambrosini, G. Johnson et K. Scholes (eds.), *Exploring Techniques of Analysis and Evaluation in Strategic Management*, Prentice Hall, 1998.
- Sur les techniques d'analyse financière appliquées à l'analyse et à l'évaluation stratégique, voir C. Thibierge, *Analyse financière*, 2e édition, Vuibert, 2007, G. Arnold, *Corporate Financial Management*, 3e édition, Prentice Hall, 2005, et L. Batsch, *Finance et stratégie*, Economica, 1999.

Références

1. Voir J.F. Mognetti, *Organic Growth: Cost-Effective Business Expansion from Within*, Wiley, 2002.
2. Sur les fusions et acquisitions, voir D. Rankine, P. Hawson et F. Fréry, *Réussir une acquisition*, Pearson Education, 2006. Voir également P. Gaughan, *Mergers, Acquisitions and Corporate Restructurings*, 4ᵉ édition, Wiley, 2007 ; T. Galpin et M. Herndorn, *The Complete Guide to Mergers and Acquisitions*, Jossey-Bass, 2000 ; ainsi que D.M. DePamphilis, *Mergers, acquisitions, and other restructuring activities : An integrated approach to process, tools, cases, and solutions*, Elsevier, 2005.
3. G. Muller-Stewens, « Catching the right wave », *European Business Forum*, n° 4 (hiver 2000), pp. 6-7, présente les principales vagues de fusions et acquisitions sur les cent dernières années.
4. Voir « All aboard the M&A express », *Sunday Times Business Focus*, 31 décembre 2006, p. 5.
5. Voir le chapitre de F. Fréry, « Le dilemme croissance cohérence », dans l'ouvrage collectif *L'art de la croissance*, Village Mondial, 2007.
6. Voir par exemple M. Zey et T. Swenson, « The transformation and survival of Fortune 500 industrial corporations through mergers and acquisitions, 1981-1995 », *Sociological Quarterly*, vol. 42, n° 3 (2001), pp. 461-486, et A. Gregory, « An examination of the long term performance of UK acquiring firms », *Journal of Business Finance and Accounting*, vol. 24 (1997), pp. 971-1002.
7. De très nombreuses recherches ont été menées sur le succès ou l'échec des fusions et acquisitions. Voir D. Rankine, P. Hawson et F. Fréry (référence 2) ; D. Carey, « Making mergers succeed », *Harvard Business Review*, vol. 78, n° 3 (2000), pp. 145-154. ; B. Savill et P. Wright, « Success factors in acquisitions », *European Business Forum*, n° 4 (hiver 2000), pp. 145-154 ; R. Larsson et S. Finkelstein, « Integrating strategic, organisational, and human resource perspectives on mergers and acquisitions: a case survey of synergy realisation », *Organisation Science*, vol. 10, n° 1, pp. 1-26 ; J. Birkinshaw, H. Bresnman et L. Hakanson, « Managing the post-acquisition integration process: how the human integration and task integration processes interact to foster value creation », *Journal of Management Studies*, vol. 37, n° 3 (2000), pp. 395-425 ; R. Schoenberg, « The influence of cultural compatibility within cross-border acquisitions: a review », *Advances in Mergers and Acquisitions*, vol. 1 (2000), pp. 43-59 ; D. Fubini, C. Price et M. Zollo, *Mergers : Leadership, Performance and Corporate Health*, Palgrave, 2007 ; P. Haspeslagh, « Maintaining momentum in mergers », *European Business Forum*, n° 4 (hiver 2000), pp. 53-56 ;

D.N. Angwin, *Implementing successful post-acquisition integration*, Prentice Hall, 2000.
8. Voir J. Bower, « Not all M&As are alike », *Harvard Business Review*, vol. 79, n° 3 (2001), pp. 93-101.
9. Voir J. Child, D. Faulkner et R. Pitkethly, *The Management of International Acquisitions*, Oxford University Press, 2003.
10. Sur les alliances et partenariats, voir B. Garette et P. Dussauge, *Les alliances stratégiques*, Éditions d'Organisation, 1995, et Y. Doz et G. Hamel, *L'avantage des alliances*, Dunod, 2000. Voir également J. Child, *Cooperative Strategy*, Oxford University Press, 2005, et R. ul-Haq, *Alliances and co-Evolution : Insights from the Banking Sector*, Palgrave, 2005. Pour une vision plus théorique, voir Y. Doz, D. Faulkner et M. De Rond, *Co-operative Strategies : Economic, Business and Organisational Issues*, Oxford University Press, 2001. Les managers peuvent consulter un guide pratique sur cette question : E. Rigsbee, *Developing Strategic Alliances*, Crisp, 2000.
11. Voir D. Ernst et T. Halevy, « Give alliances their due », *McKinsey Quarterly*, n° 3 (2002), pp. 4-5.
12. Sur les alliances globales, voir G. Yip, *Total Global Strategy II*, 2ᵉ édition, Prentice Hall, 2003, pp. 82-85.
13. Pour une discussion sur l'utilisation d'alliances et partenariats dans le cadre d'expérimentations stratégiques, voir W. Kummerle, « Home base and knowledge management in international ventures », *Journal of Business Venturing*, vol. 17, n° 2 (2002), pp. 99-122.
14. Voir J. Dyer, P. Kale et H. Singh, « How to make strategic alliances work », *Sloan Management Review*, vol. 42, n° 4 (2001), pp. 37-43.
15. Voir Y. Doz et G. Hamel (référence 10), chapitres 1 et 2 ; ul-Haq (référence 10) ; D. Ernst et T. Halevy (référence 11) ; M. Koza et A. Lewin, « The co-evolution of strategic alliances », *Organisation Science*, vol. 9, n° 3 (1998), pp. 255-264.
16. Cette typologie est inspirée de B. Garette et P. Dussauge, *Les alliances stratégiques*, Éditions d'Organisation, 1995.
17. La notion d'impartition, qui désigne le partage des tâches et des bénéfices entre clients et fournisseurs, a été définie par P.Y. Barreyre, *L'impartition, politique pour une entreprise compétitive*, Hachette, 1968.
18. Voir J. Carlos Jarillo, « On strategic Networks », *Strategic Management Journal*, vol. 9, n° 1 (1988), pp. 31-41.
19. Voir P.Y. Barreyre (référence 17).
20. Voir Y. Doz et G. Hamel (référence 10) ; T. Pietras et C. Stormer, « Making strategic alliances work », *Business and Economic Review*, vol. 47, n° 4 (2001), pp. 9-12 ; N. Kaplan et J. Hurd, « Realizing the promise of

partnerships », *Journal of Business Strategy*, vol. 23, n° 3 (2002), pp. 38-42 ; A. Parkhe, « Interfirm diversity in global alliances », *Business Horizons*, vol. 44, n° 6 (2001), pp. 2-4 ; ul-Haq (référence 10) ; I. Hipkin et P. Naude, « Developing effective alliance partnerships », *Long Range Planning*, vol. 39 (2006), pp. 51-69 ; A. Inkpen, « Learning through joint ventures : a framework of knowledge acquisition », *Journal of Management Studies*, vol. 37, n° 7 (2000), pp. 1019-1045.

21. ul-Haq (référence 10) identifie différents types de coévolution, qu'il qualifie de parallèle, divergente et convergente.

22. Voir I. Hipkin et P. Naude (référence 20).

23. Voir A. Inkpen (référence 20).

24. Voir F. Fréry, « Le contrôle de l'opportunisme dans les entreprises virtuelles », *Revue française de gestion*, à paraître (2008) ; L. Abrams, R. Cross, E. Lesser et D. Levin, « Nurturing interpersonal trust in knowledge sharing networks », *Academy of Management Executive*, vol. 17, n° 4 (2003), pp. 64-77 ; C. Huxham et S. Vangen, *Collaborative Advantage*, Routledge, 2005, et S. Vangen et C. Huxham, « Nurturing collaborative relations: building trust in interorganizational relationships », *Journal of Applied Behavioural Science*, vol. 39, n° 1 (2003), pp. 5-31.

25. Voir D. Lavie, « The competitive advantage or interconnected firms : an extension of the resource based view », *Academy of Management Review*, vol. 21, n° 3 (2006), pp. 638-658.

26. Voir H. Weihrich, « The TOWS matrix – a tool for situational analysis », *Long Range Planning*, avril 1982, pp. 54-66.

27. Sur l'analyse financière appliquée à l'analyse et à l'évaluation stratégique, voir Z. Bodie, R. Merton et C. Thibierge *Finance*, 2ᵉ édition, Pearson Education, 2007 ; L. Batsch, *Finance et stratégie*, Economica, 1999 ; G. Arnold, *Corporate Financial Management*, 3ᵉ édition, Prentice Hall, 2005.

28. Sur l'analyse coût bénéfice, voir J.L. King, « Cost-benefit analysis for decision-making », *Journal of Systems Management*, vol. 31, n° 5 (1980), pp. 24-39. Un exemple détaillé sur l'industrie de l'eau peut être trouvé dans N. Poew, « Water companies' service performance and environmental trade-off », *Journal of Environmental Planning and Management*, vol. 45, n° 3 (2002), pp. 363-379.

29. L'évaluation par les options réelles peut rapidement se perdre dans des calculs fastidieux. Le lecteur qui souhaite mieux comprendre cette approche est donc invité à consulter R. Durand, P.-Y. Gomez, P. Monin, « Le management stratégique face à la théorie des options », *Revue française de gestion*, vol. 28, n° 137 (janvier-mars 2002), pp. 45-60 ; T. Copeland, « The real options approach to capital allocation », *Strategic Finance*, vol. 83, n° 4 (2001), pp. 33-37 ; T. Copeland, T. Koller et J. Murrin, *Valuation: Measuring and managing the value of companies*, 3ᵉ édition, Wiley, 2000 ; T. Copeland et V. Antikarov, *Real Options: A practitioner's guide*, Texere Publishing, 2001 ; L. Trigeorgis, *Managerial Flexibility and Strategy in Resource Allocation*, MIT Press, 2002 ; P. Boer, *The Real Option Solution: Finding total value in a high risk world*, Wiley, 2002 ; M.M. Kayali, « Real options as a tool for making strategic investment decisions », *Journal of the American Academy of Business*, vol. 8, n° 1 (2006), pp. 282-287.

30. T. Luehrman, « Strategy as a portfolio of real options », *Harvard Business Review*, vol. 76, n° 5 (1998), pp. 89-99.

31. Le principal partisan de l'analyse de la valeur actionnariale a été A. Rappaport, *Creating Shareholder Value: The new standard for business performance*, 2ᵉ édition, Free Press, 1998. Voir également O. Jokung, J.-L. Arrègle et W. Ulaga, *Introduction au management de la valeur*, Dunod, 2001. On peut également consulter le chapitre de R. Mills, « Understanding and using shareholder value analysis » dans l'ouvrage coordonné par V. Ambrosini, G. Johnson et K. Scholes, *Exploring Techniques of Analysis and Evaluation in Strategic Management*, Prentice Hall, 1998.

32. A. Kennedy, *The End of Shareholder Value*, Perseus Publishing, 2000.

33. Voir P. Haspeslagh, T. Noda et F. Boulos, « It's not just about the numbers », *Harvard Business Review*, vol. 79, n° 7 (2001), pp. 63-75.

34. L. Levidow et S. Carr, « UK: precautionary commercialisation », *Journal of Risk Research*, vol. 3, n° 3 (2000), pp. 261-270.

35. Voir R. Barker et C. Thibierge, *L'évaluation des entreprises : modèles et mesures de la valeur*, Les Echos Éditions, 2002, ou C. Horngren, A. Bhimani, S. Datar et G. Foster, *Management and Cost Accounting*, Prentice Hall, 2ᵉ édition, 2002, chapitre 19.

36. Sur le détail de l'analyse de sensibilité, voir A. Satelli, K. Chan et M. Scott (eds), *Sensitivity Analysis*, Wiley, 2000. Une description rapide figure également dans C. Horngren et al. (référence 35). Les tableurs informatiques sont tout à fait adaptés à des analyses de sensibilité simples.

37. Voir A. Satelli, K. Chan et M. Scott (référence 36). Voir aussi C. Horngren et al. (référence 35).

38. L'analyse du seuil de rentabilité est présentée dans la plupart des ouvrages de comptabilité et de contrôle de gestion. Voir par exemple P.L. Bescos, P. Dobler et C. Mendoza Martinez, *Contrôle de gestion et management*, 4ᵉ édition, Montchrestien, 1996.

Carrefour à la croisée des chemins

Lorsqu'en janvier 2008 le groupe Carrefour annonça un chiffre d'affaires en croissance de 6,9 % pour l'année 2007, les analystes furent quelque peu rassurés. En effet, Carrefour avait subi entre 2003 et 2006 une baisse de son activité historique, les hypermarchés en France. Or, même si le groupe était fortement internationalisé (numéro deux mondial derrière l'Américain Wal-Mart et numéro un en Europe et en Amérique latine), 45,6 % de son chiffre d'affaires et surtout la moitié de son bénéfice étaient encore réalisés sur le marché français. Tout

recul en France (– 0,3 % en 2003) était donc perçu comme une menace. Or, depuis un ambitieux plan de reconquête amorcé en 2003, le groupe regagnait du terrain sur le marché français : + 4,4 % en 2006 et + 1 % en 2007.

Carrefour était en fait confronté à deux enjeux majeurs : l'un à l'international et l'autre sur son marché local. La concurrence mondiale était de plus en plus vive et elle se jouait majoritairement sur le marché dont le potentiel était le plus prometteur : la Chine. Dans cette course à l'expansion, Carrefour était en concurrence avec Wal-Mart (la plus grosse entreprise du monde qui, avec une ouverture de magasin toutes les neuf heures, réalisait à elle seule 2,5 % du PNB des États-Unis), mais également avec le Britannique Tesco (dont les ventes avaient doublé en quatre ans et dont la capitalisation boursière dépassait désormais celle de Carrefour de plus de 30 %). Par ailleurs, sur ses marchés historiques, Carrefour devait affronter les groupes de hard dis-

count, dont les Allemands Lidl et Aldi, qui avec leurs prix bas et leurs gammes étroites avaient redéfini l'offre de référence en Europe. Non seulement le hard discount connaissait une croissance continue (Lidl avait gagné 23 places dans le classement mondial des distributeurs entre 2001 et 2006), mais de plus, par rapport aux niveaux de prix pratiqués par ces enseignes, les hypermarchés Carrefour étaient devenus trop chers, ce qui avait obligé le groupe à investir 600 millions d'euros en 2006 pour faire baisser ses prix de 1 % en France.

Menacé à la fois en France et dans son expansion mondiale, Carrefour devait poursuivre sa croissance, au risque de redéfinir son périmètre d'activité et ses modalités de développement.

L'expansion d'un pionnier de la distribution

L'entreprise Carrefour avait été fondée en France en 1959 par deux familles, les Defforey (des grossistes et succursalistes alimentaires) et les

Étude de cas

Fournier. Le premier magasin, un supermarché, fut ouvert en 1960 près d'Annecy, dans les Alpes, sur un emplacement où convergeaient cinq routes (d'où le nom Carrefour). Cependant, la véritable innovation fut l'ouverture en 1963, à Sainte-Geneviève-des-Bois, dans la banlieue sud de Paris, du premier hypermarché du monde, trois à cinq fois plus grand que les supermarchés de l'époque. Cohérent avec l'essor de la société de consommation, la diffusion large de l'automobile et l'urbanisation croissante de la population, ce format de distribution, bientôt imité par Auchan, Leclerc ou Casino, connut un succès extraordinaire. Rien qu'en France, le nombre d'hypermarchés passa ainsi de deux en 1965 à 254 en 1975, 579 en 1985, 1 038 en 1995 et près de 1 420 en 2007.

Dans les années 1960 et 1970, à côté d'une croissance interne soutenue, l'expansion de Carrefour reposa essentiellement sur des alliances avec d'autres groupes de distribution régionaux français, que ce soit au travers de prises de participations ou de créations de coentreprises. La législation française était en effet relativement contraignante à l'égard de l'ouverture de nouveaux magasins, considérés comme des menaces vis-à-vis des petits commerçants. La croissance externe permettait donc d'étendre le groupe en dépit de ce strict encadrement réglementaire. Carrefour eut également recours à la franchise, en cédant successivement des licences de sa marque aux groupes Dock du Nord en 1969 et Promodès en 1970. Cependant, du fait de l'apparition d'une concurrence interne entre les trois groupes, le contrat de franchise fut rompu en 1972 pour Promodès (qui passa ses hypermarchés Carrefour sous sa propre enseigne, Continent) et en 1975 pour Dock du Nord (qui créa la marque Cora).

Carrefour débuta son internationalisation dans les années 1970, là encore en recourant la plupart du temps à l'association avec des distributeurs locaux (généralement par une prise de participation minoritaire) : en 1969 en Belgique, en 1970 en Suisse, en 1971 au Royaume-Uni, en 1975 au Brésil, en 1976 en Espagne et en Autriche.

Parallèlement, soucieux de couvrir plusieurs segments de la distribution, Carrefour lança en 1969 une enseigne de supermarchés (Champion) et en 1978 une chaîne de hard discount (Ed). De même, lors de la vague Internet de la fin des années 1990, Carrefour inaugura un site de vente en ligne (Ooshop).

Le véritable bon de croissance de Carrefour fut cependant réalisé en 1999, au travers d'une fusion avec son ancien franchisé, Promodès. Il s'agissait notamment de constituer un groupe capable de faire barrage aux ambitions de Wal-Mart, qui souhaitait acquérir un concurrent en France, après l'avoir fait au Royaume-Uni en 1998 (Asda) et en Allemagne en 1999 (InterSpar). Étant donné que Carrefour et Promodès auraient pu faire chacun l'objet d'une OPA de la part du groupe américain, ils préférèrent fusionner. Outre sa chaîne d'hypermarchés Continent, Promodès apportait ainsi à Carrefour une enseigne de hard discount en Espagne (Dia), la chaîne de supermarchés Shopi et les petits commerces de proximité 8 à Huit. Cette fusion donna naissance au numéro deux mondial de la distribution, avec 680 hypermarchés, 2 600 supermarchés et 3 200 magasins de hard discount.

Menaces sur le cœur de métier

Depuis la fusion avec Promodès, Carrefour avait poursuivi son expansion, à la fois par croissance interne (une ouverture d'hypermarché par semaine dans le monde et environ 20 000 recrutements chaque année), mais aussi au travers du rachat de concurrents (en Italie, au Brésil, en Pologne, en Belgique, au Mexique, en Roumanie, au Portugal ou en Argentine), d'ouvertures de magasins (en Chine), de nouvelles alliances (création d'une coentreprise avec le groupe Maus en Suisse et avec le groupe Marinopoulos en Grèce en 2000, alliance pour la création d'une plate-forme d'approvisionnement sur Internet avec Sears et

Oracle, etc.) et de franchises pour les supermarchés (Champion), le hard discount (Dia) ou le commerce de proximité (Shopi, 8 à Huit).

En dépit de ces efforts de diversification et d'internationalisation, le groupe Carrefour avait encore réalisé en 2007 45,6 % de ses 92,3 milliards d'euros de chiffre d'affaires en France :

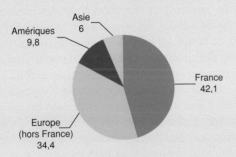

Figure 1
Répartition du chiffre d'affaires mondial de Carrefour en 2007 par zones géographiques,
en milliards d'euros.

Par ailleurs, plus de la moitié de son activité en France dépendait encore de ses 226 hypermarchés :

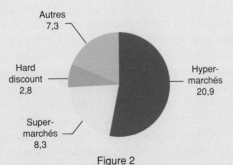

Figure 2
Répartition du chiffre d'affaires de Carrefour en 2007 en France par type de magasins,
en milliards d'euros.

Or, si les hypermarchés français contribuaient à environ un quart de l'activité mondiale de tout le groupe Carrefour, leur position dominante historique était menacée. Comme l'avait fait

remarquer un observateur : « Le cœur du système Carrefour est aussi son point faible. »

La crainte principale venait de la croissance continue des groupes de hard discount, notamment des Allemands Aldi et Lidl. Avec leurs magasins à l'aménagement sommaire (souvent de simples palettes de produits posées à même le sol), de taille réduite (entre 600 et 1 500 mètres carrés contre plus de 10 000 pour un hypermarché Carrefour) et proposant une gamme étroite (650 produits alimentaires de base contre jusqu'à 17 000 produits allant de l'alimentaire au textile en passant par l'électronique et la librairie dans un Carrefour), ils connaissaient un succès croissant en France : le hard discount avait représenté 13,3 % des ventes de produits de grande consommation en France en 2005, contre 8,8 % en 1999. Près de la moitié des Français déclaraient fréquenter de temps à autre ces magasins. En Allemagne, cette part de marché atteignait 35 %, mais la profusion des enseignes locales et la densité des magasins Aldi et Lidl laissaient craindre une saturation. Sur le marché allemand, les ventes d'Aldi et de Lidl avaient d'ailleurs baissé à partir de 2004, ce qui les poussait à accroître leur internationalisation.

Le résultat de cette montée en puissance du hard discount avait été un déplacement de l'offre de référence sur le marché français : les consommateurs, éduqués à de nouveaux niveaux de prix par les Aldi et Lidl, finissaient par trouver que Carrefour était trop cher. Cette perception était aggravée par le fait qu'au moment où le hard discount s'était implanté en France, Carrefour avait expérimenté une montée en gamme de ses hypermarchés, en donnant une légère touche de luxe (en tout cas moins d'austérité) à ses magasins les plus récents, tout en augmentant très sensiblement la largeur de sa gamme. De fait, Carrefour s'était retrouvé positionné au-dessus d'une offre de référence qui baissait en gamme. Pour la première fois depuis quarante ans, ce n'était plus Carrefour qui définissait l'offre de référence de la grande distribution en France.

Étude de cas

Ce phénomène de décalage de prix était encore renforcé par la présence sur le marché français d'un concurrent particulièrement agressif, Leclerc. Alors que Carrefour était un groupe multinational, Leclerc était une fédération d'hypermarchés indépendants presque exclusivement présents en France (sur un total de 497 hypermarchés en 2007, seulement 50 étaient implantés hors de France et uniquement en Europe). Cependant, le positionnement historique de Leclerc, depuis sa fondation en 1949, avait toujours été les prix bas : à l'origine, Édouard Leclerc avait ainsi proposé dans sa petite épicerie bretonne des tarifs inférieurs de 25 à 30 % à ceux de ses concurrents. À la fin des années 2000, Leclerc était toujours perçu comme une enseigne bon marché, par rapport à laquelle l'offre de Carrefour semblait donc souvent trop onéreuse. Alors que Carrefour multipliait les services dans ses magasins (assurances, services financiers, vacances, billetterie, optique, fleurs, entretien automobile, etc.) et avait orchestré une campagne médiatique sur le développement durable, Leclerc continuait systématiquement à communiquer sur son niveau de prix. De fait, en 2001, Leclerc était redevenu leader de la grande distribution en France (place qu'il avait perdue en 1999 lors de la fusion entre Carrefour et Promodès), avec 16,9 % de part de marché, contre 16,2 % pour Carrefour.

La machine Wal-Mart en embuscade

En dehors de ces conflits sur son marché historique, Carrefour était soumis à une pression croissante au plan international, du fait de l'inévitable comparaison avec le leader mondial, Wal-Mart. La croissance du groupe américain était significativement plus rapide, avec une capitalisation boursière quatre fois supérieure et un chiffre d'affaires (345 milliards de dollars en 2007) trois fois et demie plus élevé. Cette comparaison influait négativement sur le cours de l'action Carrefour, qui n'arrivait pas à atteindre les mêmes niveaux de performance que ceux de Wal-Mart ou Tesco.

Le cours de l'action Carrefour était d'ailleurs un sujet sensible. Entre le sommet de 96 euros atteint en novembre 1999 au moment de la fusion avec Promodès et début 2003, le titre avait chuté de 70 % à 30 euros. Du point de vue des actionnaires, les bénéfices de la fusion étaient en effet contestables : chevauchement des systèmes informatiques et logistiques, redondance de nombreux postes à la direction générale, nécessité légale de vendre des magasins à la concurrence afin de respecter la réglementation sur les positions dominantes locales, flou dans le contrôle des dépenses et surtout baisse continue de la part de marché en France. De fait, les héritiers des familles fondatrices – dont les principaux étaient les Halley, fondateurs de Promodès – avaient conclu un pacte d'actionnaires, de manière à limiter tout risque d'OPA hostile.

Wal-Mart était en effet toujours en embuscade. Alors que ses résultats d'implantation en Europe restaient jusque-là relativement décevants, ses impératifs de croissance l'obligeaient à considérer de nouvelles cibles. Pour la plus grosse entreprise du monde, qui avec 1,9 million de salariés avait réalisé en 2007 un bénéfice de 11,2 milliards de dollars, le maintien d'une croissance annuelle de plus de 10 % impliquait de trouver chaque année un surplus de chiffre d'affaires de près de 35 milliards, soit un tiers de la taille de Carrefour. Les actionnaires déçus de Carrefour pouvaient donc être tentés de vendre leurs titres au groupe américain, qui ne pouvait s'étendre en Europe que par acquisitions, du fait de la réglementation restrictive. À intervalles réguliers, la rumeur d'une OPA de Wal-Mart sur Carrefour refaisait donc surface. Cette éventualité était cependant limitée par l'intervention très probable des autorités de la concurrence, qui ne manqueraient pas de s'opposer à une absorption de cette importance. La menace était pourtant suffisamment crédible pour que la direction générale de Carrefour décide de mener une campagne de reconquête, surtout que d'autres acquéreurs potentiels étaient régulièrement évoqués, notamment Tesco.

Le plan de reconquête de 2003

L'opération de redressement, menée à partir de fin 2003, comprenait deux volets.

Sur le plan opérationnel, face à la menace de Lidl et Aldi, Carrefour réagit en renforçant sa division hard discount, qui était présente en Espagne, en Grèce, en Turquie, au Brésil, au Mexique et en Argentine sous l'enseigne Dia, au Portugal sous l'enseigne Minipreço et en France sous l'enseigne Ed. En Espagne, Dia était le leader de l'alimentation sous emballage avec une part de marché de 12 % et près de 2 400 magasins. En France, le programme d'ouverture de magasins Ed fut renforcé, pour atteindre un total de 459 magasins et un chiffre d'affaires de 1,5 milliard d'euros. Ce plan incluait notamment la reprise des 44 magasins à l'enseigne Treff Marché que l'entreprise allemande Edeka possédait en France. Par ailleurs, dans les hypermarchés en France, Carrefour entreprit une véritable guerre des prix avec Leclerc, en important de sa filiale espagnole le concept des « Produits n° 1 » (des produits basiques à très bas prix), en abaissant significativement le prix de ses autres marques distributeurs (Tex, Firstline, Topbike, etc.) et en inaugurant une nouvelle carte de fidélité qui permettait d'obtenir des coupons de réduction plus avantageux. Cette baisse des prix permit de stopper l'érosion du chiffre d'affaires, mais elle se traduisit mécaniquement par une diminution de la marge commerciale.

En ce qui concerne le périmètre du groupe, la direction générale déploya toute une série de mesures visant à rassurer les actionnaires. Outre la mise à l'écart d'un certain nombre de responsables (le directeur de la branche hypermarchés fut muté en Colombie, alors que 27 directeurs de magasins étaient remplacés), Carrefour entreprit toute une série de cessions d'actifs, pour un total d'environ un milliard d'euros. En quatre ans, Carrefour céda ainsi l'enseigne de produits surgelés Picard à un fonds d'investissement, ses centres d'entretien automobile au groupe Feu Vert, son activité optique à Alain Afflelou, son reliquat de

participation dans Cora, sa participation dans le distributeur américain de produits et services pour animaux PetsMart, ses sept magasins chiliens, ses huit hypermarchés japonais, ses quatre unités de Hongkong, ainsi que dix-neuf hypermarchés et treize galeries commerciales en Europe de l'Est et en Turquie.

Parallèlement, il était également prévu d'ouvrir un million de mètres carrés de surface de vente supplémentaire, dont 20 % en France et 50 hypermarchés en Asie. Le développement des enseignes de proximité avait aussi été poursuivi, avec notamment la reprise sous enseigne 8 à Huit des magasins des stations-service d'autoroute de BP en France. Enfin, le plan prévoyait une économie de coûts (notamment dans la logistique et l'informatique), qui selon certains observateurs pourrait atteindre un total de 500 millions d'euros.

En février 2005, alors que la baisse de part de marché en France n'était toujours pas enrayée et que les profits (1,43 milliard d'euros) accusaient une réduction de 15 %, Daniel Bernard, le P-DG en poste depuis 1992, architecte de la fusion de 1999 et de l'implantation réussie en Chine (où Carrefour était le premier distributeur étranger devant Wal-Mart), fut poussé à la démission et remplacé par le Belge Luc Vandevelde (l'ancien directeur général de Promodès) et l'Espagnol José Luis Duran (l'ancien directeur financier).

Errements dans le gouvernement

La nouvelle direction décida d'accentuer le plan de redressement, avec l'annonce de l'ouverture de plus de 100 nouveaux hypermarchés, dont près de la moitié en Asie, le quart en Amérique latine et le reste en Europe. Comme le soulignait José Luis Duran : « Notre modèle économique doit être alimenté par une amélioration de la progression du chiffre d'affaires. » La politique de prix bas fut donc poursuivie, ce qui se traduisit par une hausse de 6,6 % du chiffre d'affaires et de 3,1 % du bénéfice en 2006. L'action remonta à 45 euros, mais cela ne suffit pas à satisfaire la famille Halley (propriétaire de 13 % du capital

Étude de cas

du groupe) qui commença à connaître une série de dissensions internes, certains héritiers envisageant de vendre leur participation, d'autres de s'associer à un fonds d'investissement afin d'augmenter leur pouvoir de pression.

Ce flottement permit à Bernard Arnault, le richissime propriétaire de LVMH, associé pour l'occasion au fonds d'investissement américain Colony Capital, de s'emparer de 9,1 % du capital de Carrefour en mars 2007. Luc Vandevelde fut immédiatement remplacé à la présidence du conseil de surveillance par Robert Halley (le frère du fondateur de Promodès, victime d'un accident d'avion en 2003), alors que José Luis Duran était confirmé à son poste de président du directoire.

Les nouveaux actionnaires accentuèrent encore la pression sur les résultats. Ils réclamèrent notamment, comme Colony Capital l'avait déjà fait pour le groupe hôtelier Accor, la cotation en Bourse de 20 % d'une nouvelle filiale, Carrefour Property, dans laquelle seraient logés les actifs immobiliers de 240 hypermarchés et de 540 supermarchés. Cette opération, qui aurait dû rapporter près de 3 milliards d'euros, fut cependant compromise par la crise des crédits immobiliers. Une cession de la branche hard discount (Dia et Ed) fut alors évoquée, toujours dans le but de faire remonter plus de dividendes aux actionnaires. Ce projet de cession du hard discount était cohérent avec une autre tendance déjà amorcée par la filiale espagnole : l'unification des réseaux d'hypermarchés et de supermarchés sous la marque Carrefour. Si les supermarchés Champion devenaient comme prévu des Carrefour Express, les magasins de hard discount ne pouvaient pas s'inscrire dans cette logique de marque unique.

Reste que ces exigences accrues des actionnaires se manifestaient au moment où Carrefour devait continuer à investir massivement sur les marchés d'avenir, notamment en Chine, où le groupe avait ouvert en dix ans autant de sites qu'en trente ans en Espagne ou au Brésil, mais où Wal-Mart prévoyait de recruter 150 000 salariés en cinq ans. Cette expansion était également nécessaire face au succès insolent de Tesco : selon une étude du cabinet Deloitte parue en janvier 2008, le Britannique risquait de ravir à Carrefour sa place de numéro deux mondial de la distribution à l'horizon 2010.

Sources : C. Lhermie, *Carrefour ou l'invention de l'hypermarché*, 2e édition, Vuibert, 2003 ; e-leclerc.com ; carrefour.com ; distripedie.com ; *Capital*, décembre 2006 ; *L'Expansion*, 1er avril 2007 et 14 janvier 2008 ; *Les Echos*, 21 décembre 2007 ; *Le Figaro*, 24 janvier 2008.

Questions

1. En utilisant une matrice TOWS (voir l'introduction à la partie 2), identifiez les orientations de développement envisageables pour Carrefour. Évaluez la pertinence de chacune de ces options en les classant (vous pouvez utiliser l'illustration 10.2 comme exemple).

2. Pour chacune des trois orientations les mieux classées, comparez les mérites respectifs de chaque modalité de développement (croissance interne, fusion, acquisition, alliance, partenariat).

3. Complétez votre évaluation des options qui vous apparaissent les plus pertinentes en utilisant les critères d'acceptabilité et de faisabilité (voir la section 10.3).

4. Quelles options privilégieriez-vous ? Expliquez en quoi ce choix serait différent si vous étiez (a) Robert Halley ou (b) Bernard Arnault.

Commentaires sur la partie 2

Les choix stratégiques

Le point central de la partie 2 a consisté à déterminer comment sont effectués les choix stratégiques. Nous avons présenté une large gamme de choix, montré en quoi certains semblent plus cohérents que d'autres et détaillé les critères permettant aux managers de les évaluer. Tout cela soulève deux questions qui sont liées :

1. Comment les managers effectuent-ils leurs choix en pratique ?
2. Comment les managers devraient-ils considérer les choix stratégiques ?

Remarquons que :

- Aucun des prismes n'est meilleur que les autres, mais ils fournissent des perspectives complémentaires sur la manière dont les managers font face à l'incertitude.
- Pour comprendre ce qui suit, vous devez préalablement avoir lu les commentaires introductifs figurant après le chapitre 1 : ils expliquent en quoi consistent les quatre prismes.

Le prisme de la méthode

Les dirigeants peuvent effectuer des choix stratégiques de manière logique et objective grâce aux méthodes d'évaluation analytiques qui sont à leur disposition. Cela implique :

- Des objectifs clairs, qui reflètent les attentes des parties prenantes et qui sont utilisés pour évaluer les options.
- Une argumentation permettant d'expliciter chacune des options grâce à une fine compréhension de la position stratégique de l'organisation.
- L'évaluation des options grâce à un examen systématique de leurs mérites relatifs en termes de (a) pertinence par rapport au diagnostic stratégique, (b) faisabilité du déploiement et (c) acceptabilité par les principales parties prenantes.

La capacité à présenter les choix stratégiques selon cette approche peut se révéler indispensable pour obtenir le soutien de certaines parties prenantes clés (notamment les institutions financières).

Le prisme de l'expérience

Il existe plusieurs explications complémentaires :

- La stratégie se développe de manière incrémentale à partir des stratégies déjà déployées, de l'expérience, de la culture et du contexte politique. Les choix sont donc fortement influencés par le passé.

- L'expérience et la culture peuvent freiner ou contraindre l'innovation.
- Du fait de leur expérience, les managers risquent d'utiliser des solutions « toutes faites », voire chercher des opportunités ou des circonstances leur permettant de les appliquer (théorie de la poubelle).
- Les stratégies émergent au travers de l'expérimentation et de l'apprentissage par l'action (incrémentalisme logique).
- Les processus politiques, les marchandages et les négociations jouent un grand rôle dans les choix stratégiques.
- Lorsqu'une organisation élabore une stratégie gagnante, elle est imitée par les autres (et par elle-même).

Les outils analytiques peuvent être utilisés soit pour comprendre pourquoi une stratégie peut être choisie, soit pour rationaliser *a posteriori* un choix déjà effectué.

Le prisme de la complexité

Les options stratégiques ne résultent pas d'une planification effectuée par les dirigeants. Au contraire, elles émergent des idées qui apparaissent à l'intérieur de l'organisation. Ce processus se caractérise par les éléments suivants :

- Les idées nouvelles se développent dans des conditions d'instabilité ou de « tension adaptative », plutôt que grâce à des plans formalisés.
- L'expérimentation doit être encouragée et les erreurs, tolérées.
- L'imitation imparfaite est une source majeure d'innovation : même si les stratégies gagnantes sont imitées, elles ne le sont jamais parfaitement. De ces différences peuvent émerger des innovations.
- Les réseaux internes et externes jouent un rôle essentiel.

Les managers ne peuvent pas déterminer ce que seront ces idées nouvelles, mais ils peuvent créer un contexte dans lequel elles émergeront plus facilement et s'entraîner à les repérer.

La sélection des idées n'est pas seulement effectuée par les managers, mais aussi par :

- Des réactions positives en interne (hiérarchie) et en externe (clients).
- La compétition avec d'autres idées.
- L'encastrement dans les routines organisationnelles.

Le prisme du discours

Ce qui semble être un choix est en fait fortement contraint par le discours des managers concernés. Par exemple :

- Lorsqu'ils comparent leur organisation avec ses concurrents, les managers se focalisent généralement sur ceux dont on parle le plus.
- De la même manière, les options stratégiques qui prévalent sont celles qui correspondent le plus au discours dominant dans l'organisation ou dans son industrie.
- Il existe des modes stratégiques, c'est-à-dire des choix plus populaires que d'autres à certains moments.

Quelle que soit la manière dont la stratégie est sélectionnée, elle est en général expliquée d'une façon qui :

- Assure sa légitimité aux yeux des parties prenantes. Les managers affirment ainsi volontiers qu'une stratégie permet « d'obtenir un avantage concurrentiel », même si en pratique cela n'est pas le cas.
- Démontre son succès de manière incontestable.
- Ou rationalise son échec *a posteriori*.

Pour anticiper quelles stratégies seront favorisées ou au contraire délaissées par une organisation, il est donc important de comprendre quel discours est tenu à leur propos.

Partie 3

Le déploiement stratégique

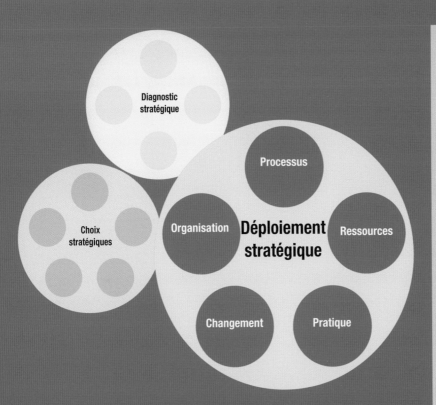

Cette partie explique :

- L'élaboration des stratégies dans les organisations et en particulier les processus organisationnels qui débouchent sur des stratégies délibérées ou des stratégies émergentes.

- Le rôle des structures, des processus de coordination et des interactions organisationnelles dans le déploiement des stratégies.

- Les liens entre la stratégie et différents leviers : ressources humaines, information, ressources financières et technologie.

- L'importance de la compréhension du contexte organisationnel lorsqu'on cherche à gérer le changement stratégique.

- Qui sont les stratèges et ce qu'ils font en pratique.

Introduction à la partie 3

Cette troisième et dernière partie est consacrée à la traduction de la stratégie en actions. Peut-on considérer que la stratégie résulte d'une intention planifiée ? Si oui, il existe clairement deux étapes successives : la conception (présentée dans les deux parties précédentes), puis la mise en œuvre (l'objet de cette partie). Cependant, si l'on considère que la stratégie est avant tout émergente, qu'elle résulte de l'expérience des individus ou des interactions entre concurrents, il est beaucoup plus difficile de séparer la conception de la stratégie de son déploiement : c'est en fait sa mise en œuvre qui la façonne. Tout au long de cette partie, nous supposerons que ces deux explications sont présentes dans n'importe quelle organisation.

Le chapitre 11 est plus spécifiquement consacré à la distinction entre stratégie délibérée et stratégie émergente et aux différents processus qui permettent d'expliquer le développement stratégique. Les deux chapitres suivants présentent les relations entre la stratégie et le fonctionnement organisationnel : tout d'abord en termes de structures et d'interactions, puis par rapport à une série de domaines ressources. Le déploiement d'une nouvelle stratégie peut également impliquer des changements significatifs au sein de l'organisation, ce qui constitue l'objet de l'avant-dernier chapitre. Enfin, cette partie se conclut sur un chapitre consacré à ce que font les stratèges, ce qui permet de s'interroger sur la mise en pratique effective des outils, concepts et méthodes présentés tout au long de l'ouvrage.

De manière plus précise, les questions traitées par chacun des chapitres sont les suivantes :

- Le chapitre 11 explique comment les stratégies se développent dans les organisations. La stratégie peut délibérément résulter de la vision des dirigeants, des systèmes de planification stratégique ou de contraintes externes. De même, la stratégie peut émerger des routines quotidiennes de l'organisation, des jeux politiques et des processus culturels. Ce chapitre examine les implications de ces différents processus.
- Le chapitre 12 concerne le lien entre stratégie et *organisation*. Trois dimensions de la réflexion sur les organisations sont prises en compte : les structures, les processus de coordination et les interactions. Il ressort de ce chapitre que les différents paramètres d'une organisation doivent agir de concert afin de définir des configurations structurelles porteuses de succès stratégique.
- Le chapitre 13 est consacré aux relations entre la stratégie et quatre domaines de ressources clés : les individus, l'information, la finance et la technologie. Ce chapitre a pour objet de répondre à deux questions principales : (1) comment chaque domaine de ressource peut-il contribuer à l'exécution de la stratégie ? et (2) en quoi la stratégie peut-elle permettre de renforcer l'expertise dans chacun de ces domaines ?
- Le chapitre 14 examine comment le *changement stratégique* peut être géré. Cela conduit tout d'abord à reconnaître qu'il est capital de comprendre le contexte

spécifique de l'organisation. Différentes approches du changement ainsi que les styles et les rôles pouvant être adoptés par les réformateurs sont ensuite détaillés. Il est alors possible d'exposer les diverses tactiques qui permettent de conduire le changement, telles que la modification des routines organisationnelles, le management des processus culturels et symboliques ou l'importance de la communication. Ce chapitre se conclut en montrant comment ces tactiques doivent être employées en fonction du contexte.

- Le chapitre 15 est consacré à trois questions qui concernent la pratique de la stratégie : qui faut-il inclure dans les activités d'élaboration de la stratégie (non seulement les dirigeants, mais également les managers intermédiaires, les consultants et membres du département stratégie), la nature effective de ces activités (de la capacité à « vendre » un problème stratégique à la communication des stratégies choisies) et les types de méthodes utilisées par les stratèges (notamment les séminaires de réflexion, les projets, les tests d'hypothèses et les plans d'affaire).

Chapitre 11
Les processus stratégiques

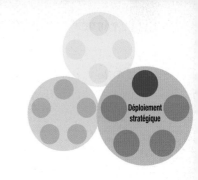

Déploiement stratégique

Objectifs

Après avoir lu ce chapitre, vous serez capable de :

- Comprendre la différence entre la stratégie délibérée et la stratégie émergente.

- Expliquer différents processus délibérés de développement d'une stratégie, notamment le rôle de la vision des dirigeants, les systèmes de planification stratégique et les stratégies imposées par l'externe.

- Expliquer différents processus émergents de développement d'une stratégie, notamment l'incrémentalisme logique, les routines d'allocation de ressources, les processus culturels et les processus politiques.

- Comprendre comment ces processus peuvent prendre différentes formes selon le contexte.

- Expliquer certains des problèmes auxquels les managers peuvent être confrontés lors du développement de la stratégie, notamment la gestion de la stratégie délibérée et de la stratégie émergente, la construction d'une organisation apprenante et le développement de la stratégie dans l'incertitude et la complexité.

11.1 Introduction

Dans les parties I et II, nous avons vu comment les stratèges peuvent comprendre quelle est la position stratégique de leur organisation et quels sont les choix stratégiques dont ils disposent. Ce chapitre est consacré à la manière dont les stratégies se développent, ou plus spécifiquement aux processus qui donnent naissance à des stratégies dans une organisation. Dans le chapitre 15, nous verrons plus en détail quels individus sont impliqués dans ces processus, ce qu'ils font en pratique et quelles méthodes ils utilisent.

Il existe deux explications générales sur le développement de la stratégie, qui ne sont pas mutuellement exclusives. La première postule que les stratégies sont élaborées grâce aux concepts et outils présentés dans les chapitres précédents. Il s'agit d'une vision rationnelle et analytique, correspondant au prisme de la méthode (voir les commentaires qui figurent à la fin de chacune des parties). Cette vision est généralement associée à la notion de *stratégie délibérée* : les stratégies résultent logiquement des décisions prises par les dirigeants. La deuxième explication repose sur la notion de *stratégie émergente*, selon laquelle les stratégies ne sont pas la conséquence d'un plan d'ensemble, mais émergent au cours du temps, ce qui correspond aux prismes de l'expérience, de la complexité et du discours (voir les commentaires qui figurent à la fin de chacune des parties). Comme le montre le schéma 11.1, ce chapitre est organisé autour de ces deux explications : stratégie délibérée et stratégie émergente.

- La section 11.2 est consacrée à la stratégie délibérée et aux processus qui lui sont associés : l'*intention et la vision des dirigeants*, les *systèmes de planification stratégique* et les *stratégies imposées par l'externe*.
- La section 11.3 présente les processus associés à la stratégie émergente. L'idée générale est que l'élaboration de la stratégie ne constitue pas une activité organisationnelle distincte : les stratégies émergent des tâches et des routines quotidiennes. Cette section débute par une présentation du concept d'*incrémentalisme logique*, puis explique de quelle manière la stratégie peut résulter des *routines d'allocation de ressources*, des *jeux politiques* et des *processus culturels*.
- La section 11.4 montre que ces différentes explications sur l'élaboration de la stratégie ne sont ni indépendantes ni mutuellement exclusives. Elles sont toutes présentes à différents degrés, selon la période et le *contexte*.
- La section 11.5 conclut en soulignant certaines *implications pour l'élaboration de la stratégie*, notamment :
  - La distinction entre la stratégie délibérée et la stratégie réalisée.
  - La difficulté de construire une organisation apprenante.
  - Les difficultés spécifiquement liées aux environnements complexes et incertains.

11.2   Les processus stratégiques délibérés

La **stratégie délibérée** est l'expression de l'orientation intentionnellement formulée ou planifiée par les managers. Elle est conçue grâce aux outils, aux techniques et aux modèles d'analyse et d'évaluation présentés dans les chapitres précédents, dont les conclusions peuvent être rassemblées dans des systèmes de planification stratégique ou dans la vision des dirigeants.

La stratégie délibérée est l'expression de l'orientation intentionnellement formulée ou planifiée par les managers

11.2.1   La personnification de la stratégie

L'élaboration de la stratégie peut être fortement associée à un individu (ou parfois un petit groupe d'individus) qui semble l'incarner. Le rôle central de ces leaders stratégiques peut résulter du fait que les autres managers, qui acceptent volontiers de s'incliner devant leur personnalité, leur réputation ou leur position, admettent que les décisions stratégiques leur échoient. Dans certaines organisations, le rôle central d'un individu s'explique simplement par le fait qu'il ou elle en est le fondateur ou le propriétaire. C'est souvent le cas dans les PME. Il peut également arriver que dans une grande entreprise un leader charismatique exerce une autorité indiscutée. On peut citer Bill Gates chez Microsoft, Steve Jobs chez Apple ou

Schéma 11.1   Les processus d'élaboration de la stratégie

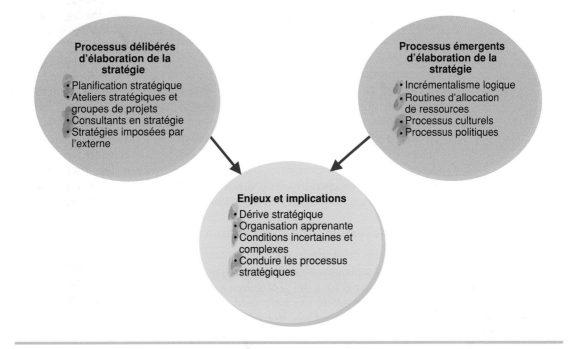

Richard Branson chez Virgin, ou encore – historiquement – Thomas Watson (IBM), Antoine Riboud (Danone), Henry Ford, Francis Bouygues, Ernest Solvay, Marcel Dassault ou Joseph-Armand Bombardier. Le leader stratégique n'est pas nécessairement le fondateur de l'organisation. Parfois, il personnifie une stratégie gagnante qui a permis de sortir brillamment d'une période de crise ou de doutes. Jack Welch a bénéficié de cette aura chez GE, alors que Michael O'Leary incarne le succès de Ryanair dans le transport aérien à bas coûts. C'est enfin le réseau de relations personnelles que détient un dirigeant au sein de l'industrie qui peut légitimer sa respectabilité[1].

Dans ces différentes situations, la stratégie peut être considérée comme le résultat de l'intention délibérée du dirigeant. L'origine de cette intention peut cependant être expliquée de plusieurs manières.

- La *méthode*. Les leaders peuvent avoir délibérément conçu la stratégie de manière analytique. Même si leurs évaluations et leurs plans ne se matérialisent pas en un document écrit, ils en sont l'incarnation. Ils ont pu construire cette représentation au moyen des techniques liées à la planification stratégique et à l'analyse concurrentielle, mais ils peuvent également avoir consciemment, systématiquement et personnellement établi leur propre diagnostic et ainsi obtenu leurs propres conclusions.

- La *vision*. Les leaders peuvent être associés à une intention stratégique, une mission ou une vision (voir la section 4.5.2), même s'ils n'en sont pas nécessairement les initiateurs. Cette vision renforce la motivation des membres de l'organisation, suscite des croyances partagées et construit un cadre à l'intérieur duquel des stratégies détaillées peuvent être élaborées. Certains auteurs considèrent que cette personnification de l'intention stratégique constitue le rôle primordial d'un dirigeant[2].

- *L'autocratie*. La stratégie d'une organisation peut également être dictée par un individu. Cette situation est fréquente dans les petites entreprises, où le dirigeant fondateur est en prise directe avec les activités opérationnelles. Danny Miller et Isabelle Le Breton soulignent que cette situation présente des avantages et des inconvénients. Cela peut permettre une adaptation rapide des stratégies, ainsi que le déploiement d'idées « innovantes, audacieuses et décalées, très difficiles à imiter par les concurrents ». Cependant, les stratégies autocratiques peuvent aussi déboucher sur « l'arrogance, l'imprudence, l'excentricité et le manque de cohérence »[3].

11.2.2 Les systèmes de planification stratégique

L'élaboration de la stratégie est très souvent confondue avec les systèmes de planification[4]. La **planification stratégique** vise à élaborer et coordonner la stratégie d'une organisation grâce à des procédures systématisées, ordonnées et séquentielles. Dans une étude consacrée aux systèmes de planification stratégique utilisés dans les grandes compagnies pétrolières, Rob Grant[5] a identifié les étapes suivantes :

La planification stratégique vise à élaborer et coordonner la stratégie d'une organisation grâce à des procédures systématisées, ordonnées et séquentielles

- *Directives initiales*. Le point de départ du cycle était généralement un ensemble d'hypothèses sur l'environnement externe (par exemple les niveaux de prix et les conditions d'offre et de demande), mais également les priorités globales et les attentes de la direction générale.

- *Plans locaux*. Cette première étape était suivie par des plans stratégiques réalisés par les unités opérationnelles (domaines d'activité stratégique ou divisions). Les managers de la direction générale organisaient ensuite des réunions avec les responsables des unités pour discuter de ces plans. Sur la base de ces discussions, les unités opérationnelles modifiaient leurs plans initiaux.

- *Plan global*. Le plan d'ensemble résultait de l'agrégation des plans des unités opérationnelles. Cette compilation était effectuée par un département central de planification stratégique, qui jouait un rôle de coordinateur. Ce plan d'ensemble était ensuite soumis à l'approbation du conseil d'administration.

- *Traduction en objectifs*. Un ensemble d'objectifs financiers et stratégiques étaient alors définis afin de permettre un contrôle de la performance des unités sur la base de priorités stratégiques clés extraites du plan.

Même si ces étapes sont classiques, on peut identifier des différences entre les organisations. Rob Grant a ainsi montré que certaines compagnies pétrolières (par exemple ENI) adoptaient une approche plus formelle que les autres, en s'appuyant plus volontiers sur des rapports écrits et des présentations officielles, des cycles de planification plus rigides, moins de flexibilité et plus d'objectifs spécifiquement extraits des plans. En revanche, d'autres compagnies (par exemple BP, Texaco et Exxon) accordaient plus d'importance à des objectifs financiers d'ordre général. Les départements centraux de planification jouaient également des rôles différents. Dans certaines organisations, ils se comportaient avant tout comme des coordinateurs des plans des unités opérationnelles, alors que d'autres étaient plutôt des consultants internes. L'illustration 11.1 présente les cycles de planification chez Shell et chez ENI.

Il est important de souligner que les grandes décisions stratégiques ne résultent pas de ces processus de planification. Le choix d'une stratégie générique pour un domaine d'activité stratégique est en général effectué grâce à une négociation avec la direction générale et est donc influencé par les jeux politiques, mais ce n'est qu'après que ce choix est incorporé dans un plan formel.

Cependant, les systèmes de planification stratégique peuvent être utilisés de diverses manières. Tout d'abord, ils jouent un rôle dans la façon dont la stratégie future de l'organisation est déterminée :

- En fournissant un *cadre structuré* de réflexion et d'analyse pour les problèmes stratégiques complexes.
- En poussant les managers à mettre en doute leurs schémas de pensée établis.
- En encourageant une *vision à plus long terme* de la stratégie. Cependant, l'horizon de planification et ce que recouvre exactement la notion de long terme varient fortement d'une industrie à une autre. Dans la micro-informatique, il est à peu près impossible de se projeter au-delà de dix-huit mois. Dans l'automobile, où la vitesse de renouvellement des gammes ne cesse de s'accélérer, les plans à cinq ans sont devenus un maximum. Enfin, dans les entreprises qui s'appuient sur des investissements extrêmement lourds, comme dans l'industrie pétrolière, l'horizon de planification peut atteindre quinze ans (chez Exxon), voire vingt ans (chez Shell)[6].
- En permettant de *coordonner* les choix stratégiques des différentes sous-parties de l'organisation afin qu'ils restent cohérents avec l'orientation générale.

Un système de planification peut également aider à traduire une stratégie délibérée en actions :

- En *communiquant* sur la stratégie voulue par la direction générale.
- En étant utilisé comme moyen de *contrôle*, par comparaison régulière entre les résultats obtenus et les objectifs prévus ou l'orientation stratégique prédéfinie.
- En assurant la *coordination* des ressources nécessaires.

Un système de planification peut aussi avoir un rôle psychologique :

- En étant un moyen d'*impliquer* les individus dans le processus stratégique. Ceux qui participent à la planification s'approprient plus facilement les choix stratégiques.
- En donnant un sentiment de *sécurité* et de *cohérence* au sein de l'organisation, notamment auprès des managers censés déterminer la stratégie et maîtriser son déploiement.

Pour autant, Henry Mintzberg a ouvertement critiqué l'intérêt de la planification stratégique en soulignant ses nombreux dangers[7]. Selon lui, il existe quatre principaux risques associés à l'utilisation des systèmes de planification :

- *La confusion entre la stratégie et le plan.* Les managers peuvent se considérer comme des stratèges avisés alors qu'ils ne font que suivre la procédure de

Illustration 11.1

La planification stratégique chez Shell et chez ENI

Le rôle de la planification stratégique peut différer d'une organisation à l'autre.

Shell

La planification stratégique chez Shell était fondée sur (a) des plans à vingt ans tous les quatre à cinq ans sur la base de scénarios et sur (b) des plans annuels avec un horizon de cinq à dix ans. L'objectif était d'améliorer les stratégies des DAS et de coordonner les implantations internationales.

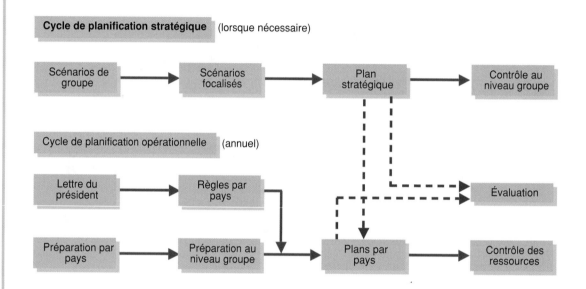

Questions

1. Quelles sont les principales différences entre les deux systèmes de planification ?
2. Quels autres processus d'élaboration de la stratégie peut-on certainement rencontrer

planification. Or, la stratégie va bien au-delà du plan formalisé : elle consiste en l'orientation à long terme suivie par l'organisation, et certainement pas en un document écrit que le responsable conserve précieusement sur une étagère. Dans beaucoup d'organisations, il existe d'ailleurs une confusion entre les *processus budgétaires* et la planification stratégique. Dans ce cas, la planification se réduit à la production de prévisions financières et ne consiste plus à s'interroger sur les questions présentées tout au long de cet ouvrage. Si les orientations

ENI

ENI utilisait un cycle de planification annuel avec un horizon à quatre ans pour les DAS, les divisions et le groupe dans son ensemble. La première année du plan servait de base pour le budget annuel et les objectifs de performance. L'accent était mis sur le contrôle des DAS par le siège et sur l'accroissement de leur efficience.

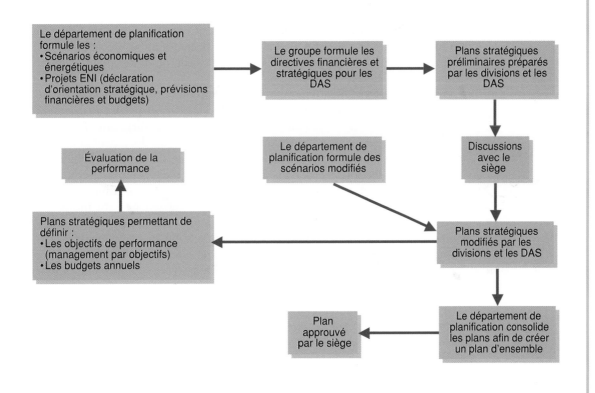

issues du plan stratégique doivent effectivement être incluses dans le processus budgétaire, il s'agit bien de deux niveaux d'analyse distincts.

- *L'éloignement du terrain.* Les managers en charge du déploiement de la stratégie – le plus souvent des cadres opérationnels – peuvent être tellement accaparés par leurs tâches quotidiennes qu'ils préfèrent déléguer la responsabilité des problèmes stratégiques à des spécialistes. Cependant, ces spécialistes n'ont généralement pas assez de pouvoir dans l'organisation pour veiller à la mise en œuvre de leurs recommandations. La stratégie peut alors se réduire à un exercice purement intellectuel, détaché de la réalité des opérations. La planification stratégique peut aussi devenir excessivement précise et trop focalisée sur des détails. En se concentrant à l'excès sur des analyses approfondies – qui en elles-mêmes peuvent paraître tout à fait pertinentes –, on risque de passer à côté des problèmes majeurs auxquels l'organisation doit faire face. Par exemple, il n'est pas rare de rencontrer des entreprises qui disposent d'informations exhaustives sur leurs marchés, mais qui n'arrivent pas à hiérarchiser ces données selon leur importance stratégique. On peut alors déboucher sur un trop plein d'informations, sans vision claire de l'ensemble. Les planificateurs risquent de considérer que ce sont les plans élaborés par la hiérarchie qui déterminent effectivement le fonctionnement de l'organisation, alors que ce sont les actions menées par les individus et l'expérience qu'ils en retirent qui ont le plus d'influence (voir la section 11.5.1 et le chapitre 15). Pour que les systèmes de planification soient utiles et en phase avec la réalité du terrain, ils doivent impliquer les individus et s'appuyer sur leur expérience.

- *La déresponsabilisation.* L'ensemble de l'organisation risque de ne pas faire sienne une stratégie d'état-major, uniquement déterminée par les analystes du département de planification ou par une équipe de cadres dirigeants. Dans certains cas extrêmes, le plan stratégique devient même un document confidentiel, que seuls quelques responsables de plus haut niveau sont habilités à consulter. Par ailleurs, le processus de planification stratégique peut être tellement compliqué et morcelé que les individus qui n'y ont contribué qu'à leur propre échelle seront *incapables de l'assimiler dans sa globalité*. Cette incapacité est particulièrement problématique dans les grandes entreprises.

- *Le conformisme.* Les systèmes formalisés de planification, en particulier lorsqu'ils sont associés à des mécanismes de contrôle stricts, peuvent déboucher sur une organisation rigide et hiérarchique dans laquelle les idées et l'innovation seront étouffées et découragées.

Les recherches qui ont tenté de prouver que les organisations qui recourent à la planification stratégique obtiennent de meilleures performances n'ont pas obtenu de résultats probants[8], en particulier du fait qu'il est très difficile d'isoler l'impact quantitatif réel de ces systèmes. La planification semble cependant intéressante lorsque l'environnement est dynamique et que les décisions stratégiques sont décentralisées (voir le chapitre 12) mais qu'une coordination entre les stratégies issues des différentes divisions est nécessaire[9].

De fait, le recours à des départements entiers d'analystes et de planificateurs est en déclin[10] et les managers opérationnels sont de plus en plus souvent chargés de l'élaboration de la stratégie et de la planification (voir le chapitre 15). La planification stratégique est de plus en plus flexible et fondée sur des projets[11]. Elle n'est plus utilisée pour déployer hiérarchiquement une stratégie délibérée, mais plutôt pour coordonner les stratégies qui émergent des activités opérationnelles (voir la section 11.3.1 sur l'allocation de ressources).

11.2.3 La stratégie imposée par l'externe

Il existe des situations dans lesquelles la stratégie est imposée par des organismes ou des parties prenantes extérieures à l'organisation. Que ces stratégies aient été élaborées en utilisant les outils et les méthodes associés à une approche analytique ou qu'elles aient émergé progressivement (voir la section 11.3), du point de vue des managers de l'organisation à laquelle elles s'imposent, elles apparaissent comme délibérées.

Le gouvernement peut ainsi dicter une certaine trajectoire stratégique ou une orientation particulière dans le secteur public ou dans les industries soumises à son contrôle, ou encore choisir de déréglementer un monopole ou de privatiser une organisation publique. Ces choix peuvent être contraires à ceux des managers. Les entreprises privées peuvent également se voir imposer certains choix stratégiques ou du moins être particulièrement contraintes dans leur évolution. Les multinationales qui cherchent à se développer dans certaines régions du monde peuvent ainsi être obligées de créer des coentreprises ou de délocaliser une partie de leur production pour répondre aux exigences des gouvernements locaux. De même, une division opérationnelle au sein d'une entreprise divisionnalisée peut considérer que ses choix stratégiques sont imposés par le siège, tout comme la stratégie d'une filiale est très souvent un choix obligé, arrêté par sa maison mère.

11.3 Les processus stratégiques émergents

Même si l'élaboration de la stratégie est généralement considérée comme un processus intentionnel, ce n'est pas nécessairement le cas. La plupart des recherches effectuées sur l'évolution historique des stratégies montrent que ces dernières se développent en général de manière incrémentale, en modifiant progressivement les stratégies déjà en place. Les décisions passées influencent les orientations futures selon le processus présenté dans le schéma 11.2. Des stratégies en apparence cohérentes résultent parfois d'une série de mouvements stratégiques, chacun ne prenant son sens qu'à la suite de ceux qui l'ont précédé. Un lancement de produit ou une décision d'investissement peut ainsi définir une orientation stratégique susceptible de conditionner la décision stratégique suivante, par exemple une acquisition. Cela consolide l'orientation préalable, et au cours du temps l'approche stratégique d'ensemble de l'organisation est de mieux en mieux établie.

À bien des égards, un changement progressif de ce type est préférable. Aucune organisation ne pourrait fonctionner de manière efficace si elle devait fréquemment réorienter sa stratégie en profondeur. La stratégie correspondant avant tout à un engagement pérenne dans les décisions d'allocation de ressources, une organisation qui modifierait constamment ses engagements signalerait en fait son absence de stratégie. Une fois qu'une orientation stratégique a été choisie, mieux vaut que les décisions futures la confortent. Si cette évolution incrémentale est cohérente avec une vision intentionnelle et délibérée de la stratégie, elle peut également s'expliquer par l'inertie : plutôt que d'envisager leur futur, les organisations se contentent de répéter leurs décisions passées[12]. En d'autres termes, la stratégie résulte des activités, des routines et des processus organisationnels. Chaque décision opérationnelle contribue à dessiner les orientations à long terme, c'est-à-dire à faire émerger peu à peu la stratégie[13]. Par la suite, cette accu-

| Schéma 11.2 | Les décisions passées peuvent orienter la stratégie |

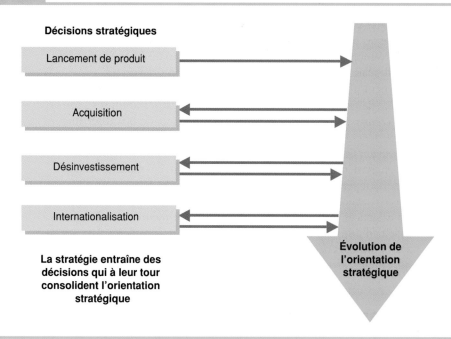

mulation de décisions peut être formellement décrite, par exemple dans les rapports annuels et les plans stratégiques, comme étant la stratégie de l'organisation. Cette section examine les processus organisationnels qui façonnent cette stratégie émergente.

11.3.1 L'incrémentalisme logique

Après avoir étudié un échantillon de grandes entreprises multinationales, James Brian Quinn[14] a conclu que la meilleure manière de décrire les processus stratégiques est d'utiliser la notion d'*incrémentalisme logique*. L'incrémentalisme logique est l'élaboration d'une stratégie au travers de l'expérimentation et de « l'apprentissage issu d'engagements ponctuels plutôt que d'une formulation globale de la stratégie »[15]. Plusieurs raisons expliquent ce phénomène :

- *L'incertitude environnementale.* Les bons managers savent qu'il est impossible de se débarrasser de l'incertitude de leur environnement en tentant de prévoir comment il va évoluer. Ils essayent plutôt de rester sensibles aux signaux d'évolution en maintenant une vigilance permanente et en testant de temps à autre des changements stratégiques de faible ampleur.

- *L'idée générale.* Les managers ont la plupart du temps une idée générale et imprécise de ce que doit être leur organisation dans l'avenir et ils essayent d'atteindre cette position par une série d'évolutions incrémentales. Ils sont le plus souvent réticents à formuler prématurément des objectifs précis, car cela

La stratégie émergente résulte des routines, des processus et des activités quotidiennes de l'organisation

L'incrémentalisme logique est l'élaboration d'une stratégie au travers d'expérimentations et d'engagements ponctuels

peut étouffer l'imagination et brider les expérimentations. Les objectifs restent donc habituellement très généraux.

- *L'expérimentation.* Les managers s'appuient notamment sur la construction et le développement d'une activité de base solide, stable et adaptable, ce qui leur permet d'accumuler de l'expérience et éventuellement d'expérimenter des intrusions dans des activités parallèles. L'engagement sur une option stratégique particulière est donc en général hésitant dans une première étape. Ces expérimentations ne sont pas l'apanage des cadres dirigeants, mais peuvent également émaner des responsables opérationnels et plus largement de ce que Quinn qualifie de *sous-systèmes* dans l'organisation : par exemple les individus impliqués dans le développement de produits, dans le positionnement, dans la diversification, dans les relations externes, etc.
- *La coordination des stratégies émergentes.* À partir de ces sous-systèmes, les dirigeants peuvent alors utiliser une combinaison de processus formels et informels, notamment sociaux et politiques (voir la section 11.3.4 ci-après), afin de faire émerger une orientation stratégique. Cela peut déboucher sur une déclaration d'intention cohérente, destinée aux parties prenantes qui doivent comprendre la stratégie de l'organisation (actionnaires, analystes financiers, journalistes, etc.).

Quinn affirme que l'incrémentalisme logique est une « pratique consciente, délibérée et proactive » qui permet aux dirigeants de prendre de meilleures décisions et d'assurer l'appropriation de la stratégie par les individus. En un sens, l'incrémentalisme logique fait le lien entre le délibéré et l'émergent : il s'agit d'activités intentionnelles, mais elles reposent sur des processus sociaux et sur des expérimentations conduites par des sous-systèmes.

Cette vision de l'élaboration de la stratégie est cohérente avec la manière dont les managers eux-mêmes décrivent les processus effectivement à l'œuvre dans leur organisation (voir les exemples présentés dans l'illustration 11.2). Ils se considèrent spontanément comme des « stratèges » dont la tâche consiste à poursuivre continuellement les objectifs, à circonscrire les manœuvres de la concurrence et à s'adapter à l'environnement, tout en veillant à ne pas trop « secouer la barque », afin de maintenir l'efficience et la performance de l'organisation. Étrangement, cette représentation n'est d'ailleurs pas corrélée avec le niveau hiérarchique : la plupart des managers, quelle que soit leur position dans la hiérarchie, considèrent naturellement qu'ils en sont le centre névralgique et les garants, à l'interface de la plupart des tensions et des enjeux.

On peut estimer que les organisations retirent un certain nombre de bénéfices de ce processus. L'expérimentation continue et le déploiement progressif de la stratégie améliorent la qualité des informations disponibles pour les décisions courantes et permettent de mieux ordonner les étapes de mise en œuvre des décisions majeures. Comme le changement reste graduel, il est plus facile de le faire accepter par tous. Étant donné que les différentes parties de l'organisation – ou sous-systèmes – sont en continuelle interaction, leurs managers respectifs peuvent partager leur expérience sur ce qui est faisable et sur ce qui l'est moins. Le processus prend également en compte la nature politique de l'organisation, puisqu'une succession de changements de faible amplitude sera confrontée à un moindre degré de résistance qu'une réorientation radicale. De plus, lorsque la stratégie est formulée de manière aussi progressive, elle peut être continuellement

Illustration 11.2

Une vision incrémentaliste du management stratégique

Les managers ont généralement une vision adaptative de leur tâche. Ils doivent continuellement faire évoluer la stratégie pour rester en phase avec l'environnement, tout en maintenant l'efficience et en veillant à la satisfaction des différentes parties prenantes.

- « Vous savez, on peut faire une simple analogie. Pour avancer lorsqu'on marche, il faut créer un déséquilibre. Vous vous penchez en avant sans savoir si vous allez tomber et au dernier moment vous remettez un pied devant vous pour rétablir votre équilibre. Disons que c'est ce que nous faisons tout le temps et ce n'est pas confortable. »[1]

- « Je commence par des conversations très générales avec des interlocuteurs internes et externes à l'organisation. De tout cela, un schéma finit par émerger. C'est comme construire un puzzle. Au départ, seul un vague profil apparaît, comme la voile d'un bateau dans un puzzle. Puis soudain, le reste du puzzle devient clair. Et vous vous demandez pourquoi vous ne l'avez pas vu plus tôt. »[2]

- « La grande force de cette entreprise est d'être capable de faire ces excursions périphériques dans un peu n'importe quel domaine. [...] Il faut continuer à pousser dans cette direction. C'est comme des petits tentacules qu'on envoie tester la température de l'eau. »[3]

- « Nous ne sommes pas restés immobiles dans le passé, et je ne vois pas pourquoi nous le ferions dans le futur, mais ce que je veux dire c'est que notre parcours relève plus de l'évolution que de la révolution. Certaines entreprises trouvent une bonne formule et ne la quittent plus, parce que c'est ce qu'elles savent faire le mieux – par exemple [entreprise X] ne s'est pas vraiment adaptée au changement, alors ils ont dû déclencher une véritable révolution interne. Nous, heureusement, nous avons changé graduellement et je pense que c'est ce que nous devons continuer à faire. Nous cherchons toujours de nouvelles ouvertures sans pour autant quitter notre trajectoire. »[3]

- « Dans notre industrie, vous ne pouvez pas prévoir le futur : il change trop vite. C'est pourquoi j'emploie des gens particulièrement intelligents. Leur travail consiste à rester à l'avant-garde de ce qui se passe, de manière à participer à la création du futur. Je ne leur donne pas de plan stratégique à suivre. Mon travail consiste à discerner une stratégie à partir de ce qu'ils me disent et de ce qu'ils font. Bien entendu, ils ne sont pas toujours d'accord – pourquoi le seraient-ils : eux non plus ne connaissent pas le futur –, ce qui implique pas mal de débats, pas mal de tentatives et pas mal de bon sens. »[4]

- « L'analogie avec le jeu d'échecs est utile dans ce contexte. Aux échecs, l'objectif est clair : pour gagner, il faut capturer le roi de votre adversaire. La plupart des joueurs commencent par une ouverture spécifique, qui implique une réaction de l'adversaire. Si cette réaction est bien une de celles qui étaient anticipées, alors le mouvement suivant est presque automatique, puisqu'il s'appuie sur une stratégie établie à l'avance. Cependant, la beauté des échecs réside dans le fait que la réaction de l'adversaire reste imprévisible. Tenter de prévoir toutes les solutions aux échecs est impossible, alors les joueurs doivent se contenter d'anticiper les possibilités avec seulement quelques coups d'avance. »[5]

Sources :
1. Extrait d'interviews de managers conduites par A. Bailey.
2. Extrait de J.B. Quinn, *Strategies for Change*, Irwin, 1980.
3. Extrait de G. Johnson, *Strategic Change and the Management Process*, Blackwell, 1987.
4. Extrait de l'interview du directeur général d'une entreprise présente dans une industrie de haute technologie.
5. D'après un manager lors d'un cours de MBA.

Questions

1. En utilisant ces témoignages sur les processus d'élaboration de la stratégie, expliquez quels sont les principaux avantages de l'approche incrémentale.

2. Le développement incrémental de la stratégie débouche-t-il nécessairement sur une dérive stratégique (voir la section 11.5.1) ? Comment l'éviter ?

validée par les résultats obtenus. Ce réajustement permanent est particulièrement pertinent lorsqu'on considère que l'environnement est lui-même en évolution continue.

11.3.2 Les routines d'allocation de ressources

Le modèle des routines d'allocation de ressources (RAR) postule que la stratégie émerge à partir de la manière dont les ressources sont allouées dans l'organisation[16]. Ce phénomène est quelquefois désigné sous le nom de modèle Bower-Burgelman, du nom de deux chercheurs – Joe Bower et Robert Burgelman[17] – qui ont été les premiers à l'identifier. Leurs observations ont été confirmées par d'autres chercheurs[18].

Selon le modèle des routines d'allocation de ressources (RAR), la stratégie émerge à partir de la manière dont les ressources sont allouées dans l'organisation

À l'instar de l'incrémentalisme logique, le modèle RAR postule qu'il est irréaliste de supposer que la stratégie résulte d'une démarche hiérarchique, prescriptive et détaillée, en particulier dans les grandes organisations complexes. L'incapacité cognitive des managers à anticiper toutes les évolutions de l'environnement implique qu'il est préférable de se représenter la stratégie comme une succession de solutions déployées au fur et à mesure de l'apparition de nouveaux problèmes. Le modèle RAR s'intéresse donc aux processus formels et informels qui permettent l'émergence de ces solutions, notamment :

- *Les négociations entre niveaux hiérarchiques.* Les problèmes et leur résolution résultent en général d'une négociation entre les différents niveaux hiérarchiques de l'organisation, notamment entre la direction générale et les directions fonctionnelles ou opérationnelles. Les problèmes sont souvent provoqués par des divergences entre les objectifs assignés aux managers (en termes de cours de l'action, de part de marché, de rentabilité, etc.) et les résultats qu'ils obtiennent. Les managers doivent alors expliquer ces divergences à leurs supérieurs et obtenir leur accord sur les mesures correctives à appliquer. Le problème est ensuite réglé au niveau le plus approprié : s'il s'agit d'un problème lié au marché, cela concernera vraisemblablement le département marketing. Il est peu probable qu'un problème de ce type implique l'intervention de la direction générale. De fait, ce sont généralement les sous-systèmes de l'organisation qui décident quels problèmes sont importants et quelles solutions doivent être appliquées.

- *L'influence des routines d'allocation de ressources.* Toutes les organisations mettent en place des systèmes, des processus et des standards leur permettant d'évaluer le succès ou l'échec de nouveaux projets, produits ou services. Ces routines jouent un rôle majeur dans le repérage des problèmes, le choix des solutions et le montant des ressources allouées à chaque activité. Beaucoup d'organisations déterminent ainsi l'acceptabilité des nouveaux projets en fonction de leur rentabilité espérée (par exemple le retour sur capitaux engagés). Or, le niveau de rentabilité exigé influence nécessairement la sélection des idées proposées (celles dont le retour est plus élevé ou celles qui impliquent moins de capitaux), tout comme le choix des solutions retenues. Si d'autres critères d'allocation de ressources étaient utilisés, les solutions proposées et choisies seraient vraisemblablement différentes.

Le modèle RAR est résumé par le schéma 11.3. Le cas consacré à Intel qui figure à la fin de ce chapitre en est un excellent exemple : à la fin des années 1980, ses

Schéma 11.3 **L'influence stratégique des routines d'allocation de ressources**

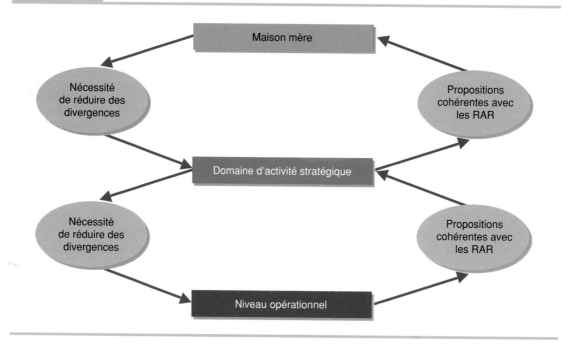

dirigeants étaient convaincus que Intel était un fabricant de mémoires DRAM et avaient planifié sa stratégie en conséquence. Le virage stratégique majeur qui a fait d'Intel un fabricant de microprocesseurs n'a pas résulté de la volonté délibérée de ses dirigeants, mais a émergé du système interne d'allocation de ressources, qui favorisait les activités les plus rentables. L'activité microprocesseurs s'est vue ainsi attribuer de plus en plus de ressources, jusqu'à prendre le pas sur l'activité DRAM, qui a finalement été abandonnée[19]. L'accumulation de microdécisions d'allocation de ressources peut donc finir par façonner la stratégie d'une organisation. Comme le montre l'illustration 11.3, ces processus risquent cependant de provoquer des problèmes significatifs.

Le modèle RAR présente un certain nombre de similarités avec l'évolution des systèmes de planification stratégique (voir la section 11.2.2), car ils sont tous les deux liés au type d'interactions existant entre les unités opérationnelles et la direction générale. Cependant, le modèle RAR concerne spécifiquement les routines débouchant sur des stratégies émergentes.

11.3.3 Les processus politiques

Le modèle RAR souligne l'impact stratégique des négociations entre les différents niveaux hiérarchiques au sein d'une organisation, ce qui signale le poids des processus politiques. Les managers insistent fréquemment sur le fait que la stratégie de leur organisation résulte des marchandages et des jeux politiques qui opposent soit des hauts responsables, soit des coalitions internes et des parties prenantes

Illustration 11.3

La stratégie européenne de Viacom dans les années 1990

Les processus stratégiques au niveau d'une activité peuvent avoir des difficultés à s'intégrer dans une perspective globale.

Devenu en 1987 président du conglomérat américain de médias Viacom à la suite d'une OPA, Sumner Redstone engagea Franck Biondi comme directeur général. Sous la direction de ce dernier, Viacom connut une croissance soutenue jusqu'au milieu des années 1990.

L'approche de Franck Biondi consistait à encourager une culture de la performance en laissant une forte autonomie aux responsables et en indexant leur rémunération sur les résultats de leur division. Les managers étaient ainsi responsables de leur stratégie et du contrôle de leurs ressources.

Au milieu des années 1990, en raison d'une intensification de la concurrence, Viacom dut repenser sa stratégie en Europe. Ses divisions européennes incluaient notamment Paramount, Nickelodeon et MTV, dont les principaux concurrents locaux faisaient partie du groupe NewsCorp, propriété du magnat Ruppert Murdoch. À l'inverse de Viacom, NewsCorp était un groupe très centralisé autour d'une vision globale. Le style de Ruppert Murdoch était beaucoup plus interventionniste : de temps à autre, il n'hésitait pas à prendre personnellement la direction d'une division.

À la fin de l'année 1995, Viacom fut confronté à deux problèmes stratégiques impliquant de lourds investissements. Tout d'abord, Paramount souhaitait déployer une nouvelle génération de services de télévision par satellite. Pour cela, l'option retenue consistait à établir une alliance avec le groupe allemand Kirch, qui proposait déjà ce type de services.

Pour sa part, la division MTV/Nickelodeon souhaitait renforcer sa présence en Europe en lançant des chaînes adaptées aux spécificités locales, notamment en termes de langue. L'objectif consistait à s'appuyer sur sa marque tout en donnant une dimension locale à ses programmes. La stratégie retenue impliquait l'acquisition de contenus locaux au travers de coentreprises établies avec plusieurs opérateurs de télévision par satellite européens. Selon ce point de vue, une alliance exclusive avec le groupe Kirch n'était pas pertinente.

Ces orientations stratégiques furent négociées entre les responsables des deux divisions européennes. Même s'ils souhaitaient collaborer afin d'exploiter leurs synergies supposées, il leur fut impossible de s'entendre sur la stratégie à adopter. Dans un premier temps, Paramount fut donc chargé d'établir toutes les alliances et partenariats en Europe, en tenant compte des préférences exprimées par MTV/Nickelodeon. Franck Biondi ne fut pas activement impliqué dans ces négociations, qui durèrent plus d'un an sans qu'un réel consensus ne se dégage : chaque division continuait à privilégier ses propres objectifs. Pendant ce temps, les investissements en Europe étaient bloqués, ce qui laissait le champ libre à la concurrence. Plus le temps passait, plus la pression sur les responsables de division augmentait et plus leurs positions se radicalisaient : leur autonomie les empêchait d'adopter une démarche commune.

Finalement, en janvier 1996, Sumner Redstone releva Franck Biondi de ses fonctions et décida de prendre lui-même la tête des opérations. Il introduisit un mode de management beaucoup plus centralisé afin d'accroître la vitesse et l'efficience de la prise de décisions stratégiques.

Viacom racheta CBS en 2000. Cependant, du fait de rivalités au sein de l'équipe de direction, la nouvelle entité fut rapidement scindée. En 2005, Viacom redevint une entreprise indépendante dirigée par Sumner Redstone.

Source : T.R. Eisenmann et J.L. Bower « The entrepreneurial M-form: a case study of strategic integration in a global media company », dans J.L. Bower et C.G. Gilberts (eds), *From Resource Allocation to Strategy,* Oxford University Press, 2005, pp. 307-329.

Préparé par Michael Ubben, Lancaster University Management School.

Questions

1. En quoi l'élaboration de la stratégie chez Viacom a-t-elle différé de la démarche de planification stratégique décrite dans l'illustration 11.1 ?

2. Quelle a été la logique parentale adoptée par Franck Biondi (voir la section 7.4) ?

3. Comment aurait-on pu éviter les problèmes auxquels Viacom a été confronté en 1995 ?

externes. Ces responsables et ces coalitions essaient constamment de défendre leurs intérêts et leurs points de vue, de manière à contrôler les ressources nécessaires aux projets qu'ils pilotent. L'incapacité de Motorola à s'écarter de l'analogique et sa perte de contrôle du marché de la téléphonie mobile (voir l'illustration 5.1) ont ainsi résulté de conflits entre des baronnies internes qui ont cherché à protéger leurs intérêts[20]. L'**interprétation politique**[21] postule donc que la stratégie résulte de processus de marchandage et de négociation entre des groupes d'intérêt internes et externes à l'organisation. C'est un univers florentin de luttes intestines, de négociations, d'alliances et de trahisons. Par-delà le folklore souvent dépeint dans les films et les romans qui ont pour cadre les grandes entreprises, il est indéniable que les attentes de certaines parties prenantes et la protection de leurs intérêts peuvent conditionner l'élaboration de la stratégie, comme le montre le cas de EADS dans l'illustration 11.4.

L'interprétation politique postule que la stratégie résulte de processus de marchandage et de négociation entre des groupes d'intérêt internes et externes à l'organisation

L'activité politique est en général considérée comme une influence négative mais inévitable, faisant obstacle à l'analyse méthodique et à la rationalité. Cependant, la perspective politique suggère également que les processus analytiques et rationnels associés à l'élaboration de la stratégie (voir la section 11.2.1) ne sont pas aussi objectifs et neutres qu'on pourrait le croire. Les objectifs affichés peuvent refléter les ambitions de certains responsables. L'information n'est pas politiquement neutre, mais peut au contraire constituer une réelle source de pouvoir pour ceux qui en contrôlent les éléments clés. Par conséquent, la détention de l'information ou l'ascendant d'un manager sur un autre à partir du contrôle d'une source d'information constitue un levier déterminant. Les individus et les groupes influents peuvent aussi avoir un impact considérable sur l'identification des problèmes cruciaux, sur les objectifs de l'organisation, voire sur les stratégies finalement retenues[22]. La sélection des objectifs stratégiques ne dépend pas seulement des pressions environnementales ou concurrentielles, mais également de leurs implications en termes de statut et de pouvoir pour les différentes parties prenantes.

Tout cela n'est guère surprenant : lorsqu'ils envisagent les questions stratégiques, les individus s'inscrivent dans la culture de leur organisation (voir le chapitre 4). Pour autant, ils sont différemment influencés par :

- *L'expérience personnelle* issue du rôle de chacun dans l'organisation.
- *La compétition pour les ressources et l'influence* entre les différents sous-systèmes de l'organisation et les individus qui souhaitent préserver et renforcer leur pouvoir et leur position[23].
- *L'influence relative des parties prenantes* sur les différentes parties de l'organisation. Un département finance peut ainsi être particulièrement sensible à l'influence des institutions financières, alors qu'un département marketing sera fortement influencé par les clients[24].
- *L'accès à l'information* ou l'importance de cette information varie selon la position de chacun dans l'organisation.

On peut considérer que l'activité politique est liée à deux explications du développement de la stratégie : l'émergence et l'incrémentalisme. Le lien avec l'émergence vient du fait que ce sont les négociations et les marchandages qui façonnent la stratégie, bien plus que des intentions délibérées et des analyses méticuleuses.

Illustration 11.4

Luttes de pouvoir chez EADS

Les processus politiques peuvent fortement influencer l'élaboration de la stratégie.

À l'été 1998, l'industrie européenne de défense entamait une vaste consolidation. Le groupe allemand Dasa, filiale de Daimler, envisageait de fusionner avec British Aerospace. Afin d'éviter ce rapprochement qui les aurait isolés, les groupes français Matra et Aerospatiale décidèrent de fusionner, avec pour objectif de se rapprocher des Allemands avant les Britanniques. Étant donné que Aerospatiale était un groupe nationalisé et que les Allemands refusaient de créer une entité inféodée au gouvernement français, la fusion préalable avec Matra, groupe privé fondé et dirigé par Jean-Luc Lagardère, ami proche du président du directoire de Daimler, Jürgen Schrempp, était un préalable indispensable. L'opération se déroula donc en deux temps : fusion entre Matra et Aerospatiale (partiellement privatisé pour l'occasion) en juillet 1999, puis fusion du nouvel ensemble avec Dasa en septembre 2000, sous le nom EADS.

L'activité de EADS comprenait une branche militaire (missiles, hélicoptères) et une branche spatiale (satellites), mais surtout Airbus, qui représentait 20 % de son chiffre d'affaires et 80 % de ses bénéfices. Le groupe était doté d'une structure bicéphale ayant pour but de respecter strictement une parité franco-allemande, ce que certains observateurs avaient surnommé le « management lasagne » : une couche de Français, une couche d'Allemands. On comptait ainsi deux présidents du conseil d'administration, Jean-Luc Lagardère et Manfred Bischoff, et deux présidents exécutifs, Philippe Camus (un des bras droits de Lagardère) et Rainer Hertrich. C'est cependant Jean-Luc Lagardère qui contrôlait l'ensemble du dispositif, grâce à son charisme et à ses compétences politiques.

Un seul homme refusait cette structure : le P-DG de la filiale Airbus, l'ambitieux Noël Forgeard. Ancien conseiller de Jacques Chirac, ancien directeur chez Lagardère – où une profonde rivalité l'avait opposé à Philippe Camus –, il avait rejoint Aerospatiale en 1998 pour prendre la direction d'Airbus. À la suite de la création de EADS, il se retrouvait donc non seulement chez Lagardère, mais surtout sous les ordres de son rival, dont il contesta immédiatement l'autorité, préférant prendre directement ses instructions auprès de Jean-Luc Lagardère. Celui-ci le chargea d'un projet majeur : le développement de l'Airbus A380, le plus grand défi industriel européen du début du XXIe siècle.

En mars 2003, Jean-Luc Lagardère mourut brutalement d'une maladie auto-immune rare. Son fils Arnaud décida de prendre sa succession. Or, il ne jouissait pas de la même aura, ni auprès des barons du groupe, ni auprès du gouvernement français, ni auprès des Allemands.

Noël Forgeard en profita pour tenter d'évincer Philippe Camus en s'appuyant sur ses relations personnelles avec Jacques Chirac et sur le succès éclatant d'Airbus, qui pour la première fois de son histoire dépassa Boeing en termes de commandes et de livraisons.

En décembre 2005, Arnaud Lagardère céda : Philippe Camus fut remplacé par Noël Forgeard. Pour les Allemands, c'était la preuve que le gouvernement français avait pris le pouvoir au sein de EADS. Jürgen Schrempp décida donc de remplacer Manfred Bischoff par Thomas Enders, un officier parachutiste, ancien du ministère allemand de la Défense, capable de s'opposer aux ambitions de Noël Forgeard, voire d'obtenir son départ. La lutte franco-française devint ainsi un conflit franco-allemand.

La crise éclata au grand jour le 13 juin 2006, avec l'annonce d'un retard sur la livraison de l'A380, ce qui provoqua une chute de 26 % de l'action EADS en une seule séance. Il apparaissait brutalement que les multiples conflits politiques internes avaient masqué d'importantes difficultés industrielles : les usines françaises et allemandes n'utilisaient pas les mêmes logiciels de conception, et les managers allemands ne faisaient pas confiance à leurs homologues français. Le scandale fut encore attisé lorsqu'on apprit que Noël Forgeard avait levé un plan de stock-options trois mois avant l'annonce des retards. Il fut contraint de démissionner fin juin 2006, en empochant une indemnité de départ de 8,4 millions d'euros.

Pendant la campagne pour les élections présidentielles françaises de mai 2007, EADS devint l'enjeu d'une surenchère politique. À peine élu, Nicolas Sarkozy invita la chancelière Angela Merkel à Toulouse afin de trouver une solution à la crise. Le Français Louis Gallois fut ainsi nommé seul président de EADS, alors que Thomas Enders devenait le seul président d'Airbus et que Arnaud Lagardère abandonnait son poste de coprésident du conseil de surveillance du groupe.

Le premier exemplaire de l'A380 ne fut livré à Singapore Airlines que le 15 octobre 2007, soit dix-huit mois après la date prévue.

Sources : E. Gernelle, « Le roman noir d'Airbus », *Le Point*, n° 1809 (17 mai 2007) ; lexpress.fr, 30 mai 2007 ; lepoint.fr, 31 mai 2007 ; O. Benyahia-Kouider, « Thomas Enders, P-DG d'Airbus », *Challenges*, 11 octobre 2007.

Questions

1. Identifiez les parties prenantes clés, leur position et leur influence entre 2000 et 2007.
2. Pouvez-vous citer d'autres cas de conflits politiques à la tête de grandes entreprises ?
3. Analysez la stratégie de EADS depuis 2007. Le conflit franco-allemand a-t-il été réglé ?

Les jeux politiques sont également liés à l'incrémentalisme, pour deux raisons. Tout d'abord, si différents points de vue prévalent dans l'organisation et si différentes factions exercent leur pouvoir, la recherche d'un compromis est indispensable. Deuxièmement, il est probable que ceux qui détiennent le pouvoir l'aient obtenu dans le cadre de la stratégie existante. Tout changement significatif risque donc de menacer leurs prérogatives. Dans de telles circonstances, un compromis construit autour d'une simple adaptation de la stratégie en cours a toutes les chances de s'imposer.

Cependant, l'influence des jeux politiques peut également être positive. On peut ainsi estimer que les conflits et les tensions qui caractérisent l'activité politique sont une source d'idées nouvelles (voir le prisme de la complexité dans les commentaires qui figurent à la fin de chacune des parties) et une contestation des pratiques établies[25]. Les idées innovantes seront soutenues ou combattues par différents « champions » qui s'opposent sur ce qui doit être fait. En ce sens, la lutte pour la détermination de ce qui constitue la meilleure idée ou l'avancée la plus intéressante est une caractéristique inhérente aux organisations innovantes. On peut même avancer que si ces tensions n'existent pas, l'innovation ne parvient pas à s'épanouir. La gestion de ces tensions peut être une compétence, voire une capacité dynamique (voir la section 3.4.5) qui procure un avantage concurrentiel à certaines organisations. De plus, comme le montre la section 14.4.4, l'exercice du pouvoir peut être déterminant dans la gestion du changement.

Tout cela suggère que l'activité politique exerce une indéniable influence sur l'élaboration de la stratégie. Quelle que soit la stratégie retenue, elle devra tenir compte des processus politiques en cours. Cet ouvrage revient à plusieurs reprises sur ce point, notamment dans les sections 4.4.1, 4.4.2 et 14.4.4, mais aussi dans les commentaires qui figurent à la fin de chacune des parties.

11.3.4 Les processus culturels

Nous avons déjà souligné l'importance de la culture (voir le chapitre 5). La culture organisationnelle correspond aux représentations mentales collectives qui prévalent au sein de l'organisation, telles que les hypothèses implicites et les croyances partagées que nous avons désignées sous le terme de paradigme. Elle inclut également les routines, les processus et les structures qui forment le cercle extérieur dans le tissu culturel (voir les sections 5.4.5 et 5.4.6, ainsi que le schéma 5.7). On peut ainsi proposer une interprétation culturelle de l'émergence de la stratégie, selon laquelle la stratégie découle des hypothèses implicites et des comportements partagés par les membres de l'organisation. Le point essentiel est que tous ces éléments implicites forgent la manière dont les individus se représentent l'organisation et son environnement. Ils tendent également à délimiter ce qui est considéré comme un comportement approprié. Des exemples de cette influence sont présentés dans le chapitre 5 et dans la section 14.2. Il est important de comprendre l'impact de la culture sur le développement émergent et incrémental de la stratégie.

Dans une large mesure, l'interprétation culturelle sous-tend les explications précédentes. Le développement incrémental de la stratégie peut être expliqué du point de vue de l'incrémentalisme logique (voir la section 11.3.1). Cependant, on peut également le considérer comme un produit de la culture organisationnelle[26].

Selon l'interprétation culturelle, la stratégie émerge des hypothèses implicites et des comportements partagés par les membres de l'organisation

De la même manière, le tissu culturel souligne l'influence des routines implicites et des structures de pouvoir. Ces routines incluent notamment l'allocation de ressources du modèle RAR, tout comme les structures de pouvoir sont essentielles aux processus politiques présentés ci-dessus.

11.4 L'élaboration de la stratégie selon le contexte

Les différents processus d'élaboration de la stratégie présentés dans les sections 11.2 et 11.3 soulèvent quelques commentaires généraux :

- *La multiplicité des processus.* Les processus décrits plus avant ne sont pas mutuellement exclusifs : il est très peu probable qu'un processus à lui seul puisse expliquer l'élaboration de la stratégie dans une organisation. La multiplicité des processus est la règle. Par exemple, un système de planification implique généralement des routines d'allocation de ressources et s'accompagne d'une intense activité politique. Si l'un des processus domine, cela ne signifie pas que les autres sont absents. Certaines recherches montrent d'ailleurs que les organisations qui recourent à de multiples processus d'élaboration de la stratégie obtiennent une meilleure performance que celles qui n'en emploient qu'un[27]. Au total, il convient d'admettre qu'il n'y a pas *une* bonne manière d'élaborer la stratégie, valable dans n'importe quel contexte et pour n'importe quelle organisation. Les managers doivent admettre l'intérêt de cette multiplicité, de manière à concevoir une organisation capable de se montrer tout à la fois innovante et adaptable dans un environnement changeant, mais également rigoureuse et rationnellement structurée lorsqu'une démarche formelle de planification est nécessaire[28].
- *Les différences contextuelles.* Au sein d'une même organisation, les processus d'élaboration de la stratégie peuvent différer selon le moment et le contexte. Une organisation qui entreprend un changement rapide – peut-être du fait d'une évolution imprévue de son environnement – risque fort d'adopter un mode d'élaboration de sa stratégie distinct de celui qui prévalait lors d'une phase plus calme. Le cas qui figure à la fin de ce chapitre révèle qu'entre les années 1980 et 2000 Intel a ainsi recouru à plusieurs processus distincts. Le schéma 11.4 montre quels processus correspondent à différents contextes[29].
- *Les perceptions individuelles.* Différents individus risquent de percevoir les processus d'élaboration de la stratégie de manière distincte. Par exemple, comme le montre le schéma 11.5, les dirigeants ont tendance à décrire les stratégies en termes rationnels, alors que les opérationnels les considèrent plutôt comme le résultat de processus culturels et politiques. De même, selon les managers des organisations publiques ou des agences gouvernementales, la stratégie semble bien plus imposée que pour ceux qui travaillent dans des entreprises privées[30]. Enfin, les salariés d'une PME familiale donnent bien plus d'importance à l'influence de certains leaders stratégiques, en particulier les propriétaires. Le débat qui figure à la fin de ce chapitre (voir l'illustration 11.5) présente les différentes interprétations d'une même stratégie.

Schéma 11.4	Quelques configurations des processus stratégiques

Dimensions dominantes	Caractéristiques	Plutôt que	Contextes typiques
Planification Incrémentalisme logique	Procédures de planification standardisées Collecte et analyse systématique des données Observation constante de l'environnement Ajustement continu de la stratégie Engagement limité Changement pas à pas et à petite échelle	La dépendance vis-à-vis de l'environnement Des individus influents Des jeux politiques Des groupes de pression	Producteurs de biens et de services Marché stable ou en croissance Marché mature Environnement non menaçant
Incrémentalisme Culturelle Politique	Marchandages, négociations et compromis afin de concilier des intérêts divergents Les groupes qui contrôlent des ressources déterminantes sont plus à même d'influencer la stratégie Comportements standardisés Routines et procédures enchâssées dans l'histoire de l'organisation Évolution graduelle de la stratégie	Rationalité analytique et évaluations Processus délibérés et intentionnels Les managers contrôlent le destin de l'organisation Procédures clairement définies Planification Stratégie déterminée par l'externe Intention explicite des managers	Cabinets d'experts (consultants, avocats, comptables, etc.) Environnement turbulent Marchés récents et en croissance
Imposée Politique	La stratégie est imposée par des forces externes (législation, maison mère, etc.) La liberté de choix est restreinte Les individus qui sont en relation avec l'environnement ont une plus forte influence sur la stratégie Existence de jeux politiques à l'intérieur de l'organisation et avec l'instance de régulation	La stratégie est déterminée en interne Les systèmes de planification influent sur l'élaboration de la stratégie Les managers fixent les orientations stratégiques	Organisations du secteur public, principales filiales d'entreprises industrielles ou de services financiers Environnement hostile ou instable Marché en déclin

Ces résultats proviennent d'une enquête sur la perception des processus d'élaboration de la stratégie menée à la Cranfield School of Management dans les années 1990.

Schéma 11.5	La perception des processus stratégiques par les managers

Perception qu'il existe :	Niveau dans l'organisation		Stabilité de l'environnement	
	Dirigeant	Encadrement intermédiaire	Élevée	Limitée
Des objectifs précis	Oui	Non	Oui	Non
Une planification détaillée	Oui	Non	Oui	Non
Une analyse systématique de l'environnement	Oui	Non	Oui	–
Une évaluation minutieuse des options stratégiques	Oui	Non	–	–

Ces résultats proviennent d'une enquête sur la perception des processus d'élaboration de la stratégie, menée à la Cranfield School of Management dans les années 1990. Les différences statistiques obtenues sont significatives.

11.5 Les enjeux de l'élaboration de la stratégie

Les questions abordées dans ce chapitre montrent que la gestion des processus stratégiques expose les managers à des enjeux importants.

11.5.1 Gérer les stratégies délibérées et les stratégies émergentes

Jusqu'ici dans ce chapitre, nous avons distingué les stratégies délibérées et les stratégies émergentes. Nous avons également souligné que les différents processus d'élaboration de la stratégie ne sont pas mutuellement exclusifs et qu'ils cohabitent dans la plupart des organisations. De fait, il n'est pas inhabituel qu'une organisation élabore une stratégie délibérée, par exemple à l'aide d'un système de planification, mais qu'elle suive en réalité une stratégie différente, qui résulte de processus politiques et culturels. La stratégie affichée par certaines entreprises peut ainsi être très éloignée de l'expérience pratique qu'en ont ses clients ; des agences gouvernementales affirment qu'elles servent les intérêts de la population, alors qu'elles s'enlisent dans la bureaucratie ; des prestataires de services mettent en place des centres d'appel incapables de résoudre les problèmes des utilisateurs ; des universités et des écoles clament l'excellence de leurs enseignements alors qu'elles sont avant tout intéressées par leur activité de recherche (ou réciproquement). Le schéma 11.6 illustre ce phénomène. Il peut exister une stratégie délibérée, voulue par les dirigeants, fondée sur des analyses rigoureuses et formellement présentée dans des documents officiels afin qu'elle soit systématiquement déployée (trajectoire n° 1). Or, la majeure partie de ce qui est voulu n'est pas réalisée, ou ne l'est que de manière très incomplète (trajectoire n° 2). Cette divergence peut résulter de multiples facteurs : le plan se révèle irréalisable ; l'environnement a évolué entre-temps et les managers décident de ne

La stratégie réalisée est la stratégie effectivement suivie dans la pratique

pas appliquer le plan ; des responsables ou des parties prenantes influentes n'adhèrent pas au plan (voir à ce sujet la discussion sur les inconvénients de la planification dans la section 11.2.2). Au total, on appelle stratégie réalisée la stratégie effectivement suivie dans la pratique. Plusieurs implications découlent de la différence entre le voulu et le réalisé :

- *L'attention.* Tout d'abord et de manière fondamentale, les managers doivent être capables de prendre en compte la différence entre la stratégie délibérée et la stratégie réalisée. Les dirigeants sont souvent trop éloignés des clients, et leurs subordonnés qui constatent l'écart entre le voulu et le réalisé ne leur transmettent pas toujours les informations nécessaires.
- *Le rôle de la planification stratégique.* Nous avons souligné dans la section 11.2.2 que la planification stratégique ne joue pas uniquement un rôle de formulation de la stratégie : elle permet également de coordonner les stratégies qui émergent de l'organisation (ce qui correspond à la trajectoire n° 4 sur le schéma 11.6). Le risque est alors que la démarche de planification se contente de synthétiser les représentations collectives sédimentées au cours du temps, en rationalisant *a posteriori* le parcours stratégique déjà effectué. S'ils souhaitent utiliser utilement la planification stratégique, les managers doivent veiller à deux aspects essentiels :
  - La planification ne se substitue pas aux autres processus d'élaboration de la stratégie, qui eux aussi doivent être gérés.
  - Les attentes à l'égard de la planification doivent rester réalistes. Son rôle fondamental doit-il être de coordonner les stratégies émergentes ou de contribuer de manière proactive à l'élaboration de la stratégie, par exemple en contestant les schémas de pensée implicites et les routines établies ? Dans le second cas, les planificateurs doivent se comporter comme des consultants internes, et non comme des analystes.

| Schéma 11.6 | **Les trajectoires d'élaboration de la stratégie** |

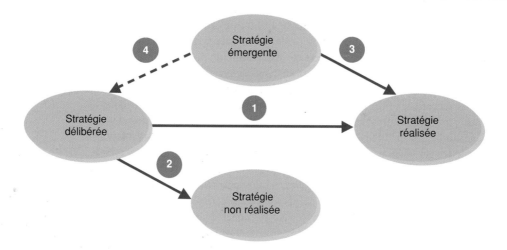

- *Le risque de dérive stratégique.* La discussion de la section 11.3 montre que plusieurs forces poussent les organisations vers une dérive stratégique (voir la section 5.1). Le changement incrémental est la conséquence naturelle de la culture organisationnelle, de l'expérience individuelle et collective, des jeux politiques et des décisions antérieures. Cela implique que les processus d'élaboration de la stratégie doivent encourager les individus à contester leurs hypothèses implicites et leurs comportements acquis. Cela conduit à la notion d'organisation apprenante, que nous examinerons dans la prochaine section. Pour autant, aussi souhaitable qu'elle soit, l'expérience montre que la construction d'organisations de ce type n'est pas chose aisée, notamment du fait de l'équilibre subtil qu'il convient de trouver entre l'inertie et l'innovation. Toute organisation présente des forces culturelles internes qui contraignent l'élaboration de sa stratégie, mais ces mêmes comportements et routines peuvent sous-tendre une grande part de son avantage concurrentiel (voir la section 3.4.3). L'inertie peut permettre de préserver la capacité stratégique, alors que l'innovation peut parfois la détruire.
- *Le management de la stratégie émergente.* Si les processus d'élaboration de la stratégie qui permettent l'émergence de stratégies doivent être ancrés dans les routines organisationnelles et dans la culture, il est tout de même possible de les gérer : les systèmes de planification peuvent évoluer, les routines d'allocation de ressources peuvent être modifiées, les jeux politiques peuvent être analysés et infléchis (voir la section 4.4.1 sur l'analyse des parties prenantes), et la contestation de la culture organisationnelle peut être encouragée. Un des aspects les plus importants consiste certainement à définir une vision claire de la stratégie future.

11.5.2 L'organisation apprenante

Traditionnellement, les organisations ont été considérées comme des hiérarchies et des bureaucraties censées assurer l'ordre et permettre le contrôle, comme des structures construites pour la stabilité plus que pour le changement. À l'inverse, une **organisation apprenante** est capable de se régénérer continûment grâce à la variété des connaissances, des expériences et des compétences individuelles et à une culture qui encourage les débats et les défis au travers d'une vision commune ou d'une intention partagée. Elle facilite l'émergence dynamique de stratégies.

Les partisans de l'organisation apprenante[31] soulignent que les connaissances collectives de tous les individus qui composent une organisation excèdent généralement ce que l'organisation elle-même « sait » et est capable de faire. Selon eux, les structures formelles étouffent le plus souvent les connaissances organisationnelles et la créativité. Ils affirment que l'objectif du management devrait consister à encourager les processus qui libèrent les connaissances individuelles et à favoriser le partage d'informations, de manière que chacun soit sensibilisé aux évolutions de son environnement et contribue à l'identification des opportunités et des besoins de changement. Les flux d'information et les relations entre les individus ne sont pas limités à la verticalité de la ligne hiérarchique, ce qui pousse à considérer les organisations comme des *réseaux sociaux*[32] dans lesquels l'accent est mis sur les différents groupes d'intérêt qui peuvent coopérer et échanger des connaissances. Dans de telles circonstances, les idées qui émergent ont moins de risque d'être négligées par les autres membres de l'organisation.

Une organisation apprenante est capable de se régénérer continûment grâce à la variété des connaissances, des expériences et des compétences individuelles et à une culture qui encourage les débats et les défis au travers d'une vision commune ou d'une intention partagée

Les principes de l'apprentissage organisationnel sont les suivants :

- Les managers doivent se comporter comme des *facilitateurs* et non comme des supérieurs hiérarchiques.
- Les flux d'information et les relations entre les individus doivent être *horizontaux* autant que verticaux.
- Il est nécessaire de construire des organisations *pluralistes* dans lesquelles des opinions différentes, voire opposées, permettent d'alimenter un débat collectif.
- L'*expérimentation* est la norme. Les idées sont testées sur le terrain, ce qui alimente le processus d'apprentissage.

Tout cela est lié à d'autres concepts étudiés dans cet ouvrage. L'apprentissage organisationnel s'apparente ainsi à l'incrémentalisme logique décrit dans la section 11.3.1 et au prisme de la complexité présenté dans les commentaires de fin de parties. Il correspond également à ce que Gary Hamel appelle des « organisations résilientes », qui refusent de se reposer sur leurs succès et sont capables de se réinventer constamment en imaginant de nouveaux modèles économiques[33].

11.5.3 Le management stratégique dans les situations complexes et incertaines

Toutes les organisations ne sont pas confrontées à des environnements analogues, tout comme elles peuvent différer en termes de forme et de complexité. Par conséquent, il convient d'adopter des processus stratégiques distincts selon le contexte. Le schéma 11.7 montre comment les organisations peuvent faire face à des conditions qui sont plus ou moins dynamiques et plus ou moins complexes[34] :

- Dans des conditions simples et stables, l'environnement est relativement facile à comprendre et ne subit pas de changements significatifs. La plupart des fournisseurs de matières premières et quelques entreprises de production de masse sont dans cette situation. Les processus technologiques sont bien connus ; les concurrents et les clients sont identiques au cours du temps. Dans ces circonstances, si un changement survient, il est en général prévisible. Il est donc logique d'analyser l'environnement d'un point de vue historique, en extrapolant les conditions futures les plus probables à partir des événements passés. Dans une situation relativement peu complexe, il est souvent possible d'identifier quelques indicateurs clés dont le niveau permet de prévoir les évolutions environnementales. Dans les services publics, des données démographiques telles que le taux de natalité peuvent être ainsi utilisées pour déterminer les besoins futurs en écoles, soins et services sociaux. Dans un environnement simple et stable, il paraît donc pertinent d'employer des systèmes de planification formalisés et de s'appuyer sur les décisions passées, puisque le changement est limité. Cependant, deux dangers doivent être soulignés. Tout d'abord, les organisations confrontées à un même environnement risquent d'adopter les mêmes stratégies et perdre ainsi tout avantage distinctif, ce qui peut conduire à exacerber la concurrence et à éroder significativement les profits (voir le chapitre 6). Deuxièmement, les conditions environnementales peuvent changer. Les organisations habituées à un environnement simple et stable peuvent alors éprouver des difficultés à s'adapter, car leurs processus d'élaboration de la stratégie ne s'y prêtent pas.

| Schéma 11.7 | L'élaboration de la stratégie selon le contexte environnemental |

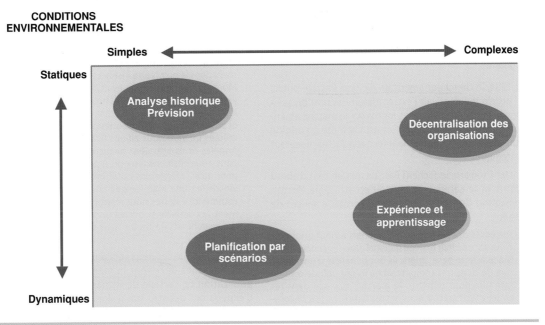

- Dans des conditions *dynamiques,* les managers doivent envisager l'environnement futur et pas seulement comprendre le passé. Pour cela, ils peuvent utiliser des méthodes structurées, telles que la *planification par scénarios,* examinée dans le chapitre 2 (voir la section 2.2.2). Ils peuvent également encourager les individus et les groupes à développer leurs intuitions et à combattre leurs a priori sur les futurs possibles, ce qui revient à développer l'apprentissage organisationnel.

- Lorsqu'une organisation est confrontée à des conditions *complexes,* il lui est extrêmement difficile d'assimiler son environnement. La complexité peut résulter du développement des connaissances dans l'industrie ou plus directement de l'évolution de la structure de l'organisation. La direction générale d'une grande multinationale chargée de superviser de multiples domaines d'activité stratégique ou une grande organisation de service public implantée sur un vaste territoire sont confrontées à ce type de complexité. Bien entendu, par-delà la complexité, ces organisations peuvent également faire face à des situations incertaines. L'industrie de l'électronique est dans ce cas. Dans de telles conditions, les dirigeants doivent accepter le fait qu'il est vain – voire dangereux – de planifier des stratégies détaillées et que leur connaissance de l'environnement peut être inférieure à celle qu'en ont certains de leurs subordonnés. Le rôle des dirigeants est alors avant tout de fixer une orientation stratégique générale, puis de coordonner et d'infléchir les stratégies émergentes qui en résultent. Le prisme de la complexité (voir les commentaires de fin de parties) et la notion d'apprentissage organisationnel peuvent les y aider.

Illustration 11.5 **Débat**

Stratégie délibérée ou stratégie émergente ? Le cas de Honda

Il existe plusieurs explications de l'élaboration de stratégies gagnantes.

En 1984, le chercheur américain Richard Pascale publia un article qui décrivait l'extraordinaire succès qu'avait connu Honda en lançant ses motos sur le marché américain dans les années 1960. Cet article a été à l'origine d'une discussion extrêmement féconde sur les processus stratégiques.

Dans son article, Richard Pascale relatait tout d'abord comment le cabinet de conseil en stratégie Boston Consulting Group (BCG) avait interprété le succès de Honda :

> Le succès des constructeurs japonais a pour origine la croissance de leur marché national dans les années 1950. Grâce à cette base arrière, ils ont bénéficié d'une structure de coûts très compétitive qu'ils ont utilisée comme tremplin pour pénétrer le marché mondial dans les années 1960 grâce à leurs petites motos. [...] La philosophie de base des constructeurs japonais est que la fabrication en grande série de chaque modèle assure une productivité élevée du fait de l'utilisation maximale de techniques automatisées de production de masse. Leurs stratégies commerciales visent donc à développer des modèles susceptibles d'être vendus en très grand nombre, ce qui explique l'attention particulière qu'ils portent à la croissance et à la part de marché.

Cette version correspondait donc à une vision rationnelle, fondée sur la construction délibérée d'un avantage de coût grâce au volume de production.

La seconde version des événements relatée par Richard Pascale s'appuyait sur des entretiens avec les trois expatriés de Honda qui avaient effectivement participé à son implantation aux États-Unis :

> Pour tout dire, nous n'avions pas de stratégie en dehors de la curiosité de voir si nous pouvions vendre quelque chose aux États-Unis. C'était une nouvelle frontière, un nouveau défi qui s'inscrivait bien dans la culture du « succès malgré tout » cultivée par Monsieur Honda. Nous n'avions même pas discuté des profits ou du délai de retour sur investissement. [...] Nous savions que nos produits d'alors étaient bons, mais pas franchement meilleurs que ceux des concurrents. Monsieur Honda était particulièrement confiant dans le succès des modèles 250cc et 305cc, car il pensait que leur guidon en forme de sourcils de Bouddha était un très bon argument de vente. [...] Nous avions constitué notre stock

de départ avec 25 % de chacun de nos quatre modèles : le Super Cub 50cc (un petit cyclomoteur) et les motos de 125cc, 250cc et 305cc. Bien entendu, les plus grosses cylindrées représentaient l'essentiel de la valeur du stock. [...] La première année, nous étions complètement dans le noir. Notre instinct – de même que celui de Monsieur Honda – nous avait dissuadés d'essayer de vendre des Super Cub. [...] Ils nous semblaient tout à fait inadaptés au marché américain, où tout était plus gros et plus luxueux. [...] Nous utilisions les Super Cub nous-mêmes lorsque nous allions faire les courses dans Los Angeles et ils attiraient beaucoup l'attention. Cependant, nous hésitions toujours à promouvoir nos 50cc de peur qu'ils détériorent notre image sur le marché très viril de la moto. Mais lorsque nos grosses machines ont commencé à casser, nous n'avions plus le choix. Bizarrement, les détaillants qui les distribuèrent n'étaient pas des marchands de motos mais des magasins d'articles de sport.

Il est clair que ces deux versions sont très différentes. Pourtant, elles décrivent le même succès. Depuis la publication de l'article de Richard Pascale, beaucoup d'experts ont débattu sur la signification réelle de ces récits. Henry Mintzberg a ainsi affirmé que : « L'élaboration d'une nouvelle stratégie est un processus créatif (de synthèse), pour lequel il n'existe pas de techniques formelles (d'analyse). » Il a souligné qu'il n'y avait eu aucune planification formelle dans le déploiement de la stratégie de Honda : « La stratégie devait être élaborée de manière informelle avant de pouvoir être programmée formellement. » Il a ajouté : « Alors que nous sommes frénétiquement *rationnels*, ils ont utilisé leur bon sens. Ils sont venus aux États-Unis en étant préparés à *apprendre*. »

Michael Goold, l'auteur du rapport d'origine du Boston Consulting Group, s'est justifié :

> Notre objectif consistait à discerner ce qu'il y avait derrière le succès de Honda, de manière à aider les managers à réfléchir aux processus stratégiques. Nous voulions identifier la logique des décisions et des actions stratégiques de Honda afin de comprendre ce qui avait bien ou mal marché.

Richard Rumelt a remarqué que :

> Les partisans des outils et des modèles ont raison de souligner la réalité de forces telles que les économies d'échelle, l'expérience accumulée et la construction des compétences fondamentales au cours du temps, mais ma propre expérience m'apprend qu'en réalité ces modèles servent bien plus souvent à expliquer les stratégies *a posteriori* qu'à les concevoir.

| **Illustration 11.5** | **Débat** *(suite)* |

Richard Pascale a conclu que la nature fortuite de la stratégie de Honda a démontré l'importance de l'apprentissage, que les véritables raisons du développement de la stratégie étaient l'agilité de l'organisation, qui résultait de sa culture et non des analyses qu'elle avait menées.

Sources : R.T. Pascale, « Perspectives on strategy: the real story behind Honda's success », *California Management Review*, vol. 26, n° 3 (1984), pp. 47-72 ; H. Mintzberg, R.T. Pascale, M. Goold et R.P. Rumelt, « The Honda effect revisited », *California Management Review*, vol. 38, n° 4 (1996), pp. 78-116.

Questions

1. Les différents récits sont-ils mutuellement exclusifs ?

2. Parmi les différentes interprétations de l'élaboration de la stratégie présentées dans ce chapitre, lesquelles identifiez-vous dans l'histoire de Honda ?

3. Pensez-vous que Honda aurait connu un succès plus éclatant en planifiant son implantation de manière plus formalisée ?

Résumé

Ce chapitre était consacré aux différentes interprétations de l'élaboration de la stratégie (voir également l'illustration 11.5). Voici les principales leçons que l'on peut en retirer :

- Il est important de distinguer la *stratégie délibérée* – l'orientation voulue par les managers – et la *stratégie émergente*, qui résulte des comportements et des activités de l'organisation.

- Le plus souvent, les processus d'élaboration de la stratégie sont décrits en termes de stratégie délibérée, comme les résultats de *systèmes de planification* établis par les dirigeants, de manière neutre et objective. Les systèmes formels de planification stratégique présentent des avantages et des inconvénients. Cependant, ils ne suffisent pas à décrire les processus stratégiques effectivement observés dans les organisations. D'autres interprétations sont donc nécessaires.

- La stratégie délibérée peut aussi résulter des *leaders stratégiques* qui l'incarnent et de *stratégies imposées* par des parties prenantes externes.

- La stratégie peut également émerger de l'activité de l'organisation :
  - Les organisations peuvent tenter d'utiliser de manière proactive l'*incrémentalisme logique*.
  - Les *routines d'allocation de ressources* peuvent favoriser certains développements stratégiques au détriment des autres.
  - Une stratégie peut résulter de négociations et de marchandages liés aux *jeux politiques*.
  - Les éléments implicites de la *culture organisationnelle* peuvent pousser à privilégier certaines stratégies.

- Le recours à de *multiples* processus stratégiques est nécessaire si l'on souhaite encourager et faciliter la *contestation* des schémas de pensée implicites et des routines organisationnelles, de manière à obtenir une *organisation apprenante* capable de prospérer dans un *environnement complexe et dynamique*.

Travaux pratiques ● Signale des exercices d'un niveau plus avancé

1. Procurez-vous le rapport annuel d'une entreprise qui vous est familière en tant que client(e), par exemple une chaîne de grande distribution ou une société de transport public. Identifiez les caractéristiques principales de la stratégie voulue – telle qu'elle est présentée dans le rapport – et de la stratégie réalisée – telle que vous la percevez en tant que client(e).

2. En utilisant les différentes explications figurant dans les sections 11.3 et 11.4, expliquez comment les stratégies se sont développées dans différentes organisations, par exemple eBay (voir le cas à la fin du chapitre 2) ou la CSP (voir le cas à la fin du chapitre 14).

3. ● Des systèmes de planification existent dans de nombreuses organisations. Quel rôle peut jouer la planification dans un service public tel que la Sécurité sociale, dans une entreprise multinationale comme Carrefour (voir le cas à la fin du chapitre 10) ou dans une petite entreprise innovante comme TomTom (voir le cas à la fin du chapitre 9) ?

4. ● Le développement incrémental de la stratégie est courant dans les organisations, et les managers y voient de nombreux avantages. Cependant, le risque de dérive stratégique est réel. En utilisant les différentes explications présentées dans les sections 11.3 et 11.4, montrez comment cette dérive peut être évitée.

5. Montrez comment différentes interprétations des processus d'élaboration de la stratégie peuvent être plus ou moins adaptées à différentes organisations : une université, un magasin de prêt-à-porter de mode et une entreprise de haute technologie.

Exercice de synthèse

6. ● Dans quelle mesure le concept d'organisation apprenante (voir la section 11.5.2) est-il lié (a) à ceux de capacité stratégique, de capacité dynamique et de connaissances organisationnelles (voir le chapitre 3), (b) à la culture organisationnelle (voir le chapitre 5) et (c) au changement stratégique (voir le chapitre 14) ? Dans ces conditions, quelles seraient les difficultés de mise en œuvre d'une organisation apprenante dans une grande entreprise internationale ?

Lectures recommandées

● Un des articles les plus cités sur les processus stratégiques est celui de H. Mintzberg et J.A. Waters, « Of strategies, deliberate and emergent », *Strategic Management Journal*, vol. 6, n° 3 (1985), pp. 257-272. Voir également H. Laroche « From decision to action in organizations: Decision-making as a social representation », *Organization Science*, vol. 6, n° 1 (1995), pp. 62-75.

● L'évolution du rôle de la planification stratégique est expliquée par R. Grant, « Strategic planning in a turbulent environment: evidence from the oil majors », *Strategic Management Journal*, vol. 24 (2003), pp. 491-517. Voir également M. Mankins, « Stop making plans, start making decisions », *Harvard Business Review*, vol. 84, n° 1 (2006), pp. 77-84.

● Pour une explication de l'incrémentalisme logique, voir J.B. Quinn, *Strategies for Change*, Irwin, 1980, ainsi que J.B. Quinn et H. Mintzberg (eds), *The Strategy Process*, 4e édition, Prentice Hall, 2003. On peut comparer ces points de vue avec ceux de G. Johnson, « Rethinking incrementalism », *Strategic Management Journal*, vol. 9 (1988), pp. 75-91.

● Sur l'influence des routines d'allocation de resources, voir J.L. Bower et C.G. Gilberts, « A revised model of resource allocation process », dans J.L. Bower et C.G. Gilberts (eds), *From Resource Allocation to Strategy*, Oxford University Press, 2005, pp. 307-329. Une passionnante étude de cas sur les effets des routines d'allocation de ressources sur la stratégie d'Intel est proposée par R. Burgelman, « Fading memories: a process theory of strategic business exit in dynamic environments », *Administrative Science Quarterly*, vol. 39 (1994), pp. 34-56.

● Sur l'importance de la multiplicité des processus stratégiques, voir S. Hart « An integrative framework for strategy-making processes », *Academy of Management Review*, vol. 17, n° 2 (1992), pp. 327-351.

Références

1. Voir A. Mehra, A.L. Dixon, D. Brass et R. Robertson, « The social network ties of group leaders: implications for group performance and leader reputation », *Organization Science*, vol. 17, n° 1 (2006), pp. 64-79.

2. Voir W. Bennis et B. Nanus, *Leaders: the strategies for taking charge*, Harper & Row, 1985, et J. Collins et J. Porras, *Bâties pour durer : les entreprises visionnaires ont-elles un secret ?*, First, 1996.

3. Voir D. Miller et I. Le Breton-Miller, « Management Insights from great and struggling family businesses », *Long Range Planning*, vol. 38 (2005), pp. 517-530.

4. Dans les années 1970 et 1980, beaucoup de livres ont été écrits sur les approches formalisées de planification stratégique. Ces écrits sont beaucoup moins fréquents de nos jours, mais on peut cependant consulter R.W. Bradford et J.P. Duncan, *Simplified Strategic Planning: A non-nonsense guide for busy people who want results fast*, Chandler House Press, 1999 ; J.M. Bryson, *Strategic Planning for Public and Nonprofit Organizations: A guide to strengthening and sustaining organizational achievement*, Jossey Bass, 1995 ; S. Haines, *The System Thinking Approach to Strategic Planning and Management*, St Lucie Press, 2000.

5. Voir R. Grant, « Strategic planning in a turbulent environment: evidence from the oil majors », *Strategic Management Journal*, vol. 24 (2003), pp. 491-517.

6. Voir R. Grant (référence 5).

7. Voir H. Mintzberg, *Grandeur et décadence de la planification stratégique*, Dunod, 1994.

8. Les études sur le lien entre la planification formelle et la performance financière n'arrivent pas à des conclusions convaincantes. Voir P. McKiernan et C. Morris, « Strategic planning and financial performance in the UK SMEs: does formality matters ? », *Journal of Management*, vol. 5 (1994), pp. S31-S42. Certaines études ont montré des bénéfices dans certains contextes. Il semble notamment que la planification soit bénéfique pour les entrepreneurs qui créent une nouvelle entreprise. Voir F. Delmar et S. Shane, « Does business planning facilitate the development of new ventures? », *Strategic Management Journal*, vol. 24 (2003), pp. 1165-1185. D'autres études montrent en fait les bénéfices de l'analyse stratégique et de la pensée stratégique, plus que ceux des systèmes formels de planification. Voir par exemple C.C. Miller et L.B. Cardinal, « Strategic planning and firm performance: a synthesis of more than two decades of research », *Academy of Management Journal*, vol. 37, n° 6 (1994), pp. 1649-1655.

9. T.J. Andersen, « Integrating decentralized strategy making and strategic planning processes in dynamic environments », *Journal of Management Studies*, vol. 41, n° 8 (2004), pp. 1271-1299.

10. Voir R. Grant (référence 5).

11. Voir M. Mankins, « Stop making plans, start making decisions », *Harvard Business Review*, vol. 84, n° 1 (2006), pp. 77-84.

12. Voir S. Elbanna, « Strategic decision making: process perspectives », *International Journal of Management Reviews*, vol. 8, n° 1 (2006), pp. 1-20. Pour une présentation détaillée des différentes interprétations du changement incrémental, voir G. Johnson, « Rethinking incrementalism », *Strategic Management Journal*, vol. 9 (1988), pp. 75-91.

13. Parmi les premières recherches qui ont montré de quelle manière les processus culturels et politiques conduisent à l'émergence de la stratégie, on peut citer A. Pettigrew, *The Awakening Giant*, Blackwell, 1985, et G. Johnson, *Strategic Change and the Management Process*, Blackwell, 1987.

14. Les recherches de J.B. Quinn portent sur l'analyse du changement stratégique dans les entreprises. Elles ont été publiées dans *Strategies for Change*, Irwin, 1980. Voir également J.B. Quinn, « Strategic Change: logical incrementalism », dans J.B. Quinn et H. Mintzberg (eds), *The Strategy Process*, 4e édition, Prentice Hall, 2003.

15. Voir J.B. Quinn (référence 14), p. 58.

16. Cette définition est tirée de J.L. Bower et C.G. Gilberts, « A revised model of resource allocation process » dans J.L. Bower et C.G. Gilberts (eds), *From Resource Allocation to Strategy*, Oxford University Press, 2005, pp. 307-329.

17. Voir J.L. Bower, *Managing the Resource Allocation Process : A Study of Corporate Planning and Investment*, Irwin, 1972, et R.A. Burgelman, « A model of the interaction of strategic behaviour, corporate context and the concept of strategy », *Academy of Management Review*, vol. 81, n° 1 (1983), pp. 61-70, ainsi que R.A. Burgelman, « A process model of internal corporate venturing in the diversified major firm », *Administrative Science Quarterly*, vol. 28 (1983), pp. 223-244.

18. Voir par exemple T. Noda et J. Bower, « Strategy as iterated processes of resource allocation », *Strategic Management Journal*, vol. 17 (1996), pp. 159-192.

19. Voir R.A. Burgelman, *Strategy as Destiny: How strategy making shapes a company's future*, Free Press, 2002, et R.A. Burgelman, « Fading memories: A process theory of strategic business exit in Dynamic environments », *Administrative Science Quarterly*, vol. 39 (1994), pp. 34-56.

20. Voir S. Finkelstein, « Why smart executives fail: four case histories of how people learn the wrong lessons from history », *Business History*, vol. 48, n° 2 (2006), pp. 153-170.

21. Sur la dimension politique du management, voir notamment J.R. DeLuca, *Political Savvy: Systematic Approaches to Leadership Behind the Scenes*, 2ᵉ édition, Evergreen, 1999, et G.J. Miller, *The Political Economy of Hierarchy*, Cambridge University Press, 2006.

22. Voir V.K. Narayanan et L. Fahey, « The micro politics of strategy formulation », *Academy of Management Review*, vol. 7, n° 1 (1982), pp. 25-34.

23. Pour un exemple de l'influence des coalitions, voir S. Maitlis et T. Lawrence, « Orchestral manoeuvres in the dark: understanding failure in organizational strategizing », *Journal of Management Studies*, vol. 40, n° 1 (2003), pp. 109-140.

24. Voir J. Pfeffer et G.R. Salancik, *The External Control of Organisations: A resource dependence perspective*, Harper & Row, 1978.

25. Voir J.M. Bartunek, D. Kolb et R. Lewicki, « Bringing conflict out from behind the scenes: private, informal and nonrational dimensions of conflict in organizations » dans D. Kolb et J.M. Bartunek (eds), *Hidden Conflicts in Organizations: Uncovering Behind the Scenes Disputes*, Sage, 1992.

26. Voir G. Johnson (référence 12).

27. Voir S. Hart et C. Banbury, « How strategy making processes can make a difference », *Strategic Management Journal*, vol. 15, n° 4 (1994), pp. 251-269.

28. L'idée de l'équilibre entre la rigueur analytique et l'intuition est le thème de l'article de G. Szulanski et K. Amin, « Learning to make strategy : balancing discipline and imagination », *Long Range Planning*, vol. 34 (2001), pp. 537-556.

29. Pour deux interprétations différentes des processus stratégiques, voir A. Bailey, K. Daniels et G. Johnson, « Validation of a multi-dimensional measure of strategy development processes », *British Journal of Management*, vol. 11 (2000), pp. 151-162, et S. Hart, « An integrative framework for strategy-making processes », *Academy of Management Review*, vol. 17, n° 2 (1992), pp. 327-351.

30. Pour une discussion sur les différences entre l'élaboration de la stratégie dans le secteur public et dans le secteur privé, voir N. Collier, F. Fishwick et G. Johnson, « The processes of strategy development in the public sector », dans G. Johnson et K. Scholes (eds), *Exploring Public Sector Strategy*, Pearson Education, 2001.

31. Le concept d'organisation apprenante est expliqué notamment par P. Senge et A. Gauthier, *La cinquième discipline, l'art et la manière des organisations qui apprennent*, First, 1991. Voir également M. Crossan, H.W. Lane et R.E. White, « An organizational learning framework: from intuition to institution », *Academy of Management Review*, vol. 24, n° 3 (1999), pp. 522-537, et J. Coopey, « The learning organization, power, politics and ideology », *Management Learning*, vol. 26, n° 2 (1995), pp. 193-213.

32. L'organisation en tant qu'ensemble de réseaux sociaux est un concept examiné notamment par M.S. Granovetter, « The Strength of Weak Ties », *American Journal of Sociology*, vol. 78, n° 6 (1973), pp. 1360-80, et par G.R. Carroll et A.C. Teo, « On the social networks of managers », *Academy of Management Journal*, vol. 39, n° 2 (1996), pp. 421-440.

33. Voir G. Hamel et L. Välikangas, « The quest for resilience », *Harvard Business Review*, vol. 81, n° 9 (2003), pp. 52-63, et G. Hamel, *La fin du management*, Vuibert, Paris, 2008.

34. Les recherches menées par R. Duncan, sur lesquelles cette classification est fondée, peuvent être consultées dans « Characteristics of organisational environments and perceived environmental uncertainty », *Administrative Science Quarterly*, vol. 17, n° 3 (1972), pp. 313-27.

À l'intérieur d'Intel

À la fin des années 2000, Intel (une abréviation pour Integrated Electronics) était réputé pour avoir créé l'industrie mondiale du semi-conducteur. Cependant, en trente ans, l'entreprise avait connu deux transformations stratégiques majeures.

Époque I

Entre 1968 et 1985, lorsque Gordon Moore était son directeur général, Intel a été un fabricant de mémoires. L'entreprise avait été fondée par Gordon Moore et Robert Noyce. C'était alors la première entreprise spécialisée dans les mémoires à base de circuits intégrés. Noyce était le co-inventeur du circuit intégré, alors que Moore, un chimiste, voyait tout le potentiel de la technologie de fabrication des semi-conducteurs à base d'oxyde de métal (MOS), qui permettait de fabriquer des mémoires en grande quantité et à faible coût. Tous les deux quittèrent Fairchild Semiconductors, une filiale de Fairchild Camera and Instrument Corporation qu'ils avaient aidé à fonder. Selon Noyce, les dirigeants de Fairchild n'encourageaient pas l'innovation, peut-être parce que l'entreprise était devenue trop grosse et trop complexe. Andy Grove, qui travaillait dans la même filiale, décida de rejoindre Noyce et Moore chez Intel, car il pensait que leur départ serait fatal pour Fairchild Semiconductors. L'ambition des trois associés n'était pas de transformer l'industrie, mais de produire des puces qui du fait de leur complexité n'entreraient pas en concurrence frontale avec celles de Fairchild.

Deux événements furent cruciaux au cours des premières années. Tout d'abord, si la première mémoire produite par Intel était statique (SRAM), elle fut rapidement remplacée par une mémoire dynamique (DRAM). Deuxièmement, suite à la défaillance d'un sous-traitant, incapable de proposer le nouveau procédé de fabrication demandé, Intel fut obligé de prendre en

charge la totalité de son processus de fabrication, mais aussi de conserver l'intégralité des profits. Cette combinaison de succès et de chance, selon Gordon Moore, dura presque vingt ans. Ce n'était d'ailleurs pas tout à fait de la chance : sans le savoir, Intel était déjà certainement en avance sur son industrie, ce qui l'avait conduit à trop exiger de son sous-traitant.

Concevoir, fabriquer et commercialiser des DRAM impliquaient une approche managériale structurée, disciplinée et contrôlée. L'excellence technique était combinée avec des objectifs fixés par les dirigeants, qui imposaient une coordination des différentes fonctions. L'insistance sur la rigueur financière était contrebalancée par une culture dans laquelle ceux qui savaient quoi faire pour atteindre les objectifs n'étaient jamais évincés du fait qu'ils n'étaient pas assez haut placés dans la hiérarchie. On donnait plus d'importance à l'excellence technique qu'à la position hiérarchique, ce qui créait un état d'esprit constructif et encourageait les débats. La planification stratégique

Étude de cas

existait, mais elle était plutôt informelle : les idées émanaient des ingénieurs et des commerciaux, auxquels les dirigeants allouaient des ressources après avoir évalué leurs projets. Les processus de recrutement se concentraient sur la cohérence des profils des candidats avec la culture d'Intel, et la rétribution était liée à la performance.

Époque II

Au début des années 1980, une nouvelle ère s'ouvrit pour Intel, du fait d'un encombrement croissant de son marché. Son produit phare, la DRAM, vit sa part de marché s'effondrer de 83 % à seulement 1,3 %, alors que sa part dans le chiffre d'affaires passait de 90 % à 5 %. L'innovation s'était déplacée vers les fabricants d'équipements, alors que les clients négociaient de manière de plus en plus âpre. La concurrence était toujours plus vive et chaque fabricant devait choisir son domaine d'excellence.

À cette époque, Intel décida de séparer géographiquement ses trois principales activités, les DRAM, les EPROM (son produit le plus profitable depuis le milieu des années 1980) et les microprocesseurs. Pour les microprocesseurs, dont le développement avait commencé à l'époque I, l'avantage concurrentiel reposait sur la conception des puces et non sur le processus de fabrication, comme dans le cas des deux autres activités.

Au cours du temps, la capacité de production allouée aux DRAM diminua fortement, au profit des microprocesseurs. Cependant, cette évolution ne fut pas planifiée. Le directeur financier avait en effet édicté une procédure budgétaire, destinée à maintenir l'avantage technologique d'Intel, qui stipulait que la capacité de production était allouée en proportion des taux de marge dégagés par les différentes lignes de produits. L'activité DRAM cherchait à mettre au point des solutions techniques sophistiquées. Or, sur ce marché, l'innovation n'était plus commercialement viable et les marges étaient de plus en plus faibles. Les responsables de cette activité proposèrent que le processus d'allocation soit fondé sur les coûts et non sur les marges, afin

d'assigner une partie de la capacité de production aux DRAM. Les dirigeants refusèrent.

Une fois qu'il fut décidé de conserver la règle d'allocation des capacités de production, l'activité DRAM devint tellement marginale qu'un investissement de plusieurs centaines de millions de dollars aurait été nécessaire pour la rétablir. Les managers de l'activité DRAM faisaient de leur mieux pour concurrencer les autres lignes de produits, qui bénéficiaient de marchés dynamiques, d'innovations continues et d'un fort enthousiasme. Au fur et à mesure que la rentabilité des microprocesseurs augmentait, ils captaient une part croissance de la capacité de production et des investissements. Finalement, les dirigeants réalisèrent que Intel ne serait jamais présent sur le marché des DRAM 64K, alors que l'entreprise avait créé l'industrie. En 1985, ces mêmes dirigeants furent contraints de se retirer du marché des DRAM. En 1986, Intel enregistra une perte de 173 millions de dollars et dut se séparer de presque un tiers de son personnel.

Cependant, la décision de retrait des DRAM n'était pas acceptée en interne. Une partie du personnel de fabrication ignora les instructions et essaya de démontrer que les difficultés étaient liées à la parité entre le dollar et le yen. Finalement, Andy Grove, qui était directeur général depuis 1987, décida d'arrêter également l'activité EPROM, ne laissant plus de doutes sur le fait que les microprocesseurs représentaient désormais le futur de l'entreprise. Le retrait des EPROM fut rapidement exécuté. Le personnel en charge de cette activité quitta l'entreprise pour fonder sa propre start-up.

La période qui précéda et qui suivit le retrait des DRAM fut particulièrement turbulente. Cependant, peut-être du fait de ce désordre, elle déboucha sur de nombreuses idées nouvelles. Un nouveau lien fut créé entre la production et la recherche, afin de mettre fin à la concurrence interne qu'avait provoquée la règle d'allocation de la capacité de production. L'objectif était de rétablir l'atmosphère de collaboration des débuts. La technologie fut également repensée, afin de contester la focalisation sur le produit. La conception et le marketing prirent plus d'importance, alors que la production en perdait. La stratégie fut alignée sur les développements de marché et sur les priorités des managers opérationnels. Les processus de planification stratégique et les déclarations de la direction commencèrent à privilégier les microprocesseurs.

Cela dit, le marché potentiel considérable que représentaient les PC ne fut pas immédiatement identifié. Un manager nouvellement recruté souligna cette opportunité lors d'une présentation, mais la direction ne suivit pas ses recommandations. Plus tard, les managers expliquèrent que sa présentation avait certes été enthousiaste, mais « pas assez professionnelle ». Si le même contenu analytique avait été présenté par un orateur plus posé, l'importance du marché du PC aurait peut-être été reconnue plus tôt par les dirigeants.

Au milieu des années 1990, les processus informels d'élaboration de la stratégie étaient devenus difficiles à manier dans ce qui était désormais une énorme entreprise. Un système formalisé de planification à long terme fut introduit. Chaque année, les différentes unités opérationnelles devaient soumettre un plan stratégique à l'approbation de la direction générale. Même si ce processus ajoutait de la discipline, ces plans étaient trop souvent des exercices de style répétitifs, et le processus n'arrivait pas à maintenir le niveau d'innovation et de renouveau qui avait jusque-là fondé le succès d'Intel.

Époque III

La performance financière d'Intel en tant que fabricant de microprocesseurs était spectaculaire. En 1998, Andy Grove devint président et Craig Barrett fut nommé directeur général. Tous deux avaient conscience du fait que Intel était confronté à de nouveaux défis. Après dix ans d'une croissance annuelle moyenne de 30 %, l'année 1998 fut marquée par un brusque ralentissement. Internet était à son zénith et l'entreprise avait besoin d'élargir son horizon. Il lui fallait non seulement préserver sa compétence en conception, en développement de produits et en ingénierie, mais également mieux comprendre les attentes des

utilisateurs, apprendre à démarrer de nouvelles activités et être capable de racheter des start-up qui détenaient des technologies clés. Après une période de focalisation sur les microprocesseurs, Intel devait retrouver l'esprit entrepreneurial de ses débuts. Dans tous les cas, le modèle économique était devenu plus complexe. Le marché réclamait toujours plus de puces, alors que Internet se déplaçait vers les applications sans fil, notamment pour les usages domestiques.

Barrett lança une série de séminaires pour les dirigeants, durant lesquels il leur demanda de « rêver » de nouvelles activités. Une division chargée de lancer ces nouvelles activités fut spécifiquement créée, avec ses propres processus et ses propres valeurs. Une attention toute particulière fut donnée à l'interface entre cette nouvelle division et le reste du groupe, afin de s'assurer que chaque nouvelle activité était non seulement stratégiquement importante, mais qu'elle s'appuyait de plus sur le développement de nouvelles compétences internes.

Dans les premiers temps, les nouvelles activités furent nombreuses, avec notamment le rachat de la division processeurs de DEC (avec l'acquisition des droits du processeur StrongARM, particulièrement véloce, que Intel adopta pour certains de ses produits mobiles ou de réseau). En 1998, Intel lança des douzaines de nouveaux produits (dont des routeurs, des commutateurs et le processeur d'entrée de gamme Celeron), fonda une nouvelle ligne de produits destinés au marché domestique et développa des téléviseurs permettant d'accéder à Internet, ainsi que des décodeurs numériques. Toujours la même année, le fabricant de puces pour réseaux Level One fut racheté, de même que Dialogic, un spécialiste de systèmes téléphoniques à base de PC, ce qui donna à Intel la technologie nécessaire à la convergence entre la voix et les données (le premier produit obtenu par ce rapprochement fut un kit de réseau pour les données utilisant les connexions téléphoniques domestiques). En 1999, Intel lança treize puces pour les réseaux et son premier centre d'hébergement

Étude de cas

pour Internet, avec une capacité pour 10 000 serveurs et des centaines d'entreprises de vente en ligne. Deux nouvelles acquisitions furent réalisées : DSP Communications, un spécialiste de téléphonie sans fil, et IPivot, un fabricant d'équipements destinés à accélérer et à sécuriser les transactions sur Internet. En 2000, une gamme de produits permettant d'accroître et de gérer le trafic sur Internet fut lancée sous la marque NetStructure.

En 2002, les efforts furent concentrés sur le développement des technologies sans fil, au travers de la création d'un fonds d'investissement. Ce fonds, renforcé en 2004, avait pour mission le financement des technologies liées à la numérisation des activités domestiques (transfert de photos, de musique, de documents et de films entre de multiples appareils électroniques). Il apporta son soutien à des start-up spécialisées dans ce domaine. Intel pensait que les PC restaient nécessaires pour stocker les données domestiques, mais considérait que son futur passait également par toutes sortes d'autres appareils. C'est la raison pour laquelle le groupe décida d'investir dans trois entreprises : BridgeCo, qui concevait des puces permettant de relier des appareils domestiques, Entropic, qui était spécialisé dans les réseaux à base de câble coaxial, et Musicmatch, qui vendait des logiciels d'enregistrement et de gestion de la musique. La manière dont les appareils numériques compléteraient ou remplaceraient les PC était encore incertaine, mais en 2003, Intel s'était positionné comme un leader dans la conception, le marketing et la vente des puces qui les équiperaient.

En 2004, Intel annonça qu'en 2005 Paul Otellini remplacerait Craig Barrett au poste de directeur général, alors que celui-ci serait nommé président. Pour sa part, Andy Grove deviendrait président d'honneur. Le point le plus étonnant était que Otellini n'était pas un ingénieur. Pour la première fois de son histoire, Intel allait être dirigé par un manager sans formation scientifique. Le magazine *Business Week* fit le commentaire suivant : « Dans cette nouvelle ère de Intel Partout – et pas seulement dans nos PC –, Intel va affronter une rude concurrence en pénétrant sur les marchés de la communication, du divertissement et du sans-fil, tout en protégeant ses flancs contre les attaques des autres fabricants de microprocesseurs comme AMD. [...] Tout en continuant à s'appuyer sur l'innovation, Barrett et Otellini ont passé du temps à essayer d'apprendre des erreurs du passé pour mieux comprendre les marchés, à forger des relations plus intimes avec les clients pour éviter de concevoir des produits dont personne ne veut et à devenir plus coopératifs et moins arrogants, tout en investissant dans cinq nouvelles usines pour 2005. »

Ce cas a été préparé par Jill Shepherd, Segal Graduate School of Business, université Simon Fraser, Canada.

Sources : R.A. Burgelman, Strategy as Destiny: *How strategy-making shapes a company's future*, Free Press, 2002 ; R.A. Burgelman, « Strategy as a vector and the inertia of coevolutionary lock-in », *Administrative Science Quarterly*, vol. 47 (2002), pp. 325-358 ; *Business Week*, 13 mars 2000, pp. 110-119, 7 janvier 2004, 2 mars 2004 et 8 mars 2004 ; « Comment Intel a perdu la mémoire ? », cas rédigé par Hervé Laroche, ESCP-EAP European School of Management.

Questions

1. Identifiez les différents processus d'élaboration de la stratégie chez Intel. Quelles ont été les différences et les analogies entre ces processus à chacune des époques ?

2. Ces différents processus ont-ils été efficaces ? Quel impact ont-ils eu sur la performance d'Intel ?

3. Quelles ont été les tensions entre ces processus à chacune des époques ?

4. Selon vous, quels seraient les processus d'élaboration de la stratégie les plus appropriés depuis que Intel s'oriente vers un modèle économique plus diversifié ?

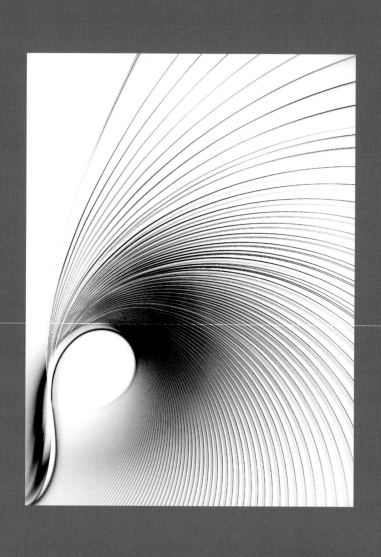

Chapitre 12
Stratégie et organisation

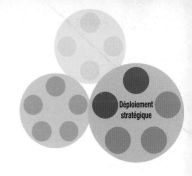

Déploiement stratégique

Objectifs

Après avoir lu ce chapitre, vous serez capable de :

- Décrire les principaux enjeux organisationnels, tels que le mode de contrôle, la gestion des connaissances, la capacité à évoluer et à répondre à la globalisation.
- Identifier les principaux types structurels, leurs avantages et leurs inconvénients.
- Comprendre les principaux processus de coordination (comme les systèmes de planification ou les objectifs de performance) et les circonstances dans lesquelles ils sont le plus appropriés.
- Expliquer comment la gestion des interactions internes et externes peut favoriser ou empêcher le succès.
- Montrer comment la structure, les processus de coordination et les interactions peuvent être combinés afin d'obtenir des configurations structurelles et quels dilemmes cela suscite.

12.1 Introduction

Une des ressources capitales d'une organisation – essentielle au succès de ses stratégies – est sans conteste les individus qui la composent et les processus au travers desquels ils interagissent. Les conceptions traditionnelles de la régulation des comportements par l'organisation du travail remontent à la fin du XIXe siècle, avec les travaux du Français Henri Fayol, de l'Allemand Max Weber, de l'Américain Frederick Taylor et de leurs contemporains[1]. Ces approches étaient cohérentes avec une conception de la stratégie dite *haut-bas* : la stratégie était conçue par les dirigeants, le reste de l'organisation n'étant qu'un ensemble de moyens permettant de la déployer. Dans ces conditions, l'organisation devait être élaborée de manière à garantir que le sommet en conserve totalement le contrôle. Cependant, dans un environnement turbulent où les connaissances détenues par les individus constituent des actifs clés, cette représentation hiérarchique et déterministe est devenue insuffisante.

L'environnement économique actuel expose les organisations à deux contraintes. Tout d'abord, une structure statique et formelle est de moins en moins appropriée.

En effet, les organisations doivent constamment se réorganiser pour s'adapter à leur contexte. Pour cette raison, certains auteurs suggèrent que le mot « organisation » devrait désigner avant tout le fait d'organiser et non le résultat par essence évanescent de ce processus[2]. Deuxièmement, pour profiter des connaissances qui existent à tous les niveaux de l'organisation, une hiérarchie formelle est inappropriée. Les interactions et les processus informels jouent un rôle vital dans la génération et le transfert des connaissances qui fondent l'avantage concurrentiel.

Ce chapitre est consacré à la conception des organisations. Nous mettons notamment l'accent sur le fait que les structures et les processus formels de l'organisation doivent être en phase avec ses processus et ses interactions informelles, de manière à obtenir une *configuration* cohérente. La **configuration** d'une organisation est la combinaison de ses structures, de ses processus de coordination et de ses interactions[3] (voir le schéma 12.1). Concevoir l'organisation de manière que tous ces éléments soient en adéquation – non seulement les uns avec les autres mais également avec les défis stratégiques – est essentiel au succès.

Le schéma 12.1 présente les trois dimensions de la configuration organisationnelle, qui forment un cercle vertueux et constituent la trame de ce chapitre :

La configuration d'une organisation résulte de ses structures, de ses processus de coordination et de ses interactions

- La conception de la *structure* de l'organisation (fonctions, responsabilités, ligne hiérarchique, etc.). La structure d'une organisation peut considérablement influencer son avantage concurrentiel, notamment en termes de gestion des connaissances. En l'absence d'une structure adéquate, le déploiement d'une stratégie peut être compromis. Pour autant, le bon choix de structure ne suffit pas à assurer la réussite du déploiement stratégique.
- Les *processus de coordination* qui lient, orientent et soutiennent les individus à l'intérieur et autour de l'organisation ont également une forte influence sur le

Schéma 12.1 : **Les configurations organisationnelles : structures, processus de coordination et interactions**

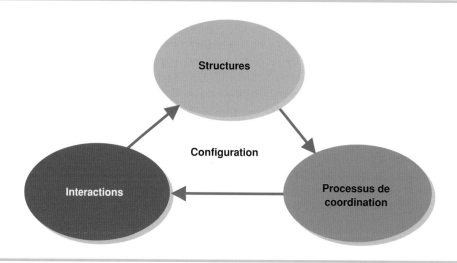

succès ou l'échec. Ces processus spécifient de quelle manière les stratégies sont élaborées et contrôlées, mais également les relations informelles entre les individus.

- Les *interactions* internes et externes à l'organisation :
  - Les interactions entre la périphérie et le centre de l'organisation, ce qui correspond à l'arbitrage entre *centralisation* et *autonomie* (nous reviendrons à cette occasion sur la discussion du chapitre 5 consacrée au rôle des directions générales).
  - Les interactions avec d'autres organisations, notamment l'*externalisation* (déjà évoquée dans le chapitre 5) et les *alliances stratégiques* (étudiées dans le chapitre 7).

Les différentes structures, les processus de coordination et les interactions seront considérés à la lumière de trois enjeux fondamentaux auxquels sont confrontées les organisations en ce début de siècle :

- La *turbulence* et l'*incertitude* de l'environnement – que nous avons présentées dans le chapitre 2 – obligent les organisations à plus de flexibilité.
- Le rôle crucial de la création et du partage des *connaissances* dans le succès stratégique (voir le chapitre 3). La configuration organisationnelle doit faciliter la création, le transfert et l'utilisation des connaissances.
- Du fait de la *globalisation* (voir le chapitre 8), les organisations doivent notamment développer leur capacité de communication et apprendre à coordonner la diversité géographique et culturelle. La globalisation pousse également à reconnaître qu'il existe de multiples formes d'organisations de par le monde.

Après avoir détaillé successivement les structures, les processus de coordination et les interactions, nous verrons de quelle manière il est possible de les combiner au sein de configurations cohérentes et ce que celles-ci impliquent en termes de changement et de performance.

12.2 Les types structurels

Lorsqu'on demande à des managers de décrire leur organisation, ils ont tendance à dessiner son organigramme, de manière à présenter ses structures formelles. Les organigrammes définissent les niveaux de responsabilité et les rôles au sein de l'organisation. Ils sont importants pour les managers non seulement parce qu'ils spécifient quelles sont les responsabilités de chacun, mais également pour deux autres raisons. Tout d'abord, les lignes hiérarchiques définissent les schémas de communication et d'échange de connaissances : les individus ont tendance à parler avant tout à ceux qui les entourent dans la hiérarchie. Deuxièmement, les fonctions et la carrière des individus qui sont au sommet de la structure renseignent sur le type de savoir-faire qu'il convient de maîtriser pour obtenir des promotions : une structure hiérarchique dominée par des spécialistes fonctionnels (marketing, production, finance, etc.) indique que détenir une expertise dans une discipline est plus important qu'accumuler de l'expérience opérationnelle sur le terrain. De fait, les structures formelles peuvent révéler beaucoup de choses sur le rôle des connaissances et des savoir-faire dans l'organisation. Elles peuvent donc faire l'objet de débats animés (voir l'illustration 12.1).

Illustration 12.1

Centralisation chez Volkswagen

Les structures fonctionnelles peuvent aider à uniformiser et simplifier une activité diversifiée.

En 2007, à la suite de sa prise de contrôle par Porsche et de la nomination d'un nouveau président du directoire, le constructeur automobile Volkswagen annonça une importante réorganisation. Jusque-là, le groupe avait été organisé en deux groupes de marques centrés sur Volkswagen et Audi (voir la figure 1), l'expertise technique et marketing étant déléguée aux différentes marques à l'intérieur de ces deux groupes. Avec la réorganisation, le groupe comprenait désormais un groupe de marques grand public (Volkswagen, Skoda, Seat) et un groupe de marques de luxe (Audi, Bentley, Bugatti et Lamborghini). Par ailleurs, Volkswagen conservait une importante participation dans le constructeur de véhicules industriels Scania. L'ensemble était nettement plus centralisé, la direction générale étant en charge de la production, des ventes, de la distribution et de la R&D (voir la figure 2). Le nouveau président du directoire, Martin Winterkorn, occupait également les fonctions de directeur de la R&D et de directeur des marques grand public.

L'objectif affiché de cette centralisation était d'accroître les synergies entre les différentes marques. Une R&D centralisée permettrait ainsi de veiller au partage des moteurs et des composants, alors que la centralisation de la production participerait à l'optimisation de l'utilisation de la capacité industrielle.

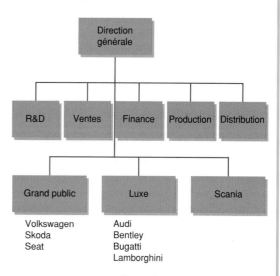

Figure 2
**Structure de Volkswagen en janvier 2007
(simplifié)**

Lors de son départ, le précédent responsable du groupe de marques centrées sur Volkswagen manifesta cependant un point de vue différent. Selon lui, seule une décentralisation de l'expertise au niveau des marques pouvait assurer l'intégration entre les fonctions et la motivation. Il soulignait que la nouvelle structure centralisée se contentait d'imiter celle de Porsche, qui était une entreprise beaucoup plus petite, avec une seule marque. Le responsable des relations publiques de Porsche répondit que, contrairement à Volkswagen, Porsche était l'un des constructeurs les plus rentables du monde.

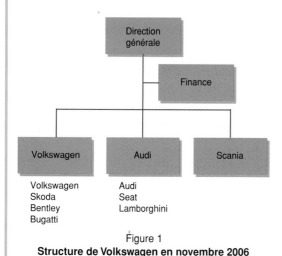

Figure 1
**Structure de Volkswagen en novembre 2006
(simplifié)**

Questions

1. À quel type de structure l'ancienne organisation décentralisée de Volkswagen ressemblait-elle le plus ? De quel type de structure se rapproche-t-elle à présent ?

2. Quels sont selon vous les avantages et les inconvénients de cette nouvelle structure ?

Ce chapitre débute par une présentation de cinq types structurels fondamentaux : structure fonctionnelle, structure divisionnelle, structure matricielle, structure transnationale et structure par projets[4]. De manière générale, les deux premières structures mettent l'accent sur une dimension – par exemple la spécialisation fonctionnelle ou les activités opérationnelles – par rapport aux autres. À l'inverse, les trois structures suivantes tendent à combiner plusieurs dimensions, par exemple en essayant d'équilibrer les lignes de produits avec les zones géographiques. Pour autant, aucune de ces structures ne constitue une solution universelle aux défis organisationnels. La bonne structure dépend en fait du contexte spécifique auquel chaque organisation est confrontée.

De nombreux chercheurs ont étudié les facteurs susceptibles d'influencer la structure des organisations (appelés « facteurs de contingence »), notamment leur taille, le niveau de diversification et le type de technologie utilisée[5]. Dans ce chapitre, nous insisterons particulièrement sur la manière dont les cinq types structurels répondent à la fois à l'enjeu traditionnel du contrôle et aux trois dimensions que sont la turbulence, les connaissances et la globalisation. Cela implique que la première étape dans la conception d'une organisation consiste à déterminer quels sont les enjeux auxquels l'organisation est confrontée. Comme nous le verrons plus tard, l'approche par les configurations souligne que quelle que soit la structure choisie, elle doit également être en phase avec les processus de coordination et les interactions.

12.2.1 La structure fonctionnelle

Lorsqu'une organisation croît au-delà d'un niveau élémentaire de taille et de complexité, il lui faut spécialiser ses tâches et ses responsabilités. Elle peut alors adopter une *structure fonctionnelle*. Une **structure fonctionnelle** est construite à partir des fonctions essentielles à une organisation, telles que production, finance, marketing, gestion des ressources humaines et recherche et développement. Le schéma 12.2 présente l'organigramme typique d'une structure fonctionnelle. On rencontre le plus souvent la structure fonctionnelle dans des organisations de taille petite ou moyenne et dans celles dont la gamme de produits ou services est peu diversifiée. De même, dans les vastes structures divisionnelles (voir ci-après), chacune des divisions est généralement organisée de manière fonctionnelle (comme dans le schéma 12.3).

Le schéma 12.2 résume également les avantages et inconvénients d'une structure fonctionnelle. Ses principales qualités résident dans la clarté de la définition des rôles et des tâches, ainsi que dans la possibilité pour les dirigeants d'assurer un meilleur contrôle opérationnel. La spécialité fonctionnelle facilite aussi la concentration de l'expertise, ce qui permet d'améliorer le développement des connaissances, du moins en ce qui concerne les expertises fonctionnelles.

Cependant, ce mode d'organisation présente des limites, en particulier lorsque la taille augmente et que l'activité se diversifie. Dans un environnement turbulent, submergés par les décisions opérationnelles quotidiennes, les dirigeants peuvent être tentés de se réfugier dans leurs compétences spécialisées et de privilégier leurs responsabilités fonctionnelles. Chacun étant focalisé sur son propre champ d'expertise, personne ne coordonne globalement l'activité et l'organisation devient une juxtaposition de silos isolés, incapable de conjuguer les connaissances

Une structure fonctionnelle est construite à partir des fonctions essentielles à une organisation, telles que production, finance, marketing, gestion des ressources humaines et recherche et développement

Schéma 12.2 **Une structure fonctionnelle**

que les différentes fonctions ont développées. Une structure organisationnelle peut ainsi se révéler particulièrement rigide. Enfin, le poids déterminant des fonctions limite la capacité à gérer un périmètre d'activité ou une couverture géographique diversifiés. Un service marketing centralisé peut ainsi être tenté d'imposer une approche publicitaire uniforme, quels que soient les besoins spécifiques de chacun des domaines d'activité stratégique.

12.2.2 La structure divisionnelle

Une structure divisionnelle est composée de divisions par produits, clients ou zones géographiques

Une **structure divisionnelle** est composée de divisions par produits, clients ou zones géographiques (voir le schéma 12.3). La divisionnalisation résulte le plus souvent de la volonté de surmonter les problèmes que rencontrent les structures fonctionnelles lorsqu'elles sont confrontées à la diversification de leur activité[6]. Son principal avantage est que chaque division est capable de se concentrer sur les spécificités de son propre environnement concurrentiel en utilisant ses propres départements fonctionnels. Une situation analogue existe dans les services publics, lorsqu'une administration est composée de *départements*.

Les structures divisionnelles présentent plusieurs avantages. Elles sont globalement flexibles, étant donné que la direction générale peut décider d'ajouter, de fermer ou de fusionner des divisions si les circonstances l'exigent. Par ailleurs, étant donné que les divisions correspondent généralement chacune à un domaine d'activité stratégique, il est possible de les piloter en contrôlant leur performance. De plus, les managers peuvent plus facilement s'approprier la stratégie de leur division. Le découpage en divisions sur la base de zones géographiques – par exemple Amériques, Asie Pacifique et EMEA (Europe, Moyen-Orient et Afrique) – permet de gérer de grandes organisations internationalisées. Il est également possible de se

Schéma 12.3   **Une structure divisionnelle**

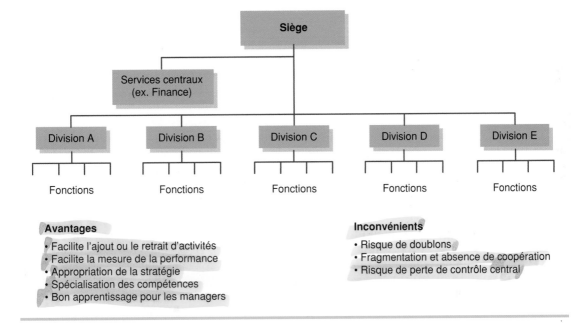

spécialiser à l'intérieur de chaque division, ce qui permet de développer des compétences spécifiques à une ligne de produits, à une technologie ou à un marché particulier. Enfin, confier à un manager la responsabilité d'une division constitue un excellent apprentissage pour ceux que l'on destine un jour à rejoindre la direction générale.

Les structures divisionnelles présentent néanmoins des inconvénients, que l'on peut regrouper en trois grandes catégories. Tout d'abord, si les divisions sont très spécialisées et autosuffisantes, elles deviennent *de facto* des entités indépendantes qui dupliquent les activités et les coûts des fonctions centrales. Dans ce cas, il peut être pertinent de scinder l'organisation en unités totalement distinctes. Deuxièmement, la divisionnalisation peut entraver la coopération et le partage de connaissances entre les unités opérationnelles : les divisions peuvent littéralement diverger. L'expertise est alors fragmentée et les objectifs de performance attribués à chaque division n'encouragent pas la collaboration, mais plutôt la concurrence et les conflits sur le partage des ressources. Enfin, si les divisions deviennent trop autonomes, la structure risque de dégénérer en *holding*, le siège se contentant de posséder les divisions sans réellement les contrôler ni contribuer à leur performance. Le schéma 12.3 résume les avantages et les inconvénients d'une structure divisionnelle.

Les grandes structures divisionnelles complexes incluent généralement un second niveau de sous-divisions à l'intérieur de leurs divisions principales. Cela permet de limiter le nombre d'unités que le siège doit directement gérer, tout en répondant à des pressions éventuellement contradictoires. Une organisation peut ainsi inclure des sous-divisions géographiques à l'intérieur de divisions globales par produits.

12.2.3 La structure matricielle

Une structure matricielle résulte du croisement de divisions produits et de divisions géographiques ou d'une structure fonctionnelle avec une structure divisionnelle

Une **structure matricielle** est une combinaison qui résulte le plus souvent du croisement de divisions produits et de divisions géographiques ou d'une structure fonctionnelle avec une structure divisionnelle[7]. Le schéma 12.4 donne deux exemples de ce type de structure.

Les structures matricielles présentent plusieurs avantages. Elles facilitent l'apprentissage en diffusant les connaissances par-delà les frontières organisationnelles. Dans les organisations de services comme les cabinets de conseil ou d'audit, les structures matricielles permettent ainsi d'appliquer des connaissances particulières à différents segments de marché ou à de multiples zones géographiques. Pour répondre aux besoins d'un client, un cabinet de conseil peut ainsi s'appuyer sur des expertises issues à la fois de ses différents domaines de spécialisation (par exemple la stratégie ou l'organisation) et de ses différents marchés (industries et implantations géographiques)[8]. Le schéma 12.4 montre comment une école de commerce peut combiner les connaissances de ses départements d'enseignement pour créer des programmes qui correspondent à différents types d'étudiants. Comme elles permettent d'intégrer plusieurs dimensions organisationnelles, les structures matricielles se révèlent très flexibles. Elles sont particulièrement attractives pour les organisations très internationalisées, car elles autorisent le cumul d'une perspective globale avec une adaptation locale. Une entreprise multinationale peut ainsi combiner des divisions géographiques, pour adapter son approche marketing aux spécificités de ses clients locaux, avec des divisions par produits, en charge de la coordination globale du développement et de la fabrication, afin de tirer avantage des économies d'échelle.

Cependant, du fait que la structure matricielle remplace la ligne hiérarchique formelle par des interactions croisées, elle débouche souvent sur des problèmes. Ceux-ci sont généralement liés à la *lenteur de la prise de décision* : la recherche du consensus autour de chaque problème se traduit par de nombreuses négociations, une inflation du coût de communication et une forte consommation du temps des responsables. De plus, la plupart des opérationnels se trouvent sous la responsabilité de deux supérieurs hiérarchiques, ce qui ne manque pas de générer des conflits dans la définition des objectifs et dans l'évaluation des résultats. Les structures matricielles sont difficiles à contrôler.

Comme pour les autres types structurels, tout dépend de la manière dont la structure matricielle est effectivement gérée (les processus de coordination et les interactions). L'ingrédient clé du succès d'une structure matricielle est certainement la capacité des dirigeants à maintenir une atmosphère de collaboration tout en sachant gérer le désordre et l'ambiguïté qui en résultent. C'est pour cette raison que Christopher Bartlett et Sumantra Ghoshal affirment que cette approche implique un « état d'esprit » tout autant qu'une structure formelle[9].

Schéma 12.4 **Deux exemples de structures matricielles**

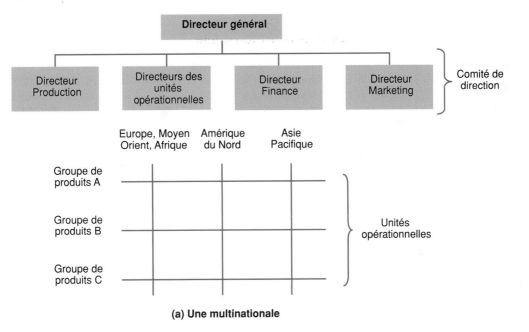

(a) Une multinationale

(b) Une école de commerce

Avantages

- Intégration des connaissances
- Flexibilité
- Possibilité de combiner plusieurs perspectives

Inconvénients

- Lenteur des décisions
- Manque de clarté dans les responsabilités et le partage des tâches
- Difficulté de contrôle des coûts et des profits
- Nombreux conflits potentiels
- Dilution des priorités
- « Réunionite »

12.2.4 La structure transnationale

Une structure transnationale conjugue la réactivité locale avec la coordination globale

Une **structure transnationale** consiste à résoudre le dilemme global-local (voir la section 8.4) en conjuguant les deux approches d'internationalisation les plus extrêmes : l'approche multidomestique et l'approche globale. Comme dans le schéma 12.5, une approche globale reposerait sur des divisions globales par produits (par exemple une division mondiale pour les yaourts, une autre pour l'eau en bouteille, etc.), alors qu'une approche internationale s'appuierait sur des filiales locales par marchés, dont chacune bénéficierait d'une grande autonomie de gestion pour tous les produits (par exemple une filiale chinoise, une filiale mexicaine, une filiale norvégienne, etc., qui adapterait chacune l'offre à son marché). À côté de ces deux extrêmes, le schéma 12.5 présente deux autres situations. La création d'une division internationale est généralement le premier pas dans une démarche d'internationalisation. Elle consiste simplement à rajouter à la structure existante un département spécifique en charge de l'ensemble des activités internationales. Cette approche a notamment été utilisée par les grandes entreprises américaines lorsqu'elles ont commencé à s'internationaliser dans les années 1950 et 1960. La quatrième solution consiste à déployer une structure transnationale, capable de cumuler la réactivité locale avec la coordination globale.

Comme le soulignent Bartlett et Ghoshal, la structure transnationale est une forme de matrice qui présente deux spécificités : elle répond aux enjeux de la globalisation tout en spécifiant clairement les responsabilités au travers de ses

Schéma 12.5 **Les structures multinationales**

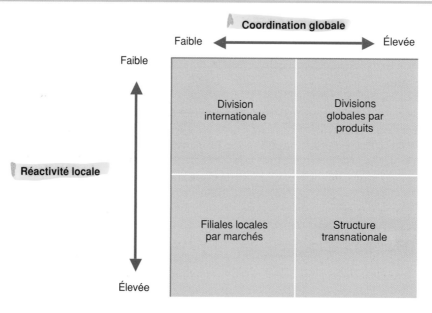

Source : d'après C. Bartlett et S. Ghoshal, *Le management sans frontières*, Éditions d'Organisation, 1991.

différentes dimensions[10]. Les caractéristiques détaillées de la structure transnationale sont les suivantes :

- Chaque unité locale est indépendante mais constitue une *source d'idées et de compétences* pour l'ensemble de la structure. Le centre d'innovation mondial d'Unilever pour les produits de soins capillaires est ainsi localisé en France[11].
- Les unités locales bénéficient d'économies d'échelle en se *spécialisant* sur une activité particulière pour le compte de l'ensemble de la structure ou d'une vaste zone géographique. En Europe, Unilever a ainsi remplacé son réseau de petites usines locales par quelques grandes unités de production qui exportent sur tout le continent.
- Le *siège* gère ce réseau global en définissant le rôle de chaque filiale, puis en maintenant la culture et les systèmes qui permettent à l'ensemble de fonctionner harmonieusement. Unilever a ainsi établi un système de « forums » qui rassemblent internationalement les managers afin de les aider à échanger leur expérience et à coordonner leurs besoins.

Le succès d'une structure transnationale dépend de la capacité à construire *simultanément* des compétences globales, une réactivité locale et une capacité d'innovation et d'apprentissage collective. On parle d'ailleurs à leur propos de *glocalisation*, c'est-à-dire de l'osmose entre le global et le local. Le déploiement de ce type de structure impose de clarifier quel doit être le rôle des managers :

- Les responsables des *activités globales* (par exemple les chefs de produits) sont chargés d'accroître la compétitivité globale de l'organisation, par-delà les frontières nationales et fonctionnelles. Ils doivent acquérir la capacité éminemment stratégique d'*architectes* des ressources et compétences, ce qui passe par la stimulation de l'*innovation* et la coordination des transactions transnationales.
- Les responsables de *zones géographiques* doivent se comporter comme des *détecteurs* de besoins locaux. Ils doivent être capables de *construire* des compétences uniques afin de constituer des centres d'excellence susceptibles de *contribuer* à l'organisation dans son ensemble.
- Les responsables de *fonctions* comme la finance ou les systèmes d'information sont chargés de maintenir la capacité d'innovation et d'apprentissage au sein de toutes les composantes de l'organisation. Cela implique qu'ils sont à même de repérer et de diffuser les meilleures pratiques au travers de la structure, ce qui correspond à une forme d'étalonnage interne. Ils doivent donc *scruter* toutes les évolutions internes et s'ériger en *champions de l'innovation* afin de pratiquer la *fertilisation croisée* des meilleures pratiques.
- Le rôle des *dirigeants* est crucial, car c'est à eux d'intégrer et de répartir les tâches et les responsabilités. Ils doivent donc non seulement être des *leaders*, mais également des *découvreurs de talents* au sein des activités, des zones géographiques et des fonctions, tout en facilitant les interactions entre ces différentes dimensions. Ils doivent stimuler les processus d'innovation et de création de savoir. Ils sont responsables du développement du cœur stratégique de l'organisation.

La structure transnationale présente certains inconvénients. Elle exige que les managers soient disposés à agir non seulement dans l'intérêt de leur propre activité, mais également au bénéfice de l'ensemble de la structure. On retrouve également le problème de dilution des responsabilités caractéristique des structures matricielles. Le groupe industriel helvético-suédois ABB a souvent été cité comme un modèle de structure transnationale dans les années 1990. Cependant, en 1998, l'entreprise a été restructurée en divisions globales par produits[12]. Ce réalignement, qui s'est fait au détriment des responsables de filiales locales, avait pour objectif de réduire les jeux politiques internes et de simplifier la coordination internationale.

12.2.5 Les structures par projets[13]

Une structure par projets est une structure par équipes temporaires, dédiées à un projet et dissoutes une fois que celui-ci est achevé

Dans certaines organisations, les équipes sont constituées autour de projets qui ont une durée de vie limitée. Une **structure par projets** est une structure par équipes temporaires, dédiées à un projet et dissoutes une fois que celui-ci est achevé[14]. Cette approche est particulièrement adaptée aux organisations qui mènent de vastes et coûteux projets (génie civil, systèmes d'informations, réalisation d'un film, etc.) ou à celles qui sont dédiées à un événement ponctuel (conférences, compétitions sportives, projet de conseil, etc.). Dans ces conditions, la structure est constituée d'un ensemble mouvant d'équipes projets qui sont créées, conduites et coordonnées par un petit groupe de dirigeants. Beaucoup d'organisations utilisent des équipes de ce type en complément de leur structure traditionnelle, par exemple pour conduire une opération de changement stratégique.

Une structure par projets est par essence extrêmement flexible. De plus, étant donné que les équipes doivent atteindre des objectifs clairement définis dans un temps imparti, les niveaux d'implication et de contrôle sont élevés. Puisque les membres des équipes viennent généralement de divers départements à l'intérieur de l'organisation, l'échange de connaissances peut être facilité. Il est également possible de réunir des individus provenant de zones géographiques distinctes. Réciproquement, étant donné que le projet a souvent une durée de vie limitée, les membres de l'équipe accepteront plus volontiers de travailler temporairement à l'étranger. Cependant, cette structure présente aussi des inconvénients. En l'absence de contrôle stratégique, les projets risquent de proliférer de manière anarchique. De plus, la dissolution permanente des équipes peut gêner l'accumulation de connaissances au cours du temps. Enfin, il est indispensable de s'interroger sur la manière dont les membres de l'équipe sont sélectionnés et sur leur destin une fois que le projet est achevé, faute de quoi seuls les individus qui ne parviennent pas à s'intégrer dans la structure permanente seront spontanément volontaires pour rejoindre les équipes projets.

Au total, le développement des structures par projets est essentiellement lié à leur forte flexibilité, considérée comme cruciale dans un environnement turbulent où les connaissances et les compétences doivent être constamment redéployées et coordonnées de manière innovante.

12.2.6 Choisir une structure

Au début de ce chapitre, nous avons souligné l'impact de la turbulence, des connaissances et de la globalisation sur les choix structurels. Il apparaît que chaque structure (fonctionnelle, divisionnelle, matricielle, transnationale et par projets) présente des avantages et des inconvénients différents face à ces enjeux. Le choix d'un type structurel dépend donc du contexte et de la nature des défis stratégiques auxquels l'organisation est confrontée.

Le schéma 12.6 résume de quelle manière les cinq structures se positionnent par rapport au contrôle, au changement, à l'apprentissage et à la globalisation. Il apparaît qu'aucune structure n'est idéale et que des arbitrages sont indispensables. Si c'est le contrôle qui est recherché, mais que la flexibilité est moins essentielle, on peut privilégier la structure fonctionnelle. Si à l'inverse on souhaite améliorer l'apprentissage et la flexibilité à une échelle globale, une structure matricielle ou transnationale est préférable.

Dans la réalité, peu d'organisations fonctionnent intégralement suivant l'un des types structurels que nous venons de présenter. Entre chacun de ces types purs, il existe en fait toute une gamme de nuances (voir la section 12.4.3) parmi lesquelles l'organisation peut choisir la structure qui lui convient, sachant que ce choix est susceptible d'évoluer en fonction des circonstances. Michael Goold et Andrew Campbell identifient ainsi neuf tests permettant d'évaluer les choix structurels[15]. Les quatre premiers tests mettent l'accent sur l'adéquation avec les objectifs et les contraintes de l'organisation :

- Le *test de marché* : il s'agit de déterminer l'adéquation entre la structure et la stratégie, dans la lignée des travaux d'Alfred Chandler[16]. Si par exemple la coordination entre deux étapes du processus de production est déterminante pour l'obtention d'un avantage concurrentiel, elles devront très certainement être placées au sein de la même unité structurelle.
- Le *test de logique parentale* : la structure doit être cohérente avec la logique parentale adoptée par la direction générale (voir le chapitre 7). Si le siège entend se comporter comme un gestionnaire de synergies, il doit concevoir une structure qui met l'accent sur les mécanismes d'intégration en localisant certains services tels que le marketing ou la recherche au niveau de la direction générale.
- Le *test des ressources humaines* : la structure doit correspondre aux ressources humaines disponibles. Il est ainsi particulièrement risqué de passer brusquement d'une structure fonctionnelle à une structure divisionnelle si l'organisation ne dispose pas de managers capables de gérer des unités opérationnelles décentralisées.

Schéma 12.6   Comparaison des structures

Critères	Fonctionnelle	Divisionnelle	Matricielle	Transnationale	Projet
Contrôle	XXX	XX	X	XX	XX
Changement	X	XX	XXX	XXX	XXX
Apprentissage	XX	X	XXX	XXX	XX
Globalisation	X	XX	XXX	XXX	XX

Le nombre de croix indique la performance de la structure par rapport à chaque critère (3 croix : élevée ; 2 croix : moyenne ; 1 croix : faible).

- Le *test de faisabilité* : la structure doit être en phase avec les attentes des parties prenantes et les exigences réglementaires. C'est ainsi qu'après une série de scandales sur le manque d'objectivité des banques d'affaires, celles-ci sont désormais réglementairement obligées de séparer leurs départements de recherche et d'analyse de leurs départements en charge des opérations de fusions ou d'introduction en Bourse.

Goold et Campbell proposent également cinq tests fondés sur des principes généraux de choix de structure :

- Le *test de spécialisation* : ce test repose sur l'intérêt de réunir des spécialistes afin qu'ils puissent développer leur expertise en collaboration. Une structure ne doit pas détruire des champs d'expertise constitués.
- Le *test de coordination* : il s'agit de déterminer dans quelle mesure la structure sera à même de créer des liens entre des sous-parties de l'organisation qui ont naturellement tendance à rester indépendantes. La forte décentralisation d'unités opérationnelles jugées sur leur propre rentabilité risque de les dissuader de tisser des liens avec un laboratoire central de recherche et développement. Si des mécanismes de coordination ne sont pas mis en place, cela peut déboucher sur de considérables problèmes.
- Le *test de redondance* : dans toute structure, il est nécessaire d'éliminer d'éventuels niveaux hiérarchiques inutiles, qui ne font qu'accroître les blocages et les coûts. La réduction du nombre de niveaux hiérarchiques est une tendance incontestable dans de nombreuses organisations. Pour autant, moins le nombre de niveaux hiérarchiques est élevé, plus la probabilité d'une promotion est faible pour chacun des membres de l'organisation. De fait, certaines administrations multiplient les grades, ce qui leur permet de promouvoir fréquemment leurs agents plutôt que de les augmenter.
- Le *test de responsabilité* : ce test met l'accent sur l'importance d'une ligne de responsabilité claire, qui permet d'assurer le contrôle et l'implication des managers. Du fait de leur double ligne de commandement, les structures matricielles sont souvent accusées de diluer les responsabilités.
- Le *test de flexibilité* : dans un environnement turbulent, il convient de s'assurer que la structure est capable de s'adapter à des conditions changeantes. Les divisions doivent être définies de manière suffisamment ouverte pour permettre à leurs managers de saisir de nouvelles opportunités au fur et à mesure qu'elles émergent. Comme l'a souligné Katherine Eisenhardt, les structures doivent être « modulaires », afin de permettre de rassembler deux parties de l'organisation si l'évolution de l'environnement l'exige[17].

Les neuf tests de Goold et Campbell permettent d'évaluer efficacement les structures. Cependant, même si une structure satisfait à tous ces tests, elle doit nécessairement correspondre aux autres dimensions de la configuration organisationnelle, c'est-à-dire ses processus de coordination et ses interactions. Chacune de ces dimensions doit renforcer les deux autres. Les deux prochaines sections détaillent successivement les processus et les interactions.

12.3 Les processus de coordination

La structure est un élément clé du succès d'une organisation. Cependant, ce qui assure le fonctionnement effectif d'une organisation, ce sont ses processus de coordination formels et informels[18]. Ces processus peuvent exercer un contrôle sur l'activité de l'organisation et par conséquent faciliter ou gêner le déploiement de ses stratégies[19].

Les processus de coordination peuvent être répartis de deux manières. Tout d'abord, ils mettent l'accent soit sur le contrôle des moyens, soit sur celui des résultats. Les processus de coordination des moyens concernent les ressources utilisées par l'organisation pour déployer sa stratégie, en particulier les ressources financières et les ressources humaines. Les processus de coordination des résultats vérifient que les résultats correspondent aux attentes (objectifs de rentabilité, parts de marché, etc.). La seconde manière de classer les processus de coordination dépend de leur nature directe ou indirecte. Les processus directs reposent sur une supervision étroite ou sur un suivi rigoureux, alors que les processus indirects consistent plutôt à définir les conditions grâce auxquelles les comportements désirés seront suscités. Le schéma 12.7 présente les six processus que nous allons détailler selon ces deux dimensions.

Les organisations utilisent généralement un mélange de ces différents processus de coordination, mais suivant les enjeux stratégiques, certains prédominent par rapport aux autres. Là encore, c'est notamment le rôle de ces processus vis-à-vis de la turbulence, de l'apprentissage et de la globalisation qui importe. Comme nous le verrons, les mécanismes fondés sur les moyens impliquent que les contrôleurs détiennent un degré d'expertise élevé sur les tâches opérationnelles. Dans beaucoup d'organisations où les connaissances jouent un rôle prépondérant, en particulier celles qui doivent innover et s'adapter, les contrôleurs ne comprennent généralement pas exactement ce que font les spécialistes qu'ils doivent coordonner. Mieux vaut alors utiliser des mécanismes fondés sur les résultats : il est en effet plus facile de déterminer si une unité opérationnelle a atteint ses objectifs que de dimensionner méticuleusement ses ressources. Les processus directs reposent avant tout sur la présence physique des managers, même si l'utilisation des technologies de l'information peut autoriser un certain contrôle à distance. C'est pour cette raison que les organisations globales utilisent plutôt des mécanismes indirects pour coordonner leurs filiales géographiquement dispersées. À l'inverse, le contrôle direct peut se révéler préférable dans les petites organisations implantées sur un seul site.

Schéma 12.7   **Les processus de coordination**

	Moyens	Résultats
Direct	Supervision directe Planification	Objectifs de performance
Indirect	Processus culturels Autocontrôle	Marchés internes

12.3.1 La supervision directe

La **supervision directe** correspond au contrôle direct des décisions stratégiques par un ou plusieurs individus, notamment en termes de ressources allouées. C'est le processus de coordination dominant dans les petites organisations. On la rencontre également dans des organisations plus vastes, lorsque l'environnement est suffisamment stable et la complexité de l'activité suffisamment limitée pour permettre à un petit nombre de managers de contrôler l'organisation *en détail* depuis le centre. C'est souvent le cas dans des entreprises familiales et dans les organisations publiques marquées par une forte soumission aux responsables politiques (surtout lorsque le même parti politique reste dominant sur une longue période).

La supervision directe implique que les dirigeants comprennent précisément les tâches qu'ils supervisent. Ils doivent être capables de rectifier les erreurs sans pour autant étouffer les expérimentations innovantes. Si la supervision directe est plus facile lorsque l'organisation n'occupe qu'un seul site géographique, elle est envisageable dans des organisations plus vastes grâce au recours aux technologies de l'information. La supervision directe peut également se révéler pertinente lorsque l'organisation traverse une crise aiguë. Quand la survie de l'organisation est menacée, un contrôle autoritaire permettant de prendre des décisions rapides est généralement la seule chance de salut.

12.3.2 Les systèmes de planification

La **planification** constitue l'archétype du contrôle administratif, dans lequel le déploiement s'effectue au travers de systèmes qui planifient et contrôlent l'allocation des ressources et comparent les réalisations par rapport aux objectifs (voir également le chapitre 11). Il s'agit alors de coordonner l'organisation en définissant précisément ses ressources, notamment financières. Un plan englobe généralement toutes les parties de l'organisation et spécifie clairement – en termes financiers – le niveau de ressources alloué à chacune (que ce soient des fonctions, des divisions ou des DAS). Il montre également de quelle manière les ressources sont utilisées. Les systèmes de planification prennent en général la forme d'un *budget*. Une direction marketing peut ainsi se voir allouer 5 millions d'euros, mais doit justifier la façon dont ce montant sera dépensé, c'est-à-dire donner la répartition entre les frais de personnel, les budgets publicitaires, la participation à des expositions, etc. Ces dépenses sont ensuite régulièrement suivies afin de mesurer d'éventuels écarts avec le plan.

Un des avantages de la planification est qu'elle permet de piloter avec attention le déploiement d'une stratégie. Cependant, son impact sur la stratégie diffère selon le contexte :

- La planification peut reposer sur une *standardisation des procédés* et/ou *des résultats*. Quelquefois, ces processus sont soumis à une évaluation rigoureuse, notamment lorsqu'il s'agit d'atteindre des standards de qualité certifiés par des auditeurs externes (comme l'ISO 9000). Dans beaucoup d'organisations de services (banques, assurances, hôtellerie, transport, etc.), une telle « routinisation » a été obtenue grâce aux technologies de l'information, ce qui a conduit à une déqualification du personnel et à d'importantes réductions de coûts. Cela peut donner un avantage concurrentiel temporaire à des organisations qui se positionnent sur une stratégie de différenciation par le bas en proposant des offres banalisées à bas prix (par exemple dans la banque sur Internet par rapport à la banque de réseau classique). Cependant, les concurrents peuvent généralement acquérir ou développer des systèmes d'information semblables, ce qui réduit à néant l'avantage de coût ainsi obtenu.

- La plupart des grandes organisations utilisent désormais les technologies de l'information au travers de progiciels de gestion intégrés[20] (PGI) ou *enterprise resource planning* (ERP) proposés ou déployés par des sociétés comme SAP, Oracle, Baan ou PeopleSoft. Ces systèmes aident à intégrer la totalité des opérations et des fonctions : personnel, finances, production, approvisionnements, etc. Dans la distribution, cela inclut notamment les systèmes qui lient les caisses enregistreuses informatisées aux entrepôts de stockage, afin d'assurer un réassort automatique. Les PGI peuvent être encore améliorés s'ils sont étendus à l'ensemble de la filière, en amont vers la chaîne de valeur des fournisseurs et en aval vers la chaîne de valeur des distributeurs, afin d'éviter les ruptures de stock. Internet permet de faciliter ce type d'approches (ce point est examiné plus en détail dans le chapitre 13). L'illustration 12.2 présente un exemple de PGI.

- Les systèmes de planification centralisés utilisent généralement des *clés de répartition* pour allouer les ressources entre les fonctions et les DAS. Dans les services publics, les fonds sont par exemple attribués en fonction du nombre d'usagers (c'est le cas notamment pour les universités ou les hôpitaux).

Les processus de planification sont avant tout adaptés à des conditions stables, lorsque le budget ou les standards peuvent s'appliquer de manière équivalente à toutes les unités de l'organisation et que les hypothèses sous-jacentes restent pertinentes pendant toute la durée du plan. Lorsque les unités opérationnelles présentent des besoins distincts, les budgets et les standards risquent de favoriser certaines au détriment des autres. Certains observateurs soulignent ainsi que les gouvernements ne devraient pas traiter tous les hôpitaux ou toutes les universités de la même manière, car leurs contraintes et leurs opportunités sont différentes. Les budgets et les standards peuvent également se révéler inflexibles lorsque l'évolution du contexte finit par contredire les hypothèses de départ. Les organisations risquent alors d'être injustement pénalisées, notamment si on leur refuse les ressources qui leur permettraient de saisir des opportunités imprévues.

Dans les environnements fortement turbulents ou lorsque la diversité entre les DAS est très élevée, les processus de planification *haut-bas* – dans lesquels ce sont les dirigeants qui imposent leurs plans à leurs subordonnés – ne sont pas appropriés. Dans ces circonstances, la planification *bas-haut* depuis les DAS est une réponse pertinente, à condition de définir des lignes directrices au niveau de la direction générale. Pour que cette approche fonctionne, il convient de déployer des processus de *confrontation*, car les plans initialement proposés par les DAS sont généralement peu compatibles entre eux ou mal adaptés aux objectifs et aux ressources du siège. Des processus de marchandage doivent permettre de redéfinir plus ou moins partiellement quelques-unes des orientations et des lignes directrices du plan. Ce processus nécessite habituellement plusieurs itérations. Les démarches de planification *bas-haut*, si elles permettent de mieux prendre en compte les besoins des DAS qu'une approche centralisée, peuvent donc impliquer de longues négociations et d'intenses jeux politiques.

Illustration 12.2

La mise en place d'un PGI chez Bharat Petroleum

Les PGI (ou ERP) étaient au cœur de la stratégie de Bharat Petroleum lorsque cette entreprise s'est préparée à la déréglementation de l'industrie pétrolière indienne.

Bharat Petroleum était une des trois principales entreprises indiennes de raffinage et de distribution pétrolière. Elle gérait 4 854 stations-service, près de 1 000 revendeurs de kérosène et 1 828 distributeurs de gaz de pétrole liquéfié dans l'ensemble du sous-continent indien. Confronté à une déréglementation de ses marchés, voire potentiellement à une privatisation, Bharat Petroleum décida d'intégrer ses processus au travers d'un PGI, le système SAP R/3. L'objectif était de contrôler les activités de l'entreprise grâce à une amélioration de l'information dans des domaines tels que les stocks et la livraison des produits, afin de renforcer le service et la satisfaction des clients. Le nouveau système devait couvrir 200 sites et inclure une vaste gamme de processus, de la comptabilité financière à l'administration du personnel, de la gestion de la qualité à la maintenance et de la gestion de production aux ventes. Le directeur financier estimait que les économies annuelles obtenues grâce à ce système dépasseraient les 7 millions d'euros.

Le déploiement du PGI ne fut pas conçu comme un simple projet informatique. Il s'appuya sur une restructuration qui comprenait la réduction du nombre de niveaux hiérarchiques et la réorganisation autour de six nouvelles unités opérationnelles. Le projet fut baptisé ENTRANS, pour transformation de l'entreprise. Le responsable du projet n'était pas un informaticien mais un spécialiste des ressources humaines. Seulement dix des 60 membres de l'équipe projet étaient issus de la direction informatique. Un comité de pilotage du projet se réunissait au moins une fois par mois afin de superviser le processus. Ce comité comprenait les responsables des six unités opérationnelles, ainsi que les directeurs des départements finance, ressources humaines et informatique. Le directeur informatique de Bharat Petroleum affirma que : « L'aspect unique du déploiement de ce PGI chez Bharat Petroleum est que, dès le début de sa conception, il a été conçu comme un projet organisationnel.

La direction informatique ne fait que tenir le rôle nécessaire de catalyseur. »

Le déploiement fut mené avec le soutien du cabinet PriceWaterhouseCoopers, de 24 consultants de SAP, d'une équipe de 70 salariés qui avaient reçu la qualification de consultants SAP internes et de six facilitateurs à temps plein. Tous les utilisateurs étaient impliqués dans des programmes de formation avec pour objectif l'amélioration de l'apprentissage organisationnel, du leadership et de la planification. Le président de Bharat Petroleum déclara que la mise en place du PGI ne se traduirait par aucune réduction d'effectifs, même si une économie sur les coûts salariaux faisait partie des bénéfices initialement attendus du projet.

Le déploiement était planifié sur 24 mois, les sites pilotes ayant été choisis en fonction de leur proximité avec l'équipe projet, basée à Mumbai, de l'importance des processus impliqués et de leur compatibilité avec la nouvelle organisation. Beaucoup de problèmes apparurent au départ. Le système SAP ne tenait pas toujours compte des processus informels, ce qui pouvait avoir des conséquences particulièrement gênantes. Cependant, les responsables d'usines reconnurent que la formalisation des processus imposée par le PGI avait grandement contribué à améliorer la discipline de leurs équipes. Dans l'année qui suivit le déploiement, Bharat Petroleum connut une croissance de 24 % de son chiffre d'affaires. SAP décida même de citer le projet Bharat Petroleum parmi ses exemples de réussites au niveau mondial.

Source : A. Teltumbde, A. Triparthy et A. Sahu, « Bharat Petroleum Corporation Limited » *Vikalpa*, vol. 27, n° 3 (2002), pp. 45-512.

Questions

1. En quoi est-il significatif que le déploiement du PGI n'ait pas été confié à des informaticiens ?

2. En quoi la formalisation des processus organisationnels au sein d'un PGI peut-elle se révéler dangereuse ?

3. Que peut faire une entreprise telle que Bharat Petroleum de son équipe interne de consultants spécialisés et de facilitateurs une fois que le projet est terminé ?

12.3.3 Les processus culturels

Lorsque l'environnement est turbulent et complexe et qu'il implique la maîtrise de nombreuses connaissances, la motivation du personnel devient essentielle à la performance. L'autocontrôle peut alors constituer un mécanisme de coordination approprié, car il permet d'influencer l'implication du personnel sans nécessiter de supervision directe. Beaucoup de personnes présentent ainsi un degré naturel d'autocontrôle suffisamment élevé pour assurer le niveau de performance requis par la stratégie. C'est le cas par exemple des médecins ou des musiciens, qui sont profondément engagés à l'égard de leurs standards professionnels. Cependant, si les normes professionnelles divergent de ce qu'exige la stratégie, certains professionnels risquent de privilégier les premières au détriment de la seconde. Les managers peuvent alors mobiliser des processus culturels afin d'atteindre la performance attendue[21].

Les **processus culturels** reposent sur la culture organisationnelle et sur la *standardisation des normes* (voir le chapitre 5). Le contrôle est indirect et internalisé, puisque les membres de l'organisation partagent sa culture. Par ailleurs, la coordination repose sur les moyens, puisque la culture définit les normes de comportement. Trois processus sont particulièrement importants lorsqu'on cherche à infléchir une culture : le *recrutement* (sélection du personnel), la *socialisation* (intégration au travers des programmes formation, mais également par l'identification à certains modèles) et la *rétribution* (la reconnaissance des comportements appropriés par la rémunération, la promotion ou l'attribution de récompenses symboliques). Ces processus culturels peuvent se heurter à une forme de résistance de la part du personnel : cynisme, inertie, absence d'implication, etc. De même, une fois institués, ils peuvent se révéler particulièrement difficiles à modifier. Les organisations sont par ailleurs soumises à de nombreux processus culturels qui échappent au contrôle formel des managers.

Les processus culturels reposent sur la culture organisationnelle et la standardisation des normes

Quoi qu'il en soit, les processus culturels sont particulièrement importants dans les organisations confrontées à un environnement complexe et dynamique. Parfois, l'influence positive de ces processus se manifeste sans que les managers aient à intervenir. Les cultures collaboratives peuvent ainsi encourager l'apparition de *communautés de pratique*[22], qui permettent à des individus ou à des groupes de spécialistes d'interagir et d'échanger leurs connaissances afin de générer des solutions de leur propre initiative. Parmi ces communautés autorégulées et informelles, on peut citer les ingénieurs de Xerox, qui échangent des informations sur les problèmes et les solutions au cours de petits déjeuners, mais aussi les informaticiens qui contribuent internationalement au développement des logiciels libres (Linux, Mozilla, etc.) à travers Internet.

12.3.4 Les objectifs de performance

Les **objectifs de performance** se focalisent sur les *résultats* d'une organisation, que ce soit en termes de qualité, de prix, de part de marché ou de profit. Ces objectifs sont généralement connus sous le nom d'*indicateurs clés de performance* ou *key performance indicators* (KPI). La performance d'une organisation est jugée – en interne ou en externe – sur sa capacité à atteindre ces objectifs. En revanche, à l'intérieur de certaines limites, l'organisation reste libre sur la

Les objectifs de performance concernent les résultats d'une organisation, comme la qualité, les prix ou le profit

manière d'obtenir ces résultats. Cette approche est particulièrement adaptée à certaines situations :

- *Dans les grandes organisations,* les objectifs de ce type sont communément utilisés par les directions générales qui cherchent à contrôler les stratégies et les performances de leurs DAS sans pour autant s'impliquer dans le détail de leur obtention. Une cascade d'objectifs s'impose respectivement aux divisions, aux DAS, aux fonctions et même aux individus.
- *Sur les marchés régulés.* En l'absence de véritables mécanismes de marché, la plupart des services publics privatisés en Europe sont contrôlés par des autorités de régulation qui leur imposent des *indicateurs de performance* (notamment sur la qualité de service), afin d'assurer une performance « concurrentielle »[23].
- *Dans les services publics,* où le contrôle des ressources a longtemps été l'approche dominante, on tente désormais de mettre en place des processus fondés sur les résultats (comme la ponctualité dans les transports publics) ou la performance (comme le taux de mortalité dans les hôpitaux).

Beaucoup de managers estiment qu'il est difficile de définir un ensemble d'indicateurs de performance pertinents pour leur organisation. En effet, une des limites essentielles de cette approche est que beaucoup d'indicateurs se bornent à une représentation partielle de la situation d'ensemble. De plus, certains indicateurs (comme la satisfaction de la clientèle) sont qualitatifs par nature, ce qui pousse à les négliger au profit de l'aspect purement quantitatif imposé par l'analyse financière. Afin d'élargir le champ des indicateurs pris en considération, on peut mettre en place un *tableau de bord prospectif*[24]. Un *tableau de bord prospectif* – ou *balanced scorecard* – combine des indicateurs qualitatifs et quantitatifs, prend en compte les attentes des différentes parties prenantes et situe l'évaluation de la performance dans la perspective de la stratégie choisie (voir le schéma 12.8 et l'illustration 12.3) : la performance financière résulte de la satisfaction des clients, qui elle-même est obtenue grâce aux processus internes issus de l'apprentissage et de l'innovation.

Le schéma 12.8 présente un exemple de tableau de bord prospectif pour une petite start-up produisant des outils et des équipements d'éclairage à destination de clients industriels, dans lequel la perspective financière du dirigeant propriétaire revenait simplement à assurer la survie de l'entreprise durant la période de démarrage, ce qui nécessitait des flux de trésorerie positifs (une fois l'investissement initial réalisé et les premiers stocks constitués). La stratégie consistait à améliorer le service client à la fois pour la livraison et pour la maintenance, ce qui imposait des compétences distinctives dans la prise des commandes et dans la planification du service après-vente, grâce au système d'information de l'entreprise. Comme ces compétences étaient imitables, l'amélioration continue du niveau de service était essentielle au succès.

12.3.5 Les mécanismes de marché

Des mécanismes de marché peuvent être utilisés à l'intérieur d'une organisation afin d'y coordonner les activités[25]. Ces mécanismes de marché impliquent un système formalisé de contractualisation pour l'obtention des ressources à l'intérieur de l'organisation. La coordination concerne avant tout les résultats, par exemple le chiffre d'affaires obtenu à la suite de l'obtention de contrats. Le contrôle est

Un tableau de bord prospectif – ou balanced scorecard – combine des indicateurs qualitatifs et quantitatifs, prend en compte les attentes des différentes parties prenantes et situe l'évaluation de la performance dans la perspective de la stratégie choisie

Les mécanismes de marché impliquent un système formalisé de contractualisation pour l'obtention des ressources

| Schéma 12.8 | **Un exemple de tableau de bord prospectif** |

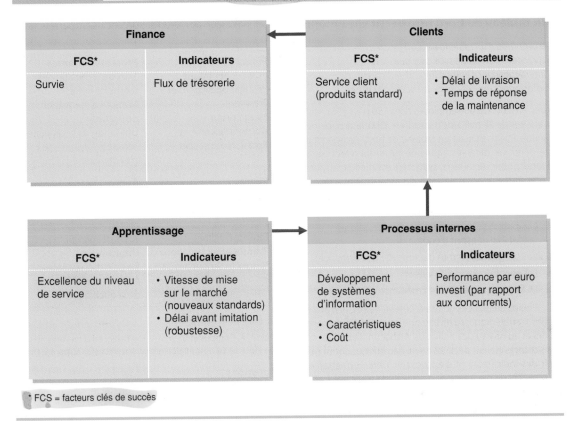

également indirect : plutôt que d'atteindre des objectifs de performance spécifiés à l'avance, les unités opérationnelles doivent gagner leurs revenus sur des marchés concurrentiels.

Les marchés internes peuvent être utilisés de plusieurs manières. Il est ainsi envisageable d'établir une concurrence sur l'attribution des budgets, par exemple en créant un service financier central se comportant comme une banque d'investissement. On peut aussi construire des relations clients/fournisseurs entre une fonction centrale – par exemple la gestion des ressources humaines ou les systèmes d'information – et les activités opérationnelles qui utilisent ses services. Les marchés internes sont généralement très régulés. Le siège définit ainsi les *prix de cession interne* utilisés pour les transactions entre les unités, afin d'éviter les situations où un service abuserait de sa situation aux dépens des autres, ou établit des *contrats de service* afin de s'assurer que certains services clés – par exemple l'informatique – travaillent bien dans l'intérêt collectif.

Les marchés internes fonctionnent bien lorsque le contrôle direct des ressources est inenvisageable, du fait de la complexité et de la turbulence. Cependant, ils peuvent également créer des problèmes. Tout d'abord, ils ont tendance à accroître le

Illustration 12.3

Un tableau de bord prospectif chez Philips

La définition d'un tableau de bord prospectif – ou balanced scorecard – permet de souligner que c'est l'interdépendance entre différents indicateurs de performance qui détermine le succès ou l'échec.

Avec près de 122 000 employés dans 150 pays et un chiffre d'affaires de 27 milliards d'euros en 2006, le groupe néerlandais Philips utilisait un tableau de bord prospectif afin de gérer ses diverses lignes de produits (électronique grand public, éclairage, systèmes médicaux, appareils domestiques et soins personnels), réparties entre de nombreuses filiales à travers le monde. Quatre facteurs clés de succès avaient été identifiés au niveau du groupe :

- L'apprentissage (connaissances, technologie, leadership et esprit d'équipe).
- Les processus internes (facteurs de performance).
- Les clients (création de valeur).
- La finance (rentabilité et croissance).

Philips utilisait ces quatre critères à quatre niveaux : au niveau stratégique, au niveau opérationnel, au niveau des DAS et au niveau des individus. À chacun de ces niveaux, les critères étaient déclinés au niveau inférieur pour obtenir des indicateurs plus appropriés. Cela permettait aux employés de comprendre de quelle manière leurs activités quotidiennes contribuaient aux objectifs d'ensemble. Au niveau des DAS, chaque équipe de direction déterminait ainsi les facteurs clés de succès locaux et les indicateurs correspondants. Des objectifs étaient alors fixés pour chaque indicateur, à partir de la différence entre la performance actuelle et la performance souhaitée pour l'année en cours et pour les deux à quatre années suivantes. Ces objectifs – qui devaient être spécifiques, mesurables, ambitieux, réalistes et progressifs – résultaient d'une analyse du marché et d'une comparaison mondiale avec la performance des autres DAS.

Les indicateurs au niveau des DAS incluaient par exemple :

Finance	Processus internes
Profit économique	Taux de réduction des
Résultat opérationnel	temps de cycle
Trésorerie	Nombre d'innovations
Marge brute	de procédé
d'autofinancement	Utilisation de la capacité
Rotation des stocks	Temps de réponse aux
	commandes
Clients	**Apprentissage**
Rang dans les enquêtes	Leadership
clients	Pourcentage des ventes
Part de marché	protégées par brevets
Taux de fidélité	Jours de formation par
Plaintes et réclamations	employé
Notoriété de la marque	Participation dans les
	équipes d'amélioration
	de la qualité

Source : A. Gumbus et B Lyons, « The balanced scorecards at Philips Electronics », *Strategic Finance*, novembre 2002, pp. 45-49.

Questions

1. Supposez que vous êtes nommé(e) directeur général de Philips. Dressez un tableau qui présente de quelle manière vous pourriez utiliser le tableau de bord prospectif pour diriger votre organisation.

2. Supposez à présent que vous êtes un(e) employé(e) ordinaire de Philips. Quels sont à votre niveau personnel les avantages et les inconvénients du tableau de bord prospectif ?

3. Plus globalement, quels peuvent être les avantages et les dangers de l'utilisation des tableaux de bord prospectifs ?

marchandage entre les unités, ce qui peut consommer une part considérable de l'énergie et du temps des managers. Par ailleurs, le pilotage des cessions internes de ressources peut se bureaucratiser. Enfin, une utilisation trop zélée des mécanismes de marché peut avoir un impact profond sur la culture dominante d'une organisation, au point de remplacer la collaboration et les processus relationnels par de la compétition et des liens purement contractuels. Une telle mutation culturelle peut se révéler extrêmement préjudiciable. L'illustration 12.4 montre comment la banque d'affaires Macquarie a utilisé un système de marché interne pour coordonner ses employés.

Illustration 12.4

Un bazar turc dans une banque d'affaires australienne

Connue sous le surnom de « fabrique de millionnaires », la banque d'affaires Macquarie doit cependant veiller à coordonner son succès.

À la fin des années 2000, la banque Macquarie était la plus grande banque d'investissement australienne. Sa division infrastructure était le plus gros opérateur de routes à péage au monde, avec par exemple des participations dans la société des Autoroutes Paris Rhin Rhône (APRR) en France et dans l'Autoroute 25 dans la région métropolitaine de Montréal au Québec. Son fonds d'investissement possédait notamment l'aéroport de Copenhague, la compagnie des eaux de Londres ou la tour de la télévision de Berlin. En 2006, Macquarie avait également lancé une OPA audacieuse sur la Bourse de Londres, mais sa tentative avait échoué. Ses effectifs avaient doublé en quatre ans, passant de 5 000 personnes en 2003 à plus de 10 000 en 2007. Sur la même période, la proportion de ses effectifs localisés hors de l'Australie était passée de 20 à 33 %.

Le directeur général de Macquarie, Allan Moss, avait rejoint la banque en 1977, quand ce n'était encore qu'une petite filiale (50 employés) de la banque britannique Hill Samuel. Major du MBA de l'université de Harvard, Allan Moss était devenu directeur général en 1993 et avait introduit Macquarie à la Bourse de Sydney en 1995. Selon le *Financial Times*, Allan Moss avait l'aspect d'un « professeur Nimbus » qui risquait toujours de renverser son café et de trébucher sur les fils du téléphone. Il évitait les voyages internationaux, préférant rester à Sydney, où ses horaires de travail étaient relativement contenus pour un banquier d'affaires : il arrivait tous les jours au bureau à 8 h 30 et repartait à 19 h 30.

Pour Allan Moss, la culture de la banque se caractérisait par « la liberté à l'intérieur des limites ». Il présentait Macquarie comme une fédération d'activités dans laquelle les entrepreneurs pouvaient s'épanouir : « Nous fournissons l'infrastructure, le capital, la marque et une structure de contrôle – le personnel fournit les idées. » La culture était très concurrentielle en interne : pour obtenir un « mandat » (la responsabilité d'une partie de l'activité), les employés devaient confronter leurs propositions. Comme le décrivait un ancien employé : « Macquarie ressemble à un bazar turc. Tout le monde a le même tapis et c'est à celui qui réussira à vous le vendre. » Dans les faits, cette compétition interne générait des idées très innovantes, par exemple le financement des patients pour les opérations chirurgicales, y compris les implants mammaires utilisés en chirurgie esthétique. Grâce à cette culture compétitive, chacun des 250 directeurs recevait un profit annuel de 3 millions d'euros. Il va sans dire que leurs postes étaient très convoités. La banque recevait ainsi plus de 70 000 candidatures chaque année. Tous les candidats étaient soumis à une série de tests psychologiques particulièrement rigoureux.

Certains observateurs estimaient que Macquarie ne serait pas capable de maintenir durablement la même trajectoire de succès. Le *Financial Times* citait l'un d'entre eux : « Ils commencent à être très arrogants, ce qui est inévitable étant donné leurs résultats. Allan Moss est loyal envers ceux en qui il a confiance, mais seul le temps nous dira s'il n'est pas en train de faire un peu trop confiance à ses lieutenants. »

Sources : Financial Times, 17 décembre 2005 ; *Sydney Morning Herald,* 19 août 2006 ; lexpansion.com, 1er janvier 2007.

Questions

1. Quels sont les principaux processus de coordination utilisés chez Macquarie ?
2. Quels sont les dangers de ces processus ?

12.4 Les interactions

Un aspect essentiel de la configuration d'une organisation est la capacité à intégrer les connaissances et les activités, qu'elles soient internes (horizontalement ou verticalement) ou externes (en particulier au long de la filière, comme nous l'avons vu dans le chapitre 3). Si les structures et les processus de coordination contribuent largement à cette intégration, il convient de construire et de maintenir des *interactions* suffisamment fluides pour répondre aux exigences d'un environnement turbulent. Cette section est consacrée à ces différents points (voir le schéma 12.9) :

- En interne, il s'agit essentiellement de déterminer à quel niveau de l'organisation la responsabilité des décisions stratégiques et opérationnelles doit être localisée.
- En externe, il s'agit des questions liées à l'externalisation, aux alliances, aux réseaux et aux organisations virtuelles.

Schéma 12.9 **Interactions internes et externes**

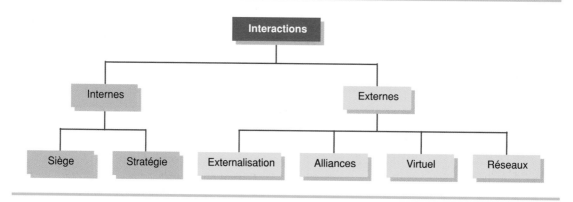

12.4.1 Les interactions internes

L'arbitrage entre centralisation et autonomie

L'autonomie définit dans quelle mesure le centre d'une organisation délègue la prise de décision aux niveaux inférieurs de la hiérarchie

La question de l'*autonomie* est cruciale, tant dans le secteur public[26] que dans le secteur privé. L'autonomie définit dans quelle mesure le centre d'une organisation délègue la prise de décision aux niveaux inférieurs de la hiérarchie.

L'autonomie est particulièrement souhaitable lorsque des connaissances importantes sont dispersées à travers toute l'organisation et que les attentes des clients évoluent rapidement. Dans ces conditions, les dirigeants peuvent être trop éloignés du terrain pour réellement comprendre les ressources et les opportunités de l'organisation. Dans les marchés turbulents, il est en général préférable de localiser la prise de décision au plus près de l'action plutôt que de se reposer sur une hiérarchie aussi longue que distante.

Même si la tendance à l'autonomie semble pertinente, on peut également la considérer comme une simple mode, en réaction à la centralisation excessive qui existait par le passé. L'arbitrage entre centralisation et autonomie consiste en fait à se positionner sur un *continuum* et non à effectuer un simple choix binaire entre deux extrêmes.

Le lien avec la stratégie

Dans la section 7.4, nous avons montré de quelle manière le siège peut accroître la performance des DAS. Il est primordial de bien définir comment les responsabilités sont réparties entre le centre (direction générale ou maison mère) et la périphérie (départements, divisions ou filiales). Michael Goold et Andrew Campbell[27] ont proposé trois *styles stratégiques* qui aident à comprendre les multiples formes que peut prendre cette répartition. Les processus organisationnels et les interactions sont très différents d'un style à l'autre.

La planification stratégique

La **planification stratégique** (voir le schéma 12.10) est le plus centralisé des trois styles. Soulignons qu'ici l'expression « planification stratégique » ne désigne pas la planification en général, mais bien un style particulier d'interaction entre le centre et les DAS. Dans cette situation, le centre de l'organisation se comporte comme un *planificateur* qui définit et impose des rôles précis à chacune des unités opérationnelles, dont la mission est limitée au déploiement opérationnel du plan. Dans la forme la plus extrême de la planification stratégique, le centre est censé contribuer à la performance des DAS grâce aux moyens présentés dans le schéma 7.6. Le centre conçoit, coordonne et contrôle toutes les activités des départements et divisions, ce qui nécessite l'utilisation intensive des outils de planification formelle présentés dans le schéma 12.10 et dans la section 12.3.2. Le centre gère également l'infrastructure et fournit de nombreux services communs. Ce centre hypertrophié débouche généralement sur la bureaucratie familière à beaucoup de managers dans les grandes organisations publiques et privées.

Ce style correspond aux logiques de gestionnaire de synergies ou de développeur que nous avons examinées dans la section 7.4. Il est particulièrement

Au travers de la planification stratégique, le centre de l'organisation définit et impose des rôles précis à chacune des divisions

Schéma 12.10 **La planification stratégique**

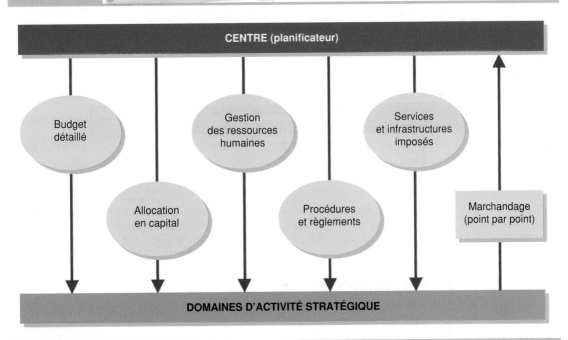

adapté lorsque les managers du centre ont une bonne connaissance opérationnelle des différents domaines d'activité et lorsque les stratégies concurrentielles déployées au niveau des DAS peuvent avoir des répercussions sur l'ensemble de l'organisation. En revanche, lorsque le centre entreprend des diversifications qui vont au-delà de son expertise, la planification stratégique devient difficile à mettre en œuvre et le plus souvent déficiente. Les managers du centre risquent en effet de freiner le développement d'activités qu'ils ne comprennent pas, voire de les orienter dans de mauvaises directions. Le coût potentiel d'une bureaucratisation excessive est également à craindre, notamment en termes de démotivation des managers des DAS, qui risquent de se sentir extrêmement peu impliqués dans des stratégies totalement pilotées par le centre. Goold et Campbell ont montré que de nombreuses organisations du secteur privé ont abandonné ce style stratégique[28].

Le contrôle financier

Dans le cadre du contrôle financier, le rôle du centre est limité à la définition des objectifs financiers, à l'allocation en capital, à l'évaluation des performances et à la correction d'éventuelles insuffisances

Le **contrôle financier** (voir le schéma 12.11) est la forme la plus aboutie d'autonomie, qui peut éventuellement déboucher sur une dissolution de l'organisation en entités indépendantes. Le centre se comporte ici comme un *banquier* ou un *actionnaire* vis-à-vis des divisions : il ne se préoccupe pas du détail de leurs stratégies de produits/marchés. Les divisions peuvent ainsi se retrouver en concurrence les unes avec les autres et il leur est même possible dans certains cas de lever des fonds en dehors de l'organisation. Ce style correspond généralement à une structure de holding et à la logique de gestionnaire de portefeuille que nous avons présentée dans la section 7.4.

Dans le cadre du contrôle financier, le rôle du centre est limité à la définition des objectifs financiers, à l'allocation en capital, à l'évaluation des performances et à la correction d'éventuelles insuffisances (par exemple en remplaçant les responsables des divisions, mais pas en imposant des orientations stratégiques). Le processus de coordination dominant est le recours à des objectifs de performance (voir la

---

| Schéma 12.11 | **Le contrôle financier** |

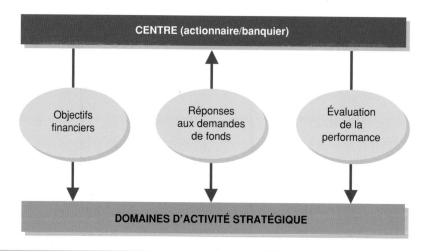

section 12.3.5). Dans ce cas, les managers des DAS sont uniquement responsables de l'obtention des objectifs et toute latitude leur est laissée sur la manière de les atteindre.

Les managers du secteur public présentent quelquefois cette configuration comme leur idéal d'autonomie, mais en réalité une décentralisation aussi radicale est très peu probable dans les organisations publiques du fait de la responsabilité politique des autorités de tutelle. Dans le secteur privé, ce style de management semble pouvoir convenir aux organisations qui interviennent sur des marchés stables où les technologies sont matures et où les délais entre les décisions et leurs conséquences financières sont brefs, comme c'est le cas pour les fournisseurs de produits de base. Ce style est également adapté aux organisations fortement diversifiées, étant donné que les deux autres styles imposent l'existence de synergies entre les activités. Une préoccupation majeure liée au contrôle financier est la prédominance du court termisme. En effet, personne n'est responsable de la prise en charge globale de l'innovation et de l'apprentissage organisationnel. De même, les DAS ont un horizon à trop court terme et le centre ne possède pas les ressources et compétences nécessaires pour gérer les processus de création de connaissances. Le développement des compétences n'est alors possible qu'à travers des acquisitions et des cessions.

Le contrôle stratégique

Le **contrôle stratégique** (voir le schéma 12.12), situé entre ces deux extrêmes, correspond logiquement au style qu'adoptent la plupart des organisations. Ici, le centre se comporte comme un *architecte stratégique* qui ne conçoit pas la stratégie en spécifiant les tâches des DAS mais en façonnant les comportements des managers et en modelant le contexte dans lequel ils interviennent[29]. Comme la planification stratégique, ce style correspond à la logique de gestionnaire de synergies examinée dans la section 7.4. Cependant, du fait qu'il donne plus d'autonomie aux unités opérationnelles, ce style est mieux adapté dans le cas où le centre ne comprend pas bien les réalités du terrain et lorsque les stratégies des DAS n'ont pas d'influence majeure sur l'ensemble de l'organisation. En référence au schéma 7.6, le centre est censé contribuer à la performance des DAS de plusieurs manières :

- Définition et configuration de la stratégie *globale* de l'organisation.
- Détermination de l'*équilibre* entre les domaines d'activité et du rôle de chaque DAS.
- Définition et contrôle des *pratiques globales* de l'organisation (par exemple en termes d'emploi, de marchés, etc.).
- Stimulation de l'innovation et de l'*apprentissage organisationnel*.
- Fixation de standards et évaluation de la *performance* des différents départements et divisions, interventions éventuelles afin d'améliorer les résultats (voir l'utilisation des objectifs de performance dans la section 12.3.4).

Cependant, le centre ne remplit pas ces différents rôles au travers d'un plan général détaillé et imposé. Le contrôle stratégique repose plutôt sur l'approbation des stratégies et des plans de développement que les DAS peuvent proposer, à condition de rester dans le cadre global des frontières et des lignes de conduite imposées. Le principal problème lié à ce style est le risque que le centre tente d'orienter la stratégie sans avoir clarifié la logique de groupe ou sans posséder les compétences lui permettant de jouer correctement ce rôle.

Dans le cadre du contrôle stratégique, le centre ne conçoit pas la stratégie en spécifiant les tâches des divisions, mais en façonnant les comportements des managers et en modelant le contexte dans lequel ils interviennent

Schéma 12.12 **Le contrôle stratégique**

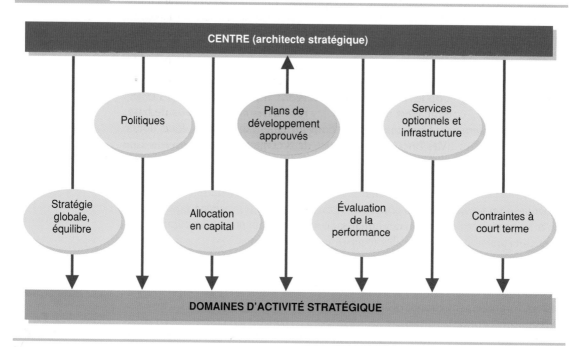

12.4.2 Les interactions externes[30]

Les organisations entretiennent de très nombreuses interactions externes, par exemple avec leurs clients, leurs fournisseurs, leurs sous-traitants ou leurs partenaires. Dans cette section, nous allons présenter quatre catégories d'interactions externes qui ont largement évolué au cours des dernières années.

L'externalisation[31]

Dans le chapitre 3, nous avons présenté l'externalisation en rapport avec la capacité stratégique et le concept de chaîne de valeur. L'externalisation résulte de la décision d'acheter à l'extérieur des produits ou des services qui étaient préalablement réalisés en interne. Cela peut concerner par exemple la gestion de la paie, les systèmes d'information, le nettoyage ou la production de certains composants. Deux principes essentiels doivent être respectés lorsqu'on cherche un prestataire externe : tout d'abord, l'externalisation (faire faire) doit se révéler financièrement plus rentable que la production en interne (faire) ; deuxièmement – en dehors des considérations de rentabilité –, mieux vaut ne pas externaliser des compétences fondamentales car c'est sur elles que s'appuie l'avantage concurrentiel.

Beaucoup de managers respectent ces principes mais n'accordent pas suffisamment d'importance aux implications stratégiques de l'externalisation. Le recours à des prestataires externes nécessite par exemple une capacité à contrôler leur niveau de performance, ce qui passe bien plus par une gestion des interactions que par l'utilisation de systèmes formels de contrôle, généralement peu adaptés au suivi d'intervenants externes. Pour s'assurer que ces interactions seront aussi fructueuses que possible, les fournisseurs et les distributeurs doivent être éduqués, afin de les initier aux stratégies, aux priorités et aux standards de l'organisation. Il est nécessaire de leur faire comprendre quel est l'impact de leur activité sur le succès collectif, mais aussi de les motiver pour qu'ils acceptent d'atteindre les objectifs de performance attendus. Pour cela, comme nous l'avons vu dans la section 12.3, plusieurs approches sont envisageables. On peut par exemple convaincre – voire dans certains cas contraindre – les prestataires de lier leur système informatique au PGI de l'organisation, ce qui est possible lorsque leur activité est clairement définie, peu variée et récurrente. À l'opposé, l'interaction peut s'appuyer sur des normes et des processus culturels lorsqu'on recourt à des fournisseurs qui connaissent bien l'organisation et qui sont en phase avec sa culture. Cette approche est particulièrement adaptée aux prestataires qui apportent une valeur ajoutée créative (par exemple des designers), ce qui impose d'établir une relation bilatérale plus riche et plus fluide. Entre ces deux extrêmes, les mécanismes de marché ou les objectifs de performance peuvent être utilisés lorsqu'une approche contractuelle est possible, par exemple dans le cadre de projets ponctuels ou lorsqu'on fait appel à toute une gamme de prestataires potentiels.

L'externalisation ne donne pas toujours les résultats escomptés : le prestataire peut se révéler défaillant, la délégation peut avoir un impact négatif sur l'avantage concurrentiel ou une fonction autrefois périphérique peut être replacée au cœur de l'activité du fait d'une évolution de l'environnement. De fait, au moment de l'externalisation, afin de ne pas se trouver enfermées sur une dépendance de sentier irréversible (voir la section 5.3.1), les entreprises devraient envisager des options de réinternalisation[32].

Les alliances stratégiques

Dans le chapitre 10, lorsque nous avons analysé les alliances et partenariats, nous avons introduit le débat sur la construction d'interactions avec d'autres organisations (ou d'autres sous-parties de la même organisation). Les questions soulevées par cette approche sont analogues à celles qui découlent de l'externalisation, à la différence que les alliances stratégiques sont souvent plus informelles que contractuelles. Dans le schéma 10.3, nous avons présenté les différents types d'alliances et partenariats, qui vont de simples arrangements relationnels à la stricte définition de structures communes. D'un point de vue organisationnel, le point clé consiste à intégrer des intervenants spécialisés et des connaissances disparates de manière à créer de la valeur pour les clients. Plus les alliés ou les partenaires sont nombreux, plus cette intégration est complexe, et plus il est nécessaire d'utiliser les différents ingrédients présentés dans la section 10.2.3, notamment la confiance. Nous reviendrons sur ce point ci-après lorsque nous parlerons des réseaux et de la capacité de certaines organisations à devenir le point nodal au centre d'un réseau de partenaires.

Les réseaux[33]

L'externalisation et les alliances constituent des cas particuliers d'une tendance générale qui consiste à s'appuyer sur des réseaux externes aux frontières de l'organisation. Au travers de cette tendance, le succès de plus en plus d'organisations repose sur des réseaux. Ces réseaux peuvent prendre plusieurs formes :

- Grâce au *télétravail*, beaucoup d'individus sont désormais capables de réaliser leur tâche à distance – voire indépendamment du lieu où ils se trouvent –, à condition de rester connectés à certaines ressources clés de leur organisation (comme des bases de données ou l'expertise de spécialistes), à ses fournisseurs et à ses clients. Dans cette optique, puisque l'utilisation d'Internet est une préoccupation majeure pour de nombreuses organisations (voir le chapitre 9), de nouveaux modes d'organisation sont nécessaires. Internet permet d'envisager le démantèlement des structures formelles, remplacées par des réseaux d'information. Une partie de l'activité de l'organisation peut ainsi échoir à des opérateurs qui peuvent être soit des employés, soit des indépendants, soit une combinaison des deux.

- Les réseaux peuvent être des *fédérations d'experts* qui se rassemblent volontairement pour partager leur expertise en vue de créer de nouveaux produits ou services. Dans l'industrie du divertissement, les musiciens, les acteurs et les techniciens sont réunis autour de chaque projet de spectacle ou de film grâce aux contrats négociés par leurs agents. L'activité de certaines organisations consiste d'ailleurs à alimenter des bases de données sur les experts disponibles dans une industrie, ce qui permet de faciliter les contacts lorsqu'un client souhaite organiser une opération ou un événement.

- Le *guichet unique* est une solution au problème de la coordination d'un réseau composé de divers intervenants, de manière que le client n'ait besoin d'entrer en contact qu'avec un seul interlocuteur. Le guichet unique consiste à élaborer une réponse aux demandes des clients en coordonnant les différentes expertises présentes dans le réseau (voir le schéma 12.13). Un maître d'œuvre (par exemple dans les BTP) agit généralement de cette manière, en utilisant sa propre expertise en gestion de projets pour rassembler un réseau d'intervenants, sans s'impliquer lui-même dans le détail des opérations. Avec le développement du commerce en ligne, le guichet unique peut devenir *virtuel*, dans le sens où le client y accède par un seul point d'entrée (par exemple un site Internet ou un serveur vocal) alors que les prestataires qui concourent à la réalisation de l'offre sont physiquement dispersés. Dans cette approche, il est essentiel de s'assurer que, du point de vue du client, la dispersion des ressources passe inaperçue.

- Dans le cas d'un *réseau de services*, il n'y a pas de point d'entrée privilégié pour les clients, qui peuvent accéder à toutes les prestations offertes par le réseau par l'intermédiaire de n'importe lequel de ses membres. Un réseau de ce type peut être très difficile à mettre en place, car il nécessite que tous les participants soient bien informés sur les capacités de chacun et surtout disposés à collaborer au point de proposer des services qui sont offerts par d'autres. Par-dessus tout, cela nécessite de la confiance et un respect mutuel. Pour faciliter ce fonctionnement, certains réseaux de services incorporent un guichet unique (par exemple un central de réservation). On peut citer le cas de Best Western, qui est un

Schéma 12.13 **Deux manières d'améliorer l'accessibilité d'un réseau**

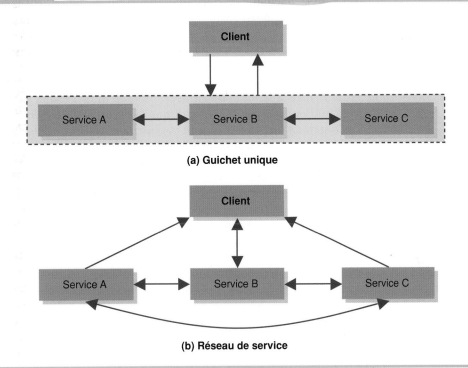

(a) Guichet unique

(b) Réseau de service

réseau international d'hôtels indépendants. Les clients peuvent recevoir des informations ou faire des réservations dans n'importe quel hôtel du réseau ou en s'adressant à des centraux spécifiques. Ce service a l'avantage d'encourager les clients à réserver leur prochain hôtel alors qu'ils séjournent déjà dans un Best Western.

La coordination est une question fondamentale dans un réseau. Les organisations qui réussissent à occuper une *position nodale* dans le réseau peuvent être capables d'orienter l'ensemble du système[34]. Pour acquérir et conserver cette position nodale, il convient de cumuler trois qualités :

- Une *vision* exaltante qui légitime l'existence du réseau et mobilise les partenaires. Dans le secteur public, les idéaux politiques (par exemple la lutte contre l'exclusion ou la construction européenne) peuvent justifier la mise en place des réseaux permettant de les atteindre.
- Des *ressources uniques* ou des *compétences fondamentales* qui permettent d'acquérir une position nodale, par exemple la détention d'un système propriétaire devenu le standard de l'industrie, comme l'iPod pour la musique ou Windows dans l'informatique.
- Des *capacités relationnelles* qui permettent de soutenir et de développer le réseau.

Les organisations virtuelles[35]

Lorsqu'on pousse la logique de collaboration à la limite, on obtient une *organisation virtuelle*, dont la quasi-totalité des ressources et des compétences est externalisée. Une organisation virtuelle coordonne au long d'une même chaîne de valeur plusieurs organisations capitalistiquement indépendantes, notamment grâce à la confiance et à la possession de certaines ressources clés. Il est important de souligner que le mot virtuel est ici un faux ami, qui ne fait pas référence à la *réalité virtuelle* mais à la *mémoire virtuelle*, procédé informatique par lequel les ordinateurs utilisent une partie de leur disque dur pour accroître leur capacité de calcul. Les organisations virtuelles sont parfaitement réelles et elles doivent être capables de percevoir et d'anticiper les besoins de leurs clients de la même manière que des organisations classiques. D'ailleurs, peu de clients de Dell, de Calvin Klein ou de Nike ont conscience de la virtualité de ces entreprises.

Une organisation virtuelle coordonne au long d'une même chaîne de valeur plusieurs organisations capitalistiquement indépendantes, grâce à la confiance et à la possession de ressources clés

Ce mode d'organisation n'est pas fondamentalement nouveau. Comme nous l'avons vu dans le chapitre 3, il est normal qu'une organisation décide de se spécialiser en ne conservant en interne que certaines activités et en s'appuyant sur des prestataires externes pour toutes les autres. Reste à déterminer dans quelle mesure la plupart des fonctions peuvent être ainsi externalisées. On peut craindre que l'excès d'externalisation débouche à terme sur de sérieuses faiblesses stratégiques, car l'organisation perd la maîtrise de ses compétences fondamentales et ne bénéficie plus de l'apprentissage lié à la réalisation effective des activités qu'elle sous-traite. Pour autant, on peut également affirmer que la véritable compétence fondamentale des organisations virtuelles réside justement dans leur capacité à orchestrer des intervenants externes et à mobiliser des ressources qu'elles ne possèdent pas. Ce débat est devenu central dans de nombreuses industries telles que le génie civil, l'édition, l'automobile ou le tourisme, où la plupart des intervenants externalisent désormais des activités qui ont longtemps été considérées comme leur cœur de métier. Il s'agit en fait de ne pas sacrifier la capacité d'innovation à long terme au profit de la flexibilité à court terme. L'illustration 12.5 montre comment Benetton a fait le choix d'abandonner son organisation virtuelle.

Si une grande partie du savoir indispensable à l'organisation est localisée à l'extérieur de ses frontières, des questions essentielles concernant le management et le contrôle de l'innovation doivent être résolues. Une organisation qui a recours à une structure virtuelle doit s'assurer qu'elle peut toujours maîtriser et contrôler ses processus, notamment en termes de création de connaissances. Un des principaux risques de l'organisation virtuelle est de confiner l'innovation chez chacun des partenaires spécialisés, sans qu'elle puisse irriguer l'ensemble de la chaîne de valeur. En l'absence d'une autorité stratégique centrale, personne n'a le pouvoir ni la capacité de gérer l'innovation et le changement pour l'ensemble du système. C'est une des raisons pour lesquelles les organisations virtuelles les plus performantes sont celles qui gravitent autour d'un *noyau* ou d'une *agence stratégique* qui remplit ce triple rôle nodal de conception, conduite et contrôle[36].

12.4.3 Les dilemmes organisationnels

Concevoir une organisation pour lui permettre d'accompagner le succès stratégique n'est pas chose facile. Une organisation résulte de la combinaison de structure, de processus de coordination et d'interactions qui doivent être judicieusement

Illustration 12.5

La dévirtualisation de Benetton

Une organisation virtuelle n'est pas nécessairement vertueuse.

Benetton fut fondé en 1955 par quatre orphelins sans ressources (Luciano, Giuliana, Gilberto et Carlo) dans la région de Trévise en Italie du Nord. Quarante ans plus tard, le succès était éclatant : Benetton était présent dans 110 pays, employait 6 000 personnes – mais en faisait travailler directement plus de 70 000 –, possédait treize usines, vendait à 50 millions de clients 83 millions d'articles répartis en 7 500 modèles dans ses 7 000 points de vente, réalisait 70 % de son chiffre d'affaires à l'exportation (c'était la première enseigne étrangère aux États-Unis) et était coté à Milan, Londres, Francfort et New York. Grâce aux considérables profits générés par son activité textile, Benetton s'était diversifié dans le sport (Nordica, Prince, Kästle, Asolo, Killer Loop, Rollerblade, etc.). Son écurie de Formule 1 avait été championne du monde en 1994 et 1995.

Benetton contrôlait également Olivetti, Telecom Italia, Autostrade (le premier réseau d'autoroutes italien), ainsi que le groupe de restauration rapide Autogrill, présent dans toute l'Europe et aux États-Unis. Edizione Holding, le holding familial des Benetton, était également présent dans Grandi Stazioni (la société qui regroupait les treize plus grandes gares italiennes), dans l'aéroport de Turin et dans les sociétés municipales de services collectifs de Trieste et de Parme. Si l'activité textile ne représentait plus que 2,1 milliards d'euros de chiffre d'affaires sur un total de 7 milliards, elle était encore le cœur historique et affectif de l'entreprise, car c'était elle qui avait fait de la fortune personnelle des Benetton une des premières d'Italie.

Le développement de Benetton avait reposé sur une organisation virtuelle particulièrement aboutie, qui lui avait permis de conserver la réactivité indispensable face aux phénomènes de mode, tout en atteignant une efficience comparable à celle d'une grande industrie :

- Pour la conception, outre une équipe d'une vingtaine de stylistes, qui n'étaient embauchés que pour quatre ou cinq saisons afin d'assurer le renouvellement des idées, les 4 000 nouveaux modèles annuels étaient conçus par un vivier international de 200 créateurs indépendants.

- Pour la production, Benetton travaillait avec près de 450 sous-traitants exclusifs. Presque tous localisés dans les environs de Trévise, il s'agissait d'entreprises de moins de 50 salariés, qui employaient au total 25 000 personnes, alors que Benetton, avec un millier de salariés en production, ne pouvait pas fabriquer plus de 2 ou 3 % de ses produits dans ses seules usines.

- Pour la distribution, les 7 000 boutiques appartenaient à des commerçants indépendants. À la différence d'une franchise classique, Benetton ne percevait ni loyer ni redevance sur l'activité de ses distributeurs, mais se rémunérait en leur vendant les produits avec une marge qualifiée de « raisonnable ».

Cependant, au début des années 2000, plusieurs signes semblèrent marquer qu'une page était tournée dans l'histoire du groupe. Le publicitaire Oliviero Toscani, qui avait beaucoup œuvré pour la notoriété de l'entreprise, fut renvoyé après une dernière provocation (une campagne contre la peine de mort aux États-Unis). Dans le même temps, le groupe espagnol Zara affichait un succès éclatant, alors que son organisation était exactement l'inverse de celle de Benetton : Zara possédait l'intégralité de sa chaîne de valeur, de la conception à la production et de la logistique aux magasins. Or, sa flexibilité était largement supérieure à celle de Benetton.

Luciano Benetton décida donc de revoir en profondeur le modèle économique qui avait fondé son succès. De nouveaux managers furent engagés et un plan de relance fut annoncé à la presse en décembre 2003. Certaines activités furent cédées (notamment l'essentiel des articles de sport) et la communication revue. Alors que le nombre de magasins était ramené de 7 000 à 5 000, le groupe ouvrit, sur ses propres fonds, 180 mégastores de plus de 1 000 mètres carrés. Face à ces mégastores, les petites boutiques du concept d'origine (de 50 à 100 mètres carrés) semblaient condamnées à disparaître. Parallèlement, le recours aux petits sous-traitants de la région de Trévise laissa rapidement place à une délocalisation de la production en direction notamment de l'Europe de l'Est et de la Tunisie.

Certains observateurs soulignèrent que ce plan, accompagné d'un total de 430 millions d'euros d'investissements pour la période 2004-2007, se contentait d'appliquer les méthodes de Zara ou de H&M, mais avec quelques années de retard.

Source : F. Fréry, Benetton ou l'entreprise virtuelle, 2e édition, Vuibert, 2003.

Questions

1. Quels sont les principaux avantages et inconvénients d'une organisation virtuelle ?

2. Expliquez la logique du plan de dévirtualisation de Benetton annoncé en 2003.

conjugués avec les enjeux stratégiques sous la forme d'une *configuration* organisationnelle (voir le schéma 12.1). La structure divisionnelle est ainsi plus particulièrement cohérente avec des mécanismes de marché (au travers desquels les divisions recourent par exemple au service central de R&D) et avec le contrôle financier et le contrôle stratégique. De même, les structures par projets s'appuient le plus souvent sur des processus culturels qui assurent la coordination nécessaire face à de fréquentes réorganisations et peuvent utiliser des réseaux ou des organisations virtuelles. Il existe ainsi un nombre limité de configurations cohérentes capables de conjuguer structures, processus de coordination et interactions[37].

Dans la pratique, il est souvent difficile d'aligner toutes ces dimensions, et certains arbitrages doivent être menés, par exemple entre le contrôle et la flexibilité. Dans cette dernière section, nous allons présenter certains de ces dilemmes[38] et la manière de les résoudre.

Le schéma 12.14 résume quelques-uns des dilemmes organisationnels. Les hiérarchies sont souvent nécessaires pour assurer le contrôle et l'action, mais elles sont en contradiction avec des réseaux qui encouragent l'échange de connaissances et l'innovation. La responsabilité verticale accroît la performance des subordonnés, mais elle peut conduire les managers à privilégier leurs propres intérêts, aux dépens des interactions horizontales. L'autonomie stimule les initiatives mais peut déboucher à terme sur des incohérences. La centralisation peut permettre la standardisation, mais réduit la flexibilité. La volonté d'optimisation d'une seule activité (par exemple le marketing ou la finance) peut conduire à une dégradation de l'organisation dans son ensemble.

Les managers doivent admettre que toute organisation peut être confrontée à ce type de dilemmes et qu'il est généralement impossible d'optimiser toutes les dimensions. Cependant, on peut gérer ces dilemmes de trois manières :

- En *subdivisant* l'organisation, de façon qu'une de ses parties soit organisée de manière optimale par rapport à une des branches de ces dilemmes, alors que le

Schéma 12.14 **Quelques dilemmes organisationnels**

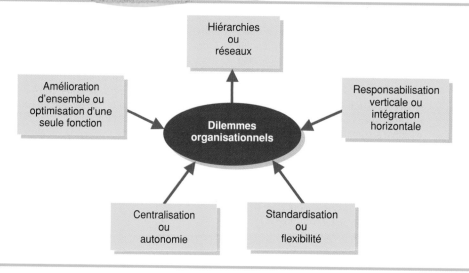

reste de l'organisation est en phase avec l'autre. C'est ainsi que IBM a développé son PC dans une division spécialement créée pour la circonstance, délibérément maintenue isolée – y compris géographiquement – de ses autres activités, caractérisées par une culture de hiérarchie et de standardisation fortement antagoniste avec les innovations radicales[39].

- En *combinant* simultanément plusieurs principes organisationnels, par exemple des réseaux et une hiérarchie traditionnelle. Il est cependant difficile d'associer des principes aussi contradictoires. Pour autant, certains observateurs ont affirmé que des organisations telles que ABB ou Unilever sont des « réseaux divisionnalisés » qui combinent l'intégration horizontale des réseaux avec la responsabilisation verticale des structures divisionnelles[40].

- En se *réorganisant* fréquemment de façon qu'une branche des dilemmes ne puisse pas devenir inamovible. C'est ainsi que la fréquence de réorganisation des grandes entreprises est passée de une tous les quatre ans à une tous les trois ans au cours de la dernière décennie[41]. Du fait de cette accélération, beaucoup d'organisations se comportent comme des pendules, oscillant continuellement – par exemple entre la centralisation et l'autonomie – sans rester bien longtemps ni d'un côté ni de l'autre[42].

Un dernier dilemme concerne la logique interne de chacune des configurations : quel est l'élément qui détermine le choix des deux autres ? Le débat de l'illustration 12.6 est consacré à cette épineuse question : la stratégie suit-elle la structure ou en est-elle la conséquence ?

Illustration 12.6 **Débat**

La stratégie et la structure : l'œuf et la poule ?

La structure doit être en adéquation avec la stratégie. Mais laquelle détermine l'autre ?

Même si lui-même s'est toujours opposé à une interprétation aussi univoque, la plupart des commentateurs des travaux d'Alfred Chandler[1], professeur à la Harvard Business School, ont établi une règle fondamentale du management stratégique : « Si la structure ne suit pas la stratégie, la performance sera limitée. » Si cette affirmation est cohérente avec une approche méthodique, elle sous-entend que la structure est subordonnée à la stratégie : elle peut facilement être déterminée une fois que les grandes décisions stratégiques sont prises. Cependant, certains auteurs affirment que cette représentation sous-estime dangereusement le rôle de la structure. Parfois, c'est la stratégie qui suit la structure.

Les travaux d'Alfred Chandler sont fondés sur l'analyse historique de grandes entreprises américaines telles que General Motors, Exxon et DuPont. DuPont était ainsi à l'origine le plus gros fabricant mondial d'explosifs à usage militaire. Cependant, pendant la Première Guerre mondiale, l'entreprise anticipa le retour de la paix en se diversifiant délibérément vers des activités destinées aux marchés civils, telles que la peinture et les plastiques. La fin de la guerre plongea pourtant DuPont dans une crise majeure : toutes ses nouvelles activités étaient déficitaires, alors que seule l'activité explosifs était rentable. Le problème n'était pas lié à la stratégie de diversification mais à la structure utilisée pour gérer les activités civiles. DuPont avait en effet conservé sa structure fonctionnelle, et la responsabilité de la production et du marketing de toutes les nouvelles activités était donc centralisée auprès de directeurs de fonctions qui étaient incapables de gérer une diversité croissante. La solution ne consista pas à abandonner la stratégie de diversification, mais à adopter une nouvelle structure, dans laquelle chacune des nouvelles activités était placée sous la responsabilité d'une division décentralisée. Depuis cette époque, DuPont a conservé cette structure divisionnelle, avec succès.

David Hall et Maurice Saias acceptent le rôle de la stratégie dans le choix de la structure, mais ils soulignent que le lien de causalité peut être inversé[2]. La structure d'une organisation détermine fortement le type d'opportunités stratégiques que ses managers sont capables d'identifier et de saisir. Il est ainsi facile pour une structure divisionnelle décentralisée de procéder à des acquisitions ou à des cessions : il lui suffit d'ajouter ou de supprimer des divisions sans que cela n'ait d'impact sur le reste de l'organisation. À l'inverse, il peut se révéler très difficile pour les managers d'une structure de ce type d'identifier les opportunités d'innovation et de partage de connaissances entre les divisions : ils sont trop éloignés du terrain. Selon cette interprétation, la stratégie suit la structure.

Terry Amburgey et Tina Dacin ont testé l'impact relatif de la stratégie et de la structure en analysant les évolutions stratégiques et structurelles de 200 grandes entreprises américaines sur plus de trente ans[3]. Sur cet échantillon, la stratégie de diversification a deux fois plus souvent précédé une divisionnalisation de la structure que l'inverse. En d'autres termes, la structure suit la stratégie, mais pas toujours.

Henry Mintzberg a conclu de tout cela que « la structure suit la stratégie comme le pied gauche suit le pied droit »[4]. La stratégie et la structure sont liées par une relation réciproque et non univoque. C'était d'ailleurs le véritable sens des conclusions d'Alfred Chandler[5]. Henry Mintzberg souligne qu'une représentation de la stratégie et de la structure simplement fondée sur des méthodes peut conduire à de graves erreurs d'interprétation. Il n'est pas toujours facile de modifier la structure une fois que les grandes décisions stratégiques ont été prises. Les stratèges devraient donc s'assurer que les structures existantes ne contraignent pas les développements qu'ils envisagent.

Sources :

1. A.D. Chandler, *Stratégie et Structure*, Éditions d'Organisation, 1972.
2. D.J. Hall et M.A. Saias, « Strategy follows Structure », *Strategic Management Journal*, vol. 1, n° 2 (1980), pp. 149-163.
3. T. Amburgey et T. Dacin, « As the left foot follows the right? The dynamics of strategic and structural change », *Academy of Management Journal*, vol. 37, n° 6 (1994), pp. 1427-1452.
4. H. Mintzberg, « The design School: reconsidering the basic premises of strategic management », *Strategic Management Journal*, vol. 11 (1990), pp. 171-195.
5. A.D. Chandler, « Formation et transformation des capacités organisationnelles », *Entreprises et Histoire*, n° 10 (1995), pp. 13-19. Alfred Chandler souligne d'ailleurs avec malice qu'il avait d'abord envisagé d'intituler son ouvrage « Structure et stratégie », mais que c'est l'éditeur qui a changé le titre.

Question

David Hall et Maurice Saias suggèrent que les structures influencent les stratégies. Selon vous, quelles sont les organisations dont les structures sont les plus à même de contraindre les stratégies ?

Résumé

- La configuration d'une organisation résulte de la combinaison de trois dimensions : la structure, les processus de coordination et les interactions.

- Une organisation doit répondre aux enjeux majeurs que sont le contrôle, le changement, la connaissance et la globalisation.

- Il existe beaucoup de *types structurels* (structure fonctionnelle, divisionnelle, matricielle, etc.). Chacun de ces types structurels présente ses propres forces et faiblesses, et répond différemment aux enjeux du contrôle, du changement, de la connaissance et de la globalisation.

- Toute une série de *processus de coordination* permettent de déployer la stratégie. Ces processus peuvent se focaliser soit sur les moyens, soit sur les résultats. Ils peuvent également être directs ou indirects.

- La gestion des *interactions* est également essentielle au succès. En interne, cela concerne avant tout l'*arbitrage entre centralisation et autonomie* et le *style stratégique*. En externe, les choix concernant l'externalisation, les alliances, les réseaux et les organisations virtuelles peuvent faciliter ou handicaper la stratégie.

- Les trois dimensions que sont la structure, les processus de coordination et les interactions peuvent se combiner grâce à des *cycles de renforcement*. Cependant, ces cycles entraînent des dilemmes organisationnels que l'on peut résoudre en *subdivisant*, en *combinant* ou en *réorganisant*.

Travaux pratiques • Signale des exercices d'un niveau plus avancé

1. Procurez-vous l'organigramme d'une série d'organisations qui vous sont familières. Justifiez la structure de chacune.

2. En vous référant à la section 12.2.2 sur la structure divisionnelle, discutez les avantages et les inconvénients de la création de divisions à partir de différentes dimensions (produits, zones géographiques, clients, etc.) pour une organisation qui vous est familière ou pour Carrefour (voir le cas à la fin du chapitre 10).

3. • En vous référant au schéma 12.8, rédigez un bref rapport à l'attention du directeur général d'une multinationale afin d'expliquer en quoi un tableau de bord prospectif peut aider à suivre et contrôler la performance des divisions. Veillez à expliciter les avantages et les pièges de cette approche.

4. Supposez que vous occupez une fonction de manager dans un DAS d'une entreprise multiactivités. Quel est le style stratégique (voir la section 12.4.1) qui vous conviendrait le mieux ? Dans quelles circonstances ce style ne serait-il plus pertinent avec vos intérêts ?

5. Commentez l'affirmation suivante : « Lorsque l'organisation ne fonctionne pas, c'est autant la faute de sa stratégie que celle de sa structure. »

Exercice de synthèse

6. Prenez l'exemple d'une opération récente de fusion ou acquisition (voir le chapitre 10) – idéalement entre deux organisations de taille équivalente – et analysez en quoi la structure des deux organisations a été transformée. Qu'en concluez-vous sur la stratégie de la nouvelle entité ?

Lectures recommandées

• Sur les structures organisationnelles, voir N. Aubert, J.-P. Gruère, J. Jabes, H. Laroche et S. Michel, *Management, aspects humains et organisationnels*, PUF, 2005 ; J.-M. Saussois, *Théories des organisations*, La Découverte, 2007 ; S. Robbins, D. DeCenzo et P. Gabilliet, *Management*, 4e édition, Pearson Education, 2004, et R. Daft, *Organisation Theory and Design*, 9e édition, South-Western, 2006.

• Les questions pratiques de conception des organisations sont présentées dans M. Goold et A. Campbell, *Designing Effective Organisations*, Jossey-Bass, 2002.

• Sur les tableaux de bord prospectifs, voir C. Mendoza, M.-H. Delmond, F. Giraud, H. Löning et A. de Font Réaulx, *Tableaux de bord et balanced scorecards*, Groupe Revue Fiduciaire, 2005.

• Les configurations organisationnelles sont détaillées dans H. Mintzberg, *Structure et dynamique des organisations*, Éditions d'Organisation, 1982, et dans H. Mintzberg, *Le management, voyage au centre des organisations*, Éditions d'Organisation, 1990. Voir également A. Pettigrew, R. Whittington, L. Melin, C. Sanchez-Runde, F. Van den Bosch, W. Ruigrok et T. Numagami (eds), *Innovative Forms of Organizing*, Sage, 2003.

• Sur les frontières de l'organisation, voir P. Besson (ed.), *Dedans, dehors. Les nouvelles frontières de l'organisation*, Vuibert, 1997.

Références

1. J.-P. Bouilloud et B.-P. Lecuyer, *L'invention de la gestion*, L'Harmattan, 1994. Voir également D. Pugh, *Organisation Theory*, Penguin, 1994.

2. C'est notamment ce que suggèrent R. Whittington et L. Melin, « The challenge of organizing/strategizing », dans A. Pettigrew, R. Whittington, L. Melin, C. Sanchez-Runde, F. Van den Bosch, W. Ruigrok et T. Numagami (eds), *Innovative Forms of Organizing*, Sage, 2003. Voir également R. Whittington, E. Molloy, M. Mayer et A. Smith, « Practices of strategising/organising », *Long Range Planning*, vol. 39, n° 6 (2006), pp. 615-630.

3. Le concept de configuration est analogue à celui d'architecture stratégique examiné par G. Hamel et C.K. Prahalad, *La conquête du futur*, InterÉditions, 1995, chapitre 10, et par R. Whittington, A. Pettigrew, S. Peck, E. Fenton et M. Conyon, « Change and complementarities in the new competitive landscape », *Organization Science*, vol. 10, n° 5 (1999), pp. 583-600.

4. Sur les différents types structurels, voir J.-M. Saussois, *Théories des organisations*, La Découverte, 2007, ainsi que G. Friesen, « Organisation design for the 21st century », *Consulting to Management*, vol. 16, n° 3 (2005), pp. 32-51. Voir également N. Aubert, J.-P. Gruère, J. Jabes, H. Laroche et S. Michel, *Management, aspects humains et organisationnels*, PUF, 2005, et S. Robbins, D. DeCenzo et P. Gabilliet, *Management*, 4ᵉ édition, Pearson Education, 2004.

5. L'idée que les organisations doivent s'adapter à leur contexte s'inscrit dans une longue tradition de recherche consacrée aux « facteurs de contingence ». Voir notamment L. Donaldson, *The Contingency Theory of Organizations*, Sage, 2001 ; R. Whittington, « Organizational structure », dans *The Oxford Handbook of Strategy*, volume II, Oxford University Press, 2003, chapitre 212. Voir également N. Aubert et *al.* (référence 5) et S. Robbins, D. DeCenzo et P. Gabilliet (référence 5).

6. Cette vision de la divisionnalisation en tant que réponse à la diversité a été introduite par A.D. Chandler, *Stratégie et Structure*, Éditions d'Organisation, 1972. Pour une application des thèses de Chandler aux entreprises européennes, voir R. Whittington et M. Mayer, *The European Corporation: Strategy, Structure and Social Science*, Oxford University Press, 2000.

7. Sur les structures matricielles, voir S. Thomas et L. D'Annunzio, « Challenges and strategies of matrix organisations: top-level and mid-level managers' perspectives », *Human Resource Planning*, vol. 28, n° 1 (2005), pp. 39-48.

8. Sur l'intérêt des structures matricielles en termes d'apprentissage, voir P. Rizova, « Are you networked for successful innovation ? », *Sloan Management Review*, vol. 47, n° 3 (2006), pp. 49-55.

9. Voir C. Bartlett et S. Ghoshal, « Matrix management: not a structure, more a frame of mind », *Harvard Business Review*, vol. 68, n° 4 (1990), pp. 138-145.

10. C. Bartlett et S. Ghoshal, *Le management sans frontières*, Éditions d'Organisation, 1991.

11. Sur la nature transnationale d'Unilever, voir A. Pettigrew et R. Whittington, « Complementarities in action: organizational change and performance in BP and Unilever 1985-2002 », dans A. Pettigrew, R. Whittington, L. Melin, C. Sanchez-Runde, F. Van den Bosch, W. Ruigrock et T. Numagami (référence 2 ci-dessus).

12. Sur le cas de ABB, voir C. Bartlett et S. Ghoshal (référence 10 ci-dessus), ainsi que W. Ruigrock, L. Achtenhagen, M. Wagner et J. Ruegg-Stürm, « ABB: beyond the global matrix, towards the network multidivisional organisation », dans A. Pettigrew et E. Fenton (eds), *The Innovating Organisation*, Sage, 2000, chapitre 4.

13. Sur le lien entre la stratégie et les structures par projets, voir P. Joffre, P. Aurégan, F. Chédotel et A. Tellier, *Le management stratégique par le projet*, Economica, 2006. Voir également R. de Fillippi et M. Arthur, « Paradox in project-based enterprise: the case of film-making », *California Management Review*, vol. 40, n° 2 (1998), pp. 125-145. Sur les difficultés de ces structures, voir M. Bresnen, A. Goussevskaia et J. Swann, « Organizational routines, situated learning and processes of change in project-based organizations », *Project Management Journal*, vol. 36, n° 3 (2005), pp. 27-42.

14. Pour une discussion sur les structures par projets permanentes, voir T. Mullern, « Integrating the team-based structure in the business process: the case of Saab Training Systems », dans A. Pettigrew et E. Fenton (eds), *The Innovating Organisation*, Sage, 2000.

15. Voir M. Goold et A. Campbell, *Designing Effective Organisations*, Jossey-Bass, 2002. Voir également M. Goold et A. Campbell, « Do you have a well-designed organisation? », *Harvard Business Review*, vol. 80, n° 3 (2002), pp. 117-224.

16. A.D. Chandler, *Stratégie et Structure*, Éditions d'Organisation, 1972.

17. La combinaison de plusieurs sous-parties d'une organisation en fonction des exigences de l'environnement est décrite dans K. Eisenhardt et S. Brown, « Patching: restitching business portfolios in dynamic markets », *Harvard Business Review*, vol. 25, n° 3 (1999), pp. 72-80.

18. C'est le thème principal de l'ouvrage de A. Pettigrew et E. Fenton (référence 12 ci-dessus).

19. Sur les problèmes généraux de contrôle, voir P.-L. Bescos, P. Dobler, C. Mendoza, G. Naulleau, F. Giraud et V. Lerville-Anger, *Contrôle de gestion et management*, 4e édition, Montchrestien, 1997 ; P. Lorino, *Méthodes et pratiques de la performance*, Éditions d'Organisation, 2006.

20. Sur les progiciels de gestion intégrés ou ERP, voir notamment J.-L. Thomas et G. Bourdelès, *ERP et progiciels de gestion intégrés*, 5e édition, Dunod, 2007 ; P. Bingi, M. Sharma et J. Godla, « Critical issues affecting an ERP implementation », *Information Systems Management*, vol. 16, n° 3 (1999), pp. 7-14 ; T. Grossman et J. Walsh, « Avoiding the pitfalls of ERP system implementation », *Information Systems Management*, vol. 21, n° 2 (2004), pp. 38-42.

21. C. Casey, « Come, join our family: discipline and integration in corporate organizational culture », *Human Relations*, vol. 52, n° 2 (1999), pp. 155-179. Sur la socialisation des stagiaires, voir A.D. Brown et C. Coupland, « Sounds of silence: graduate trainees, hegemony and resistance », *Organizations Studies*, vol. 26, n° 7 (2005), pp. 1049-1070.

22. E. Vaast, « Les communautés de pratiques sont-elles pertinentes ? », *Actes de la XIe conférence de l'AIMS*, juin 2002 (disponible sur www.strategie-aims.com), et E.C. Wenger et W.M. Snyder, « Communities of practice: the organizational frontier », *Harvard Business Review*, vol. 78, n° 1 (2000), pp. 139-146.

23. Pour une série de cas sur les implications concurrentielles de la déréglementation, voir D. Helm et T. Jenkinson, *Competition in Regulated industries*, Clarendon Press, 1999. Voir également A. Lomi et E. Larsen, « Learning without experience: strategic implications of deregulation and competition in the international electricity industry », *European Management Journal*, vol. 17, n° 2 (1999), pp. 151-174.

24. Voir C. Mendoza, M.-H. Delmond, F. Giraud, H. Löning et A. de Font Réaulx, *Tableaux de bord et balanced scorecards*, Groupe Revue Fiduciaire, 2005 ; R. Kaplan et D. Norton, *Le tableau de bord prospectif*, Éditions d'Organisation, 2003 ; R. Kaplan et D. Norton, « The balanced scorecard: measures that drive performance », *Harvard Business Review*, vol. 70, n° 1 (1992), pp. 71-79, et « Having trouble with your strategy? Then map it », *Harvard Business Review*, vol. 78, n° 5 (2000), pp. 167-176.

25. Des entreprises telles que RoyalDutch Shell ont cherché à stimuler l'innovation au travers de mécanismes de marché. Voir G. Hamel, « Bringing Silicon Valley inside », *Harvard Business Review*, vol. 77, n° 5 (1999), pp. 70-84. Pour une présentation des difficultés des marchés internes, voir A. Vining, « Internal market failure », *Journal of Management Studies*, vol. 40, n° 2 (2003), pp. 431-457.

26. Pour une discussion de ces questions dans le secteur public, voir K. Scholes, « Strategy and structure in the public sector », dans G. Johnson et K. Scholes (eds), *Exploring Public Sector Strategy*, FT/Prentice Hall, 2001, chapitre 13, et T. Forbes, « Devolution and control within the UK public sector: National Health Service Trusts » dans le même ouvrage.

27. M. Goold et A. Campbell, *Strategies and Styles*, Blackwell, 1987.

28. Voir M. Goold et A. Campbell, « Strategies and styles revisited: strategic planning and financial control », *Long Range Planning*, vol. 26, n° 6 (1993), pp. 49-61, et R. Grant, « Strategic Planning in a turbulent environment: evidence from the oil majors », *Strategic Management Journal*, vol. 24, n° 6 (2003), pp. 491-517.

29. C. Bartlett et S. Ghoshal, « Changing the role of top management: beyond strategy to purpose », *Harvard Business Review*, vol. 72, n° 6 (1994), pp. 79-812.

30. Sur les frontières des organisations, voir P. Besson (ed.), *Dedans, dehors. Les nouvelles frontières de l'organisation*, Vuibert, 1997.

31. Sur les stratégies d'externalisation, voir J.-L. Bravard, R. Morgan et F. Fréry, *Réussir une externalisation*, Pearson Education, Paris, 2007, et J. Barthélémy, *Stratégies d'externalisation*, 3e édition, Dunod, 2006.

32. Voir F. Fréry et F. Law-Kheng, « La réinternalisation, chaînon manquant des théories de la firme », *Revue française de gestion*, vol. 33/177 (2007), pp. 163-179.

33. J-G. Paché et C. Paraponaris, *L'entreprise en réseau*, PUF, 1993 ; W. Ruigrock, L. Achtenhagen, M. Wagner et J. Ruegg-Stürm (référence 12) ; A. Pettigrew et E. Fenton (référence 12), chapitre 4 ; J.C. Jarillo, *Strategic Networks: Creating the borderless organization*, Butterworth Heinemann, 1993 ; R. Miles, C. Snow et H. Coleman, « Managing 21st Century network organizations », *Organisational Dynamics*, vol. 20, n° 3 (1992), pp. 5-20.

34. Y. Doz et G. Hamel, *L'avantage des alliances*, Dunod, 2000.

35. Les entreprises virtuelles sont analysées par F. Fréry, « Le contrôle de l'opportunisme dans les entreprises virtuelles », *Revue française de gestion*, à paraître (2008) ; D. Ettighoffer, *L'entreprise virtuelle ou les nouveaux modes de travail*, Odile Jacob, 1992 ; W. Davidow et M. Malone, *L'entreprise à l'âge du virtuel*, Maxima, 1995 ; B. Guilhon et P. Gianfaldoni, « Chaînes de compétences et réseaux », *Revue d'économie industrielle*, n° 51 (1990), pp. 97-112 ; H. Chesborough et D. Teece, « Organising for innovation: when is virtual virtuous? », *Harvard Business Review*, vol. 80, n° 2 (2002), pp. 127-136.

36. Voir F. Fréry (référence 35).

37. Sur les configura H. Mintzberg, *Stru sations*, Éditions d'(

38. A. Pettigrew et E. Fe ties in innovative for tigrew et E. Fenton (r

39. R.A. Burgelman, « N division: implications *Strategic Managemen* pp. 39-54.

40. Voir R. Whittington et M. Mayer (référence 6).

41. Voir R. Whittington et M. Mayer, *Organising for Success: A Report on Knowledge*, CIPD, 2002.

42. Voir R. Whittington et M. Mayer (référence 41).

La galopade de la trottinette

C'est en 1993 que Sieghart Straka, un ingénieur berlinois de 39 ans, eut l'idée de fixer des roues de skateboard sur une planche en aluminium et d'y ajouter un tube de direction pliant. La trottinette moderne était née. Tous les matins, Sieghart Straka utilisait cet engin pour se rendre de son domicile à la gare, ce qui lui permettait de se lever un peu plus tard. Au milieu des passants moqueurs, il fut remarqué par un investisseur qui lui proposa de financer la fabrication de quelques prototypes. Malheureusement, tous les distributeurs contactés refusèrent le produit et l'investisseur se retira. Quelques mois plus tard, l'entreprise qui employait Sieghart Straka fut restructurée. Il conserva son emploi, mais plusieurs de ses collègues qui avaient été licenciés virent dans sa trottinette une possibilité de reconversion. Ils décidèrent de l'aider à la perfectionner. Le fruit de leurs efforts, la Ciro à trois roues, fut présenté au salon des inventeurs de Nuremberg en 1995, où elle décrocha une médaille d'argent. Cependant, à plus de 700 euros l'unité, les quelques exemplaires produits artisanalement ne trouvèrent pas acheteur. Un nouvel espoir vint de Pro-Idee, une entreprise allemande de vente par correspondance, qui commanda 250 Ciro pour son catalogue 1997. Incapable d'assurer une telle production, Sieghart Straka contacta MVG, une petite entreprise de métallurgie implantée près de la frontière tchèque, et réussit à ramener le prix de vente de la Ciro à 280 euros en remplaçant la planche en aluminium par du bois.

C'est en 1996, soit un an après la première apparition officielle de la Ciro, que Wim Ouboter, un ingénieur suisse âgé de 36 ans, employé dans une grande banque de Zurich mais formé au marketing à Boston, mit lui aussi au point une trottinette. La légende veut que Wim Ouboter, passablement paresseux, rechignait à sortir son vélo de la cave pour aller faire les courses. Il eut donc l'idée de fixer deux roues de rollers et un guidon coulissant sur une planche en aluminium brossé. Devant le succès remporté par l'engin auprès des enfants du voisinage, Madame Ouboter poussa son mari à s'investir pleinement dans le projet. Celui-ci fonda donc sa société, Micro Mobility System (MMS), et prit rapidement contact avec Sieghart Straka. Ils décidèrent tout d'abord de collaborer, mais alors que l'Allemand voulait avant tout produire un véhicule urbain pratique, le Suisse souhaitait fabriquer un modèle plus sportif. Finalement, ils se séparèrent fin 1997, après que Ouboter eut acquis auprès de Straka, pour une somme restée inconnue, une licence de fabrication de la Ciro.

Quelques mois plus tard, après avoir fait réaliser une étude de marché sur les adeptes des sports de glisse, Wim Ouboter proposa l'idée de la Ciro à K2, un géant américain du matériel de sport implanté à Los Angeles. Avec 647 millions de dollars de chiffre d'affaires en 1997, K2 occupait des positions de leader sur les marchés du roller, du VTT et du snowboard. Rebaptisée K2 Kickboard et légèrement modifiée, la trottinette à trois roues permit à Wim Ouboter de remporter un prix du centre de design de Stuttgart. Elle fut distribuée par K2 d'abord au Japon et en Europe, puis aux États-Unis.

Très satisfait de ce succès, Wim Ouboter réalisa dès 1998 que le marché pouvait également accueillir une trottinette plus légère et plus maniable, directement dérivée du modèle qu'il avait personnellement fabriqué en 1996. Après quelques modifications mineures, la Micro Skate Scooter fut donc lancée en 1999.

Un phénomène de société

Alors que la vieille patinette des années 1950 était lourde et encombrante, sa petite cousine de l'an 2000 était légère (2,7 kg), pliable, facile à manœuvrer grâce à un guidon pivotant, et équipée d'un frein arrière. Munie d'une sangle ou pouvant être rangée dans un sac à dos, elle trouvait aisément sa place dans les transports urbains. En outre, la Micro était bien plus facile à utiliser que des rollers et surtout moins risquée : il était toujours possible de mettre un pied à terre quand la vitesse devenait inquiétante (rarement plus de 30 km/h). De fait, les adeptes de la Micro se mêlèrent bientôt aux randonnées-rollers qui pouvaient rassembler plusieurs dizaines de milliers de participants le vendredi soir à Paris. Si certains considéraient la trottinette comme un « objet à la mode, un peu frime » qui dès les premières gelées serait remisé à la cave, d'autres prédisaient des « ventes records lors des fêtes de fin d'année ».

Vendue au départ à plus de 150 euros, adoptée par les branchés européens en 1999, puis par les enfants en 2000, la Micro rencontra un succès encore plus fulgurant au Japon, peut-être du fait de l'engorgement du trafic automobile local. La trottinette, pliable et légère, que l'on pouvait prendre avec soi dans le train pour continuer à l'utiliser en centre-ville, offrait donc un grand avantage, et de jeunes adultes l'adoptèrent pour se déplacer. La plupart disaient qu'elle leur permettait de réduire leur temps de trajet tout en leur donnant l'occasion de faire de l'exercice. Près de 1,5 million de trottinettes furent vendues entre mai et décembre 1999 au Japon. En Europe, tous les distributeurs connurent des ruptures de stock : le contingent de trottinettes distribué par Carrefour en France en août 2000, censé approvisionner les magasins pendant un mois, fut ainsi vendu en seulement quatre jours.

Alors que la Ciro était utilisée par les infirmières de l'hôpital de Wuppertal en Allemagne pour se déplacer plus vite d'un service à l'autre, des députés du Bundestag en faisaient de même au parlement de Berlin avec la Micro, tout comme le personnel de l'aéroport de Stansted, les employés de la chaîne d'hypermarchés ASDA au Royaume-Uni ou encore les agents du ministère des Transports de la région de Bruxelles. Wim Ouboter négociait avec la Deutsche Bahn afin que les usagers du métro berlinois aient des Micro à leur disposition : avec une simple carte magnétique, il leur serait possible d'emprunter une trottinette et de la déposer à la bouche de métro de leur choix. Un système analogue était envisagé pour les visiteurs de l'Exposition universelle de Hanovre.

La trottinette était même devenue un authentique accessoire de mode : le magazine *Elle* l'avait proclamée « Nouveau kit de survie en ville » et la boutique parisienne Colette proposait un sac de transport spécialement conçu par un designer de renom.

Cependant cette mode n'était pas sans poser quelques problèmes, notamment en termes d'accident de la circulation. Aucune réglementation spécifique aux trottinettes n'était prévue. Du point de vue de la police, les trottineurs étaient assimilés à des piétons, donc parfaitement autorisés à rouler sur les trottoirs et à ne porter aucun casque ni protection. De fait, on déplorait fin 2000 de très nombreuses admissions aux urgences des hôpitaux, essentiellement pour des bras, poignets,

Étude de cas

chevilles ou jambes cassés. Dans 90 % des cas, les victimes des accidents étaient âgées de moins de 15 ans. Quelques rares décès furent même constatés. Plusieurs responsables politiques, notamment aux États-Unis, réclamèrent la mise en place rapide d'une réglementation restrictive, incluant des amendes allant jusqu'à 50 dollars pour défaut de port du casque.

Une organisation virtuelle

Pour assurer le succès rapide de sa Micro, Wim Ouboter avait utilisé la même structuration de la chaîne de valeur que Nike ou Benetton. Ne possédant aucun capital de départ, il s'était appuyé sur des partenaires, tant pour la production que pour la distribution. En utilisant comme effet de levier les ressources de puissants prestataires externes, MMS avait pu construire en quelques mois une présence mondiale tout en conservant sa structure quasi artisanale. Cette configuration de la chaîne de valeur, dont les différents maillons étaient constitués par des entreprises partenaires mais capitalistiquement indépendantes, était appelée une « entreprise virtuelle ». Ses principaux avantages étaient une flexibilité élevée et une mise de fonds limitée. Cependant, comme la suite des événements allait le confirmer, la structure virtuelle présentait également un inconvénient majeur : la grande difficulté de coordination et de contrôle des partenaires indépendants.

Financièrement et techniquement incapable d'assurer lui-même la production de la Micro, Wim Ouboter prit contact courant 1998 avec le sous-traitant taïwanais qui assurait déjà la fabrication de la Kickboard pour K2, JD Corp. À cette époque, JD Corp. n'était encore qu'un modeste fabricant de pièces de bicyclettes, notamment pour la gamme américaine de K2. Pour des raisons de coût de main-d'œuvre, JD Corp. décida de délocaliser la production des trottinettes à Shenzhen en Chine. Toutes les trottinettes vendues sous la marque Micro étaient fabriquées dans cette usine. Le contrat passé avec MMS prévoyait que JD Corp. pouvait éventuellement

vendre des trottinettes identiques à la Micro, mais exclusivement en Asie et en dehors du marché japonais. Réciproquement, il était convenu que MMS toucherait environ 8 % du prix de chaque Micro vendue dans le monde. Grâce à ce système, MMS réalisa en 2000 un chiffre d'affaires de plus de 100 millions d'euros, alors que ce n'était qu'une entreprise de six personnes, implantée à Küsnacht dans le canton de Zurich.

Cependant, Gino Tsai, le dynamique président de JD Corp., décida rapidement qu'il était en position de force pour rompre cet accord. Il commença par s'attribuer la paternité de la trottinette pliable en aluminium : selon lui, il l'aurait fait fabriquer à son usage personnel et en modèle unique dès 1996 (c'est-à-dire avant sa mise au point par Wim Ouboter) afin de se déplacer plus vite dans son usine de bicyclettes. Au printemps 1999, alors que la Micro commençait tout juste sa carrière au Japon, JD Corp. en présenta une version identique, appelée Razor, lors du salon du jouet de Hongkong. La Razor fut remarquée par le directeur général de The Sharper Image, le célèbre distributeur californien de gadgets et accessoires présent dans la plupart des centres commerciaux des États-Unis, qui en commanda 4 000 exemplaires. À la même époque, une entreprise de Tokyo, Atras, commanda également des Razor à JD Corp. afin de les distribuer au Japon. Enfin, en complète violation de son accord avec MMS, JD Corp. décida fin 1999 d'exporter des trottinettes en Europe sous une marque créée pour la circonstance, JD Bug.

Dans le même temps, MMS avait commencé à diffuser sa Micro, elle aussi fabriquée par JD Corp. dans la même usine que les Razor et JD Bug (en fait, seul leur logo les distinguait), d'abord au Japon, puis en Europe et enfin aux États-Unis. Chaque fois, MMS utilisa des partenaires locaux. Pour le marché américain, l'entreprise suisse s'appuya sur Huffy Bicycles, la première marque mondiale de bicyclettes (488 millions de dollars de chiffre d'affaires en 2000), implantée à Miamisburg dans l'Ohio, mais dont la production était totalement délocalisée en Asie et au Mexique. Huffy utilisa son réseau de vente habituel, incluant notamment des chaînes de grande distribution comme Wal-Mart, Kmart ou Toys 'R' Us. Huffy Bicycles était un partenaire aussi puissant que K2, toujours utilisé par MMS pour la commercialisation de la Kickboard, mais plus orienté vers le grand public et moins vers les sports extrêmes. Quoi qu'il en soit, probablement déçu d'avoir été délaissé par MMS, K2 commercialisa fin 1999 la Deuce, une imitation de la Micro fabriquée en Chine.

Au total, dès le début 2000, la trottinette était présente sur les trois principaux marchés mondiaux, l'Europe, l'Amérique du Nord et le Japon, à la fois sous la marque Micro et sous celles de son sous-traitant JD Corp. Wim Ouboter ne chercha pas à entrer en conflit avec Gino Tsai, car il dépendait bien trop de lui pour assurer la production de ses propres modèles.

Parallèlement à ses partenaires de production et de distribution, MMS entreprit de tisser un réseau de relations symbiotiques avec toute une série d'entreprises dont l'image pouvait à la fois utiliser et servir celle de la Micro : Ericsson, Camel, Nestlé, Swatch, Sony, MTV ou encore Killer Loop. Plusieurs événements communs furent organisés, dont un championnat/exhibition dans la gare de Zurich avec Ericsson ou une série spéciale de Micro conçue pour la version allemande de l'émission de télévision « Big Brother ».

Une frénésie planétaire

En 1999, la trottinette n'avait représenté que 10 % des ventes de JD Corp., avec une production totale (Micro, Razor, JD Bug et Kickboard) de moins de 500 000 unités. En 2000, la production de trottinettes monopolisa plus de 90 % de l'activité de JD Corp., devenu le leader incontesté d'un marché en croissance exponentielle. En un an, les effectifs de l'usine de Shenzhen passèrent de 500 à 8 000 ouvriers et son chiffre d'affaires dépassa les 100 millions de dollars. Parallèlement, de nombreux industriels chinois copièrent

la production de JD Corp. pour proposer à des importateurs occidentaux des imitations à bas prix de la Razor, essentiellement destinées à la grande distribution. Ces imitateurs, qui allaient parfois jusqu'à utiliser les marques Razor ou Micro, annonçaient sur Internet un prix de vente sortie usine de moins de 15 dollars. On comptait ainsi en Extrême-Orient près de 700 fabricants de trottinettes à la fin de l'année 2000.

Le marché mondial en 2000 de la trottinette était estimé à 9 millions d'unités (dont plus de la moitié aux États-Unis), alors qu'il n'avait été que de 1,7 million (dont la grande majorité au Japon) en 1999. Sur un marché américain d'environ 500 millions de dollars, la Razor de JD Corp. occupait à peu près 40 % des ventes, la Micro de MMS distribuée par Huffy, 30 % (elle représenta à elle seule un tiers du chiffre d'affaires de Huffy en 2000), et le reste était détenu par de très nombreuses imitations à bas prix fabriquées en Chine ou par quelques fabricants américains de haut de gamme (Xooter, Chariot, etc.). En Europe, la répartition des parts de marché était moins favorable à MMS, avec une présence beaucoup plus nette des imitateurs chinois, notamment dans la grande distribution. Il fut ainsi possible de trouver en très grande quantité des modèles à moins de 90 euros chez Carrefour ou Auchan dès novembre 2000 en France, alors que la part de marché de la Micro tombait à 20 %. Comme aux États-Unis, on trouvait également quelques productions artisanales locales en haut de gamme (City Bug au Royaume-Uni, Wetzer en Suisse, etc.). Au Japon, considérée comme un objet de mode, la Micro avait mieux résisté aux imitations et à la Razor, suscitant même la publication de plusieurs revues spécialisées. Cependant, là aussi les prix étaient orientés à la baisse du fait de la pression des concurrents chinois.

Une tentative de structuration

Plusieurs options s'offraient à MMS et à JD Corp. pour tenter de remettre un peu d'ordre dans cette frénésie. Aux États-Unis, alors que

Étude de cas

MMS avait choisi Huffy comme unique représentant, JD Corp. avait inondé le marché en utilisant de nombreux grossistes qui eux-mêmes avaient diffusé la Razor chez de très nombreux détaillants, dans l'anarchie la plus totale. Fin 2000, on trouvait la Razor à 99,99 dollars aussi bien sur une multitude de sites Internet, dont Amazon.com, que chez The Sharper Image, Wal-Mart, Bloomingdale's, dans des supermarchés, des magasins de sport, des drugstores, des bazars, voire des soldeurs comme Costco (où elle était parfois proposée à 69 dollars). Pour remédier à cette confusion, JD Corp. fonda en juin 2000 la société Razor USA, implantée à Cerritos en Californie, avec pour mission de réorganiser la distribution, d'assurer les relations publiques et de renforcer la notoriété de la marque (passage dans des films, des émissions de télévision, partenariat avec des opérateurs de téléphone mobile et des éditeurs de jeux vidéo, etc.). Tout détaillant américain ou canadien souhaitant distribuer la Razor devait désormais être habilité par Razor USA. En revanche, Razor USA ne voyait toujours pas l'utilité de campagnes de publicité. Le produit n'en avait visiblement pas besoin : en octobre 2000, lors de la très populaire émission de télévision « Who Wants To Be A Millionnaire? », 54 % du public interrogé identifia la Razor comme une marque de trottinettes. « Razor » était d'ailleurs devenu aux États-Unis le nom générique pour désigner les trottinettes, ce qui n'était pas le cas pour « Micro », ni en Europe, ni au Japon.

Parallèlement, un dépôt de brevet effectué par JD Corp., portant sur le système de frein de la Razor (le garde-boue arrière en aluminium était monté sur ressort ; lorsqu'on appuyait dessus avec le pied, il frottait sur la roue en polyuréthane, ce qui freinait l'engin), fut accepté le 31 octobre 2000 par l'office américain de protection industrielle. Ce brevet n'était valable que sur le territoire des États-Unis. Immédiatement, Razor USA intenta des poursuites pour contrefaçon à l'encontre de seize distributeurs et importateurs américains, dont K2, qui proposaient des imitations asiatiques de la Razor. Dès les premiers jours de novembre 2000, Razor USA conclut un accord à l'amiable avec quatre des entreprises visées par son action en justice. Le 14 novembre, un juge fédéral ordonna aux douze entreprises toujours poursuivies de cesser toute fabrication ou vente d'imitations de Razor (en tout cas celles qui utilisaient le même système de freinage) au moins jusqu'à l'ouverture du procès, prévue le 4 décembre. Bien entendu, Huffy n'était pas concerné par ces poursuites, puisque le frein de la Razor était celui que Wim Ouboter avait mis au point pour la Micro. Cet épisode juridique, en pleine période d'achats de Noël, constituait une formidable opportunité pour Razor USA et Huffy et une catastrophe pour leurs imitateurs. L'avocat de l'un d'entre eux affirma au juge qu'une commande d'une valeur de plus de 4 millions de dollars devait lui être livrée dans les prochains jours, commande qui ne pourrait donc pas être distribuée à temps pour les fêtes.

De son côté, MMS cherchait également à dissuader les clients d'acheter des imitations, mettant en avant que les douanes chinoises avaient confisqué 40 000 de ces contrefaçons. Des demandes de brevets avaient été déposées en Europe et au Japon pour protéger le frein arrière de la Micro et son système de pliage, mais il n'était pas encore certain qu'elles soient accordées. Cela n'avait pas empêché MMS d'engager plus de cinquante actions pénales pour contrefaçon, portant notamment sur l'utilisation frauduleuse du nom Micro, qui lui était protégé depuis 1996.

Enfin, de nouveaux modèles étaient annoncés pour le printemps 2001 par MMS et JD Corp., tels qu'une trottinette encore plus légère (1,8 kg), une autre dotée de suspensions avant et arrière, et même un modèle équipé d'un petit moteur électrique.

En décembre 2000, personne ne pouvait prévoir avec certitude si la fièvre trottinesque qui embrasait la planète survivrait au-delà des fêtes de fin d'année, ni surtout qui en serait le grand bénéficiaire.

Questions

1. Après avoir identifié les facteurs clés de succès sur l'industrie de la trottinette, déterminé les groupes stratégiques qui s'y affrontent et émis des hypothèses sur le développement du marché, formulez une série de recommandations stratégiques dans les deux cas suivants :

   a) Vous êtes recruté(e) par Wim Ouboter comme consultant(e) auprès de la direction de Micro Mobility System en Suisse.

   b) Vous êtes nommé(e) auprès de la direction générale de JD Corp. à Taïwan.

2. Selon vous, quel acteur détient l'avantage concurrentiel le plus décisif, défendable et durable dans l'industrie de la trottinette ?

3. Qu'en déduisez-vous sur l'intérêt stratégique d'une organisation virtuelle ? Quels processus et interactions peuvent permettre d'en assurer la pérennité ?

Chapitre 13
Les leviers stratégiques

Après avoir lu ce chapitre, vous serez capable de :

- Montrer en quoi le management de quatre domaines de ressources constitue un levier essentiel du succès stratégique :
  - la gestion des ressources humaines, notamment en termes de compétences, de comportements, de structures et de processus organisationnels ;
  - l'accès et le traitement de l'information, afin de construire la capacité stratégique, de créer de nouveaux modèles économiques et/ou de changer les processus managériaux ;
  - la gestion financière, en améliorant la performance, en apportant les fonds nécessaires à la stratégie et en répondant aux attentes financières des parties prenantes ;
  - le management de la technologie, afin de répondre aux évolutions des forces concurrentielles et de renforcer la capacité stratégique de l'organisation.
- Comprendre comment l'intégration des ressources et des compétences peut constituer le socle du succès stratégique.

13.1 Introduction

Par essence, la stratégie ne saurait être une discipline théorique. Comme le disait Napoléon : « Dans la stratégie, tout est dans l'application. » La stratégie ne prend son sens qu'au travers de son déploiement. Or, sauf dans les organisations de toute petite taille, la spécialisation des tâches est l'une des conditions inhérentes à la performance. Du fait de leur savoir-faire et de leur expertise, les individus situés aux niveaux les plus opérationnels de l'organisation contrôlent des ressources et des compétences qui sont autant de *leviers* essentiels au succès stratégique. Ils sont également en interface directe avec l'environnement concurrentiel, ce qui leur permet de détecter ses évolutions avant que celles-ci n'alertent leurs supérieurs hiérarchiques. Les meilleurs experts du marché du travail sont ainsi les spécialistes du service des ressources humaines, tout comme les financiers sont les plus à même de décrypter l'environnement boursier, et les commerciaux les évolutions du marché. Ces managers doivent comprendre comment différentes catégories de ressources contribuent au succès d'ensemble de l'organisation et donc être capables de gérer ces ressources (humaines, financières, etc.) dans une perspective stratégique.

Dans ce chapitre, nous allons distinguer successivement quatre domaines de ressources : les ressources humaines, l'information, les ressources financières et la technologie. Pour chacun de ces domaines, nous soulèverons deux questions essentielles (voir le schéma 13.1) :

La gestion des leviers stratégiques concerne les interactions réciproques entre la stratégie de l'organisation et des domaines de ressources tels que les ressources humaines, l'information, les ressources financières ou la technologie

- Dans quelle mesure chacun des domaines de ressources contribue-t-il au déploiement de la stratégie ? Les managers qui gèrent ces ressources doivent comprendre la stratégie de l'organisation et être capables de se comporter en conséquence.
- La stratégie de l'organisation a-t-elle été conçue de manière à capitaliser sur l'expertise de chacun de ces domaines de ressources ? Cela implique la capacité des dirigeants à donner du sens aux stratégies susceptibles d'émerger des forces et des faiblesses de chacun de ces domaines. Une expertise particulière dans les technologies de l'information peut ainsi permettre de développer un modèle économique difficilement imitable. L'approche par les ressources – que nous avons introduite dans le chapitre 3 – est particulièrement adaptée à cette question.

En résumé, la gestion des leviers stratégiques concerne les interactions réciproques entre la stratégie de l'organisation et des domaines de ressources tels que les ressources humaines, l'information, les ressources financières ou la technologie.

Schéma 13.1   Les leviers stratégiques

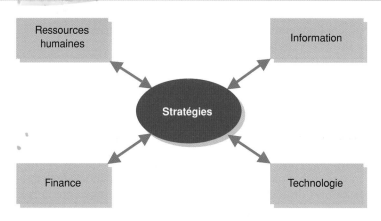

13.2 La gestion des ressources humaines[1]

Les connaissances et l'expérience des individus peuvent être des leviers fondamentaux du succès, mais aussi des freins à l'innovation et au changement. Par conséquent, les problèmes de ressources humaines dépassent largement la stricte responsabilité de la fonction RH car ils concernent la construction des compétences organisationnelles et les comportements. La capacité à créer un climat dans lequel les individus seront motivés par l'intention stratégique de l'organisation est essentielle au succès. Réciproquement, si les systèmes et les structures de gestion des ressources humaines ne sont pas alignés avec la stratégie, celle-ci restera le plus souvent à l'état de projet. Il est possible d'envisager la dimension humaine de la stratégie au travers de trois aspects interdépendants (voir le schéma 13.2) :

- Les individus en tant que *ressource* (au sens du chapitre 3).
- Le *comportement* des individus (voir le chapitre 5).
- La nécessité d'*organiser* les ressources humaines (voir le chapitre 12).

Schéma 13.2 Stratégie et ressources humaines

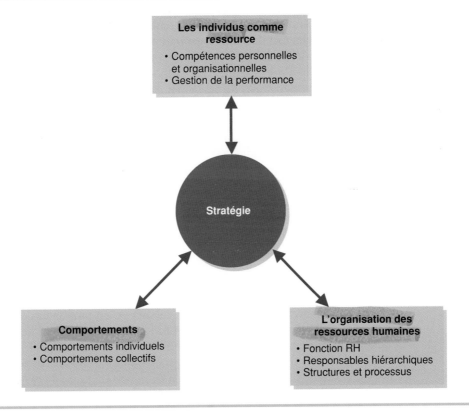

13.2.1 Les individus comme ressource[2]

Dans le chapitre 3, nous avons insisté sur le fait que la possession de ressources (y compris de ressources humaines) ne garantit pas le succès stratégique. La capacité stratégique résulte essentiellement de la manière dont les ressources sont déployées, gérées, contrôlées et – dans le cas des individus – motivées, afin de construire des compétences dans les activités et les processus nécessaires à la bonne marche de l'organisation. Même s'il s'agit d'une tâche particulièrement ardue, dans un environnement changeant où les standards de performance sont continuellement réévalués, tout cela procède d'une approche formelle de la gestion des ressources humaines, qui concerne avant tout le management de la performance. Les activités traditionnelles de ressources humaines peuvent ainsi contribuer au déploiement de la stratégie de plusieurs manières :

- Les *audits* permettent d'évaluer les ressources humaines nécessaires aux stratégies actuelles et/ou celles à partir desquelles les stratégies futures pourraient être construites.
- La *définition d'objectifs et l'évaluation des performances* des individus et des équipes relèvent généralement de la responsabilité des supérieurs hiérarchiques, le plus souvent dans le cadre d'un schéma centralisé. Cela permet de maintenir le lien entre la stratégie et l'évaluation. Se développent également les évaluations à 360° : chaque individu est évalué non seulement par sa hiérarchie, mais également par tous les membres de l'organisation sur lesquels son action a un impact. On peut ainsi déterminer dans quelle mesure chacun contribue à la stratégie.
- Dans beaucoup d'organisations, les méthodes de *rétribution* ont dû prendre en compte le développement du travail en équipe. Les systèmes de primes purement individuelles (fréquents pour les vendeurs) peuvent en effet affaiblir la performance d'une équipe. Cependant, plutôt que de les remplacer purement et simplement, il est préférable que les méthodes de rétribution collective complètent les primes individuelles.
- Le *recrutement* est employé pour améliorer la capacité stratégique. La plupart des organisations de service public ont ainsi éprouvé le besoin de recruter des individus compétents en marketing ou en technologies de l'information, afin de développer ce type d'expertise. De fait, la *gestion des carrières* doit consister à entretenir un nombre suffisamment large d'individus de talent pour pouvoir assurer les besoins futurs de l'organisation, plutôt que de se contenter de repérer à l'avance le candidat qui correspondra spécifiquement à chaque poste[3]. Dans certain cas, la stratégie peut impliquer le recrutement d'individus dotés de *compétences uniques* dans une organisation – comme un chirurgien hors pair dans un hôpital, un avocat de haut vol dans un cabinet ou un professeur de renommée internationale dans une université. Réciproquement, il convient de veiller à ce que les plans de *restructuration* et de *licenciement* n'entament pas le portefeuille de compétences de l'organisation au nom de simples réductions de coûts.
- Les programmes de *formation* se servent de moins en moins de cursus formalisés pour s'appuyer plus volontiers sur des démarches d'accompagnement, de *coaching* ou d'auto-apprentissage. La capacité à se former par soi-même est essentielle dans les organisations dont les stratégies évoluent constamment.

Afin de mettre en place et d'assurer la gestion des ressources humaines dans tous ces domaines, les managers et les professionnels de la GRH doivent être familiarisés avec les stratégies de leur organisation, savoir comment celles-ci peuvent évoluer dans l'avenir et quelles en seront les implications sur les compétences individuelles[4]. De nombreuses entreprises tentent d'obtenir cet alignement au travers d'approches formalisées – et généralement informatisées – de management de la performance[5].

Cependant, il ne suffit pas d'ajuster les processus de gestion de la performance en fonction de l'évolution des stratégies. Les managers doivent également être capables d'envisager un futur dans lequel les stratégies et la performance de l'organisation peuvent être transformées grâce à un meilleur emploi des ressources humaines. Une capacité avérée à former les employés et à développer leurs compétences – comme en affichent certains cabinets de conseil ou certains producteurs de biens de grande consommation – peut ainsi attirer des individus qui souhaitent apprendre et accroître leur potentiel personnel. Cela permet de constituer une main-d'œuvre créative, capable de mettre en doute les schémas de pensée établis et de développer des innovations. Cette démarche nécessite des structures et des processus permettant d'encourager ce type de comportements, comme nous l'avons vu dans le chapitre 12 et comme nous le détaillerons ci-après.

13.2.2 Le comportement des individus[6]

Les ressources humaines sont très différentes des autres domaines de ressources. Elles influencent en effet la stratégie, non seulement au travers de leurs compétences (voir la section 13.2.1), mais également au travers de leur comportement, comme nous l'avons présenté dans le chapitre 5. Dans le chapitre 14, nous verrons également que la plupart des problèmes liés à la gestion du changement résultent de l'incapacité à comprendre, à maîtriser et à réformer les comportements. L'approche informelle des ressources humaines concerne les comportements individuels et collectifs. Or, cette approche est très souvent négligée au profit des aspects plus instrumentaux examinés dans la précédente section. Les managers doivent pourtant être avertis du lien entre leurs actions et la stratégie de l'organisation, par exemple :

- En comprenant comment ils doivent parfois changer le *paradigme*[7] de l'organisation (voir le chapitre 5), en particulier lorsque l'environnement évolue de manière très dynamique.
- En considérant que leur rôle consiste à *créer un contexte*[8] et pas seulement à se comporter comme des planificateurs. Pour cela, les managers doivent être attentifs aux aspects informels de la stratégie.
- En comprenant la nature des *relations entre les comportements et les choix stratégiques*. Ce point est particulièrement important car il permet aux managers de hiérarchiser leurs priorités. La culture organisationnelle peut parfois contribuer de manière unique à certaines stratégies, au point de constituer une compétence fondamentale sur laquelle repose l'avantage concurrentiel (voir le chapitre 3).
- En s'assurant que les changements de comportement envisagés sont réalistes en termes d'*ampleur* et de *délai*. Le changement culturel est un processus long et difficile, et comme nous le verrons dans le chapitre 10, les outils formels de changement (structures et systèmes) ne tiennent généralement pas leurs promesses si on ne les accompagne pas d'une réflexion sur les comportements.
- En attirant l'attention sur la manière dont le *style* de conduite du changement doit varier selon le contexte et les circonstances (voir là aussi le chapitre 14). Aider les managers à développer leurs compétences relationnelles avec les parties prenantes internes et externes est essentiel. De même, les *équipes* doivent être capables d'adopter simultanément plusieurs styles. Par-delà le brassage de compétences, il est nécessaire que les équipes rassemblent des types de personnalités différents[9].

L'illustration 13.1 montre que le comportement des membres de l'organisation qui sont en contact direct avec les clients est fondamental, en particulier dans les activités de services. Dans cet exemple, leur comportement était clairement décalé

Illustration 13.1

Quand la qualité de service contredit la stratégie : un exemple chez KLM

Le service à la clientèle doit être en phase avec la stratégie de l'organisation.

Le vol KL1481 devait quitter Amsterdam pour Glasgow à 19 h 55. Alors que l'heure d'embarquement approchait, les passagers furent informés qu'ils n'allaient pas monter à bord de cet avion, mais on ne leur expliqua pas pourquoi. Ils découvrirent ensuite que leur avion avait été dérouté sur Leeds. Ils furent cependant informés qu'il y aurait un autre avion qui décollerait à 21 h 30. L'avion promis arriva effectivement à 21 h. L'embarquement débuta à 21 h 20 et nécessita trente minutes. À 22 h, alors que tout le monde était à bord, le pilote annonça que l'avion avait un problème hydraulique. Il ajouta : « C'est un mauvais jour pour nous. Cinq de nos appareils ont eu des pannes, donc nous manquons d'avions. » Les passagers se demandèrent ce que cette affirmation révélait sur les procédures de maintenance de KLM. Quelques minutes plus tard, on leur annonça qu'aucun avion de rechange n'était disponible et qu'ils devaient donc passer la nuit à Amsterdam.

Lorsqu'ils descendirent de l'avion, les passagers comprirent rapidement que leurs problèmes n'allaient pas s'arrêter là. On leur demanda en effet de rejoindre un comptoir de transfert où on les renseignerait sur la suite. Une fois sur place, ils réalisèrent qu'il n'y avait que cinq employés de KLM derrière ce comptoir. Une longue file d'attente se forma. Aucune annonce ne fut faite sur ce qui se passerait le lendemain. Lorsque deux autres employés arrivèrent derrière le comptoir, une partie des passagers forma une nouvelle file d'attente. Or, il apparut que ces deux employés ne pouvaient rien faire : ils n'arrivaient pas à faire fonctionner leur ordinateur. Dans la file d'attente, l'énervement gagna une partie des passagers et des remarques acerbes commencèrent à fuser. Un des passagers s'emporta : « J'en ai marre. On dirait que c'est de notre faute ! » Un superviseur finit par arriver. Lui non plus ne fit aucune annonce et ne dit rien aux passagers. Après environ quinze minutes, il s'en alla. Les passagers

finirent par comprendre – grâce au bouche à oreille, car aucune annonce ne fut faite – que KLM n'avait programmé aucun autre vol vers Glasgow pour le lendemain matin : les employés se contentaient de répartir les passagers dans d'autres vols à destination de l'Écosse.

Il était environ minuit lorsque les derniers passagers regagnèrent des hôtels proches de l'aéroport. La plupart d'entre eux grommelaient qu'ils ne reprendraient plus jamais un vol KLM.

Le directeur des relations clientèle de KLM fit le commentaire suivant :

> Nous regrettons les problèmes rencontrés par nos passagers sur ce vol.
>
> Dans ce cas, nous avons réalisé que même si les problèmes techniques étaient indépendants de notre volonté (à la fois sur les avions et sur le système informatique), le nombre de nos employés au sol était insuffisant pour répondre aux besoins de nos clients. Par conséquent, l'attitude de nos employés à l'égard de nos clients n'a pas été appropriée et la communication n'a pas été correctement gérée.
>
> Les expériences négatives de nos clients nous permettent quotidiennement d'améliorer notre apprentissage et de prendre des mesures correctives, afin d'empêcher que ces problèmes se reproduisent. Nos services en contact direct avec nos clients (par exemple les réservations, les transferts et les vols eux-mêmes) sont régulièrement contrôlés et mesurés grâce à une série de standards et d'outils. Le processus qui sous-tend ce flux d'information est organisé de manière que la cause du problème soit signalée, qu'une mesure de correction soit demandée et déployée, et que la situation soit contrôlée grâce à un suivi régulier.

Questions

1. Dans quelle mesure la politique et les systèmes de ressources humaines de KLM sont-ils cohérents avec son slogan « La compagnie aérienne de confiance » ?

2. De quelle manière le comportement du personnel influence-t-il le niveau de service ?

3. Que pourrait-on modifier afin d'améliorer la cohérence du service ?

par rapport à la qualité de service exigée. La stratégie voulue et la stratégie réalisée peuvent donc diverger (comme nous l'avons vu dans le chapitre 11). C'est fondamentalement l'action quotidienne des managers qui façonne ou modifie le comportement de leurs subordonnés. Reste que les systèmes de ressources humaines peuvent faciliter cette démarche. Dans certaines industries, la capacité des managers et du personnel à construire des réseaux de contacts personnels internes et externes à l'organisation peut être essentielle à l'acquisition de connaissances. Des activités de GRH plus formelles, comme les processus de rétribution ou la formation[10], peuvent faciliter la mise en pratique de ces comportements.

13.2.3 L'organisation des ressources humaines[11]

Dans le chapitre 11, nous avons présenté les questions liées à l'organisation en relation avec les évolutions de l'environnement. Notre intention n'est certainement pas de nous répéter ici, mais de mettre en lumière leurs implications sur la gestion des ressources humaines.

La fonction RH

Le rôle et le champ de responsabilité de la fonction ressources humaines sont des questions importantes dans de nombreuses organisations. Le point le plus fondamental consiste à déterminer s'il y a effectivement besoin d'une fonction RH ou, au moins, si ses tâches traditionnelles sont adaptées aux évolutions actuelles. En principe (et en pratique pour beaucoup d'organisations), il est possible de gérer stratégiquement les individus sans l'intervention d'une fonction RH dédiée. Dans un environnement de plus en plus dynamique, la centralisation des fonctions RH semble moins légitime : les systèmes de notation et les échelles de rémunération rigides sont peu cohérents avec un marché du travail de plus en plus éclaté. Cependant, certains facteurs justifient au contraire une plus forte centralisation. Dans les organisations très décentralisées, par exemple, les unités autonomes éprouvent de vives difficultés à comprendre la nécessité du développement des compétences permettant d'assurer le déploiement de la stratégie d'ensemble. Cette incapacité est due au fait que les managers opérationnels ne sont pas toujours familiers des objectifs généraux, sont accaparés par les problèmes locaux à court terme et ne disposent pas toujours des compétences nécessaires en GRH.

Pour que la fonction RH soit considérée comme légitime, il est indispensable de la positionner de manière claire par rapport à ces tendances. Elle peut alors jouer quatre rôles lui permettant de contribuer à la stratégie[12] :

- En tant que *prestataire de service*, chargé par exemple de certains recrutements ou de la politique de formation.
- En tant que *régulateur*, dont la mission consiste à définir les règles en fonction desquelles les responsables hiérarchiques pourront agir, par exemple en ce qui concerne la rémunération et les promotions.
- En tant que *conseiller*, par étalonnage par rapport aux meilleures pratiques constatées.
- En tant que *réformateur*, contribuant à faire évoluer l'organisation.

Le rôle le plus approprié dépend du contexte[13]. Le type de personnel employé, la nature de la stratégie et les arrangements organisationnels employés sont des facteurs déterminants. Certains aspects de la gestion des ressources humaines doivent ainsi être contrôlés de manière centralisée, car ils sont directement liés au déploiement de la stratégie d'ensemble de l'organisation, alors que d'autres peuvent être placés sous l'autorité locale des DAS et des divisions, lorsqu'il est nécessaire de les interpréter selon le contexte.

Les responsables hiérarchiques intermédiaires

Nous avons déjà signalé que les responsables hiérarchiques intermédiaires et les managers des DAS sont fréquemment impliqués dans la gestion des ressources humaines. Cela permet de renforcer l'engagement et le sentiment d'appropriation, mais aussi d'assurer la cohérence entre la stratégie et les ressources humaines. Cependant, cela génère également des problèmes. Des recherches[14] confirment que, dans certains cas, la délégation de la gestion des ressources humaines auprès des responsables opérationnels donne des résultats décevants :

- Il n'est pas toujours réaliste de supposer que les responsables hiérarchiques sauront se comporter en *spécialistes compétents* en ressources humaines. Si l'on n'y prend pas garde, la délégation de la responsabilité de la gestion des ressources humaines peut déboucher sur la médiocrité. Certains managers peuvent ainsi être tentés de recruter des profils de moins bonne qualité que le leur – « s'entourer de nains pour avoir l'air d'un géant » – afin d'éviter toute concurrence lors des promotions. La même préoccupation peut d'ailleurs s'appliquer à d'autres domaines comme la gestion de l'information (voir la section 13.3).
- La *pression des résultats à court terme* n'aide pas les managers à adopter une vision stratégique des questions de ressources humaines. Les restructurations, dégraissages et autres réductions de coûts se traduisent souvent par une telle surcharge de travail pour les opérationnels qu'ils n'ont plus le temps de se préoccuper de problèmes globaux.
- Les syndicats ont tenté de s'opposer à la *dispersion* de la gestion des ressources humaines. Du point de vue d'un syndicat, il est plus facile de négocier avec une seule autorité centrale qu'avec une multitude de responsables locaux. Les organisations professionnelles défendent le même point de vue.
- Les managers ne sont pas nécessairement *incités* – en termes de rémunération ou de promotion – à s'impliquer plus directement dans la gestion des ressources humaines. De manière plus large, certains managers cherchent plus à acquérir des compétences susceptibles d'accroître leur employabilité sur le marché du travail qu'à gérer leurs subordonnés.

Malgré ces limites, il est indispensable de reconnaître l'influence cruciale des managers intermédiaires sur la performance quotidienne et sur le comportement des individus. Cela implique que les dirigeants ne doivent pas chercher à contourner les managers intermédiaires lors du processus de déploiement de la stratégie, faute de quoi les membres de l'organisation risquent fort d'y rester imperméables.

Les structures et les processus

Les individus peuvent être gênés dans le déploiement des stratégies du fait de structures et de rôles inadaptés. Par ailleurs, lorsque le contexte et les stratégies évoluent, l'organisation doit être capable de changer non seulement ses structures, mais également les processus de coordination et les interactions examinés dans le chapitre 12.

On peut également se demander si la gestion des ressources humaines doit être confiée à un service RH interne, ou externalisée auprès de consultants. Les intervenants extérieurs ont l'avantage de bénéficier d'une expérience et d'une connaissance plus large des pratiques de gestion des ressources humaines, mais l'inconvénient de ne pas connaître en détail le contexte spécifique de l'organisation.

13.2.4 Les implications pour les managers

Les différents points que nous avons évoqués jusqu'ici peuvent être résumés par le schéma 13.3, qui souligne l'importance de la relation bilatérale entre la stratégie et la gestion des ressources humaines :

- Certaines activités assurent le *maintien de la compétitivité*. Pour cela, les individus doivent être capables de contribuer aux stratégies existantes à court terme : définition des objectifs, évaluation des performances, rétribution et formation.
- Simultanément, d'autres activités constituent une *plate-forme* à partir de laquelle de *nouvelles stratégies* peuvent être construites à long terme : compétences, culture, leadership et développement organisationnel. Ces modifications à long terme doivent se traduire par une transformation significative de la stratégie.

Schéma 13.3   **L'avantage concurrentiel grâce aux ressources humaines**

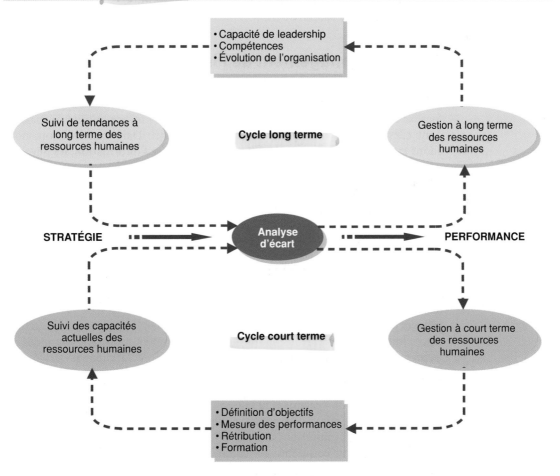

Source : adapté de L. Gratton, V. Hope Hailey, P. Stiles et C. Truss, *Strategic Human Resource Management,* Oxford University Press, 1999, p. 185.

- Ces deux cycles des ressources humaines doivent être *liés*. L'obtention des objectifs à court terme ne doit pas se faire au détriment des objectifs à long terme. L'utilisation de systèmes de récompense permettant d'assurer le succès immédiat – par exemple, un schéma de primes individuelles – peut ainsi compromettre la capacité à déployer des changements plus radicaux, comme la création de nouveaux rôles, et des interactions susceptibles de mettre en place une organisation plus innovante.

- Les organisations capables de gérer ces processus sont plus à même de construire et préserver un avantage concurrentiel[15]. Les autres risquent de ne pas réussir à déployer leur stratégie pour une des raisons suivantes :

  – Les politiques RH ne sont pas cohérentes avec la stratégie de l'organisation.

  – Les compétences et les comportements des individus ne sont pas en phase à la fois avec les politiques RH et avec la stratégie.

  – La stratégie ne parvient pas à capitaliser sur les compétences des membres de l'organisation (voir le chapitre 3), sur leur culture et sur leurs comportements (voir le chapitre 5).

13.3 Le management de l'information[16]

Comme nous l'avons souligné dans le chapitre 3, la création de connaissances et la gestion de l'information sont des éléments clés de la concurrence. L'attention se focalise tout particulièrement sur les technologies de l'information et la manière dont elles peuvent transformer le jeu concurrentiel. Dans cette section, nous allons examiner les trois principales connexions entre l'information, les développements des technologies et la stratégie (voir le schéma 13.4) :

- L'information et la *capacité stratégique* (en lien avec le chapitre 3).
- L'information et les nouveaux *modèles économiques*, au sein et à la frontière des filières.
- L'information et les *structures et processus* (voir le chapitre 12).

13.3.1 L'information et la capacité stratégique

Dans le chapitre 3, nous avons expliqué le concept de capacité stratégique et son lien avec les compétences organisationnelles. Les technologies de l'information peuvent avoir un impact considérable sur la création et la destruction de compétences fondamentales[17]. Nous allons illustrer ce point en montrant comment ces technologies peuvent influencer les trois éléments de la capacité stratégique décrits dans le chapitre 3 : la *création de valeur pour les clients*, la *création d'un avantage concurrentiel* et la résistance à l'*imitation*. La plus grande disponibilité de l'information accroît également la vitesse d'apprentissage des concurrents, ce qui réduit la durée de vie de l'avantage concurrentiel fondé sur l'expérience. Cela implique que les organisations doivent de plus en plus fréquemment redéfinir les fondements de leur compétitivité, comme nous l'avons souligné dans les chapitres 2 et 6.

Schéma 13.4	**Stratégie et information**

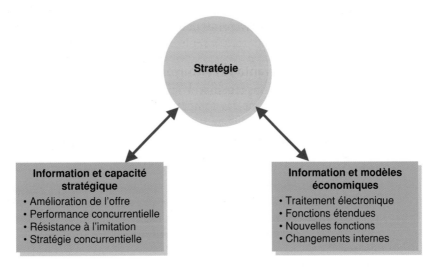

L'information et la création de valeur pour les clients

Grâce aux technologies de l'information, les organisations peuvent ajouter de la valeur à leurs offres :

- La *réduction des coûts d'accès* – en particulier lorsque le produit est l'information elle-même, comme dans les services financiers (Bloomberg, Reuters, etc.) – permet de proposer des offres plus complètes.
- Il est possible d'améliorer le *niveau d'information* des clients potentiels (notamment grâce à Internet).
- On peut simplifier les *procédures d'achat* et donc réduire les délais et les stocks, ce qui aide les clients à accélérer leurs propres processus.
- Le *temps de développement de nouvelles offres* décroît, ce qui permet de donner aux clients un avantage sur leurs propres marchés.
- La *fiabilité et le contrôle* des produits et des services sont améliorés (voir le cas des outils de diagnostic des moteurs dans l'automobile).
- Il est possible de proposer des produits *personnalisés* sans entraîner un surprix (c'est le cas par exemple chez Dell).
- Le *service après-vente* peut être largement amélioré (systèmes de rappel des fréquences de révision, serveurs vocaux de dépannage, etc.).

Une des principales conséquences de cette évolution pour les entreprises qui produisent ou distribuent des biens physiques est que l'avantage concurrentiel réside désormais plus dans les services (vitesse et fiabilité des livraison, après-vente, etc.) que dans le produit lui-même. Les managers doivent donc reconsidérer leur modèle économique : il ne s'agit plus de soutenir la vente d'un produit en offrant des services complémentaires, mais bien de devenir une entreprise de service fournissant des produits. Le problème consiste d'ailleurs moins à imaginer ces nouveaux services qu'à être capable de les vendre (à quel prix ? à l'usage ? au forfait ? etc.). Ce revirement implique une refonte profonde des schémas de pensée implicites dans les entreprises industrielles, habituées à considérer les services comme de simples supports à la vente des produits.

L'information et l'avantage concurrentiel

Si certaines organisations réussissent à proposer ces caractéristiques valorisées par leurs clients, elles en font des compétences seuil que tout concurrent se doit de maîtriser pour pouvoir survivre sur le marché. Le principal impact des technologies de l'information est donc la vitesse avec laquelle elles rehaussent les exigences des clients. Les concurrents qui se révèlent incapables de suivre ces progrès sont irrémédiablement exclus de leur industrie. Dans le chapitre 3, nous avons signalé que les niveaux de compétitivité et les standards de performance dépassent les frontières des industries. Les attentes des clients en termes de qualité de service (par exemple les délais de réponse) ou de fiabilité des produits deviennent des étalons universels, qui s'appliquent à toutes les industries, y compris dans les services publics.

Une autre implication est qu'un avantage concurrentiel peut être obtenu – au moins de manière temporaire – par les organisations capables de construire une connaissance particulièrement détaillée de leurs marchés. Cette connaissance résulte de l'analyse des subtiles différences entre les besoins des divers segments de clientèle et de la capacité à concevoir les produits ou les services correspondants (voir les chapitres 2 et 6). La plupart des organisations disposent désormais de considérables quantités de données brutes sur leurs marchés et des outils informatiques permettant de les analyser. Pour autant, les compétences qui permettent de transformer ces informations en connaissances sont relativement peu répandues. L'exploration de données – ou *data mining*[18] – consiste à trouver des tendances et des relations entre les données, de manière à améliorer la performance concurrentielle. Cela consiste, par exemple, à analyser l'historique d'achat d'un client afin de lui proposer des offres adaptées (comme tentent de le faire la plupart des sites de vente en ligne), à identifier des liens entre les achats (par exemple les lecteurs de certains journaux ou magazines ont les mêmes comportements de consommation pour d'autres biens ou services), ou simplement à identifier des critères d'achat sous-jacents (tels que les facteurs démographiques présentés dans le chapitre 2). L'exploration de données peut aider à fixer les priorités des politiques de rétention des clients. Dans les services financiers, elle permet également de mieux évaluer les risques, d'anticiper le taux d'attrition des clients et de détecter les fraudes.

L'exploration de données – ou data mining – consiste à trouver des tendances et des relations entre les données, de manière à améliorer la performance concurrentielle

L'information et l'imitation

Dans le chapitre 3 (voir la section 3.4.3), nous avons expliqué pourquoi des ressources et compétences peuvent se révéler difficiles à imiter. La capacité de traitement de l'information peut influencer chacune de ces causes :

- Tout d'abord, une ressource ou une compétence peut être *rare*. Lorsque les systèmes d'information étaient très coûteux, seules quelques grandes organisations pouvaient les mettre en œuvre pour construire leur avantage concurrentiel.

Les autres n'avaient pas les ressources financières nécessaires. Globalement, cela n'est plus vrai. Les petites organisations ont désormais accès aux technologies de l'information.

- Les compétences fondamentales peuvent également se révéler difficiles à imiter lorsqu'elles sont *complexes*. Là aussi, la situation a évolué. Le fonctionnement des ordinateurs et des logiciels est beaucoup moins complexe que par le passé. La complexité s'est déplacée vers la capacité à exploiter les données (voir ci-dessus), dans les activités qui sous-tendent la vitesse de mise sur le marché et dans la gestion globale des interfaces entre l'organisation et ses clients au long de la filière (voir la section 3.6.1)[19].

- Les compétences fondamentales peuvent être robustes du fait de l'*ambiguïté causale* : les concurrents éprouvent des difficultés à comprendre les raisons pour lesquelles une organisation connaît le succès. De la même manière, la robustesse peut résulter du fait que les compétences fondamentales sont implicites et encastrées dans les routines de l'organisation. Certaines technologies de l'information – en particulier les systèmes experts[20] – consistent essentiellement à tenter de codifier les connaissances tacites afin de les rendre explicites. Les services d'assistance téléphonique enregistrent ainsi toutes les demandes des clients et les solutions qui y sont apportées, afin de construire progressivement une base de connaissances sur les problèmes que peut poser un produit et la manière de les résoudre. Cependant, cette capacité à codifier des connaissances tacites permet de supprimer les barrières à l'imitation et peut donc détruire des compétences fondamentales. Certaines organisations peuvent devenir trop dépendantes des systèmes et négliger le savoir tacite uniquement parce qu'il est difficile à codifier, alors que c'est justement ce qui le rend essentiel à l'avantage concurrentiel.

L'information et la stratégie concurrentielle

Le rôle de l'information dépend de la stratégie générique retenue (voir l'horloge stratégique du schéma 6.3) :

- La *routinisation* (trajectoires 1 et 2 sur l'horloge stratégique) : les systèmes d'information réduisent fortement le coût des transactions avec les clients, les fournisseurs et les distributeurs, par exemple en permettant une approche de libre-service (les sites Internet remplacent la vente en face-à-face).

- La *personnalisation* (trajectoire 3 sur l'horloge stratégique) : les systèmes d'information permettent de proposer une offre modulaire, valorisée par le client, sans supplément de prix.

- L'*éducation* (trajectoires 4 et 5 sur l'horloge stratégique) : l'information peut être communiquée à l'avance (par exemple grâce à un site Internet), ce qui permet de réserver les contacts directs (en face-à-face ou par téléphone) à des clients déjà avertis du contenu de l'offre.

Pour autant, les *clients réfractaires* à l'informatique sont encore nombreux dans la plupart des industries, ce qui maintient des opportunités non négligeables pour les concurrents particulièrement compétents dans les modes d'interactions traditionnels comme le service en face-à-face.

13.3.2 L'information et les nouveaux modèles économiques

L'impact des technologies de l'information sur les compétences et les processus de création de valeur peut transformer la manière dont les organisations construisent leurs relations au sein de leur filière (voir la section 3.6.1). Dans le secteur privé, comme dans les services publics, cela fait apparaître de nouveaux modèles économiques[21]. Un **modèle économique** – ou *business model* – décrit la structure de l'offre d'une organisation, son positionnement au sein de sa filière et le profit qui peut en résulter. Le concept de chaîne de valeur, présenté dans la section 3.6.1, peut être utilisé pour expliquer la plupart des modèles économiques. Même dans le cas le plus traditionnel – une chaîne linéaire qui voit se succéder des fabricants de composants, un assembleur de produits finis, des grossistes, des détaillants et le client final –, il existe de très nombreux flux d'informations entre les différents intervenants, et certaines activités peuvent être externalisées auprès de prestataires extérieurs. Il est ainsi envisageable de sous-traiter l'analyse de marché ou les services après-vente. Dans les modèles économiques liés à Internet, la question essentielle consiste à déterminer comment chacun des intervenants est à même de percevoir un profit : sur un acte de vente, au travers d'une commission, en fournissant des espaces publicitaires, voire en générant un trafic valorisé par d'éventuels repreneurs. Le schéma 13.5 montre comment les modèles économiques liés à Internet émergent des approches traditionnelles, en fonction du degré d'innovation (par rapport aux modèles existants) et du degré de complexité (essentiellement le niveau d'intégration des activités). Il apparaît ainsi que l'impact des technologies de l'information est triple :

- Elles remplacent les *processus physiques* par des *processus électroniques*. Les sites de vente en ligne se substituent ainsi aux magasins, tout comme les sites d'approvisionnement remplacent les appels d'offres, les négociations et les achats

Un modèle économique – ou business model – décrit la structure de l'offre d'une organisation, son positionnement au sein de sa filière et le profit qui peut en résulter

| Schéma 13.5 | **Les nouveaux modèles économiques** |

Degré d'innovation

		Offre classique	Offre étendue	Nouvelle offre
Degré d'intégration	**Une seule fonction**	Ventes et approvisionnements en ligne	Enchères Services support (paiement, certification, logistique, etc.)	Courtage d'informations (par exemple moteurs de recherche)
	Intégration de plusieurs fonctions	Galeries marchandes virtuelles	Places de marché virtuelles	Communautés virtuelles Plates-formes de collaboration Intégration de la chaîne de valeur

Source : adapté de P. Timmers, *Electronic Commerce*, Wiley, 2000, chapitre 3.

traditionnels. Dans les deux cas, il s'agit de réduire les prix et d'accroître le choix. Une galerie marchande virtuelle pousse le concept un peu plus loin en rassemblant plusieurs sites de vente autour d'un portail commun.

- Elles *étendent les fonctions* offertes par les modèles traditionnels. Cela peut consister, par exemple, à vendre ou à acheter sur des sites d'enchères ou à rendre disponibles certains services support (certification des fournisseurs ou des clients, paiement, logistique) généralement accessibles aux seuls membres d'associations professionnelles. Des spécialistes créent ainsi des places de marché virtuelles, qui proposent à leurs adhérents toute une gamme de services (études marketing, marque, paiement, logistique, etc.). La plupart du temps, il s'agit d'un mode de distribution complémentaire et non d'un remplacement pur et simple des canaux existants.

- Ces deux premières catégories ne sont que des améliorations de modèles traditionnels. Or, les technologies de l'information permettent également de construire des modèles *radicalement nouveaux,* qui étaient inenvisageables auparavant. L'exemple le plus connu est peut-être celui du courtage d'informations au moyen de moteurs de recherche, dont Google ou Yahoo! se sont faits les champions. De même, les technologies de l'information permettent de créer des communautés virtuelles, à l'image de celles qui sous-tendent le succès de MySpace ou Facebook (voir l'illustration 9.3), de eBay (voir le cas à la fin du chapitre 3) ou de celle que tente d'établir Amazon entre les auteurs, les lecteurs et les éditeurs. Parfois, les technologies de l'information peuvent offrir une plate-forme de collaboration permettant aux clients et aux fournisseurs de travailler ensemble à la conception des produits. Enfin, l'intégration de la chaîne de valeur peut se réaliser au moyen de technologies qui améliorent les flux d'informations entre des activités distinctes. Les équipes commerciales peuvent ainsi répondre aux besoins des clients en faisant appel à des informations en temps réel sur la capacité de production disponible, mais également en établissant le planning de fabrication en fonction des priorités du marché. Quelquefois, cette intégration permet aux clients de changer leurs spécifications et leur délai de livraison eux-mêmes, ce qui reconfigure automatiquement la chaîne d'approvisionnement. Tout cela procède de ce qu'il est convenu d'appeler l'*entreprise agile*[22].

- Les technologies de l'information ont également un impact sur les interactions au sein des organisations. Les managers et les parties prenantes externes peuvent ainsi contourner plus facilement les acteurs qui tirent leur pouvoir de leur capacité à contrôler l'information. Les systèmes d'information permettent d'établir des communications directes entre le sommet d'une organisation et sa base. De la même manière, il est possible d'esquiver les syndicats pour s'adresser directement aux salariés, alors que les vendeurs ne constituent plus la principale source d'information des clients, ni même le canal privilégié pour les prises de commandes. Les commerciaux sont donc obligés de faire évoluer leur rôle vers le conseil et la gestion des relations. Dans le secteur public, les responsables politiques peuvent discuter directement avec les citoyens, par-delà le filtre traditionnel de leurs conseillers. De nombreux élus reçoivent ainsi sur leur blog des commentaires que les voies officielles auraient très certainement étouffés. Tout cela provoque de profondes évolutions des comportements, à la fois dans le monde politique et dans les organisations publiques.

D'un point de vue stratégique, l'intérêt de ces modèles économiques réside dans leur capacité à créer un surcroît de valeur pour les clients (voir l'illustration 13.2).

13.3.3 Les implications pour les managers[23]

Les implications pratiques pour les managers et les responsables des systèmes d'information sont les suivantes :

- Les managers doivent admettre que les technologies de l'information peuvent *transformer* leur organisation et pas uniquement ajuster les stratégies et les processus existants. Ils doivent aussi comprendre que la gestion de l'information n'est pas une simple fonction de support mais une réelle activité de création de valeur.
- Les responsables des systèmes d'information doivent réaliser le potentiel véritable des technologies qu'ils mobilisent en étalonnant leurs capacités sur les réalisations d'autres organisations. Ils doivent prendre conscience des limites de ces systèmes et admettre qu'ils sont incapables de remplacer certains types de connaissances (comme l'intuition) ou de se substituer aux interactions sociales (voir l'illustration 3.4). Les responsables des systèmes d'information doivent également obtenir assez de crédibilité pour pouvoir être impliqués de plein droit dans la stratégie de l'organisation, afin notamment de diffuser les nouvelles opportunités offertes par leurs technologies. Ils doivent enfin posséder le talent de persuasion nécessaire pour convaincre les dirigeants de la pertinence de ces opportunités.

13.4 La gestion des ressources financières[24]

Les ressources financières et la manière dont elles sont gérées constituent un levier stratégique déterminant. Du point de vue de l'actionnaire, le plus important est la capacité de l'entreprise à générer des flux de trésorerie positifs, car c'est ce qui permet de verser des dividendes à court terme et d'investir pour le futur (et ainsi d'assurer le versement de dividendes à long terme). Dans le secteur public, l'équivalent est la capacité à assurer le meilleur service dans les limites financières fixées par l'autorité de tutelle. Toute organisation est confrontée à trois séries de contraintes (voir le schéma 13.6) :

- La création de *valeur actionnariale.* Les managers sont responsables de la rémunération des actionnaires ou de l'utilisation optimale des fonds publics.
- Les *techniques de financement* sont également importantes. Elles doivent être en adéquation avec la stratégie poursuivie, ce qui impose d'équilibrer les risques stratégiques et les risques financiers.
- Les *attentes financières des parties prenantes* ne sont pas homogènes, ce qui influence tout à la fois l'élaboration et le déploiement des stratégies.

13.4.1 Le management de la valeur actionnariale[25]

Tout au long de cet ouvrage, nous avons insisté sur le fait que le succès à long terme d'une stratégie est déterminé par sa capacité à répondre aux attentes des principales parties prenantes. Cela concerne notamment la création de valeur pour les clients (liée à la compétitivité sur le marché) et la maximisation du profit pour les actionnaires (grâce aux dividendes et à l'augmentation du cours de

L'émergence du *peer-to-peer* bancaire

Les technologies de l'information permettent l'émergence de nouveaux modèles économiques qui contournent les intermédiaires établis, tels que les banques. Mais est-ce un progrès pour les clients et les fournisseurs ?

Dans un article de novembre 2005, le *Financial Times* présenta un nouveau type de service financier : le crédit entre particuliers *via* Internet.

La start-up britannique Zopa (www.zopa.com) cherche à mettre en contact les emprunteurs et les prêteurs sans l'intermédiaire de banques ou d'institutions financières. Zopa a été lancé en 2004 et son modèle économique est relativement simple. Si vous souhaitez emprunter de l'argent, vous en faites la demande sur zopa.com en indiquant combien vous voulez et dans quels délais vous envisagez de rembourser. Zopa analyse alors votre situation financière et vous attribue une note de crédit en fonction de votre capacité de remboursement. Les responsables du site affirment que cette méthode permet non seulement à la plupart des emprunteurs d'accéder à des taux d'intérêt plus attractifs que ceux qu'ils obtiendraient par les moyens traditionnels, mais également que cela offre aux personnes qui prêtent sur zopa.com d'obtenir une meilleure rémunération que celle qu'ils retireraient d'un compte sur livret. Bien entendu, il y a des risques…

Selon le modèle de Zopa, le taux demandé par le prêteur est exactement le même que le taux supporté par l'emprunteur. Zopa ne perçoit donc pas une commission en tant qu'intermédiaire. Le taux moyen est donc effectivement meilleur à la fois pour les emprunteurs et pour les prêteurs.

Zopa se rémunère en fait de deux manières. La première est la vente d'une assurance de garantie de paiement, souscrite par certains emprunteurs : s'ils se révèlent incapables de rembourser leurs mensualités pour causes médicales ou du fait d'une perte d'emploi, cette assurance couvre leur défaillance. Par ailleurs, à partir de 2006, Zopa exigera des emprunteurs un droit de 1 % sur la valeur de leur emprunt. En revanche, les prêteurs n'auront toujours aucun frais à supporter.

Pour autant, le risque n'est pas négligeable pour les prêteurs : si l'emprunteur est incapable de rembourser ce que vous lui avez prêté, vous pouvez tout perdre. Afin de rassurer les prêteurs, Zopa utilise plusieurs méthodes. À côté de l'assurance de garantie de paiement, le site fait appel à trois agences distinctes afin d'évaluer la situation financière des emprunteurs. De plus, tous les prêts sont systématiquement répartis entre 50 emprunteurs disposant de la même note de crédit. Par conséquent, en cas de défaillance d'un emprunteur, le maximum que l'on peut perdre sur un prêt de 5 000 euros est 100 euros

(soit 2 %). De plus, Zopa s'engage à envoyer un agent de recouvrement auprès des emprunteurs défaillants.

Il existe cependant un autre risque : celui de la défaillance de Zopa. Ses responsables affirment qu'ils détiennent assez de liquidités pour être rentables. Dans l'éventualité d'un effondrement du système, ils peuvent également se reconvertir en intermédiaires classiques.

Reste que si vous envisagez de prêter de l'argent sur zopa.com, vous vous attendrez certainement à recevoir une rémunération suffisamment élevée pour compenser ces risques impossibles à anticiper.

En décembre 2007, le taux d'intérêt moyen sur zopa.com était de 7,3 % pour un emprunt de 7 500 euros sur 5 ans. Le site, dupliqué en Italie, allait être lancé aux États-Unis.

D'autres sites comparables existaient : Booper aux Pays-Bas, Smava en Allemagne, Igrin en Australie ou encore Nexx en Nouvelle-Zélande. Le plus important était cependant l'Américain Prosper, lancé en février 2006, qui fin 2007 culminait à 100 millions de dollars avec 490 000 membres. Son fonctionnement était très proche de celui de Zopa, mais de plus – comme sur eBay – chaque emprunteur se voyait attribuer une note par ses prêteurs. Le fondateur de eBay, Pierre Omidyar, avait d'ailleurs participé avec d'autres capital-risqueurs, pour 20 millions de dollars au premier tour de table de financement du site. Sur prosper.com, les meilleurs emprunteurs pouvaient espérer un taux d'intérêt de 7,70 % pour des montants inférieurs à 5 000 dollars, alors que pour les emprunteurs les plus risqués (le montant maximal d'emprunt était plafonné à 25 000 dollars), le taux pouvait culminer à 25 %.

En dépit de cet engouement pour le « financement social », le risque restait cependant réel : un autre site américain du même type, Fygo, ouvert en 2006, avait fermé dès 2007.

Sources : *Financial Times*, novembre 2005, *Les Echos*, 22 novembre 2007 ; zopa.com ; prosper.com.

Questions

1. En quoi le modèle économique de Zopa ou de Prosper diffère-t-il de celui du crédit classique (voir le schéma 13.5) ?

2. Quels sont les avantages et les inconvénients de ce système pour les prêteurs et pour les emprunteurs, par rapport à une banque classique ?

3. Comment les banques et les autres institutions de crédit traditionnelles peuvent-elles riposter à cette nouvelle concurrence ?

Schéma 13.6	**Stratégie et finance**

l'action), c'est-à-dire ce qu'il est convenu d'appeler la création de *valeur actionnariale*. Même si la rémunération des actionnaires dépend avant tout de l'avantage concurrentiel de l'entreprise, le lien entre ces deux formes de valeur doit être analysé plus finement. La **valeur actionnariale** est déterminée par la capacité de l'organisation à générer des flux de trésorerie positifs de manière durable, qui elle-même dépend de toute une série de facteurs. Les managers doivent comprendre ce qu'implique ce management de la valeur actionnariale et comment on peut le mettre en œuvre[26]. Comme le montre le schéma 13.7, la création de valeur actionnariale est déterminée par trois grands critères (ou *générateurs de valeur*) : la rentabilité de l'activité, la politique d'investissement et la couverture des coûts.

*La **valeur actionnariale** est déterminée par la capacité de l'organisation à générer des flux de trésorerie positifs de manière durable*

- La *rentabilité de l'activité* contribue évidemment à la création de valeur actionnariale. La capacité à générer du profit dépend avant tout :
  - Du chiffre d'affaires, qui est fonction du volume des ventes et des niveaux de prix que l'organisation est capable de maintenir sur son marché.
  - Des coûts directement liés à l'activité, qu'ils soient fixes ou variables.
  - Des coûts indirects et des frais généraux.

Schéma 13.7   Les générateurs de valeur actionnariale

Générateurs

	Générateurs de valeur (augmentent la valeur actionnariale)	Générateurs de coûts (réduisent la valeur actionnariale)
Rentabilité	Profit 〈 Volume de ventes / Prix	Coûts 〈 Coûts directs / Coûts indirects
Investissement	Cession d'immobilisations Réduction de l'actif circulant ● Stocks ● Dettes	Investissements en immobilisations Réduction du passif circulant ● Créances
Couverture		Coût du capital 〈 Capitaux propres / Emprunts

- La *politique d'investissement*, qui dépend de l'utilisation des actifs et de la trésorerie. Certaines organisations sont capables d'assurer un niveau d'activité particulièrement élevé à partir d'une base d'actifs réduite. La gestion des actifs affecte la création de valeur actionnariale de deux manières :
  - Le coût du capital ou les gains obtenus à l'occasion de cessions d'actifs.
  - La gestion du fonds de roulement et du besoin en fonds de roulement, qui passe par une optimisation des stocks, des dettes fournisseurs et des créances clients.
- Le *mode de financement*, c'est-à-dire l'arbitrage entre l'endettement (qui nécessite le versement d'intérêts) et les capitaux propres (qui impliquent une rémunération des actionnaires), détermine le coût du capital et le risque financier associé.

Dans les services publics, les problèmes sont largement comparables. La responsabilité financière de la plupart des managers des organisations publiques est limitée à la gestion de leur budget (donc à leur rentabilité). Ils n'ont généralement qu'une connaissance limitée des autres éléments de la politique financière, qui sont gérés par l'autorité de tutelle. Il est pourtant indispensable que les managers publics soient conscients de l'impact de leurs décisions quotidiennes sur la santé financière globale de leur organisation, par exemple en termes d'utilisation d'actifs immobilisés ou d'endettement.

Générateurs de valeur et générateurs de coûts

Cet ouvrage n'a pas l'ambition d'examiner en détail la gestion de chacun des éléments présentés dans le schéma 13.7. D'un point de vue stratégique, il est essentiel de comprendre quels sont les *générateurs de valeur* et les *générateurs de coûts*, c'est-à-dire les éléments qui influent le plus sur la capacité de l'organisation à générer des flux de trésorerie positifs. Le concept de chaîne de valeur (voir la section 3.6.1) peut aider à comprendre comment la valeur est créée au sein d'une organisation ou d'une filière. Il est en particulier très probable que la valeur et les coûts soient répartis de manière hétérogène entre les maillons de la chaîne de valeur. Certaines activités sont ainsi plus génératrices de valeur (ou de coûts), selon leur nature et leur contexte. De plus, ce ne sont pas nécessairement les activités les plus coûteuses qui génèrent le plus de valeur (et réciproquement). L'analyse financière permet d'affiner la compréhension de ce phénomène en quantifiant les générateurs de valeur (qui produisent des flux de trésorerie) et les générateurs de coûts (qui en consomment)[27] :

- Les *sources de financement.* Le coût du capital est un générateur de coût important qui varie selon la source. Il est essentiel d'arbitrer entre les flux de trésorerie consommés par le versement d'intérêts et ceux consacrés au paiement de dividendes.

- Les *dépenses en capital (capex)* peuvent détruire la valeur actionnariale s'ils ne contribuent pas à l'amélioration du chiffre d'affaires ou à la réduction des coûts. En principe, les investissements doivent être consacrés à l'amélioration des caractéristiques de l'offre (ce qui permet d'augmenter les prix et/ou les volumes de vente), à la réduction des coûts (par exemple par l'automatisation de la production) ou à la réduction du besoin en fonds de roulement (par la diminution des stocks et la production en juste à temps).

- La *structure de coûts* des organisations varie considérablement selon l'industrie. Les organisations de services nécessitent ainsi une main-d'œuvre plus importante que les entreprises industrielles, ce qui augmente le poids des coûts salariaux, alors que les distributeurs sont avant tout concernés par la rotation des stocks et le chiffre d'affaires par mètre carré.

- Parfois, les principaux générateurs de coûts et de valeur sont situés *à l'extérieur de l'organisation,* au long de la filière dont elle fait partie. Dans ce cas, l'organisation doit réussir à maintenir la performance de ses principaux fournisseurs, distributeurs ou sous-traitants. Cela implique la capacité à sélectionner, motiver et contrôler les partenaires et nécessite un arbitrage entre faire et faire faire, entre externalisation et production en interne. Nous avons déjà abordé cette question dans les chapitres 3 et 12.

- Les générateurs de coûts et de valeur peuvent *changer au cours du temps.* Lors de l'introduction d'un nouveau produit, l'élément clé consiste à établir un volume de ventes. Une fois que celui-ci est atteint, il convient de se concentrer sur les prix et le coût unitaire. En phase de déclin, il est essentiel de préserver les flux de trésorerie en limitant les stocks et les créances, ce qui peut permettre d'assurer l'introduction de la nouvelle génération de produits.

Au total, il apparaît que les managers peuvent considérablement profiter d'une compréhension détaillée des processus de création de valeur actionnariale, que ce soit au sein de leur organisation ou au long de la filière dont elle fait partie. Cela peut les aider à mieux définir leurs priorités stratégiques et à accroître leur performance.

13.4.2 Le financement du développement stratégique

Les sources de financement

Les managers doivent être familiers avec les avantages et les inconvénients des diverses sources de financement, qui sont expliqués dans la plupart des manuels de finance[28]. Le mode de financement d'une organisation est une question fondamentale. Les décisions financières sont influencées par la structure de propriété – par exemple selon qu'une entreprise est ou non cotée en Bourse – et par les objectifs globaux de l'organisation. Les besoins de financement sont différents selon que l'on recherche une croissance rapide – par acquisitions ou par le développement de nouveaux produits – ou que l'on préfère consolider la position établie. Les orientations financières doivent correspondre au niveau de risque de l'activité.

La prise en compte du risque[29]

À partir de la matrice BCG (voir le schéma 7.7), cette section explique comment les décisions financières doivent varier selon la phase de développement d'un DAS (voir le schéma 13.8).

Plus le risque est élevé, plus les gains exigés par les actionnaires ou les prêteurs sont importants. Du point de vue de l'organisation, le problème clé consiste donc à équilibrer le risque opérationnel avec le risque financier. L'endettement entraîne un risque financier plus élevé que l'augmentation de capital, car il impose le versement d'intérêts. De manière générale, plus le risque opérationnel est élevé, plus le risque financier encouru par l'organisation doit être faible. La matrice BCG permet d'illustrer cette relation :

- Les *dilemmes* présentent clairement un risque opérationnel élevé[30]. Ils sont au début de leur cycle de vie et ne sont pas encore établis sur leur marché.

Schéma 13.8   Risque et modes de financement

Croissance (étoiles)		Démarrage (dilemmes)	
Risque :	Élevé	Risque :	Très élevé
Risque financier acceptable :	Faible	Risque financier acceptable :	Très faible
Financement :	Capital (investisseurs classiques)	Financement :	Capital (capital-risqueurs)
Dividendes :	Normaux	Dividendes :	Aucun
Maturité (vaches à lait)		Déclin (poids morts)	
Risque :	Moyen	Risque :	Faible
Risque financier acceptable :	Moyen	Risque financier acceptable :	Élevé
Financement :	Dette et capital (conservation des profits)	Financement :	Dette
Dividendes :	Élevés	Dividendes :	Totalité

Source : adapté de K. Ward, *Corporate Financial Strategy*, Butterworth Heinemann, 1993, chapitre 2.

De plus, ils nécessitent généralement des investissements élevés. Une entreprise qui se trouve dans une situation de dilemme peut chercher à se financer auprès de spécialistes de ce type d'investissement, comme des capital-risqueurs, qui eux-mêmes peuvent tenter de réduire les risques en détenant un portefeuille de placements diversifiés. Les financeurs individuels fortunés (les *business angels*) constituent également une solution adaptée à ce type de situation.

- Dans le cas des *étoiles*, la croissance est soutenue et la part de marché dominante, mais le niveau de risque opérationnel reste élevé. En situation de croissance forte, les positions restent en effet très volatiles et la pression concurrentielle élevée. Certaines activités peuvent être financées à l'origine par du capital-risque, mais elles nécessitent d'autres modes de financement une fois qu'elles sont établies. Étant donné que les investisseurs sont attirés avant tout par le produit ou le concept et par les gains futurs qu'ils espèrent, on peut généralement les associer au capital plutôt que de recourir à l'endettement. Une introduction en Bourse est également envisageable.

- Les activités détenant une position dominante sur un marché mature (les *vaches à lait*) génèrent le plus souvent des profits réguliers et substantiels. Ici le risque est plus faible et la tentation de conserver les bénéfices plus importante. Dans ce cas, il est possible de lever des fonds par endettement et par augmentation de capital. Si l'endettement – *via* l'effet de levier – ne débouche pas sur un niveau de risque opérationnel excessif, son coût inférieur permet d'accroître la rentabilité de l'entreprise.

- Si un domaine d'activité est sur le déclin, en position de *poids mort*, il lui sera difficile de procéder à une augmentation de capital. En revanche, on peut envisager d'emprunter en offrant des actifs en garantie. À ce stade, il est probable que les managers se préoccupent avant tout de la réduction des coûts et les liquidités générées peuvent être tout à fait confortables. Les activités de ce type constituent donc des investissements relativement peu risqués.

L'illustration 13.3 montre comment les sources de financement doivent varier selon les circonstances.

Le financement d'un portefeuille d'activités

Les entreprises diversifiées sont confrontées à un problème lorsqu'elles cherchent à financer un portefeuille d'activités comprenant plusieurs stades de croissance et des parts de marché hétérogènes. L'organisation doit alors définir sa position globale en termes de risque et de gain. Une entreprise qui cherche à développer de manière régulière des activités nouvelles et innovantes doit se comporter comme son propre capital-risqueur, c'est-à-dire accepter un niveau de risque élevé au niveau des activités et le compenser par la détention d'activités « vaches à lait ». Les managers du secteur public connaissent également ce type de situation. Lorsqu'ils souhaitent développer de nouveaux services, ils doivent s'appuyer sur des activités qui sont assurées de respecter leurs engagements budgétaires. De même, certaines entreprises sont parfois forcées de céder leurs activités matures pour en développer de nouvelles.

Le financement des énergies renouvelables

La prise de conscience des risques environnementaux génère de nouvelles opportunités. Reste cependant à définir qui financera le développement durable.

Les énergies alternatives au pétrole, au gaz, au charbon et à l'atome, c'est-à-dire les énergies renouvelables (solaire, éolien, hydraulique, géothermique, biomasse, etc.) ont longtemps été considérées comme des curiosités réservées aux militants écologistes.

Début 2008, ce n'était plus le cas. Suite au « Grenelle de l'environnement » d'octobre 2007, le gouvernement français avait décidé de mettre en place une agence nationale pour le développement des énergies renouvelables « avec la même ambition que pour le nucléaire ». L'Union européenne souhaitait que 20 % de sa consommation énergétique en 2020 proviennent d'énergies renouvelables.

« Nous approchons du point de non-retour » affirmait Peter Short, le directeur de l'innovation et de l'investissement de Carbon Trust, une agence gouvernementale britannique chargée d'investir en tant que capital-risqueur dans des projets d'énergies renouvelables. « Une fois que nous aurons lancé la construction de fermes d'éoliennes en mer, nous aurons atteint le point de bascule, à partir duquel les investissements seront très significatifs. »

Les grands investisseurs privés commençaient à s'intéresser au domaine, que ce soient les banques classiques, avec des offres de crédit-bail, les fonds d'investissement ou les sociétés de capital-risque. Cependant, la croissance du secteur reposait surtout sur des subventions publiques. Au niveau européen, la Banque européenne d'investissement (BEI), le bras financier de l'Union européenne, avait contribué au financement de projets énergétiques pour un montant de 3 milliards d'euros en 2006, dont 456 millions pour les énergies renouvelables. Au total, entre 2001 et 2006, la BEI avait prêté 1,8 milliard d'euros en faveur de la production d'électricité à partir d'énergies renouvelables dans onze états membres de l'Union. À compter de 2007, la BEI s'était engagée à prêter plus de 600 millions d'euros par an aux énergies renouvelables. En France, La Caisse des dépôts et consignations avait annoncé, en décembre 2007, la création d'une coentreprise avec la start-up Solaire Direct pour lancer 5 centrales solaires en Provence, ce qui représentait un investissement de 140 millions d'euros. Entre 2006 et 2007, la puissance photovoltaïque raccordée au réseau électrique français avait quadruplé.

Pour les observateurs sceptiques, la croissance des énergies renouvelables était artificiellement soutenue, sans réels fondamentaux économiques : la production d'énergie par ces technologies restait significativement plus coûteuse qu'au moyen du nucléaire par exemple. Cependant, certaines tendances de fond encourageaient le développement du renouvelable : la demande croissante d'électricité, l'augmentation des prix du pétrole, la pression collective pour la réduction des gaz à effet de serre, etc. Ces facteurs renforçaient l'attractivité des sources d'énergie alternatives, alors que les progrès technologiques amélioraient leur efficience. Pour autant, les grandes compagnies d'énergie ne pouvaient pas se permettre de renoncer à leurs infrastructures (centrales, oléoducs, raffineries, etc.), et la plupart attendaient que ces actifs épuisent tout leur potentiel avant de passer aux énergies renouvelables. Dans l'intervalle, de nouveaux acteurs, tels que les fabricants d'éoliennes Iberdrola ou Vestas, devenaient des acteurs globaux : depuis 2001, la capacité mondiale installée en éolien augmentait de 25 % par an en moyenne.

Le marché de l'énergie était largement dominé par les producteurs historiques. En France, le marché avait été dérégulé pour les professionnels en 2004 et pour les particuliers en 2007, mais en dépit de l'entrée de plus de 30 nouveaux fournisseurs, la part de marché de EDF, la compagnie nationale, restait supérieure à 85 %. Au Royaume-Uni, les six plus gros concurrents totalisaient 99,5 % du marché.

Cependant, les mentalités évoluaient. EDF avait décidé d'investir plus de 3 milliards d'euros dans l'éolien entre 2007 et 2010, alors que le parc français d'éoliennes avait triplé en 18 mois entre 2004 et 2006. De même Jeroen van der Veer, le directeur général de Shell, avait annoncé sa volonté d'investir dans toutes les sources d'énergies renouvelables prometteuses : « Notre philosophie est d'avoir plusieurs marmites au feu : nous essayons tout et vers 2015 nous ferons nos choix. »

Qui pouvait savoir quelle serait la source d'énergie du futur ? Seuls les entrepreneurs et les investisseurs qui l'inventaient.

Sources : Management Today, décembre 2006, *Le Figaro*, 1er novembre 2007, *Les Echos*, 10 décembre 2007, www.bei.org.

Questions

En utilisant la section 13.4.2 et le schéma 13.8, expliquez comment vous équilibreriez le risque opérationnel et le risque financier si vous étiez :

- Une start-up spécifiquement créée pour intervenir dans les énergies renouvelables.
- Une grande compagnie d'énergie établie.
- Un gouvernement.

Le financement des fusions et acquisitions[31]

Dans la section 10.2.2, nous avons présenté les avantages et les pièges des fusions et acquisitions, notamment les conflits potentiels entre la vision stratégique à long terme et les considérations financières à court terme. Il convient de déterminer de quelle manière une opération de fusion ou acquisition peut être financée. Pour cela, on peut appliquer les principes suivants :

- Le paiement en *liquide* est attractif pour les actionnaires de la cible et il ne dilue pas le pouvoir des actionnaires de l'acheteur. Cependant, il peut être difficile de lever les fonds nécessaires à une acquisition. Par ailleurs, les acheteurs qui disposent d'importantes liquidités courent le risque de se montrer moins sélectifs dans leurs acquisitions, de construire un portefeuille d'activités sans logique stratégique et donc de réduire à terme la performance des entreprises qu'ils acquièrent.

- L'émission d'*actions* peut être attractive pour les actionnaires de la cible, qui peuvent échanger leurs anciennes actions contre de nouvelles. Il convient cependant de ne pas influer négativement sur le cours de l'action avant que l'opération ne soit conclue. D'un point de vue stratégique, c'est l'option qui modifie le moins la structure du capital de la cible, ce qui réduit le risque financier.

- L'acheteur peut également émettre des *obligations* à l'attention des actionnaires de la cible, ce qui peut les rassurer s'ils éprouvent des doutes à l'égard de la future performance financière de la nouvelle entité. Les actionnaires de l'acheteur évitent également une dilution de leur contrôle, mais le ratio d'endettement augmente, ce qui accroît le risque financier.

- Les acheteurs peuvent contracter des *emprunts* afin de proposer des liquidités aux actionnaires de la cible. Cette approche d'acquisition par emprunt (ou LBO pour *Leverage Buy Out*), bien que de plus en plus fréquente, est très controversée. Elle permet à des individus de racheter des entreprises cotées – parfois dans le cadre d'OPA hostiles et avec l'aide de fonds d'investissement –, puis de les retirer de la Bourse. Il leur faut ensuite rembourser les dettes contractées lors du rachat. La plus grosse opération de ce type en France a été le rachat de l'équipementier électrique Legrand par les fonds Wendel et KKR en décembre 2002, pour 5,4 milliards d'euros.

13.4.3 Les attentes financières des parties prenantes

Dans la section 13.4.1, nous avons vu comment la stratégie peut créer ou détruire de la valeur pour les actionnaires. L'équivalent dans le secteur public est la capacité à utiliser au mieux les fonds alloués par les autorités de tutelle. Cependant, les autres parties prenantes de l'organisation ont également des attentes d'ordre financier. Il convient donc d'arbitrer ces différents intérêts, qui peuvent souvent se révéler contradictoires :

- Dans le chapitre 4, nous avons introduit le concept de *chaîne de gouvernement* en montrant que les intérêts financiers des réels bénéficiaires de la performance d'une entreprise sont généralement représentés par des investisseurs institutionnels (fonds d'investissement ou fonds de pension). La stratégie est donc fortement influencée par les attentes et les anticipations de ces intermédiaires, qui peuvent devenir des acteurs clés lors de certaines opérations majeures comme les fusions ou les OPA. On peut légitimement s'inquiéter du fait que les managers sacrifient de plus en plus leurs stratégies à long terme pour satisfaire les attentes immédiates de ces puissants intermédiaires[32].

- Les *banquiers* et les autres prêteurs cherchent avant tout à limiter le risque de leurs investissements et à s'assurer de la compétence avec laquelle ceux-ci seront gérés. Le maintien d'une bonne capacité de remboursement peut ainsi être considéré comme un critère suffisant pour décider d'investir dans une organisation plutôt que dans une autre. Cette capacité peut être évaluée en analysant la structure du capital de l'entreprise et en particulier son ratio dettes sur fonds propres, qui donne une indication de sa solvabilité. On peut également analyser l'évolution du ratio intérêts sur bénéfices.

- Les *fournisseurs* et les *employés* sont principalement préoccupés par la trésorerie de l'entreprise, c'est-à-dire par sa capacité à honorer ses engagements à court terme, notamment en termes de dettes et de salaires. Les banquiers partagent généralement cette préoccupation car une détérioration de la trésorerie peut pousser à contracter de nouveaux emprunts et donc accroître le profil de risque de l'entreprise. La capacité à maintenir une trésorerie saine peut ainsi constituer une compétence clé, qui passe notamment par la construction de relations de partenariat avec les fournisseurs, afin d'obtenir des remises ou des délais de paiement plus importants.

- La *collectivité* est concernée par le *coût social* de l'activité de l'organisation, que ce soit en termes de pollution, d'emploi ou de nature même des produits offerts (tabac, alcool, armes, etc.). Ce point est très rarement pris en compte dans les analyses financières classiques, alors que son importance est croissante. Nous avons examiné les questions d'éthique et de responsabilité sociale de l'entreprise dans le chapitre 4 (voir la section 4.3). Faire abstraction de ces aspects peut entraîner des faiblesses stratégiques majeures.

- Les *clients* s'intéressent avant tout à la valeur des produits et services qu'ils achètent. Celle-ci n'est généralement pas mesurée dans les analyses financières traditionnelles, alors que dans un environnement concurrentiel, seules les entreprises qui créent de la valeur pour leurs clients au-delà de leurs coûts sont à même de survivre.

Au total, les managers doivent être conscients de l'impact financier de leurs stratégies sur les différentes parties prenantes. Réciproquement, ils doivent comprendre comment les attentes des parties prenantes peuvent constituer un levier pour certaines stratégies ou au contraire un frein pour d'autres.

13.5 Le management de la technologie[33]

Cette section est consacrée aux relations entre la technologie et le succès stratégique. Comme nous l'avons remarqué dans le chapitre 3, la technologie étant facilement acquise par les concurrents, elle ne constitue pas une source d'avantage par elle-même. C'est la manière dont elle est exploitée qui peut éventuellement devenir une compétence fondamentale. Dans le chapitre 9, nous avons vu qu'il existe plusieurs types d'innovations technologiques. En gardant à l'esprit ces différences, nous allons à présent nous pencher sur les relations entre la stratégie et

la technologie, et sur la manière d'utiliser cette dernière comme levier stratégique (voir le schéma 13.9) :

- L'impact de la technologie sur la *dynamique concurrentielle*.
- La technologie et la *capacité stratégique*.
- Technologie et *organisation*.

Schéma 13.9   **Stratégie et technologie**

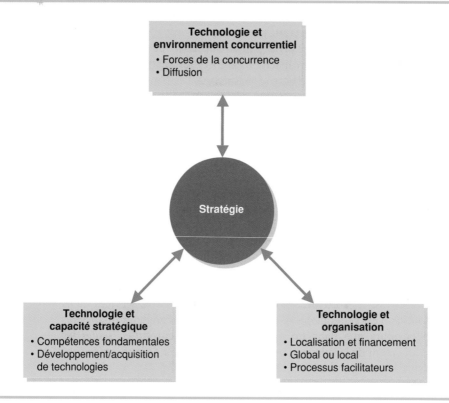

13.5.1 La technologie et le contexte concurrentiel

Les forces de la concurrence

Dans le chapitre 2, nous avons utilisé le modèle des 5(+1) forces de la concurrence
pour comprendre la dynamique d'une industrie et en déduire les facteurs clés de
succès. La technologie peut avoir un impact significatif sur ces forces – en particulier dans les industries qui se globalisent[34] –, ce qui doit nécessairement influencer
les stratégies élaborées par les organisations en présence, comme le montrent les
exemples suivants :

- Les *barrières à l'entrée* peuvent être surmontées du fait de la plus large disponibilité de certaines technologies, comme dans l'édition ou dans l'informatique.

Dans certains cas, au contraire, la complexité technologique croissante peut créer de nouvelles barrières à l'entrée, comme dans l'aéronautique.

- La *menace de substitution* est directement liée à la technologie. Les nouveaux produits peuvent remplacer les anciens (par exemple le DVD pour la cassette vidéo ou le MP3 pour le CD), les besoins peuvent se déplacer (la vidéoconférence concurrence les voyages d'affaires), et les progrès dans certains secteurs peuvent accaparer les dépenses des ménages (les achats d'électronique grand public augmentent alors que ceux de tapis ou de meubles de cuisine diminuent). Quelquefois, la technologie peut empêcher une substitution, par exemple en liant l'usage d'un produit à d'autres. C'est notamment ce que la justice européenne a reproché à Microsoft en lui demandant de développer une version de Windows n'incluant pas son lecteur multimédia.

- La technologie peut également influer sur le *pouvoir de négociation des fournisseurs et des acheteurs*. L'exemple de Microsoft s'applique de nouveau, puisque les tribunaux se sont interrogés sur l'abus de position dominante lié au quasi-monopole de Windows. Réciproquement, les développements technologiques peuvent favoriser les clients en leur permettant de s'adresser à de nouvelles sources d'approvisionnement, comme dans le cas de la définition internationale de standards et de spécifications techniques (par exemple dans la sidérurgie ou dans les télécoms).

- Les *pouvoirs publics* jouent également un rôle dans le développement technologique, que ce soit par les commandes et les projets de recherche publics (notamment dans l'industrie militaire), dans l'attribution de licences (dans les télécommunications ou la télévision) ou au travers de la réglementation sur la protection de l'innovation.

- Enfin, l'*intensité concurrentielle* peut être accrue du fait de cette standardisation technologique ou au contraire diminuée lorsqu'un concurrent met au point un nouveau produit ou un nouveau procédé. Dans l'industrie pharmaceutique, l'intensité de la concurrence est très différente entre les médicaments éthiques (protégés par des brevets) et les génériques.

Ces exemples montrent que, suivant leurs compétences technologiques, les organisations ne sont pas confrontées aux mêmes questions : alors que les leaders technologiques peuvent chercher à construire leur avantage concurrentiel grâce à leur capacité d'innovation, leurs suiveurs doivent être capables d'en évaluer les conséquences.

L'adéquation entre la stratégie technologique et le marché

La manière dont le développement technologique influe sur la compétitivité dépend de la nature de la technologie et du contexte concurrentiel (voir le schéma 13.10) :

- Les stratégies *différenciées* sont appropriées lorsque les technologies et les marchés sont matures. Des améliorations de produits et de services sont obtenues en ciblant un marché connu grâce à une technologie existante. Cela concerne souvent une amélioration de la qualité – comme l'ont fait, par exemple, les constructeurs automobiles japonais. Comme pour toute différenciation, le risque principal est celui de l'imitation : si l'offre différenciée devient l'offre de

Schéma 13.10 | **L'adéquation entre la stratégie technologique et le marché**

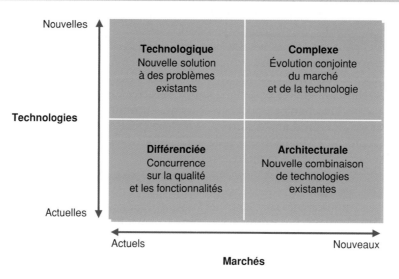

Source : adapté de J. Tidd, J. Bessant et K. Pavitt, *Managing Innovations: Integrating technological, marketing and organisational change*, 2ᵉ édition, Wiley, 2001.

référence, la plupart des concurrents l'imitent. Elle perd alors sa spécificité et les stratégies de prix s'imposent.

- Les stratégies *architecturales* correspondent à la situation où des technologies existantes permettent de créer de nouvelles offres ou de nouvelles applications. Les technologies de traitement de surface du verre ont ainsi servi à créer toute une gamme d'offres nouvelles : verres réfléchissants, isolants, hydrophobes, autonettoyants, etc.

- Les stratégies *technologiques* consistent à répondre à des besoins connus grâce à de nouvelles technologies. L'offre se distingue alors par un surcroît de performances par rapport aux standards établis. On peut évoquer les progrès de l'industrie pharmaceutique ou ceux des nouveaux types de batteries pour le stockage de l'énergie électrique. Les risques principaux sont l'imitation et le sur-investissement. Cette stratégie impose donc une politique de protection de la technologie (brevets ou secrets).

- Les stratégies *complexes* sont nécessaires lorsque les technologies et les marchés sont nouveaux et qu'ils doivent évoluer simultanément. Au départ, l'utilisation de la nouvelle technologie n'est pas toujours clairement définie. La question clé consiste donc à comprendre le processus de diffusion de l'innovation (voir la section 9.3). Les innovateurs doivent notamment travailler avec les utilisateurs pionniers pour créer de nouvelles applications. Le multimédia est un exemple caractéristique de ce type de situation.

L'illustration 13.4 montre que les choix stratégiques doivent suivre l'évolution des technologies et des marchés.

Illustration 13.4

Quelques conseils du fondateur de Psion aux entrepreneurs innovants

Le marché est le seul juge de la valeur d'une technologie, ce que les entreprises et les innovateurs n'acceptent pas toujours.

Interrogé par le *Financial Times*, Sir David Potter, fondateur et dirigeant de Psion, une entreprise britannique d'ordinateurs de poche qui connut son heure de gloire dans les années 1990, souligna que les start-up négligent trop souvent le marché pour se concentrer sur la technologie. Ayant lui-même quitté son poste de professeur à Imperial College pour fonder Psion en 1980, il demandait également au gouvernement d'encourager plus ouvertement les transferts de technologie entre les laboratoires universitaires et les entreprises.

« La science ne se convertit pas toute seule à l'industrie. C'est beaucoup plus compliqué que ça. Beaucoup s'imaginent que si vous avez une bonne idée dans un laboratoire, vous trouverez nécessairement un marché. Cela ne fonctionne pas comme ça. Nous devons être beaucoup plus proches du marché et ne pas imaginer que les meilleures universités vont générer par elles-mêmes des entreprises capables de devenir des leaders mondiaux. »

Il explique qu'une douzaine d'instituts nationaux devraient être créés pour aider à l'exploitation industrielle de technologies telles que les semi-conducteurs ou les nanotechnologies. Il souligne également la nécessité pour les start-up de mieux comprendre le marché.

« Mon premier conseil est de suivre le marché par-dessus tout. Ne pensez pas à votre technologie. Si vous avez des compétences et un avantage dans un domaine particulier, restez-y, mais adaptez votre technologie au marché, ne cherchez pas à faire le contraire. »

Psion a réussi à survivre pendant 25 ans dans une industrie extrêmement dynamique, ce qui l'a obligé plusieurs fois à se réinventer. L'entreprise a été fondée en 1980 avec un investissement initial de 145 000 euros, qui correspondait aux économies personnelles de David Potter. C'était alors un éditeur qui distribuait des logiciels écrits par des tiers et qui a progressivement développé ses propres programmes. En 1983, grâce à un simulateur de vol, c'était le leader sur le marché britannique – encore balbutiant – des jeux sur ordinateur.

Dans un univers parallèle, Psion aurait pu devenir un grand éditeur de jeux vidéo comme Activision, Blizzard ou Electronic Arts, mais David Potter décidé de s'éloigner de ce marché : « cela aurait pu être drôle, j'aurais porté des lunettes roses et un catogan, mais ce n'était pas vraiment la culture de l'entreprise. »

Persuadé d'avoir identifié une nouvelle opportunité de marché, Psion évolua donc du logiciel vers le matériel et développa le premier ordinateur de poche au monde, le Psion Organiser, qui fut lancé en 1986. S'ensuivirent quelques années fastes, durant lesquelles les machines Psion devinrent un standard international, capable de surmonter les difficultés grâce à une remarquable succession d'innovations.

Cependant, au milieu des années 1990, le marché se modifia avec l'apparition de concurrents américains, au premier rang desquels Palm et Compaq. La concurrence se déplaça brutalement de la différenciation vers le volume. Or, Psion n'avait pas les ressources nécessaires pour combattre. En 2001, David Potter jeta l'éponge : la plupart du personnel fut licencié et l'entreprise abandonna le marché grand public pour se focaliser sur une niche professionnelle : des terminaux de collecte de données utilisés en logistique.

David Potter admet avoir quelques regrets sur la manière dont les choses ont tourné, mais il est fier que Psion soit toujours là, alors que beaucoup d'autres entreprises ont disparu.

Source : Financial Times, 26 décembre 2005.

Question

1. Identifiez l'évolution de la position de Psion sur la matrice technologie/marché (schéma 13.10) au long de son développement.

2. Selon vous, qu'aurait dû faire Psion pour connaître un destin plus heureux ?

13.5.2 La technologie et la capacité stratégique

Les compétences fondamentales

Dans le chapitre 3, nous avons souligné l'importance de l'identification des compétences fondamentales, qui constituent le socle de l'avantage concurrentiel de l'organisation. D'un point de vue stratégique, l'importance de la technologie réside dans sa capacité à créer ou à détruire des compétences fondamentales (comme nous l'avons vu dans le cas des technologies de l'information à la section 13.3.1). Si l'on souhaite faire de la technologie un levier stratégique, il convient de prendre en compte quelques implications essentielles.

- Lier le développement de l'organisation à la maîtrise d'*une seule technologie* peut se révéler extrêmement risqué. Dans les années 1960, l'acier inoxydable passait ainsi pour un matériau miracle, utilisable dans d'innombrables applications industrielles et domestiques. Pourtant, il a été rapidement dépassé par les polymères, les céramiques et les composites.
- Les compétences fondamentales peuvent résider dans la capacité à *combiner* les technologies entre elles plus que dans les technologies elles-mêmes. Beaucoup d'innovations de procédé concernent ainsi la manière dont les systèmes d'information peuvent être greffés sur les équipements industriels.
- Dans un environnement turbulent et concurrentiel, il est important de développer des *capacités dynamiques* (comme nous l'avons vu dans le chapitre 3). L'avantage construit à partir d'une seule innovation est toujours temporaire. Les compétences fondamentales ne résultent donc pas de développements technologiques distincts, mais plutôt des processus qui assurent un flux constant d'améliorations et de la capacité à les valoriser sur le marché. Cela peut conduire à un avantage au premier entrant, même si, dans certains cas, il semble que ce soit plutôt les suiveurs rapides qui tirent le plus d'avantage des innovations[35].

Développer ou acquérir les technologies

Pour beaucoup d'organisations, la manière dont les technologies sont développées ou acquises constitue une question clé, susceptible de déterminer le succès ou l'échec des stratégies. Il s'agit d'un sujet complexe, étant donné que de nombreuses variables influencent ce choix[36]. Cependant, si l'on se contente d'illustrer le lien entre stratégie et technologie, on peut se contenter de retenir quelques grands principes (voir le schéma 13.11) :

- Le *développement en interne* est préférable si la technologie est essentielle à l'avantage concurrentiel et si l'organisation entend bénéficier d'un avantage au premier entrant. On peut l'envisager si l'organisation détient déjà une bonne connaissance de la technologie et des opportunités de marché, et si la complexité n'est pas trop importante. C'est généralement le cas pour les stratégies différenciées et éventuellement architecturales présentées dans le schéma 13.10. Par ailleurs, l'organisation doit être disposée à accepter un niveau élevé de risque commercial et financier.
- Les *alliances et partenariats* sont plus adaptés à des technologies de base (celles qui doivent être maîtrisées par tous les concurrents) qu'à des technologies clés

| Schéma 13.11 | Développer ou acquérir la technologie |

Critères

Méthode	Importance de la technologie	Expertise et réputation	Complexité	Acceptation du risque	Mentalité	Vitesse
Développement interne	Clé	Élevée	Faible/ moyenne	Élevée	Pionnier	Lente
Alliances et partenariats	Seuil	Faible	Élevée	Moyenne	Suiveur	Moyenne
Acquisition	Clé ou seuil	Très faible	Élevée	Faible	Suiveur	Élevée

Source : adapté de J. Tidd, J. Bessant et K. Pavitt, *Managing Innovations: Integrating technological, marketing and organisational change,* 2e édition, Wiley, 2001.

(celles qui procurent un avantage concurrentiel). Un fabricant de boissons peut ainsi s'allier avec des embouteilleurs et des distributeurs car, si la mise en bouteilles et la distribution sont des étapes importantes de la chaîne de valeur, l'avantage concurrentiel repose plutôt sur le produit et surtout sur la marque. Les alliances et partenariats sont plus appropriés lorsque l'intention est de suivre plutôt que de se comporter en pionnier, ce qui est généralement le cas lorsque la complexité du produit ou la connaissance du marché vont au-delà du savoir établi et qu'il est donc essentiel de développer l'apprentissage organisationnel (ce qui correspond aux stratégies complexes dans le schéma 13.10). Les alliances et partenariats permettent également de réduire le risque financier.

- Les *acquisitions* – que ce soit de brevets, de licences ou d'entreprises innovantes – correspondent aux situations dans lesquelles la vitesse est tellement essentielle que l'apprentissage prendrait trop de temps. Elles se justifient également lorsque le degré de complexité – au niveau technologique ou en ce qui concerne la structure du marché – va au-delà du savoir-faire de l'organisation et lorsque la crédibilité de la technologie est essentielle au succès (voir les stratégies technologiques et complexes dans le schéma 13.10). L'utilisation sous licence d'une technologie reconnue peut ainsi être préférable à un développement interne. Les organisations qui achètent des technologies doivent avoir une bonne connaissance de leurs besoins, la capacité à identifier et à évaluer les alternatives technologiques disponibles, et la compétence nécessaire pour négocier les droits d'utilisation avec leurs propriétaires[37].

Le choix entre le développement en interne, les alliances ou l'acquisition peut également varier selon la phase de maturité[38], au fur et à mesure que l'attention s'écarte de la nécessité de renforcer la fonctionnalité des produits et d'accroître la part de marché pour se reporter sur la nécessité d'établir un standard de l'industrie, voire de développer une nouvelle génération de technologie. Les survivants à long terme sont ceux qui utilisent toutes ces méthodes lors des différentes phases du cycle de maturité.

🔢🔢🔢 Organiser l'innovation technologique

La localisation et le financement de l'innovation technologique

Dans beaucoup de grandes organisations, on s'interroge pour savoir qui, au sein de la structure, devrait être responsable de l'innovation technologique et qui devrait la financer[39]. Ce n'est qu'un des aspects du débat sur le partage des rôles entre le centre et les unités ou divisions, que nous avons examiné dans les sections 7.4 et 12.4.

Le schéma 13.12 montre que différents arrangements peuvent être adoptés, selon le type d'innovation technologique envisagée. Les nouvelles technologies sont ainsi mieux évaluées et financées au niveau central, alors qu'il vaut mieux développer les innovations incrémentales de produit ou de procédé au niveau des unités. Entre ces deux extrêmes, la commercialisation de nouvelles technologies est généralement mieux pilotée localement mais mieux financée en central, car toutes les unités peuvent ainsi bénéficier des réussites. Réciproquement, les expérimentations sur de nouvelles technologies doivent être effectuées au niveau central mais financées par les divisions qui sont intéressées par leur potentiel commercial.

Les mêmes principes peuvent conduire à externaliser le développement de certaines technologies[40], lorsque l'expertise de l'organisation est inadaptée, que ce soit au niveau des divisions ou à celui du centre, mais que les innovations recherchées sont essentielles à la pérennité stratégique. De même, les phases de développement peuvent être gérées différemment : la génération d'idées nouvelles et la recherche par des équipes internes, mais le développement des prototypes et les tests marketing par des prestataires extérieurs[41].

Quelquefois, l'expertise technologique d'une organisation peut excéder ses besoins, ce qui peut pousser à scinder la R&D du reste de la structure, afin de lui permettre de mener une activité de prestataire auprès de clients externes (conduite de projets de recherche, cession de licences ou de brevets, etc.).

Schéma 13.12	**Le financement et la localisation de la R&D**

		R&D localisée	
		Au siège	**Dans les divisions**
R&D financée par	**Le siège**	Évaluation de nouvelles technologies	Diffusion de nouvelles technologies
	Les divisions	Développement de nouvelles technologies	Innovations incrémentales de produits ou procédés

Source : adapté de J. Tidd, J. Bessant et K. Pavitt, *Managing Innovations: Integrating technological, marketing and organisational change*, 2e édition, Wiley, 2001.

Recherche et développement locale ou globale ?

Une autre question pour les organisations internationales concerne la localisation de la R&D. La plupart des grandes entreprises ont tendance à moins internationaliser leur R&D que leur production. En effet, la dispersion internationale de l'effort de R&D expose l'entreprise à toute une série de risques :

- *L'inefficience*, notamment du fait de la lenteur de communication entre les unités.
- La perte de *masse critique* en termes de concentration de personnel de R&D en un point unique, ce qui diminue l'apprentissage et l'échange de connaissances tacites par interaction directe. De la même manière, il est préférable de ne pas éloigner les sites de recherche des sites de test.
- La difficulté à *intégrer* la R&D avec la production et le marketing. Certaines grandes organisations éprouvent même des difficultés à conjuguer des technologies issues de plusieurs de leurs centres d'excellence disséminés de par le monde.
- La dispersion peut être nécessaire lorsque différents niveaux de développement économique exigent des technologies distinctes[42].

Ces problèmes sont liés à la capacité de l'organisation à lancer des innovations majeures, par exemple de nouvelles offres ou de nouveaux processus. Ils sont moins aigus lorsqu'il s'agit de maintenir un réseau d'apprentissage global : les technologies de l'information permettent alors de s'affranchir au moins partiellement des distances.

Les processus organisationnels

Dans le chapitre 12, nous avons insisté sur l'importance des processus organisationnels dans le déploiement de la stratégie. Le développement technologique est particulièrement influencé par ces processus, car il est essentiel que la capacité d'innovation de l'organisation puisse se traduire en création de valeur pour les clients. Étant donné que ces processus sont souvent difficiles à identifier et à gérer, ils constituent généralement des compétences fondamentales qui sous-tendent l'avantage concurrentiel. La plupart des processus suivants peuvent ainsi devenir des leviers stratégiques essentiels au travers de la technologie :

- La *capacité d'analyse de l'environnement concurrentiel* et de repérage des opportunités et des menaces. Cela comprend notamment la sélection des projets ou des développements les plus adaptés à l'activité. Cependant, ce processus est généralement difficile à mettre en œuvre. La recherche de l'adéquation entre l'organisation et l'innovation peut, en effet, pousser à ne sélectionner que des améliorations incrémentales et à repousser toute forme de rupture, ce qui peut compromettre le succès futur. Il convient, par conséquent, de favoriser de temps à autre des innovations radicales, ce qui peut se révéler particulièrement difficile à la fois en termes de compétences et de culture.
- Il convient d'allouer aux développements les *ressources* qui leur sont nécessaires, mais pas au-delà, de manière à assurer un bon niveau de retour sur investissement. Or, il n'est pas évident de déterminer *a priori* quel sera le niveau de ressources adapté à une innovation. Pour cela, on peut s'appuyer sur l'expérience et l'étalonnage (voir la section 3.6.3), et utiliser les méthodes les plus appropriées pour évaluer les investissements[43]. Cela inclut également la capacité à suivre les projets au fur et à mesure de leur réalisation, en planifiant à

l'avance des *sorties de phases*[44]. On peut ainsi évaluer l'évolution des développements technologiques et vérifier leur cohérence avec les modifications de l'environnement. Il convient par ailleurs de se réserver la possibilité d'accélérer ou d'interrompre les projets, de s'assurer que l'organisation est capable d'apprendre de ses succès comme de ses échecs, et de disséminer les résultats et les meilleures pratiques.

Bien entendu, le succès ou l'échec de ces processus repose sur la maîtrise de toute une série d'activités : prévisions, tests de concept, filtrages d'options, ou encore communication, négociation et motivation.

13.5.4 Implications pour les managers[45]

Dans les précédentes sections, nous avons souligné l'importance de la cohérence entre la stratégie et la technologie. Les organisations qui connaissent le succès sont celles dont les dirigeants s'engagent fortement en faveur de l'innovation, tout en maintenant un sens aigu des affaires, fondé sur la compréhension des interactions entre stratégie et technologie.

Il est nécessaire de construire un climat favorable à l'innovation, où la communication est très développée, les structures et les processus facilitent le développement individuel et collectif, et la culture distingue les innovateurs capables d'utiliser la technologie comme levier stratégique.

13.6 L'intégration des ressources

Dans les sections ci-dessus, nous avons montré comment les ressources et compétences dans des domaines distincts doivent sous-tendre les stratégies actuelles, mais également servir de base à l'élaboration de stratégies nouvelles. Cependant, un troisième aspect n'a émergé que partiellement de ces présentations. Comme nous l'avons expliqué dans le chapitre 3, la plupart des stratégies nécessitent non seulement des compétences dans des domaines distincts, mais également la capacité à les intégrer à l'intérieur de l'organisation ou au long de la filière[46]. Le schéma 13.13 présente quelques-unes des ressources et des fonctions qui doivent être combinées par une organisation qui souhaite mettre de nouveaux produits sur le marché plus rapidement que ses concurrents. Cette intégration peut être particulièrement complexe et donc constituer le socle d'un avantage concurrentiel. La capacité à lancer de nouveaux produits nécessite l'intégration et la coordination d'activités distinctes comme la R&D, la production, etc., qui à leur tour impliquent une combinaison complexe de ressources. Il n'est pas suffisant de simplement posséder ces ressources pour se révéler compétent. C'est la capacité à les lier efficacement et rapidement qui détermine le succès ou l'échec de la stratégie, et peut donc devenir une source de réel avantage concurrentiel.

Le débat présenté dans l'illustration 13.5 fait écho à un thème récurrent tout au long de ce chapitre : la stratégie d'une organisation peut pâtir à la fois d'un excès ou d'un défaut d'évolution de ses ressources. Il convient donc de gérer les différents leviers stratégiques – ressources humaines, information, ressources financières et technologie – avec pertinence.

Schéma 13.13 **L'intégration des ressources : le lancement d'un nouveau produit**

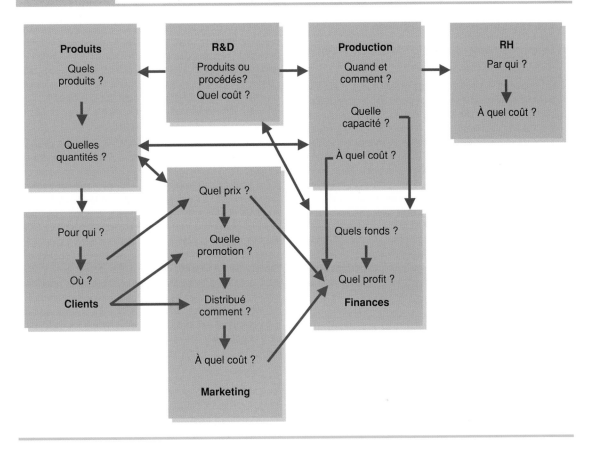

Illustration 13.5 **Débat**

Les ressources ou la révolution ?

Dans quelle mesure une organisation peut-elle s'éloigner de ses ressources pour déterminer sa stratégie ?

Ce chapitre a souligné l'importance des différents domaines de ressources qui peuvent soutenir le déploiement stratégique. Pour Gary Hamel, président du cabinet de conseil Strategos, se reposer sur ses ressources peut rapidement déboucher sur un manque d'audace. De la même manière que Dorothy Leonard-Barton signale le risque de « points de blocage » (voir le chapitre 3), Gary Hamel estime que les ressources et les marchés existants peuvent enfermer l'organisation dans un conservatisme létal. Le fait d'être déjà présent sur un marché apporte de moins en moins d'avantage. Gary Hamel défend au contraire la notion de « révolutions » stratégiques, permettant de créer de nouvelles offres et de nouveaux marchés [1,2]. Selon lui, nous serions entrés dans une ère où nous ne devons être limités que par notre imagination.

Dans un monde de changements technologiques rapides, de marchés changeants et de concurrence globale, la survie exige constamment des innovations révolutionnaires. Ces innovations résultent rarement des processus stratégiques classiques reposant sur l'adéquation entre les ressources et les marchés. Comme dans ses travaux précédents avec C. K. Prahalad, Gary Hamel met l'accent sur les stratégies construites plus que sur les stratégies déduites, sur les révolutionnaires plus que sur les planificateurs.

Gary Hamel cite en exemple Pierre Omidyar, qui a fondé en 1995 ce qui est rapidement devenu le premier site Internet d'enchères au monde, eBay (voir le cas à la fin du chapitre 3). L'idée de départ de Omidyar n'était pas l'adéquation entre ses ressources et le marché, mais le souhait d'aider sa fiancée à vendre sa collection de distributeurs de bonbons Pez. Il a fondé son entreprise, tout en conservant par ailleurs son emploi, alors qu'il n'avait aucune des ressources d'une société d'enchères traditionnelle. Il ne s'est pas adapté à un marché, il en a construit un nouveau. Les processus stratégiques orthodoxes n'auraient jamais permis à eBay d'exister.

Un autre des exemples cités par Gary Hamel rappelle cependant l'importance des ressources : Enron. Gary Hamel – dont le livre a été publié plus d'un an avant l'effondrement du courtier texan – encense Enron pour sa capacité révolutionnaire à créer et remodeler les marchés de courtage du gaz, de l'électricité ou de la bande passante.

Cependant, c'est bien l'inadaptation des ressources de Enron qui a causé sa perte. En effet, paradoxalement, cette entreprise ne possédait pas les ressources qui lui auraient permis d'obtenir un avantage durable sur les marchés très concurrentiels qu'elle avait elle-même créés [3]. Ce manque a entraîné des pertes abyssales, qui ont provoqué la plus grande faillite de l'histoire contemporaine. Dans cet exemple, le rôle des ressources était capital.

Gary Hamel identifie une vérité importante à propos des ressources existantes : elles sont aussi des contraintes. Cependant, dans le même temps, construire un socle de ressources solide semble vital pour la pérennité du succès. Pierre Omidyar a ainsi rapidement recruté Meg Whitman au poste de directeur général de eBay. À peine nommée, cette diplômée du MBA de Harvard s'est empressée d'investir dans la constitution des ressources managériales et organisationnelles nécessaires au succès de l'entreprise. Le concept de « capacités dynamiques » proposé par David Teece [4], c'est-à-dire l'aptitude à développer et à faire évoluer les compétences (voir le chapitre 3), permet peut-être de dresser un pont entre la contrainte des ressources existantes et les idées débridées, mais souvent vaporeuses, des révolutionnaires acclamés par Gary Hamel.

Sources :

1. G. Hamel, *La révolution en tête*, Village Mondial, 2000.
2. G. Hamel et C.K. Prahalad, *La conquête du futur*, Dunod, 1995.
3. S. Chatterjee, « Enron's incremental descent into bankruptcy: a strategic and organisational analysis », *Long Range Planning*, vol. 36, n° 2 (2003), pp. 133-149.
4. D.J. Teece, G. Pisano et A. Shuen, « Dynamic capabilities and strategic management », *Strategic Management Journal*, vol. 18, n° 7 (1997), pp. 509-534.

Questions

Dans son ouvrage *La révolution en tête*, Gary Hamel remarque que la mode des bars à café a été créée par Starbucks, une petite entreprise fondée à Seattle en 1971, qui n'a ouvert son premier bar à café qu'en 1984, et non par la puissante multinationale Nestlé, propriétaire de Nescafé, la première marque de café au monde.

1. Comparez les ressources de Nestlé et de Starbucks à la fin des années 1980 et au début des années 1990 (en utilisant leur site Internet). Pourquoi n'est-ce pas Nestlé qui a lancé la mode des bars à café ?

2. Quelles sont les implications de cet échec de Nestlé pour d'autres entreprises puissamment installées sur leur marché ?

Résumé

- Il est nécessaire de bien comprendre les liens entre le management des ressources et le succès stratégique. Ce lien n'est pas univoque. Si le management des ressources soutient effectivement le déploiement stratégique, la possession de ressources uniques et de compétences fondamentales constitue réciproquement un tremplin pour le développement de nouvelles stratégies.

- L'aspect *formel* du management des ressources – les systèmes et les procédures – est d'une importance vitale pour le déploiement stratégique. Il convient cependant de toujours s'assurer que ces systèmes contribuent à la création et à l'intégration des connaissances. Seule une partie des connaissances peut être formalisée dans les procédures et les logiciels. Or, l'avantage concurrentiel résulte le plus souvent des connaissances qui ne peuvent pas être codifiées, car ce sont les plus difficiles à imiter.

- Comprendre les relations entre la stratégie et les *ressources humaines* concerne aussi bien les systèmes formels que les routines comportementales. Il est également nécessaire d'organiser les ressources humaines, grâce aux structures et aux processus présentés dans le chapitre 12.

- L'information constitue également une ressource clé qui peut déterminer le succès ou l'échec des stratégies. Les progrès dans la capacité d'accès et de traitement de l'information peuvent construire ou anéantir les compétences fondamentales d'une organisation. Par ailleurs, les technologies de l'information permettent le développement de nouveaux modèles économiques capables de provoquer la reconfiguration des filières traditionnelles. Ces évolutions constituent de sérieuses menaces pour certaines organisations mais aussi de formidables opportunités pour d'autres.

- Les *ressources financières* sont déterminantes pour toutes les organisations. Il est donc important de s'assurer que les stratégies permettent de créer de la valeur pour les actionnaires ou les propriétaires. La plupart des développements stratégiques nécessitent des financements qui, à leur tour, génèrent des risques. De fait, le type de financement doit varier selon la stratégie. En dehors de celles des propriétaires, les attentes des autres parties prenantes ont également un impact sur la stratégie.

- La *technologie* constitue également une ressource clé, qui influe sur les forces concurrentielles de l'environnement et sur la capacité stratégique de l'organisation. La manière dont les technologies sont développées, exploitées, organisées et financées détermine en partie le succès ou l'échec stratégique.

- Il ne suffit pas de posséder des ressources dans des fonctions et des activités distinctes. C'est l'*intégration des ressources* qui permet de soutenir les stratégies existantes et d'en développer de nouvelles.

Travaux pratiques • Signale des exercices d'un niveau plus avancé

1. Choisissez un développement stratégique pour une organisation qui vous est familière et identifiez les principaux changements nécessaires en termes de gestion des ressources humaines (vous pouvez vous aider du schéma 13.2).

2. • Rédigez un bref rapport à l'attention de votre directeur général sur la possibilité de supprimer le service de gestion des ressources humaines dans votre organisation et de confier ces tâches aux responsables opérationnels. Centrez votre argumentation sur l'impact en termes de performance stratégique.

3. • a) Choisissez une organisation qui passe d'une stratégie de prix à une stratégie de différenciation vers le haut. Comment la gestion de l'information doit-elle évoluer pour soutenir cette réorientation ?

   b) Choisissez une organisation qui entreprend l'évolution inverse (de la différenciation vers le haut à la stratégie de prix) et menez la même analyse.

4. Trouvez des exemples de tous les nouveaux modèles économiques présentés dans le schéma 13.5. Selon vous, dans quelles industries chacun de ces modèles est-il le plus à même de se développer ? Pourquoi ?

5. En vous référant au schéma 13.7, expliquez comment des entreprises rentables peuvent détruire de la valeur actionnariale (donnez des exemples). Réciproquement, expliquez comment des entreprises non rentables peuvent créer de la valeur actionnariale (là encore donnez des exemples).

6. • Rédigez un bref rapport expliquant comment les sources de financement d'une organisation doivent être liées à la nature de son industrie et aux types de stratégies qu'elle poursuit.

7. • En vous référant au schéma 13.11, rédigez un bref rapport à l'attention de votre directeur général sur la manière dont votre organisation devrait acquérir des technologies. Justifiez vos recommandations.

8. En vous référant à l'exemple de lancement de nouveau produit présenté dans le schéma 13.13, expliquez de quelle manière il est possible d'assurer l'intégration des ressources entre les différentes fonctions d'une organisation. Veillez à identifier à la fois les techniques d'intégration formelles et informelles.

Exercice de synthèse

9. À partir d'exemples, discutez le bien-fondé de la déclaration suivante : « Les technologies sont considérées comme un outil au service des stratégies et des modèles économiques en place et non comme une manière de les révolutionner. » Vous pouvez vous référer à la chaîne de valeur (voir le chapitre 3) et à la culture (voir le chapitre 5).

Lectures recommandées

- Sur l'évaluation des ressources de l'organisation, voir V. Lerville-Anger, F. Fréry, A. Gazengel et A. Ollivier, *Conduire le diagnostic global d'une unité industrielle*, Éditions d'Organisation, Paris, 2001.
- Sur la gestion des ressources humaines, voir L. Cadin, F. Guérin et F. Pigeyre, *Gestion des ressources humaines*, 3e édition, Dunod, 2006, ainsi que F. Alexandre-Bailly, D. Bourgeois, J.-P. Gruère, N. Raulet-Croset et C. Roland-Lévy, *Comportements humains et management*, 2e édition, Pearson Education, 2006 et L. Mullins, *Management and Organization Behaviour*, 7e édition, Prentice Hall, 2005.

- Sur le management de l'information, voir *L'art du management de l'information* (coll.), Village Mondial, Paris, 2000, ainsi que P. Bocij, D. Chaffey, A. Greasley et S. Hickie, *Business Information Systems: Technology, Development and Management for the e-business*, 3e édition, Prentice Hall, 2006, J. Ward et J. Peppard, *Strategic Planning for Information Systems*, 3e édition, Wiley, 2002 et D. Chaffrey et S. Wood, *Business Information Management*, Prentice Hall, 2005. Le lien entre la stratégie et les technologies de l'information est également analysé par F. Jallat, *À la reconquête du client, stratégies de capture*, Village Mondial, 2001.
- Sur les questions financières, voir Z. Bodie, R. Merton et C. Thibierge, *Finance*, 2e édition, Pearson Education, 2007, ainsi que G. Arnold, *Corporate Financial Management*, 3e édition,

Prentice Ha~~...~~
Management j~~...~~
Prentice Hall, 20~~...~~
et la stratégie, voir~~...~~
gie, Economica, 199~~...~~
- Sur les liens entre stra~~...~~
J. Broustail et F. Fréry, *L*~~...~~
que de l'innovation, Dall~~...~~
et B. Ramanantsoa, *Tech*~~... ...égie~~
d'entreprise, McGraw-Hill, ~~...~~ ,.-Y. Prax,
B. Buisson, P. Silberzahn, *Obj...f Innovation*,
Dunod, 2005 ; S. Fernez-Walch et F. Romon,
Management de l'innovation, Vuibert, 2006 ;
M. Shilling et F. Thérin, *Gestion de l'innovation technologique*, Maxima, 2006 ; J. Tidd, J. Bessant, K. Pavitt, *Managing Innovations: Integrating technological, marketing and organisational change*, 3e édition, Wiley, 2005.

Références

1. Sur la gestion des ressources humaines, voir L. Cadin, F. Guérin et F. Pigeyre, *Gestion des ressources humaines : pratique et éléments de théorie*, Dunod, 3e édition, 2006 ; L. Mullins, *Management and Organisational Behaviour*, 7e édition, Prentice Hall, 2005. Voir également J. Pfeffer et J. Veiga, « Putting people first for organisational success », *Academy of Management Executive*, vol. 13, n° 2 (1999), pp. 37-50, et B. Becker et M. Huselid, « Overviews: Strategic human resource management in five leading firms », *Human Resource Management*, vol. 38, n° 4 (1999), pp. 287-301.
2. Voir L. Mullins (référence 1), chapitres 19, 20 et 21.
3. Il peut être moins risqué de développer les talents en interne plutôt que de les recruter. Voir B. Groysberg, A. Nanda et N. Nohria, « The risky business of hiring stars », *Harvard Business Review*, vol. 82, n° 5 (2004), pp. 92-100.
4. Voir D. Ulrich et W. Brockbank, « Higher knowledge for higher aspirations », *Human Resource Management*, vol. 44, n° 4 (2005), pp. 489-504.
5. Voir D.D. Van Fleet, T.O. Peterson et E.W. Van Fleet, « Closing the performance feedback gap with expert systems », *Academy of Management Executive*, vol. 19, n° 3 (2005), pp. 9-12.
6. Voir L. Mullins (référence 1), chapitres 4, 13 et 14.
7. Les termes « paradigme » et « modèle mental » sont synonymes. Voir J. Pfeffer, « Changing mental models: HR's most important task » *Human Resource Management*, vol. 44, n° 2 (2005), pp. 123-128.
8. Voir C. Bartlett et S. Ghoshal, « Building competitive advantage through people », *Sloan Management Review*, vol. 43, n° 2 (2002), pp. 34-41.
9. Le travail fondateur sur cette question d'équilibre au sein des équipes est celui de R. Belbin, *Management Teams: Why They Succeed or Fail*, Heinemann, 1981.
10. Voir C. Collins et K. Clark, « Strategic human resource practices, top management team social networks and firm performance: the role of human resource practices in creating organisational competitive advantage », *Academy of Management Journal*, vol. 46, n° 6 (2003), pp. 740-751.
11. Voir L. Mullins (référence 1), chapitres 6, 15 et 16.
12. J. Storey, *Developments in the Management of Human Resources*, Blackwell, 1992, utilise cette typologie pour classer les rôles de la fonction RH. D. Ulrich, *Human Resource Champion*, Harvard Business School Press, 1997, propose une typologie légèrement différente fondée sur deux dimensions : le changement ou le renforcement, d'une part, et les individus ou les processus, d'autre part.
13. Cette question fait l'objet des articles suivants : W. F. Cascio, « From business partner to driving business success: the next step in the evolution of HR », *Human Resource Management*, vol. 44, n° 2 (2005), pp. 159-163 ; G. Armstrong, « Differentia-

ple: how can HR move beyond
...ner? », *Human Resource Management*,
...n° 2 (2005), pp. 195-200 ; E.E. Lawler III,
...om human resource management to organisational effectiveness », *Human Resource Management*, vol. 44, n° 2 (2005), pp. 165-169.

14. Les réductions d'effectifs peuvent créer des problèmes de ce type. Voir par exemple R. Thomas et
D. Dunkerley, « Careering downwards? Middle
managers' experience in the downsized organisation », *British Journal of Management*, vol. 10
(1999), pp. 157-169.

15. Voir J.M. Hiltrop, « Creating HR capability in high
performance organisations », *Strategic Change*,
vol. 14, n° 3 (2005), pp. 121-131.

16. Voir l'ouvrage collectif *L'art du management de
l'information*, Village Mondial, 2000, ainsi que
P. Bocij, D. Chaffey, A. Greasley et S. Hickie, *Business
Information Systems: Technology, Development and
Management for the E-Business*, 3e édition, Prentice
Hall, 2006 (en particulier les chapitres 13 et 14) ;
J. Ward et J. Peppard, *Strategic Planning for Informa-
tion Systems*, 3e édition, Wiley, 2002 ; D. Chaffrey et
S. Wood, *Business Information Management*, Prentice
Hall, 2005 ; P. Timmers, *Electronic Commerce*, Willey,
2000. Le lecteur peut également consulter C.K. Pra-
halad et M.Krishnan, « The dynamic synchronisa-
tion of strategy and information technology », *Sloan
Management Review*, vol. 43, n° 4 (2002), pp. 24-31 ;
M. Porter, « Strategy and the Internet », *Harvard
Business Review*, vol. 79, n° 2 (2001), pp. 63-78 ;
J. Brown et J. Hagel, « Does IT matter? », *Harvard
Business Review*, vol. 81, n° 7 (2003), pp. 109-112 ;
G. Carr, « IT doesn't matter », *Harvard Business
Review*, vol. 81, n° 5 (2003), pp. 41-50.

17. Voir N. Carr, « The corrosion of IT advantage:
strategy makes a comeback », *Journal of Business
Strategy*, vol. 25, n° 5 (2004), pp. 10-15.

18. Sur l'intérêt du *data mining*, voir C. Carmen et
B. Lewis, « A basic primer on data mining », *Information Systems Management*, vol. 19, n° 4 (2002),
pp. 56-60 ; J. Firestone, « Mining for information
gold », *Information Management Journal*, vol. 39,
n° 5 (2005), pp. 47-52 ; J. Xu et H. Chen, « Criminal
network analysis and visualization », *Communications of the ACM*, vol. 48, n° 6 (2005), pp. 101-107 ;
A. Hormozi, M. Amir et S. Giles, « Data mining:
a competitive weapon for banking and retail industries », *Information Systems Management*, vol. 21,
n° 2 (2004), pp. 62-71.

19. La nécessité de combiner les différentes interfaces
avec les clients (commerciaux, sites Internet, centres d'appel) est examinée dans *Customer Essen-
tials*, CBR Special Report, 1999, pp. 7-20.

20. Sur les systèmes experts, voir A. Hatchuel et
B. Weil, *L'expert et le système*, Economica, 1992.

21. Voir B. Maître, G. Aladjidi et A. Ollivier, *Les business models de la nouvelle économie*, Dunod, 2000,
et P. Timmers (référence 16), chapitre 3. Voir également N. Sheehan, « Why old tools don't work in
the new knowledge economy », *Journal of Business
Strategy*, vol. 26, n° 4 (2005), pp. 53-60. Sur la
notion de modèles économiques appliqués au cas
de l'assurance, voir D. Cordier et F. Fréry, *Les
7 familles de l'assurance*, Vuibert, 2003.

22. Sur l'entreprise agile, voir S. Goldman, R. Nagel et
K. Preiss, *Agile Competitors and Virtual Organizations: Strategies for Enriching the Customer*, Van
Nostrand Reinhold, 1995 et O. Badot, *Théorie de
l'entreprise agile*, L'Harmattan, 1997.

23. Voir J. Rifkin et J. Kurtzman, « Is your e-business
plan radical enough? », *Sloan Management Review*,
vol. 43, n° 3 (2002), pp. 91-95.

24. Sur la finance en général, voir Z. Bodie, R. Merton
et C. Thibierge, *Finance*, 2e édition, Pearson Education, 2007, ainsi que G. Arnold, *Corporate
Financial Management*, 3e édition, Prentice Hall,
2005 et P. Atrill, *Financial Management for Decisions Makers*, 4e édition, Prentice Hall, 2006.

25. L'ouvrage fondateur sur la création de valeur
actionnariale est celui de A. Rappaport, *Creating
Shareholder Value*, 2e édition, Free Press, 1998. Voir
également O. Jokung, J.-L. Arrègle et W. Ulaga,
Introduction au management de la valeur, Dunod,
2001, ainsi que T. Grundy, G. Johnson et K. Scholes,
Exploring Strategic Financial Management, Prentice
Hall, 1998, chapitre 2 et J. Barlow, R. Burgman et
M. Molna, « Managing for shareholder value:
intangibles, future value and investment decisions », *Journal of Business Strategy*, vol. 25, n° 3
(2004), pp. 26-34.

26. Voir J. Martin et W. Petty, « Value based management », *Baylor Business Review*, vol. 19, n° 1 (2001),
pp. 2-3.

27. Voir S. Williams, « Delivering strategic business
value », *Strategic Finance*, vol. 86, n° 2 (2004),
pp. 41-48.

28. Voir notamment Z. Bodie, R. Merton et C. Thibierge (référence 24) et P. Atrill (référence 24).

29. Pour les lecteurs qui souhaitent approfondir cette
section, voir L. Batsch, *Finance et stratégie*, Econo-
mica, 1999 ; K. Ward, *Corporate Financial Strategy*,
Butterworth Heinemann, 1993 et T. Grundy et
K. Ward (eds), *Developing Financial Strategies:
A Comprehensive Model in Strategic Business
Finance*, Kogan Page, 1996.

30. De très nombreuses recherches ont été consacrées
au financement des entreprises en démarrage,

notamment des start-up. Voir, par exemple, D. Champion, « A stealthier way to raise money », *Harvard Business Review*, vol. 78, n° 5 (2000), pp. 18-19 ; Q. Mills, « Who's to blame for the bubble? », *Harvard Business Review*, vol. 79, n° 5 (2001), pp. 22-23 ; H. van Auken, « Financing small technology-based companies: the relationship between familiarity with capital and ability to price and negotiate investment », *Journal of Small Business Management*, vol. 39, n° 3 (2001), pp. 240-258 ; M. van Osnabrugge et R. Robinson, « The influence of a venture capitalist's source of funds », *Venture Capital*, vol. 3, n° 1 (2001), pp. 25-313.

31. Voir P. Atrill (référence 24), ainsi que D. Rankine., P. Hawson et F. Fréry, *Réussir une acquisition*, Pearson Education, 2006.

32. Voir A. Kennedy, *The End of Shareholder Value: Corporations at the Crossroads*, Perseus Publishing, 2000 et H. Collingwood, « The earnings game », *Harvard Business Review*, vol. 79, n° 6 (2001), pp. 65-72.

33. Les principales sources de cette section sont J. Broustail et F. Fréry, *Le management stratégique de l'innovation*, Dalloz, 1993 ; P. Dussauge et B. Ramanantsoa, *Technologie et stratégie d'entreprise*, McGraw-Hill, 1987 ; J.-Y. Prax, B. Buisson, P. Silberzahn, *Objectif Innovation*, Dunod, 2005 ; S. Fernez-Walch et F. Romon, *Management de l'innovation*, Vuibert, 2006 ; M. Shilling et F. Thérin, *Gestion de l'innovation technologique*, Maxima, 2006 ; J. Tidd, J. Bessant, K. Pavitt, *Managing Innovations: Integrating Technological, Marketing and Organizational Change*, 3ᵉ édition, Wiley, 2005. Voir également P.H. Antiniou et H.I. Ansoff, « Strategic management of technology », *Technology Analysis and Strategic Management*, vol. 16, n° 2 (2004), pp. 275-291.

34. Pour une comparaison des politiques de R&D, voir E. Roberts, « Benchmarking global strategic management of technology », *Research Technology Management*, vol. 44, n° 2 (2001), pp. 25-36.

35. W. Boulding et M. Christen, « First mover disadvantage », *Harvard Business Review*, vol. 79, n° 9 (2001), pp. 20-21.

36. Voir J. Tidd, J. Bessant, K. Pavitt (référence 33) ainsi que J. Tidd et M. Trewhella, « Organisational and technological antecedents for knowledge acquisition », *R&D Management*, vol. 27, n° 4 (1997), pp. 359-375.

37. Voir, par exemple, G. Slowinsky, S. Stanton, J. Tao, W. Miller et D. McConnell, « Acquiring external technology », *Research Technology Management*, vol. 43, n° 5 (2002), pp. 29-35.

38. E. Roberts et W. Lui, « Ally or Acquire? How technology leaders decide », *Sloan Management Review*, vol. 43, n° 1 (2001), pp. 26-34.

39. R. Buderi, « Funding central research », *Research Technology Management*, vol. 43, n° 4 (2000), pp. 18-25, présente une série d'exemples, dont Siemens, NEC, HP et IBM.

40. Voir C. Kimzey et S. Kurokawa, « Technology outsourcing in the US and Japan », *Research Technology Management*, vol. 45, n° 4 (2002), pp. 36-42.

41. E. Kessler et P. Bierly, « Internal vs. external learning in product development », *R&D Management*, vol. 30, n° 3 (2000), pp. 213-223.

42. R. Grieve, « Appropriate technology in a globalising world », *International Journal of Technology Management and Sustainable Development*, vol. 3, n° 3 (2004), pp. 173-187.

43. A. Lloyd, « Technology, innovation and competitive advantage: making a business process perspective part of investment appraisal », *International Journal of Innovation Management*, vol. 5, n° 3 (2001), pp. 351-376.

44. Les processus de sortie de phase sont discutés par R. Thomas, *Product Development: Managing and forecasting for strategic success*, Wiley, 1993 ; R. Cooper, S. Edgett, J. Kleinschmidt et J. Elko, « Optimising the stage-phase process: what best practice companies do », *Research Technology Management*, vol. 45, n° 5 (2002), pp. 25-26 et vol. 45, n° 6 (2002), pp. 43-413.

45. Voir J. Tidd, J. Bessant, K. Pavitt (référence 33), p. 465.

46. L. Gratton, « Managing integration through cooperation », *Human Resource Management*, vol. 44, n° 2 (2005), pp. 151-158 souligne l'importance de la coopération interne et externe.

L'industrialisation du jeu vidéo

Le 2 décembre 2007, le groupe français Vivendi annonça la fusion de sa division jeux vidéo, qui produisait notamment le jeu en réseau *World of Warcraft* (9,5 millions de joueurs dans le monde) avec son concurrent américain Activision (éditeur du jeu vedette du moment, *Guitar Hero*). Vivendi Games était alors le numéro deux mondial du secteur, derrière un autre Américain, Electronic Arts, alors que Activision était numéro trois. Avec un chiffre d'affaires de 3,8 milliards de dollars en 2007, le nouvel ensemble, baptisé Activision Blizzard, devenait ainsi le leader du secteur, devant Electronic Arts (3,09 milliards) et loin devant le Français Ubisoft (environ 1 milliard).

L'opération financière était relativement complexe : Vivendi Games, valorisé 8,1 milliards de dollars, était fusionné avec une filiale d'Activision. Dans le même temps, Vivendi se porta acquéreur, pour 1,7 milliard, de 62,9 millions d'actions nouvelles d'Activision. Après dilution, Vivendi détenait ainsi 52 % du nouvel ensemble Activision Blizzard, qui lança dans un second temps une OPA sur ses propres actions, permettant ainsi à Vivendi de monter à 68 % dans son capital.

Une industrie de premier plan

Cette fusion n'était qu'un nouvel épisode dans le vaste mouvement de concentration que connaissait ce secteur. En effet, à la fin des années 2000, le jeu vidéo était devenu une industrie de plus de 20 milliards d'euros (soit plus que le cinéma ou la musique), en croissance annuelle de plus de 10 % et dominée par de grandes entreprises nord-américaines, japonaises et européennes.

À ses débuts, dans les années 1980, cette activité avait pourtant été très artisanale : c'étaient alors des développeurs individuels qui rédigeaient les programmes, souvent dans leur chambre. À cette époque, la mise au point d'un jeu coûtait environ 6 000 euros et ne nécessitait que deux personnes : un programmeur et un graphiste. Vingt ans plus tard, on estimait que le coût de développement d'un nouveau jeu était au minimum de 3 millions d'euros. Pour développer un jeu phare, dont les ventes pouvaient dépasser les 3 millions d'exemplaires (parfois seulement en quelques semaines), il était nécessaire d'investir jusqu'à 20 millions d'euros. Pour cela, des équipes de plusieurs dizaines de programmeurs, de graphistes, d'ingénieurs du son et de producteurs étaient nécessaires. Le succès était parfois impressionnant : en septembre 2007, lors du lancement de son jeu de combat *Halo 3*, Microsoft avait ainsi dégagé un chiffre d'affaires de 170 millions de dollars en une seule journée (soit plus que n'importe quel film dans l'histoire du cinéma), avec une rentabilité estimée à 90 %. Cependant, en règle générale, 20 % des jeux réalisaient 80 % du chiffre d'affaires des éditeurs.

Cette évolution avait un impact évident sur la structure de l'industrie. Les éditeurs devaient grossir pour pouvoir supporter de tels coûts de développement, ce qui les forçait à trouver de nouvelles sources de financement. Bien souvent, cela passait par l'introduction en Bourse, mais les investisseurs, échaudés par l'explosion de la bulle

Internet, étaient peu disposés à parier sur une activité considérée comme risquée. L'industrie était donc en phase de concentration rapide. Au Royaume-Uni, SCI Eidos était à vendre depuis le début 2007 sans trouver preneur. Certains acteurs de taille moyenne tentaient de grossir à marche forcée pour ne pas être distancés par les leaders. Tous n'y parvenaient pas : en France, Cryo, Titus Interactive ou Kalisto, très médiatisés à la fin des année 1990, n'avaient pas survécu, alors que Infogrames, qui avait racheté l'éditeur historique américain Atari, n'arrivait toujours pas à restaurer sa rentabilité.

Le cas de Ubisoft

Le cas de Ubisoft était plus contrasté. Fondé en 1986 par les quatre frères Guillemot, cet éditeur, dont le siège était implanté en banlieue parisienne, faisait toujours partie des leaders mondiaux. En novembre 2007, pour le lancement de son jeu d'aventure *Assassin's Creed*, Ubisoft avait investi 25 millions d'euros, dont 10 pour la promotion. De même, *Rayman contre les lapins crétins* avait été l'une des trois meilleurs ventes de l'année sur la console Wii de Nintendo. Au total, le cours de l'action Ubisoft avait augmenté de près de 140 % en 2007.

Les observateurs attribuaient le succès de Ubisoft au sérieux et aux qualités gestionnaires des frères Guillemot, mais également au fait qu'ils avaient, dès le départ, fait le choix du développement des jeux en interne : « ils ont préféré croître par croissance organique, quitte, pendant des années, à faire des mauvais jeux parce que leurs créatifs étaient trop jeunes. » soulignait l'analyste d'une grande banque. Un autre spécialiste observait que « Ubisoft a misé sur ses créatifs (3 200 développeurs sur 4 000 salariés), ce qui lui permet, en jouant sur les synergies entre ses équipes de développeurs, de sortir plusieurs jeux simultanément. Aujourd'hui, pour exister, il faut proposer le plus de jeux possible dans les bacs. »

L'indépendance de Ubisoft n'était pourtant pas assurée. En décembre 2004, l'Américain Electronic Arts avait acquis une participation de 15 % dans son capital avec l'intention d'en prendre le contrôle. Les frères Guillemot s'étaient opposés à cette opération, mais la fusion entre Vivendi et Activision, qui faisait perdre à Electronic Arts son statut de leader mondial, risquait d'attiser son appétit. « Nous sommes toujours menacés », reconnaissait Yves Guillemot. Les quatre frères avaient notamment veillé à empêcher Electronic Arts de mettre la main sur la pépite de Ubisoft, sa filiale Gameloft, qui éditait des jeux pour téléphones mobiles. Cette activité – extrêmement rentable – était désormais directement possédée par la famille, aux côtés d'une banque. Le cabinet d'études Juniper Research estimait d'ailleurs que le marché mondial des jeux sur téléphone mobile atteindrait 10 milliards de dollars en 2009 avec 460 millions de joueurs, soit plus du double par rapport à la situation de 2007.

La structure de la filière

À de rares exceptions près, le développement des jeux à succès était assuré par une poignée de gros éditeurs. Ils négociaient des licences auprès des studios de cinéma ou des clubs de sport, maintenaient des relations étroites avec les fabricants de consoles (Nintendo, Sony, Microsoft) et contrôlaient strictement la distribution des jeux. La très vaste majorité de jeux était vendue de manière traditionnelle, en magasin, ce qui imposait une structure logistique non négligeable. La vente de jeux en ligne n'était pas encore entrée dans les mœurs.

Dans l'orbite des grands éditeurs, on trouvait des développeurs et des concepteurs. Parfois employés par les éditeurs, parfois indépendants, ils n'avaient pas les moyens de produire eux-mêmes des jeux. Aucun accord de licence n'était conclu sans un éditeur. De même, un jeu ne pouvait pas parvenir dans les rayons des magasins sans le support d'un éditeur. Avec l'accroissement des coûts de développement, le contrôle exercé par les éditeurs s'était encore resserré.

Étude de cas

Les petits indépendants disparaissaient et les gros éditeurs devenaient de plus en plus conservateurs.

Les coûts explosaient du fait de la complexité des plates-formes, que ce soit les consoles ou les PC. Le niveau de détail, la fluidité des mouvements, le réalisme cinématographique des personnages en 3D impliquaient beaucoup d'argent et de capacités de coordination entre des expertises diverses et coûteuses. De fait, une part croissante de la programmation était effectuée en Inde, où la disponibilité d'informaticiens qualifiés à bon marché permettait de réduire les coûts de développement de près de 40 %.

Par ailleurs, comme pour le cinéma, quatre jeux sur cinq n'étaient pas rentables. Les éditeurs investissaient donc lourdement en marketing pour encourager les ventes. De fait, une large part de l'augmentation des budgets ne concernait pas les jeux eux-mêmes, mais plutôt leur distribution (publicité, organisation d'événements, négociation avec les distributeurs).

Le développeur Valve, créateur du succès de 2004, Half-Life 2, avait tenté de contourner les éditeurs en lançant son propre système de distribution par Internet, Steam. Vivendi, qui assurait la distribution physique du jeu, avait porté plainte pour rupture de contrat et avait réclamé la fermeture de ce service. Parallèlement, certains développeurs se tournaient vers des capital-risqueurs pour échapper à la mainmise des éditeurs. Rien n'indiquait cependant que ces nouveaux intervenants accepteraient aussi facilement que les éditeurs un taux d'échec de 80 %.

Lors de la conférence des développeurs de jeux de San Francisco en 2005, plusieurs vétérans de l'industrie avaient appelé à la rébellion contre le système mis en place par les gros éditeurs. Ils avaient rappelé que dans l'industrie du cinéma, certains créateurs avaient réussi à mettre en place leurs propres structures afin de se libérer du pouvoir des studios. À l'image de United Artists (fondé en 1919 par Charles Chaplin, Douglas Faibanks, Mary Pickford et D. W. Griffith) ou de Dreamworks (fondé en 1994 par Steven Spielberg, Jeffrey Katzenberg et David Geffen), les développeurs seraient-ils capables de prendre, eux aussi, leur indépendance ? Le parallèle entre le jeu vidéo et le cinéma n'était peut-être pas aussi limpide. D'ailleurs, après 11 ans d'indépendance, Dreamworks avait été racheté par Paramount Pictures en 2005.

Cependant, une large partie de l'avenir du jeu vidéo dépendait de l'évolution technologique des plateformes matérielles, qu'il s'agisse des PC, des consoles de salon, des consoles portables ou encore des téléphones mobiles.

Course aux armements dans les consoles

Depuis 2005, Sony et Microsoft s'étaient engagés dans une course à la puissance en lançant des consoles dotées de caractéristiques technologiques haut de gamme. La PlayStation 3 de Sony et la Xbox 360 de Microsoft étaient capables de diffuser des images en haute définition, de se connecter à Internet pour les jeux en ligne et d'afficher des cinématiques en 3D avec une fluidité inégalée. Avec ces nouvelles plates-formes, il n'était plus seulement question de jouer : il s'agissait de dominer le marché du divertissement numérique à domicile. « L'enjeu de cette nouvelle génération de consoles est considérable », déclarait Warren Jenson, le directeur financier de Electronic Arts, « il s'agit de contrôler la machine qui permettra de connecter votre salon à Internet. »

Tout au long de l'histoire du jeu vidéo, les transitions d'une génération de console à l'autre s'étaient toujours traduites par de profonds bouleversements. Atari avait ainsi cédé la place à Sega, qui s'était effacé devant Nintendo, avant que Sony ne devienne le leader mondial. Cette fois, c'était Microsoft qui voulait s'imposer. En dépit de ses qualités techniques, la première Xbox était arrivée 18 mois après la PlayStation 2 de Sony, dont elle n'avait jamais pu menacer la suprématie.

Si les consoles de jeux étaient au centre de la bataille technologique, le PC restait encore le cœur des activités numériques à domicile. Près de 64 millions de micro-ordinateurs domestiques avaient été vendus en 2004, pour seulement 24 millions de consoles de jeux. Cependant, avec la puissance de traitement de la nouvelle génération de consoles, cet équilibre risquait d'évoluer. Après tout, l'appareil qui trônait dans n'importe quel salon était toujours la télévision familiale, dont la console était une extension bien plus naturelle que le PC.

Avec le développement des loisirs numériques, les consoles de jeux voyaient leur rôle s'étendre à de nouvelles fonctions. Elles permettaient de visionner les photos de famille ou d'accéder au commerce en ligne, d'écouter des fichiers musicaux ou de regarder des films. Grâce à la connexion Internet, il était également possible d'échanger des images et de la musique ou de jouer à distance. Sony faisait même l'hypothèse que les futures consoles permettraient d'obtenir une convergence entre le film d'animation et le jeu vidéo.

Les concurrents engagés dans cette bataille étaient parfaitement conscients des enjeux. Pour Sony, le succès dans le jeu vidéo était vital : durant les quatre années qui avaient suivi le lancement de la PlayStation 2, celle-ci avait contribué en moyenne à 60 % du profit opérationnel du groupe, soit un total cumulé de 2,6 milliards de dollars sur quatre ans. Au cours de la même période, l'activité jeux vidéo de Microsoft avait accumulé une perte de 3,7 milliards de dollars, ce que ses dirigeants considéraient comme le prix à payer pour pouvoir participer à la partie qui allait s'engager. Invité à commenter les résultats de la Xbox, Bill Gates, le fondateur et président de Microsoft, avait ainsi fait remarquer : « ce que nous avons obtenu cette fois-ci – pour un coût financier significatif – c'est l'opportunité de rejouer. »

Cependant, en dépit de leurs ambitions, Microsoft et Sony savaient que les ventes de leurs consoles dépendraient avant tout de la « jouabilité » qu'elles offraient. Il ne s'agissait pas seulement de

diffuser des images en haute définition ou d'assurer des animations en 3D : le surcroît de puissance des nouvelles consoles devait également permettre d'améliorer les algorithmes d'intelligence artificielle et ainsi de proposer des interactions complexes et inédites avec les joueurs.

Or, sur cette dimension, c'est Nintendo qui avait réussi une véritable disruption : la Wii.

La stratégie d'océan bleu de la Wii

Satoru Iwata, le P-DG de Nintendo, avait fait le pari de ne pas affronter Sony et Microsoft dans leur course à la puissance : « Nous avons décidé de suivre une autre voie. Notre objectif n'est pas de nous battre contre Sony ou Microsoft pour leur prendre leurs clients, mais plutôt de convertir aux jeux vidéo des personnes qui ne s'y intéressaient pas jusqu'alors. »

Cette stratégie s'était tout d'abord concrétisée par le lancement de la console portable Nintendo DS, dotée d'un double écran (dont l'un était tactile), d'une puce Wi-Fi et d'un système de reconnaissance de la parole. Pour la première fois, grâce à des jeux tels que Nintendogs et Entraînement cérébral, une console de jeux avait attiré non seulement des enfants, mais également des adultes – dont une proportion significative de femmes – et même des personnes âgées. Plus de 50 millions de Nintendo DS avaient été vendues en 2006 et 2007.

Nintendo avait alors décidé de réitérer la même approche sur les consoles de salon avec le lancement de la Wii fin 2006 : privilégier la « jouabilité » plutôt que la puissance. La Wii était ainsi équipée d'un processeur standard, qui ne lui permettait pas d'afficher des graphismes aussi élaborés que ceux des consoles concurrentes. En revanche, elle était dotée d'une manette inédite, la wiimote, équipée de hauts parleurs, d'un vibreur, d'une caméra infrarouge et d'un accéléromètre capable de mesurer les mouvements des joueurs. Grâce à cette interface innovante, les utilisateurs pouvaient mimer des gestes naturels devant leur écran – par exemple frapper une

Étude de cas

balle pour jouer au tennis ou au golf – plutôt que d'appuyer sur les boutons d'une manette classique. Le plaisir de jouer était significativement amélioré.

De plus, étant donné que la Wii n'était pas une console haute définition, elle n'était vendue qu'à 250 euros, contre 400 euros pour la Xbox 360 et 600 euros pour la PlayStation 3. Or, même à ce prix, Nintendo gagnait environ 50 euros par console, alors que ses concurrents vendaient leurs merveilles technologiques à perte (en espérant se rattraper sur les jeux). De même, le développement d'un jeu pour Wii coûtait deux à trois fois moins cher que sur les consoles concurrentes, ce qui assurait un profit bien plus conséquent pour les éditeurs et ouvrait des opportunités inédites aux développeurs.

Un an après sa commercialisation, 25 millions de Wii avaient été vendues dans le monde. Aux États-Unis, sur sept acheteurs de consoles de jeux,

quatre choisissaient la Wii, deux la Xbox 360 de Microsoft et un seul la PlayStation 3 de Sony. La capitalisation boursière de Nintendo avait atteint 52 milliards d'euros et en 2006 son bénéfice avait été supérieur à 1 milliard pour un chiffre d'affaires de 5,8 milliards, soit 312 000 euros de profit par salarié, contre 125 000 chez Microsoft.

Pour autant, la bataille ne faisait que commencer : grâce au succès sans précédent de Halo 3, la Xbox 360 avait repris – temporairement – l'avantage sur le marché américain en novembre 2007, alors qu'une version allégée et moins chère de la PlayStation 3 devenait au même moment la console la plus vendue au Japon.

Sources : adapté de *The Sunday Times*, 12 octobre 2003 ; *Irish Times*, 18 mars 2005 ; Financial Times, 11 mai 2005 ; *Le Monde*, 26 décembre 2004, 11 janvier 2005 et 14 novembre 2007 ; *Les Échos*, 3 décembre 2007 ; *Capital*, novembre 2007.

Questions

1. En quoi le modèle économique de l'industrie du jeu vidéo a-t-il changé au fur et à mesure des progrès des technologies de l'information ? Où se situera, selon vous, la prochaine évolution du modèle ?

2. Quelles sont les implications de l'évolution de l'industrie en termes de gestion des ressources humaines ?

3. En utilisant le schéma 13.8, analysez la pertinence de l'approche financière dans l'industrie du jeu vidéo.

Chapitre 14
Gérer le changement stratégique

Déploiement stratégique

Objectifs

Après avoir lu ce chapitre, vous serez capable de :

- Comprendre les différents degrés de changement stratégique.
- Expliquer comment le contexte organisationnel peut influer sur le changement stratégique.
- Mener une analyse de champ de forces fondée sur un tissu culturel afin d'identifier les leviers de changement et les blocages.
- Décrire les principaux styles de conduite du changement.
- Expliquer comment différents leviers peuvent être utilisés pour influencer le changement stratégique, notamment les routines, les processus politiques et les symboles.
- Anticiper les pièges inhérents aux opérations de changement.

14.1 Introduction

Ce chapitre est consacré à la gestion des processus de changement stratégique. Dans les chapitres 12 et 13 nous avons déjà examiné l'importance des aspects structurels et le rôle des leviers de ressources. Cependant, concevoir une structure et des processus permettant de mettre en œuvre une nouvelle stratégie n'implique pas nécessairement qu'elle sera acceptée par les membres de l'organisation. Selon les managers, les principaux obstacles au changement stratégique sont l'*inertie* et la *résistance au changement*[1] : les individus tendent à préserver leurs comportements acquis et leurs schémas de pensée implicites. Comme nous l'avons vu dans la section 5.1, cela conduit souvent à une *dérive stratégique*. Cette tendance est soulignée dans les discussions sur le prisme de l'expérience, qui figurent dans les commentaires des différentes parties de l'ouvrage, ainsi que dans le chapitre 11. L'idée générale est que la conduite du changement stratégique n'est jamais un exercice trivial. Ce chapitre repose sur trois hypothèses fondamentales :

- Tout dépend de la *stratégie*. Lorsque l'on souhaite gérer le changement, il est indispensable de prendre en compte la plupart de ce que nous avons expliqué au cours des chapitres précédents, notamment :
  - Les raisons qui motivent un changement stratégique (voir les chapitres 2, 3, 4 et 5).

- L'intention stratégique (voir le chapitre 4) et les fondements de l'avantage concurrentiel (voir le chapitre 6).
- Les choix concernant les orientations stratégiques et les modalités de développement (voir les chapitres 7 à 10).

● Le *contexte* importe également. La manière de gérer le changement ne sera pas identique dans toutes les circonstances et dans toutes les organisations. En fonction de la situation à laquelle ils sont confrontés, les managers doivent arbitrer entre différentes approches de gestion du changement.

● Les *rôles multiples* des réformateurs. Beaucoup d'écrits consacrés au management stratégique reposent également sur l'idée qu'il s'agit d'un processus hiérarchique : les dirigeants décident la stratégie, planifient son déploiement et mettent en œuvre les changements requis. Même si les dirigeants ont spécifiquement pour rôle d'influencer l'orientation stratégique de l'organisation, il serait irréaliste de supposer qu'ils peuvent tout contrôler. Dans le chapitre 11 (voir la section 11.3), nous avons souligné que les stratégies émergent bien souvent des niveaux opérationnels de l'organisation.

Le schéma 14.1 expose la structure du chapitre. La section 14.2 commence par expliquer comment il est possible de *diagnostiquer* la situation à laquelle l'organisation

---

Schéma 14.1   Les éléments clés de la conduite du changement stratégique

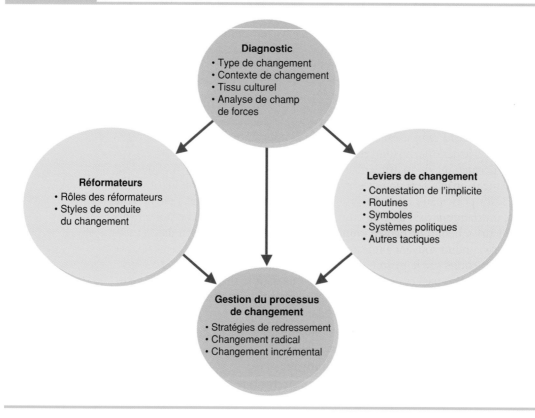

est confrontée, que ce soit en termes d'*ampleur* du changement nécessaire, de variété des *facteurs contextuels* qu'il convient de prendre en compte et de *forces culturelles* susceptibles de *faciliter* ou de *bloquer* le changement. La section 14.3 présente ensuite les différents *styles de conduite du changement*, ainsi que le *rôle* joué par les leaders stratégiques et les autres réformateurs. La section 14.4 examine alors en détail les *leviers* qui peuvent être employés pour conduire le changement : les *structures* et *mécanismes de contrôle*, les *routines* et *symboles* organisationnels ou encore les *jeux politiques* et les *tactiques de changement*. Finalement, la section 14.5 examine les *pièges* les plus fréquents qui menacent les organisations lors des opérations de changement.

14.2 Le diagnostic de la situation de changement

Il est nécessaire d'évaluer l'*ampleur* et le *type* de changement nécessaire, le *contexte* dans lequel il doit être conduit, les *blocages* qui peuvent s'y opposer et les forces susceptibles de le *faciliter*.

14.2.1 Les types de changements stratégiques

Comme nous l'avons souligné dans le chapitre 11, l'élaboration de la stratégie est un processus *incrémental* par nature : les stratégies actuelles s'appuient sur les stratégies passées, de manière adaptative, avec de loin en loin quelques transformations *radicales*. Julia Balogun et Veronica Hope Hailey[2] ont affiné cette distinction en identifiant quatre types de changements stratégiques (voir le schéma 14.2) qui doivent être conduits différemment.

On peut estimer qu'en ce qui concerne la *nature* du changement, il est préférable pour une organisation d'évoluer de manière *incrémentale*. De cette manière, les individus peuvent en effet construire de nouvelles compétences, routines et croyances. Moins traumatisant, le changement incrémental est susceptible de recevoir une plus forte adhésion. Une approche plus *radicale* est cependant nécessaire dans certaines occasions, par exemple lorsque l'organisation est confrontée à une crise ou lorsqu'elle doit changer très rapidement d'orientation. Pour ce qui est de l'*ampleur* du changement, il convient de se demander s'il peut être réalisé dans le cadre de la culture actuelle. Il est alors possible de se contenter d'un *réalignement* de la stratégie. À l'inverse, une véritable *transformation* nécessite une

Schéma 14.2	Les types de changements stratégiques

		Ampleur du changement	
		Réalignement	**Transformation**
Nature du changement	**Incrémentale**	Adaptation	Évolution
	Radicale	Reconstruction	Révolution

Source : adapté de J. Balogun et V. Hope Hailey, *Exploring Strategic Change*, Prentice Hall, 1998.

évolution fondamentale de la culture. La combinaison de ces deux axes permet de distinguer quatre types de changements stratégiques :

- L'*adaptation* est un changement qui peut être obtenu de manière incrémentale sans modifier la culture. C'est la forme de changement la plus courante dans les organisations.
- La *reconstruction* est en général un changement rapide, qui peut provoquer de réels bouleversements dans l'organisation, sans pour autant nécessiter une évolution fondamentale de la culture. C'est le cas, par exemple, des plans de redressement ou des programmes de réduction des coûts permettant de réagir à un déclin de la performance financière ou à des conditions environnementales dégradées. Nous reviendrons sur ces situations dans la section 14.5.1.
- La *révolution* est un type de changement qui implique une transformation rapide et radicale de la culture, par exemple lorsque la stratégie est tellement contrainte par les schémas de pensée existants et les routines organisationnelles établies que l'organisation se révèle incapable de répondre aux pressions environnementales ou concurrentielles. Ce type de situation peut perdurer pendant de nombreuses années (voir la discussion sur la dérive stratégique dans la section 5.1) et déboucher sur des crises particulièrement aiguës (risque de faillite ou d'OPA) qui menacent la survie de l'organisation. Nous reviendrons sur ces situations dans la section 14.5.2.
- L'*évolution* nécessite un changement de culture, mais de manière progressive, par exemple lorsque les managers anticipent une transformation, le plus souvent grâce aux différents outils et techniques d'analyse décrits dans les précédents chapitres. Il est alors possible de planifier le changement. L'évolution peut également être expliquée au travers de la notion d'*organisation apprenante* (voir la section 11.5.2), capable d'ajuster perpétuellement sa stratégie aux évolutions de son environnement. Nous reviendrons sur ces situations dans la section 14.5.3.

L'analyse culturelle présentée dans la section 5.4.6 permet de déterminer si le changement peut s'inscrire dans les limites de la culture actuelle ou si, à l'inverse, il requiert une évolution significative. Un distributeur peut ainsi proposer de nouveaux produits dans ses rayons sans que cela n'implique des changements fondamentaux dans ses croyances et ses schémas de pensée. Réciproquement, certaines réorientations stratégiques exigent un changement de culture sans que l'offre ne soit apparemment affectée. On peut citer le cas des organisations industrielles qui décident de mettre fin à leur focalisation technologique pour donner la priorité au service au client.

14.2.2 L'importance du contexte

Il n'existe pas de solution optimale de conduite du changement. Il est ainsi nécessaire de procéder de manière différente selon que l'on cherche à faire évoluer une petite structure entrepreneuriale dirigée par une équipe jeune et motivée, une vaste multinationale fortement diversifiée ou encore un service public contraint par des structures formelles et des routines établies. Dans ces contextes radicalement différents, on ne saurait conduire le changement selon la même approche. Beaucoup de gouvernements de par le monde ont tenté d'importer des pratiques de gestion du changement grâce à des consultants ou en recrutant des managers venus du secteur privé, mais les résultats sont bien souvent en deçà des objectifs[3]. L'illustration 14.1 donne l'exemple du contexte de changement stratégique au sein du ministère de la Défense britannique[4].

La manière de gérer le changement dépend fondamentalement du contexte[5]. À partir de cette constatation, Julia Balogun et Veronica Hope Hailey ont identifié une série de facteurs contextuels qu'il convient de prendre en compte avant d'entreprendre une démarche de changement.

Comme le montre le schéma 14.3, différents facteurs contextuels ont un impact sur la démarche de conduite du changement :

- La *vitesse* à laquelle le changement doit être conduit peut fortement varier. Une entreprise confrontée à un effondrement de ses ventes ou de ses profits, du fait d'une évolution brutale de son environnement concurrentiel, ne dispose pas du même horizon de temps qu'une organisation qui peut anticiper le besoin de changement longtemps à l'avance et qui est ainsi capable de planifier méticuleusement les différentes phases d'évolution requises.
- L'*ampleur* du changement peut varier en termes de *surface* (de nombreux éléments doivent-ils évoluer ?) et de *profondeur* (dans quelles proportions faut-il réformer la culture ?).
- Quelle que soit l'ampleur du changement, il peut être nécessaire de s'assurer de la *préservation* de certains aspects de l'organisation, notamment les compétences

---

Schéma 14.3 **L'influence du contexte sur le changement stratégique**

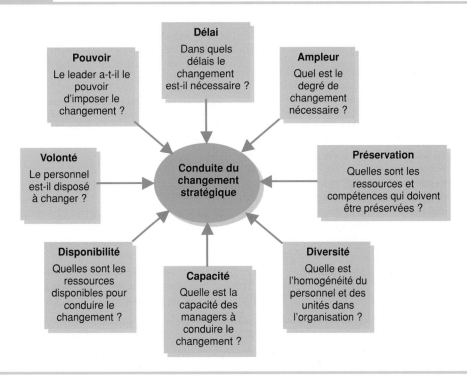

Illustration 14.1

Le ministère de la Défense britannique résiste aux réformes

Pour comprendre les difficultés de la gestion du changement, il est indispensable de prendre en compte le contexte.

Au milieu des années 2000, le ministère de la Défense britannique éprouvait des difficultés à se réformer. Sur les sept axes de réforme qui avaient été arrêtés en 1998, un seul était correctement déployé en 2004 et certains n'avaient pas encore été initiés. De même, le ministère avait mis en place en 2000 une organisation logistique centrale ayant pour objectif de coordonner les besoins de l'armée de terre, de la marine et de l'armée de l'air. En 2005, cette structure était au point mort. Deux experts de l'académie militaire de Shrivenham, Derrick Neal et Trevor Taylor, ont étudié les raisons de ces échecs.

Taille et complexité

L'effectif du ministère de la Défense dépassait les 300 000 personnes, dont 200 000 militaires. Par ailleurs, 300 000 personnes extérieures étaient impliquées dans ses activités. Ces individus étaient dispersés en de très nombreuses entités : « à chaque fois qu'un changement est initié quelque part dans le système, soit il fait l'objet de résistances et de difficultés issues d'autres parties de l'organisation, soit il y provoque des répercussions qui n'avaient pas été identifiées par les responsables. » Or, il était très difficile de changer simultanément toutes les parties du système.

Autonomie

Le ministère ne pouvait pas décider de la politique de défense nationale, qui relevait du gouvernement. Cependant, il disposait d'une certaine autonomie : on dénombrait ainsi 13 unités budgétaires principales, à l'intérieur desquelles existaient différents niveaux de délégation. Au total coexistaient quelque 36 agences de défense qui coordonnaient 120 « équipes projet intégrées ». Lorsque le cabinet ministériel tentait de générer un changement, les responsables locaux interprétaient le plus souvent à leur manière ses instructions. En 2003, on avait pu identifier 150 initiatives de réforme non coordonnées dans l'ensemble de la structure.

Relations humaines

Le ministère employait des militaires et des civils. Les militaires étaient habitués à de fréquentes réaffectations.

Un total de 20 affectations différentes en 35 ans de carrière était la norme. L'horizon de temps était donc bref (moins de deux ans entre deux mouvements) et la culture volontaire. Ceux qui souhaitaient avoir un impact rapide lançaient donc des initiatives, mais partaient le plus souvent avant d'en voir les effets. Or, les projets aboutissaient rarement car « vous ne vous faites pas un nom en appliquant les décisions d'un autre officier ». De leur côté, à de rares exceptions près, les civils ne changeaient pas fréquemment de poste. Leur horizon de temps était donc très différent.

Résistance budgétaire au changement

Le ministère considérait le changement comme une « activité budgétairement neutre » : même une opération de changement censée générer des économies devait donc être financée par des économies préalables. Le ministère n'avait ainsi reconnu la nécessité d'investir dans le projet d'organisation logistique centrale qu'après l'échec de celui-ci, ce qui l'avait conduit à demander les fonds nécessaire auprès du ministère des Finances quelque quatre ans après son lancement.

L'absence d'urgence

Il n'existait pas de sentiment de crise. Paradoxalement, pour des individus entraînés et habitués à des situations de risque extrême, les agents du ministère considéraient que leurs institutions étaient sûres et pérennes. Le seul signal de nécessité de changement était émis par le ministère des Finances, ce qui était considéré comme une menace.

Source : adapté de D. Neal et T. Taylor, « Spinning on dimes: the challenges of introducing transformational change into the UK Ministry of Defence », Strategic Change, vol. 15 (2006), pp. 15-22.

Questions

1. En vous référant à la section 14.2.2, identifiez les éléments contextuels devant être pris en considération pour conduire le changement au sein du ministère de la Défense britannique.

2. Selon vous, quelle approche faudrait-il adopter pour améliorer la capacité du ministère de la Défense britannique à gérer le changement ?

sur lesquelles le changement sera construit. On peut évoquer, par exemple, le cas d'une entreprise informatique en croissance rapide qui décide de s'organiser de manière plus formelle afin de pérenniser son activité. Or, la mise en place de structures plus rigides peut contrarier les programmeurs ou les développeurs dont la compétence est pourtant vitale pour les stratégies futures.

- Le changement peut être facilité si l'organisation présente une forte *diversité* d'expériences, d'idées et d'opinions. Ce n'est en général pas le cas si la même stratégie a été suivie avec succès pendant des années : l'homogénéité de représentation du monde qui en résulte peut gêner la conduite du changement. Évaluer la nature et l'ampleur de la diversité au sein de l'organisation est donc important.

- L'organisation a-t-elle l'expérience nécessaire et la *capacité* de changer ?[6] Certains de ses managers peuvent avoir conduit avec succès un changement stratégique dans le passé, tout comme les opérationnels peuvent être accoutumés à contester leurs certitudes et leurs pratiques de travail.

- Le changement peut se révéler coûteux, non seulement en termes financiers, mais aussi au regard du temps et des efforts nécessaires. L'organisation présente-t-elle une *disponibilité* de ressources suffisante pour conduire le changement ?

- Dans certaines organisations, on constate que la *volonté* de changer est répandue tout au long des différents niveaux hiérarchiques, alors que dans d'autres, on peut être confronté à des poches de résistances, voire à un conservatisme généralisé[7].

- Qui a le *pouvoir* de mettre en œuvre le changement ? Trop souvent, on suppose que c'est le dirigeant qui détient ce pouvoir, alors que, face à la résistance de l'encadrement intermédiaire ou de certaines parties prenantes externes, cela n'est pas toujours vrai. Il se peut aussi que le dirigeant suppose que certains de ses collaborateurs ont le pouvoir de conduire le changement, alors qu'ils ne l'ont pas.

De tout cela, on retire une questions essentielle : l'organisation a-t-elle la capacité, la disponibilité et la volonté nécessaires pour conduire le changement ? Lors d'une étude portant sur les tentatives de changement dans des hôpitaux[8], il est ainsi apparu que le système de gouvernement et les structures empêchaient de désigner clairement une autorité en charge de la conduite du changement. Ce flou dans les responsabilités, associé à une forte pénurie de ressources, condamnait par avance toute tentative de changement radical. Dans ces circonstances, il est nécessaire de faire évoluer le contexte avant d'entreprendre le changement. Pour cela, on peut nommer de nouveaux responsables ayant déjà mené des opérations de changement ou possédant des compétences utiles aux nouvelles orientations, afin de conduire l'organisation jusqu'à une situation dans laquelle elle sera prête à accepter des évolutions significatives. Il convient également de reconnaître que, dans certains contextes, le changement doit être mené de manière graduelle. Dans l'étude portant sur les hôpitaux citée ci-dessus, les chercheurs ont estimé que la meilleure manière de conduire le changement consistait à mettre en œuvre une initiative limitée, à attendre qu'elle soit acceptée, puis à en tenter une nouvelle, et ainsi de suite.

14.2.3 Le diagnostic du contexte culturel

Dans le chapitre 5, nous avons présenté le concept de *tissu culturel* (voir la section 5.4.6) et nous avons montré comment cet outil de diagnostic peut être utilisé pour expliquer la culture organisationnelle. Il peut également être mobilisé pour identifier les enjeux et les nécessités du changement stratégique.

L'illustration 14.2 présente le tissu culturel des services techniques d'une collectivité locale[9]. Dans cette organisation, le strict respect des standards professionnels importait plus que la satisfaction des utilisateurs. Chaque département se comportait comme un silo indépendant, avant tout soucieux de ses propres prérogatives. Ces départements étaient dirigés par des responsables qui jouaient un rôle d'interface avec les élus locaux, de manière à contrôler, filtrer ou infléchir la stratégie d'ensemble. L'organisation était également caractérisée par un mode de management hiérarchique avec une forte insistance sur les procédures, les budgets et les structures. Les managers considéraient que leur rôle consistait avant tout à

Illustration 14.2

Le rôle du contexte culturel dans la conduite du changement : le cas d'une collectivité locale

Le tissu culturel peut être utilisé pour comprendre le contexte culturel actuel et définir celui qui devrait être établi dans le futur.

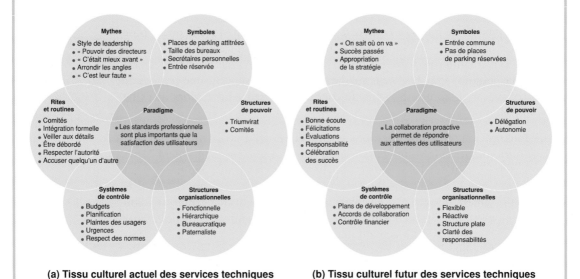

(a) Tissu culturel actuel des services techniques   **(b) Tissu culturel futur des services techniques**

Source : adapté de G. Johnson, « Mapping and re-mapping organisational culture : a local government example » dans G. Johnson et K. Scholes (eds), *Exploring Public Sector Strategy*, Prentice Hall, 2001.

Questions

1. Comment un réformateur peut-il utiliser le tissu culturel pour faciliter la conduite du changement ?

2. Pour passer du contexte (a) au contexte (b), quelles seront, selon-vous, les principales difficultés ?

éviter les erreurs en veillant au détail de chaque tâche. Si quelque chose se passait mal, il fallait trouver un bouc émissaire à accuser. Les symboles hiérarchiques étaient omniprésents et les mythes concernaient avant tout le respect de l'autorité. L'influence des trois directeurs de département était préservée par une structure très hiérarchisée, des comités formels et un contrôle budgétaire rigoureux. Ils bénéficiaient également de nombreux privilèges (places de parking, superbes bureaux, secrétaires attitrées, entrée réservée dans le bâtiment principal, etc.). Les autres membres de l'organisation devaient se focaliser sur leurs propres tâches et témoigner un grand respect à l'égard de leurs supérieurs. Tout cela était incompatible avec la stratégie affichée de l'organisation, qui consistait à répondre à des problèmes transversaux nécessitant une collaboration entre les différents services. Les directeurs participaient aux discussions sur la stratégie générale, ils pouvaient même accepter la nécessité d'une vision transversale, mais de retour dans leur département, ils cherchaient avant tout à préserver les normes établies. La stratégie de changement restait donc purement théorique, alors que la culture préservait le *statu quo*.

Le tissu culturel aide à mettre en lumière à la fois les aspects intangibles de la culture (symboles, routines, processus politiques) et ses manifestations plus formelles (structures et systèmes de contrôle). Le tissu culturel peut ainsi être utilisé pour analyser la culture actuelle d'une organisation et pour envisager les modifications qui devraient être effectuées afin de déployer effectivement une nouvelle stratégie.

14.2.4 L'analyse de champ de forces

Une **analyse de champ de forces** identifie les forces qui facilitent le changement et celles qui l'entravent. Il s'agit d'une représentation des forces motrices et des forces conservatrices qui ont pu être détectées grâce au tissu culturel. Cet outil permet de soulever une série de questions plus approfondies :

Une analyse de champ de forces identifie les forces qui facilitent le changement et celles qui l'entravent

- Quels sont les aspects de la culture existante qui peuvent faciliter les évolutions souhaitées et comment peut-on les utiliser et les renforcer ?
- Quels sont les aspects de la culture existante qui peuvent bloquer le changement et comment peut-on les surmonter ?
- Que doit-on mettre en œuvre pour encourager le changement ?

Le schéma 14.4 est une représentation des blocages présentés dans le tissu culturel de l'illustration 14.2(a). Si ces blocages peuvent constituer un problème majeur, l'analyse de champ de forces permet également d'identifier les aspects de la culture qui peuvent être utilisés comme leviers de changement. Les managers des services techniques considéraient ainsi que la focalisation sur la qualité de service, l'implication dans le travail et la flexibilité, dont chacun devait faire preuve, étaient potentiellement positives, à condition de surmonter les blocages qui en résultaient. De plus, l'autonomie des départements pouvait devenir une qualité dans le cadre d'une autre culture.

On peut également utiliser le tissu culturel pour définir ce que devrait être la culture dans le cadre d'une nouvelle stratégie (voir l'illustration 14.2(b)). Cette représentation permet d'identifier ce qu'il convient de modifier ou d'introduire pour faciliter le changement. Les managers des services techniques admettaient

Schéma 14.4   **L'analyse de champ de forces**

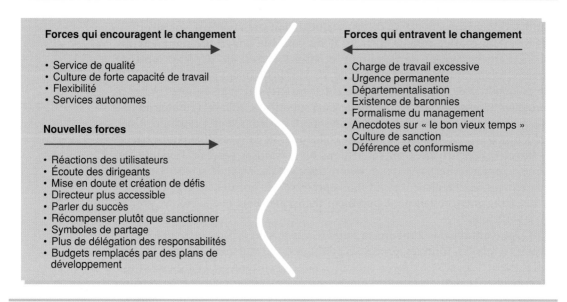

Forces qui encouragent le changement

- Service de qualité
- Culture de forte capacité de travail
- Flexibilité
- Services autonomes

Nouvelles forces

- Réactions des utilisateurs
- Écoute des dirigeants
- Mise en doute et création de défis
- Directeur plus accessible
- Parler du succès
- Récompenser plutôt que sanctionner
- Symboles de partage
- Plus de délégation des responsabilités
- Budgets remplacés par des plans de développement

Forces qui entravent le changement

- Charge de travail excessive
- Urgence permanente
- Départementalisation
- Existence de baronnies
- Formalisme du management
- Anecdotes sur « le bon vieux temps »
- Culture de sanction
- Déférence et conformisme

ainsi qu'il était nécessaire de se focaliser plus directement sur ce qu'ils appelaient « le client » et moins sur la définition professionnelle du service, mais également de mettre en place des collaborations entre départements. Il fallait donc faire évoluer la structure de l'organisation, ainsi que les systèmes de contrôle. Tout cela impliquait une évolution de la manière dont les tâches quotidiennes étaient effectuées. Il convenait notamment de mettre l'accent sur des projets et des travaux de groupe temporaires, sur des activités formelles et informelles susceptibles de réunir des managers de différents services et de différents niveaux hiérarchiques. Il s'agissait, en outre, de ne plus réserver des places de parking en fonction du grade et de multiplier les interactions avec les « clients » afin de communiquer avec eux autrement qu'au travers de leurs plaintes. Les lettres de remerciement des usagers satisfaits devaient être diffusées dans tout le service. Les directeurs devaient communiquer plus directement avec leurs subordonnés. Ils devaient adopter une attitude plus ouverte et plus directement en phase avec les préoccupations quotidiennes de leurs équipes. Ils devaient apprendre à féliciter plutôt qu'à condamner et parler des succès plutôt que des échecs. La mise en doute des comportements établis devait être acceptée.

Au total, à travers cet exercice de diagnostic de la situation de changement, il apparaît que les routines, les systèmes de contrôle, les structures, les symboles et les jeux de pouvoir peuvent constituer à la fois de formidables blocages et des moteurs de changement extrêmement précieux. Les évolutions des structures et des systèmes de contrôle ont déjà été détaillées dans le chapitre 12. Dans les deux prochaines sections (14.3 et 14.4), nous allons présenter les processus de gestion du changement et les différents rôles que les individus peuvent y jouer.

14.3 La conduite du changement : rôles et styles

Cette section est consacrée au rôle que les managers peuvent et doivent jouer dans la conduite du changement. Nous commençons par examiner le rôle joué par les *leaders stratégiques*, par les *managers intermédiaires* et l'influence des *intervenants externes* tels que les consultants ou certaines *parties prenantes*. Puis nous présentons différents *styles de conduite du changement* qui peuvent être utilisés.

14.3.1 Les rôles dans la conduite du changement

Lorsque l'on décrit la conduite du changement, on donne trop souvent un rôle prépondérant à l'influence personnelle des dirigeants. Il est vrai que les leaders stratégiques sont importants, mais lorsque l'on prend en compte la diversité des contextes organisationnels, des styles et des processus de changement, il convient d'adopter une interprétation moins réductrice. Le **réformateur** est l'individu – ou le groupe – qui conduit effectivement le processus de changement dans une organisation. Il ne s'agit pas nécessairement du concepteur de la stratégie. En effet, certains stratèges peuvent être exceptionnellement talentueux pour construire une vision mais beaucoup moins pour la mettre en œuvre. Par ailleurs, dans certains contextes, un manager opérationnel peut être amené à jouer un rôle de réformateur. On peut également utiliser une équipe de réformateurs internes ou externes à l'organisation, par exemple des consultants spécialisés dans la conduite du changement. De fait, le réformateur n'est pas nécessairement un individu unique.

Le réformateur est l'individu – ou le groupe – qui conduit effectivement le processus de changement dans une organisation

Le leader stratégique

La conduite du changement est souvent directement liée au rôle du leader stratégique[10]. Le **leadership** est la capacité à amener une organisation (ou un groupe au sein d'une organisation) à atteindre certains objectifs[11]. Le leader n'est pas nécessairement un dirigeant de l'organisation, mais plutôt quelqu'un qui détient un pouvoir d'influence.

Le leadership est la capacité à amener une organisation (ou un groupe au sein d'une organisation) à atteindre certains objectifs

La littérature sur les leaders stratégiques les répartit en deux catégories :

- Les *leaders charismatiques*, qui cherchent avant tout à construire une vision de l'organisation et à mobiliser les individus pour qu'ils l'atteignent. Les recherches montrent que ce type de leader obtient de meilleurs résultats lorsque l'organisation est confrontée à une situation incertaine[12].
- Les *leaders gestionnaires*[13], qui se focalisent plutôt sur la conception des systèmes et sur le contrôle des activités de l'organisation.

Pour autant, certaines recherches[14] montrent que les leaders stratégiques qui réussissent le mieux sont justement ceux qui sont capables de changer d'approche selon les circonstances. En effet, certaines approches sont avant tout cohérentes avec l'élaboration de la stratégie, alors que d'autres concernent son déploiement ou son contrôle. Si le leader stratégique se focalise sur une seule approche, le processus de conduite du changement risque d'être incomplet[15].

Quoi qu'il en soit, les dirigeants sont naturellement associés – à la fois par les membres de l'organisation et par les parties prenantes externes – avec les initiatives de changement stratégique. Leur comportement est donc hautement symbolique (voir la section 14.4.4).

Les managers intermédiaires

Dans la vision haut-bas du management stratégique, les managers intermédiaires sont trop souvent considérés comme de simples exécutants. Cependant, comme nous le verrons dans la section 15.2.3, ils peuvent jouer de multiples rôles dans le management de la stratégie[16]. Dans le contexte de la conduite du changement, il convient de souligner cinq rôles qu'ils sont susceptibles de jouer :

- Le premier est un rôle de *déploiement* et de *contrôle*. Ce sont eux qui mettent en œuvre les plans des dirigeants en s'assurant que les ressources sont correctement allouées et contrôlées, en mesurant la performance et les comportements de leurs équipes et – lorsque c'est nécessaire – en expliquant la stratégie à ceux qui sont censés l'appliquer.
- Ils sont capables de *traduire* la stratégie formulée par leur hiérarchie. Les dirigeants peuvent fixer des orientations stratégiques, mais la manière dont elles sont interprétées sur le terrain (dans une région donnée pour une multinationale ou dans une direction fonctionnelle dans une administration) est bien souvent – de façon intentionnelle ou non – confiée aux managers intermédiaires. Si l'on veut éviter tout malentendu sur la stratégie désirée, il est donc vital qu'ils la comprennent et se l'approprient.
- De la même manière, les managers intermédiaires peuvent assurer la *réinterprétation* et l'ajustement des réponses stratégiques aux événements imprévus, par exemple en termes de relations avec les clients, les fournisseurs, le personnel, etc. Il s'agit d'un rôle essentiel que seuls les managers intermédiaires – en contact quotidien avec ces différents interlocuteurs – sont capables de tenir.
- Ils constituent un *lien* fondamental entre les dirigeants et les opérationnels. Leur position leur permet de traduire les orientations générales en actions ou messages compréhensibles par tous.
- Ils peuvent également *informer* leurs supérieurs sur ce qui peut bloquer le changement et sur ce qu'il convient de mettre en œuvre pour l'éviter.

Les managers intermédiaires peuvent ainsi contribuer très substantiellement au succès ou à l'échec d'une démarche de changement, car ils jouent un rôle clé de médiateurs entre ceux qui décident et ceux qui exécutent. De nombreux chercheurs ont montré que la manière dont les managers intermédiaires comprennent, expriment et expliquent la stratégie de leur organisation est cruciale[17]. Le débat de l'illustration 14.6, à la fin de ce chapitre, revient sur cette question.

Les intervenants extérieurs

Si les managers ont un rôle important à jouer, il est également judicieux d'impliquer des intervenants extérieurs dans le processus de changement :

- Un *nouveau directeur général* venu de l'extérieur apporte un regard neuf, indépendant des contraintes héritées du passé, des routines et des pratiques qui peuvent s'opposer au changement, ce qui est particulièrement utile pour la réussite des opérations de redressement (voir la section 14.5.1).

- L'introduction de *nouveaux managers extérieurs à l'organisation* peut accroître la diversité des idées, des opinions et des pratiques, de manière à surmonter les barrières culturelles susceptibles de s'opposer au changement, mais aussi de bénéficier d'une expérience extérieure en la matière. Le succès de la démarche dépend essentiellement du *soutien explicite* dont bénéficient les nouveaux managers de la part du directeur général. Sans ce soutien, leur autorité et leur influence risquent fort d'être contestées.

- Les *consultants* sont très fréquemment utilisés dans les processus de changement. Ils peuvent aider à formuler la stratégie ou à planifier son déploiement. Les consultants sont également employés comme des facilitateurs : ils assurent l'intégration, animent les équipes projets ou mettent en place des ateliers stratégiques chargés d'élaborer les objectifs et de planifier leur mise en œuvre. L'utilité des consultants est triple : tout d'abord, ils n'héritent pas du bagage culturel de l'organisation ; ils peuvent donc porter un regard neutre sur le processus de changement. Deuxièmement, ils peuvent mettre en doute les routines établies et les hypothèses implicites. Troisièmement, ils signalent symboliquement l'importance du processus, en particulier du fait du montant – parfois très élevé – de leurs honoraires.

- Certaines *parties prenantes* externes peuvent influencer de manière décisive la conduite du changement, au point de jouer le rôle de réformateurs. Suivant le contexte, il peut s'agir notamment du gouvernement, des investisseurs, des clients, des fournisseurs ou encore des analystes financiers.

14.3.2 Les styles de conduite du changement

Lorsque l'on souhaite conduire le changement, il convient de choisir quel style adopter, ce qui, là encore, peut varier selon les circonstances. Ces styles sont résumés dans le schéma 14.5[18].

- L'éducation repose sur l'explication des raisons du changement et des moyens de sa mise en œuvre. Cette approche – particulièrement pertinente lorsque le principal obstacle au changement est le manque d'information et qu'il n'y a pas de situation d'urgence – présente cependant certains risques. Les dirigeants risquent de supposer naïvement qu'une argumentation rationnelle saura faire évoluer des représentations collectives parfois intériorisées depuis des années. Le changement est plus facile lorsque les individus les plus directement concernés sont impliqués dans sa conduite.

- La collaboration ou *participation* consiste à impliquer tous ceux qui seront affectés par le changement dans l'identification des problèmes stratégiques, la définition des priorités, la prise de décisions, la planification et la modification des routines organisationnelles. Cette approche permet d'accentuer l'appropriation des décisions et des processus de changement et de renforcer l'adhésion des membres de l'organisation. Les décisions obtenues de cette manière sont en général de meilleure qualité et les individus impliqués ont souvent tendance à moins surestimer les contraintes auxquelles l'organisation est confrontée[19]. Cependant, les solutions identifiées par ce biais risquent de ne pas s'écarter de la culture établie. Par conséquent, si l'on met en place ce type de processus, il convient de se réserver la possibilité de l'infléchir en cas de trop fort conservatisme.

L'éducation repose sur l'explication des raisons du changement et des moyens de sa mise en œuvre

La collaboration ou participation consiste à impliquer tous ceux qui seront affectés par le changement dans l'identification des problèmes stratégiques, la définition des priorités, la prise de décisions et la planification

Schéma 14.5	**Les styles de conduite du changement stratégique**

Style	Moyens/contexte	Avantages	Problèmes	Conditions de succès
Éducation	Des réunions de groupe assurent l'intériorisation de la logique stratégique et la confiance dans les dirigeants	Surmonte le manque d'information	Consommateur de temps L'orientation ou les progrès peuvent être incertains	Changement incrémental ou changement radical à long terme
Participation	Implication de groupes dans la définition des priorités stratégiques et/ou dans la résolution de problèmes stratégiques	Améliore l'appropriation des processus ou des décisions Peut améliorer la qualité des décisions	Consommateur de temps Les solutions ou les résultats restent dans le paradigme existant	
Intervention	Les réformateurs conservent la coordination et le contrôle et délèguent la mise en œuvre du changement	Le processus est orienté et contrôlé, mais l'implication est réelle	Risque d'impression de manipulation	Changement incrémental ou changement radical non motivé par une crise
Direction	Utilisation de l'autorité afin de fixer les orientations et les moyens d'évolution	Clarté et rapidité	Risque de manque d'appropriation et de stratégie mal comprise	Changement radical
Coercition	Utilisation explicite du pouvoir	Peut réussir en cas de crise ou de forte confusion	Très peu de chances de réussite en absence de crise	Crise, changement radical rapide ou modification d'une culture dirigiste

L'intervention implique la coordination du processus de changement par une autorité qui délègue en grande partie la mise en œuvre

- L'intervention implique la coordination du processus de changement par une autorité qui délègue en grande partie la mise en œuvre. Il est par exemple envisageable que certaines étapes du processus de changement – comme la proposition d'idées nouvelles, la récolte de données, la planification détaillée, le développement de la logique d'évolution et l'identification des facteurs clés de succès – soient déléguées auprès d'équipes projet ou de groupes dédiés (voir la section 15.4.2). Ces équipes ne sont pas investies de la responsabilité de l'ensemble du processus de changement, mais elles y sont impliquées et leur contribution est clairement sollicitée. L'autorité en charge de l'intégralité du processus assure la cohérence et les progrès de l'ensemble[20]. Le principal avantage de cette approche consiste dans l'implication des membres de l'organisation, non seulement au stade de proposition des réformes, mais également à celui de leur déploiement. Cette implication permet de susciter une véritable adhésion.

- La **direction** suppose le recours à l'autorité personnelle d'un responsable chargé de définir clairement l'orientation de la stratégie et la manière de la déployer. Il s'agit essentiellement d'une conception hiérarchique de la gestion du changement stratégique. Elle se justifie lorsqu'un individu, considéré comme le leader de l'organisation, développe une intention stratégique précise. Ce mode de fonctionnement peut également être utilisé lors de l'identification des facteurs clés de succès et des priorités.

- Dans sa forme la plus extrême, la direction peut déboucher sur la **coercition**, qui correspond à un changement imposé par l'autorité hiérarchique formelle. Il s'agit d'une utilisation explicite du pouvoir qui peut se révéler nécessaire, par exemple lorsque l'organisation est confrontée à une crise grave.

Il est possible de faire quelques observations générales sur la pertinence de ces différents styles de conduite du changement, en fonction du contexte :

- Chacune des étapes du processus de changement nécessite un *style différent*. Une direction claire peut se révéler vitale pour convaincre de la nécessité de changement, alors que la participation et l'intervention peuvent aider à susciter l'adhésion, à identifier les blocages et à concevoir les plans d'action.

- En termes d'*urgence* et d'*ampleur* du changement, les styles participatifs sont mieux adaptés aux évolutions incrémentales, alors que les transformations radicales impliquent une démarche plus directive. Il convient également de souligner que, même lorsque les dirigeants estiment qu'ils utilisent un style participatif, leurs subordonnés peuvent le percevoir comme directif, ce qui n'est pas nécessairement pour leur déplaire[21] : bien des opérationnels considèrent en effet que ce n'est pas à eux de « faire le travail des chefs ».

- Le *pouvoir*. Dans les organisations très hiérarchisées, il sera difficile de ne pas adopter un style directif, anticipé à la fois par les dirigeants et par leurs subordonnés. À l'inverse, si l'organisation est plus plate, qu'elle s'apparente à un réseau ou à une entreprise apprenante, la collaboration et la participation seront probablement les seules approches envisageables.

- Chaque style correspond à un type de *personnalité*. Cependant, l'observation montre que les individus les plus aptes à conduire le changement sont ceux qui sont capables d'adopter des styles différents en fonction des circonstances, ce qui est confirmé par les recherches portant sur les leaders stratégiques (voir la section 14.3.2).

- Ces styles ne sont pas *mutuellement exclusifs*. Des orientations claires peuvent faciliter une approche plus collaborative. L'éducation et la communication peuvent être tout à fait adaptées à l'égard des autorités externes de régulation, notamment des pouvoirs publics, alors que, parallèlement, il est préférable d'employer d'autres styles plus directifs lorsque l'on souhaite mobiliser rapidement l'énergie des membres de l'organisation.

L'illustration 14.3 montre comment des dirigeants ont utilisé des styles distincts dans différents contextes.

La direction suppose le recours à l'autorité personnelle d'un responsable chargé de définir clairement l'orientation de la stratégie et la manière de la déployer

La coercition correspond à un changement imposé par l'autorité hiérarchique formelle

Illustration 14.3

Les styles de conduite du changement

Les managers utilisent différents styles de conduite du changement.

Ne tergiversez pas

Terry Lundgren, directeur général de Federated Department Stores, un groupe américain de grands magasins :

> J'ai toujours plutôt bien écouté mes interlocuteurs et j'admets facilement que je n'ai pas toutes les réponses. Donc j'écoute. Mais une fois que j'ai écouté, j'agis. J'ai les infos, voilà ce que nous allons faire. Les gens ont besoin que les décisions soient prises. Si vous écoutez et que vous tergiversez, vous les mettez mal à l'aise et vous ne leur rendez pas service.

Source : Fortune, décembre 2005, pp. 126-127.

Soyez un entraîneur, pas une nounou

Allan G. Laffley, directeur général de Procter & Gamble :

> Ma conception du leadership, c'est de relever le niveau d'aspiration pour obtenir une excellente exécution… communiquez clairement vos priorités, simplement et fréquemment… dans une large mesure, nos responsables de division doivent définir leur propre futur. Je joue un rôle d'entraîneur, mais pas de nounou. J'attends de mes managers qu'ils fassent des choix… afin d'aider les managers à faire ces choix stratégiques, les dirigeants doivent parfois mettre en doute leurs certitudes… Il est vital de se comporter comme un modèle… Je sais que je dois être prêt pour les moments de vérité où l'organisation doit être alertée par mon niveau d'engagement.

Source : Leadership Excellence, novembre 2006, pp. 9-10.

S'engager au quotidien

À propos de Sir Terry Leahy, directeur général de la chaîne de grande distribution britannique Tesco :

> Sir Terry Leahy a conduit l'une des plus larges transformations organisationnelles au monde. Pourtant, il est d'une désarmante banalité… Il parle d'une manière sérieuse et directe… Il ne fait pas de spectacle… vous n'êtes pas confronté à un personnage charismatique… Il ne parle que de Tesco… c'est un peu comme rencontrer un chef religieux qui récite pieusement son credo. D'un point de vue stratégique, il combine une grande intelligence – il voit toujours au-delà de l'horizon – avec une grande simplicité… Vous lui donnez un problème et il va travailler dessus tant qu'il n'a pas trouvé la solution. Ses collaborateurs le respectent pour sa capacité de décision, mais il ne s'engage jamais sur un coup de tête… Tout est analysé, décortiqué, discuté et réassemblé… Il a réuni autour de lui une équipe de managers qui sont à ses côtés depuis des années. Il est le responsable mais il se comporte de manière collégiale. Il aime parler avec les gens dans les magasins. Ce qui le rend différent, c'est son extraordinaire capacité à discuter avec les jeunes salariés et à absorber leur point de vue, tout comme l'attention qu'il porte aux clients.

Source : Management Today, février 2004.

S'appuyer sur les influences clés

William Bratton, responsable de la police de New York, en charge de la campagne « Tolérance zéro » qui a réduit fortement la criminalité :

> Une fois que les convictions et les énergies d'une masse critique d'individus sont engagées, la conversion vers une autre opinion se répand comme une épidémie, ce qui entraîne très rapidement des changements fondamentaux. Pour cela, il faut mettre les managers clés en contact direct avec les problèmes opérationnels, afin qu'ils ne puissent plus éviter la réalité. Il faut les mettre sous les projecteurs. J'ai par exemple rassemblé des responsables d'unités et je leur ai demandé d'être capables, seulement deux jours plus tard, de démontrer en détail à leur hiérarchie de quelle manière les actions de leur unité contribuaient à la stratégie générale des forces de police. L'objectif est d'introduire une culture de la performance qui rend impossible la dissimulation des échecs. Les réunions donnent aux meilleurs une occasion d'être reconnus, mais aussi d'aider leurs collègues. Il ne s'agit pas seulement d'applaudir les succès. Il faut aussi affirmer très clairement que la médiocrité n'est plus tolérée.

Source : W.C. Kim et R. Mauborgne, « Tipping point leadership », Harvard Business Review, avril 2003, pp. 60-69.

Questions

1. Selon les circonstances, quels sont les avantages et les inconvénients de chacun de ces styles de leadership ?

2. Seules quelques-unes des parties prenantes sont mentionnées dans les exemples. Cela signifie-t-il que le style doit être le même vis-à-vis de toutes les parties prenantes ?

14.4 Les leviers de changement stratégique

La suite de ce chapitre présente différents leviers permettant de conduire le changement stratégique. Les réformateurs doivent déterminer quels leviers utiliser selon le contexte. Après avoir longuement observé les processus de changement dans de grandes entreprises, Michael Beer et Nitin Norhia ont identifié deux grands types d'approches qu'ils appellent la « théorie E et la théorie O »[22] :

- La *théorie E* est axée sur la recherche de la rentabilité. En général, elle est associée à une approche hiérarchique et pragmatique des leviers formels de changement. Il s'agit avant tout de réformer les structures et les systèmes, notamment les systèmes d'incitation. Le changement se traduit par la modification du portefeuille d'activités et par des plans de réduction d'emplois.
- La *théorie O* cherche à développer la capacité organisationnelle. Il s'agit de faire évoluer la culture, l'apprentissage et la participation au travers d'expérimentations et de processus informels.

Pour autant, il apparaît que c'est la combinaison de ces deux approches qui donne les meilleurs résultats. Cela peut notamment impliquer :

- Une démarche *séquentielle*, qui utilise successivement la théorie E puis la théorie O.
- Une démarche *simultanée*, dans laquelle les deux approches sont conjointement utilisées.
- La *combinaison* d'orientations venues de la direction et de la participation de la base. On peut ainsi conjuguer la clarté d'une direction stratégique avec la spontanéité des innovations opérationnelles.
- L'utilisation d'*incitations* permettant de renforcer le changement plutôt que de le susciter.

Certains des leviers de changement ont déjà été discutés dans le chapitre 11, lorsque nous avons présenté l'évolution des structures et des systèmes de contrôle. Par ailleurs, on peut remarquer que la plupart des leviers correspondent aux composantes du tissu culturel. En effet, les forces susceptibles de protéger le *statu quo* peuvent tout aussi bien être utilisées pour le modifier.

14.4.1 Contester les schémas de pensée établis

Un des principaux enjeux du changement stratégique consiste à modifier des hypothèses implicites et des représentations collectives parfois établies depuis fort longtemps, c'est-à-dire à faire évoluer le paradigme de l'organisation (voir la section 5.4.6). Il existe plusieurs points de vue sur la manière de réussir cette évolution.

Certains estiment que des preuves tangibles – par exemple obtenues grâce à une analyse stratégique rigoureuse – suffisent à mettre en doute et donc à modifier le paradigme. Cependant, il apparaît plutôt que lorsque des représentations ont persisté pendant longtemps, elles résisteront au changement. Les individus réussiront à reconstruire, réinterpréter et reformuler les analyses afin de les remettre en ligne avec le paradigme existant. Il peut être particulièrement difficile de surmonter ce type de blocage. D'autres observateurs soutiennent que les hypothèses implicites peuvent être contestées lorsqu'on les explicite. Il faut pour cela recourir à une démarche analytique permettant de mettre en lumière l'inconscient collectif afin de pouvoir en débattre. Une des approches consiste à organiser des sessions d'ateliers durant lesquels les dirigeants doivent systématiquement discuter leurs représentations[23]. En rendant visible ce qui n'était qu'implicite, il est plus facile de le faire évoluer. La construction de scénarios (voir la section 2.2.2) peut ainsi être utilisée pour surmonter les biais individuels et collectifs, en obligeant les individus à envisager plusieurs futurs différents et leurs implications pour leur organisation[24].

D'autres encore affirment que les managers doivent être confrontés à la réalité du changement avant d'être capables de surmonter leurs schémas de pensée établis. Dans certains cas, les dirigeants sont simplement trop éloignés de la réalité du terrain : ils ne parlent que très rarement à des clients et n'utilisent pas personnellement les produits ou services de leur organisation. Le dirigeant d'une compagnie de chemin de fer rappelait ainsi que, dans le passé, les membres de l'équipe de direction avaient toujours voyagé soit en première classe, soit en voiture avec chauffeur. Aucun d'entre eux n'avait directement vécu un voyage en seconde classe. Il imposa donc une nouvelle règle : à chaque fois que c'était possible, tous les managers devraient voyager en seconde.

14.4.2 Changer les routines organisationnelles

Les stratégies ne prennent réellement forme qu'au travers des processus quotidiens et des routines organisationnelles. Les routines sont les « manières de faire » spécifiques à l'organisation, qui ont tendance à perdurer et à orienter le comportement des individus[25]. Comme nous l'avons souligné dans les chapitres 3 et 6, une organisation qui réussit à mener ses opérations de manière très distinctive peut construire un réel avantage concurrentiel. Cependant, les mêmes routines qui sous-tendent le succès peuvent entraver le changement et devenir – comme le montre Dorothy Leonard-Barton[26] – des *points de blocage*. Le lien entre le changement stratégique et les routines organisationnelles doit donc être considéré selon plusieurs angles :

- La *planification du changement opérationnel*. Si le changement stratégique est planifié, il est important d'identifier les facteurs clés de succès et les compétences qui en conditionnent la maîtrise. Le changement stratégique doit donc s'accompagner d'une reconfiguration des activités opérationnelles[27]. Dans la division lubrifiants de Shell, on comptait ainsi, jusqu'en 2002, sept personnes impliquées dans le traitement de toutes les commandes. Afin d'améliorer l'efficience de ce processus, on décida de placer chaque commande sous la responsabilité d'une seule personne, ce qui réduisit le temps de traitement de 75 % et le coût de 45 %, tout en améliorant très significativement la satisfaction des clients[28].

- La *mise en doute des hypothèses opérationnelles*. Changer les routines peut conduire à mettre en doute des croyances profondément ancrées, des convictions rarement contestées et des schémas de pensée établis. Il existe cependant plusieurs points de vue sur la manière de conduire ce changement. Selon Richard Pascale[29], « il est plus facile de changer les pensées par les actes que les actes par les pensées », ce qui signifie qu'il vaut mieux commencer par modifier les comportements avant de contester les *a priori* plutôt que l'inverse. En ce cas, il convient de bien choisir le style de conduite du changement (voir la section 14.3.2). Tenter de persuader les individus par l'éducation et la communication peut se révéler moins efficace que de les impliquer effectivement dans le processus de changement.

- *Conduire le changement par l'opérationnel.* Le changement opérationnel n'est pas nécessairement le résultat du changement stratégique. Au contraire, il peut stimuler l'innovation et introduire de nouvelles orientations stratégiques. Michael Hammer[30] affirme que les managers ne considèrent pas le changement opérationnel de manière suffisamment radicale : ils s'étalonnent par exemple par rapport à leurs concurrents, plutôt que par rapport aux meilleures pratiques, toutes industries confondues (voir la section 3.6.3). Il donne l'exemple de la chaîne de restauration rapide Taco Bell, qui a largement amélioré la qualité de son offre tout en réduisant ses coûts en s'étalonnant par rapport au fonctionnement d'une usine.

- *Le changement des routines par la base.* Même lorsque le changement des routines n'est pas planifié par les dirigeants, les individus les font évoluer, ce qui peut provoquer de substantielles modifications de la stratégie. Martha Feldman[31] montre que, même lorsqu'elles sont formalisées, les routines organisationnelles changent au fur et à mesure que les individus les utilisent : c'est l'évolution des comportements qui pousse de loin en loin à la réécriture des normes et des standards, et non l'inverse. D'autres recherches montrent que les managers peuvent chercher délibérément à « contourner les règles ». Cela peut susciter des résistances, mais également le soutien de la part de certaines parties prenantes, jusqu'à permettre la mise en place de nouvelles routines. Une fois que cette mise en doute de l'existant est obtenue, les réformateurs peuvent ouvertement contester les anciennes routines afin de signifier clairement qu'un changement est en cours. Cette technique peut notamment être utilisée par des managers intermédiaires souhaitant convaincre à la fois leurs supérieurs et leurs subordonnés de la nécessité d'un changement. Il s'agit d'un processus incrémental et expérimental qui peut faire l'objet de vives contestations.

La leçon générale est que, même si la modification des routines peut sembler anodine, son impact se révèle parfois déterminant. L'illustration 14.4 en donne quelques exemples.

14.4.3 Les processus symboliques[32]

Les leviers de changement n'ont pas toujours une nature explicite et formelle. Ils peuvent également revêtir un aspect symbolique. Dans le chapitre 5 (voir la section 5.4.6), nous avons montré comment les actes symboliques d'une organisation peuvent contribuer à préserver son paradigme. Nous allons voir à présent comment les symboles peuvent être utilisés dans le cadre de la conduite du changement. Les **symboles** sont des objets, des événements, des actes ou des individus qui expriment plus que leur réalité intrinsèque. Il peut s'agir de choses banales qui revêtent pourtant une signification extrêmement puissante dans le contexte de certaines situations organisationnelles. La création et la manipulation des symboles peuvent aller jusqu'à remodeler les croyances et les aspirations, car le sens devient alors apparent dans les activités quotidiennes de l'organisation. C'est une

Les symboles sont des objets, des événements, des actes ou des individus qui expriment plus que leur réalité intrinsèque

Illustration 14.4

La modification des routines et des symboles

La modification des routines organisationnelles peut constituer un signal puissant lorsqu'on souhaite susciter un changement.

Modification des routines

- Un nouveau médicament ne peut être commercialisé qu'après avoir réussi une longue série de tests cliniques permettant d'obtenir une autorisation de mise sur le marché. La manière dont ces tests sont conduits est donc cruciale pour les laboratoires pharmaceutiques. L'approche traditionnelle consistait à récolter une quantité considérable de données cliniques, puis à rédiger un rapport expliquant l'ensemble du protocole utilisé. Ce processus était à la fois long et coûteux. Certains laboratoires décidèrent donc d'inverser la procédure en s'assurant *a priori* que les tests correspondaient bien à des exigences médicales ou réglementaires. La nouvelle approche commençait par la définition idéale du rapport, dont une première version était rédigée avant toute recherche clinique, puis par la détermination des protocoles permettant d'aboutir à ce résultat. Seules les données permettant d'atteindre cet objectif étaient ensuite récoltées.

- Dans une entreprise de distribution qui avait annoncé une stratégie focalisée sur le service aux clients, le directeur général ne se préoccupait ni du personnel ni même des clients lorsqu'il effectuait des visites dans les magasins. Il se contentait de consulter des états financiers dans le bureau du gérant. Il n'avait pas pris conscience de cette incohérence, jusqu'à ce qu'on le lui fasse remarquer. Par la suite, son insistance à s'entretenir avec le personnel et avec les clients durant chacune de ses visites devint un mythe qui se répandit dans l'ensemble de l'entreprise et facilita largement le déploiement de la stratégie.

Questions et défis par le langage

- Le directeur général d'une entreprise de distribution confrontée à une crise s'adressa au conseil d'administration de la manière suivante : « Je suggère que nous nous considérions comme des taureaux face à une alternative : l'abattoir ou l'arène. J'ai fait mon choix. Quel est le vôtre ? »

- Lorsque Greg Brenneman prit la direction de Continental Airlines – qui connaissait alors de graves difficultés – il choisit son vocabulaire avec soin.

Il s'agissait d'exprimer le plus clairement possible la nouvelle orientation. La stratégie dans son ensemble fut appelée « En avant », le plan marketing « Voler pour gagner » et le plan financier « Financer le futur ». Greg Brenneman expliqua ainsi sa détermination : « Saviez-vous qu'il n'y a pas de rétroviseur sur un avion ? La piste qui se trouve derrière nous ne nous servira à rien. »

Source : J.M. Higgins et C. McCallaster, « If you want strategic change, don't forget your cultural artefacts », Journal of Change Management, vol. 4, n° 1 (2004), pp. 63-73.

Signalisation du changement par des actions de confirmation

- Dans une entreprise textile écossaise, l'outillage associé à « la bonne vieille manière de travailler » fut rassemblé dans une cour située à l'arrière de la fabrique et détruit sous les yeux du personnel.

- La surveillante générale d'un service de rééducation pour des malades ayant été gravement atteints décida que si les infirmières portaient des vêtements de ville plutôt que leurs uniformes, cela signalerait aux patients qu'ils étaient sur la voie de la guérison et du retour à la vie normale. Par ailleurs, cela rappellerait aux infirmières qu'elles devaient veiller à la réinsertion des patients. Cependant, cette décision avait d'autres implications pour les infirmières : cela mettait en cause leur différence de statut avec le personnel administratif. Les infirmières préférèrent donc garder leurs uniformes. Même si elles admettaient que la présence des uniformes pouvait ralentir la rééducation des patients, elles considéraient que leur statut de professionnelles de santé devait être signalé.

Source : M.G. Pratt et E. Rafaeli, « Organizational dress as a symbol of multilayered social identities », Academy of Management Journal, vol. 40, n° 4 (1997), pp. 862-898.

Questions

Pour une organisation qui vous est familière :

1. Identifiez au moins cinq routines ou symboles importants dans l'organisation.

2. En quoi ces routines et ces symboles pourraient-ils être changés afin de soutenir une stratégie différente ? Montrez explicitement comment les symboles pourraient correspondre à la nouvelle stratégie.

3. Pourquoi ces leviers potentiels de changement sont-ils souvent négligés ?

des raisons pour lesquelles la modification des routines est importante. Les symboles incluent également d'autres éléments trop souvent considérés comme négligeables, comme les mythes que les individus racontent, les signes de statut tels que les voitures de fonction et la taille des bureaux, les types de jargon et de technologie utilisés ou encore les rites organisationnels.

- Dans les organisations, la plupart des *rites*[33] concernent explicitement la mise en œuvre ou le renforcement du changement. Le schéma 14.6 dresse la liste des rites les plus fréquents[34]. Pour gérer les rites de manière proactive, pour symboliser un changement, il peut être utile de créer de nouveaux rites ou de supprimer ceux qui sont en place.
- La modification de l'*environnement physique* de travail constitue un symbole particulièrement fort. On peut citer le déménagement de la direction générale, la délocalisation d'une partie du personnel, la modification des uniformes ou des tenues professionnelles, ou encore le réagencement des bureaux ou des ateliers.

Schéma 14.6	**Les rites organisationnels et le changement culturel**

Types de rites	Rôle	Exemples
Rites de passage	Consolider et promouvoir les rôles sociaux et l'interaction	Programmes d'incorporation des nouveaux employés Plans de formation
Rites de distinction	Reconnaître les efforts bénéfiques pour l'organisation Motiver	Cérémonies de remise de récompenses Promotions
Rites de renouvellement	Rassurer sur les actions menées Focaliser l'attention sur les problèmes	Utilisation de consultants Équipes projets
Rites d'intégration	Susciter l'engagement collectif Renforcer la justesse des normes	Fête de fin d'année
Rites d'apaisement	Désamorcer les conflits et limiter l'agressivité	Comités de conciliation
Rites de dégradation	Reconnaître publiquement les problèmes Supprimer ou affaiblir certains rôles politiques	Renvoi de dirigeants Rétrogradation ou « mise au placard »
Rites d'interprétation	Partager l'interprétation et la signification des événements	Rumeurs Études pour évaluer de nouvelles pratiques
Rites de défi	Mettre au pied du mur	Prise de pouvoir d'un nouveau dirigeant réformateur
Rites de résistance aux défis	Résistances aux nouvelles pratiques	Contestation Grève du zèle

- Le plus puissant de tous les symboles de changement est certainement le *comportement des réformateurs* eux-mêmes. Trop peu de dirigeants comprennent qu'après avoir proclamé la nécessité d'un changement, il est indispensable que leur conduite et leurs attitudes y correspondent.
- Le *langage* utilisé par les réformateurs est également important. Consciemment ou non, ils peuvent employer un langage et des métaphores susceptibles d'exalter leurs troupes. À l'inverse, les réformateurs risquent de ne pas prendre conscience du pouvoir du langage et d'utiliser des termes et des expressions qui signalent en fait le maintien du *statu quo*, voire une réticence personnelle vis-à-vis du changement.

L'illustration 14.4 donne d'autres exemples de l'utilisation des symboles pour signaler le changement. La manipulation des symboles peut constituer un puissant levier de changement. Cependant, la signification des symboles dépend de la manière dont ils sont interprétés. Il peut donc arriver que l'utilisation de symboles par un réformateur ne soit pas interprétée comme prévu (voir à ce propos l'exemple des infirmières dans l'illustration 14.5). De fait, même si les changements symboliques sont importants, leur impact est souvent difficile à prévoir.

14.4.4 Les jeux de pouvoir et les processus politiques[35]

Dans le chapitre 4, nous avons souligné qu'il est important de comprendre le contexte politique interne et externe de l'organisation. Le changement stratégique doit, lui aussi, être envisagé dans le cadre de ce contexte politique. Il est parfois nécessaire de construire un contexte favorable au changement (voir la section 14.2.2) et de s'appuyer pour cela sur un individu ou un groupe particulièrement influent. Il peut s'agir du directeur général, d'un membre influent du conseil d'administration ou d'une autorité externe. De fait, il convient le plus souvent de reconfigurer les *structures de pouvoir* de l'organisation, en particulier lorsqu'une transformation radicale est attendue. Le schéma 14.7 présente quelques-uns des mécanismes associés au pouvoir qui peuvent être utilisés dans la conduite du changement :

- Acquérir des *ressources* supplémentaires. Être associé à une source de ressources ou d'expertise importante, et surtout avoir la capacité d'allouer ou de retirer ces ressources peuvent constituer des atouts essentiels pour surmonter la résistance ou persuader les membres de l'organisation d'accepter le changement.
- L'association avec les *parties prenantes* influentes ou l'obtention de leur soutien permet d'établir une légitimité, ce qui peut être indispensable à un réformateur qui, personnellement, n'en bénéficie pas. De la même façon, l'association avec un réformateur respecté ou dont le succès est incontesté peut aider un manager à contourner la résistance au changement. Il peut également se révéler nécessaire d'*écarter* des individus ou des groupes qui s'opposent au changement : individus qui occupent des positions élevées dans l'organisation, réseaux d'influence internes qui incluent éventuellement des parties prenantes externes ou encore tout un niveau hiérarchique dont la position est menacée par le changement.
- La construction d'*alliances* ou d'un *réseau* de contacts et de sympathisants, même lorsqu'ils ne détiennent pas un pouvoir par eux-mêmes, peut aider à surmonter la résistance de groupes influents. S'il est très difficile d'obtenir l'adhésion de tous les membres de l'organisation, il est probable que certains

| Schéma 14.7 | **Les mécanismes politiques dans les organisations** |

Activités	Mécanismes				
	Ressources	**Élites**	**Sous-systèmes**	**Symboles**	**Problèmes clés**
Fonder la légitimité	Contrôler des ressources Acquérir ou faire reconnaître une expertise Acquérir des ressources supplémentaires	Obtenir le soutien d'un membre de l'élite S'associer à l'élite	Construire des alliances Construire des équipes	Construire à partir de la légitimité	Temps nécessaire Possibilité d'incohérence idéologique Perception d'une menace par les élites en place
Surmonter les résistances	Retirer des ressources Utiliser la désinformation	Diviser ou renverser les élites S'associer à un réformateur S'associer avec une autorité externe respectée	Accélérer le changement Soutenir ou récompenser les réformateurs	Attaquer ou détruire la légitimité Encourager la confusion, le conflit et le doute	Ne pas disposer d'une légitimité suffisante Potentiellement destructeur : reconstruire au plus vite
Obtenir l'adhésion	Distribuer des ressources	Éliminer les élites restantes Besoin d'un héros clairement identifié	Mettre partiellement en œuvre Infiltrer des « disciples » Soutenir les « fonceurs »	Complimenter et récompenser Rassurer Confirmer par des symboles	Risque de destruction de l'âme de l'organisation ou de retour en arrière

individus se montrent plus disposés au changement que d'autres. Le réformateur a donc intérêt à s'appuyer sur eux pour constituer une équipe de partisans prêts à défendre ses actions et ses opinions, et réciproquement à marginaliser les opposants. Cependant, les groupes qui détiennent un pouvoir dans l'organisation peuvent considérer que la construction de ce type d'équipes et les volontés de marginalisation menacent leur propre influence, ce qui peut renforcer les obstacles au changement. Une analyse du pouvoir et des intérêts semblables à la cartographie des parties prenantes (voir la section 4.4.1) peut donc être particulièrement utile lorsqu'on cherche à identifier les bases de futures alliances ou celles d'éventuelles résistances.

- Afin de légitimer son pouvoir, un manager peut chercher à s'attribuer les *symboles* qui préservent et renforcent le paradigme : s'insérer dans les structures existantes, être identifié avec les rites ou les mythes de l'organisation, etc. D'un autre point de vue, briser la résistance au changement en supprimant, en mettant en cause ou en modifiant les rites et les symboles constitue un bon moyen de contester les schémas de pensée établis.

Pour autant, les aspects politiques du management sont particulièrement difficiles à maîtriser. Comme le montre le schéma 14.8, les jeux politiques peuvent tout aussi bien être utilisés pour empêcher le changement que pour le favoriser. Lorsqu'on cherche à surmonter les résistances, un des principaux problèmes est tout simplement de ne pas disposer d'un pouvoir suffisant pour le faire. Tenter d'affronter une opposition avec un pouvoir trop limité est en général condamné à l'échec. Il existe un deuxième danger : en rompant le *statu quo*, le processus peut devenir tellement destructeur que l'organisation ne parvient pas à retrouver un équilibre. Si le changement doit avoir lieu, la mise en place rapide de nouvelles valeurs partagées et le déploiement d'une nouvelle stratégie sont vitaux. De plus, comme nous l'avons déjà souligné, il est indispensable d'obtenir l'adhésion de l'ensemble des membres de l'organisation. Or, c'est une chose de convaincre quelques dirigeants au sommet de la hiérarchie, mais c'en est une autre d'obtenir l'engagement de tout le personnel. Le principal danger est constitué par le fait que les individus ont souvent tendance à considérer que le changement est temporaire, tout au plus une péripétie à laquelle ils doivent se plier en attendant qu'une autre réforme survienne.

14.4.5 Les tactiques de changement

Il existe également toute une série de tactiques qui peuvent être utilisées pour faciliter le processus de changement.

La chronologie

L'importance de la chronologie est trop souvent négligée lorsqu'on entreprend un changement stratégique. Choisir d'un point de vue tactique le moment idéal pour déclencher un changement est pourtant essentiel :

- Plus l'amplitude du changement est importante, plus il semble nécessaire de s'appuyer sur une *crise réelle ou perçue*. Si les membres de l'organisation ont le sentiment qu'il est plus risqué de maintenir le *statu quo* que d'entamer une réforme, celle-ci sera plus facile à mettre en œuvre. La direction d'une entreprise faisant l'objet d'une OPA peut ainsi utiliser cette menace comme un catalyseur afin de faire accepter une transformation radicale. De même, certains dirigeants n'hésitent pas à exagérer les problèmes pour provoquer l'adhésion au changement.

- Il peut exister des *fenêtres d'opportunité* pour les processus de changement. En général, la période suivant une opération d'acquisition permet aux nouveaux propriétaires d'introduire des changements significatifs qui auraient été refusés en temps normal. L'arrivée d'un nouveau directeur général, l'introduction d'un nouveau produit à succès, l'apparition d'une menace concurrentielle majeure peuvent également constituer des opportunités. Cependant, de telles fenêtres peuvent être de courte durée, ce qui laisse peu de temps au réformateur pour mener des actions décisives. Étant donné que le changement est souvent générateur d'anxiété, il peut se révéler utile de le programmer à une date qui permet d'éviter les craintes inutiles. Si une réduction de personnel ou un remplacement de responsables est nécessaire, il est préférable de l'effectuer avant le début de la phase de changement et non pendant. De cette manière, la réforme

| Schéma 14.8 | **Manœuvres politiques et changement** |

Résistance au changement

- Détourner les ressources. Allouer le budget à d'autres projets. Donner aux personnes clés d'autres priorités ou d'autres tâches.
- Exploiter l'inertie. Demander que chacun temporise jusqu'à ce qu'un acteur clé agisse, lise un rapport ou émette une réponse appropriée. Suggérer de commencer par évaluer les résultats d'un autre projet.
- Conserver les objectifs vagues et complexes. Il est plus difficile d'entamer une action appropriée si les buts sont multidimensionnels et exprimés dans des termes généraux, grandioses ou abstraits.
- Encourager et exploiter le manque de prise de conscience de l'organisation. Insister sur l'idée que « nous nous occuperons de l'aspect humain plus tard », sachant que cela ne manquera pas de retarder ou de détruire le projet.
- « C'est une grande idée. Mettons-la en œuvre de manière méthodique. » Impliquer tellement de parties prenantes et d'experts que les multiples interprétations, opinions et intérêts divergents retarderont les décisions ou déboucheront sur des compromis stériles.
- Dissiper l'énergie. Nommer une commission *ad hoc*, commander des études, récolter des données, préparer des analyses, rédiger des rapports, mener des missions à l'étranger, tenir des réunions, etc.
- Réduire l'influence et la crédibilité du réformateur. Répandre des rumeurs nuisibles, en particulier auprès des partisans et des amis du réformateur.
- Conserver un profil bas. Ne pas afficher clairement sa résistance au changement car cela offre une cible facile aux réformateurs.

Contrecarrer la résistance au changement

- Établir une orientation et des objectifs clairs. La limpidité des buts permet une action efficace alors que l'ambiguïté et la complexité peuvent la ralentir.
- Établir un plan d'action simple, composé d'étapes distinctes. Mêmes raisons que pour les objectifs clairs.
- Endosser un rôle de facilitateur et de négociateur. Rester ouvert au marchandage. La résistance au changement peut rarement être surmontée par des arguments uniquement rationnels. Un savoir-faire relationnel est donc nécessaire.
- Identifier et surmonter les résistances. Adopter une approche proactive face à la résistance pour mieux l'atténuer ou la combattre. Se référer à des valeurs ou des standards élevés ou à des autorités puissantes.
  Les avertir. Utiliser des intermédiaires influents. Infiltrer les réunions et les opposants. Les épuiser et attendre leur abandon.
- Utiliser le face-à-face. L'influence personnelle et la persuasion permettent d'emporter l'adhésion plus efficacement que le recours à des notes internes ou des rapports impersonnels.
- Exploiter la crise. Les individus répondent en général de manière plus positive à une crise explicite à laquelle ils sont collectivement confrontés qu'à des tentatives individuelles de modification de leur comportement.
- Recruter des partisans dès le départ. Construire des coalitions et rassembler des alliés essentiels à la constitution des équipes. Il peut également se révéler tactiquement utile d'intégrer des opposants.
- Constituer un comité de réforme, une équipe projet ou un commando. Incorporer des acteurs clés qui jouissent de poids, d'autorité et de respect au sein de l'organisation.

Source : adapté de D. Buchanan et D. Boddy, *The Expertise of the Change Agent: Public Performance and Backstage Activity*, Prentice Hall, 1992, pp. 78-79.

sera considérée comme une possibilité d'amélioration et non comme la cause des restructurations.

- Il est également important que les responsables du changement n'envoient pas de messages contradictoires sur la chronologie de la réforme. S'ils estiment qu'une évolution rapide est nécessaire, ils doivent éviter le maintien de procédures et de signaux qui sous-entendent des horizons de temps lointains. Il faut en particulier s'interdire d'exhorter au changement tout en maintenant des procédures de contrôle et de récompense ou des manières d'agir établies depuis des années. Le *marquage symbolique* du cadre temporel est donc essentiel.

Les succès à court terme

Un changement stratégique implique un grand nombre d'actions précises et de tâches ponctuelles. Il est primordial que certaines de ces tâches soient mises en œuvre rapidement et que leur réussite serve à motiver les membres de l'organisation. Dans une entreprise de distribution, on peut ainsi définir un nouveau concept de magasin et démontrer sa pertinence, remplacer des pratiques anciennes par de nouvelles approches, supprimer certains comités existants et définir plus clairement les responsabilités de chacun. Chacune de ces actions n'est pas significative dans le déploiement de la nouvelle stratégie, mais elle constitue un indicateur visible de son avancement. La constatation de ces succès à court terme peut aider à obtenir l'adhésion de tous.

Une des raisons souvent données à l'incapacité de changer est que les ressources disponibles ne le permettent pas. Ce problème peut être surmonté s'il est possible d'identifier des cibles clés sur lesquelles on peut focaliser les ressources et les efforts. C'est ainsi que William Bratton, qui est devenu célèbre pour avoir déployé la politique de tolérance zéro dans la police de New York, a commencé par focaliser tous les efforts sur les crimes liés au trafic de drogue. Selon les estimations, ces crimes étaient liés – directement ou indirectement – à 50 à 70 % de la criminalité, mais seulement 5 % des ressources de la police de New York leur étaient consacrées. Le succès rencontré sur cette cible clé permit d'étendre la politique de tolérance zéro à d'autres types de crimes et délits, et d'obtenir les ressources nécessaires[36].

14.5 La gestion des processus de changement

Les réformateurs peuvent donc actionner toute une série de leviers de changement. Plutôt que d'appliquer une formule préétablie, le point clé consiste à choisir la combinaison de leviers en fonction du contexte et des compétences disponibles. Pour prendre deux situations extrêmes, s'il est nécessaire de surmonter une résistance pour atteindre des résultats rapides, mieux vaut faire en sorte que les comportements se plient aux nouveaux impératifs. À l'inverse, si l'on dispose du temps nécessaire pour convaincre et faire adhérer les membres de l'organisation, il est préférable de se concentrer sur le changement culturel, comme le montre l'illustration 14.5. Cependant, dans la plupart des processus de changement coexistent des caractéristiques de la théorie E et de la théorie O, tout comme les opérations les plus réussies s'appuient sur de multiples leviers[37], comme le montre là encore l'illustration 14.5.

Illustration 14.5

IBM réinvente ses valeurs

Afin d'assurer la conduite du changement, les actions à court terme doivent signaler les intentions à long terme.

Sam Palmisano devint directeur général d'IBM en 2002, à la suite de Lou Gerstner, qui avait opéré le redressement de l'entreprise dans les années 1990. Sa tâche était très différente de celle que son prédécesseur avait eu à conduire. Lou Gerstner avait dû « sauver une entreprise en flammes », alors que lui devait continuer le changement maintenant que l'incendie était éteint : « au lieu de galvaniser les troupes avec la peur de l'échec, il fallait les galvaniser avec de l'espoir et des aspirations. » Sa réponse fut le « management par les valeurs ». Il pensait qu'il était impossible de gérer une entreprise aussi complexe qu'IBM, présente dans 170 pays avec 70 lignes de produits et des douzaines de segments de clientèle en s'appuyant uniquement sur des structures et des systèmes de contrôle. Il fallait gérer par les valeurs. Cependant, comment identifier les valeurs fondamentales et mener les individus non seulement à y adhérer mais à les incarner ?

Sa réponse fut une réinvention des valeurs par le personnel lui-même. En juillet 2003, pendant trois jours, plus de 50 000 employés participèrent à l'opération « ValueJam », une discussion des valeurs de l'entreprise sur l'intranet du groupe. La plupart des interventions furent très critiques : IBM parlait beaucoup de confiance mais passait un temps considérable à contrôler ses employés ; personne ne mettait en doute les opinions des dirigeants ; les erreurs n'étaient pas tolérées et n'étaient pas considérées comme faisant partie de l'apprentissage. Ces critiques étaient difficilement supportables pour les dirigeants, qui furent tentés de stopper l'opération. Or, non seulement Sam Palmisano insista pour que les échanges continuent, mais de plus il publia ses propres opinions sur l'intranet et admit la plupart des problèmes.

Les commentaires issus de ValueJam furent analysés, ce qui permit d'obtenir des valeurs partagées : « dévouement au succès de chaque client », « innovation pour l'entreprise et pour le monde », « confiance et responsabilité individuelle dans toutes les relations ». Comme le remarqua Sam Palmisano, ces valeurs correspondaient dans une large mesure à ce qu'IBM avait affiché par le passé. Le point important est que ces valeurs n'étaient pas traduites dans les faits. L'étape suivante consistait donc à identifier où ces valeurs étaient le moins déployées. Cette identification commença au niveau du comité de direction, mais elle fut rapidement étendue à tous les employés, grâce à une nouvelle session d'échanges sur l'intranet (voir la section 15.2). Tous les processus d'IBM qui ne respectaient pas les valeurs furent identifiés.

Sam Palmisano chercha alors à modifier ces routines pour les réaligner avec les valeurs. Il modifia le système de motivation financière de tous les directeurs d'activités, qui était jusque-là uniquement fondé sur la manière dont les clients notaient leur performance. Le nouveau système combinait la rentabilité des projets, des objectifs annuels et la satisfaction des clients à long terme, pas uniquement sur une année. D'autres changements semblaient plus anodins, par exemple l'attribution annuelle de 5 000 dollars aux managers opérationnels, montant qu'ils pouvaient dépenser à leur guise pour générer de l'activité et développer leurs relations avec les clients. Cependant, étant donné qu'IBM comptait 22 000 managers opérationnels, cela représentait un investissement considérable. Un autre exemple fut l'évolution de la politique de prix. La tarification utilisée par IBM n'était pas transparente pour les clients, car elle intégrait des produits et des services issus de plusieurs activités. Sam Palmisano insista pour qu'une nouvelle tarification beaucoup plus explicite soit mise en place. Cela imposa une profonde refonte de la politique de prix au niveau de toute l'entreprise.

Source : P. Hemp, « Leading change when business is good », *Harvard Business Review*, vol. 82, n° 12 (2004), pp. 60-70.

Questions

1. Quels sont les leviers de changement décrits dans ce chapitre utilisés ici ? Quels autres leviers auraient pu être utilisés ?

2. Comparez cette approche fondée sur les valeurs avec un changement radical ou un redressement d'entreprise.

Cette section revient sur les types de changement identifiés dans la section 14.2.1, afin de déterminer quels leviers les managers utilisent selon le contexte. Puis nous présenterons quelques enseignements généraux sur la gestion des processus de changement.

14.5.1 Le redressement : reconstruire la stratégie

Il existe des circonstances dans lesquelles un accent tout particulier doit être mis sur la vitesse de reconstruction : lorsqu'il s'agit d'éviter la disparition pure et simple de l'organisation (ou son absorption par un concurrent). Il est alors indispensable de mettre en œuvre un **plan de redressement**, c'est-à-dire une opération de changement rapide dont l'objectif est de réduire fortement les coûts et/ou d'accroître significativement le chiffre d'affaires. Les managers doivent être capables de donner la priorité aux décisions qui débouchent sur des améliorations rapides et significatives. Les principaux éléments d'un plan de redressement sont les suivants[38] :

Un plan de redressement est une opération de changement rapide consistant à réduire fortement les coûts et/ou à accroître significativement le chiffre d'affaires

- La *stabilisation* de la crise. L'objectif est de reprendre le contrôle sur une situation dégradée. Cela passe en général par une focalisation à court terme sur la réduction des coûts et/ou sur l'accroissement du chiffre d'affaires, ce qui implique certains des points présentés dans le schéma 14.9. Ces points n'ont rien de très novateur : la plupart d'entre eux ne sont que de saines pratiques de gestion. La différence est la vitesse à laquelle ils sont déployés et le niveau d'attention que leur portent les managers. Certaines recherches[39] ont montré que les plans de redressement les plus réussis sont ceux qui se focalisent sur la réduction des coûts directs opérationnels et sur les gains de productivité, alors que les opérations moins fructueuses privilégient la réduction des frais généraux. Cependant, trop souvent, les plans de redressement sont considérés comme de purs exercices de réduction des coûts, alors que la clé du succès consiste à déployer des solutions capables d'enrayer le déclin. Lorsque le déclin résulte principalement d'une inadéquation entre le modèle économique et les évolutions de l'environnement, il est inepte de supposer qu'une réduction des coûts permettra un retour durable de la rentabilité.

Schéma 14.9	Réduction des coûts et/ou accroissement de chiffre d'affaires

Accroissement du chiffre d'affaires	Réduction des coûts
• Réaligner l'offre avec les principaux segments de marché • Revoir la stratégie de prix afin de maximiser le chiffre d'affaires • Focaliser l'activité sur les besoins des clients sur les segments visés • Exploiter les opportunités additionnelles de création de chiffre d'affaires liées aux segments visés • Investir les fonds dégagés par la réduction des coûts sur la croissance vers de nouvelles activités	• Réduire les coûts de main-d'œuvre et les coûts administratifs • Se focaliser sur les gains de productivité • Réduire les coûts de marketing qui ne sont pas dédiés aux segments ciblés • Renforcer le contrôle financier • Mettre en concurrence les fournisseurs, allonger le délai des dettes fournisseurs, réduire le délai des crédits clients • Réduire les stocks • Supprimer les services ou les offres non rentables

- Le *remplacement des managers*. Il est parfois nécessaire de remplacer les principaux managers. Cela inclut notamment un nouveau président ou un nouveau directeur général, ainsi que la nomination de nouveaux responsables, en particulier pour le marketing, les ventes et la finance. Ces remplacements sont justifiés par trois raisons. Tout d'abord, les anciens dirigeants étaient en fonction lorsque les problèmes sont apparus ; ils risquent donc d'être tenus pour responsables par les principales parties prenantes. Deuxièmement, il peut être nécessaire de nommer des managers qui ont déjà une expérience des plans de redressement. Troisièmement, étant donné que la nouvelle équipe a de fortes chances de venir de l'extérieur, elle peut apporter des approches différentes.

- Obtenir le *soutien des parties prenantes*. Le plus souvent, les parties prenantes n'ont pas été correctement informées du déclin de l'organisation. Afin de leur signifier que cette période est révolue et obtenir leur soutien, il convient donc d'informer clairement et fréquemment les principales parties prenantes (banques, actionnaires, employés) de la situation réelle et des améliorations obtenues[40]. Une évaluation du pouvoir des parties prenantes (voir la section 4.4.1) est donc un préalable essentiel à tout plan de redressement.

- *Clarifier les cibles*. Il est fondamental d'identifier clairement quels sont les segments de marché les plus à même de générer des profits et de focaliser les activités de l'organisation sur ces cibles. Il est d'ailleurs possible que le déclin de l'organisation soit lié à son incapacité à cibler clairement ses clients. Par-delà la réduction des coûts, le plan de redressement doit donc permettre de réorienter l'organisation par rapport à son marché. Un redressement réussi passe, notamment, par une plus forte proximité avec les clients et par une amélioration des informations marketing à destination des dirigeants.

- *Recentrage*. La clarification des cibles peut déboucher sur l'abandon de certaines offres de produits ou services qui ne correspondent pas aux marchés visés, consomment le temps et l'énergie des managers et ne contribuent pas suffisamment à la performance. Cela peut également être l'occasion d'externaliser certaines fonctions périphériques.

- La *restructuration financière*. La structure financière de l'organisation doit parfois être modifiée. Cela implique en général une modification de la structure du capital, notamment l'émission de nouvelles actions et la renégociation des dettes auprès des banques.

- La *hiérarchisation des priorités*. Toutes ces actions impliquent que le management soit capable de hiérarchiser les décisions afin de donner la priorité à celles qui déboucheront sur des améliorations rapides et significatives.

14.5.2 La gestion du changement révolutionnaire

Le changement révolutionnaire diffère du redressement par deux aspects qui le rendent particulièrement difficile à conduire. Tout d'abord, il implique de concilier vitesse et changement culturel. Deuxièmement, le besoin de changement est en général moins évident pour les membres de l'organisation que dans le cas d'un redressement, ce qui peut les conduire à une certaine réticence. La nécessité du changement révolutionnaire peut résulter de nombreuses années de déclin relatif sur un marché, les individus étant intimement liés à des offres ou des procédés qui ne sont plus valorisés par les clients, ce qui entraîne une dérive stratégique. Il peut aussi arriver que le déclin soit perçu par les membres de l'organisation, mais qu'ils ne voient pas comment y remédier. La gestion du changement révolutionnaire implique le plus souvent :

- *Une orientation stratégique claire.* Dans ces circonstances, il est essentiel d'articuler une orientation stratégique claire avec des actions décisives. Dans ce contexte, le dirigeant qui fixe les orientations est souvent tenu pour responsable du changement : il en devient le symbole, en interne comme en externe.
- *Une combinaison de leviers économiques et symboliques.* Certaines des décisions difficiles impliquées dans les opérations de redressement peuvent trouver leur place dans le cadre du changement révolutionnaire : refonte du portefeuille d'activité, recentrage, remplacement des dirigeants, voire restructuration financière. Cependant, ces décisions revêtent souvent, avant tout, une dimension symbolique. Dans le cas de Canal+ (voir l'illustration 5.4), la décision de Bertrand Meheut de vendre les locaux historiques pour s'installer dans un bâtiment plus fonctionnel, mais nettement moins prestigieux, a été l'acte symbolique fondateur de son plan de changement stratégique.
- *Une perspective externe.* Il est fréquent de nommer de nouveaux managers à des niveaux élevés de la hiérarchie. Dans de nombreux pays, la réforme des services publics est passée par la nomination de managers venus du secteur privé. Les consultants peuvent également être utilisés pour obtenir une analyse neutre du besoin de changement ou pour faciliter le processus.
- *La multiplicité des styles de gestion du changement.* Même si un style directif peut sembler évident, il ne doit pas s'imposer au détriment des autres : l'éducation et l'intervention sont également utiles afin d'impliquer les membres de l'organisation détenant une expertise spécifique ou pour surmonter leur résistance au changement.
- *L'utilisation de la culture actuelle.* Il peut être possible d'utiliser certains éléments de la culture actuelle plutôt que de tenter de la réformer en totalité. Afin de distinguer les aspects qui peuvent se révéler utiles de ceux qui doivent être changés, on peut mener une analyse de champ de forces (voir la section 14.2.4). Lorsque Ed Zender est devenu directeur général de Motorola en 2004, il s'est appuyé sur la tradition de qualité et de fiabilité pour encourager une culture d'innovation et de focalisation sur le marché[41].
- *Le suivi du changement.* Le changement révolutionnaire nécessite la définition et le suivi d'objectifs clairs et indiscutables que les individus doivent atteindre. En général, ces objectifs sont liés à des indicateurs financiers.

14.5.3 La gestion du changement évolutif

Le changement évolutif implique une transformation incrémentale. On peut l'aborder de deux manières. La première consiste à construire une organisation capable d'évoluer continûment, c'est-à-dire une organisation apprenante. Nous avons présenté les caractéristiques de ce type d'organisation dans la section 11.5.2 et dans les commentaires de fin de parties consacrés au prisme de la complexité. Dans la pratique, la mise en place d'une organisation apprenante est complexe, car cela requiert :

- *Une degré élevé d'autonomie.* Plutôt qu'une approche hiérarchique, tous les membres de l'organisation doivent contribuer à la réflexion stratégique, à l'innovation et accepter le changement comme inévitable et désirable. Le niveau de participation doit donc être élevé.

- *Une vision stratégique claire.* Les dirigeants doivent créer le contexte grâce auquel de nouvelles idées peuvent émerger autour d'une vision cohérente. Pour cela, ils doivent formuler des orientations compréhensibles par tous – une vision, une mission ou des règles simples – capables de catalyser et de rassembler les innovations. Il est donc nécessaire de trouver le juste équilibre entre la clarté des objectifs – qui permet à chacun de comprendre quelle peut être sa contribution à la stratégie – et un degré de liberté suffisant pour ne pas contraindre l'enthousiasme de ceux qui souhaitent contribuer à l'innovation (voir les commentaires consacrés au prisme de la complexité en fin de partie).

- *Le changement continu et une capacité permanente d'expérimentation.* Les processus organisationnels doivent correspondre à ce double impératif.

La seconde manière de déployer un changement évolutif consiste à passer d'une stratégie établie à une autre, parfois des années plus tard. Les managers doivent alors respecter les principes suivants :

- *Des phases de intermédiaires.* Il est important d'identifier des phases intermédiaires dans le processus de changement. En termes de contexte de changement (voir la section 14.2.2), la volonté ou la capacité à mener un changement important peut être insuffisante au départ. Une approche par étape peut permettre de faire évoluer ce contexte.

- *Des changements irréversibles.* Il peut être possible d'identifier des changements qui n'ont pas nécessairement un impact immédiat, mais qui peuvent avoir un effet irréversible à long terme. Ainsi, au début des années 1990, KPMG chercha à définir quelle devait être sa stratégie pour les années 2000. Suite à cette réflexion, de nouveaux critères de recrutement et de promotion au grade d'associé furent établis. Ce type de changement n'a pas d'effet notable avant 5 ou 10 ans, mais une fois décidé, ses effets ne peuvent pas être inversés.

- *Un engagement sans faille des dirigeants.* Le processus de changement peut s'essouffler si les membres de l'organisation ne perçoivent pas un engagement sans faille des dirigeants.

- *La capacité à convaincre et à enthousiasmer.* Toute transformation organisationnelle implique un changement culturel. Dans le cas d'un changement évolutif, les membres de l'organisation risquent de ne pas percevoir que la culture en place constitue un problème. Il convient donc de mobiliser de multiples leviers de changement : l'éduction et la participation, afin que chacun comprenne le besoin de changement et y contribue ; le signalement de la logique de changement d'une manière capable de convaincre et d'enthousiasmer toutes les parties prenantes ; des leviers qui garantissent l'amélioration de la performance économique.

14.5.4 Quelques leçons sur les processus de gestion du changement

Cette section récapitule ce qu'il convient de retenir sur les processus de gestion du changement. Tout d'abord, il convient d'identifier les pièges dans lesquels peut tomber le changement stratégique[42] :

- La *ritualisation du changement*. Les réformateurs doivent reconnaître que le changement n'est pas un processus monolithique : il peut nécessiter l'accumulation d'une série d'étapes, parfois pendant des années. Cependant, le risque est alors élevé que les membres de l'organisation considèrent l'opération de changement comme un rituel sans réelle signification. Par ailleurs, l'intention d'origine peut progressivement être érodée par d'autres événements au sein de l'organisation – par exemple un taux de rotation du personnel très élevé. L'objectif de changement est alors brouillé.

- Le *détournement des processus de changement*. Les efforts légitimes de changement peuvent être détournés par certains membres de l'organisation qui poursuivent d'autres buts. Dans une compagnie d'assurance, l'introduction d'un système téléphonique informatisé destiné à améliorer le service aux clients a ainsi servi d'alibi pour réduire le nombre de salariés affectés au service clientèle. Le résultat fut une dégradation du niveau de service et un profond scepticisme du personnel à l'égard des futures opérations de changement.

- La *réinvention*. Le programme de changement peut être réinterprété au travers de la structure existante. Une entreprise industrielle tenta ainsi de déployer une culture focalisée sur le client alors que celle-ci avait toujours été focalisée sur le produit. Cependant, le mot d'ordre de « service au client » fut rapidement traduit par « qualité de service », ce qui permit aux membres de l'organisation de conserver la plupart de leurs schémas de pensée implicites et de leurs routines de comportement.

- La *tour d'ivoire*. Les membres de l'organisation considèrent que les porteurs du programme de changement – par exemple les dirigeants – sont déconnectés des réalités du terrain, notamment des besoins des clients et des compétences organisationnelles. De fait, puisque ses responsables ne sont pas crédibles, le changement est négligé. De même, les systèmes de récompense peuvent être considérés comme non alignés avec le changement souhaité.

- La *conformité apparente*. Les individus risquent de se comporter conformément à ce que prévoit le programme de changement (en particulier lorsqu'ils savent qu'on les observe), sans pour autant y adhérer. Les réformateurs peuvent penser que le changement est en cours, alors qu'ils ne font que constater une conformité apparente.

Depuis 1994, le Boston Consulting Group utilise quatre indicateurs clés pour gérer les processus de changement stratégique et les équipes qui les déploient[43]. Selon ce cabinet de conseil, la probabilité de succès d'un programme de changement est très significativement accrue si les éléments suivants sont en place :

- Le *suivi régulier des progrès*. Les programmes de changement doivent être formellement évalués par les dirigeants au moins tous les deux mois, afin de vérifier que les tâches clés ont été accomplies. Les critères utilisés pour cette évaluation doivent être explicites et largement diffusés[44].

- Une *équipe intègre*, qui possède les compétences nécessaires et complémentaires – vérifiée lors de chaque évaluation – pour conduire le programme de changement. Le choix de cette équipe constitue une responsabilité essentielle des dirigeants.
- *L'implication visible des dirigeants*. Les dirigeants doivent expliquer le programme de changement avec franchise et constance, en particulier à ceux qui en seront affectés.
- Le *temps et l'effort*. Les dirigeants doivent s'assurer qu'ils disposent du temps et des ressources nécessaires pour accomplir le programme de changement.

La plupart de ces problèmes et défis sont reflétés par le débat qui clôt ce chapitre (voir l'illustration 14.6).

Illustration 14.6 | **Débat**

Qu'est-ce que la gestion du changement ?

Dans quelle mesure et de quelle manière les dirigeants peuvent-ils conduire le changement ?

Selon John Kotter, un expert en leadership et en conduite du changement, le principal problème est l'incapacité des dirigeants à déployer la séquence chronologique nécessaire :

- Établir un sentiment d'urgence à partir des menaces et opportunités du marché.
- Former une coalition de parties prenantes influentes favorables au changement.
- Créer et communiquer une vision claire, afin d'orienter les efforts et s'assurer que le comportement du groupe de pilotage est cohérent avec la vision.
- Supprimer les obstacles au changement, faire évoluer les systèmes et les structures qui brouillent la vision, encourager la prise de risque et les idées, les initiatives et les actions originales.
- Obtenir des réussites à court terme.
- Consolider les améliorations et provoquer de nouveaux changements.

Cependant, Julia Balogun a étudié les progrès d'une opération de changement stratégique menée par des dirigeants, mais en se plaçant du point de vue des managers intermédiaires. Il apparaît ainsi qu'alors que les dirigeants croyaient être clairs sur leur stratégie, les managers intermédiaires interprètent le changement en fonction de leurs propres modèles mentaux et en relation avec leurs propres responsabilités, en discutant avec leurs pairs ou par le biais de rumeurs. Les dirigeants sont trop éloignés du terrain pour comprendre ou intervenir dans ces processus. Ils peuvent initier et influencer la direction du changement, mais pas le contrôler directement. Ils doivent :

- Suivre de quelle manière les individus répondent à leurs initiatives de changement.
- Comprendre autant que possible la manière dont les individus donnent du sens au changement et répondre à leurs interprétations.
- Incarner le changement que les autres doivent adopter et éviter absolument les incohérences entre leurs propos et leurs actes.

- Se focaliser sur la création et la compréhension de principes généraux plutôt que sur des détails.

Hari Tsoukas et Robert Chia vont plus loin en affirmant que le changement constitue une propriété inhérente des organisations. La hiérarchie et le contrôle freinent cette qualité naturelle.

Les projets de changement articulent les discours qui permettent de rendre certaines choses possibles, même si ce qui se passe en réalité reste incertain une fois que le processus est amorcé. Ils ouvrent des possibilités qui doivent être concrétisées. Les projets de changement sont… localement adaptés, improvisés et élaborés… Que signifie alors la notion de « changement planifié » ? On admet en général que le changement résulte d'actions managériales délibérées. Cette interprétation est trop limitée. Si les managers cherchent effectivement à définir des modes de pensée et d'action au travers de plans, le changement organisationnel ne requiert pas nécessairement une action managériale intentionnelle : il est plutôt la conséquence du fait que des individus tentent de donner du sens à leur réalité et de donner corps à de nouvelles possibilités. Une focalisation sur la planification du changement ne permet pas de prendre conscience de la texture continûment évolutive des organisations.

Sources : J. Kotter, « Leading change: why transformation efforts fail », *Harvard Business Review*, vol. 73, n° 2 (1995), pp. 59-67 ; J. Balogun et G. Johnson, « Organizational restructuring and middle manager sensemaking », *Academy of Management Journal*, vol. 47, n° 4 (2004), pp. 523-550 ; J. Balogun, « Managing change: steering a course between intended strategies and unanticipated outcomes », *Long Range Planning*, vol. 29 (2006), pp. 29-49 ; H. Tsoukas et R. Chia, « On organizational becoming: rethinking organisational change », *Organisation Science*, vol. 13, n° 5 (2002), pp. 567-582.

Questions

1. Quels sont les problèmes liés à chacune de ces deux interprétations de la conduite du changement ?

2. Si vous dirigiez une organisation, dans quelles circonstances suivriez-vous chacune de ces deux approches ?

3. Ces différentes vues sont-elles irréconciliables ? Vous pouvez vous référer aux commentaires de fin de partie.

Résumé

Le thème central de ce chapitre a été que les approches, les styles et les leviers utilisés pour conduire le changement doivent être adaptés au contexte. En gardant à l'esprit cette idée générale, nous avons souligné un certain nombre de points importants pour la gestion du changement stratégique :

- Il existe différents *types de changements stratégiques* dans les organisations, que l'on peut classer selon leur *ampleur* (selon qu'ils impliquent ou non une modification de la culture) et leur *nature* (selon qu'ils peuvent s'appuyer sur une évolution incrémentale ou qu'ils nécessitent une transformation radicale). Pour chacun des types de changement, des approches différentes sont nécessaires.

- D'autres aspects du *contexte organisationnel* doivent être pris en compte, comme les ressources et les compétences qu'il convient de préserver, le degré d'homogénéité ou de diversité de l'organisation, la capacité, la disponibilité et l'acceptation du changement, ou encore le pouvoir de le conduire.

- Le *tissu culturel* et l'*analyse de champ de forces* peuvent aider à identifier les facteurs susceptibles de bloquer le changement et ceux qui, à l'inverse, peuvent être utilisés comme leviers.

- Différents *styles* de conduite de changement sont nécessaires suivant le contexte, selon l'implication et l'intérêt des différentes parties prenantes.

- Différents leviers peuvent être actionnés selon le type de changement requis et le contexte. Ces leviers incluent l'identification et la contestation des *schémas de pensée implicites*, la nécessité de modifier les *routines* organisationnelles et les *symboles*, et celle de maîtriser les *processus politiques* et les *tactiques* de changement.

Travaux pratiques ● Signale des exercices d'un niveau plus avancé

1. En vous référant à la section 14.2.2, identifiez les éléments clés du contexte d'une organisation qui vous est familière (ou de celle présentée dans le cas à la fin de ce chapitre) et montrez comment ils peuvent influencer la conduite du changement.

2. ● Pour une organisation de votre choix (par exemple la même que dans la question précédente), dessinez le tissu culturel et utilisez une analyse de champ de forces pour identifier les facteurs qui bloquent le changement et ceux qui le facilitent. Redessinez le tissu culturel pour représenter ce que devrait devenir l'organisation dans le cadre d'une nouvelle stratégie. En utilisant les deux tissus culturels ainsi obtenus et l'analyse de champ de forces, déterminez quels éléments peuvent être gérés par un réformateur et comment.

3. Identifiez plusieurs cas de conduite du changement dans la presse économique et expliquez les styles de conduite du changement utilisés par les réformateurs concernés (vous pouvez également utiliser le cas du Club Med qui figure à la fin du chapitre 5).

4. ● En utilisant un processus de changement stratégique dans lequel vous avez été impliqué ou que vous avez pu observer, identifiez les éléments suivants :
   a) Nouveaux rites introduits ou anciens rites supprimés, et les impacts de ces changements.
   b) Moyens de communication utilisés par les réformateurs et leur efficacité.

5. ● Dans le contexte d'un changement stratégique au sein d'une grande entreprise ou d'une organisation de service public, dans quelle mesure et pourquoi partagez-vous l'opinion de Richard Pascale selon laquelle « Il est plus facile de changer les idées par les actes que les actes par les idées » ? (vous pouvez vous aider des références 29 à 34).

6. ● Lisez un des nombreux ouvrages rédigés par des dirigeants qui ont conduit des changements majeurs dans de grandes organisations, par exemple celui de J. Welch, *Ma vie de patron*, Village Mondial, 2001, ou celui de C. Ghosn, *Citoyen du monde*, Grasset, 2003. Recensez les leviers et les mécanismes de changement utilisés par ce dirigeant à la lumière des approches présentées au long de ce chapitre. Ces approches se sont-elles révélées efficaces dans ce contexte ? D'autres mécanismes auraient-ils pu être utilisés ?

7. Identifiez plusieurs cas de conduite du changement dans la presse économique et analysez-les en utilisant le schéma 14.2. Retrouvez-vous dans ces cas les enseignements présentés dans la section 14.5 ?

Exercice de synthèse

8. Quels seraient les problèmes clés auxquels devrait faire face la direction générale d'une organisation diversifiée suivant une stratégie internationale (voir le chapitre 6), qui souhaiterait évoluer vers un portefeuille d'activités plus intégré ? Envisagez cette question en termes de (a) capacités stratégiques que la direction générale devrait détenir (voir les chapitres 4 et 6), (b) d'implications sur le contrôle et l'organisation des filiales (voir le chapitre 8), (c) de blocages vis-à-vis de ce type d'évolution et (d) des moyens permettant de les surmonter (voir le chapitre 10).

Lectures recommandées

- L'ouvrage de M. Raimbault et J.-M. Saussois, *Organiser le changement*, Éditions d'Organisation, 1983, est un bon complément à ce chapitre, tout comme celui coordonné par R. Reitter, *Cultures d'entreprises, études sur les conditions de réussite du changement*, Vuibert, 1991.

- J. Balogun, V. Hope Hailey et E. Viardot, *Stratégies du changement*, 2ᵉ édition, Pearson Éducation, 2005, détaillent la plupart des idées présentées dans ce chapitre.

- Sur les processus de changement, voir J. Kotter, « Leading change: why transformation efforts fail », *Harvard Business Review*, vol. 73, n° 2 (1995), pp. 59-67 et J. Balogun, « Managing change: steering a course between intended strategies and unanticipated outcomes », *Long Range Planning*, vol. 29 (2006), pp. 29-49.

- Sur les différentes approches de la gestion du changement, voir M. Beer et N. Nohria, « Cracking the code of change », *Harvard Business Review*, vol. 78, n° 3 (2000), pp. 133-141.

- Martha Feldman a décrit la manière dont les routines organisationnelles peuvent bloquer ou faciliter le changement. Voir M. Feldman, « Resources in emerging structures and processes of change », *Organization Science*, vol. 15, n° 3 (2004), pp. 295-309, et M. Feldman et B. Pentland, « Reconceptualizing organizational routines as a source of flexibility and change », *Administrative Science Quarterly*, vol. 48, n° 1 (2003), pp. 94-118.

- Pour une présentation des aspects symboliques du changement stratégique, voir le chapitre de H. Laroche, « Culture organisationnelle » dans l'ouvrage de N. Aubert *et al.*, *Management, aspects humains et organisationnels*, PUF, 2005.

- Il existe peu de textes consacrés aux aspects politiques du management. Le meilleur reste certainement N. Machiavel, *Le Prince*, Librairie Générale Française, 1983. On peut également consulter P.-F. Ténière-Buchot, *L'ABC du pouvoir*, Éditions d'Organisation, 1989.

- La recherche de L.C. Harris et E. Ogbonna, « The unintended consequences of culture interventions: a study of unexpected outcomes », *British Journal of Management*, vol. 13, n° 1 (2002), pp. 31-49, examine en détail les problèmes liés à la conduite du changement.

Références

1. Beaucoup d'ouvrages consacrés au changement stratégique partent de l'idée que l'inertie et la résistance au changement sont les réactions les plus fréquentes des membres de l'organisation et qu'il est donc nécessaire de débloquer la situation. La prédominance de cette idée remonte aux travaux de K. Lewin. Voir notamment « Group decision and social change », dans E.E. Maccoby, T.M. Newcomb et E.L. Hartley (eds), *Readings in Social Psychology*, Holt, Reinhart & Winston, 1958, pp. 197-211.

2. Voir J. Balogun, V. Hope Hailey et E. Viardot, *Stratégies du changement*, 2ᵉ édition, Pearson Éducation, 2005.

3. Voir F. Ostroff, « Change management in government », *Harvard Business Review*, vol. 84, n° 5 (2006), pp. 141-147.

4. Voir D. Neal et T. Taylor, « Spinning on dimes: the challenges of introducing transformational change into the UK Ministry of Defence », *Strategic Change*, vol. 15 (2006), pp. 15-22.

5. Voir J. Newton, J. Graham, K. McLoughlin et A. Moore, « Receptivity to change in a general medical practice », *British Journal of Management*, vol. 14, n° 2 (2003), pp. 143-153.

6. Voir S. Miller, D. Wilson et D. Hickson, « Beyond planning strategies for successfully implementing strategic change », *Long Range Planning*, vol. 37, n° 3 (2004), pp. 201-218.

7. Voir S. Miller, D. Wilson et D. Hickson (référence 5).

8. Voir J.-L. Denis, L. Lamothe et A. Langley, « The dynamics of collective change leadership and strategic change in pluralistic organisations », *Academy of Management Journal*, vol. 44, n° 4 (2001), pp. 809-837.

9. G. Johnson, « Mapping and re-mapping organisational culture: a local government example », dans

G. Johnson et K. Scholes (eds), *Exploring Public Sector Strategy*, Prentice Hall, 2001, effectue cette analyse pour une collectivité locale britannique.

10. Sur le leadership, voir N. Aubert, J.-P. Gruère, J. Jabes, H. Laroche et S. Michel, *Management, aspects humains et organisationnels*, PUF, 2005, chapitre 9. J. Kotter définit le leadership comme la capacité à gérer le changement. Voir J. Kotter, « What leaders really do », *Harvard Business Review*, vol. 79, n° 11 (2001), pp. 85-96.

11. Cette définition du leadership est adaptée de R.M. Stodgill, « Leadership, membership and organization », *Psychological Bulletin*, vol. 47 (1950), pp. 1-14. Pour une contribution plus récente, voir G.A. Yukl, *Leadership in Organizations*, 6e édition, Prentice Hall, 2005.

12. Voir D.A. Waldman, G.G. Ramirez, R.J. House et P. Puranam, « Does leadership matter? CEO leadership attributes and profitability under conditions of perceived environmental uncertainty », *Academy of Management Journal*, vol. 44, n° 1 (2001), pp. 134-143.

13. Pour une discussion sur la distinction entre leader charismatique et leader gestionnaire, voir Aubert *et al.* (référence 13), ainsi que M.F.R. Kets de Vries, « The leadership mystique », *Academy of Management Executive*, vol. 8, n° 3 (1994), pp. 73-89 et l'article de Waldman *et al.* (référence 14).

14. Cette discussion sur les différentes approches du leadership stratégique et sur leurs mérites respectifs figure dans D. Goleman, « Leadership that gets results », *Harvard Business Review*, vol. 78, n° 2 (2000), pp. 78-90, et dans C.M. Farkas et S. Wetlaufer, « The ways chief executives lead », *Harvard Business Review*, vol. 74, n° 3 (1996), pp. 110-112.

15. Voir B. Groysberg, A.N. McLean et N. Nohria, « Are leaders portable? », *Harvard Business Review*, vol. 84, n° 5 (2006), pp. 92-100.

16. Voir S. Floyd et W. Woolridge, *The Strategic Middle Manager: How to Create and Sustain Competitive Advantage*, Jossey-Bass, 1996.

17. Voir notamment J. Balogun et G. Johnson, « Organizational restructuring and middle manager sensemaking », *Academy of Management Journal*, vol. 47, n° 4 (2004), pp. 523-549 ; J. Balogun, « Managing Change: steering a course between intended strategies and unanticipated outcomes », *Long Range Planning*, vol. 39 (2006), pp. 29-49 ; J. Sillence et F. Mueller, « Switching strategic perspective: the reframing of accounts of responsibility », *Organization Studies*, vol. 28, n° 2 (2007), pp. 155-176.

18. Cette section est construite à partir des typologies utilisées par J. Balogun, V. Hope Hailey et E. Viardot

(référence 2) et D. Dunphy et D. Stace, « The strategic management of corporate change », *Human Relations*, vol. 46, n° 8 (1993), pp. 905-920. Voir également une autre classification dans R. Caldwell, « Models of change agency: a fourfold classification », *British Journal of Management*, vol. 14, n° 2 (2003), pp. 67-83.

19. L'effet de l'implication dans les processus stratégiques est étudié par N. Collier, F. Fishwick et S.W. Floyd, « Managerial involvement and perceptions of strategy process », *Long Range Planning*, vol. 37 (2004), pp. 67-83.

20. L'interventionnisme est examiné en détail dans P.C. Nutt, « Identifying and appraising how managers install strategy », *Strategic Management Journal*, vol. 8, n° 1 (1987), pp. 1-14.

21. Sur ce point, ainsi que pour une discussion des différents styles, voir D. Dunphy et D. Stace (référence 18).

22. Voir M. Beer et N. Nohria, « Cracking the code of change », *Harvard Business Review*, vol. 78, n° 3 (2000), pp. 133-141.

23. Pour un exemple de cette approche, voir J.M. Mezias, P. Grinyer et W.D. Guth, « Changing collective cognition: a process model for strategic change », *Long Range Planning*, vol. 34 (2001), pp. 71-95, ainsi que F. Ackermann, C. Eden et I. Brown, *The Practice of Making Strategy*, Sage, 2005.

24. Sur le contexte psychologique, les biais cognitifs et leur impact sur la manière dont les managers envisagent l'avenir, voir M. Godet, *Manuel de prospective stratégique*, Dunod, 2007 et K. van der Heijden, R. Bradfield, G. Burt, G. Caims et G. Wright, *The Sixth Sense: Accelerating Organisational Learning with Scenarios*, John Wiley, 2002, chapitre 2.

25. T. Deal et A. Kennedy parlent des « manières de faire » dans leur ouvrage *Corporate Cultures: The Rights and Rituals of Corporate Life*, Addison-Wesley, 1984. Cependant, les routines ont également fait l'objet de nombreuses recherches dans le cadre de l'approche par les ressources (voir le chapitre 3), du fait qu'elles sous-tendent les compétences organisationnelles. Voir par exemple A.M. Knott, « The organizational routines factor market paradox », *Strategic Management Journal*, vol. 24 (2003), pp. 929-943.

26. D. Leonard-Barton, « Core capabilities and core rigidities: a paradox in managing new product development », *Strategic Management Journal*, vol. 13 (été 1992), pp. 111-125.

27. Voir M. Hammer et J. Champy, *Le reengineering*, Dunod, 2003.

28. Cet exemple est donné par M. Hammer, « Deep change: how operational innovations can trans-

form your company », *Harvard Business Review*, vol. 82, n° 4 (2004), pp. 84-93.

29. Cette citation est tirée de R. Pascale, M. Millemann et L. Gioja, « Changing the way we change », *Harvard Business Review*, vol. 75, n° 6 (1997), pp. 126-139.

30. Voir la référence 27.

31. Voir M. Feldman, « Resources in emerging structures and processes of change », *Organization Science*, vol. 15, n° 3 (2004), pp. 295-309, et M. Feldman et B. Pentland, « Reconceptualizing organizational routines as a source of flexibility and change », *Administrative Science Quarterly*, vol. 48, n° 1 (2003), pp. 94-118.

32. Pour une discussion plus approfondie sur ce thème, voir G. Johnson, « Managing strategic change: the role of symbolic action », *British Journal of Management*, vol. 1, n° 4 (1990), pp. 183-200 et J.M. Higgins et C. McCallaster, « If you want strategic change, don't forget your cultural artefacts », *Journal of Change Management*, vol. 4, n° 1 (2004), pp. 63-73.

33. Sur le rôle des rituels dans la conduite du changement, voir D. Sims, S. Fineman et Y. Gabriel, *Organizing and Organizations: An Introduction*, Sage, 1993.

34. Voir H.M. Trice et J.M. Beyer, « Studying organisational cultures through rites and ceremonials », *Academy of Management Review*, vol. 9, n° 4 (1984), pp. 653-659 ; M. Trice et J.M. Beyer, « Using six organisationals rites to change culture », dans R.H. Kilman, M.J. Saxton, R. Serpa *et al.* (eds), *Gaining Control of the Corporate Culture*, Jossey-Bass, 1985.

35. Cette discussion utilise les observations sur le rôle des activités politiques dans les organisations, menées notamment par M. Crozier et E. Friedberg, *L'acteur et le système. Les contraintes de l'action collective*, Seuil, 1977, H. Mintzberg, *Le pouvoir dans les organisations*, Éditions d'Organisation, 1986, et J. Pfeiffer, *Power in Organizations*, Pitman, 1981. Cependant, le livre le plus intéressant sur les jeux politiques reste N. Machiavel,

Le Prince, Librairie Générale Française, 1983. On peut également consulter P.-F. Ténière-Buchot, *L'ABC du pouvoir*, Éditions d'Organisation, 1989.

36. Pour plus de détails sur la démarche de William Bratton, voir W.C. Kim et R. Mauborgne, « Tipping point leadership », *Harvard Business Review*, vol. 81, n° 4 (2003), pp. 60-69.

37. Voir D. Buchanan, L. Fitzgerald, D. Ketley, R. Gallop, J.L. Jones, S.S. Lamont, A. Neath et E. Whitby, « No going back: a review of the literature on sustaining organizational change », *International Journal of Management Reviews*, vol. 7, n° 3 (2005), pp. 189-205.

38. Les plans de redressement sont présentés en détail par S. Slatter et D. Lovett, *Corporate Turnaround*, Penguin Books (1999) et par P. Grinyer, D. Mayes et P. McKiernan, « The Sharpbenders: achieving a sustained improvement in performance », *Long Range Planning*, vol. 23, n° 1 (1990), pp. 116-125. Voir également V.L. Barker et I.M. Duhaime, « Strategic change in the turnaround process: theory and empirical evidence », *Strategic Management Journal*, vol. 18, n° 1 (1997), pp. 13-38.

39. Voir P. Grinyer, D. Mayes et P. McKiernan (référence 38).

40. Voir K. Pajunen, « Stakeholders influences in organizational survival », *Journal of Management Studies*, vol. 43, n° 6 (2006), pp. 1261-1288.

41. Voir S. Finkelstein, C. Harvey et T. Lawton, *Breakout Strategy*, McGraw-Hill, 2007.

42. Voir L.C. Harris et E. Ogbonna, « The unintended consequences of culture interventions: a study of unexpected outcomes », *British Journal of Management*, vol. 13, n° 1 (2002), pp. 31-49.

43. Voir H.L. Sirkin, P. Keenan et A. Jackson, « The hard side of change management », *Harvard Business Review*, vol. 83, n° 10 (2005), pp. 109-118.

44. Le pilotage des programmes de changement est examiné plus en détail par L. Gratton, V. Hoppe Hailey, P. Stiles et C. Truss, *Strategic Human Resource Management*, Oxford University Press, 1999.

La CSP face au changement

La Compagnie des services pétroliers (CSP) était une entreprise comptant environ 3 500 personnes et réalisant un chiffre d'affaires d'un peu moins d'un demi-milliard d'euros. Elle avait été fondée dans les années 1950. Son siège était situé en région parisienne.

Les activités de la CSP

L'essentiel de son activité (75 % du chiffre d'affaires) consistait en la réalisation d'études destinées à l'exploration pétrolière. Ces études aidaient à localiser et évaluer les réserves en hydrocarbures de zones terrestres ou maritimes. Depuis une dizaine d'années, la CSP avait également développé une activité industrielle : elle concevait et fabriquait les matériels très spécifiques nécessaires pour la réalisation de ces études. La vente de ces matériels représentait environ 25 % du chiffre d'affaires.

Technologie

Ces études utilisaient une technologie particulière ou plutôt un ensemble de technologies. Leur réalisation comprenait deux phases : (1) le recueil des données, sous forme d'un très grand nombre de mesures faites directement sur le terrain exploré ; cette phase nécessitait des matériels spécialisés et une main-d'œuvre assez nombreuse (de l'ordre de la centaine de personnes) ; (2) le traitement de ces données, c'est-à-dire leur mise sous forme de documents directement interprétables par les spécialistes de l'exploration pétrolière (cartes, graphiques, etc.) ; cette phase nécessitait des moyens informatiques (matériels et logiciels) puissants et spécialisés.

Marché et concurrence

Les clients de la CSP étaient principalement les compagnies pétrolières. Le marché était mondial. La CSP était présente presque partout dans le monde, à travers un réseau d'agences locales, desquelles partaient les « missions » qui réalisaient les mesures sur le terrain. Elle était la seule entreprise française de son secteur. Ses deux concurrents principaux étaient nord-américains. Comme elle, ils occupaient chacun environ 20 % du marché. Les autres concurrents étaient sensiblement plus petits et souvent spécialisés géographiquement.

Structure

La CSP était organisée en quatre grandes directions : services, matériels, recherche & développement et administration. Chacune avait à sa tête un directeur général adjoint. La direction des services regroupait tous les moyens nécessaires pour assurer la vente et la réalisation des études ; elle coiffait le réseau des agences locales. Elle comprenait également les navires nécessaires aux mesures en mer. Enfin, elle disposait de plusieurs centres de traitement informatique.

La direction du matériel était constituée de filiales qui concevaient, fabriquaient et commercialisaient toute une gamme de matériels électroniques et électromécaniques utilisés pour les études. Ces matériels étaient vendus au sein du groupe CSP à la direction des services, mais aussi aux autres entreprises du secteur, concurrentes de la CSP. Il s'agissait là d'une activité industrielle.

Personnel

La CSP comptait une importante proportion de cadres : un millier environ sur 3 500 personnes employées. Parmi les non-cadres, les techniciens étaient largement majoritaires. Un tiers environ du personnel était « prospecteur », c'est-à-dire affecté à la réalisation des études sur le terrain, le plus souvent à l'étranger. En outre, pour les « missions », la CSP utilisait temporairement de la main-d'œuvre locale peu qualifiée.

Dirigeants

Sur les neuf principaux dirigeants, six étaient diplômés de la plus prestigieuse des écoles d'ingénieurs françaises, l'École Polytechnique. Presque tous avaient fait l'essentiel de leur carrière à la CSP, en commençant comme « prospecteur ». Le P-DG et le directeur délégué, qui était son successeur désigné, avaient en revanche une expérience extérieure (le premier au ministère de l'Industrie, le second dans une compagnie pétrolière).

La réussite de la CSP

Le visiteur qui se rendait au siège de la CSP n'avait guère de quoi s'étonner. Architecture ordinaire, bureaux classiques, décoration réduite au minimum, etc. Rien n'attirait l'attention. Les bureaux des dirigeants étaient tout aussi neutres et fonctionnels, voire pour certains austères. D'immenses cartes du monde constituaient le motif quasi unique de décoration. La discrétion était une vertu qu'on cultivait volontiers à la CSP. Pourtant, derrière cette modestie affichée, l'entreprise était fière de ses succès. Tout d'abord, elle était fière d'être la seule grande entreprise non américaine du secteur. Elle s'enorgueillissait également de demeurer – à la différence de ses concurrents les plus directs – la

seule entreprise indépendante, c'est-à-dire non intégrée à un groupe offrant toute la gamme des services liés à l'exploration et l'exploitation pétrolière. Enfin, elle affichait volontiers sa capacité de résistance aux crises qui agitaient périodiquement le secteur.

Les dirigeants de la CSP attribuaient volontiers cette réussite à l'excellence technique de l'entreprise, notamment de ses « prospecteurs » et chefs de mission. Cela faisait de la CSP la spécialiste des zones difficiles (territoires accidentés, forêts profondes, etc.). Ceci en raison d'une capacité d'adaptation humaine et technique, d'une débrouillardise particulière. Par contraste, les concurrents américains semblaient plus performants dans les zones dégagées, là où leur organisation et leurs procédures s'appliquaient sans difficulté. Comme le soulignait un dirigeant : « Tant qu'il s'agit de rouler, en camion, dans les plaines, en Égypte par exemple, dans le désert, alors les Américains sont tout à fait automatisés, ça marche très bien ! »

L'audace et la débrouillardise techniques, la croyance en la vertu de l'action locale et rapide, alliées au mépris de la hiérarchie, au goût des relations directes, conviviales, constituaient ce qui était désigné par « l'esprit prospecteur. » Celui-ci s'acquérait « sur le terrain », dans les « missions. » Le passage par le « terrain » était également l'occasion d'une sélection pour les jeunes ingénieurs et techniciens : d'une part, il éliminait ceux qui n'avaient pas d'attrait profond pour le métier, d'autre part, il permettait de repérer les meilleurs potentiels. « Le poste clé à la CSP », expliquait un dirigeant, « c'est le chef de mission. C'est celui qui aura su s'adapter avec 20 "pros" [des prospecteurs] français et 200 gabonais, au Gabon, qui aura tenu le choc... Quand il survit, il est très bon, il est très bon dans son domaine. Tout le monde ne survit pas. » Sur ce point, la CSP, selon ses dirigeants, se distinguait encore de ses grands concurrents : « Les cerveaux américains, ils ne sont pas dans les missions ; dans les missions il y a des presse-bouton. »

Étude de cas

Les dirigeants de la CSP reconnaissaient très volontiers la qualité et le dévouement de leur personnel de terrain. Ce personnel se pliait, en effet, à des conditions de travail pénibles, acceptait la très grande disponibilité temporelle et géographique requise : « Un prospecteur qui est en mission en Indonésie, le lundi, on lui dit : jeudi vous serez en Alaska. Il prend son avion, il va en Alaska... Un autre qui est en détente, au milieu de sa détente on lui dit : désolé, faut que vous soyez à telle date à tel endroit. Il prend sa valise et il y va, en ronchonnant de temps en temps, mais il y va. La Compagnie doit beaucoup à ce personnel, qui est souvent très attaché à la Compagnie. »

Les salaires étaient considérés comme relativement bas. En revanche, la carrière était assurée : après un nombre variable d'années dans les missions, le prospecteur devenait « sédentaire » et assurait des fonctions au siège. Certains, bien entendu, devenaient les dirigeants de la CSP. Très peu de prospecteurs quittaient la société : il n'y avait, en effet, pas de marché du travail pour ces ingénieurs et techniciens très spécialisés, ce qui pouvait comporter un aspect négatif : « Dans une compagnie comme CSP, il y a des esclaves attachés à leurs chaînes. C'est les gens des services. Ils sont attachés à leurs chaînes pour une raison simple, c'est que le marché de l'emploi dans ce domaine est très réduit en Europe, en France. Les esclaves des services, les gros bras des services, d'une part parce qu'ils n'ont pas tellement le choix, d'autre part parce qu'ils sont habitués à la vie dure, ont le cuir tanné et sont prêts à supporter des temps difficiles pendant plus longtemps. »

C'était sans aucun doute par la vertu de ce lien particulier entre l'entreprise et ses membres que la CSP pouvait s'accommoder d'une structure administrative jugée légère. Hiérarchie et procédures étaient d'ailleurs décriées. La confiance construite à travers les années permettait un fort degré de décentralisation, malgré l'éloignement géographique : « Les gens sont à la fois terriblement autonomes et parfaitement rattachés. Le chef d'agence à Singapour, il est, en fait – et par son avenir et par sa formation – rattaché au noyau central, pas du tout à son environnement de clients et de sous-traitants singapouriens. Il faut avoir des gens comme ça pour traiter des opérations d'un certain volume. »

Les interrogations

Toutefois certaines évolutions de l'environnement et du métier suscitaient tensions et interrogations. Les pertes récurrentes de certaines activités (notamment les études sur zone maritime) amenaient régulièrement à la question de la redéfinition du portefeuille d'activités. Pour certains dirigeants, la réponse était claire : « Tous les produits de notre domaine, partout dans le monde. Et on s'y tient. C'est une méthode qui n'est certainement pas la plus rentable, fatalement. Dans notre métier – et l'expérience l'a montré –, c'est la méthode la plus sûre pour durer. Si chaque fois qu'une activité perd de l'argent, on l'arrête, alors dans dix ans on n'aura plus aucune activité, parce que tout est cyclique. Ce qu'il faut, c'est que l'intégrale soit positive. Plus on aura de produits, plus les effets cycliques se compenseront et plus on aura une certaine régularité. »

Inversement, l'idée d'augmenter ce portefeuille par la diversification était également discutée. Des tentatives étaient en cours, soit à partir des activités de fabrication de matériel, soit à partir du développement de services en aval. Là encore, les jugements étaient mitigés. Comme l'affirmait le P-DG : « On avait toute une série d'idées, mais ça traîne beaucoup. Bon, racheter quelqu'un, ça on pourrait le faire. Mais faire une OPA hostile sur quelqu'un, c'est pas possible. On est dans un métier où c'est surtout des hommes. Si les hommes sont pas contents, ils vont ailleurs et alors on a l'air idiot... Il faut vraiment qu'il y ait la volonté des gens. »

Certains ne le regrettaient guère : « C'est plus astucieux d'aller vendre nos services au Mexique que d'aller vendre des chaussettes à Singapour. » Pour d'autres, les plus jeunes, les dirigeants de la

CSP étaient trop marqués par la culture du secteur pétrolier pour mener à bien des développements en dehors de ce secteur : « Est-ce que c'est bien que les futurs présidents de la Compagnie soient des hommes qui restent les trois quarts de leur carrière dans la Compagnie, qui ne voient rien d'autre, qui sont vraiment dans la filière pétrole-pétrole ? Ce sont des gens qui sont passés par la Direction des carburants, au ministère de l'Industrie. Ont-ils le profil pour entreprendre de grandes diversifications ? Ce ne sont pas non plus de grands financiers : ce sont des ingénieurs. Donc on tourne un peu en rond... »

À l'intérieur même du métier traditionnel de la CSP, des transformations significatives étaient en cours. Alors que la phase cruciale du métier de la CSP avait longtemps été la réalisation des mesures sur le terrain, la phase de traitement informatique de ces mesures prenait désormais une importance cruciale : par les investissements (matériels et logiciels) qu'elle impliquait, par la nécessité commerciale d'être compétitif sur cette phase – les compagnies pétrolières passant désormais des contrats séparés pour le traitement –, mais aussi du fait du développement constant de nouvelles méthodes et de nouveaux logiciels ; enfin, par la nécessité de recruter des informaticiens de haut niveau, alors que traditionnellement les informaticiens étaient pour beaucoup des anciens prospecteurs reconvertis.

Par ailleurs, le développement international poussé et l'introduction en Bourse, entre autres facteurs, avaient créé un fort besoin de compétences en comptabilité, finance, trésorerie, fiscalité, droit, etc. Ce besoin était violemment ressenti par le directeur financier. Les autres membres de la direction générale approuvaient avec plus ou moins d'ardeur.

La première manifestation de ces transformations était la difficulté à recruter – ou retenir – ces spécialistes. D'une part, ceux-ci réclamaient d'emblée des salaires sensiblement plus élevés que ceux des anciens prospecteurs sédentarisés qui occupaient les postes correspondants. D'autre part, ils ne manifestaient ni le même attachement ni la même fidélité à l'entreprise. La perspective d'une carrière longue et progressive ne suffisait pas à les retenir. Les jeunes techniciens et ingénieurs des services, eux-mêmes, manifestaient les mêmes tendances.

Enfin, un dernier sujet de préoccupation était le manque de cadres supérieurs potentiels pour renouveler l'équipe dirigeante et surtout pour mener les opérations de développement stratégique. Pouvait-on encore – et dans quelle mesure – compter sur la promotion interne pour produire des managers et des dirigeants ?

Un dirigeant faisait ce diagnostic : « La population de base de CSP Services, c'est quand même les prospecteurs. Et parmi les règles implicites, il y avait le reclassement des prospecteurs. C'est certainement quelque chose qu'on ne pourra plus tenir à l'avenir. On ne reclassera pas tous les prospecteurs. Il est sûr que l'expérience terrain, c'est un plus. Mais une expérience terrain, sans adaptation extérieure, c'est un peu une voie sans issue. » Un autre dirigeant faisait cet avertissement : « Il ne faut pas qu'il y ait les jeunes loups et les anciens combattants, et rien au milieu. »

Ces interrogations étaient diversement perçues au sein de l'équipe dirigeante. Pour certains, un peu d'attention et une gestion intelligente des évolutions démographiques suffiraient à garantir une évolution positive en préservant l'essentiel. Pour d'autres, c'était à un changement plus profond qu'il fallait se préparer activement.

Deux options pour le changement

Lorsque les ventes et les profits atteignirent leur plus bas niveau dans le cycle de l'industrie, le cours de l'action CSP s'effondra. Pensant que quelque chose devait être fait, le directeur financier fit appel à un cabinet de conseil spécialisé dans la conduite du changement.

Afin de diagnostiquer la situation, les consultants dessinèrent le tissu culturel de la CSP. Ils en conclurent que le contexte était très défavorable au changement : les schémas de pensée implicites,

Étude de cas

les routines et les procédures, en bloquant les changements nécessaires, exposaient la CSP à une dérive stratégique fatale. Au cours de leur présentation finale au comité de direction, ils recommandèrent une opération de transformation radicale, en s'appuyant sur une série de leviers :

- Mettre fin au rite de passage par le terrain pour les nouveaux employés.
- Recruter moins d'ingénieurs et plus de managers et d'informaticiens.
- Rendre la hiérarchie plus explicite et construire un organigramme plus structuré.
- Diversifier le profil de la direction générale, par exemple en recrutant un directeur informatique et en remplaçant l'actuel directeur des ressources humaines – un ancien prospecteur – par un professionnel des RH, de préférence une femme.
- Nommer le directeur financier – qui n'était pas un ancien prospecteur mais un diplômé d'école de commerce – au poste de directeur général adjoint. Il était considéré comme le principal réformateur.
- Remplacer le nom de l'entreprise par une nouvelle marque, plus moderne et moins explicitement liée aux services pétroliers.

Les consultants recommandaient également deux orientations stratégiques, afin de forcer la culture de l'entreprise à évoluer :

- Faire de la direction du matériel une entreprise autonome, avec une direction dédiée et des procédures entièrement repensées.
- Envisager des alliances avec des concurrents – ou éventuellement une acquisition –, ainsi que des partenariats avec des compagnies pétrolières et des entreprises d'informatique.

Alors que certains membres de la direction générale considéraient que ces recommandations étaient pertinentes et utiles, d'autres affirmèrent que les consultants avaient été incapables de comprendre la véritable signification des valeurs de la CSP. Le directeur délégué était personnelle-ment opposé à une transformation radicale. Il expliqua qu'une évolution – ou tout au plus une adaptation – était préférable et que le point clé concernait en fait la chronologie de l'opération : la baisse du cours de l'action était une excellente fenêtre d'opportunité pour des évolutions incrémentales. Il rappela que l'expérience terrain était le plus puissant mécanisme d'intégration de l'entreprise. Mettre fin à ce rite exposerait la CSP à un risque de dilution : les employés n'accepteraient plus les conditions de travail et les salaires, alors que l'expertise technique diminuerait. Adopter une approche « à l'américaine » – avec des structures hiérarchiques, des procédures formelles et peu d'implication sur le terrain – détruirait la différenciation de la CSP. Que deviendrait l'avantage concurrentiel de la CSP face à ses puissants concurrents, sans sa culture unique et ses routines implicites ? Selon lui, le succès de la CSP reposait sur l'implication de ses employés. Il acceptait de recourir à certains processus symboliques afin de faciliter l'évolution de la culture, par exemple l'adoption d'une nouvelle marque ou le recrutement d'un directeur informatique. Il proposait également de scinder la direction des services entre un département des opérations, qui serait en charge des mesures sur le terrain, et un département informatique qui traiterait les données. Cette nouvelle organisation permettrait de préserver les spécificités de la culture des prospecteurs – et par conséquent « l'esprit » de la CSP – tout en faisant évoluer la gestion des informaticiens, des comptables et des financiers vers une approche plus orientée marché. Afin de diversifier l'origine nationale de la main-d'œuvre et d'accroître la flexibilité de la gestion des ressources humaines, le directeur délégué proposait également de recruter les prospecteurs dans les filiales de la CSP en utilisant des contrats locaux, au lieu de centraliser les recrutements en France.

Ce cas a été préparé avec Hervé Laroche, ESCP-EAP European School of Management.

Questions

1. Quel est votre diagnostic de la situation de changement à la CSP ? Dessinez le tissu culturel actuel de la CSP.

2. Afin de mieux correspondre aux évolutions de son environnement, quel devrait être le tissu culturel futur de la CSP ?

3. Quels sont les avantages et les inconvénients du programme de changement proposé par les consultants ? Selon vous, à quels problèmes la CSP serait-elle confrontée du fait de ce programme et comment pourrait-elle les surmonter ?

4. Quels sont les avantages et les inconvénients du programme de changement proposé par le directeur délégué ?

5. Rédigez vos propres recommandations.

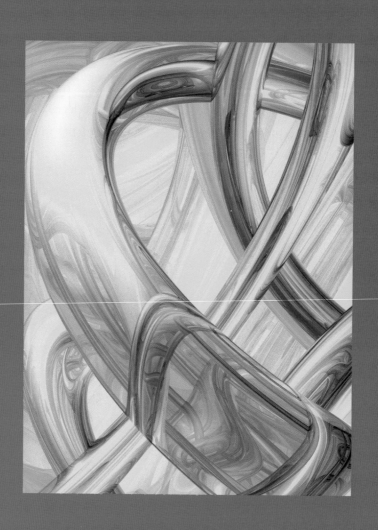

Chapitre 15
La pratique de la stratégie

Déploiement stratégique

Objectifs

Après avoir lu ce chapitre, vous serez capable de :

- Identifier les acteurs clés impliqués dans les processus stratégiques, notamment les dirigeants, les consultants, les membres de la direction de la stratégie et les managers intermédiaires.
- Déterminer qui devrait participer à chacune des étapes de l'élaboration de la stratégie.
- Évaluer les différentes activités de la pratique de stratégie, notamment l'analyse, la promotion des problèmes stratégiques, les structures de prise de décision et la communication.
- Identifier les éléments clés des différentes méthodes communément utilisées dans la pratique de la stratégie, notamment les ateliers stratégiques, les projets, les tests d'hypothèse et l'écriture de rapports et de plans stratégiques.

15.1 Introduction

Ce dernier chapitre est consacré à la manière dont les managers pratiquent effectivement la stratégie et utilisent réellement les concepts théoriques, les outils et les techniques présentés au long de l'ouvrage. Il s'agit de discuter ce qu'ils font en pratique lorsqu'ils font de la stratégie. Alors que le chapitre 11 a présenté de manière globale les différents processus stratégiques, ce chapitre adopte une démarche plus détaillée : que se passe-t-il concrètement à l'intérieur de ces processus ? L'objectif est d'examiner comment les individus contribuent en pratique à la fabrication de la stratégie, qu'ils soient dirigeants, membres du département stratégie, consultants ou managers opérationnels. Pour réussir, il ne suffit pas d'avoir une bonne stratégie, encore faut-il que cette stratégie soit réalisée par les bonnes personnes, faisant les bonnes choses, de la bonne manière.

Ce chapitre comprend trois sections principales :

- *Les stratèges*. Qui sont les différentes personnes impliquées dans la fabrication de la stratégie ? Comme nous l'avons vu dans le chapitre 11, il ne s'agit pas uniquement des dirigeants. Les stratégies sont souvent émergentes et elles impliquent des individus situés à tous les niveaux de l'organisation, voire de son environnement plus ou moins proche. Le débat qui figure à la fin de ce chapitre (illustration 15.6) est consacré à l'utilisation des consultants en stratégie. Le lecteur est invité à se demander quelle est sa position – actuelle et future – par rapport à ces différents types de stratèges.

- *Les activités stratégiques.* Que font les stratèges lorsqu'ils sont impliqués dans la construction de la stratégie ? Cela inclut notamment l'analyse stratégique présentée dans la première partie de l'ouvrage, mais également la gestion des questions stratégiques, la réalité de la prise de décisions stratégiques et la communication de ces décisions aux différentes parties prenantes.
- *Les méthodes stratégiques.* Quelles sont les méthodes utilisées par les stratèges dans le cadre de ces activités stratégiques ? Cela inclut notamment les ateliers et séminaires qui permettent de formuler ou de communiquer une stratégie, les projets et les équipes de conseil, le test d'hypothèse et l'écriture de rapports ou de plans stratégiques.

Le schéma 15.1 résume ces trois dimensions dans une *pyramide de pratiques*[1]. Cette pyramide souligne trois questions qui traversent tout ce chapitre :

– *Qui* ? Quels individus doivent participer à la fabrication de la stratégie ?
– *Quoi* ? Quelles sont les activités menées à bien par les stratèges ?
– *Comment* ? Quelles sont les méthodes utilisées lors de ces activités ?

La pyramide place les stratèges au sommet, ce qui souligne le rôle de leurs choix et de leurs compétences dans la fabrication de la stratégie. Ce sont les stratèges qui choisissent et déploient les activités stratégiques et les méthodes situées à la base de la pyramide. Le résultat final peut être significativement influencé par les choix et les compétences des stratèges en termes d'activités et de méthodes. Le reste de ce chapitre cherche à guider les stratèges afin de les aider à faire ces choix.

Schéma 15.1	**La pyramide de la pratique de la stratégie**

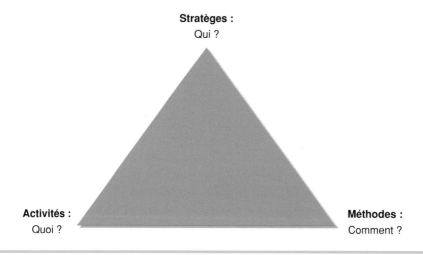

15.2 Les stratèges

Cette section présente les différentes catégories d'individus impliqués dans la stratégie, des dirigeants aux experts du département stratégie, en passant par les consultants. Un point essentiel est la manière dont les managers intermédiaires peuvent accroître leur influence sur la fabrication de la stratégie[2].

15.2.1 Les dirigeants

Il est communément admis que la stratégie est le travail des dirigeants : ceux-ci doivent s'extraire des tâches opérationnelles afin de se consacrer aux grandes questions stratégiques[3]. Si les dirigeants sont trop impliqués dans l'activité quotidienne de l'organisation, ils risquent d'être accaparés par des questions secondaires et de perdre de vue les orientations à long terme, voire de représenter les intérêts de leur propre fonction ou département plutôt que ceux de l'organisation dans son ensemble. Dans les entreprises, les titres portés par les dirigeants soulignent leurs responsabilités stratégiques : les dirigeants définissent les problèmes, les manager les résolvent.

En réalité, le rôle des dirigeants va bien au-delà de la définition des orientations d'ensemble, de même qu'ils jouent des rôles très différents selon qu'ils sont directeurs généraux, membres du comité de direction ou administrateurs non exécutifs.

- *Le directeur général* est souvent considéré comme le « stratège en chef », responsable en dernier ressort de toutes les décisions stratégiques. En général, les directeurs généraux des grandes entreprises consacrent un tiers de leur temps à la stratégie[4]. Michael Porter souligne l'importance d'un leader stratégique, capable de définir ce qui est cohérent ou non avec une stratégie d'ensemble[5]. Dans cette optique, le directeur général est l'auteur de la stratégie et il est responsable de son succès ou de son échec. La clarté de cette responsabilité individuelle permet incontestablement de focaliser l'attention, mais elle est risquée. Tout d'abord, cette centralisation peut déboucher sur une personnalisation excessive : en cas de problème, l'organisation est alors tentée de se contenter de changer de directeur général plutôt que d'examiner en détail les failles de sa stratégie. Deuxièmement, le directeur général peut finir par se considérer comme un héros et lancer des initiatives de plus en plus ambitieuses[6]. Cet excès de confiance des leaders héroïques aboutit souvent à des échecs retentissants. La recherche de Jim Collins consacrée aux entreprises capables de surpasser leurs concurrents sur de longues périodes montre qu'en général elles sont dirigées sur des durées longues par des individus modestes et persévérants[7].
- *Les membres du comité de direction* ont également une responsabilité dans la stratégie. Par leur expérience et leur perspicacité, ils peuvent tout d'abord contribuer à la réflexion du directeur général. En théorie, ils devraient être capables de mettre à l'épreuve la vision du dirigeant et de stimuler le débat autour de la stratégie. En pratique, les membres des comités de direction sont le plus souvent contraints de trois manières différentes. En premier lieu, sauf dans les grandes entreprises, ils conservent une responsabilité opérationnelle susceptible de biaiser leur réflexion stratégique : un directeur marketing doit parallèlement résoudre des questions de marketing, tout comme un directeur de production est chargé de la bonne marche de la production. Deuxièmement,

les membres du comité de direction sont habituellement nommés par le directeur général, ce qui réduit leur indépendance et leur faculté critique. Troisièmement, les comités de directions sont souvent victimes du phénomène du *groupthink*, c'est-à-dire la tendance à préserver le consensus et à éviter tout conflit interne[8]. On peut limiter cette dérive en cherchant à diversifier les profils (en termes d'âge, d'expertise, de sexe ou de nationalité) et en maintenant une ouverture d'esprit grâce à la nomination d'administrateurs non exécutifs[9].

- *Les administrateurs non exécutifs* devraient théoriquement avoir une vue objective sur la stratégie, puisqu'ils n'ont pas de responsabilité interne. Même si l'on constate des différences entre les systèmes de gouvernement d'entreprise d'un pays à l'autre (voir le chapitre 4), le président du conseil d'administration est souvent non exécutif. Il est chargé de faire le lien entre le directeur général et les actionnaires, ce qui lui donne la capacité d'amender significativement la stratégie. Cependant, en pratique, cette capacité est limitée. Les administrateurs non exécutifs exercent le plus souvent leur activité principale en dehors de l'organisation. Leur rôle est donc au mieux consultatif : ils peuvent contrôler et discuter les orientations stratégiques définies par le comité de direction. Ils doivent également s'assurer que l'organisation dispose d'un système rigoureux lui permettant de concevoir et de réexaminer régulièrement sa stratégie. Il est donc important que les administrateurs non exécutifs soient des individus expérimentés et respectés, disposant d'une réelle indépendance vis-à-vis du comité de direction et ayant à leur disposition toutes les informations nécessaires avant chaque conseil d'administration[10].

La capacité des dirigeants en termes de fabrication de la stratégie ne va pas de soi. Les managers sont souvent promus à des rôles stratégiques sur la base de leurs succès opérationnels ou de leur expertise dans une fonction particulière. Or, ce type d'expérience ne les prépare pas nécessairement aux tâches analytiques et managériales que requiert la fabrication de la stratégie. Pour pouvoir contribuer efficacement à celle-ci, les dirigeants doivent cumuler au moins trois qualités principales :

- *La maîtrise des concepts et des techniques* présentés dans cet ouvrage, bien que capitale, n'est pas nécessairement répandue dans certains milieux, en particulier dans le secteur public ou dans les organisations à but non lucratif, où la stratégie est encore une préoccupation relativement récente[11]. Certaines écoles et universités proposent des programmes de formation qui peuvent aider les managers expérimentés à mieux comprendre les concepts et les techniques de la stratégie.

- *La capacité de conviction et d'influence* est tout aussi importante que la capacité analytique. Là encore, les dirigeants ne sont pas tous aussi talentueux en termes de négociation et de persuasion, mais ils peuvent suivre des programmes d'entraînement et de formation[12].

- *Le respect des autres dirigeants.* Les conseils d'administration et les comités de direction sont des groupes sociaux comme les autres, au sein desquels les membres doivent être admis et respectés[13]. Avoir clairement réussi dans ses responsabilités antérieures constitue souvent une condition préalable pour être respecté en tant que contributeur à la fabrication de la stratégie.

15.2.2 La direction de la stratégie

Une **direction de la stratégie** est composée d'individus dont la responsabilité formelle est de contribuer aux processus stratégiques (voir le chapitre 11). Les petites organisations n'engagent que très rarement des experts chargés d'élaborer leur stratégie. En revanche, les directions de la stratégie sont relativement fréquentes dans les grandes entreprises et de plus en plus répandues dans le service public et dans les organisations à but non lucratif. Comme le montre l'illustration 15.1, il existe des offres d'emploi pour ce type de poste. Cette offre est caractéristique du rôle que peut jouer une direction de la stratégie dans une multinationale. Ses membres ne se contentent pas de travailler sur un plan stratégique à trois ans. Ils recherchent également des cibles potentielles pour des acquisitions, maintiennent une veille concurrentielle et aident les responsables de zones géographiques à élaborer leurs propres stratégies locales. De plus, leur rôle ne se limite pas à une tâche fonctionnelle et analytique : ils doivent également communiquer, savoir travailler en équipe et posséder une capacité de conviction.

Même si le poste présenté dans l'illustration 15.1 correspond à une offre externe, les membres d'une direction de la stratégie sont souvent recrutés au sein même de l'organisation, car cela leur permet de bénéficier d'un avantage en ce qui concerne l'aspect non analytique de leur tâche : ils bénéficient de la compréhension intuitive du fonctionnement de l'organisation, connaissent les réseaux d'influence internes et sont plus crédibles auprès de leurs anciens collègues. De plus, le passage d'un manager par la direction de la stratégie peut constituer une étape de développement avant une nomination au sein du comité de direction[14]. En participant à la stratégie, les managers prometteurs peuvent se faire connaître des dirigeants et comprendre le fonctionnement de l'organisation dans son ensemble.

Les membres d'une direction de la stratégie ne prennent pas de décisions par eux-mêmes. Cependant, ils mènent en général trois tâches importantes[15] :

- *La récole d'informations et l'analyse.* Les membres d'une direction de la stratégie ont le temps, les compétences et les ressources nécessaires pour fournir les informations et les analyses nécessaires aux décideurs. Cela peut être provoqué par un événement déclencheur – par exemple une opportunité de fusion – ou s'inscrire dans le cadre du cycle de planification. Une organisation qui bénéficie d'informations et d'analyses de qualité est mieux préparée pour répondre rapidement et avec assurance à des circonstances imprévues. Les membres de la direction de la stratégie doivent présenter ces informations et ces analyses sous un format adapté à la communication des décisions stratégiques.
- *Gestionnaires du processus stratégique.* Que ce soit pour le siège ou pour les domaines d'activité, les membres de la direction de la stratégie peuvent assister les managers dans leurs cycles de planification. Ils fournissent des structures, des modèles analytiques et des formations internes qui permettent aux responsables opérationnels de construire eux-mêmes leur stratégie. De même, ils peuvent aider le directeur général à concevoir un processus stratégique cohérent avec ses objectifs.
- *Les projets spéciaux.* Les membres de la direction de la stratégie peuvent constituer une ressource précieuse pour assister la direction générale dans la conduite

Une direction de la stratégie est composée d'individus dont la responsabilité formelle est de contribuer aux processus stratégiques

Illustration 15.1

Offre d'emploi au sein d'une direction de la stratégie

L'offre d'emploi suivante a été publiée en 2006. Elle permet de comprendre le fonctionnement d'une direction de la stratégie et les compétences requises pour en faire partie.

Poste : Membre de la direction de la stratégie
Type de contrat : Contrat à durée indéterminée
Date : 5 décembre 2006
Lieu : Paris La Défense

Notre client est un groupe multinational disposant d'un portefeuille de marques globales reconnues.

Afin de l'assister dans son expansion future, à la fois en termes géographiques et en termes d'offres, notre client à créé un nouveau poste dans une petite unité dynamique de développement stratégique basée à Paris La Défense, focalisée sur ses plans de croissance à court et moyen terme.

Votre rôle :

- Travailler avec le directeur de la stratégie et l'équipe de développement stratégique dans le cadre du processus de planification stratégique à trois ans du groupe.
- Aider et superviser les opérations d'acquisition, en menant à bien les diagnostics stratégiques préalables, l'évaluation des cibles, l'analyse des synergies et des marques, ainsi qu'une participation aux processus de négociation et d'exécution.
- Mettre en place une veille concurrentielle rigoureuse permettant d'analyser les marques, les marges, la performance ou la présence géographique de concurrents, et de communiquer ces informations au comité de direction.
- Définir le périmètre de projets de développement et en assurer la direction.
- Collaborer étroitement avec les responsables de zones géographiques afin de leur communiquer les plans de développement et les aider à les déployer.

Votre profil :

- Diplômé d'une école de commerce ou d'un MBA.
- Expérience préalable dans une organisation multinationale.
- Fortes compétences analytiques et financières.
- Excellentes capacités de communication, capacité de travail en groupe, approche rigoureuse et capacité d'influence à un niveau de direction générale.
- Mobilité géographique

Source : adapté de www.timesonline.co.uk/class/jobs/job.

Questions

1. Souhaiteriez-vous occuper ce poste ? Quels en seraient pour vous les inconvénients ?
2. Quelles compétences et expériences possédez-vous déjà et quelles compétences et expériences devriez-vous acquérir avant de postuler à ce poste ?

de projets spéciaux : par exemple une acquisition ou le déploiement d'un programme de changement stratégique. Ils travaillent alors en équipes avec des managers intermédiaires et quelquefois avec des consultants externes. De fait, ils doivent détenir des compétences en gestion de projet (voir la section 15.4.4).

15.2.3 Les managers intermédiaires

Comme nous l'avons vu dans la section 15.2.1, la plupart des théories classiques du management excluent les managers intermédiaires de la fabrication de la stratégie : ils sont considérés comme trop impliqués dans les activités quotidiennes pour développer une perspective à long terme suffisamment objective[16]. Ils doivent se contenter d'appliquer. Or, l'implication des managers intermédiaires dans la formulation de la stratégie présente au moins deux avantages. Tout d'abord, cela peut conduire à de meilleures décisions car, à la différence de bien des dirigeants, les managers intermédiaires sont en contact direct et quotidien avec la réalité de l'organisation et de ses marchés. Deuxièmement, les managers intermédiaires qui ont été impliqués dans le processus de formulation de la stratégie seront mieux à même de l'interpréter lors de son déploiement, d'adhérer aux objectifs stratégiques et de communiquer plus efficacement la stratégie auprès de leurs équipes[17].

De fait, les managers intermédiaires sont de plus en plus souvent impliqués dans la fabrication de la stratégie[18]. Tout d'abord, beaucoup d'organisations adoptent des structures décentralisées afin d'accroître l'autonomie et la responsabilisation face un environnement concurrentiel dynamique. Les tâches hiérarchiques concernent ainsi des niveaux hiérarchiques moins élevés que par le passé. Deuxièmement, le niveau croissant des formations au management permet aux managers intermédiaires d'être plus qualifiés et plus confiants à l'égard de la stratégie : ils sont plus volontaires et plus compétents pour traiter ce type de questions. Troisièmement, la tertiarisation de l'économie implique que la principale source d'avantage concurrentiel est de moins en moins souvent le capital alloué par la direction générale, mais plutôt les connaissances détenues par les individus impliqués dans les activités opérationnelles. Les managers intermédiaires peuvent comprendre et influencer ces sources d'avantage concurrentiel d'une manière beaucoup plus efficace que les dirigeants.

Même lorsque les managers intermédiaires ne sont pas formellement impliqués dans la fabrication de la stratégie, ils peuvent accroître leur influence par les moyens suivants :

- *En occupant des postes clés*. Les managers intermédiaires responsables de parties déterminantes de l'organisation sont en position d'exercer une forte influence car ils détiennent des connaissances essentielles et leur adhésion à la stratégie est fondamentale. Les managers en charge de départements ou d'unités de grande taille ont logiquement une plus forte influence sur les décisions stratégiques[19]. De même, les managers en contact avec l'exterieur (par exemple ceux qui exercent des fonctions marketing ou commerciale) ont une influence plus importante que ceux qui ont un rôle purement interne (par exemple le contrôle qualité ou les systèmes d'information)[20]. Les managers intermédiaires qui cherchent à accroître leur influence sur la stratégie doivent donc chercher à occuper certains postes plutôt que d'autres.

● *En participant aux réseaux internes.* Les managers intermédiaires n'ont pas nécessairement un pouvoir hiérarchique élevé, mais ils peuvent accroître leur influence en mobilisant leurs réseaux organisationnels internes. En obtenant des informations auprès des membres de ces réseaux, ils peuvent construire une vision complète de la situation de l'organisation dans son ensemble, ce qui peut être beaucoup plus difficile pour quelqu'un occupant un poste fonctionnel au cœur de la structure. En mobilisant des réseaux, les managers intermédiaires peuvent également plus facilement mettre l'accent sur certains problèmes et défendre certaines solutions[21]. Les managers intermédiaires dont l'influence stratégique est la plus forte ont donc, en général, de bonnes qualités relationnelles.

● *En participant aux débats stratégiques.* La fabrication de la stratégie ne se déroule pas uniquement lors d'épisodes ponctuels et formalisés. Elle résulte également de débats permanents entre les responsables les plus respectés[22]. Une organisation cherchant à impliquer les managers intermédiaires dans ces débats doit développer une culture d'ouverture, par exemple au moyen d'ateliers stratégiques (voir la section 15.4.1) ou en demandant aux dirigeants de venir discuter la stratégie lors des sessions de formation. Les managers intermédiaires qui souhaitent participer à ces débats doivent multiplier les occasions d'interactions formelles et informelles avec les dirigeants, maîtriser le langage utilisé pour discuter de la stratégie dans leur organisation, se familiariser avec les principales questions stratégiques et développer leur contribution personnelle à ces questions.

Dans le secteur public, la distinction entre dirigeants et managers intermédiaires recoupe la division formelle entre élus politiques et responsables administratifs. Tout comme les dirigeants sont concernés par l'orientation stratégique, les élus sont responsables d'une politique. De même, les responsables administratifs sont chargés de la mise en œuvre. Cependant, trois évolutions mettent en cause cette division des rôles. Tout d'abord, l'importance grandissante de l'expertise donne une influence croissante aux administratifs spécialisés, alors que les élus sont souvent des généralistes. Deuxièmement, dans beaucoup de pays, la réforme des services publics a conduit à la création d'agences semi autonomes, qui – tout en respectant certaines contraintes – peuvent prendre elles-mêmes des décisions, voire s'auto-saisir sur certains sujets. Troisièmement, ces mêmes réformes ont provoqué des réformes de structure des services publics, avec une décentralisation accrue et une plus forte responsabilisation des responsables administratifs, qui, de fait, jouent un rôle de plus en plus stratégique[23].

15.2.4 Les consultants en stratégie

Les consultants sont souvent utilisés dans l'élaboration de la stratégie. Il existe des cabinets internationaux spécialisés en stratégie, comme McKinsey, le Boston Consulting Group, Bain ou Oliver Wyman[24]. Par ailleurs, la plupart des grands cabinets en organisation comprennent également un département spécialisé en stratégie. Enfin, on trouve également des cabinets de petite taille qui interviennent sur des missions de stratégie[25].

Les consultants peuvent jouer plusieurs rôles dans les processus stratégiques[26] :

- *Analyser, définir des options et fixer des priorités.* Les dirigeants risquent d'avoir identifié de trop nombreux problèmes stratégiques, sur lesquels ils ne s'accordent pas. Face à une situation de ce type, les consultants peuvent apporter un regard neuf et extérieur, permettant de fixer des priorités et de générer de nouvelles options. Bien entendu, cela peut obliger les dirigeants à reconsidérer leurs idées préconçues.

- *Transférer des connaissances.* Les consultants répandent les idées, les opinions et les conclusions issues de leurs diverses missions. Ils jouent ainsi un rôle de transfert de connaissances entre les organisations, notamment par la dissémination des meilleures pratiques.

- *Promouvoir des décisions stratégiques.* En jouant tous ces rôles, les consultants peuvent eux-mêmes effectuer des choix stratégiques en influençant les décisions des dirigeants. De fait, plusieurs cabinets de conseil ont été accusés d'avoir entraîné leurs clients dans des situations difficiles. Par ses conseils, McKinsey a ainsi largement contribué aux faillites de Enron et de Swissair[27].

- *Déployer le changement stratégique.* Les consultants jouent un rôle significatif dans la planification des projets et les sessions de formation et d'accompagnement qui ponctuent le changement stratégique. Cette activité a connu une croissance considérable au cours des dernières années, notamment du fait que les consultants ont longtemps été accusés de remettre à leurs clients des rapports et des présentations sous PowerPoint, sans prendre la responsabilité de la traduction effective de ces recommandations.

L'apport véritable des consultants en stratégie fait l'objet d'une controverse (voir le débat de l'illustration 15.6). L'année qui a précédé son effondrement, Enron a ainsi versé 10 millions de dollars d'honoraires à McKinsey. Pour autant, les consultants sont souvent accusés pour des échecs liés avant tout à l'incapacité de leurs clients à gérer le processus de conseil. Beaucoup d'organisations sélectionnent mal leurs consultants, ne leur donnent pas de directives assez précises au début de la mission et n'apprennent ou n'agissent pas assez lorsqu'elle se termine. Pour améliorer leur utilisation des consultants en stratégie, les organisations doivent prendre trois mesures principales[28] :

- *Acheter les services de conseil de manière professionnelle*, en faisant appel à la fonction achat de l'organisation. Plutôt que d'engager des consultants sur la base de leurs relations personnelles avec les dirigeants, comme c'est souvent le cas, le processus de sélection peut suivre des procédures standardisées, comme n'importe quelle démarche d'achat. Cela peut permettre de clarifier les objectifs initiaux, d'élargir la recherche à de nombreux cabinets, de mieux négocier les honoraires, d'assurer la complémentarité entre plusieurs projets de conseil et de contrôler correctement les résultats. Le groupe Siemens a ainsi professionnalisé son processus d'achat de conseil, ce qui l'a conduit à ne référencer que 10 cabinets.

- *Développer des compétences de supervision* de manière à gérer un portefeuille de projets de conseil. La Deutsche Bahn et Daimler disposent de bureaux centraux de gestion de projets qui contrôlent et coordonnent les missions de conseils dans l'ensemble de leur organisation. Ces bureaux sont impliqués dans la décision d'achat, mais, de plus, ils imposent une structure stricte à chaque projet, avec des responsabilités claires, des processus de suivi et une évaluation formelle à la fin de la mission.

- *Collaborer efficacement avec les consultants* peut améliorer la conduite du projet et le transfert de connaissances. Lorsque c'est possible, les équipes projet doivent inclure à la fois des consultants et des managers de l'organisation cliente. Ceux-ci peuvent apporter un point de vue interne, décrypter les jeux politiques et parfois contribuer à la crédibilité et à l'acceptation des conclusions. De plus, ils acquièrent ainsi des connaissances et de l'expérience, ce qui leur permet d'aider à la mise en œuvre des recommandations une fois que les consultants sont partis. Cependant, afin de pleinement collaborer, ils doivent accepter de se plier aux méthodes et aux horaires de travail souvent exigeants des consultants en stratégie.

15.2.5 Qui impliquer dans la fabrication de la stratégie ?

De fait, un grand nombre d'individus peuvent être impliqués dans les questions stratégiques : le directeur général, le comité de direction, les administrateurs non exécutifs, les membres de la direction de la stratégie, les consultants et les managers intermédiaires. Cette diversité soulève des dilemmes sur la sélection des bonnes personnes à chaque étape du processus. Le paradoxe est que les individus qui sont les plus proches du directeur général pour les questions stratégiques sont bien souvent les membres de la direction de la stratégie et les consultants, alors que ce sont eux qui ont le moins de responsabilité à l'égard de la mise en œuvre de la stratégie et les connaissances les moins intimes du fonctionnement opérationnel de l'organisation (voir le schéma 15.2). Les managers intermédiaires, qui ont à la fois les connaissances et la responsabilité de mise en œuvre ont moins facilement accès au

| Schéma 15.2 | **Le paradoxe de la fabrication de la stratégie** |

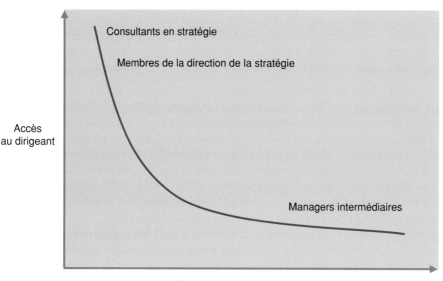

dirigeant, soit parce qu'ils sont trop accaparés par l'opérationnel, soit parce qu'ils sont considérés comme insuffisamment objectifs. La stratégie n'est donc pas toujours fabriquée par les bonnes personnes.

Cependant, il n'y a pas de réponse universelle sur la sélection des individus devant participer à la fabrication de la stratégie. Les recherches menées par McKinsey montrent que la nature des personnes impliquées devrait varier selon la nature du problème (voir le schéma 15.3)[29]. Les problèmes critiques et urgents (par exemple une opportunité de fusion ou d'acquisition) sont mieux traités par une petite équipe « commando » spécialement constituée de dirigeants, de membres de la direction de la stratégie et éventuellement de consultants. Les questions aussi critiques mais de plus longue haleine (par exemple le doublement du chiffre d'affaires) peuvent bénéficier de débats stratégiques prolongés, à la fois formels et informels. Les problèmes plus spécifiques (par exemple la définition d'un niveau de prix par rapport à la concurrence) ne nécessitent qu'une participation réduire. Enfin, les idées générales impliquant l'émergence progressive de décisions (par exemple la recherche de nouvelles opportunités de développement) peuvent profiter d'une participation plus ouverte, mais celle-ci doit être formellement organisée au travers d'une série d'étapes planifiées à l'avance, telles que des séminaires rassemblant un grand nombre de managers.

Il n'existe donc pas de règle générale, mais certains critères peuvent aider à choisir quels individus inclure selon la nature du problème stratégique concerné.

Schéma 15.3 **Qui impliquer dans la fabrication de la stratégie ?**

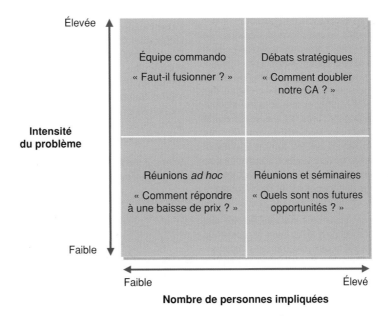

Source : E. Beinhocker et S. Kaplan, « Tired of strategic planning? », *McKinsey Quarterly*, numéro spécial sur le risque et la résilience (2002), pp. 49-57.

Les managers doivent sélectionner les équipes avec soin et mobiliser intelligemment les méthodes, qu'il s'agisse d'équipes commando ou d'ateliers stratégiques (voir la section 15.4.1), de manière à impliquer des individus qui auraient été exclus du processus en temps normal. Il est également possible de tirer avantage des technologies de l'information pour inclure un plus grand nombre de membres de l'organisation dans le processus, à l'image de ce qu'a fait IBM (voir l'illustration 15.2). Le secteur public utilise de plus en plus fréquemment une approche comparable au travers des démarches de consultation et de concertation organisées à propos de questions sensibles pour les populations locales, par exemple l'implantation d'une usine de retraitement des déchets ou d'une centrale nucléaire.

Illustration 15.2

Improvisation stratégique chez IBM

La participation aux débats stratégiques est facilitée par les technologies de l'information.

À la fin des années 2000, IBM était une multinationale géante qui intervenait dans un environnement complexe et dynamique où l'innovation était essentielle. Il était important pour l'entreprise de bénéficier des idées et de l'adhésion du plus grand nombre possible de ses employés, qui étaient plus de 300 000, répartis dans 170 pays.

Grâce à un investissement de 3 millions de dollars, IBM avait développé une plate-forme technologique qui permettait à tous ses employés de participer à des débats globaux à propos de questions stratégiques. En référence aux improvisations structurées typiques de la musique de jazz, ces débats étaient appelés des « jams ». En général, les jams combinaient des sessions de créativité en face-à-face avec des discussions en ligne, des forums par thème sur l'intranet et une notation électronique des idées proposées. Tous les employés d'IBM avaient le même accès aux sessions de jam. Comme l'expliquait un des managers : « C'est comme la collaboration dans un orchestre de jazz. Chacun construit à partir des idées des autres selon un format structuré. Les jams sont un mélange de technologie et de discussion à bâton rompu. »

IBM avait utilisé des jams pour discuter du rôle des managers, de l'intégration post fusion avec le cabinet de conseil PriceWaterhouseCoopers, des barrières organisationnelles à l'innovation et à la croissance du chiffre d'affaires et des valeurs de l'entreprise (voir l'illustration 14.5). Sur ce dernier thème, le jam avait duré 3 jours, pendant lesquels 2,3 millions de pages avaient été consultées et des dizaines de milliers de commentaires échangés. Le directeur général Sam Palmisano avait personnellement participé au processus en envoyant des e-mails spontanés mais pas toujours correctement orthographiés depuis la Chine, où il était en déplacement. Il commentait ainsi cette expérience :

> C'est certain, le débat électronique était vif et brouillon. Mais il faut s'y habituer. Nous avions déjà fait trois ou quatre grands jams avant celui-là, alors nous avions une idée de la tournure qu'il pouvait prendre. Pourtant, rien n'aurait pu nous préparer au niveau d'émotion qu'a suscité ce sujet.

Le processus continua après les trois jours. Les dizaines de milliers de messages furent classés en 65 idées clés, grâce à un système de notation en ligne et à « jamalyzer », un logiciel d'analyse de langage naturel développé par IBM. Une petite équipe fut ensuite chargée de rassembler ces idées en trois valeurs fondamentales : l'innovation, le client et la confiance. Ces valeurs furent publiées sur l'intranet, ce qui généra plus de mille commentaires électroniques. Sam Palmisano les lut tous. Les valeurs furent encore précisées et une série d'initiatives fut lancée, certaines stratégiques et d'autres plus anecdotiques, de manière à combler l'écart entre les anciennes pratiques d'IBM et ses nouvelles valeurs.

Source : P. Hemp, « Leading change when business is good », *Harvard Business Review*, vol. 82, n° 12 (2004), pp. 60-70.

Questions

1. Selon vous, pourquoi était-il important pour IBM d'obtenir une participation d'un grand nombre d'employés à propos de questions telles que le rôle des managers, l'intégration post fusion et les valeurs de l'entreprise ?

2. Si vous étiez dans une entreprise de plus petite taille ne disposant pas des ressources technologiques d'IBM, comment feriez-vous pour obtenir la participation des employés à la réflexion stratégique ?

15.3 Les activités stratégiques

Dans la section précédente, nous avons présenté les principaux stratèges. Cette section est consacrée aux activités qu'ils mènent. Nous allons successivement présenter l'analyse stratégique préalable, puis la promotion des problèmes et la prise de décision, et conclure avec la communication de la stratégie choisie. Bien entendu, dans la pratique, ces activités suivent rarement cette séquence logique : les décisions sont prises sans analyse préalable et elles sont souvent réinterprétées lors de leur communication. Pour autant, certains choix essentiels doivent être effectués sur la manière de conduire ces activités stratégiques, en particulier en ce qui concerne le recours à la rationalité analytique.

15.3.1 L'analyse stratégique

Une grande partie de cet ouvrage est consacrée à l'analyse stratégique, qui constitue une part importante de la fabrication de la stratégie. Cependant, comme nous l'avons vu dans le chapitre 11, bien souvent la stratégie ne se résume pas au résultat d'une démarche analytique et rationnelle. L'analyse est fréquemment effectuée d'une manière spontanée et incomplète, et elle n'est pas systématiquement suivie d'effets. L'activité d'analyse elle-même peut servir d'autres buts que de fournir des arguments pour la prise de décision.

Tout d'abord, en pratique, l'analyse a tendance à rester relativement sommaire. Le modèle SWOT (comparaison des forces et faiblesses de l'activité par rapport aux menaces et opportunités de l'environnement) est l'outil d'analyse le plus largement utilisé en stratégie[30], mais même cette méthode relativement simple est mobilisée d'une manière assez éloignée de l'idéal théorique (voir le chapitre 3). Il existe de fréquents écarts entre la manière dont les managers et les consultants l'utilisent et les préconisations exposées dans la plupart des manuels de stratégie[31]. Les analyses SWOT débouchent ainsi trop souvent sur d'interminables listes de facteurs rarement étayés et raffinés. Ces catalogues de forces, faiblesses, opportunités et menaces reposent sur trop peu d'arguments factuels et ils ne sont pas rigoureusement discutés. Techniquement, une analyse SWOT devrait se concentrer sur quelques éléments saillants, déclencher des analyses plus approfondies et conduire à des actions concrètes sur quelques priorités clairement identifiées. De manière générale, l'utilisation des outils d'analyse stratégique devrait être plus rigoureuse.

Cependant, ces critiques à l'égard de la faiblesse analytique sont souvent déplacées. En effet, il convient de prendre en compte les contraintes de coûts et d'objectif. Tout d'abord, l'analyse est coûteuse en termes de ressources et de temps, que ce soit le coût de récolte de l'information – en particulier lorsque l'on a recours à des consultants – ou le risque de « paralysie par analyse » au détriment de l'action[32]. Les managers doivent déterminer de quelle quantité d'analyse ils ont réellement besoin. Or, bien souvent, une analyse rapide, voire superficielle, est largement suffisante. Par ailleurs, le but des analyses ne se limite pas toujours à fournir les informations nécessaires à une prise de décision stratégique[33], et peut être très différent. La mise en place d'un groupe de travail chargé d'analyser un problème peut même être une manière délibérée de temporiser la prise de décision. L'analyse peut également avoir une valeur symbolique, visant par exemple à rationaliser *a posteriori* une décision déjà prise. On peut demander à des managers d'analyser un problème afin de les faire adhérer à des décisions qu'ils risqueraient de rejeter. Les analyses peuvent également avoir une dimension politique, en servant les intérêts et l'influence de certains managers ou de certaines parties de l'organisation.

Les différentes justifications de l'analyse stratégique ont deux implications principales pour les managers :

- *L'analyse doit être conçue en fonction de son véritable objectif.* La nature et le nombre d'individus impliqués, le temps et le budget alloués, et le type de communication des résultats doivent dépendre des buts véritablement recherchés : informatifs, politiques ou symboliques. Les cabinets de conseil prestigieux sont souvent utilisés pour des analyses politiques et symboliques. De même, l'implication d'un grand nombre de managers intermédiaires dans la phase d'analyse permet d'accroître leur adhésion aux décisions.
- *L'investissement technique doit être approprié.* Dans la plupart des cas, l'amélioration de la qualité technique de l'analyse permet de renforcer la pertinence de la prise de décision. Cependant, dans certaines situations, l'insistance sur la perfection technique peut être contreproductive : une analyse SWOT qui soulève de trop nombreux problèmes est pour les managers un moyen d'exprimer leurs propres frustrations avant de commencer à véritablement réfléchir à la stratégie. Il est souvent préférable de les laisser s'exprimer plutôt que de discuter et de contester chacun de ces points, car cela pourrait inutilement froisser les participants et compromettre leur participation future.

15.3.2 La promotion de problèmes stratégiques

Une organisation est simultanément confrontée à de nombreux problèmes stratégiques. Dans les organisations complexes, certains de ces problèmes risquent de ne pas être appréciés à leur juste mesure par tous les dirigeants, voire d'être purement et simplement ignorés : ils peuvent être filtrés par la hiérarchie ou éclipsés par des questions peut-être plus urgentes mais parfois moins critiques. De plus, les dirigeants ne disposent en général ni du temps ni des ressources pour traiter tous les problèmes pour lesquels on les sollicite. En réalité, les problèmes stratégiques sont en compétition les uns avec les autres pour attirer l'attention des dirigeants et ce ne sont pas nécessairement les problèmes les plus importants qui l'emportent[34].

La promotion d'un problème stratégique consiste à obtenir l'attention et l'appui des dirigeants, et d'autres parties prenantes influentes, au sujet d'une question stratégique particulière

Les managers doivent donc « vendre » leurs propres problèmes stratégiques aux dirigeants et aux autres parties prenantes influentes. Ils ne doivent pas faire l'hypothèse que les problèmes recevront automatiquement l'attention qui leur est due. Quelle que soit l'importance d'un problème à leurs yeux, ils doivent admettre qu'ils n'obtiendront pas nécessairement l'appui de leur hiérarchie. Dans le cadre de la **promotion d'un problème stratégique**, les managers doivent prendre en compte au moins quatre éléments :

- *La présentation du problème.* Il convient de veiller tout particulièrement à la manière de présenter et de formuler les problèmes : leur importance stratégique doit être soulignée en faisant référence aux *objectifs affichés* et aux *indicateurs de performance* utilisés par l'organisation. La présentation du problème doit également être cohérente avec les *normes culturelles* dominantes, mais la clarté et la brièveté l'emportent le plus souvent sur la complexité et la longueur. Il est préférable de présenter les problèmes en les accompagnant de *solutions potentielles*, car une question peut être écartée lorsqu'elle est considérée comme trop difficile à résoudre.

- *Les canaux formels et informels.* Les managers doivent savoir mobiliser les canaux d'influence formels et informels. À partir de l'exemple de General Electric, le schéma 15.4 montre quelques-uns des *canaux formels* le plus souvent utilisés pour promouvoir les problèmes stratégiques dans une organisation divisionnelle[35]. Ici, on distingue trois types de canaux formels, selon qu'ils relèvent du siège, des responsables opérationnels ou des responsables fonctionnels. Au niveau du siège, cela inclut, notamment, une réunion annuelle entre les membres du comité exécutif et chaque responsable de division, ainsi que les séminaires de réflexion stratégique qui rassemblent chaque année les membres du comité de direction. Les canaux opérationnels incluent les interactions régulières entre les responsables d'activités, les directeurs de divisions et les membres de la direction générale. Enfin, les différentes fonctions (finance, ressources humaines, contrôle de gestion, etc.) utilisent des systèmes de rapports

Schéma 15.4   Les canaux formels de promotion des problèmes stratégiques

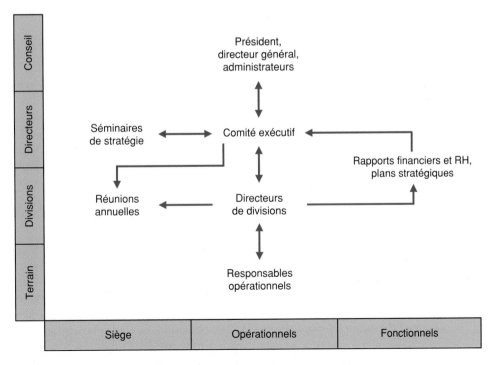

Source : adapté de W. Ocasio et J. Joseph, « An attention-based theory of strategy formulation: linking micro and macro perspectives in strategy processes », *Advances in Strategic Management*, vol. 22 (2005), pp. 39-62.

et d'audit. Les canaux formels ne sont pas limités à la transmission d'information vers le sommet de la hiérarchie : ils fonctionnent en général dans les deux sens. Un plan stratégique effectue ainsi une série d'allers et retours entre les divisions et le siège avant qu'une position mutuellement satisfaisante ne soit arrêtée. De plus, les canaux formels ne suffisent souvent pas à assurer la promotion d'un problème stratégique : les *canaux informels* peuvent jouer un grand rôle et dans certaines cultures ils sont même décisifs. Ces canaux informels incluent notamment des conversations impromptues entre managers influents dans les couloirs, lors de déplacement, à l'occasion de repas ou lors d'un cocktail[36].

- *La mobilisation de coalitions.* Les managers doivent déterminer s'il leur est possible de rassembler une coalition de soutiens et d'appuis capable de les aider à promouvoir leur problème stratégique. Une coalition ajoute de la crédibilité et du poids à un problème. De plus, la capacité à rassembler une coalition constitue un bon test de la validité du problème : si aucun autre manager n'est persuadé de rejoindre la coalition, il sera vraisemblablement difficile de convaincre les dirigeants de l'importance de la question. Cependant, pour obtenir l'appui de certaines parties prenantes, il est souvent indispensable de parvenir à des compromis ou de soutenir en retour leurs propres préoccupations, ce qui peut parasiter la promotion du problème.

- *La chronologie.* Les managers doivent également gérer la chronologie avec précaution. Un effondrement brutal de la performance ou la période précédant la nomination d'une nouvelle équipe de direction ne sont pas des moments propices à la promotion de problèmes stratégiques.

Bien entendu, la promotion du problème stratégique n'est que la première étape. Une fois que les dirigeants ont clairement pris conscience du problème, que des actions sont envisagées et que des ressources sont allouées, les managers doivent s'assurer que l'attention des dirigeants ne faiblit pas[37]. Il convient de protéger l'engagement initial car, au fur et à mesure de son évolution, un problème stratégique peut nécessiter plus d'attention et de ressources que prévu. Il est donc préférable de planifier dès le départ une série de réunions intermédiaires et de définir un jeu d'indicateurs permettant de juger de l'avancée du projet, ce qui permet de préserver l'attention des dirigeants et éventuellement de les préparer à allouer plus de ressources qu'initialement envisagé.

15.3.3 La prise de décisions stratégiques

Les problèmes stratégiques sont tranchés de multiples manières et le succès ou l'échec ne résulte pas toujours de choix rationnels. La prise de décision stratégique peut également être biaisée[38]. On observe ainsi fréquemment un phénomène appelé le *biais de favoritisme*, par lequel les individus qui font la promotion d'un problème stratégique en exagèrent l'importance. De même, on a pu identifier le *syndrome du tournesol*, c'est-à-dire la tendance à suivre l'avis du plus haut responsable hiérarchique impliqué dans le processus de prise de décision ou de tenter d'anticiper son opinion avant même qu'elle ait été formulée. Les décideurs surestiment bien souvent leurs compétences, ce qui conduit à des décisions trop optimistes, en particulier lorsque peu de données sont disponibles. Réciproquement, ils peuvent manifester une aversion au risque et être paralysés par la probabilité d'un échec, même lorsque celle-ci est limitée.

Le simple fait de confier les décisions à une équipe de managers ne garantit donc pas un processus rigoureux et efficace. Les travaux de Katherine Eisenhardt sur la prise de décision stratégique dans les environnements turbulents suggèrent cependant quatre principales recommandations[39] :

- *Multiplier les choix.* Disposer de plusieurs choix stimule le débat critique. Cela permet de contrer des phénomènes tels que le biais de favoritisme et le syndrome du tournesol. Il est également plus rapide de considérer plusieurs choix simultanément plutôt que d'examiner méticuleusement chacune des solutions l'une après l'autre. La multiplication des choix est une approche privilégiée, par exemple, à la banque Barclays, où la règle veut qu'une proposition ne soit jamais présentée de manière isolée, mais accompagnée d'au moins deux solutions alternatives[40].

- *Récolter de l'information en temps réel.* Les décideurs efficaces utilisent en priorité la récolte d'informations en temps réel. Plutôt que de s'appuyer sur des tendances statistiques et des prévisions, ils préfèrent collecter des informations immédiates venues du terrain. Ils consacrent beaucoup de temps à des réunions en face-à-face avec tous les niveaux hiérarchiques et suivent l'évolution d'indicateurs continuellement actualisés, tels que la mesure hebdomadaire – voire quotidienne – des ventes, de la trésorerie ou des stocks. Dans les environnements turbulents, prendre rapidement des décisions peut être vital car les analyses statistiques sont vite prises en défaut par les événements.

- *Rechercher des avis dignes de confiance.* Les managers expérimentés peuvent donner des conseils utiles sur ce qui est susceptible de fonctionner ou non, et soulever des questions pertinentes. Leurs avis sont souvent plus crédibles, plus fiables et plus rapides que des analyses approfondies menées par de jeunes managers ou par des consultants. Les managers relativement âgés, qui sont parvenus à un plateau dans leur évolution de carrière, sont des individus qu'il peut être utile d'écouter : non seulement ils ont de l'expérience, mais de plus, ils ont en général moins d'enjeux personnels à préserver.

- *Viser le consensus, mais pas à n'importe quel prix.* Les décideurs efficaces recherchent le consensus au sein de leur équipe, mais ils n'en font pas une condition essentielle. En effet, il peut être trop long d'obtenir un consensus, qui risque de conduire à des choix médiocres, reposant sur le plus petit dénominateur commun au sein du groupe. Le débat ne peut pas toujours déboucher sur la satisfaction de chacun. Katherine Eisenhardt recommande qu'à un certain point du processus, le dirigeant ait le courage de décider. Une fois qu'ils ont eu la possibilité d'exprimer leur position, la responsabilité des autres managers est alors d'accepter cette décision et de participer à sa mise en œuvre.

Pour autant, il est facile de surestimer l'importance et l'efficacité des processus de prise de décision. Beaucoup de décisions ne sont pas suivies d'actions, tout comme beaucoup de stratégies sont émergentes et ne résultent pas de décisions rationnelles (voir le chapitre 11)[41].

Deux principes généraux ressortent de tout cela. Tout d'abord, l'*intuition* n'est pas toujours une mauvaise chose[42]. La récolte d'informations en temps réel ou l'exploitation de la longue expérience de managers intermédiaires permettent de se forger une impression, ce qui peut se révéler très utile lorsque la quantité ou la fiabilité des données disponibles n'est pas suffisante pour conduire des analyses. C'est le cas notamment lors de la création de marchés ou de produits radicalement nouveaux. Deuxièmement, l'existence de *conflits* dans le processus de prise de décision peut se révéler utile[43]. Les conflits permettent en effet de révéler les biais et de contester l'autoévaluation trop optimiste des compétences managériales. Pour cela, il convient de veiller à la diversité au sein des équipes, de demander à certains membres de jouer les avocats du diable en critiquant les hypothèses trop facilement admises et les consensus mous. Cependant, pour être productif, le conflit doit être géré avec attention. Les managers doivent accepter les décisions – même s'ils les ont combattues – et toujours faire preuve de respect mutuel.

15.3.4 La communication de la stratégie

Décider de la stratégie n'est qu'une étape : les décisions stratégiques doivent être communiquées. Les managers doivent déterminer quelles parties prenantes ils doivent informer (voir le chapitre 4) et comment ils doivent adapter leur message à chacune. Les actionnaires, les principaux clients et les employés n'ont pas les mêmes attentes. Pour chaque nouvelle stratégie, il convient donc de choisir le mode de communication adéquat.

En général, la communication avec les employés est essentielle pour garantir que la stratégie sera menée à bien. Comme nous l'avons souligné dans le chapitre 5, les stratégies dérivent souvent par rapport aux intentions d'origine. Si les membres de l'organisation ne comprennent pas la stratégie, il est très peu probable qu'elle soit mise en œuvre. Les interactions quotidiennes entre les individus situés au bas de la hiérarchie peuvent aisément dévoyer la stratégie prévue. Une nouvelle stratégie fondée sur l'amélioration du service rendu aux clients risque ainsi d'échouer si les managers omettent de recruter, former et motiver leurs équipes en conséquence : les vieilles habitudes continueront à guider les relations avec les clients dans les activités quotidiennes. Un exemple d'entreprise qui veille à ce que tous ses employés comprennent sa stratégie est Volvo : chaque année, une enquête vérifie qu'au moins 90 % des employés connaissent les objectifs stratégiques de l'entreprise[44].

Lorsque l'on cherche à communiquer la stratégie auprès des salariés, quatre éléments principaux doivent être pris en considération[45] :

- *La focalisation.* La communication doit être focalisée sur les éléments clés de la stratégie et éviter les détails inutiles ou les formulations complexes. Afin de communiquer l'importance pour General Electric d'être un acteur dominant sur chacune de ses activités, son directeur général, Jack Welch, avait ainsi focalisé sa communication sur un message explicite : « Soit numéro 1, soit numéro 2 ».

- *L'impact.* La communication doit utiliser des mots et des images puissants et faciles à mémoriser. Pour cela, il est pertinent d'utiliser des slogans capables de frapper les esprits, des images symboliques ou de courts récits caractéristiques. Un centre médical du Nouveau Mexique a ainsi communiqué sa nouvelle stratégie avec un récit présentant l'organisation comme « Les aventuriers de l'art perdu », ce qui véhiculait à la fois le courage face à l'adversité et le respect de valeurs anciennes[46].

- *Les moyens de communication.* Il est important de choisir les moyens adéquats pour communiquer une nouvelle stratégie[47]. Les moyens de communication de masse tels que les messages électroniques, les lettres d'information, les vidéos institutionnelles, les intranets ou les blogs animés par les dirigeants permettent de s'assurer que tout le personnel reçoit le même message rapidement et ainsi d'éviter l'émergence de rumeurs. Cependant, la communication en face-à-face est importante car elle permet de démontrer l'engagement personnel des managers, et elle est l'occasion d'interactions avec les équipes. Les dirigeants peuvent ainsi organiser des séries de conférences et d'ateliers leur permettant de délivrer leur message à différents groupes d'employés. Ils peuvent également mettre en place un processus en cascade, où chaque niveau hiérarchique transmet le message stratégique à ses subordonnés directs, qui doivent ensuite faire de même[48].

- *L'implication des employés.* Il est souvent utile d'impliquer directement les salariés dans la stratégie afin qu'il comprennent ce qu'elle signifie pour eux à titre personnel et en quoi leur rôle doit évoluer. Les interactions, lors des séminaires et des réunions, peuvent faciliter ce processus d'implication, mais certaines organisations utilisent des moyens plus imaginatifs. Une organisation de service public britannique a ainsi invité tout son personnel à une conférence d'une journée lors de laquelle, après la présentation de la nouvelle stratégie, chacun devait coller sur un « mur des promesses » sa propre photographie accompagnée d'un engagement écrit à la main de modifier au moins un aspect de son travail pour mieux correspondre aux nouvelles orientations[49]. La même organisation a également fait réaliser un tapis présentant sa trajectoire vers sa nouvelle stratégie, puis a demandé à ses employés de marcher sur ce tapis en suivant cette trajectoire.

Le processus de communication risque de modifier la stratégie de plusieurs manières. Les managers et les employés réinterprètent le message afin de lui donner du sens. Les séminaires et les réunions d'information risquent donc de soulever de nouvelles questions[50]. Par conséquent, la communication n'est pas la dernière étape du processus de fabrication de la stratégie : elle contribue également à identifier de nouveaux problèmes stratégiques qu'il faudra résoudre à leur tour.

15.4 Les méthodes stratégiques

Les stratèges utilisent un large éventail de méthodes plus ou moins standardisées pour organiser et guider la fabrication de la stratégie. Les méthodes que nous allons exposer ici ne sont pas des concepts ou des techniques analytiques au même titre que celles que nous avons présentées dans le reste de l'ouvrage : ce sont des approches permettant de gérer le processus de fabrication de la stratégie. La première de ces méthodes est le recours à des ateliers de réflexion stratégique, qui peuvent déboucher sur le lancement de projets. Ces projets stratégiques sont souvent soumis à des tests d'hypothèse. Enfin, le résultat doit souvent prendre la forme d'un rapport ou d'un plan stratégique. Même si nous allons détailler les principaux problèmes liés à chacune de ces méthodes et donner quelques lignes de conduite, il convient de rappeler qu'aucune d'entre elle ne constitue une recette du succès.

15.4.1 Les ateliers stratégiques

Les ateliers stratégiques (ou séminaires de réflexion stratégique) réunissent le plus souvent, hors de leur lieu de travail, des groupes de responsables qui réfléchissent de manière intensive pendant un jour ou deux sur la stratégie de leur organisation

Les **ateliers stratégiques** (ou séminaires de réflexion stratégique) constituent une méthode fréquente de fabrication de la stratégie[51]. Ces ateliers réunissent le plus souvent, hors de leur lieu de travail, des groupes de responsables qui réfléchissent de manière intensive pendant un jour ou deux sur la stratégie de leur organisation. Ces responsables sont en général des membres du comité de direction, même si le recours à un atelier peut être une bonne méthode pour obtenir l'adhésion de managers moins élevés dans la hiérarchie. Les ateliers sont utilisés pour formuler ou reconsidérer une stratégie, mais également pour définir son déploiement et pour communiquer des décisions stratégiques. Ils peuvent s'inscrire dans le cadre d'un processus régulier de planification stratégique ou être organisés de manière impromptue. De même, il existe des sessions d'ateliers ou des ateliers uniques. Comme le montre l'illustration 15.3, par-delà la fabrication de la stratégie, les ateliers peuvent jouer un rôle dans la construction d'un esprit d'équipe ou dans le développement personnel des participants.

Même si les ateliers stratégiques peuvent positivement contribuer à la fabrication de la stratégie, ils soulèvent deux problèmes principaux[52]. Tout d'abord, ils risquent de contribuer au renforcement des préjugés existants et d'être incapables de contester le *statu quo*, en particulier lorsqu'ils ne constituent qu'une étape routinière dans le cycle de planification stratégique et qu'ils n'impliquent que le comité de direction. Deuxièmement, les ateliers risque d'être détachés de l'action, notamment lorsqu'ils s'écartent résolument de la routine. Il peut alors être très difficile de traduire les idées et l'enthousiasme de l'atelier dans la réalité des activités opérationnelles.

Les ateliers stratégiques doivent être conçus en fonction des buts qu'ils sont censés servir. En effet, la clarté des objectifs est très fortement corrélée avec le succès perçu[53]. Les dirigeants doivent donc précisément expliquer ce qu'ils attendent des ateliers, à l'avance, et les concevoir en conséquence. S'ils souhaitent que les ateliers contestent les hypothèses stratégiques établies, on peut leur conseiller de prendre en compte les éléments suivants :

- *Insister sur la préparation.* Les ateliers sont souvent trop courts pour permettre des analyses approfondies et il peut être difficile d'obtenir des données pertinentes une fois que le processus est amorcé. Il convient donc de demander aux participants d'apporter ce qu'ils considèrent comme les questions, les informations et les analyses clés, et de les présenter brièvement lors de l'atelier. De cette manière, les discussions sont plus vraisemblablement étayées par des faits et les données qui contredisent le consensus sont plus difficilement négligées.
- *Impliquer des participants extérieurs au comité de direction.* Afin de diversifier les points de vue, il peut être utile d'inviter des administrateurs non exécutifs. De même, des managers intermédiaires prometteurs peuvent apporter une vision plus proche de la réalité du terrain. La participation à un atelier stratégique constitue également pour eux une opportunité de développement de carrière.

Les ateliers stratégiques chez ESB Power

Les ateliers stratégiques peuvent être utilisés de diverses manières dans le cadre de l'élaboration de la stratégie et du changement stratégique.

Le directeur général d'ESB Power Generation, responsable d'un parc de centrales électriques en Irlande, s'inquiétait de la déréglementation et de la probable privatisation de son entreprise. Placée pour la première fois dans une situation concurrentielle, ESB perdrait inévitablement des parts de marché et devrait par conséquent réduire ses coûts. Afin de déterminer les options envisageables, le directeur général décida de mettre en œuvre une série d'ateliers stratégiques qui impliquèrent différents niveaux hiérarchiques dans l'organisation.

Les ateliers de direction

Le processus débuta par un atelier de deux jours réunissant l'équipe dirigeante autour d'une série de questions :

- Quelles étaient les forces macro-environnementales susceptibles d'influencer l'entreprise dans les cinq prochaines années ? La déréglementation pouvait prendre plusieurs formes. L'apparition de nouvelles technologies et la variation du coût des approvisionnements étaient également des facteurs inconnus qui pouvaient avoir un impact considérable.

- Quelle forme la concurrence prendrait-elle ? Elle serait vraisemblablement de moins en moins locale, avec l'irruption sur le marché d'autres opérateurs européens.

- Quels pouvaient être les scénarios d'évolution ?

- Quel avantage concurrentiel ESB pouvait-elle détenir par rapport aux nouveaux entrants et sur quelle capacité stratégique pouvait-on le construire ? Les différents types de centrales dont ESB disposait en Irlande lui donnaient une plus grande flexibilité que la plupart de ses concurrents potentiels.

- Quelles étaient les options stratégiques envisageables dans un marché déréglementé ? La stratégie devrait changer significativement dans tous les cas de figure, et l'accent devait être mis sur les avantages dont ESB disposait, ainsi que sur ceux qu'il fallait développer.

Les ateliers de managers intermédiaires

Le niveau suivant d'ateliers étendit la discussion aux subordonnés directs de l'équipe dirigeante, auxquels furent adjoints des spécialistes issus de diverses fonctions. Ces nouveaux ateliers examinèrent les délibérations des dirigeants et suivirent un processus identique afin de déterminer s'ils aboutissaient aux mêmes conclusions. Le directeur général assura que le processus consistait également à s'assurer qu'ils constataient le besoin de changement par eux-mêmes et qu'ils étaient prêts à adhérer à une stratégie significativement différente de celle qui avait été suivie jusque-là.

Deux ateliers furent mis en place et ils confirmèrent effectivement les choix stratégiques des dirigeants. Ils se penchèrent également sur les implications opérationnelles précises d'une stratégie fondée sur la flexibilité pour chacune des fonctions de l'entreprise.

Implication de toute l'organisation

Il restait encore à résoudre le problème du changement stratégique. Passer d'un service public en situation de monopole à une stratégie concurrentielle de différenciation, fondée sur la flexibilité, impliquait des changements considérables. Là encore, des ateliers furent organisés afin de définir quelles évolutions culturelles étaient nécessaires. L'objectif était de s'assurer que, par-delà les ressources physiques, les membres de l'organisation et la manière dont ils interagissaient avec les clients correspondraient bien à la flexibilité recherchée. Ces ateliers furent menés à différents niveaux, de la direction aux responsables des unités de production, afin de déterminer ce qu'était exactement une culture de flexibilité, quels changements précis devaient être effectués et quelles étaient les priorités d'action.

Questions

1. Quels sont les cadres d'analyse utilisés par les différents ateliers stratégiques ?

2. Si vous étiez un(e) consultant(e) en charge de la facilitation de ces ateliers, quels problèmes potentiels devriez-vous anticiper à chaque étape ?

3. Quels peuvent être les avantages et les inconvénients de ces ateliers par rapport à d'autres approches de l'élaboration de la stratégie dans une organisation de ce type ?

- *Impliquer des consultants externes en tant que facilitateurs.* Demander à un consultant externe de présider et d'organiser l'atelier peut libérer les participants de cette contrainte et leur permettre de mieux se concentrer sur le débat, de veiller à ce que chacun apporte sa contribution et de s'assurer que la discussion reste centrée sur le sujet. Un consultant peut également donner des conseils sur l'organisation de l'atelier, proposer des exercices de créativité ou d'analyse et participer au déploiement des décisions. Il convient de s'adresser à des consultants expérimentés qui ne chercheront pas à se mettre eux-mêmes en avant.

- *Casser les routines organisationnelles.* Organiser l'atelier dans un lieu éloigné et prestigieux permet de détacher les participants de leur routine opérationnelle et d'affirmer symboliquement l'importance de l'événement. Il convient de fixer des règles restrictives sur l'utilisation des appareils de communication (téléphones, ordinateurs, etc.) afin de minimiser les perturbations lors des sessions. Placés au début de l'atelier, les exercices destinés à « briser la glace », même s'ils semblent anodins, peuvent aider à installer une ambiance de créativité et de contestation de l'orthodoxie[54].

Afin de s'assurer que les ateliers seront suivis d'effets, il convient de veiller aux points suivants :

- *Établir une liste des décisions.* Il est important de garder suffisamment de temps à la fin de l'atelier pour établir la liste des points décidés et des actions qui devront suivre.

- *Constituer des groupes de projets.* Les ateliers peuvent s'appuyer sur la cohésion obtenue à propos de certaines questions pour désigner des commissions chargées de les approfondir et d'établir un compte rendu pour une réunion suivante.

- *Communiquer sur les décisions.* Communiquer dans toute l'organisation sur les décisions arrêtées lors de l'atelier permet de renforcer l'engagement des participants et d'apaiser la curiosité et l'anxiété de tous les autres.

- *Faire la démonstration de l'engagement des dirigeants.* Le directeur général et l'équipe de direction doivent signaler explicitement leur engagement, que ce soit lors de l'atelier ou après, à la fois par leurs déclarations et par leur comportement. Les dirigeants doivent être présents, ne pas être distraits par d'autres activités, soutenir les participants et être en première ligne dans le déploiement des décisions.

Il n'existe pas de formule du succès pour les ateliers stratégiques. Ils réunissent, en général, des individus influents afin de discuter de questions qui peuvent être cruciales pour l'avenir professionnel de certains d'entre eux. Ce n'est pas parce que l'atelier est organisé loin des locaux de l'entreprise et dans une ambiance volontairement décontractée que les jeux politiques habituels sont suspendus[55].

15.4.2 Les projets stratégiques

La fabrication de la stratégie et son déploiement prennent fréquemment la forme de projets[56]. Les projets stratégiques impliquent des équipes d'individus chargés de travailler à des questions stratégiques particulières sur une période de temps définie. Les projets peuvent être institués de manière à identifier les problèmes ou les opportunités lors du processus d'élaboration de la stratégie. Par ailleurs, ils peuvent consister à déployer les décisions stratégiques. Traduire un plan stratégique ou un atelier en une série de projets est une bonne manière de s'assurer que les intentions seront suivies d'actions. Les projets permettent également d'impliquer un plus grand nombre d'individus dans la fabrication de la stratégie.

Les projets stratégiques doivent être gérés comme n'importe quel autre projet. Il convient notamment de veiller aux points suivants[57] :

- *Donner un mandat clair.* Les objectifs du projet doivent faire l'objet d'un accord et être gérés avec attention. Ces objectifs permettent de mesurer le succès du projet. Il est toujours dangereux de rajouter des objectifs une fois que le projet est lancé.
- *L'engagement des dirigeants.* L'engagement continu des dirigeants – notamment ceux qui ont commandité le projet – est essentiel. Étant donné que l'emploi du temps et les priorités de ces responsables peuvent rapidement évoluer, il est important de gérer ce point avec attention.
- *Fixer des étapes intermédiaires.* Des étapes intermédiaires, faisant l'objet d'évaluations spécifiques, doivent être planifiées dès le début du projet. Cela permet à la fois de mesurer l'avancée des actions et d'effectuer des ajustements si nécessaire.
- *Allouer des ressources appropriées.* La ressource clé est souvent la ressource humaine : il convient de veiller avec attention à la composition de l'équipe projet, notamment en termes de compétences (sans oublier la capacité à gérer un projet). Les projets stratégiques sont souvent des activités à temps partiel qui viennent s'ajouter aux tâches habituelles des managers, or le risque est élevé que le quotidien submerge peu à peu l'exceptionnel.

Les projets stratégiques sont souvent organisés en programmes ou en portefeuilles. Un programme contient un groupe de projets qui concernent des questions liées, par exemple le développement de nouvelles offres. Le portefeuille rassemble l'intégralité des projets d'une organisation. Il peut donc inclure plusieurs programmes. Il est important de doter le portefeuille et chacun des programmes de structures de gouvernement, de contrôle et de suivi, faute de quoi les projets risquent de proliférer et de se perdre dans des compétitions stériles. Les gestionnaires de programmes doivent gérer les redondances et les recouvrements en fusionnant ou en stoppant des projets qui n'ont plus de justification distincte du fait de l'évolution des circonstances. Les dirigeants doivent veiller à la cohérence de l'ensemble du portefeuille et veiller, eux aussi, à fusionner ou à stopper certains projets ou programmes, afin d'éviter que l'organisation ne s'épuise dans une coûteuse prolifération.

15.4.3 Les tests d'hypothèse

Le plus souvent, les équipes projets doivent trouver des solutions à des problèmes complexes en respectant des délais contraignants. Le **test d'hypothèse** est une méthode utilisée par les cabinets de conseil et les spécialistes de la gestion de projet afin d'établir des priorités dans la recherche d'options.

Le test d'hypothèse est une démarche issue de la recherche scientifique[58]. La première étape consiste à proposer une représentation de la situation (*l'hypothèse descriptive*), puis de chercher à la tester grâce à des données empiriques. Une hypothèse descriptive en stratégie peut, par exemple, consister à affirmer que dans une industrie donnée l'obtention d'une taille critique est essentielle à la rentabilité. Afin de tester cette hypothèse, l'équipe projet doit commencer par rassembler des données sur la taille des organisations au sein de l'industrie, puis vérifier s'il

Le test d'hypothèse est une méthode utilisée dans le cadre des projets stratégiques afin d'établir des priorités dans la recherche d'options

existe une corrélation avec leur rentabilité. La confirmation de cette hypothèse descriptive de départ peut alors conduire à émettre plusieurs *hypothèses prescriptives* sur ce qu'une organisation donnée devrait faire. Pour une organisation de petite taille, il s'agirait de considérer les différentes modalités de croissance. Une première hypothèse prescriptive serait ainsi que les acquisitions sont une bonne manière d'atteindre la taille critique. Une seconde serait que les alliances sont préférables. L'étape suivante consiste alors à tester ces hypothèses prescriptives en mobilisant les données empiriques appropriées.

Les tests d'hypothèse consistent en fait à établir des priorités dans la fabrication de la stratégie. De fait, les tests d'hypothèse réalisés dans les entreprises diffèrent de la stricte démarche scientifique (voir l'illustration 15.4). L'objectif principal est de focaliser l'attention sur un nombre limité d'hypothèses attrayantes et non sur l'ensemble des possibles. Les données sont rassemblées de manière à conforter les hypothèses choisies, alors qu'en science, il s'agit de tester formellement et éventuellement de réfuter chaque hypothèse. Le test d'hypothèse en entreprise est une manière d'identifier des solutions robustes et satisfaisantes lorsque le temps et les ressources sont comptés, mais pas de découvrir une quelconque vérité scientifique. Pour identifier les hypothèses les plus intéressantes, un premier filtrage relativement grossier peut suffire. Ce filtrage sommaire peut s'appuyer sur l'expérience des membres de l'équipe projet et sur des données aisément accessibles. Il s'agit alors d'écarter rapidement les hypothèses les moins attrayantes, plutôt que de passer inutilement trop de temps à les réfuter avec méthode.

15.4.4 Les rapports et les plans stratégiques

Un rapport stratégique fournit les données et les arguments en faveur d'une proposition stratégique particulière, par exemple l'investissement dans un nouvel équipement

Le produit fini des activités stratégiques telles que les ateliers et les projets est en général un rapport ou un plan stratégique. La volonté d'atteindre cet objectif final contribue à mieux structurer l'activité. Un **rapport stratégique** est le plus souvent centré sur une proposition particulière, par exemple l'investissement dans un nouvel équipement. Un **plan stratégique** est plus complet : il décrit l'orientation générale de l'organisation sur une durée relativement longue, en général trois ans, voire plus (voir le chapitre 11). Beaucoup d'organisations disposent de formats standardisés pour la rédaction des rapports et des plans stratégiques. Lorsque ces formats existent, mieux vaut les utiliser. Lorsqu'ils n'existent pas, il est judicieux de se fournir des rapports ou des plans récents qui ont été appréciés au sein de l'organisation et de s'inspirer de leur démarche. En effet, les rapports et les plans doivent être cohérents avec la culture organisationnelle en termes de style, de présentation et de contenu.

Un plan stratégique fournit les données et les arguments en faveur d'une stratégie particulière pour l'organisation dans son ensemble, sur une durée relativement longue

Une équipe projet souhaitant rédiger un rapport stratégique devrait suivre les critères suivants[59] :

● *Se focaliser sur les besoins stratégiques*. L'équipe doit identifier la stratégie de l'organisation dans son ensemble – pas seulement celle d'une division ou d'un département – et lier étroitement son rapport à celle-ci. Un rapport stratégique ne doit pas sembler émaner de la fonction ressources humaines ou du département systèmes d'information, par exemple. Il doit être focalisé sur quelques questions clés, la priorité étant donnée à celles qui sont à la fois stratégiquement importantes et relativement aisées à traiter.

Test d'hypothèse dans une banque

Cette description d'une mission de conseil pour une grande banque montre comment la démarche de test d'hypothèse peut structurer un projet stratégique.

1. Définition du problème/question

La première tâche des consultants consista à définir le problème. Comme souvent, le problème stratégique concernait un écart entre ce que désirait le client (ici un certain niveau de rentabilité sur un produit particulier) et la réalité (une rentabilité en déclin). En résumé, le problème des consultants était que la rentabilité de la banque sur ce produit était inférieure aux objectifs.

2. Élaboration d'un ensemble d'hypothèses descriptives sur les causes du problème

Les consultants rassemblèrent des données préliminaires et s'appuyèrent sur leur propre expérience pour générer quelques hypothèses descriptives sur les causes du problème. Ils savaient que certains concurrents avaient déjà décidé d'abandonner ce produit, que la rentabilité de ce produit variait fortement d'un concurrent à l'autre et que des nouveaux entrants spécialisés avaient capturé une part de marché significative. Trois hypothèses émergèrent : soit la structure de l'industrie était fondamentalement peu attrayante, soit la banque ne disposait pas des capacités stratégiques nécessaires, soit enfin la banque ne visait pas les bons segments de clientèle. À l'issue d'une analyse sommaire, les consultants rejetèrent les deux premières hypothèses : après tout, certains concurrents étaient rentables et la banque avait développé de solides compétences de par sa longue présence sur ce marché. Par conséquent, l'hypothèse descriptive retenue fut que la banque ne ciblait pas les bons segments de clientèle.

3. Test de l'hypothèse descriptive retenue

Ensuite, les consultants déterminèrent comment collecter les données nécessaires pour tester leur hypothèse. Ils réalisèrent une segmentation de la clientèle grâce à une série d'entretiens avec différents types de clients et dans différentes zones géographiques. Ils analysèrent les niveaux de services attendus pas chacun des segments de clientèle et les tarifs qu'ils acceptaient de payer pour cela. Il apparu que les données validaient l'hypothèse descriptive : les agences de la banque étaient concentrées dans des zones géographiques où les clients acceptant de payer un surprix pour le produit concerné étaient très peu nombreux. Si l'hypothèse n'avait pas été confirmée, les consultants auraient testé les deux hypothèses rejetées à l'étape 2.

4. Élaboration d'hypothèses prescriptives

Les consultants purent alors formuler des hypothèses prescriptives sur les actions à mener pour attirer les segments de clientèle plus rentables. La première de ces hypothèses consistait à redéployer le réseau d'agences. Pour confirmer cette hypothèse, les consultants collectèrent des données afin de comparer la rentabilité des agences selon leur localisation. Ils trouvent que les quelques agences qui étaient implantées dans les bonnes localisations présentaient une rentabilité significativement supérieure pour le produit concerné.

5. Formulation des recommandations

Les consultants préparèrent un ensemble de recommandations préliminaires à partir des hypothèses validées : ils recommandaient de modifier la localisation des agences. L'acceptabilité et la faisabilité de cette recommandation furent vérifiées auprès de managers clés dans la banque. La recommandation fut ajustée à partir de ces vérifications. Enfin, les consultants firent la présentation formelle de leurs recommandations finales.

Source : J. Liedtka, Darden School of Management, Université de Virginie.

Questions

1. Choisissez un problème stratégique majeur auquel est confrontée une organisation qui vous est familière. Formulez une série d'hypothèses descriptives sur ce problème. À l'aide d'une analyse sommaire, sélectionnez une de ces hypothèses.

2. Quelles données devriez-vous collecter pour confirmer l'hypothèse descriptive retenue et comment feriez-vous pour les obtenir ? Si l'hypothèse descriptive était validée, quelles hypothèses prescriptives formuleriez-vous ?

- *Étayer les arguments par des données clés.* L'équipe doit rassembler les données appropriées. Dans le cas d'un projet d'investissement, il est notamment essentiel d'obtenir les données financières permettant de calculer la rentabilité de l'opération. Pour autant, il ne faut pas négliger les données qualitatives, par exemple des citations frappantes tirées d'interviews avec des employés ou des clients, ou de courts rapports sur des succès ou des échecs récents de l'organisation ou de ses concurrents. Certains avantages stratégiques, même s'ils ne peuvent pas aisément être quantifiés, jouent un rôle prépondérant : fournir des données sur les mouvements de concurrents permet de justifier certaines décisions. De manière générale, il est indispensable d'identifier les sources utilisées pour obtenir les données, afin de démontrer que la démarche utilisée par l'équipe projet a été à la fois rigoureuse et complète.
- *Justifier les solutions et les actions.* Les problèmes attirent plus aisément l'attention lorsqu'ils sont accompagnés de solutions. L'équipe doit expliquer en détail comment ses propositions doivent être mises en œuvre et qui en sera responsable. Les éventuels blocages doivent être identifiés et des scénarios alternatifs doivent être proposés. Dans tous les cas, la faisabilité du déploiement doit être démontrée.
- *Établir des critères de progrès.* Lorsque l'on cherche à démontrer la pertinence d'un investissement significatif, il est important de fournir des critères qui permettent d'évaluer les progrès du projet au cours du temps. Proposer des mécanismes de mesure de la performance accroît la crédibilité du rapport.

La plupart des techniques d'évaluation utilisables dans un rapport stratégique sont expliquées dans le chapitre 10.

Les plans stratégiques ont les mêmes caractéristiques en termes de focalisation, de collecte de données, d'actions et de critères. Pour autant, ce sont des documents plus complets, qui peuvent être utilisés par des entrepreneurs pour justifier la création de leur start-up, par des domaines d'activité stratégique à l'intérieur d'une grande organisation, voire par une organisation elle-même pour structurer le déploiement de sa stratégie (voir l'illustration 15.5). Là encore, il existe plusieurs formats, et il est important d'adopter celui qui est le plus en phase avec la culture de l'organisation. Cependant, un plan stratégique incorpore en général les éléments suivants, qui devrait définir le programme de travail d'une équipe projet[60] :

- *Rappeler la mission et les objectifs.* Le plan doit débuter par une présentation de la mission et des objectifs, qui sert d'étalon par rapport aux recommandations proposées. Il peut être intéressant de vérifier si, par le passé, l'organisation a effectivement suivi les objectifs qu'elle s'était alloués (voir le chapitre 4).
- *Conduire un diagnostic de l'environnement.* Ce diagnostic externe doit couvrir à la fois le macro-environnement et l'environnement concurrentiel (clients, fournisseurs, concurrents). L'équipe ne doit pas s'arrêter à l'analyse, mais en déduire des implications claires (voir le chapitre 2).
- *Conduire un diagnostic de l'organisation.* Ce diagnostic interne doit inclure les forces et les faiblesses de l'organisation et de ses offres par rapport à ses concurrents, et identifier clairement son avantage concurrentiel. Afin d'éviter les biais et renforcer la crédibilité, l'équipe doit collecter des déclarations des clients à propos des forces et des faiblesses de l'organisation (voir le chapitre 3).

Construction d'un plan stratégique dans une bibliothèque universitaire

Une bibliothèque universitaire évalue son processus de planification stratégique.

Dans le cadre de l'élaboration du plan stratégique de l'université Notre Dame (Indiana), le directeur de la bibliothèque universitaire désigna une équipe de 4 membres, chargés pendant 10 semaines (en plus de leurs tâches habituelles) d'évaluer le processus de planification existant au sein de la bibliothèque. Cette évaluation préalable devait permettre de concevoir un nouveau processus.

L'équipe était composée des membres suivants : le directeur adjoint (15 ans d'expérience dans la bibliothèque), le responsable du budget, le bibliothécaire en charge des ouvrages de gestion (qui suivait parallèlement des cours en MBA) et un chef de projet, le bibliothécaire en charge des ouvrages de mathématiques (qui venait de rejoindre la bibliothèque après avoir travaillé dans un cabinet de conseil). L'équipe établit rapidement quatre phases de projet :

- Obtenir une définition pratique de la planification.
- Déterminer un schéma de planification pertinent pour la bibliothèque.
- Évaluer le processus existant à la lumière de ce schéma et déterminer sa cohérence.
- Recommander un futur processus de planification.

L'équipe projet parvint rapidement à une définition opérationnelle de la planification en mobilisant la littérature de gestion consacrée à ce sujet. Ils examinèrent ensuite diverses publications consacrées aux schémas de planification et parvinrent à distinguer cinq approches principales qu'ils comparèrent de manière systématique sur un tableau. Ils sélectionnèrent ainsi une de ces approches, plutôt que de tenter d'en concevoir une nouvelle. Puis ils rassemblèrent tous les documents de la bibliothèque qui avaient un lien avec la planification :

présentations rédigées par le directeur, objectifs, lettres de mission, etc. Ils constatèrent d'importants écarts entre ces documents et l'approche de planification retenue, notamment l'absence de formalisation du processus. De même, aucun des documents disponibles ne pouvait être qualifié de plan stratégique car ils présentaient de sérieuses lacunes en termes de mise en œuvre et étaient parfois en contradiction les uns avec les autres. Finalement, l'équipe projet recommanda de créer un plan stratégique totalement nouveau, grâce à la participation de tout le personnel.

L'étape ultime consista à présenter ces résultats et les recommandations à l'équipe de direction de la bibliothèque. Selon le chef de projet, cette présentation fut globalement appréciée, même si certains aspects auraient pu être améliorés :

En une heure, nous leur avons présenté les quatre phases du projet. Nous leur avons bien expliqué… les principes de la planification stratégique et les différentes approches possibles. Nous aurions dû passer plus de temps sur les définitions… c'est toujours une source de difficultés. Qui peut expliquer clairement la différence entre une mission et une vision ? Pour autant, nous avons bien présenté nos conclusions et nos recommandations, et certains membres de l'équipe de direction se sont montrés enthousiastes à l'idée de lancer un nouveau processus de planification stratégique.

En moins d'un an, le directeur de la bibliothèque développa un plan stratégique qui fut accepté par la présidence de l'université.

Source : J. Ladwig, « Assess the state of your strategic plan », *Library Administration and Management*, vol. 19, n° 2 (2005), pp. 90-93.

Questions

1. Quelles sont les qualités de cette équipe projet et du processus qu'elle a choisi ?
2. Qu'est-ce qui aurait pu mal se passer ?

- *Proposer une stratégie.* La stratégie recommandée doit être explicitement liée aux analyses externe et interne, et contribuer à la mission et aux objectifs. L'équipe doit proposer une chronologie de mise en œuvre claire et réaliste (voir les chapitres 6 à 10).
- *Détailler les ressources nécessaires.* L'équipe doit fournir une analyse détaillée des ressources nécessaires et des options envisageables pour les acquérir (voir le chapitre 13). Les ressources les plus cruciales sont les ressources financières car

elles permettent d'obtenir toutes les autres. Le plan doit donc présenter les comptes de résultat, les flux de trésorerie et les bilans sur l'ensemble de la période considérée. Les ressources humaines peuvent également être déterminantes, en particulier la disponibilité d'individus disposant de compétences spécifiques (voir le débat dans l'illustration 15.6).

Illustration 15.6 | **Débat**

Les consultants en stratégie sont-ils bons à quelque chose ?

Les consultants participent fréquemment à la fabrication de la stratégie, notamment en apportant des compétences analytiques et des techniques de gestion de projet. Pourquoi ont-ils une image si controversée ?

De nombreux ouvrages et articles critiquent les consultants en stratégie. Il est vrai que certains de leurs échecs ont été spectaculaires : McKinsey a ainsi été désigné en grande partie responsable des faillites de Enron et de Swissair.

Au moins trois types d'accusations sont adressés aux cabinets de conseil en stratégie. Tout d'abord, ils utilisent trop souvent de jeunes consultants tout juste diplômés des écoles de commerce, qui n'ont qu'une compréhension minimale du fonctionnement des organisations et des marchés. Deuxièmement, ils sont accusés de présenter leurs recommandations, puis de ne pas se préoccuper du déploiement. Troisièmement, ils sont perçus comme chers, avec des niveaux de rémunération personnelle excessifs et toujours en train d'essayer de vendre des projets supplémentaires inutiles. Les clients finissent par payer pour plus de conseils qu'ils n'en ont réellement besoin, la plupart étant irréalistes ou impossibles à mettre en œuvre.

Ces accusations sont peut-être injustes. La plupart des grands cabinets de conseils sont organisés par industries, ce qui leur permet de construire de réelles expertises sectorielles. De plus, ils recrutent de plus en plus de managers expérimentés. La plupart des consultants préfèrent travailler dans des équipes mixtes, qui intègrent des membres de l'organisation qu'ils conseillent : ces derniers pourront ainsi plus aisément mettre en œuvre les recommandations. Certains cabinets, tels que Bain, insistent d'ailleurs pour participer étroitement au déploiement des stratégies qu'ils conseillent. Enfin, les consultants évoluent sur un marché concurrentiel et leurs clients sont en général des acheteurs avisés, auxquels il est difficile de vendre des services inutiles. Le fait que le marché européen du conseil en stratégie a crû, de 3 milliards d'euros en 1996 à 8 milliards en 2004, montre qu'il existe une réelle demande.

On peut également souligner des succès. Bain affirme ainsi que, depuis 1980, la performance boursière de ses clients a été quatre fois supérieure à celle de la moyenne des 500 plus grosses entreprises américaines (voir www.bain.com). Certains dirigeants talentueux sont venus du conseil en stratégie, comme Lou Gerstner, qui a redressé IBM ou Meg Whitman, qui a dirigé eBay pendant 10 ans. Un des ouvrages les plus influents de la littérature de management, *The Concept of the Corporation*, est issu de la mission de conseil effectuée par Peter Drucker pour General Motors lors de la Seconde Guerre mondiale.

Les entreprises peuvent apprendre à mieux gérer les consultants : recruter ceux qui ont la bonne expérience, lier l'analyse et le déploiement, et surveiller étroitement les dépenses. James O'Shea et Charles Madigan concluent leur ouvrage réquisitoire contre les consultants en stratégie en citant *Le Prince* de Machiavel : « Il existe une règle infaillible : un prince qui n'est pas sage lui-même ne peut pas être sagement conseillé… Les bons conseils dépendent de la perspicacité de celui qui les demande, mais les bons conseils ne rendent pas perspicaces. »

Sources : Fédération Européenne du Conseil en management (www.feaco.org) ; J. O'Shea et C. Madigan, *Dangerous Business: Consulting Powerhouses and the Business they Save and Ruin*, Penguin, 1998 ; C. McKenna, *The World's Newest Profession: Management Consulting in the Twentieth Century*, Cambridge University Press, 2006.

Questions

1. Que peut faire un consultant en stratégie pour rassurer un client potentiel sur son efficacité ?

2. Pour quelles raisons certaines personnes pourraient-elles être suspectées d'exagérer les critiques à l'égard des consultants en stratégie ?

Résumé

- La pratique de la stratégie recouvre trois séries de choix : *qui* impliquer dans la fabrication de la stratégie ? *quelles activités* mener ? *quelles méthodes* employer ?

- Les directeurs généraux, les membres du comité de direction, les administrateurs non exécutifs, les membres de la direction de la stratégie, les consultants en stratégie et les managers intermédiaires sont fréquemment impliqués dans la fabrication de la stratégie. L'implication des managers intermédiaires peut être limitée par le fait qu'ils ont moins aisément accès aux dirigeants, alors que ce sont eux qui sont responsables du déploiement de la stratégie. Dans tous les cas, le degré d'implication doit dépendre de la nature du problème.

- Les activités concernées par la fabrication de la stratégie incluent l'*analyse*, la *promotion de problèmes*, la *prise de décision* et la *communication*. Ces activités ne sont pas toujours conduites de manière logique. D'ailleurs, elles peuvent bénéficier des caractéristiques non rationnelles des individus qui les conduisent.

- Les méthodes utilisées dans le cadre des activités stratégiques incluent les ateliers stratégiques, les projets stratégiques, et la rédaction de rapports et de plans stratégiques.

Travaux pratiques • Signale des exercices d'un niveau plus avancé

1. Visitez la page « carrières » ou « recrutement » sur les sites Internet des grands cabinets de conseil en stratégie (par exemple www.mckinsey.com, www.bcg.com ou www.bain.com). Qu'est-ce que cela vous apprend sur la nature du travail de consultant en stratégie ? Aimeriez-vous exercer ce travail ?

2. Visitez le site Internet d'une grande organisation (publique ou privée) et évaluez la manière dont elle communique sa stratégie. En utilisant la section 15.3.4, déterminez la focalisation, l'impact et la capacité de mobilisation de cette communication.

3. Vous devez organiser un projet stratégique. Suggérez quels participants vous allez solliciter et quel sera leur rôle si (a) le problème consiste à réexaminer la stratégie d'une organisation confrontée à une crise et (b) le problème consiste à s'assurer qu'une organisation obtient l'adhésion de son personnel à un programme de profond changement stratégique.

4. • Reprenez n'importe lequel des cas présentés à la fin des chapitres de l'ouvrage et imaginez que vous êtes un(e) consultant(e) en stratégie. Proposez une hypothèse descriptive (voir la section 15.4.3) et définissez le type de données que vous devez collecter pour la tester. Quels types d'individus souhaiteriez-vous inclure dans votre équipe de projet stratégique (voir les sections 15.2.4 et 15.4.2) ?

5. • Munissez-vous d'un plan stratégique (par exemple sur le site de l'université du Maryland www.businessplanarchive.org) et, en utilisant la section 15.4.4, évaluez ses qualités et ses défauts.

Exercice de synthèse

6. Pour une organisation qui vous est familière, rédigez un plan stratégique (dans le cas d'une organisation de grande taille, vous pouvez éventuellement vous limiter à un seul de ses domaines d'activité stratégique). Lorsque vous manquez de données, faites des hypothèses vraisemblables ou proposez des moyens permettant de les obtenir. Explicitez quelles seraient les différences selon que ce plan stratégique s'adresserait à (a) des investisseurs ou (b) des employés.

Lectures recommandées

• Sur l'implication des dirigeants dans la stratégie, voir F. Bournois, J. Duval-Hamel, S. Roussillon et J.-L. Scaringella (eds.), *Comités Exécutifs, voyage au cœur de la* dirigeance, Eyrolles Éditions d'Organisation, 2007 et P. Stiles et B. Taylor, *Boards at Work: How Directors View their Roles and Responsibilities*, Oxford University Press, 2001. Sur le rôle des managers intermédiaires, voir S. Floyd et W. Wooldridge, *Building Strategy from the Middle*, Sage, 2000.

• Sur la pratique de la stratégie, voir L. Rouleau, F. Allard-Poesi et W. Warnier, « Le management stratégique en pratiques », *Revue Française de Gestion*, vol. 33/174 (2007), pp. 15-24

ainsi que les numéros spéciaux suivants : « Micro strategy and strategizing », *Journal of Management Studies*, vol. 40, n° 1 (2003), « Strategizing: the challenges of practice perspective », *Human Relations*, vol. 60, n° 1 (2007) et « The crafts of strategy », *Long Range Planning* (2008, à paraître).

• Sur les méthodes pratiques de fabrication de la stratégie utilisées par les consultants, voir E. Rasiel et P. Friga, *The McKinsey Mind*, McGraw-Hill, 2001.

• P. Walcoff, *The Fast-Forward MBA in Business Planning for Growth*, Wiley, 1999 est un guide pratique sur la rédaction d'un plan stratégique.

Références

1. Cette pyramide est adaptée de R. Whittington, « Completing the practice turn in strategy research », *Organization Studies*, vol. 27, n° 5 (2006), pp. 613-634. Voir également P. Jarzabkowski, J. Balogun et D. Seidl, « Strategizing: the challenges of a practice perspective », *Human Relations*, vol. 60, n° 1 (2007), pp. 5-27.

2. Sur le rôle de différents niveaux de managers dans la stratégie, voir T. O'Shannassy, « Modern strategic management: balancing strategic thinking and strategic planning for internal and external stakeholders », *Singapore Management Review*, vol. 25, n° 1 (2003), pp. 55-67.

3. Voir notamment A.D. Chandler, *Stratégies et structures de l'entreprise*, Éditions d'Organisation (2006).

4. Voir S. Kaplan et E. Beinhocker, « The real value of strategic planning », *MIT Sloan Management Review*, vol. 44, n° 2 (2003), pp. 71-76.

5. Voir M. Porter, « Plaidoyer pour un retour de la stratégie », *L'Expansion Management Review*, n° 84 (1997).

6. Voir M. Haywood et D. Hambrick, « Explaining the premium paid for large acquisitions: evidence of CEO hubris », *Administrative Science Quarterly*, vol. 42, n° 1 (1977), pp. 103-128.

7. Voir J. Collins, *De la performance à l'excellence*, Pearson Education, 2006.

8. Voir I. Janis, *Victims of Groupthink : A Psychological Study of Foreign-Policy Decisions and Fiascoes*, Houghton Mifflin, 1972 ; R.S. Baron, « So right it's wrong: groupthink and the ubiquitous nature of polarized group decision making », dans M.P. Zanna (ed), *Advances in Experimental Social Psychology*, vol. 37, (2005), pp. 219-253.

9. Voir C. Boone, W. Von Olffen, A. Van Witteloostuijn et B. De Brabander, « The genesis of top management teams in Dutch newspaper publishing », *Academy of Management Journal*, vol. 47, n° 5 (2004), pp. 633-656.

10. Voir F. Bournois, J. Duval-Hamel, S. Roussillon et J.-L. Scaringella (eds.) *Comités Exécutifs, voyage au cœur de la dirigeance*, Eyrolles Éditions d'Organisation, 2007 ; T. McNulty et A. Pettigrew, « Strategists on the board », *Organization Studies*, vol. 20, n° 1 (1999), pp. 47-74 ; P. Stiles et B. Taylor, *Boards at Work: How Directors View their Roles and Responsibilities*, Oxford University Press (2001).

11. Voir S. Maitlis, « Taking it from the top: how CEOs influence (and fail to influence) their boards », *Organization Studies*, vol. 25, n° 8 (2004), pp. 1275-1313.

12. Voir D. Samra-Fredericks, « Strategizing as lived experience and strategists' everyday efforts to shape strategic direction », *Journal of Management Studies*, vol. 42, n° 1 (2003), pp. 1413-1142.

13. Voir R. Whittington, « Learning to strategise », *SKOPE Working Paper*, n° 23, Université d'Oxford, 2002.

14. Voir R.M. Grant, « Strategic planning in a turbulent environment: evidence from the oil majors », *Strategic Management Journal*, vol. 24, n° 6 (2003), pp. 491-517.

15. Voir E. Beinhocker et S. Kaplan, « Tired of strategic planning? », *McKinsey Quarterly*, numéro spécial sur le risque et la résilience (2002), pp. 49-57 et S. Kaplan et E. Beinhocker (référence 4).

16. Voir A. Chandler (référence 3).

17. Voir S. Floyd et W. Wooldridge, *Building Strategy from the Middle*, Sage, 2000.

18. Voir G. Johnson, L. Melin et R. Whittington, « Micro-strategy and strategizing: toward an activity-based view », *Journal of Management Studies*, vol. 40, n° 1 (2003), pp. 3-22.

19. Voir A. Watson et B. Wooldridge, « Business unit manager influence on corporate-level strategy formulation », *Journal of Managerial Issues*, vol. 18, n° 2 (2005), pp. 147-161.

20. Voir S. Floyd et W. Wooldridge, « Middle management's strategic influence and organizational performance », *Journal of Management Studies*, vol. 34, n° 3 (1997), pp. 465-485.

21. Voir S. Mantere, « Strategic practices as enablers and disablers of championing activities », *Strategic Organization*, vol. 3, n° 2 (2005), pp. 157-184.

22. Voir F. Westley, « Middle managers and strategy: micro-dynamics of inclusion », *Strategic Management Journal*, vol. 11, n° 5 (1990), pp. 337-351.

23. Voir D. Moyniham, « Ambiguity in policy lessons: the agentification experience », *Public Administration*, vol. 84, n° 4 (2006), pp. 1029-1050 et L.S. Oakes, B. Townley et D.J. Cooper, « Business planning as pedagogy: language and control in a changing institutional field », *Administrative Science Quarterly*, vol. 43, n° 2 (1997), pp. 257-292.

24. Les sites Internet de ces cabinets sont des sources utiles sur le conseil et sur la stratégie en général. Voir www.mckinsey.com, www.bcg.com ou www.bain.com.

25. Le site Internet de la Fédération européenne des associations de consultants, www.feaco.org, constitue une bonne source d'information sur l'évolution du conseil en stratégie. Voir également P. May

et F. Czeniawska, *Management Consulting in Practice*, Kogan Page, 2005.

26. Sur le rôle des consultants, voir L Arendt, R. Priem et H. Ndofor, « A CEO-adviser model of strategic decision-making », *Journal of Management*, vol. 31, n° 5 (2005), pp. 680-699, ainsi que M. Schwarz, « Knowing in practice: how consultants work with clients to create, share and apply knowledge », *Academy of Management Best Papers Proceedings*, 2004.

27. Voir C.D. McKenna, *The World's Newest Profession*, Cambridge University Press, 2002 ; R. Whittington, P. Jarzabkowski, M. Mayer, E. Mounoud, J. Nahapiet et L. Rouleau, « Taking strategy seriously: responsibility and reform for an important social practice », *Journal of Management Inquiry*, vol. 12, n° 4 (2003), pp. 396-409.

28. Voir S. Applebaum, « Critical success factors in the client-consulting relationship », *Journal of the American Academy of Business*, mars (2004), pp. 184-191 et M. Mohe, « Generic Strategies for managing consultants: insights from client companies in Germany », *Journal of Change Management*, vol. 5, n° 3 (2005), pp. 357-365.

29. Voir E. Beinhocker et S. Kaplan (référence 15).

30. Voir G. Hodgkinson, R. Whittington, G. Johnson et M. Schwartz, « The role of strategy workshops in strategy development processes: formality, communication, coordination and inclusion », *Long Range Planning*, vol. 30, (2006), pp. 479-496.

31. Voir T. Hill et R. Westbrook, « SWOT analysis: it's time for a product recall », *Long Range Planning*, vol. 30, n° 1 (1997), pp. 46-52. Pour un exemple d'utilisation du modèle SWOT, voir R.G. Dyson, « Strategic development and SWOT analysis at the University of Warwick », *European Journal of Operational Research*, vol. 15, n° 2 (2004), pp. 631-640.

32. Voir A. Langley, « Between paralysis by analysis and extinction by instinct », *Sloan Management Review*, vol. 36, n° 3 (1995), pp. 63-76.

33. Voir A. Langley, « In search of rationality: the purposes behind the use of formal analysis in organisations », *Administrative Science Quarterly*, vol. 34 (1989), pp. 598-631.

34. Voir W. Ocasio et J. Joseph, « An attention-based theory of strategy formulation: linking micro and macro perspectives in strategy processes », *Advances in Strategic Management*, vol. 22 (2005), pp. 39-62.

35. Voir W. Ocasio et J. Joseph (référence 34).

36. Sur le rôle des canaux informels, voir A. Sturdy, M. Schwartz et A. Spicer, « Guess who's coming to dinner? Structures and the use of liminality in strategic management consultancy », *Human Relations*, vol. 10, n° 7 (2006), pp. 929-960.

37. Voir B. Yakis et R. Whittington, « Sustaining strategic issues: five longitudinal cases in human resource management », communication présentée à l'*Academy of Management*, Philadephie, 2007.

38. Voir D. Lovallo et O. Siboney, « Distortions and deceptions in strategic decisions », *McKinsey Quarterly*, n° 1 (2006). Sur les biais dans la prise de décision, voir également le chapitre de F. Fréry à la rationalité dans A. Dayan, *Manuel de Gestion*, volume 1, 2e édition, Ellipses/AUF, 2004, ainsi que G. Hodgkinson et P. Sparrow, *The Competent Organization*, Open University Press, 2002.

39. Voir K.M. Eisenhardt, « Speed and strategic choice: how managers accelerate decision making », *California Management Review*, vol. 32, n° 3 (1990), pp. 39-54.

40. Voir M. Mankins, « Stop wasting valuable time », *Harvard Business Review*, vol. 82, n° 12 (2004), pp. 58-65.

41. Voir S. Elbanna, « Strategic decision-making: process perspectives », *International Journal of Management Reviews*, vol. 8, n° 1 (2006), pp. 1-20.

42. Voir C. Miller et R.D. Ireland, « Intuition in strategic decision-making: friend or foe in the fast-paced 21st century? », *Academy of Management Executive*, vol. 21, n° 1 (2005), pp. 19-30.

43. Voir K.M. Eisenhardt, J. Kahwajy et L.J. Bourgeois, « Conflict and strategic choice: how top teams disagree », *California Management Review*, vol. 39, n° 2 (1997), pp. 42-62.

44. Voir K.M. Eisenhardt, J. Kahwajy et L.J. Bourgeois (référence 43).

45. Voir K.M. Eisenhardt, J. Kahwajy et L.J. Bourgeois, (référence 43).

46. Voir G. Adamson, J. Pine, T. van Steenhoven et J. Kroupa, « How story-telling can drive strategic change », *Strategy and leadership*, vol. 34, n° 1 (2006), pp. 36-41.

47. Voir R. Lengel et R.L. Daft, « The selection of communication media as an executive skill », *Academy of Management Executive*, vol. 2, n° 3 (1988), pp. 225-232.

48. Voir M. Thatcher, « Breathing life into business strategy », *Strategic Communication Management*, vol. 10, n° 2 (2006), pp. 14-18.

49. Voir R. Whittington, E. Molloy, M. Mayer et A. Smith, « Practices of strategising/organising: broadening strategy work and skills », *Long Range Planning*, vol. 39, n° 6 (2006), pp. 615-630.

50. Sur la construction de sens par les managers intermédiaires, voir J. Balogun et G. Johnson, « Organizational restructuring and middle manager sensemaking », *Academy of Management Journal*, vol. 47, n° 4 (2004), pp. 523-550.

51. Sur une étude consacrée aux ateliers stratégiques, voir G. Hodgkinson, R. Whittington, G. Johnson et M. Schwartz, « The role of strategy workshops in strategy development process: formality, communication, coordination and inclusion », *Long Range Planning*, vol. 30 (2006), pp. 479-496.

52. Voir C. Bowman, « Strategy workshops and top team commitment to strategic change », *Journal of Managerial Psychology*, vol. 10, n° 8 (1995), pp. 42-50 et B. Frisch et L. Chandler, « Off-sites that work », *Harvard Business Review*, vol. 84, n° 6 (2006), pp. 117-126.

53. Voir G. Hodgkinson, R. Whittington, G. Johnson et M. Schwartz (référence 51).

54. Voir L. Heracleous et C. Jacobs, « The serious business of play », *MIT Quarterly*, automne (2005), pp. 19-20.

55. Sur l'analyse de l'échec d'un atelier stratégique, voir G. Hodgkinson et G. Wright, « Confronting strategic inertia in a top management team: learning from failure », *Organization Studies*, vol. 23, n° 6 (2002), pp. 949-978 et R. Whittington, « Completing the practice turn in strategy research », *Organization Studies*, vol. 27, n° 5 (2006), pp. 613-634.

56. Voir P. Joffre, P. Aurégan, F. Chédotel et A. Tellier, *Le Management Stratégique par le Projet*, Economica, 2006 et P. Morris et A. Jamieson, « Moving from corporate strategy to project strategy », *Project Management Journal*, vol. 36, n° 4 (2005), pp. 5-18. Pour une étude comparée des équipes de projets stratégiques, voir F. Blackler, N. Crump et S. McDonald, « Organizing processes in complex activity networks », *Organization*, vol. 72, n° 2 (2000), pp. 277-300. Voir également S. Paroutis et A. Pettigrew, « Strategizing in the multi-business firm: strategy teams at multiple levels and over time », *Human Relations*, vol. 60, n° 1 (2007), pp. 99-135.

57. Voir H. Sirkin, P. Keenan et A. Jackson, « The hard side of change management », *Harvard Business Review*, vol. 83, n° 10 (2005), pp. 109-118 et J. Kenny, « Effective project management for strategic innovation and change in an organizational context », *Project Management Journal*, vol. 34, n° 1 (2003), pp. 43-53.

58. Cette section s'appuie sur E. Rasiel et P. Friga, *The McKinsey Mind*, McGraw-Hill, 2001 ; H. Courtney, *20/20 Foresight: Crafting Strategy in an Uncertain World*, Harvard Business School Press, 2001 et un travail non publié de J. Liedtka, Université de Virginie.

59. Voir J. Walker, « Is your business case compelling? », *Human Resource Planning*, vol. 25, n° 1 (2002), pp. 12-15 et M. Pratt, « Seven steps to a business case », *Computer World*, 10 octobre (2005), pp. 35-36.

60. Sur la construction pratique d'un plan stratégique, voir P. Tiffany, *Business Plans pour les nuls*, First, 2002 et P. Walcoff, *The Fast-Forward MBA in Business Planning for Growth*, Wiley, 1999.

Ray Ozzie reprogramme Microsoft

En 2005 et 2006, Ray Ozzie prit un rôle stratégique de plus en plus important au sein de Microsoft, jusqu'à devenir le directeur de l'activité logiciels. De nombreux observateurs estimaient que Microsoft était distancé par des concurrents nés d'Internet, notamment par Google. De fait, la nouvelle stratégie proposée par Ray Ozzie était centrée sur la volonté de « webifier » Microsoft. L'élaboration de cette stratégie impliqua bien plus que de formuler une nouvelle ambition pour le groupe. Ray Ozzie dut faire face à des décisions difficiles, y compris au niveau des aspects les plus pratiques de la fabrication de la stratégie : conception d'un atelier de réflexion stratégique, maintien de la pression après cet atelier ou encore choix sur les moyens de communiquer les points essentiels de la nouvelle stratégie.

Ray Ozzie était souvent considéré comme un génie du logiciel. En 1984, il avait fondé Iris Associates, qui avait lancé cinq ans plus tard – pour le compte de Lotus Development Corporation – le premier logiciel collaboratif à usage professionnel, Lotus Notes. En 1994, Lotus Development Corporation avait racheté Iris Associates pour 84 millions de dollars et, l'année suivante, IBM avait racheté Lotus. Trois ans plus tard, Ray Ozzie avait quitté IBM pour fonder Groove Networks, une autre entreprise spécialisée dans les logiciels collaboratifs. En mars 2005, Microsoft avait racheté Groove Networks afin d'intégrer ses solutions dans la prochaine génération de sa suite bureautique Office. Ray Ozzie était ainsi devenu un employé de Microsoft.

Le montant qu'avait payé Microsoft pour acquérir Groove Networks n'avait pas été révélé, mais cela avait certainement fait de Ray Ozzie, déjà multimillionnaire, un homme encore plus riche. Sur certains aspects, cependant, sa situation n'était pas si confortable. Il n'était au départ que l'un des trois directeurs de la technologie de Microsoft, un

groupe de 70 000 personnes. Au départ, il avait dû se déplacer toutes les semaines entre son domicile de Boston sur la côte Est et le siège de Microsoft à Redmond sur la côte Ouest. Le changement par rapport à Groove Networks, une petite entreprise de 200 salariés, était considérable. Comme l'avait déclaré Ray Ozzie à MSNBC : « Ce qui est super avec une petite entreprise, c'est que vous pouvez vous consacrer entièrement à une seule chose, mais vous n'avez qu'un impact limité. Dans une organisation plus grande, mon impact sera certainement dispersé entre de nombreuses choses. »

Microsoft était effectivement une entreprise présente dans de nombreuses activités. Elle était à l'origine de Windows, le standard quasi universel de la micro-informatique, de la suite bureautique Office, de la console de jeux vidéo Xbox, du portail Internet MSN et de la télévision par câble MSNBC. En 2005, le groupe avait réalisé un chiffre d'affaires de 40 milliards de dollars et disposait d'une trésorerie de 35 milliards. Microsoft était toujours dominé par Bill Gates, qui l'avait fondé en 1975 et qui était fier d'y avoir travaillé chaque jour depuis 30 ans. En 2005, par-delà son poste de président du conseil d'administration, Bill Gates était toujours le directeur de l'activité logiciels.

Cependant, en 2005, le groupe semblait frappé d'immobilisme. Le chiffre d'affaires et le bénéfice continuaient à croître, mais le cours de l'action stagnait depuis plusieurs années. Après un pic à 60 dollars en janvier 2000, au plus fort de la bulle Internet, le cours fluctuait désormais autour de 25 dollars. Le modèle économique de Microsoft consistait à vendre des logiciels propriétaires en direct, soit aux utilisateurs, soit à des fabricants d'ordinateurs qui les préinstallaient sur leurs machines. Ce modèle était contesté par les logiciels libres (tels que Linux, OpenOffice ou Firefox) et des entreprises Internet dont les logiciels étaient gratuitement accessibles mais rémunérés par la publicité (tels que Google ou Yahoo!). Face à ces innovations, Microsoft était souvent considéré comme ayant une génération technologique de retard.

Ray Ozzie avait rejoint Microsoft en connaissance de cause. Comme le rappelait un article de *Fortune*, avant même d'être recruté, il avait participé, en mars 2005, à un séminaire de direction avec les 110 principaux cadres du groupe, dont Bill Gates. Ce séminaire de deux jours avait été organisé par le directeur général de Microsoft, Steve Ballmer, dans un hôtel de luxe équipé de deux terrains de golf surplombant l'océan Pacifique. Selon *Fortune*, ce séminaire avait commencé par un exercice de constitution d'équipes dans lequel les managers s'étaient répartis en groupes de 6 ou 7 personnes. Chaque groupe avait reçu un sac contenant les pièces d'un robot d'exploration de la planète Mars. L'objectif de l'exercice était de construire le robot le plus vite possible en utilisant le minimum de pièces. L'équipe de Bill Gates avait gagné. Le deuxième jour, les groupes avaient été répartis en une série de sessions de réflexion sur divers sujets stratégiques. Bill Gates, Ray Ozzie et plusieurs autres experts en technologie avaient été assignés à une session dont l'objectif consistait à définir les « fondamentaux » de Microsoft : ce que l'entreprise faisait mieux que quiconque et qui pouvait être utilisé dans toutes ses lignes de produits. Ray Ozzie décrivit cette session de la manière suivante : « C'est la première fois que j'ai eu l'opportunité de voir de l'intérieur comment les gens se comportent avec Bill. Lorsque le groupe est entré dans la salle, Bill s'est naturellement retrouvé en bout de table et tous les autres se sont répartis sur les côtés. D'une certaine manière, ils se comportaient avec déférence, mais en même temps Bill n'était qu'un des membres du groupe, participant comme les autres à une discussion animée. »

L'identification des fondamentaux de Microsoft était la question clé du séminaire. Cependant, Steve Ballmer sembla incapable de faire avancer la réflexion. Le groupe de managers qu'il chargea d'organiser un événement de plus grande ampleur afin d'approfondir le sujet refusa de le faire. Ils affirmèrent qu'il était prématuré de se pencher sur cette question et que d'impliquer plus de monde à ce stade risquait d'alarmer inutilement le personnel. L'énergie initiée par le séminaire semblait s'être évaporée, jusqu'à ce que Steve Ballmer demande à Ray Ozzie de creuser la question des fondamentaux. Il le chargea d'organiser un autre atelier stratégique en juin. Comme le confia Ray Ozzie à *Fortune* : « J'étais plutôt anxieux. Je n'avais encore jamais travaillé avec ces gars-là. »

Pour organiser ce deuxième atelier, Ray Ozzie collabora étroitement avec Bill Gates et avec d'autres membres du comité de direction. La réunion se déroula en une seule journée, dans un petit hôtel situé près du siège de Microsoft. Seuls 15 hauts responsables furent conviés, mais Bill Gates n'en faisait pas partie. L'hôtel était exigu et assez sommairement équipé : tous les participants étaient assis les uns à côté des autres dans une petite salle mal chauffée. La qualité de la nourriture déclencha des protestations. Avant la réunion, tous les participants avaient reçu un rapport de 51 pages rédigé par Ray Ozzie, dans lequel il diagnostiquait les risques stratégiques auxquels Microsoft était confronté.

Ray Ozzie lança la réunion en réaffirmant ces défis. *Fortune* rapporte qu'il conserva son style caractéristique de « génie sympathique et détendu », mais qu'il n'hésita pas à souligner les erreurs commises par Microsoft dans le passé. Cela déclencha une véritable catharsis : les participants

Étude de cas

osèrent révéler tout ce qui n'allait pas dans la stratégie technologique et organisationnelle de l'entreprise depuis des années. « C'était une succession d'histoires cachées, d'autocritiques et de confessions. » Pendant 14 heures, ces dirigeants de Microsoft débattirent de l'avenir de l'entreprise. Leur conclusion fut que Microsoft devait profondément changer. À la fin de la réunion, Steve Ballmer demanda à ses collègues : « si certains pensent que ce n'est pas une bonne idée, c'est maintenant qu'il faut le dire. » Il n'y eu aucune contestation.

Cette fois, Steve Ballmer et Ray Ozzie firent tout leur possible pour que le séminaire soit suivi d'effets. Ils planifièrent une série de réunions hebdomadaires d'une demi-journée chacune, auxquelles les participants à l'atelier furent très fortement incités à assister. Pendant 8 semaines, les 15 dirigeants discutèrent d'aspects spécifiques de la nouvelle stratégie dans une salle de réunion qui jouxtait le bureau de Steve Ballmer. Il existait encore beaucoup de controverses, mais les progrès étaient visibles. À la mi-septembre, Steve Ballmer annonça une série d'évolutions organisationnelles majeures et de promotions. La plus significative fut la fusion des divisions en charge de Windows et de MSN afin de créer une nouvelle division produits et services résolument tournée vers Internet. Dans le même temps, Ray Ozzie fut promu directeur de la technologie pour l'ensemble de Microsoft et on lui attribua un bureau au dernier étage, celui de la direction générale, à côté de ceux de Steve Ballmer et de Bill Gates.

La stratégie Internet commença à se déployer. À la fin octobre, Bill Gates et Ray Ozzie diffusèrent des notes internes. Celle de Bill Gates, datée du dimanche 30 octobre, qui avait pour sujet les logiciels de service sur Internet, fut envoyée à tout le comité exécutif et au groupe des meilleurs ingénieurs. Dans ce message, Bill Gates se remémorait une autre note qu'il avait rédigée 10 ans plus tôt, intitulée « Le raz-de-marée Internet », qui avait déclenché une véritable révolution au sein de Microsoft, en réaction à la première génération des applications Internet.

Il décrivait ensuite les défis posés par la nouvelle génération de services fondés sur le web. Il concluait en commentant la note de Ray Ozzie, qui figurait en pièce attachée à son propre message : « Je suis certain que nous considérerons ceci comme étant aussi fondamental que le raz-de-marée Internet. Ray souligne les grandes choses que nous pouvons faire avec nos partenaires en utilisant l'approche des services Internet. La prochaine révolution est en marche. »

La note de Ray Ozzie était datée du vendredi précédent et était adressée au comité exécutif. C'était un document de 5 000 mots (soit deux fois la longueur de ce cas) intitulé « La disruption des services Internet », qui commençait de la manière suivante : « Nous vivons des moments exaltants. Nous sommes au début du plus grand cycle de produits dans l'histoire de l'entreprise. » Il se référait au lancement de beaucoup de nouveaux produits tels que la Xbox 360 et il rappelait que :

> Nous avons lancé ces innovations alors que l'industrie était parcourue de profonds changements. Ce n'est pas la première fois que nous sommes confrontés à ce type de changements. Dans notre industrie, nous devons repenser notre stratégie et notre orientation environ tous les 5 ans.

Il rappelait trois des changements précédents, dont le raz-de-marée Internet, pour remonter jusqu'au début des années 1990. Il proposait ensuite un nouveau modèle économique fondé sur des logiciels Internet financés par la publicité. Il concluait ainsi son introduction :

> Comme par le passé, nous devons réfléchir sur ce qui se passe, définir nos forces, nos faiblesses et nos responsabilités, et réagir. Comme toujours, il est clair que si nous ne le faisons pas, l'entreprise, telle que nous la connaissons, est en danger. Nous devons répondre de manière rapide et décisive.

Son message continuait dans le détail, avec notamment une critique de la domination technologique de Microsoft sur son industrie : « Même si nos progrès ont été considérables, nos efforts d'innovation n'ont pas toujours donné les résultats escomptés. » Il évoquait des concurrents plus innovants, en nommant spécifiquement Google, Apple, Yahoo! et des start-up comme Flickr et Skype. Il proposait ensuite trois tendances fondamentales dans l'évolution de la concurrence : la puissance des modèles économiques construits sur les recettes publicitaires, l'efficacité de la distribution par Internet et la demande des utilisateurs pour des produits plus intégrés et plus simples, « qui marchent, un point c'est tout ». Il présentait de nouvelles opportunités, en insistant sur le fait que les utilisateurs étaient en attente d'expériences plus intégrées et plus conviviales, « sans ruptures », que ce soit dans la communication, le divertissement ou le travail. Il détaillait également des implications clés pour les différentes divisions de Microsoft.

La dernière partie du mémo de Ray Ozzie était particulièrement révélatrice. Dans une section intitulée « Ce qui est différent », il soulignait :

> Une manière de considérer ce mémo serait de dire « Par bien des aspects, c'est ce que nous faisons déjà, alors où est le problème ? » ou bien : « Nous avons essayé quelque chose d'équivalent il y plusieurs années. Pourquoi réussirions-nous cette fois ? » Ce sont des réaction compréhensibles. Le futur est construit à partir du passé.

Il présentait ensuite quatre principales différences avec le passé :

> J'ai de bonnes raisons d'être optimiste sur notre capacité à atteindre cette vision. Tout d'abord, je sais que Bill, Steve et le comité exécutif comprennent que l'efficacité opérationnelle de Microsoft sera améliorée en éliminant les obstacles au développement et à la livraison de nos produits. Notre récente réorganisation en trois grandes divisions constitue

une évolution majeure et les responsables de ces divisions sont prêts à conduire le changement.

Le mémo se terminait par une session intitulée « Prochaines étapes », qui précisait une chronologie grâce à laquelle les responsables de divisions chargeraient les managers de s'approprier des scénarios afin de conduire des initiatives, de travailler avec Ray Ozzie, de conduire des entretiens au sein de Microsoft et enfin de développer de nouveaux plans concrets. Ray Ozzie donnait l'adresse d'un blog interne qu'il animerait, sur lequel on pourrait trouver des documents sur ses propres réflexions passées et à venir. Il promettait également de mettre en œuvre des moyens de communication qui permettraient de conduire une véritable conversation.

Le 1er novembre, Bill Gates et Ray Ozzie révélèrent conjointement la nouvelle stratégie lors d'une conférence de presse à San Francisco. En juin 2006, Bill Gates annonça qu'il se retirerait de Microsoft dans les deux années suivantes. Ray Ozzie, qui avait déménagé dans un appartement situé près du siège de Microsoft, le remplaçait au poste de directeur de l'activité logiciels.

La « webification » de Microsoft se concrétisa par une prise de participation dans le site communautaire Facebook en octobre 2007, puis surtout en février 2008 par une spectaculaire offre de rachat de Yahoo!, pour 44,6 milliards de dollars.

Principales sources : D. Kirkpatrick et J. L. Yang, « Microsoft's new brain », *Fortune*, 15 mai 2006, pp. 52-63 ; « Bill Gates: Internet Software Services », disponible sur blogs.zdnet.com ; « Ray Ozzie: the Internet Services Disruption », disponible sur www.scripting.com ; « Microsoft to buy Groove Networks », MSNBC, 10 mars 2005 ; « Microsoft contre le reste du monde », *Aujourd'hui en France économie*, 3 décembre 2007, pp. 1-3 ; lemonde.fr, 1er février 2008.

Questions

1. Pourquoi le premier séminaire n'a-t-il pas permis de maintenir l'attention sur les « fondamentaux » de Microsoft ?

2. Pourquoi Ray Ozzie a-t-il réussi à susciter des actions après le second séminaire ?

3. Commentez la stratégie de communication de Ray Ozzie par rapport à la disruption des services Internet.

Commentaires sur la partie 3

Le déploiement stratégique

La partie 3 a été consacrée au déploiement stratégique. Dans la section 1.2, nous avons présenté la structure d'ensemble de l'ouvrage, en insistant sur le fait que le management stratégique ne doit pas être considéré comme un processus linéaire : contrairement au préjugé selon lequel la formulation de la stratégie précède nécessairement son déploiement, les concepts exposés tout au long de l'ouvrage sont en fait interdépendants. Cependant, par nécessité et pour des raisons d'impact pédagogique, l'ouvrage est présenté de manière linéaire.

Dans ces commentaires, nous allons utiliser les prismes stratégiques pour approfondir cette notion d'interdépendance et de non-linéarité. Que penser de l'idée selon laquelle le management stratégique est un processus qui débute par la formulation d'une stratégie et qui se termine par son déploiement ?

Remarquons que :

- Aucun des prismes n'est meilleur que les autres, mais ils fournissent des perspectives complémentaires sur la manière dont les managers font face à l'incertitude.
- Pour comprendre ce qui suit, vous devez préalablement avoir lu les commentaires introductifs figurant après le chapitre 1 : ils expliquent en quoi consistent les quatre prismes.

Le prisme de la méthode

Selon le principe que la pensée précède l'action, la stratégie est considérée comme un processus linéaire. Elle est d'abord formulée par les dirigeants, puis déployée au travers d'une série de démarches délibérées :

- Les dirigeants persuadent leurs subordonnés de la logique de la stratégie.
- La planification permet d'allouer les ressources nécessaires, de définir les horizons de temps et la séquence des actions à mener.
- La mise en place d'une structure organisationnelle et de systèmes de contrôle appropriés permet de suivre le déploiement de la stratégie : « la structure suit la stratégie ».
- Les dirigeants définissent le style de changement requis et actionnent les leviers nécessaires.

Le prisme de l'expérience

Les stratégies se développent sur la base de l'expérience et de la culture. La stratégie actuelle façonne la stratégie future. Les systèmes de contrôle et d'allocation de ressources, encastrés dans l'organisation, conditionnent également les orientations stratégiques. En fait, « la stratégie suit la structure ». L'idée selon laquelle le déploiement vient après la formulation est donc fausse.

Cependant, étant donné que la stratégie se développe de manière incrémentale, une dérive stratégique est possible, d'où la nécessité épisodique de réalignements directifs. Lors de ces épisodes interventionnistes, il est nécessaire de surmonter l'inertie culturelle et la résistance au changement. Cela peut impliquer la mise en doute des valeurs fondamentales et des hypothèses implicites sur lesquelles repose la culture de l'organisation.

Les organisations sont également des arènes politiques. Les managers doivent donc considérer la gestion du changement comme un processus politique et développer les qualités correspondantes.

Le prisme de la complexité

La stratégie résulte des idées qui émergent à l'intérieur et autour de l'organisation. La distinction entre la formulation et le déploiement n'a donc pas de sens.

Les dirigeants doivent repérer le potentiel des idées nouvelles et créer le contexte organisationnel qui leur permet d'émerger et de se développer. Pour cela, ils doivent garder à l'esprit que :

- Plus les interactions internes et externes sont riches, plus les idées nouvelles et les innovations sont susceptibles d'apparaître. Les structures formelles et les systèmes de contrôle sont des nécessités inévitables, mais elles peuvent créer des barrières et des frontières.
- Il peut être utile de changer les structures organisationnelles de manière à éviter que les interactions et les routines ne deviennent des sources d'inertie. Il convient d'encourager les « liens faibles » qui sont des sources d'idées nouvelles.
- Les contrôles pointilleux doivent être remplacés par quelques principes clés ou « règles simples ».
- Dans un environnement dynamique, il est inutile de lutter contre la « résistance au changement » car les organisations sont, en fait, dans un état permanent d'évolution.

Plutôt que de tenter d'orienter les stratégies de manière hiérarchique, les managers doivent construire des structures favorables à l'apprentissage organisationnel.

Le prisme du discours

La stratégie relève essentiellement du discours – qu'il soit écrit ou parlé. Le discours stratégique est nécessairement interprété par les parties prenantes. L'écart entre la stratégie voulue et son interprétation (et donc son déploiement) est généralement bien plus important que ce que supposent les managers.

Chacune des parties prenantes a sa propre identité et ses propres moyens de l'exprimer (son « récit »). Le message donné aux parties prenantes risque donc de ne pas être interprété comme prévu : chacune le « réécrit » afin qu'il s'insère dans son propre récit. Il est important de prendre en compte les déformations qui peuvent résulter de ce processus :

- Les contrôles n'ont pas nécessairement l'effet prévu lorsqu'ils ne sont pas en phase avec le récit de ceux qu'ils affectent. Des individus peuvent ainsi atteindre des objectifs ambitieux non pas parce qu'ils aiment les défis, mais parce qu'ils ne peuvent pas se permettre d'échouer.
- Les managers doivent choisir avec soin la nature du discours qu'ils emploient, en particulier lorsqu'ils cherchent à obtenir l'adhésion et la participation à un processus de changement.
- L'emploi d'un discours approprié aux besoins, aux attentes et au « récit » des parties prenantes peut très largement faciliter l'acceptation et le déploiement d'une stratégie.

Glossaire

A

L'**acceptabilité** désigne la performance attendue d'une stratégie et sa capacité à répondre aux attentes des parties prenantes

Les **acheteurs** sont les clients directs d'une organisation, mais pas nécessairement les clients finaux de son industrie

Une **acquisition** correspond au rachat d'une organisation par une autre organisation

Une **alliance** est une collaboration entre deux organisations concurrentes

Dans le cadre de la gestion du changement, une **analyse de champ de forces** identifie les forces qui facilitent le changement et celles qui l'entravent

L'**analyse SWOT** résume les conclusions essentielles de l'analyse de l'environnement et de la capacité stratégique d'une organisation

Selon l'**approche ressources et compétences** (ou resource-based view), l'avantage concurrentiel et la performance d'une organisation s'expliquent par la spécificité de ses capacités stratégiques

Les **ateliers stratégiques** (ou séminaires de réflexion stratégique) réunissent le plus souvent, hors de leur lieu de travail, des groupes de responsables qui réfléchissent de manière intensive pendant un jour ou deux sur la stratégie de leur organisation

L'**autonomie** définit dans quelle mesure le centre d'une organisation délègue la prise de décision aux niveaux inférieurs de la hiérarchie

L'**avantage au premier entrant** donne au concurrent qui est le premier à proposer une nouvelle offre un avantage sur ceux qui le suivent

B

Les **barrières à l'entrée** sont les facteurs que les entrants potentiels doivent surmonter pour pouvoir concurrencer les organisations déjà en place dans une industrie

C

La **capacité stratégique** d'une organisation résulte des ressources et compétences qui lui sont nécessaires pour survivre et prospérer

Les **capacités dynamiques** caractérisent l'aptitude d'une organisation à renouveler et à recréer ses compétences afin de répondre aux exigences d'un environnement en évolution rapide

Les **capacités seuil** sont celles qui sont indispensables pour pouvoir intervenir sur un marché donné

La **cartographie des parties prenantes** identifie les attentes et le pouvoir de chaque groupe d'ayants droit, ce qui permet d'établir des priorités politiques

La **chaîne de valeur** décrit les différentes étapes qui déterminent la capacité d'une organisation à obtenir un avantage concurrentiel en proposant une offre valorisée par ses clients

Un **champ sectoriel** est une communauté d'organisations partageant le même système d'interprétation

Les **choix stratégiques** incluent la sélection des stratégies futures, que ce soit au niveau de l'entreprise ou à celui des domaines d'activité stratégique, ainsi que l'identification des orientations et des modalités de développement

Le **client stratégique** est celui qui constitue la cible primordiale de la stratégie, car il a la plus forte influence sur la manière dont l'offre est achetée

Dans le cadre de la gestion du changement, la **coercition** correspond à un changement imposé par une autorité hiérarchique formelle

Dans le cadre de la gestion du changement, la **collaboration**, ou participation, consiste à impliquer tous ceux qui seront affectés par le changement dans l'identification des problèmes stratégiques, la définition des priorités, la prise de décisions et la planification

Les **compétences** sont les activités et les processus au travers desquels une organisation déploie ses ressources

Les **compétences fondamentales** sont les activités et les processus au travers desquels les ressources sont déployées de manière à obtenir un avantage concurrentiel difficilement imitable

Les **concurrents directs** sont les organisations qui proposent des produits ou services semblables aux mêmes clients

La **configuration** d'une organisation résulte de ses structures, de ses processus de coordination et de ses interactions

Les connaissances organisationnelles résultent de l'expérience collective partagée, accumulée au travers des systèmes, des routines et des activités de l'organisation

La consolidation consiste à défendre la position d'une organisation sur ses marchés actuels en maintenant son offre existante

Dans le cadre des stratégies internationales, des contributeurs sont des filiales localisées dans des zones géographiques de faible importance stratégique, mais qui détiennent des ressources clés, ce qui leur donne un rôle majeur dans le succès concurrentiel de l'organisation

On parle de contrôle financier lorsque le rôle du centre d'une organisation est limité à la définition des objectifs financiers, à l'allocation en capital, à l'évaluation des performances et à la correction d'éventuelles insuffisances

On parle de contrôle stratégique lorsque le centre d'une organisation ne conçoit pas la stratégie en spécifiant les tâches des divisions, mais en façonnant les comportements des managers et en modelant le contexte dans lequel ils interviennent

On parle de convergence lorsque des industries préalablement distinctes commencent à se chevaucher en termes d'activités, de technologies, de produits et de clients

La courbe d'expérience montre la diminution des coûts unitaires d'une organisation avec l'augmentation de son volume de production cumulé

Les critères de réussite permettent d'évaluer la probabilité de succès d'une option stratégique

La croissance interne – ou croissance organique – consiste à développer les stratégies à partir des propres capacités de l'organisation

La culture organisationnelle peut être définie comme l'ensemble des croyances et des convictions partagées par les membres d'une organisation qui déterminent inconsciemment et implicitement la représentation que celle-ci se fait d'elle-même et de son environnement

D

La dépendance de sentier décrit le fait que les événements et les décisions sont conditionnés par la succession d'événements et de décisions qui les ont précédés

Le déploiement stratégique consiste à mettre la stratégie en pratique

La dérive stratégique est la tendance des stratégies à se développer de manière incrémentale à partir d'influences historiques et culturelles, ce qui peut empêcher l'organisation de suivre les évolutions d'un environnement mouvant

Le développement de marchés consiste à proposer une offre existante sur de nouveaux marchés

Le développement de produits consiste à proposer une offre nouvelle sur des marchés existants

Un développeur est une direction générale qui cherche à utiliser ses propres compétences pour améliorer la performance de ses DAS

Le diagnostic stratégique consiste à comprendre l'impact stratégique de l'environnement externe, de la capacité stratégique de l'organisation (ses ressources et compétences) et des attentes et influences des parties prenantes

Le diamant de Porter suggère qu'il existe des raisons intrinsèques au fait que certaines nations – ou certaines industries au sein d'une même nation – sont plus compétitives que d'autres

La diffusion est le processus par lequel les innovations se répandent plus ou moins vite et plus ou moins largement auprès des utilisateurs

Dans la matrice BCG, un dilemme est un domaine d'activité suiveur sur un marché en croissance

Le dilemme global-local désigne l'arbitrage entre la standardisation internationale des offres ou leur adaptation aux spécificités locales

Dans le cadre de la gestion du changement, la direction suppose le recours à l'autorité personnelle d'un responsable chargé de définir clairement l'orientation de la stratégie et la manière de la déployer

Une direction de la stratégie est composée d'individus dont la responsabilité formelle est de contribuer aux processus stratégiques

La direction générale rassemble les responsables situés hiérarchiquement au-dessus des domaines d'activité stratégique et qui n'ont pas d'interaction directe avec les clients et les concurrents

La diversification consiste, pour une organisation, à s'engager sur des domaines d'activité dans lesquels elle n'est pas encore présente, tant en termes d'offres que de marchés

La diversification conglomérale correspond au développement d'activités qui ne présentent aucun point commun avec les activités existantes

La diversification liée correspond à un développement vers de nouvelles activités qui présentent des points communs avec les activités existantes

Un domaine d'activité stratégique (DAS) – ou strategic business unit (SBU) – est une sous-partie de l'organisation à laquelle il est possible d'allouer ou retirer des ressources de manière indépendante et qui correspond à une combinaison spécifique de facteurs clés de succès

E

Dans le cadre de la gestion du changement, l'**éducation** consiste en l'explication des raisons du changement et des moyens de sa mise en œuvre

L'**efficacité** est le rapport entre les résultats atteints et les objectifs assignés

L'**efficience** est le rapport entre les résultats atteints et les moyens utilisés

L'**entrepreneuriat social** désigne la création d'organisations non lucratives qui mobilisent des idées et des ressources dans le but de résoudre des problèmes sociaux

Un **espace stratégique** est une opportunité de marché insuffisamment exploitée par les concurrents

L'**étalonnage** – ou benchmarking – consiste à comparer la performance d'une organisation avec différentes pratiques de référence, internes ou externes à son industrie

Dans la matrice BCG, une **étoile** (ou star) est un domaine d'activité leader sur un marché en croissance

Dans le cadre des stratégies internationales, des **exécutants** sont des filiales qui se contentent d'exécuter les stratégies existantes, mais qui peuvent générer des ressources financières nécessaires à l'ensemble du groupe

L'**exploration de données** – ou data mining – consiste à trouver des tendances et des relations entre les données, de manière à améliorer la performance concurrentielle

F

Les **facteurs clés de succès** sont les éléments stratégiques qu'une organisation doit maîtriser afin de surpasser la concurrence

La **faisabilité** consiste à déterminer si une organisation possède les ressources et compétences nécessaires au déploiement d'une stratégie

Une **filière** est l'ensemble des liens interorganisationnels et des activités qui sont nécessaires à la création d'un produit ou d'un service

Dans une organisation, les **fonctions de soutien** améliorent l'efficacité ou l'efficience des fonctions primaires

Dans une organisation, les **fonctions primaires** assurent l'offre de produits ou de services, et sont donc directement impliquées dans la création de valeur

Les **fournisseurs** approvisionnent une organisation avec ce dont elle a besoin pour produire ses propres biens ou services

Une **fusion** est la décision mutuellement consentie par des organisations de partager leur possession

G

Les **gains** sont les bénéfices que les parties prenantes d'une organisation peuvent espérer retirer d'une stratégie

Un **gestionnaire de portefeuille** est une direction générale qui agit pour le compte des marchés financiers ou des actionnaires

Un **gestionnaire de synergies** est une direction générale qui cherche à accroître la performance des DAS en s'appuyant sur leurs synergies

Un **gisement de valeur** est une zone de la filière dans laquelle les profits sont particulièrement élevés

Le **gouvernement d'entreprise** désigne les structures et les systèmes de contrôle qui définissent les responsabilités des managers à l'égard des parties prenantes d'une organisation

Au sein d'une industrie, les **groupes stratégiques** réunissent les organisations dont les caractéristiques stratégiques sont semblables, qui suivent des stratégies comparables ou qui s'appuient sur les mêmes facteurs de concurrence

H

L'**hypercompétition** caractérise un environnement dans lequel la fréquence, l'amplitude et l'agressivité des interactions concurrentielles génèrent une situation de déséquilibre permanent

I

L'**incrémentalisme logique** est l'élaboration d'une stratégie au travers d'expérimentations et d'engagements ponctuels

Une **industrie** est un groupe d'organisations proposant la même offre de biens ou de services

L'**innovation** implique la conversion de nouvelles connaissances dans un nouveau produit, un nouveau service ou un nouveau procédé, et la mise à disposition de cette nouvelle offre, soit par une commercialisation, soit au moyen d'autres techniques de diffusion

Même si sa performance est initialement inférieure à celle des technologies existantes, une **innovation disruptive** peut leur devenir significativement supérieure

L'**intégration horizontale** consiste en un développement vers des activités qui sont concurrentes ou complémentaires par rapport aux activités existantes

L'**intégration vers l'amont** consiste en un développement vers les étapes situées en amont de l'organisation dans la filière

L'**intégration vers l'aval** consiste en un développement vers les étapes situées en aval de l'organisation dans la filière

L'**intégration verticale** désigne le développement vers des activités adjacentes de la filière, que ce soit vers l'amont ou vers l'aval

Au travers de l'**internationalisation progressive**, les organisations utilisent initialement des modalités d'implantation qui leur permettent à la fois de maximiser leur acquisition de connaissances et de minimiser l'exposition de leurs actifs

Selon l'**interprétation culturelle**, la stratégie émerge des hypothèses implicites et des comportements partagés par les membres de l'organisation

L'**interprétation politique** postule que la stratégie résulte de processus de marchandage et de négociation entre des groupes d'intérêt internes et externes à l'organisation

Dans le cadre de la gestion du changement, l'**intervention** implique la coordination du processus de changement par une autorité qui délègue en grande partie la mise en œuvre

L

Dans le cadre des stratégies internationales, des **leaders stratégiques** sont des filiales qui détiennent des ressources et compétences de haut niveau et qui sont implantées sur des marchés dont l'importance est cruciale

Dans le cadre de la gestion du changement, le **leadership** est la capacité à amener une organisation (ou un groupe au sein d'une organisation) à atteindre certains objectifs

La gestion des **leviers stratégiques** concerne les interactions réciproques entre la stratégie de l'organisation et des domaines de ressources tels que les ressources humaines, l'information, les ressources financières ou la technologie

M

Le **management stratégique** inclut le diagnostic stratégique, les choix stratégiques et le déploiement stratégique

La **matrice attraits/atouts** positionne chacun des DAS selon (a) l'attrait de leur marché et (b) les atouts concurrentiels de l'organisation sur ce marché

La **matrice BCG** positionne chacun des DAS selon (a) leur part de marché relative et (b) le taux de croissance de leur marché

À l'intérieur d'une organisation, la mise en place de **mécanismes de marché** implique un système formalisé de contractualisation pour l'obtention des ressources

La **mission** d'une organisation est l'affirmation de son intention fondamentale et de sa raison d'être

Les **modalités de développement** sont les méthodes permettant de conduire une orientation stratégique

Le **modèle des 5 forces de la concurrence** permet d'évaluer l'attractivité d'une industrie en termes d'intensité concurrentielle

Selon le **modèle des routines d'allocation de ressources** (RAR), la stratégie émerge à partir de la manière dont les ressources sont allouées dans l'organisation

Un **modèle économique** – ou business model – décrit la structure de l'offre d'une organisation, son positionnement au sein de sa filière et le profit qui peut en résulter

Le **modèle PESTEL** répartit les influences environnementales en six grandes catégories : politiques, économiques, sociologiques, technologiques, écologiques et légales

O

Les **objectifs** sont l'affirmation des résultats spécifiques qui doivent être atteints par une organisation

Les **objectifs de performance** concernent les résultats d'une organisation, comme la qualité, les prix ou le profit

Une **organisation apprenante** est capable de se régénérer continûment grâce à la variété des connaissances, des expériences et des compétences individuelles, et grâce à une culture qui encourage les débats et les défis au travers d'une vision commune ou d'une intention partagée

Une **organisation virtuelle** coordonne au long d'une même chaîne de valeur plusieurs organisations capitalistiquement indépendantes, grâce à la confiance et à la possession de ressources clés

P

Le **paradigme** désigne un ensemble de convictions partagées et implicites au sein d'une organisation

Un **partenariat** est une collaboration entre des organisations qui ne sont pas concurrentes

Les **parties prenantes** – ou ayants droit – sont les individus ou les groupes qui dépendent d'une organisation pour atteindre leurs propres buts et dont cette organisation dépend également

La **pénétration de marché** consiste à accroître la part de marché détenue par une organisation

La **pertinence** désigne l'adéquation entre une stratégie et les conclusions du diagnostic stratégique d'une organisation

Dans le cadre de la gestion du changement, un **plan de redressement** est une opération de changement rapide consistant à réduire fortement les coûts et/ou à accroître significativement le chiffre d'affaires d'une organisation

Un **plan stratégique** fournit les données et les arguments en faveur d'une stratégie particulière pour l'organisation dans son ensemble, sur une durée relativement longue

La **planification** consiste à déployer les stratégies au travers de systèmes formels qui spécifient l'allocation des ressources et vérifient leur utilisation

La **planification stratégique** vise à élaborer et coordonner la stratégie d'une organisation grâce à des procédures systématisées, ordonnées et séquentielles

Dans la matrice BCG, un **poids mort** est un domaine d'activité suiveur sur un marché statique ou en déclin

Un **point de bascule** est le moment où la demande pour un produit ou un service connaît brutalement une croissance exponentielle

Le **pouvoir** est la capacité des individus ou des groupes à persuader, inciter ou forcer les autres à modifier leur comportement

Les **prismes stratégiques** sont quatre points de vue au travers desquels les processus stratégiques peuvent être interprétés

Les **processus culturels** reposent sur la culture organisationnelle et la standardisation des normes

La **promotion d'un problème stratégique** consiste à obtenir l'attention et l'appui des dirigeants et d'autres parties prenantes influentes au sujet d'une question stratégique particulière

La **prospection globale** – ou global sourcing – consiste à acheter les services et les composants auprès des fournisseurs les plus appropriés à l'échelle mondiale, quelle que soit leur localisation

R

Un **rapport stratégique** fournit les données et les arguments en faveur d'une proposition stratégique particulière, par exemple l'investissement dans un nouvel équipement

Une **recette** est un ensemble de présupposés, de normes et de routines partagés au sein d'un champ sectoriel à propos des objectifs organisationnels et des pratiques de gestion considérées comme «bonnes»

Le **réformateur** est l'individu – ou le groupe – qui conduit effectivement le processus de changement dans une organisation

La **responsabilité sociale de l'entreprise** définit de quelle manière une organisation excède ses obligations minimales envers ses différentes parties prenantes

Les **ressources intangibles** sont les actifs immatériels dont dispose une organisation, comme l'information, la réputation et les connaissances

Les **ressources tangibles** sont les actifs physiques dont dispose une organisation, comme ses ressources humaines, ses ressources financières ou ses équipements

Les **ressources uniques** sont celles qui sous-tendent l'avantage concurrentiel d'une organisation et que ses concurrents ne peuvent ni imiter ni obtenir

Le **risque** désigne la probabilité et les conséquences de l'échec d'une stratégie

S

Un **scénario** est une représentation plausible de différents futurs envisageables, obtenue à partir de la combinaison de variables pivot incertaines

La **segmentation stratégique** consiste à subdiviser une organisation en domaines d'activité stratégique

Un **segment de marché** est un groupe de clients ou d'utilisateurs dont les besoins spécifiques diffèrent de ceux des autres clients ou utilisateurs présents sur le marché

Avec pour objectifs la réponse aux attentes des parties prenantes et l'obtention d'un avantage concurrentiel, la **stratégie** consiste en une allocation de ressources qui engage l'organisation dans le long terme en configurant son périmètre d'activité

La **stratégie d'entreprise** concerne le dessein et le périmètre d'une organisation dans sa globalité et la manière dont elle ajoute de la valeur à ses différentes activités

La **stratégie d'épuration** consiste à proposer, pour un prix réduit, une offre dont la valeur perçue est inférieure à celle des concurrents

La **stratégie de différenciation** consiste à proposer une offre dont la valeur perçue est différente de celle des offres des concurrents

La **stratégie de focalisation** – ou stratégie de niche – consiste à proposer une offre très fortement différenciée qui ne peut attirer qu'une frange de clientèle

La **stratégie de prix** consiste à proposer une offre dont la valeur perçue est comparable à celle des offres concurrentes, mais à un prix inférieur

La **stratégie de sophistication** consiste à proposer un produit ou service dont la valeur est jugée supérieure à celles des offres concurrentes

Une **stratégie délibérée** est l'expression de l'orientation intentionnellement formulée ou planifiée par les managers

Dans la théorie des jeux, la **stratégie dominante** est celle dont la performance est supérieure à toutes les autres, quels que soient les choix des concurrents

Une **stratégie émergente** résulte des routines, des processus et des activités quotidiennes de l'organisation

La **stratégie hybride** consiste à proposer simultanément un surcroît de valeur et une réduction de prix par rapport aux offres concurrentes

La **stratégie par domaine d'activité** consiste à identifier les facteurs clés de succès sur un marché particulier

La **stratégie réalisée** est la stratégie effectivement suivie dans la pratique

Les **stratégies génériques** (ou **stratégies concurrentielles**) sont les approches (réduction de prix, différenciation, focalisation) qui permettent d'établir un avantage concurrentiel au niveau d'un domaine d'activité stratégique

Les **stratégies opérationnelles** déterminent comment les différentes composantes de l'organisation (ressources, processus, savoir-faire des individus) déploient effectivement les stratégies définies au niveau global et au niveau des DAS

Une **structure divisionnelle** est composée de divisions par produits, clients ou zones géographiques

Une **structure fonctionnelle** est construite à partir des fonctions essentielles à une organisation, telles que production, finance, marketing, gestion des ressources humaines, et recherche et développement

Une **structure matricielle** résulte du croisement de divisions produits et de divisions géographiques, ou d'une structure fonctionnelle avec une structure divisionnelle

Une **structure par projets** est une structure par équipes temporaires, dédiées à un projet et dissoutes une fois que celui-ci est achevé

Une **structure transnationale** conjugue la réactivité locale avec la coordination globale

Les **substituts** peuvent réduire la demande pour une catégorie de produits ou services en captant les attentes des clients

La **supervision directe** correspond au contrôle direct de l'allocation des ressources par un ou plusieurs individus

Les **symboles** sont des objets, des événements, des actes ou des individus qui expriment plus que leur réalité intrinsèque

Une **synergie** correspond à la situation où deux DAS ou plus sont complémentaires, de telle manière que leur performance combinée est supérieure à la somme de leurs performances individuelles

T

Un **tableau de bord prospectif** – ou balanced scorecard – combine des indicateurs qualitatifs et quantitatifs, prend en compte les attentes des différentes parties prenantes et situe l'évaluation de la performance dans la perspective de la stratégie choisie

Le **test d'hypothèse** est une méthode utilisée dans le cadre des projets stratégiques afin d'établir des priorités dans la recherche d'options

La **théorie des jeux** étudie les interdépendances entre les actions d'un ensemble de concurrents

Le **tissu culturel** est une représentation des manifestations physiques et symboliques du paradigme d'une organisation

Dans le cadre des stratégies internationales, des **trous noirs** sont des filiales situées dans des pays qui sont essentiels au succès concurrentiel de l'organisation, mais qui ne disposent pas des ressources et compétences nécessaires

V

Dans la matrice BCG, une **vache à lait** est un domaine d'activité leader sur un marché mature

La **valeur actionnariale** est déterminée par la capacité d'une organisation à générer des flux de trésorerie positifs de manière durable

Les **valeurs fondamentales** sont les principes qui sous-tendent la stratégie d'une organisation

Les **variables pivot** sont les facteurs susceptibles d'affecter significativement la structure d'une industrie ou d'un marché

Le **verrouillage** consiste, pour une organisation, à imposer au marché sa technologie ou sa démarche, jusqu'à en faire un standard de l'industrie

La **vision** d'une organisation décrit ce qu'elle aspire à devenir

Bibliographie francophone

ADLER E., LAURIOL J., « La segmentation, fondement de l'analyse stratégique », *Harvard l'Expansion*, Printemps 1986, pp. 99-112.

ALBERT M., *Capitalisme contre Capitalisme*, Seuil, 1993.

ALEXANDRE-BAILLY F., BOURGEOIS D., GRUÈRE J.-P., RAULET-CROSET N., ROLAND-LÉVY C., *Comportements humains et management*, 2e édition, Pearson Education, 2006.

ANSOFF I., MCDONNEL E., *Stratégie du développement de l'entreprise*, Éditions d'Organisation, 1989.

ATAMER T., CALORI R., *Diagnostic et décision stratégiques*, Dunod, 1993.

AUBERT N., GRUÈRE J.-P., JABES J., LAROCHE H., MICHEL S., *Management, aspects humains et organisationnels*, PUF, 2005.

BADOT O., *Théorie de l'entreprise agile*, L'Harmattan, 1997.

BALOGUN J., HOPE HAILEY V., VIARDOT É., *Stratégies du changement*, 2e édition, Pearson Éducation, 2005.

BANCEL F., *La gouvernance des entreprises*, Economica, 1998.

BARREYRE P.Y., *L'impartition, politique pour une entreprise compétitive*, Hachette, 1968.

BARTHÉLÉMY J., *Stratégies d'externalisation*, 3e édition, Dunod, 2006.

BARTLETT C.A., GHOSHAL S., *Le management sans frontières*, Éditions d'Organisation, 1991.

BASSO O., BIELICZKY P., *Guide pratique du créateur de start-up*, Éditions d'Organisation, 1999.

BATSCH L., *Finance et stratégie*, Economica, 1999.

BAUMARD P., *Analyse stratégique*, Dunod, 2000.

BERGER M., BOUDEVILLE J., *Management stratégique des PME/PMI. Guide Méthodologique*, Economica, 1991.

BESCOS P.L., DELMOND M.-H., GIRAUD F., NAULLEAU G., SAULPIC O., *Contrôle de gestion et pilotage de la performance*, Gualino, 2002.

BESCOS P.-L., DOBLER P., MENDOZA C., NAULLEAU G., GIRAUD F., LERVILLE-ANGER V., *Contrôle de gestion et management*, 4e édition, Montchrestien, 1997.

BESSON P., *Dedans, dehors. Les nouvelles frontières de l'organisation*, Vuibert, 1997.

BLANC G., DUSSAUGE P., QUELIN B., « Stratégies concurrentielles et différenciation », *Gérer et Comprendre*, septembre 1991, pp. 75-86.

BLOCH A., MANCEAU D. (eds), *De l'idée au marché*, Vuibert, 2000.

BODIE Z., MERTON R., THIBIERGE C., *Finance*, 2e édition, Pearson Education, 2007.

BOSCHE M., *Le management interculturel*, Nathan, 1993.

BOUDÈS T., « La formulation de la stratégie d'entreprise comme mise en récit », *Management International*, vol. 8, n° 2, (2004), pp. 25-31.

BOUDEVILLE J., MEYER J., *Stratégies d'entreprise : formulation et mise en œuvre*, PUF, 1986.

BOUILLOUD J.-P., LECUYER B.-P., *L'invention de la gestion*, L'Harmattan, 1994.

BOURNOIS F., DUVAL-HAMEL J., ROUSSILLON S., SCARINGELLA J.-L., (eds.) *Comités exécutifs, voyage au cœur de la dirigeance*, Éditions d'Organisation, 2007.

BRANDENBURGER A., NALEBUFF B., *La Coopétition*, Village Mondial, 1996.

BRAVARD J.-L., MORGAN R, FRÉRY F., *Réussir une externalisation*, Pearson Education, Paris, 2007.

BROUSTAIL J., FRÉRY F., *Le Management stratégique de l'innovation*, Dalloz, 1993.

BROUSTAIL J., GREGGIO R., *Citroën : essai sur quatre-vingts ans d'anti-stratégie*, Vuibert, 2000.

CADIN L., GUÉRIN F., PIGEYRE F., *Gestion des ressources humaines : pratique et éléments de théorie*, Dunod, 3e édition, 2006.

CAHUC P., *La nouvelle microéconomie*, La Découverte, 1993.

CAPRON M., QUAIREL F., *La responsabilité sociale d'entreprise*, La Découverte, 2007.

CHALIAND G., *Anthologie mondiale de la stratégie*, Bouquins, Robert Laffont, 4e édition, 2001.

CHANDLER A.D., *Stratégies et structures de l'entreprise*, Éditions d'Organisation 2006.

CHARREAUX G., *Le gouvernement des entreprises. Corporate governance : théories et faits*, Economica, 1997.

CLAUSEWITZ (von) C., *De la guerre*, Perrin, 1999.

Collectif, *L'art du Management de l'information*, Village Mondial, 2000.

Collectif, *MBA, l'essentiel du management par les meilleurs professeurs*, Éditions d'Organisation, 2005.

Collectif, *L'art de la Croissance*, Village Mondial, 2007.

COLLINS J., *De la performance à l'excellence*, Pearson Education, 2006.

COLLINS J., PORRAS J., *Bâties pour durer : les entreprises visionnaires ont-elles un secret ?*, First, 1996.

COMBEMALE M., IGALENS J., *L'audit Social*, PUF, 2005.

CORBEL P., *Management stratégique des droits de la propriété intellectuelle*, Gualino, 2007.

CORDIER D., FRÉRY F., *Les 7 familles de l'assurance*, Vuibert, 2003.

CROZIER M., FRIEDBERG E., *L'acteur et le système. Les contraintes de l'action collective*, Seuil, 1977.

CYERT R.M., MARCH J.G., *Processus de décision dans l'entreprise*, Dunod, 1970.

D'AVENI R., GUNTHER R., *Hypercompétition*, Vuibert, 1995.

D'IRIBARNE P., *La logique de l'honneur*, Seuil, 1989.

D'IRIBARNE P., HENRY A., SEGAL J.-P., *Cultures et mondialisation : gérer par-delà les frontières*, Seuil, 1998.

DAYAN A. (ed.), *Manuel de gestion*, vol. 1, 2e édition, Ellipses/AUF, 2004.

DESREUMAUX A., LECOCQ X., WARNIER V., *Stratégie*, Pearson Éducation, 2006.

DÉTRIE J.-P., DROMBY F., MOINGEON B., « Comment perdre par raison et gagner par chance. Effets pervers et stratégie d'entreprise », *Gérer et Comprendre*, n° 35, juin (1994).

DÉTRIE J.-P., RAMANANTSOA B., *Stratégie de l'entreprise et diversification*, Nathan, 1983.

DOZ Y., HAMEL G., *L'avantage des alliances*, Dunod, 2000.

DRUCKER P., *L'avenir du management selon Drucker*, Village Mondial, 1999.

DUMEZ H., JEUNEMAÎTRE A., *La concurrence en Europe. De nouvelles règles du jeu pour les entreprises*, Seuil, 1991.

DURAND R., GOMEZ P.-Y., MONIN P., « Le management stratégique face à la théorie des options », *Revue Française de Gestion*, vol. 28, n° 137, janvier-mars 2002, pp. 45-60.

DUSSAUGE C., RAMANANTSOA B., *Technologie et stratégie d'entreprise*, McGraw-Hill, 1987.

ETTIGHOFFER D., *L'entreprise virtuelle ou les nouveaux modes de travail*, 2e édition, Odile Jacob, 2000.

FERNEZ-WALCH S., ROMON F., *Management de l'innovation*, Vuibert, 2006.

FIEVET G., *De la stratégie militaire à la stratégie d'entreprise*, InterÉditions, 1992.

FRÉRY F., « Le management des ruptures technologiques », *Les Échos*, n° 18372, 28 mars 2001, pp. 4-5.

FRÉRY F., *Benetton ou l'entreprise virtuelle*, 2e édition, Vuibert, 2003.

FRÉRY F., « Propositions pour une axiomatique de la stratégie », *Actes de la XIIIe conférence de l'Association internationale de management stratégique (AIMS)*, Normandie Vallée de Seine, juin 2004 (disponible sur www.strategie-aims.com).

FRÉRY F., « Valeur, Imitation, Périmètre : le modèle VIP », *L'Expansion Management Review*, n° 124, septembre 2007, pp. 80-87.

FRÉRY F., « Le low cost tue la prospérité », *Courrier Cadres*, n° 1611 (2006), pp. 36-37.

FRÉRY F., LAW-KHENG F., « La réinternalisation, chaînon manquant des théories de la firme », *Revue Française de Gestion*, vol. 33/177 (2007), pp. 163-179.

FRÉRY F., LAROCHE H, *Stratégie : s'adapter ou construire*, dans *L'art du Management* (collectif), Village Mondial, 1997.

FRIEDMAN T., *La terre est plate : une brève histoire du XXIe siècle*, Saint-Simon.

GARRETTE B., DUSSAUGE P., *Les stratégies d'alliance*, Éditions d'Organisation, 1995.

GAUTHEY F., XARDEL D., *Management interculturel : mythes et réalités*, Economica, 1990.

GETZ I., ROBINSON A., *Vos idées changent tout !*, Éditions d'Organisation, 2003.

GIGET M., « Arbres technologiques et arbres de compétences », *Futuribles*, novembre 1989.

GIGET M., *La dynamique stratégique de l'entreprise*, Dunod, 1998.

GLADWELL M., *Le point de bascule*, Intercontinental, 2003.

GODET M., *Manuel de Prospective Stratégique*, 2 tomes, Dunod, 2007.

GHOSN C., Ries P., *Citoyen du monde*, Grasset, 2003.

GOULD S.J., *La foire aux dinosaures*, Seuil, 1993.

GROVE A., *Seuls les paranoïaques survivent*, Village Mondial, 2004.

HAMEL G., *La révolution en tête*, Village Mondial, 2000.

HAMEL G., *La fin du management*, Vuibert, 2008.

HAMEL G., PRAHALAD C.K., « La stratégie à effet de levier », *Harvard L'Expansion*, été 1993, pp. 43-54.

HAMEL G., PRAHALAD C.K., *La conquête du futur*, InterÉditions, 1995.

HAMMER M., CHAMPY J., *Le reengineering*, Dunod, 2003.

HATCHUEL A., WEIL B., *L'expert et le système*, Economica, 1992.

HELFER J.-P., KALIKA M., ORSONI J., *Management, stratégie et organisation*, Vuibert, 2006.

INGHAM M., *Management stratégique et compétitivité*, De Boeck, 1995.

JACOMY B., *L'âge du plip*, Seuil, 2002.

JALLAT F., *À la reconquête du client, stratégies de capture*, Village Mondial, 2001.

JOFFRE O., PLÉ L., SIMON E. (eds), *Cas en management stratégique*, EMS, 2007.

JOFFRE P., AURÉGAN P., CHÉDOTEL F., TELLIER A., *Le Management stratégique par le projet*, Economica, 2006.

JOFFRE P., KOENIG G., *Stratégie d'entreprise – antimanuel*, Economica, 1985.

JOFFRE P., LAURIOL J., MBENGUE A. (eds), *Perspectives en Management stratégique*, EMS, 2005.

JOKUNG O., ARRÈGLE J.-L., ULAGA W., *Introduction au management de la valeur*, Dunod, 2001.

JOSSERAND E., « Le pilotage des réseaux. Fondements des capacités dynamiques de l'entreprise », *Revue Française de Gestion*, vol. 33/175 (2006), pp. 95-102.

KIM W.C., MAUBORGNE R., *Stratégie Océan Bleu*, Village Mondial, 2005.

KOENIG G., *Management stratégique*, Nathan, 1996.

KOLB F., *La Qualité. Essai sur l'évolution des pratiques de management*, Vuibert, 2001.

KOTLER P., DUBOIS B., MANCEAU D., *Marketing management*, 12e édition, Pearson Éducation, 2006.

LABASSE P., *Antoine Riboud, un patron dans la cité*, Le Cherche midi, 2007.

LAROCHE H., NIOCHE J.-P. (eds) *Repenser la stratégie, fondements et perspectives*, Vuibert, 1998.

LE NAGARD-ASSAYAG E., MANCEAU D., *Marketing des nouveaux produits : de la création au lancement*, Dunod, 2005.

LE ROY F., *Stratégie militaire et management stratégique des entreprises : une autre approche de la concurrence*, Economica, 1999.

LEMAIRE J.-P., PETIT G., *Stratégies d'Internationalisation*, 2e édition, Dunod, 2003.

LEMAIRE J.-P., RUFFINI P.-B., *Vers l'Europe bancaire*, Dunod, 1993.

LERVILLE-ANGER V., FRÉRY F., GAZENGEL A., OLLIVIER A., *Conduire le diagnostic global d'une unité industrielle*, Éditions d'Organisation, Paris, 2001.

LOILIER T., TELLIER A., « Comment peut-on se faire confiance sans se voir ? Le cas du développement des logiciels libres », *M@n@gement*, vol. 7, n° 3 (2004), pp. 275-306.

LOILIER T., TELLIER A. (eds), *Les grands auteurs en stratégie*, EMS, 2007

LORINO P., *Méthodes et pratiques de la performance*, Éditions d'Organisation, 2006.

MACHIAVEL N., *Le Prince*, Librairie Générale Française, 1983.

MAILLET-BAUDRIET C., LE MANH A., *Normes comptables internationales IAS-IFRS*, 5e édition, Foucher, 2007.

MAÎTRE B., ALADJIDI G., OLLIVIER A., *Les business models de la nouvelle économie*, Dunod, 2000.

MARMUSE C., *Politique générale*, 2e édition, Economica, 1996.

MARTINET A.-C., THIÉTART R.-A., *Stratégies : actualité et futurs de la recherche*, Vuibert, 2001.

MENDOZA C., DELMOND M.-H., GIRAUD F., LÖNING H., DE FONT RÉAULX A., *Tableaux de bord et balanced scorecards*, Groupe Revue Fiduciaire, 2005.

MILLER D., *Le paradoxe d'Icare*, ESKA, 1993.

MINTZBERG H., *Structure et dynamique des organisations*, Éditions d'Organisation, 1982.

MINTZBERG H., *Le pouvoir dans les organisations*, Éditions d'Organisation, 1986.

MINTZBERG H., *Le management, voyage au centre des organisations*, Éditions d'Organisation, 1990.

MINTZBERG H., *Grandeur et décadence de la planification stratégique*, Dunod, 1994.

MINTZBERG H., *Le manager au quotidien*, Éditions d'Organisation, 2006.

MINTZBERG H., AHLSTRAND B., LAMPEL J., *Safari en pays stratégie*, Village Mondial, 1999.

MOUSSE J., *Éthique et entreprises*, Vuibert, 1993.

NONAKA I., TAKEUCHI H., INGHAM M., *La Connaissance créatrice : la dynamique de l'entreprise apprenante*, De Boeck, 1997.

PACHÉ J.-G., PARAPONARIS C., *L'entreprise en réseau*, PUF, 1993.

PORTER M.E., *Choix stratégiques et concurrence : techniques d'analyse des secteurs et de la concurrence dans l'industrie*, Economica, 1982.

PORTER M.E., *L'Avantage concurrentiel : comment devancer ses concurrents et maintenir son avance*, InterÉditions, 1986.

PORTER M.E., *L'avantage concurrentiel des nations*, InterÉditions, 1993.

PORTER M.E., « Plaidoyer pour un retour de la stratégie », *L'Expansion Management Review*, n° 84 (1997).

PRAX J.-Y., BUISSON B., SILBERZAHN P., *Objectif Innovation*, Dunod, 2005.

RAIMBAULT M., SAUSSOIS J.-M., *Organiser le changement*, Éditions d'Organisation, 1983.

RAMANANTSOA B., « Voyage en stratégie », *Revue Française de Marketing*, Cahiers 99 bis, 1984.

RANKINE D., HAWSON P., FRÉRY F., *Réussir une acquisition*, Pearson Education, 2006.

REITTER R., *Cultures d'entreprises, études sur les conditions de réussite du changement*, Vuibert, 1991.

RIFKIN J., *L'âge de l'accès*, La Découverte, 2000.

RIVOLI P., *Les aventures d'un tee-shirt dans l'économie globalisée*, Fayard, 2007.

ROBBINS S., DECENZO D., GABILLIET P., *Management*, 4e édition, Pearson Education, 2004.

SAUSSOIS J.-M., *Capitalisme sans répit*, La Dispute, 2006.

SAUSSOIS J.-M., *Théories des organisations*, La Découverte, 2007.

SHILLING M., THÉRIN F., *Gestion de l'innovation technologique*, Maxima, 2006.

SEIDEL F., *Guide pratique et théorique de l'éthique des affaires et de l'entreprise*, Eska, 1995.

SENGE P., GAUTHIER A., *La cinquième discipline, l'art et la manière des organisations qui apprennent*, First, 1991.

SLYWOTZKY A., *La migration de la valeur*, Village Mondial, 1998.

SIMON H.A., LESOURNE J., *Le nouveau management, la décision par les ordinateurs*, Economica, 1980.

STOLOWY H., PUJOL E., MOLINARI M., « Audit financier et contrôle interne. L'apport de la loi Sarbanes-Oxley », *Revue Française de Gestion*, vol. 29/147 (2003), pp. 133-143.

STRATEGOR (collectif), *Strategor*, 4e édition, Dunod, 2005.

TÉNIÈRE-BUCHOT P.-F., *L'ABC du pouvoir*, Éditions d'Organisation, 1989.

THIBIERGE C., *Analyse financière*, 2e édition, Vuibert, 2007.

THIÉTART R.A., XUEREB, J.-M., *Stratégies*, Dunod, 2005.

THOMAS J.-L. et BOURDELÈS G., *ERP et Progiciels de gestion intégrés*, Dunod, 5e édition, 2007.

TORRES F., LABASSE P., *Mémoire de Danone*, Le Cherche midi, 2003.

TZU S., *L'art de la guerre*, Economica, 1999.

VAAST E., « Les communautés de pratique sont-elles pertinentes ? », *actes de la XIe conférence de l'AIMS*, juin 2002.

WELCH J., BYRNE J., *Ma vie de Patron*, Village Mondial, 2001.

Index des noms

Index des notions